コンメンタール会社法施行規則・電子公告規則

Kommentar

[第3版]

弥永真生

商事法務

第 3 版まえがき

　2007年に本書の初版を，2015年に第 2 版を出版させていただいた後，会社法施行規則および電子公告規則の改正がなされ，2020年11月には令和元年会社法改正に対応する改正がなされました。

　そこで，このたび，改正への対応のほか，表現の統一，第 2 版に含まれていた誤字脱字等や明らかな誤りの修正を行い，第 3 版として刊行させていただくことになりました。また，初版の時点では電磁的記録媒体の典型は磁気ディスクであったのに対し，今や，フロッピーディスクはほとんど目にすることがなく，USB メモリが普及していることに驚かされます。

　なお，初版刊行時または第 2 版刊行時から改正されていない部分についての引用文献の補正は最小限にとどめておりますので，本書と併せて，『会社法コンメンタール』などをご参照いただければさいわいです。

　なお，令和 2 年改正の未施行条文については，それぞれ各条項の末尾に，条文を点線囲みで示し，その下に解説を付しています。

　本書のように採算性が乏しく，マニアックな書籍の改訂の機会を与えていただいた株式会社商事法務に感謝するとともに，改訂にあたって丁寧なチェック，コメントおよび修正提案を下さり，第 3 版の刊行にご尽力いただいた櫨元ちづるさんと辻有里香さんに心よりお礼を申し上げたいと思います。

　　2021年 6 月

　　　　　　　　　　　　　　　　　　　　　　　　　　　　弥　永　真　生

第2版まえがき

　平成19年に本書の初版を出版させていただいた後，平成26年会社法改正に対応するものを含め，会社法施行規則および電子公告規則の改正がなされてきました。

　そこで，このたび，改正への対応，表現の統一，初版に含まれていた誤字脱字等や明らかな誤りの修正を行うとともに，記述の整理も行い，第2版として刊行させていただくことになりました。

　なお，初版刊行時から改正されていない部分についての引用文献の補正は最小限にとどめたため，たとえば，『会社法コンメンタール』などを引用文献として掲げておりません。本書と併せて，『会社法コンメンタール』などをご参照いただければさいわいです。

　本書のように採算性が乏しく，マニアックな書籍の改訂の機会を与えていただいた株式会社商事法務に感謝するとともに，改訂にあたって丁寧なチェック，コメントおよび修正提案を下さり，第2版の刊行にご尽力いただいた書籍出版部の川戸路子さんに心よりお礼を申し上げたいと思います。

　　平成27年11月

弥　永　真　生

まえがき

　本書は，会社法施行規則及び電子公告規則の各条文に，実務上の問題も留意しつつ，理論的立場からコメントを加えたものです。

　従来の議論を踏まえつつ，多数説であるのではないかと考えられる見解に依拠するように努めましたが，いまだ，議論の固まっていない点が多くあり，また，筆者の見解が強く現れている部分が一部あります。また，十分な議論の蓄積がない部分などについては，将来，今後なされる議論を踏まえて，内容を充実させるための改訂を行うことができればと考えております。

　神作裕之教授（東京大学）からは，草稿に目を通していただき，貴重なご指摘をいただくことができ，ありがたく思っております。また，相澤哲さん及び細川充さんから，有益なご教示を賜りました。もっとも，本書に示されている見解はあくまで筆者のものであり，また，ありうべき誤りも筆者にのみ帰するものであることはいうまでもありません。

　本書の刊行にあたっては，大林譲さんのご尽力をいただきました。ここに記して感謝を申し上げます。

　　平成19年2月

　　　　　　　　　　　　　　　　　　　　　　　　　　　弥 永 真 生

目　次

会社法施行規則

第1編　総　則

第1章　通　則

第1条（目的）……………………………………………………………………3
第2条（定義）……………………………………………………………………5

第2章　子会社等及び親会社等

第3条（子会社及び親会社）…………………………………………………41
第3条の2（子会社等及び親会社等）…………………………………………48
第4条（特別目的会社の特則）…………………………………………………51
第4条の2（株式交付子会社）…………………………………………………53

第2編　株式会社

第1章　設　立

第1節　通　則

第5条（設立費用）………………………………………………………………55
第6条（検査役の調査を要しない市場価格のある有価証券）………………56
第7条（銀行等）…………………………………………………………………59
第7条の2（出資の履行の仮装に関して責任をとるべき発起人等）…………60

第2節 募 集 設 立

- 第8条（申込みをしようとする者に対して通知すべき事項）……………62
- 第9条（招集の決定事項）……………………………………………………65
- 第10条（創立総会参考書類）…………………………………………………73
- 第11条（議決権行使書面）……………………………………………………93
- 第12条（実質的に支配することが可能となる関係）………………………99
- 第13条（書面による議決権行使の期限）……………………………………103
- 第14条（電磁的方法による議決権行使の期限）……………………………103
- 第15条（発起人の説明義務）…………………………………………………104
- 第16条（創立総会の議事録）…………………………………………………107
- 第17条（種類創立総会）………………………………………………………113
- 第18条（累積投票による設立時取締役の選任）……………………………114
- 第18条の2（払込みの仮装に関して責任をとるべき発起人等）…………117

第2章 株 式

第1節 総 則

- 第19条（種類株主総会における取締役又は監査役の選任）………………119
- 第20条（種類株式の内容）……………………………………………………123
- 第21条（利益の供与に関して責任をとるべき取締役等）…………………136

第2節 株式の譲渡等

- 第22条（株主名簿記載事項の記載等の請求）………………………………141
- 第23条（子会社による親会社株式の取得）…………………………………152
- 第24条（株式取得者からの承認の請求）……………………………………164
- 第25条（1株当たり純資産額）………………………………………………174
- 第26条（承認したものとみなされる場合）…………………………………185

第3節 株式会社による自己の株式の取得

- 第27条（自己の株式を取得することができる場合）………………………190
- 第28条（特定の株主から自己の株式を取得する際の通知時期）…………199
- 第29条（議案の追加の請求の時期）…………………………………………202

目　次　ix

第30条（市場価格を超えない額の対価による自己の株式の取得）…………203
第31条（取得請求権付株式の行使により株式の数に端数が生ずる場合）………206
第32条（取得請求権付株式の行使により市場価格のある社債等に端数が生ずる場合）…………………………………………………………………207
第33条（取得請求権付株式の行使により市場価格のない社債等に端数が生ずる場合）…………………………………………………………………209
第33条の2（全部取得条項付種類株式の取得に関する事前開示事項）…………212
第33条の3（全部取得条項付種類株式の取得に関する事後開示事項）…………222

第3節の2　特別支配株主の株式等売渡請求

第33条の4（特別支配株主完全子法人）……………………………………223
第33条の5（株式等売渡請求に際して特別支配株主が定めるべき事項）………225
第33条の6（売渡株主等に対して通知すべき事項）…………………………227
第33条の7（対象会社の事前開示事項）………………………………………228
第33条の8（対象会社の事後開示事項）………………………………………232

第3節の3　株式の併合

第33条の9（株式の併合に関する事前開示事項）……………………………234
第33条の10（株式の併合に関する事後開示事項）…………………………240

第4節　単元株式数

第34条（単元株式数）……………………………………………………………242
第35条（単元未満株式についての権利）………………………………………243
第36条（市場価格のある単元未満株式の買取りの価格）……………………251
第37条（市場価格のある単元未満株式の売渡しの価格）……………………252

第5節　株主に対する通知の省略等

第38条（市場価格のある株式の売却価格）……………………………………253
第39条（公告事項）………………………………………………………………255

第6節　募集株式の発行等

第40条（募集事項の通知等を要しない場合）…………………………………257
第41条（申込みをしようとする者に対して通知すべき事項）………………262

第42条（申込みをしようとする者に対する通知を要しない場合）……………267
第42条の2（株主に対して通知すべき事項）……………………………270
第42条の3（株主に対する通知を要しない場合）………………………273
第42条の4（株主に対する通知を要しない場合における反対通知の期間の
　　　　　初日）……………………………………………………………274
第43条（検査役の調査を要しない市場価格のある有価証券）……………275
第44条（出資された財産等の価額が不足する場合に責任をとるべき取締役
　　　　等）…………………………………………………………………278
第45条……………………………………………………………………………281
第46条……………………………………………………………………………283
第46条の2（出資の履行の仮装に関して責任をとるべき取締役等）……284

第7節　株　　券

第47条（株券喪失登録請求）……………………………………………287
第48条（株券を所持する者による抹消の申請）…………………………291
第49条（株券喪失登録者による抹消の申請）……………………………292

第8節　雑　　則

第50条（株式の発行等により1に満たない株式の端数を処理する場合にお
　　　　ける市場価格）……………………………………………………292
第51条（1に満たない社債等の端数を処理する場合における市場価格）……293
第52条（株式の分割等により1に満たない株式の端数を処理する場合にお
　　　　ける市場価格）……………………………………………………297

第3章　新株予約権

第53条（募集事項の通知を要しない場合）………………………………299
第54条（申込みをしようとする者に対して通知すべき事項）……………303
第55条（申込みをしようとする者に対する通知を要しない場合）………309
第55条の2（株主に対して通知すべき事項）……………………………312
第55条の3（交付株式）…………………………………………………314
第55条の4（株主に対する通知を要しない場合）………………………316
第55条の5（株主に対する通知を要しない場合における反対通知の期間の
　　　　　初日）……………………………………………………………317

第56条（新株予約権原簿記載事項の記載等の請求）……………………317
第57条（新株予約権取得者からの承認の請求）……………………………322
第58条（新株予約権の行使により株式に端数が生じる場合）……………325
第59条（検査役の調査を要しない市場価格のある有価証券）……………326
第60条（出資された財産等の価額が不足する場合に責任をとるべき取締役等）……………………………………………………………………327
第61条 ……………………………………………………………………………329
第62条 ……………………………………………………………………………332
第62条の2（新株予約権に係る払込み等の仮装に関して責任をとるべき取締役等）……………………………………………………………………333

第4章　機　　関

第1節　株主総会及び種類株主総会

第1節　株主総会及び種類株主総会等

第1款　通　　則

第63条（招集の決定事項）……………………………………………………335
第64条（書面による議決権の行使について定めることを要しない株式会社）……………………………………………………………………………352
第65条（株主総会参考書類）…………………………………………………353
第66条（議決権行使書面）……………………………………………………355
第67条（実質的に支配することが可能となる関係）………………………363
第68条（欠損の額）……………………………………………………………370
第69条（書面による議決権行使の期限）……………………………………371
第70条（電磁的方法による議決権行使の期限）……………………………372
第71条（取締役等の説明義務）………………………………………………373
第72条（議事録）………………………………………………………………378

第2款　株主総会参考書類

第1目　通　　則

第73条 ··385

第2目　役員の選任

第74条（取締役の選任に関する議案）···392
第74条の2【削除】··417
第74条の3（監査等委員である取締役の選任に関する議案）···············417
第75条（会計参与の選任に関する議案）···421
第76条（監査役の選任に関する議案）···425
第77条（会計監査人の選任に関する議案）·····································429

第3目　役員の解任等

第78条（取締役の解任に関する議案）···437
第78条の2（監査等委員である取締役の解任に関する議案）···············439
第79条（会計参与の解任に関する議案）···439
第80条（監査役の解任に関する議案）···440
第81条（会計監査人の解任又は不再任に関する議案）·······················441

第4目　役員の報酬等

第82条（取締役の報酬等に関する議案）···443
第82条の2（監査等委員である取締役の報酬等に関する議案）············448
第83条（会計参与の報酬等に関する議案）·····································449
第84条（監査役の報酬等に関する議案）···452
第84条の2（責任免除を受けた役員等に対し退職慰労金等を与える議案
　　　　　等）··456

第5目　計算関係書類の承認

第85条 ··457

第5目の2　全部取得条項付種類株式の取得

第85条の2··460

第5目の3　株式の併合

第85条の3··461

第6目　合併契約等の承認

第86条（吸収合併契約の承認に関する議案）……463
第87条（吸収分割契約の承認に関する議案）……466
第88条（株式交換契約の承認に関する議案）……470
第89条（新設合併契約の承認に関する議案）……473
第90条（新設分割計画の承認に関する議案）……480
第91条（株式移転計画の承認に関する議案）……482
第91条の2（株式交付計画の承認に関する議案）……489
第92条（事業譲渡等に係る契約の承認に関する議案）……492

第7目　株主提案の場合における記載事項

第93条 ……494

第8目　株主総会参考書類の記載の特則

第94条 ……500

第3款　種類株主総会

第95条 ……504

第4款　電子提供措置

第95条の2（電子提供措置）……505
第95条の3（電子提供措置をとる場合における招集通知の記載事項）……505
第95条の4（電子提供措置事項記載書面に記載することを要しない事項）……509

第2節　会社役員の選任

第96条（補欠の会社役員の選任）……515
第97条（累積投票による取締役の選任）……520

第3節　取締役

第98条（業務の適正を確保するための体制）……524

第98条の2（取締役の報酬等のうち株式会社の募集株式について定めるべき事項）……………………………………………………………527
第98条の3（取締役の報酬等のうち株式会社の募集新株予約権について定めるべき事項）………………………………………………529
第98条の4（取締役の報酬等のうち株式等と引換えにする払込みに充てるための金銭について定めるべき事項）…………………533
第98条の5（取締役の個人別の報酬等の内容についての決定に関する方針）………………………………………………………………535

第4節　取締役会

第99条（社債を引き受ける者の募集に際して取締役会が定めるべき事項）…… 543
第100条（業務の適正を確保するための体制）……………………………………546
第101条（取締役会の議事録）………………………………………………………558

第5節　会計参与

第102条（会計参与報告の内容）……………………………………………………566
第103条（計算書類等の備置き）……………………………………………………573
第104条（計算書類の閲覧）…………………………………………………………575

第6節　監査役

第105条（監査報告の作成）…………………………………………………………577
第106条（監査役の調査の対象）……………………………………………………581
第107条（監査報告の作成）…………………………………………………………582
第108条（監査の範囲が限定されている監査役の調査の対象）…………………586

第7節　監査役会

第109条 ……………………………………………………………………………………590

第8節　会計監査人

第110条 ……………………………………………………………………………………594

第8節の2　監査等委員会

第110条の2（監査等委員の報告の対象）…………………………………………597

第110条の3（監査等委員会の議事録）……………………………………597
第110条の4（業務の適正を確保するための体制）………………………599
第110条の5（社債を引き受ける者の募集に際して取締役会が定めるべき
　　　　　　事項）…………………………………………………………601

第9節　指名委員会等及び執行役

第111条（執行役等の報酬等のうち株式会社の募集株式について定めるべ
　　　　　き事項）……………………………………………………………602
第111条の2（執行役等の報酬等のうち株式会社の募集新株予約権につい
　　　　　　て定めるべき事項）……………………………………………603
第111条の3（執行役等の報酬等のうち株式等と引換えにする払込みに充
　　　　　　てるための金銭について定めるべき事項）……………………604
第111条の4（指名委員会等の議事録）……………………………………606
第112条（業務の適正を確保するための体制）……………………………611

第10節　役員等の損害賠償責任

第113条（報酬等の額の算定方法）…………………………………………614
第114条（特に有利な条件で引き受けた職務執行の対価以外の新株予約権）……622
第115条（責任の免除の決議後に受ける退職慰労金等）…………………625

第11節　役員等のために締結される保険契約

第115条の2 ……………………………………………………………………626

第5章　計　算　等

第1節　計算関係書類

第116条 …………………………………………………………………………629

第2節　事業報告

第1款　通　　則

第117条 …………………………………………………………………………631

第2款　事業報告等の内容

第1目　通則

第118条 ·· 632

第2目　公開会社における事業報告の内容

第119条（公開会社の特則）·· 649
第120条（株式会社の現況に関する事項）··· 649
第121条（株式会社の会社役員に関する事項）··· 663
第121条の2（株式会社の役員等賠償責任保険契約に関する事項）················· 694
第122条（株式会社の株式に関する事項）··· 700
第123条（株式会社の新株予約権等に関する事項）·· 705
第124条（社外役員等に関する特則）··· 711

第3目　会計参与設置会社における事業報告の内容

第125条 ·· 724

第4目　会計監査人設置会社における事業報告の内容

第126条 ·· 726
第127条【削除】··· 738

第5目　事業報告の附属明細書の内容

第128条 ·· 739

第3款　事業報告等の監査

第129条（監査役の監査報告の内容）··· 743
第130条（監査役会の監査報告の内容等）··· 751
第130条の2（監査等委員会の監査報告の内容等）·· 757
第131条（監査委員会の監査報告の内容等）··· 758
第132条（監査役監査報告等の通知期限）·· 761

第4款　事業報告等の株主への提供

第133条（事業報告等の提供）･････････････････････････････････････765
第133条の2（事業報告等の提供の特則）････････････････････････････773

第6章　事業の譲渡等

第134条（総資産額）･･･776
第135条（純資産額）･･･780
第136条（特別支配会社）･･･784
第137条（純資産額）･･･787
第138条（事業譲渡等につき株主総会の承認を要する場合）･･････････791

第7章　解　　散

第139条･･･795

第8章　清　　算

第1節　総　　則

第140条（清算株式会社の業務の適正を確保するための体制）････････797
第141条（社債を引き受ける者の募集に際して清算人会が定めるべき事項）･････805
第142条（清算人会設置会社の業務の適正を確保するための体制）････808
第143条（清算人会の議事録）･････････････････････････････････････811
第144条（財産目録）･･･817
第145条（清算開始時の貸借対照表）･･･････････････････････････････822
第146条（各清算事務年度に係る貸借対照表）･･･････････････････････825
第147条（各清算事務年度に係る事務報告）･････････････････････････827
第148条（清算株式会社の監査報告）･･･････････････････････････････829
第149条（金銭分配請求権が行使される場合における残余財産の価格）･･･843
第150条（決算報告）･･･847
第151条（清算株式会社が自己の株式を取得することができる場合）････851

第2節　特別清算

第152条（総資産額）･･･858

第153条（債権者集会の招集の決定事項）……………………………………859
第154条（債権者集会参考書類）………………………………………………865
第155条（議決権行使書面）……………………………………………………867
第156条（書面による議決権行使の期限）……………………………………873
第157条（電磁的方法による議決権行使の期限）……………………………874
第158条（債権者集会の議事録）………………………………………………874

第3編　持分会社

第1章　計算等

第159条 ……………………………………………………………………………879

第2章　清算

第160条（財産目録）……………………………………………………………881
第161条（清算開始時の貸借対照表）…………………………………………885

第4編　社債

第1章　総則

第162条（募集事項）……………………………………………………………889
第163条（申込みをしようとする者に対して通知すべき事項）……………895
第164条（申込みをしようとする者に対する通知を要しない場合）………897
第165条（社債の種類）…………………………………………………………901
第166条（社債原簿記載事項）…………………………………………………904
第167条（閲覧権者）……………………………………………………………906
第168条（社債原簿記載事項の記載等の請求）………………………………906

第2章　社債管理者等

第169条（社債管理者を設置することを要しない場合）……………………911
第170条（社債管理者の資格）…………………………………………………912
第171条（特別の関係）…………………………………………………………913

第171条の2（社債管理補助者の資格）···916

第3章　社債権者集会

第172条（社債権者集会の招集の決定事項）···917
第173条（社債権者集会参考書類）···922
第174条（議決権行使書面）··926
第175条（書面による議決権行使の期限）··932
第176条（電磁的方法による議決権行使の期限）··································932
第177条（社債権者集会の議事録）···933

第5編　組織変更，合併，会社分割，株式交換，株式移転及び株式交付

第1章　吸収分割契約及び新設分割計画

第1節　吸収分割契約

第178条···938

第2節　新設分割計画

第179条···941

第1章の2　株式交付子会社の株式の譲渡しの申込み

第179条の2（申込みをしようとする者に対して通知すべき事項）··········944
第179条の3（申込みをしようとする者に対する通知を要しない場合）·····958

第2章　組織変更をする株式会社の手続

第180条（組織変更をする株式会社の事前開示事項）···························961
第181条（計算書類に関する事項）···964

第3章　吸収合併消滅株式会社，吸収分割株式会社及び株式交換完全子会社の手続

第182条（吸収合併消滅株式会社の事前開示事項）……………970
第183条（吸収分割株式会社の事前開示事項）……………………993
第184条（株式交換完全子会社の事前開示事項）……………1004
第185条（持分等）…………………………………………………1026
第186条（譲渡制限株式等）………………………………………1028
第187条（総資産の額）……………………………………………1030
第188条（計算書類に関する事項）………………………………1033
第189条（吸収分割株式会社の事後開示事項）…………………1039
第190条（株式交換完全子会社の事後開示事項）………………1042

第4章　吸収合併存続株式会社，吸収分割承継株式会社及び株式交換完全親株式会社の手続

第191条（吸収合併存続株式会社の事前開示事項）……………1046
第192条（吸収分割承継株式会社の事前開示事項）……………1056
第193条（株式交換完全親株式会社の事前開示事項）…………1066
第194条（株式交換完全親株式会社の株式に準ずるもの）……1075
第195条（資産の額等）……………………………………………1076
第196条（純資産の額）……………………………………………1085
第197条（株式の数）………………………………………………1089
第198条（株式交換完全親株式会社の株式に準ずるもの）……1092
第199条（計算書類に関する事項）………………………………1093
第200条（吸収合併存続株式会社の事後開示事項）……………1099
第201条（吸収分割承継株式会社の事後開示事項）……………1102
第202条（株式交換完全親株式会社の株式に準ずるもの）……1104
第203条（株式交換完全親合同会社の持分に準ずるもの）……1106

第5章　新設合併消滅株式会社，新設分割株式会社及び株式移転完全子会社の手続

第204条（新設合併消滅株式会社の事前開示事項）……………1108
第205条（新設分割株式会社の事前開示事項）…………………1118

第206条（株式移転完全子会社の事前開示事項）……………………1130
第207条（総資産の額）………………………………………………1139
第208条（計算書類に関する事項）…………………………………1143
第209条（新設分割株式会社の事後開示事項）……………………1148
第210条（株式移転完全子会社の事後開示事項）…………………1151

第6章　新設合併設立株式会社，新設分割設立株式会社及び株式移転設立完全親会社の手続

第211条（新設合併設立株式会社の事後開示事項）………………1154
第212条（新設分割設立株式会社の事後開示事項）………………1156
第213条（新設合併設立株式会社の事後開示事項）………………1158

第7章　株式交付親会社の手続

第213条の2（株式交付親会社の事前開示事項）…………………1160
第213条の3（株式交付親会社の株式に準ずるもの）……………1168
第213条の4（株式交付親会社が譲り受ける株式交付子会社の株式等の額）…………………………………………………1170
第213条の5（純資産の額）…………………………………………1172
第213条の6（株式の数）……………………………………………1175
第213条の7（株式交付親会社の株式に準ずるもの）……………1178
第213条の8（計算書類に関する事項）……………………………1179
第213条の9（株式交付親会社の事後開示事項）…………………1184
第213条の10（株式交付親会社の株式に準ずるもの）……………1187

第6編　外国会社

第214条（計算書類の公告）…………………………………………1189
第215条（法第819条第3項の規定による措置）……………………1193
第216条（日本にある外国会社の財産についての清算に関する事項）……1194

第7編　雑　　則

第1章　訴　　訟

第217条（株主による責任追及等の訴えの提起の請求方法）……………………1197
第218条（株式会社が責任追及等の訴えを提起しない理由の通知方法）………1199
第218条の2（旧株主による責任追及等の訴えの提起の請求方法）……………1203
第218条の3（完全親会社）……………………………………………………………1204
第218条の4（株式交換等完全子会社が責任追及等の訴えを提起しない理由の通知方法）……………………………………………………………1205
第218条の5（特定責任追及の訴えの提起の請求方法）……………………………1206
第218条の6（総資産額）………………………………………………………………1206
第218条の7（株式会社が特定責任追及の訴えを提起しない理由の通知方法）……………………………………………………………………1208
第219条【削除】………………………………………………………………………1208

第2章　登　　記

第220条………………………………………………………………………………1209

第3章　公　　告

第221条………………………………………………………………………………1212

第4章　電磁的方法及び電磁的記録等

第1節　電磁的方法及び電磁的記録等

第222条（電磁的方法）………………………………………………………………1214
第223条（電子公告を行うための電磁的方法）……………………………………1216
第224条（電磁的記録）………………………………………………………………1217
第225条（電子署名）…………………………………………………………………1217
第226条（電磁的記録に記録された事項を表示する方法）………………………1219
第227条（電磁的記録の備置きに関する特則）……………………………………1223
第228条（検査役が提供する電磁的記録）…………………………………………1224

第229条（検査役による電磁的記録に記録された事項の提供）……………1226
第230条（会社法施行令に係る電磁的方法）……………………………………1227

第2節　情報通信の技術の利用

第231条（定義）……………………………………………………………………1229
第232条（保存の指定）……………………………………………………………1231
第233条（保存の方法）……………………………………………………………1235
第234条（縦覧等の指定）…………………………………………………………1237
第235条（縦覧等の方法）…………………………………………………………1242
第236条（交付等の指定）…………………………………………………………1242
第237条（交付等の方法）…………………………………………………………1246
第238条（交付等の承諾）…………………………………………………………1248

電子公告規則

第1条（目的）………………………………………………………………………1253
第2条（定義）………………………………………………………………………1254
第3条（電子公告調査を求める方法）……………………………………………1265
第4条（登録手続）…………………………………………………………………1269
第5条（電子公告調査を行う方法）………………………………………………1275
第6条（法務大臣への報告事項及び報告方法）…………………………………1284
第7条（調査結果通知の方法等）…………………………………………………1287
第8条（電子公告調査を行うことができない場合）……………………………1300
第9条（事業所の変更の届出）……………………………………………………1302
第10条（業務規程）…………………………………………………………………1302
第11条（電子公告調査の業務の休廃止の届出）…………………………………1311
第12条（財務諸表等の開示の方法）………………………………………………1314
第13条（調査記録簿等の記載等）…………………………………………………1314
第14条（立入検査の証明書）………………………………………………………1318

事項索引　1321
判例索引　1325

（注）点線囲みは会社法の一部を改正する法律（令和元年法律第70号）附則第1条ただし書に規定する規定の施行の日より施行

凡　例

1　法令等

各規定の内容は，特に断りのない限り，会社法の一部を改正する法律（令和元年法律第70号）および関係省令による改正後のものである。

本文中，正式名称のほか，下記の略称を用いる。

略語	正式名称
法	会社法
整備法	会社法の施行に伴う関係法律の整備等に関する法律
施行令	会社法施行令
施規	会社法施行規則（会社法施行規則の解説中においては，原則として，条数のみを示している）
計規	会社計算規則
公規	電子公告規則（電子公告規則の解説中においては，原則として，条数のみを示している）
商法特例法	株式会社の監査等に関する商法の特例に関する法律
財規	財務諸表等の用語，様式及び作成方法に関する規則
開示府令	企業内容等の開示に関する内閣府令
独占禁止法	私的独占の禁止及び公正取引の確保に関する法律
電子文書法	民間事業者等が行う書面の保存等における情報通信の技術の利用に関する法律
現代化要綱	会社法制の現代化に関する要綱（法務省ウェブサイト参照）
中間試案補足説明	会社法制（企業統治等関係）の見直しに関する中間試案の補足説明（法務省ウェブサイト参照）
要綱案	会社法制の現代化に関する要綱案
要綱試案補足説明	会社法制の現代化に関する要綱試案補足説明（法務省ウェブサイト参照）

意見募集の結果（平成27年2月）	会社法の改正に伴う会社更生法施行令及び会社法施行規則等の改正に関する意見募集の結果について（平成27年2月）（電子政府の総合窓口（e-Gov）ウェブサイト参照）
意見募集の結果（令和2年11月）	会社法の改正に伴う法務省関係政令及び会社法施行規則等の改正に関する意見募集の結果について（令和2年11月）（e-Govパブリック・コメント・ウェブサイト参照）
見直し要綱	会社法制の見直しに関する要綱（法務省ウェブサイト参照）

2　文献等

本文中，雑誌に掲載されている論文を参照する際は，執筆者姓・雑誌名・号数・頁数のみを表記している。

　主な文献略語は，下記のとおりとする。

略語	正式名称
論点解説	相澤哲ほか編著『論点解説新・会社法』（商事法務，2006）
相澤・一問一答	相澤哲編著『一問一答　新・会社法［改訂版］』（商事法務，2009）
石井・会社法下	石井照久『会社法下巻』（勁草書房，1967）
伊藤・経営者の報酬の法的規律	伊藤靖史『経営者の報酬の法的規律』（有斐閣，2013）
稲葉・昭和56改正	稲葉威雄『改正会社法』（金融財政事情研究会，1982）
今井＝成毛	今井宏監修＝成毛文之『株主総会・取締役会・監査役会議事録作成マニュアル［新訂第4版補訂版］』（商事法務，2008）
江頭［第8版］	江頭憲治郎『株式会社法［第8版］』（有斐閣，2021）

江頭・株式有限	江頭憲治郎『株式会社・有限会社法［第4版］』（有斐閣，2005）
会社法コンメ	江頭憲治郎＝森本滋編集代表『会社法コンメンタール（1）〜（22）・平成26年改正補巻』（商事法務，2008〜2021）
大隅・商法総則	大隅健一郎『商法総則［新版］』（有斐閣，1978）
大隅＝今井・中	大隅健一郎＝今井宏『会社法論・中巻［第3版］』（有斐閣，1992）
大住・株式会社会計の法的考察［改訂版］	大住達雄『株式会社会計の法的考察［改訂版］』（白桃書房，1960）
鴻ほか・株主総会	鴻常夫ほか『改正会社法セミナー（2）株主総会』（有斐閣，1984）
鴻ほか・計算	鴻常夫ほか『改正会社法セミナー（4）株式会社の計算・公開新株引受権附社債』（有斐閣，1985）
鴻・社債法	鴻常夫『社債法』（有斐閣，1958）
神田＝武井・新しい株式制度	神田秀樹＝武井一浩編著『新しい株式制度』（有斐閣，2002）
郡谷・中小会社・有限会社の新・会社法	郡谷大輔編著『中小会社・有限会社の新・会社法』（商事法務，2006）
条解民事訴訟規則	最高裁判所事務総局民事局監修『条解民事訴訟規則［増補版］』（司法協会，2004）
鈴木＝竹内	鈴木竹雄＝竹内昭夫『会社法［第3版］』（有斐閣，1994）
新注会	上柳克郎ほか編集代表『新版注釈会社法（1）〜（15）・補巻〜第4補巻』（有斐閣，1985〜2000）
竹内・昭和56改正	竹内昭夫『改正会社法解説［新版］』（有斐閣，1983）
龍田＝前田	龍田節＝前田雅弘『会社法大要［第2版］』（有斐閣，2017）

田中耕・貸借対照表法の論理	田中耕太郎『貸借対照表法の論理』（有斐閣，1944）
田辺ほか・昭和49改正	田辺明ほか『商法改正三法の逐条解説』（別冊商事法務24号）（商事法務研究会，1974）
前田	前田庸『会社法入門［第13版］』（有斐閣，2018）
前田［第10版］	前田庸『会社法入門［第10版］』（有斐閣，2005）
味村・新訂詳解商業登記上	味村治『新訂　詳解商業登記上巻』（民事法情報センター，1996）
味村・昭和41改正	味村治『改正株式会社法』（商事法務研究会，1967）
味村ほか・昭和49改正	味村治ほか『改正商法及び監査特例法等の解説』（法曹会，1977）
矢沢・企業会計法の理論	矢沢惇『企業会計法の理論』（有斐閣，1981）
新会社法実務相談	弥永真生ほか監修＝西村ときわ法律事務所編『新会社法実務相談』（商事法務，2006）
計規コンメ	弥永真生『コンメンタール会社計算規則・商法施行規則［第3版］』（商事法務，2017）
弥永・会計監査人論	弥永真生『会計監査人論』（同文舘出版，2015）
ゼミナール会社法現代化	弥永真生ほか編著『ゼミナール会社法現代化』（商事法務，2004）
吉戒・平成5・6改正	吉戒修一『平成5年・6年改正商法』（商事法務研究会，1996）

3 判例等

年月日,出典の示し方,公刊判例集略語は以下のとおりとする。

最高裁判所令和2年7月2日判決最高裁判所民事判例集74巻4号1030頁

→ 最判令和2・7・2民集74巻4号1030頁

略語	正式名称
民集	最高裁判所民事判例集
判時	判例時報
判タ	判例タイムズ
金法	金融法務事情

会社法施行規則
（平成18年法務省令第12号）
（最終改正：令和3年法務省令第2号）

第1編
総　則

第1章
通　則

―(目的)――
第1条 この省令は，会社法（平成17年法律第86号。以下「法」という。）の委任に基づく事項その他法の施行に必要な事項を定めることを目的とする。

　会社法（平成17年法律第86号）をうけて，平成17年11月29日に会社法施行規則案を含む9本の会社法関連法務省令案がパブリック・コメントに付され，会社法および会社法施行令（平成17年政令第364号）の規定に基づき，平成18年2月7日に会社法施行規則（平成18年法務省令第12号），会社計算規則（平成18年法務省令第13号）および電子公告規則（平成18年法務省令第14号）が公布された。同年3月29日に，「非訟事件手続法による財産管理の報告及び計算に関する書類並びに財産目録の謄本又は株主表の抄本の交付に関する手数料の件の廃止等をする省令」（平成18年法務省令第28号）の附則2条および3条により，同年4月14日に，「会社法施行規則等の一部を改正する省令」（平成18年法務省令第49号）により，同年12月15日に，信託法の施行に伴う関係法律の整備等に関する法律（平成18年法律第109号）の施行に伴い，「会社法施行規則及び会社計算規則の一部を改正する省令」（平成18年法務省令第84号）により，同年12月22日に，「会社法施行規則及び会社計算規則の一部を改正する省令」（平成18年法務省令第87号）により，それぞれ，改正された。

4　第1編　総　　則

　その後，平成19年4月25日に，「会社法施行規則の一部を改正する省令」（平成19年法務省令第30号）により，同年7月4日に，「会社法施行規則及び電子公告規則の一部を改正する省令」（平成19年法務省令第38号）および「会社法施行規則及び会社計算規則の一部を改正する省令」（平成19年法務省令第39号）により，平成20年3月19日に，「会社法施行規則及び会社計算規則の一部を改正する省令」（平成20年法務省令第12号）により，同年9月29日に，「会社法施行規則の一部を改正する省令」（平成20年法務省令第53号）により，同年11月28日に，「会社法施行規則の一部を改正する省令」（平成20年法務省令第67号および同68号）により，平成21年3月16日に，「商業登記規則等の一部を改正する省令」（平成21年法務省令第5号）により，同年3月27日に，「会社法施行規則，会社計算規則等の一部を改正する省令」（平成21年法務省令第7号）により，同年12月11日に，「会社計算規則の一部を改正する省令」（平成21年法務省令第46号）により，平成22年9月30日に，「会社計算規則の一部を改正する省令」（平成22年法務省令第33号）により，平成23年3月31日に，「会社計算規則の一部を改正する省令」（平成23年法務省令第6号）により，同年11月16日に，「会社法施行規則等の一部を改正する省令」（平成23年法務省令第33号）により，平成24年12月28日に，「会社法施行規則の一部を改正する省令」（平成24年法務省令第47号）により，それぞれ，改正された。

　そして，「会社法の一部を改正する法律」（平成26年法律第90号）による会社法の改正をうけて，平成26年11月25日に，会社法の改正に伴う会社更生法施行令及び会社法施行規則等の改正に関する意見募集が開始された。寄せられた意見を踏まえて，平成27年2月6日に，「会社法施行規則等の一部を改正する省令」（平成27年法務省令第6号）により改正された。その後，平成27年12月28日に，「商業登記規則等の一部を改正する省令」（平成27年法務省令第61号）により，平成28年1月8日に，「会社法施行規則及び会社計算規則の一部を改正する省令」（平成28年法務省令第1号）により，平成30年3月26日に，「会社法施行規則及び会社計算規則の一部を改正する省令」（平成30年法務省令第5号）により，令和2年5月15日に，「会社法施行規則及び会社計算規則の一部を改正する省令」（令和2年法務省令第37号）により，それぞれ，改正された。

　「会社法の一部を改正する法律」（令和元年法律第70号）による会社法の改正をうけて，令和2年9月1日に，会社法改正に伴う法務省関係政令及び会社法施行規則等の改正に関する意見募集が開始され，寄せられた意見を踏まえて，同年11月27日に，「会社法施行規則等の一部を改正する省令」（令和2年法務省

令第52号）により改正された。また，令和3年1月29日に，「会社法施行規則及び会社計算規則の一部を改正する省令」（令和3年法務省令第1号）および「商業登記規則等の一部を改正する省令」（令和3年法務省令第2号）により改正された。

　なお，「会社法……の委任に基づく事項その他法の施行に必要な事項を定めることを目的とする」（圏点―引用者）と定められている（1条）のは，会社法施行規則には会社法施行令（平成17年政令第364号）の委任をうけて定められている規定（230条）および民間事業者等が行う書面の保存等における情報通信の技術の利用に関する法律（電子文書法）（平成16年法律第149号）の委任をうけて定められている規定（231条～237条）や民間事業者等が行う書面の保存等における情報通信の技術の利用に関する法律施行令（平成17年政令第8号）の委任をうけて定められている規定（238条）が含まれるからであろう。また，会社法では明示的に委任されていない事項についても定めを置いているからかもしれない。

（定義）
第2条　この省令において，「会社」,「外国会社」,「子会社」,「子会社等」,「親会社」,「親会社等」,「公開会社」,「取締役会設置会社」,「会計参与設置会社」,「監査役設置会社」,「監査役会設置会社」,「会計監査人設置会社」,「監査等委員会設置会社」,「指名委員会等設置会社」,「種類株式発行会社」,「種類株主総会」,「社外取締役」,「社外監査役」,「譲渡制限株式」,「取得条項付株式」,「単元株式数」,「新株予約権」,「新株予約権付社債」,「社債」,「配当財産」,「組織変更」,「吸収合併」,「新設合併」,「吸収分割」,「新設分割」,「株式交換」,「株式移転」,「株式交付」又は「電子公告」とは，それぞれ法第2条に規定する会社，外国会社，子会社，子会社等，親会社，親会社等，公開会社，取締役会設置会社，会計参与設置会社，監査役設置会社，監査役会設置会社，会計監査人設置会社，監査等委員会設置会社，指名委員会等設置会社，種類株式発行会社，種類株主総会，社外取締役，社外監査役，譲渡制限株式，取得条項付株式，単元株式数，新株予約権，新株予約権付社債，社債，配当財産，組織変更，吸収合併，新設合併，吸収分割，新設分割，株式交換，株式移転，株式交付又は電子公告をいう。
2　この省令において，次の各号に掲げる用語の意義は，当該各号に定めるところによる。
　一　指名委員会等　法第2条第12号に規定する指名委員会等をいう。

二　種類株主　法第2条第14号に規定する種類株主をいう。
三　業務執行取締役　法第2条第15号イに規定する業務執行取締役をいう。
四　業務執行取締役等　法第2条第15号イに規定する業務執行取締役等をいう。
五　発行済株式　法第2条第31号に規定する発行済株式をいう。
六　電磁的方法　法第2条第34号に規定する電磁的方法をいう。
七　設立時発行株式　法第25条第1項第1号に規定する設立時発行株式をいう。
八　有価証券　法第33条第10項第2号に規定する有価証券をいう。
九　銀行等　法第34条第2項に規定する銀行等をいう。
十　発行可能株式総数　法第37条第1項に規定する発行可能株式総数をいう。
十一　設立時取締役　法第38条第1項に規定する設立時取締役をいう。
十二　設立時監査等委員　法第38条第2項に規定する設立時監査等委員をいう。
十三　監査等委員　法第第38条第2項に規定する監査等委員をいう。
十四　設立時会計参与　法第38条第3項第1号に規定する設立時会計参与をいう。
十五　設立時監査役　法第38条第3項第2号に規定する設立時監査役をいう。
十六　設立時会計監査人　法第38条第3項第3号に規定する設立時会計監査人をいう。
十七　代表取締役　法第47条第1項に規定する代表取締役をいう。
十八　設立時執行役　法第48条第1項第2号に規定する設立時執行役をいう。
十九　設立時募集株式　法第58条第1項に規定する設立時募集株式をいう。
二十　設立時株主　法第65条第1項に規定する設立時株主をいう。
二十一　創立総会　法第65条第1項に規定する創立総会をいう。
二十二　創立総会参考書類　法第70条第1項に規定する創立総会参考書類をいう。
二十三　種類創立総会　法第84条に規定する種類創立総会をいう。
二十四　発行可能種類株式総数　法第101条第1項第3号に規定する発行可能種類株式総数をいう。
二十五　株式等　法第107条第2項第2号ホに規定する株式等をいう。
二十六　自己株式　法第113条第4項に規定する自己株式をいう。
二十七　株券発行会社　法第117条第7項に規定する株券発行会社をいう。
二十八　株主名簿記載事項　法第121条に規定する株主名簿記載事項をいう。
二十九　株主名簿管理人　法第123条に規定する株主名簿管理人をいう。
三十　株式取得者　法第133条第1項に規定する株式取得者をいう。

三十一　親会社株式　法第135条第１項に規定する親会社株式をいう。
三十二　譲渡等承認請求者　法第139条第２項に規定する譲渡等承認請求者をいう。
三十三　対象株式　法第140条第１項に規定する対象株式をいう。
三十四　指定買取人　法第140条第４項に規定する指定買取人をいう。
三十五　１株当たり純資産額　法第141条第２項に規定する１株当たり純資産額をいう。
三十六　登録株式質権者　法第149条第１項に規定する登録株式質権者をいう。
三十七　金銭等　法第151条第１項に規定する金銭等をいう。
三十八　全部取得条項付種類株式　法第171条第１項に規定する全部取得条項付種類株式をいう。
三十九　特別支配株主　法第179条第１項に規定する特別支配株主をいう。
四十　株式売渡請求　法第179条第２項に規定する株式売渡請求をいう。
四十一　対象会社　法第179条第２項に規定する対象会社をいう。
四十二　新株予約権売渡請求　法第179条第３項に規定する新株予約権売渡請求をいう。
四十三　売渡株式　法第179条の２第１項第２号に規定する売渡株式をいう。
四十四　売渡新株予約権　法第179条の２第１項第４号ロに規定する売渡新株予約権をいう。
四十五　売渡株式等　法第179条の２第１項第５号に規定する売渡株式等をいう。
四十六　株式等売渡請求　法第179条の３第１項に規定する株式等売渡請求をいう。
四十七　売渡株主等　法第179条の４第１項第１号に規定する売渡株主等をいう。
四十八　単元未満株式売渡請求　法第194条第１項に規定する単元未満株式売渡請求をいう。
四十九　募集株式　法第199条第１項に規定する募集株式をいう。
五十　株券喪失登録日　法第221条第４号に規定する株券喪失登録日をいう。
五十一　株券喪失登録　法第223条に規定する株券喪失登録をいう。
五十二　株券喪失登録者　法第224条第１項に規定する株券喪失登録者をいう。
五十三　募集新株予約権　法第238条第１項に規定する募集新株予約権をいう。
五十四　新株予約権付社債券　法第249条第２号に規定する新株予約権付社債

券をいう。
五十五　証券発行新株予約権付社債　法第249条第2号に規定する証券発行新株予約権付社債をいう。
五十六　証券発行新株予約権　法第249条第3号二に規定する証券発行新株予約権をいう。
五十七　自己新株予約権　法第255条第1項に規定する自己新株予約権をいう。
五十八　新株予約権取得者　法第260条第1項に規定する新株予約権取得者をいう。
五十九　取得条項付新株予約権　法第273条第1項に規定する取得条項付新株予約権をいう。
六十　新株予約権無償割当て　法第277条に規定する新株予約権無償割当てをいう。
六十一　株主総会参考書類　法第301条第1項に規定する株主総会参考書類をいう。
六十二　報酬等　法第361条第1項に規定する報酬等をいう。
六十三　議事録等　法第371条第1項に規定する議事録等をいう。
六十四　執行役等　法第404条第2項第1号に規定する執行役等をいう。
六十五　役員等　法第423条第1項に規定する役員等をいう。
六十六　補償契約　法第430条の2第1項に規定する補償契約をいう。
六十七　役員等賠償責任保険契約　法第430条の3第1項に規定する役員等賠償責任保険契約をいう。
六十八　臨時決算日　法第441条第1項に規定する臨時決算日をいう。
六十九　臨時計算書類　法第441条第1項に規定する臨時計算書類をいう。
七十　連結計算書類　法第444条第1項に規定する連結計算書類をいう。
七十一　分配可能額　法第461条第2項に規定する分配可能額をいう。
七十二　事業譲渡等　法第468条第1項に規定する事業譲渡等をいう。
七十三　清算株式会社　法第476条に規定する清算株式会社をいう。
七十四　清算人会設置会社　法第478条第8項に規定する清算人会設置会社をいう。
七十五　財産目録等　法第492条第1項に規定する財産目録等をいう。
七十六　各清算事務年度　法第494条第1項に規定する各清算事務年度をいう。
七十七　貸借対照表等　法第496条第1項に規定する貸借対照表等をいう。
七十八　協定債権　法第515条第3項に規定する協定債権をいう。
七十九　協定債権者　法第517条第1項に規定する協定債権者をいう。

八十　債権者集会参考書類　法第550条第１項に規定する債権者集会参考書類をいう。
八十一　持分会社　法第575条第１項に規定する持分会社をいう。
八十二　清算持分会社　法第645条に規定する清算持分会社をいう。
八十三　募集社債　法第676条に規定する募集社債をいう。
八十四　社債発行会社　法第682条第１項に規定する社債発行会社をいう。
八十五　社債原簿管理人　法第683条に規定する社債原簿管理人をいう。
八十六　社債権者集会参考書類　法第721条第１項に規定する社債権者集会参考書類をいう。
八十七　組織変更後持分会社　法第744条第１項第１号に規定する組織変更後持分会社をいう。
八十八　社債等　法第746条第１項第７号ニに規定する社債等をいう。
八十九　吸収合併消滅会社　法第749条第１項第１号に規定する吸収合併消滅会社をいう。
九十　吸収合併存続会社　法第749条第１項に規定する吸収合併存続会社をいう。
九十一　吸収合併存続株式会社　法第749条第１項第１号に規定する吸収合併存続株式会社をいう。
九十二　吸収合併消滅株式会社　法第749条第１項第２号に規定する吸収合併消滅株式会社をいう。
九十三　吸収合併存続持分会社　法第751条第１項第１号に規定する吸収合併存続持分会社をいう。
九十四　新設合併設立会社　法第753条第１項に規定する新設合併設立会社をいう。
九十五　新設合併消滅会社　法第753条第１項第１号に規定する新設合併消滅会社をいう。
九十六　新設合併設立株式会社　法第753条第１項第２号に規定する新設合併設立株式会社をいう。
九十七　新設合併消滅株式会社　法第753条第１項第６号に規定する新設合併消滅株式会社をいう。
九十八　吸収分割承継会社　法第757条に規定する吸収分割承継会社をいう。
九十九　吸収分割会社　法第758条第１号に規定する吸収分割会社をいう。
百　吸収分割承継株式会社　法第758条第１号に規定する吸収分割承継株式会社をいう。
百一　吸収分割株式会社　法第758条第２号に規定する吸収分割株式会社をいう。

百二　吸収分割承継持分会社　法第760条第1号に規定する吸収分割承継持分会社をいう。
百三　新設分割会社　法第763条第1項第5号に規定する新設分割会社をいう。
百四　新設分割株式会社　法第763条第1項第5号に規定する新設分割株式会社をいう。
百五　新設分割設立会社　法第763条第1項に規定する新設分割設立会社をいう。
百六　新設分割設立株式会社　法第763条第1項第1号に規定する新設分割設立株式会社をいう。
百七　新設分割設立持分会社　法第765条第1項第1号に規定する新設分割設立持分会社をいう。
百八　株式交換完全親会社　法第767条に規定する株式交換完全親会社をいう。
百九　株式交換完全子会社　法第768条第1項第1号に規定する株式交換完全子会社をいう。
百十　株式交換完全親株式会社　法第768条第1項第1号に規定する株式交換完全親株式会社をいう。
百十一　株式交換完全親合同会社　法第770条第1項第1号に規定する株式交換完全親合同会社をいう。
百十二　株式移転設立完全親会社　法第773条第1項第1号に規定する株式移転設立完全親会社をいう。
百十三　株式移転完全子会社　法第773条第1項第5号に規定する株式移転完全子会社をいう。
百十四　株式交付親会社　法第774条の3第1項第1号に規定する株式交付親会社をいう。
百十五　株式交付子会社　法第774条の3第1項第1号に規定する株式交付子会社をいう。
百十六　吸収分割合同会社　法第793条第2項に規定する吸収分割合同会社をいう。
百十七　存続株式会社等　法第794条第1項に規定する存続株式会社等をいう。
百十八　新設分割合同会社　法第813条第2項に規定する新設分割合同会社をいう。
百十九　責任追及等の訴え　法第847条第1項に規定する責任追及等の訴えをいう。

百二十　株式交換等完全子会社　法第847条の2第1項に規定する株式交換等完全子会社をいう。
百二十一　最終完全親会社等　法第847条の3第1項に規定する最終完全親会社等をいう。
百二十二　特定責任追及の訴え　法第847条の3第1項に規定する特定責任追及の訴えをいう。
百二十三　完全親会社等　法第847条の3第2項に規定する完全親会社等をいう。
百二十四　完全子会社等　法第847条の3第2項第2号に規定する完全子会社等をいう。
百二十五　特定責任　法第847条の3第4項に規定する特定責任をいう。
百二十六　株式交換等完全親会社　法第849条第2項第1号に規定する株式交換等完全親会社をいう。
3　この省令において、次の各号に掲げる用語の意義は、当該各号に定めるところによる。
一　法人等　法人その他の団体をいう。
二　会社等　会社（外国会社を含む。）、組合（外国における組合に相当するものを含む。）その他これらに準ずる事業体をいう。
三　役員　取締役、会計参与、監査役、執行役、理事、監事その他これらに準ずる者をいう。
四　会社役員　当該株式会社の取締役、会計参与、監査役及び執行役をいう。
五　社外役員　会社役員のうち、次のいずれにも該当するものをいう。
　イ　当該会社役員が社外取締役又は社外監査役であること。
　ロ　当該会社役員が次のいずれかの要件に該当すること。
　　(1)　当該会社役員が法第372条の2、第331条第6項、第373条第1項第2号、第399条の13第5項又は第400条第3項の社外取締役であること。
　　(2)　当該会社役員が法第335条第3項の社外監査役であること。
　　(3)　当該会社役員を当該株式会社の社外取締役又は社外監査役であるものとして計算関係書類、事業報告、株主総会参考書類その他当該株式会社が法令その他これに準ずるものの規定に基づき作成する資料に表示していること。
六　業務執行者　次に掲げる者をいう。
　イ　業務執行取締役、執行役その他の法人等の業務を執行する役員（法第348条の2第1項及び第2項の規定による委託を受けた社外取締役を除く。）
　ロ　業務を執行する社員、法第598条第1項の職務を行うべき者その他これ

　　　　に相当する者
　　　ハ　使用人
　七　社外取締役候補者　次に掲げるいずれにも該当する候補者をいう。
　　イ　当該候補者が当該株式会社の取締役に就任した場合には，社外取締役となる見込みであること。
　　ロ　次のいずれかの要件に該当すること。
　　　(1)　当該候補者を法第327条の2，第331条第6項，第373条第1項第2号，第399条の13第5項又は第400条第3項の社外取締役であるものとする予定があること。
　　　(2)　当該候補者を当該株式会社の社外取締役であるものとして計算関係書類，事業報告，株主総会参考書類その他株式会社が法令その他これに準ずるものの規定に基づき作成する資料に表示する予定があること。
　八　社外監査役候補者　次に掲げるいずれにも該当する候補者をいう。
　　イ　当該候補者が当該株式会社の監査役に就任した場合には，社外監査役となる見込みであること。
　　ロ　次のいずれかの要件に該当すること。
　　　(1)　当該候補者を法第335条第3項の社外監査役であるものとする予定があること。
　　　(2)　当該候補者を当該株式会社の社外監査役であるものとして計算関係書類，事業報告，株主総会参考書類その他株式会社が法令その他これに準ずるものの規定に基づき作成する資料に表示する予定があること。
　九　最終事業年度　次のイ又はロに掲げる会社の区分に応じ，当該イ又はロに定めるものをいう。
　　イ　株式会社　法第2条第24号に規定する最終事業年度
　　ロ　持分会社　各事業年度に係る法第617条第2項に規定する計算書類を作成した場合における当該各事業年度のうち最も遅いもの
　十　計算書類　次のイ又はロに掲げる会社の区分に応じ，当該イ又はロに定めるものをいう。
　　イ　株式会社　法第435条第2項に規定する計算書類
　　ロ　持分会社　法第617条第2項に規定する計算書類
　十一　計算関係書類　株式会社についての次に掲げるものをいう。
　　イ　成立の日における貸借対照表
　　ロ　各事業年度に係る計算書類及びその附属明細書
　　ハ　臨時計算書類
　　ニ　連結計算書類
　十二　計算書類等　次のイ又はロに掲げる会社の区分に応じ，当該イ又はロ

に定めるものをいう。
　　イ　株式会社　各事業年度に係る計算書類及び事業報告（法第436条第1項又は第2項の規定の適用がある場合にあっては，監査報告又は会計監査報告を含む。）
　　ロ　持分会社　法第617条第2項に規定する計算書類
十三　臨時計算書類等　法第441条第1項に規定する臨時計算書類（同条第2項の規定の適用がある場合にあっては，監査報告又は会計監査報告を含む。）をいう。
十四　新株予約権等　新株予約権その他当該法人等に対して行使することにより当該法人等の株式その他の持分の交付を受けることができる権利（株式引受権（会社計算規則第2条第3項第34号に規定する株式引受権をいう。以下同じ。）を除く。）をいう。
十五　公開買付け等　金融商品取引法（昭和23年法律第25号）第27条の2第6項（同法第27条の22の2第2項において準用する場合を含む。）に規定する公開買付け及びこれに相当する外国の法令に基づく制度をいう。
十六　社債取得者　社債を社債発行会社以外の者から取得した者（当該社債発行会社を除く。）をいう。
十七　信託社債　信託の受託者が発行する社債であって，信託財産（信託法（平成18年法律第108号）第2条第3項に規定する信託財産をいう。以下同じ。）のために発行するものをいう。
十八　設立時役員等　設立時取締役，設立時会計参与，設立時監査役及び設立時会計監査人をいう。
十九　特定関係事業者　次に掲げるものをいう。
　　イ　次の(1)又は(2)に掲げる場合の区分に応じ，当該(1)又は(2)に定めるもの
　　　(1)　当該株式会社に親会社等がある場合　当該親会社等並びに当該親会社等の子会社等（当該株式会社を除く。）及び関連会社（当該親会社等が会社でない場合におけるその関連会社に相当するものを含む。）
　　　(2)　該株式会社に親会社等がない場合　当該株式会社の子会社及び関連会社
　　ロ　当該株式会社の主要な取引先である者（法人以外の団体を含む。）
二十　関連会社　会社計算規則（平成18年法務省令第13号）第2条第3項第21号に規定する関連会社をいう。
二十一　連結配当規制適用会社　会社計算規則第2条第3項第55号に規定する連結配当規制適用会社をいう。
二十二　組織変更株式交換　保険業法（平成7年法律第105号）第96条の5第1項に規定する組織変更株式交換をいう。

> 二十三　組織変更株式移転　保険業法第96条の8第1項に規定する組織変更株式移転をいう。

本条は，会社法施行規則において用いられる用語を定義するものである。

1　法2条の定義によるもの（1項）

① 会社　株式会社，合名会社，合資会社または合同会社をいう（法2条1号）。
② 外国会社　外国の法令に準拠して設立された法人その他の外国の団体であって，会社と同種のものまたは会社に類似するものをいう（法2条2号）。社員の有限責任が認められる，アメリカ法に基づく典型的な外国会社としてはcorporation（close corporationを含む）が，イギリス法に基づく典型的な外国会社としてはpublic limited companyとprivate limited company by sharesが，ドイツ法に基づく典型的な外国会社としてはAktiengesellschaft（株式会社）やGesellschaft mit beschränkter Haftung（有限会社）などが，フランス法に基づく典型的な外国会社としてはsociété anonyme（株式会社），société à responsabilité limitée（有限会社），société anonyme simplifiee（簡易株式会社）などが，オランダ法に基づく典型的な外国会社としてはnaamloze vennootschap（株式会社）やbesloten vennootschap（有限会社）などが，イタリア法に基づく典型的な外国会社としてはsocietà per azioni（株式会社）やsocietà a responsabilità limitata（有限会社）などがある。
③ 子会社　会社がその総株主の議決権の過半数を有する株式会社その他の当該会社がその経営を支配している法人として法務省令で定めるものをいう（法2条3号）。これをうけて，3条1項は，会社が他の会社等［→3②］「の財務及び事業の方針の決定を支配している場合における当該他の会社等」が子会社であると定めており，同条3項は，「財務及び事業の方針の決定を支配している場合」を定めている［→3条1・3。また，特別目的会社については→4条］。
④ 子会社等　子会社［→③］または会社以外の者がその経営を支配している法人として法務省令で定めるもののいずれかに該当する者をいう（法2条3号の2）。これをうけて，3条の2第1項は，会社以外の者が他の会社等の財務および事業の方針の決定を支配している場合における当該他の会社等を「会社以外の者がその経営を支配している法人として法務省令で定めるもの」であると定め，同条3項は「財務及び事業の方針の決定を支配している

場合」を定めている［→3条の2①・3］。
⑤ 親会社　株式会社を子会社とする会社その他の当該株式会社の経営を支配している法人として法務省令で定めるものをいう（法2条4号）。これをうけて，3条2項は，会社等［→3②］が他の「株式会社の財務及び事業の方針の決定を支配している場合における当該会社等」が親会社であると定め，同条3項が「財務及び事業の方針の決定を支配している場合」を定めている［→3条2・3］。なお，子会社による親会社株式取得との関連では，3条4項が特則を定めている［→3条4］。
⑥ 親会社等　親会社［→⑤］または株式会社の経営を支配している者（法人であるものを除く）として法務省令で定めるもののいずれかに該当する者をいう（法2条4号の2）。これをうけて，3条の2第2項は，ある者（会社等であるものを除く）がある株式会社の財務および事業の方針の決定を支配している場合における当該ある者を「株式会社の経営を支配している者（法人であるものを除く。）として法務省令で定めるもの」と定め，同条3項が「財務及び事業の方針の決定を支配している場合」を定めている［→3条の2③］。
⑦ 公開会社　その発行する全部または一部の株式の内容として譲渡による当該株式の取得について株式会社の承認を要する旨の定款の定めを設けていない株式会社をいう（法2条5号）。
⑧ 取締役会設置会社　取締役会を置く株式会社または会社法の規定により取締役会を置かなければならない株式会社をいう（法2条7号）。公開会社，監査役会設置会社［→⑪］，監査等委員会設置会社［→⑬］および指名委員会等設置会社［→⑭］は，取締役会を置かなければならない（法327条1項）。
⑨ 会計参与設置会社　会計参与を置く株式会社をいう（法2条8号）。取締役会設置会社（監査等委員会設置会社および指名委員会等設置会社を除く）であっても，公開会社以外の会社は監査役を置かないことができるが，その場合には会計参与を置かなければならない（法327条2項ただし書）。
⑩ 監査役設置会社　監査役を置く株式会社（その監査役の監査の範囲を会計に関するものに限定する旨の定款の定めがあるものを除く）または会社法の規定により監査役を置かなければならない株式会社をいう（法2条9号）。監査等委員会設置会社［→⑬］および指名委員会等設置会社［→⑭］を除き，取締役会設置会社（［→⑧］公開会社でない会社を除く）および会計監査人設置会社［→⑫］は監査役（その監査役の監査の範囲を会計に関するものに限定する旨の定

款の定めがあるものを除く）を置かなければならない（法327条2項）。

⑪　監査役会設置会社　監査役会を置く株式会社または会社法の規定により監査役会を置かなければならない株式会社をいう（法2条10号）。公開会社でないものならびに監査等委員会設置会社および指名委員会等設置会社を除き，大会社は監査役会を置かなければならない（法328条1項）。

⑫　会計監査人設置会社　会計監査人を置く株式会社または会社法の規定により会計監査人を置かなければならない株式会社をいう（法2条11号）。大会社（最終事業年度に係る貸借対照表（法439条前段に規定する場合にあっては，同条の規定により定時株主総会に報告された貸借対照表をいい，株式会社の成立後最初の定時株主総会までの間においては，会社成立時の貸借対照表）に資本金として計上した額が5億円以上または負債の部に計上した額の合計額が200億円以上である株式会社。法2条6号），監査等委員会設置会社［→⑬］および指名委員会等設置会社［→⑭］は会計監査人を置かなければならない（法327条5項・328条）。

⑬　監査等委員会設置会社　監査等委員会を置く株式会社をいう（法2条11号の2）。

⑭　指名委員会等設置会社　指名委員会，監査委員会および報酬委員会（これら3つの委員会を合わせて「指名委員会等」［→2①］という）を置く株式会社をいう（法2条12号）。

⑮　種類株式発行会社　剰余金の配当その他の法108条1項各号に掲げる事項について内容の異なる二以上の種類の株式を発行する株式会社をいう（法2条13号）。

⑯　種類株主総会　種類株主（種類株式発行会社におけるある種類の株式の株主）の総会をいう（法2条14号）。

⑰　社外取締役　株式会社の取締役であって，(a)当該株式会社またはその子会社［→③］の業務執行取締役等［→2④］でなく，かつ，その就任の前10年間当該株式会社またはその子会社の業務執行取締役等であったことがないこと，(b)その就任の前10年内のいずれかの時において当該株式会社またはその子会社の取締役，会計参与（会計参与が法人であるときは，その職務を行うべき社員）または監査役であったことがある者（業務執行取締役等であったことがあるものを除く）の場合は，当該取締役，会計参与または監査役への就任の前10年間当該株式会社またはその子会社の業務執行取締役等であったことがないこと，(c)当該株式会社の親会社等（［→⑥］自然人であるものに限る）

または親会社等の取締役もしくは執行役もしくは支配人その他の使用人でないこと，(d)当該株式会社の親会社等の子会社等（[→④] 当該株式会社およびその子会社を除く）の業務執行取締役等［→❷④］でないこと，および，(e)当該株式会社の取締役もしくは執行役もしくは支配人その他の重要な使用人または親会社等（自然人であるものに限る）の配偶者または二親等内の親族でないことという要件のいずれにも該当するものをいう（法2条15号）。

⑱ **社外監査役** 株式会社の監査役であって，(a)その就任の前10年間当該株式会社またはその子会社［→③］の取締役，会計参与（会計参与が法人であるときは，その職務を行うべき社員）もしくは執行役または支配人その他の使用人であったことがないこと，(b)その就任の前10年内のいずれかの時において当該株式会社またはその子会社の監査役であったことがある者の場合は，当該監査役への就任の前10年間当該株式会社またはその子会社の取締役，会計参与（会計参与が法人であるときは，その職務を行うべき社員）もしくは執行役または支配人その他の使用人であったことがないこと，(c)当該株式会社の親会社等（[→⑥] 自然人であるものに限る）または親会社等の取締役，監査役もしくは執行役もしくは支配人その他の使用人でないこと，(d)当該株式会社の親会社等の子会社等（[→④] 当該株式会社およびその子会社を除く）の業務執行取締役等［→❷④］でないこと，および，(e)当該株式会社の取締役もしくは支配人その他の重要な使用人または親会社等（自然人であるものに限る）の配偶者または二親等内の親族でないことという要件のいずれにも該当するものをいう（法2条16号）。

⑲ **譲渡制限株式** 株式会社がその発行する全部または一部の株式の内容として譲渡による当該株式の取得について当該株式会社の承認を要する旨の定めを設けている場合（法107条1項1号・108条1項4号）における当該株式をいう（法2条17号）。

⑳ **取得条項付株式** 株式会社がその発行する全部または一部の株式の内容として当該株式会社が一定の事由が生じたことを条件として当該株式を取得することができる旨の定めを設けている場合における当該株式をいう（法2条19号）。

㉑ **単元株式数** 株式会社がその発行する株式について，一定の数の株式をもって株主が株主総会または種類株主総会において1個の議決権を行使することができる1単元の株式とする旨の定款の定めを設けている場合（法188条1項）における当該一定の数をいう（法2条20号）。

㉒　新株予約権　株式会社に対して行使することにより当該株式会社の株式の交付を受けることができる権利をいう（法2条21号）。
㉓　新株予約権付社債　新株予約権を付した社債をいう（法2条22号）。
㉔　社債　会社法の規定により会社が行う割当てにより発生する、その会社を債務者とする金銭債権であって、法676条各号に掲げる事項についての定めに従い償還されるものをいう（法2条23号）。
㉕　配当財産　株式会社が剰余金の配当をする場合における配当する財産をいう（法2条25号）。
㉖　組織変更　会社がその組織を変更することにより、株式会社が合名会社、合資会社または合同会社となること、または合名会社、合資会社または合同会社が株式会社となることをいう（法2条26号）。
㉗　吸収合併　会社が他の会社とする合併であって、合併により消滅する会社の権利義務の全部を合併後存続する会社に承継させるものをいう（法2条27号）。
㉘　新設合併　二以上の会社がする合併であって、合併により消滅する会社の権利義務の全部を合併により設立する会社に承継させるものをいう（法2条28号）。
㉙　吸収分割　株式会社または合同会社がその事業に関して有する権利義務の全部または一部を分割後他の会社に承継させることをいう（法2条29号）。
㉚　新設分割　一または二以上の株式会社または合同会社がその事業に関して有する権利義務の全部または一部を分割により設立する会社に承継させることをいう（法2条30号）。
㉛　株式交換　株式会社がその発行済株式（株式会社が発行している株式）の全部を他の株式会社または合同会社に取得させることをいう（法2条31号）。
㉜　株式移転　一または二以上の株式会社がその発行済株式の全部を新たに設立する株式会社に取得させることをいう（法2条32号）。
㉝　株式交付　株式会社が他の株式会社をその子会社（法務省令（4条の2）で定めるものに限る）とするために当該他の株式会社の株式を譲り受け、当該株式の譲渡人に対して当該株式の対価として当該株式会社の株式を交付することをいう（法2条32号の2）。
㉞　電子公告　公告方法のうち、電磁的方法（電子情報処理組織を使用する方法その他の情報通信の技術を利用する方法であって法務省令で定めるものをいう［→2⑥］）により不特定多数の者が公告すべき内容である情報の提供を受け

ることができる状態に置く措置であって法務省令で定めるものをとる方法をいう。223条では，電子情報処理組織を使用する方法のうち送信者の使用に係る電子計算機に備えられたファイルに記録された情報の内容を電気通信回線を通じて情報の提供を受ける者の閲覧に供し，当該情報の提供を受ける者の使用に係る電子計算機に備えられたファイルに当該情報を記録する方法であって（222条1項1号ロ），インターネットに接続された自動公衆送信装置を使用する方法が定められている（法2条34号）。

2　会社法が定める定義によるもの（2項）
以下，○つき数字は，本項の各号を示すものとする。
① 指名委員会等　指名委員会等設置会社［→1⑭］の指名委員会，監査委員会および報酬委員会をいう（法2条12号）。
② 種類株主　種類株式発行会社［→1⑮］におけるある種類の株式の株主をいう（法2条14号）。
③ 業務執行取締役　株式会社の代表取締役［→⑰］，代表取締役以外の取締役であって，取締役会の決議によって取締役会設置会社の業務を執行する取締役として選定されたもの（法363条1項）および当該株式会社の業務を執行したその他の取締役をいう（法2条15号イ）。
④ 業務執行取締役等　株式会社の業務執行取締役［→③］もしくは執行役または支配人その他の使用人をいう（法2条15号イ）。
⑤ 発行済株式　株式会社が発行している株式をいう（法2条31号）。
⑥ 電磁的方法　電子情報処理組織を使用する方法その他の情報通信の技術を利用する方法であって法務省令で定めるものをいう（法2条34号）［→222条］。
⑦ 設立時発行株式　株式会社の設立に際して発行する株式をいう（法25条1項1号）。
⑧ 有価証券　金融商品取引法（昭和23年法律第25号）2条1項に規定する有価証券（同条2項の規定により有価証券とみなされる権利を含む）をいう（法33条10項2号）。
⑨ 銀行等　銀行（銀行法2条1項に規定する銀行），信託会社（信託業法2条2項に規定する信託会社）その他これに準ずるものとして法務省令で定めるものをいう（法34条2項）［→7条］。
⑩ 発行可能株式総数　株式会社が発行することができる株式の総数をいう（法37条1項）。

⑪ 設立時取締役　株式会社の設立に際して取締役となる者をいう（法38条1項）。
⑫ 設立時監査等委員　株式会社の設立に際して監査等委員［→⑬］となる者をいう（法38条2項）。
⑬ 監査等委員　監査等委員会（法326条2項・399条の2）の委員をいう（法38条2項）。
⑭ 設立時会計参与　株式会社の設立に際して会計参与となる者をいう（法38条3項1号）。
⑮ 設立時監査役　株式会社の設立に際して監査役となる者をいう（法38条3項2号）。
⑯ 設立時会計監査人　株式会社の設立に際して会計監査人となる者をいう（法38条3項3号）。
⑰ 代表取締役　株式会社を代表する取締役をいう（法47条1項）。
⑱ 設立時執行役　株式会社の設立に際して執行役となる者をいう（法48条1項2号）。
⑲ 設立時募集株式　設立時発行株式を引き受ける者の募集に応じて設立時発行株式の引受けの申込みをした者に対して割り当てる設立時発行株式（株式会社の設立に際して発行する株式［→⑦］）をいう（法58条1項）。
⑳ 設立時株主　株式会社の成立の時に，出資の履行をした設立時発行株式の株主となる発起人（法50条1項）または払込みを行った設立時発行株式の株主となる設立時募集株式の引受人（法102条2項）をいう（法65条1項）。
㉑ 創立総会　設立時株主［→⑳］の総会をいう（法65条1項）。
㉒ 創立総会参考書類　創立総会における議決権の行使について参考となるべき事項を記載した書類をいう（法70条1項）。
㉓ 種類創立総会　ある種類の設立時発行株式（株式会社の設立に際して発行する株式［→⑦］）の設立時種類株主（ある種類の設立時発行株式の設立時株主［→⑳］）の総会をいう（法84条）。
㉔ 発行可能種類株式総数　株式会社が発行することができる一の種類の株式の総数をいう（法101条1項3号）。
㉕ 株式等　株式，社債および新株予約権をいう（法107条2項2号ホ）。
㉖ 自己株式　株式会社が有する自己の株式をいう（法113条4項）。
㉗ 株券発行会社　その株式（種類株式発行会社［→1⑮］の場合は，全部の種類の株式）に係る株券を発行する旨の定款の定めがある株式会社をいう（法

117条7項）。

㉘ 株主名簿記載事項　株主の氏名または名称および住所，その株主の有する株式の数（種類株式発行会社［→1⑮］の場合は，株式の種類および種類ごとの数），その株主が株式を取得した日，および，株式会社が株券発行会社［→㉗］である場合には，その株主の有する株式（株券が発行されているものに限る）に係る株券の番号をいう（法121条）。

㉙ 株主名簿管理人　株式会社に代わって株主名簿の作成および備置きその他の株主名簿に関する事務を行う者をいう（法123条）。

㉚ 株式取得者　株式を当該株式を発行した株式会社以外の者から取得した者（当該株式会社を除く）をいう（法133条1項）。

㉛ 親会社株式　その親会社［→1⑤］である株式会社の株式（法135条1項）［→3条**2**・**4**］。

㉜ 譲渡等承認請求者　譲渡等承認請求（譲渡制限株式［→1⑲］の株主が，その有する譲渡制限株式を他人（当該譲渡制限株式を発行した株式会社を除く）に譲り渡そうとするときに，当該株式会社に対してする，当該他人が当該譲渡制限株式を取得することについて承認をするか否かの決定をすることの請求（法136条）または譲渡制限株式を取得した株式取得者が，株式会社に対してする，当該譲渡制限株式を取得したことについて承認をするか否かの決定をすることの請求（法137条1項）。法138条1項）をした者をいう（法139条2項）。

㉝ 対象株式　譲渡等承認請求があった場合に，譲渡による取得の承認をしない旨の決定をしたときの，当該譲渡等承認請求に係る譲渡制限株式をいう（法140条1項）。

㉞ 指定買取人　対象株式［→㉝］の全部または一部を買い取る者をいう（法140条4項）。

㉟ 1株当たり純資産額　1株当たりの純資産額として法務省令（25条）で定める方法により算定される額をいう（法141条2項）。

㊱ 登録株式質権者　質権者の氏名または名称および住所ならびに質権の目的である株式（法148条）が株主名簿に記載され，または記録された質権者をいう（法149条1項）。

㊲ 金銭等　金銭その他の財産をいう（法151条1項）。

㊳ 全部取得条項付種類株式　その種類の株式について，その株式会社が株主総会の決議によってその全部を取得すること（法108条1項7号）についての定めがある種類の株式をいう（法171条1項）。

㊴　特別支配株主　株式会社の総株主の議決権の10分の９（これを上回る割合を当該株式会社の定款で定めた場合には，その割合）以上を当該株式会社以外の者および当該者が発行済株式の全部を有する株式会社その他これに準ずるものとして法務省令（33条の４）で定める法人（特別支配株主完全子法人）が有している場合における当該者をいう（法179条１項）。

㊵　株式売渡請求　株式会社の特別支配株主が，当該株式会社の株主（当該株式会社および当該特別支配株主を除く）の全員に対し，その有する当該株式会社の株式の全部を当該特別支配株主に売り渡すことを請求することをいう（法179条２項）。

㊶　対象会社　株式売渡請求［→㊵］に係る株式を発行している株式会社をいう（法179条２項）。

㊷　新株予約権売渡請求　株式会社の特別支配株主が，対象会社［→㊶］の新株予約権の新株予約権者（対象会社および当該特別支配株主を除く）の全員に対し，その有する対象会社の新株予約権の全部を当該特別支配株主に売り渡すことを請求することをいう（法179条３項）。

㊸　売渡株式　株式売渡請求［→㊵］によりその有する対象会社［→㊶］の株式を売り渡す株主が有する対象会社の株式をいう（法179条の２第１項２号）。

㊹　売渡新株予約権　新株予約権売渡請求によりその有する対象会社の新株予約権を売り渡す新株予約権者が有する対象会社の新株予約権（当該新株予約権が新株予約権付社債に付されたものである場合に，併せて，新株予約権付社債についての社債の全部を当該特別支配株主に売り渡すことを請求をするときは，当該新株予約権付社債についての社債を含む）をいう（法179条の２第１項４号ロ）。

㊺　売渡株式等　売渡株式［→㊸］および売渡新株予約権［→㊹］をいう（法179条の２第１項５号）。

㊻　株式等売渡請求　株式売渡請求［→㊵］および新株予約権売渡請求［→㊷］をいう（法179条の３第１項）。

㊼　売渡株主等　売渡株主（株式売渡請求［→㊵］によりその有する対象会社の株式を売り渡す株主。法179条の２第１項２号）および売渡新株予約権者（新株予約権売渡請求［→㊷］によりその有する対象会社の新株予約権を売り渡す新株予約権者。法179条の２第１項４号ロ）をいう（法179条の４第１項１号）。

㊽　単元未満株式売渡請求　単元未満株主が有する単元未満株式の数と併せて単元株式数となる数の株式を当該単元未満株主に売り渡すことを請求するこ

とをいう（法194条１項）。

㊾ 募集株式 株式会社がする，その発行する株式またはその処分する自己株式を引き受ける者の募集に応じてこれらの株式の引受けの申込みをした者に対して割り当てる株式をいう（法199条１項）。

㊿ 株券喪失登録日 株券喪失登録［→(51)］の請求に係る株券（株券発行会社の株式（種類株式発行会社においては，全部の種類の株式）に係る株券を発行する旨の定款の定めを廃止する定款の変更または譲渡による当該株式の取得について当該株式会社の承認を要する旨の定款の定めを設ける定款の変更，株式の併合，全部取得条項付種類株式の取得，取得条項付株式の取得，組織変更，合併（合併により当該株式会社が消滅する場合に限る），株式交換または株式移転により無効となった株券および株式の発行または自己株式の処分の無効の訴えに係る請求を認容する判決が確定した場合における当該株式に係る株券を含む）につき，その番号，その株券を喪失した者の氏名または名称および住所ならびにその株券に係る株式の株主または登録株式質権者として株主名簿に記載され，または記録されている者（名義人）の氏名または名称および住所を記載し，または記録した日をいう（法221条４号）。

(51) 株券喪失登録 株券を喪失した者の請求により，株券について株券喪失登録簿記載事項を株券喪失登録簿に記載し，または記録することをいう（法223条）。

(52) 株券喪失登録者 株券発行会社［→㉗］が請求に応じて株券喪失登録［→(51)］をした場合において，当該請求に係る株券を喪失した者として株券喪失登録簿に記載され，または記録された者をいう（法224条１項）。

(53) 募集新株予約権 株式会社がする，その発行する新株予約権を引き受ける者の募集に応じて当該新株予約権の引受けの申込みをした者に対して割り当てる新株予約権をいう（法238条１項）。

(54) 新株予約権付社債券 証券発行新株予約権付社債［→(55)］に係る社債券をいう（法249条２号）。

(55) 証券発行新株予約権付社債 新株予約権付社債［→１㉓］であって，当該新株予約権付社債についての社債につき社債券を発行することとする旨の定めがあるものをいう（法249条２号）。

(56) 証券発行新株予約権 新株予約権（新株予約権付社債［→１㉓］に付されたものを除く）であって，当該新株予約権に係る新株予約権証券を発行することとする旨の定めがあるものをいう（法249条３号ニ）。

(57)　自己新株予約権　株式会社が有する自己の新株予約権をいう（法255条1項）。

(58)　新株予約権取得者　新株予約権を当該新株予約権を発行した株式会社以外の者から取得した者（当該株式会社を除く）をいう（法260条1項）。

(59)　取得条項付新株予約権　当該新株予約権について，当該株式会社が一定の事由が生じたことを条件としてこれを取得することができることとするときに定めるべき事項（法236条1項7号イ）についての定めがある新株予約権をいう（法273条1項）。

(60)　新株予約権無償割当て　株式会社が，株主（種類株式発行会社の場合は，ある種類の種類株主）に対して新たに払込みをさせないでする当該株式会社の新株予約権の割当てをいう（法277条）。

(61)　株主総会参考書類　株主総会における議決権の行使について参考となるべき事項を記載した書類をいう（法301条1項）。

(62)　報酬等　取締役，会計参与，監査役および執行役の報酬，賞与その他の職務執行の対価として株式会社から受ける財産上の利益をいう（法361条1項）。

(63)　議事録等　取締役会の議事録または取締役が取締役会の決議の目的である事項について提案をした場合において，当該提案につき取締役（当該事項について議決に加わることができるものに限る）の全員が書面または電磁的記録によりした同意の意思表示を記載し，もしくは記録した書面もしくは電磁的記録をいう（法371条1項）。

(64)　執行役等　執行役および取締役をいい，会計参与設置会社では，執行役，取締役および会計参与をいう（法404条2項1号）。

(65)　役員等　取締役，会計参与，監査役，執行役または会計監査人をいう（法423条1項）。

(66)　補償契約　役員等［→(65)］が，その職務の執行に関し，法令の規定に違反したことが疑われ，または責任の追及に係る請求を受けたことに対処するために支出する費用ならびに役員等が，その職務の執行に関し，第三者に生じた損害を賠償する責任を負う場合におけるその損害をその役員等が賠償することにより生ずる損失およびその損害の賠償に関する紛争について当事者間に和解が成立したときは，その役員等がその和解に基づく金銭を支払うことにより生ずる損失の全部または一部を株式会社がその役員等に対して補償することを約する契約をいう（法430条の2第1項）。

(67)　役員等賠償責任保険契約　株式会社が，保険者との間で締結する保険契約

のうち役員等［→(65)］がその職務の執行に関し責任を負うことまたは当該責任の追及に係る請求を受けることによって生ずることのある損害を保険者が塡補することを約するものであって，役員等を被保険者とするもの（当該保険契約を締結することにより被保険者である役員等の職務の執行の適正性が著しく損なわれるおそれがないものとして法務省令（115条の２）で定めるものを除く）をいう（法430条の３第１項）。

(68) 臨時決算日　会社が臨時計算書類［→(69)］を作成するために定める最終事業年度の直後の事業年度に属する一定の日をいう（法441条１項）。

(69) 臨時計算書類　最終事業年度の直後の事業年度に属する一定の日（臨時決算日［→(68)］）における当該株式会社の財産の状況を把握するため法務省令の定めるところ（計規60条）により作成する臨時決算日における貸借対照表および臨時決算日の属する事業年度の初日から臨時決算日までの期間に係る損益計算書をいう（法441条１項）。

(70) 連結計算書類　会計監査人設置会社およびその子会社から成る企業集団の財産および損益の状況を示すために必要かつ適当なものとして法務省令で定めるもの（計規61条），すなわち，連結貸借対照表，連結損益計算書，連結株主資本等変動計算書および連結注記表をいう（法444条１項）。連結貸借対照表は，一定の時点（連結会計年度の末日）における連結計算書類を作成する会社およびその子会社からなる企業集団の財政状態を明らかにする一覧表であり，資産の部，負債の部および純資産の部から成る。連結損益計算書とは，一定の期間（連結会計年度）に連結計算書類を作成する会社およびその子会社から成る企業集団が獲得した利益または被った損失を算定する過程を，収益と費用を示して，計算表示し，親会社株主に帰属する部分と非支配株主に帰属する部分とを明らかにする計算書類をいう。連結株主資本等変動計算書とは，連結貸借対照表の純資産の部の１事業年度における変動額のうち，主として，親会社株主に帰属する部分である株主資本の各項目の変動事由を報告するための計算書類をいう。連結注記表は，連結貸借対照表，連結損益計算書および連結株主資本等変動計算書により企業集団の財産または損益の状態を正確に判断するために必要な事項を表示した計算書類をいう。

(71) 分配可能額　剰余金の額（法446条）と臨時計算書類［→(69)］につき法441条４項の承認（同項ただし書に規定する場合には，同条３項の承認）を受けた場合における同条１項２号の期間の利益の額として法務省令で定める各勘定科目に計上した額（計規156条）の合計額および法441条１項２号の期間内に

自己株式［→㉖］を処分した場合における当該自己株式の対価の額とを合計した額から，自己株式の帳簿価額，最終事業年度の末日後に自己株式を処分した場合における当該自己株式の対価の額，臨時計算書類につき法441条4項の承認（同項ただし書に規定する場合には，同条3項の承認）を受けた場合における同条1項2号の期間の損失の額として法務省令で定める各勘定科目に計上した額（計規157条）の合計額および法務省令で定める各勘定科目に計上した額（計規158条）を合計した額を減じて得た額をいう（法461条2項）［→計規コンメ158条］。

㋒ **事業譲渡等** 事業の全部の譲渡，事業の重要な一部の譲渡（当該譲渡により譲り渡す資産の帳簿価額が当該株式会社の総資産額として法務省令で定める方法により算定される額の5分の1（これを下回る割合を定款で定めた場合は，その割合）を超えないものを除く），その子会社の株式または持分の全部または一部の譲渡（当該譲渡により譲り渡す株式または持分の帳簿価額が当該株式会社の総資産額として法務省令で定める方法により算定される額の5分の1（これを下回る割合を定款で定めた場合には，その割合）を超え，かつ，当該株式会社が，効力発生日において当該子会社の議決権の総数の過半数の議決権を有しないこととなるものに限る），他の会社（外国会社その他の法人を含む）の事業の全部の譲受け，および，事業の全部の賃貸，事業の全部の経営の委任，他人と事業上の損益の全部を共通にする契約その他これらに準ずる契約の締結，変更または解約をいう（法468条1項）。

㋓ **清算株式会社** 解散（合併により解散した場合および破産手続開始の決定により解散した場合であって当該破産手続が終了していない場合を除く），設立の無効の訴えに係る請求を認容する判決の確定または株式移転の無効の訴えに係る請求を認容する判決の確定により清算をする株式会社をいう（法476条）。

㋔ **清算人会設置会社** 清算人会を置く清算株式会社または会社法の規定により清算人会を置かなければならない清算株式会社をいう（法478条8項）。監査役会を置く旨の定款の定めがある清算株式会社は，清算人会を置かなければならない（法477条3項）。

㋕ **財産目録等** 解散（合併により解散した場合および破産手続開始の決定により解散した場合であって当該破産手続が終了していない場合を除く）の日，設立の無効の訴えに係る請求を認容する判決が確定した日または株式移転の無効の訴えに係る請求を認容する判決が確定した日における財産目録および貸借対照表をいう（法492条1項）。

㊕　各清算事務年度　解散（合併により解散した場合および破産手続開始の決定により解散した場合であって当該破産手続が終了していない場合を除く）の日，設立の無効の訴えに係る請求を認容する判決が確定した日または株式移転の無効の訴えに係る請求を認容する判決が確定した日の翌日またはその後毎年その日に応当する日（応当する日がない場合は，その前日）から始まる各1年の期間をいう（法494条1項）。

㊆　貸借対照表等　各清算事務年度［→㊕］に係る貸借対照表および事務報告ならびにこれらの附属明細書（監査役の監査を受けなければならない場合は，監査報告を含む）をいう（法496条1項）。

㊇　協定債権　清算株式会社の債権者の債権（一般の先取特権その他一般の優先権がある債権，特別清算の手続のために清算株式会社に対して生じた債権および特別清算の手続に関する清算株式会社に対する費用請求権を除く）をいう（法515条3項）。

㊈　協定債権者　協定債権［→㊇］を有する債権者をいう（法517条1項）。

㊀　債権者集会参考書類　債権の申出をした協定債権者その他清算株式会社に知れている協定債権者に対して交付すべき，当該協定債権者が有する協定債権について債権者集会における議決権の行使の許否およびその額ならびに議決権の行使について参考となるべき事項を記載した書類をいう（法550条1項）。

㊁　持分会社　合名会社，合資会社および合同会社をいう（法575条1項）。

㊂　清算持分会社　解散（合併によって解散した場合および破産手続開始の決定により解散した場合であって当該破産手続が終了していない場合を除く），設立の無効の訴えに係る請求を認容する判決の確定，または，設立の取消しの訴えに係る請求を認容する判決の確定により清算をする持分会社をいう（法645条）。

㊃　募集社債　会社がする，その発行する社債を引き受ける者の募集に応じて当該社債の引受けの申込みをした者に対して割り当てる社債をいう（法676条）。

㊄　社債発行会社　社債を発行した会社をいう（法682条1項）。

㊅　社債原簿管理人　会社に代わって社債原簿の作成および備置きその他の社債原簿に関する事務を行う者をいう（法683条）。

㊆　社債権者集会参考書類　社債権者集会における議決権の行使について参考となるべき事項を記載した書類をいう（法721条1項）。

(87)　組織変更後持分会社　組織変更［→1㉖］後の持分会社をいう（法744条1項1号）。

(88)　社債等　社債［→1㉔］および新株予約権［→1㉒］をいう（法746条1項7号ニ）。

(89)　吸収合併消滅会社　吸収合併［→1㉗］により消滅する会社をいう（法749条1項1号）。

(90)　吸収合併存続会社　吸収合併［→1㉗］後存続する会社をいう（法749条1項）。

(91)　吸収合併存続株式会社　株式会社である吸収合併存続会社［→(90)］をいう（法749条1項1号）。

(92)　吸収合併消滅株式会社　株式会社である吸収合併消滅会社［→(89)］をいう（法749条1項2号）。

(93)　吸収合併存続持分会社　持分会社である吸収合併存続会社［→(90)］をいう（法751条1項1号）。

(94)　新設合併設立会社　新設合併［→1㉘］により設立する会社をいう（法753条1項）。

(95)　新設合併消滅会社　新設合併［→1㉘］により消滅する会社をいう（法753条1項1号）。

(96)　新設合併設立株式会社　株式会社である新設合併設立会社［→(94)］をいう（法753条1項2号）。

(97)　新設合併消滅株式会社　株式会社である新設合併消滅会社［→(95)］をいう（法753条1項6号）。

(98)　吸収分割承継会社　会社が吸収分割［→1㉙］をする場合において，その吸収分割会社［→(99)］がその事業に関して有する権利義務の全部または一部をその吸収分割会社から承継する会社をいう（法757条）。

(99)　吸収分割会社　吸収分割［→1㉙］をする会社をいう（法758条1号）。

(100)　吸収分割承継株式会社　株式会社である吸収分割承継会社［→(98)］をいう（法758条1号）。

(101)　吸収分割株式会社　株式会社である吸収分割会社［→(99)］をいう（法758条2号）。

(102)　吸収分割承継持分会社　持分会社である吸収分割承継会社［→(98)］をいう（法760条1号）。

(103)　新設分割会社　新設分割［→1㉚］により新設分割をする会社をいう（法

763条1項5号）。

⑭　新設分割株式会社　株式会社である新設分割会社［→⑬］をいう（法763条1項5号）。

⑮　新設分割設立会社　一または二以上の株式会社または合同会社が新設分割［→1㉚］をする場合において，新設分割により設立する会社をいう（法763条1項）。

⑯　新設分割設立株式会社　株式会社である新設分割設立会社［→⑮］をいう（法763条1項1号）。

⑰　新設分割設立持分会社　持分会社である新設分割設立会社［→⑮］をいう（法765条1項1号）。

⑱　株式交換完全親会社　株式交換［→1㉛］をする株式会社（株式交換完全子会社）の発行済株式の全部を取得する会社をいう（法767条）。

⑲　株式交換完全子会社　株式交換［→1㉛］をする株式会社をいう（法768条1項1号）。

⑳　株式交換完全親株式会社　株式会社である株式交換完全親会社［→⑱］をいう（法768条1項1号）。

㉑　株式交換完全親合同会社　合同会社である株式交換完全親会社［→⑱］をいう（法770条1項1号）。

㉒　株式移転設立完全親会社　株式移転［→1㉜］により設立する株式会社をいう（法773条1項1号）。

㉓　株式移転完全子会社　株式移転［→1㉜］に際して株式移転をする株式会社をいう（法773条1項5号）。

㉔　株式交付親会社　株式交付［→1㉝］をする株式会社をいう（法774条の3第1項1号）。

㉕　株式交付子会社　株式交付親会社［→㉔］が株式交付［→1㉝］に際して譲り受ける株式を発行する株式会社をいう（法774条の3第1項2号）。

㉖　吸収分割合同会社　合同会社である吸収分割会社［→㊎］をいう（法793条2項）。

㉗　存続株式会社等　吸収合併存続株式会社［→㉑］，吸収分割承継株式会社［→㊍］または株式交換完全親株式会社［→⑳］をいう（法794条1項）。

㉘　新設分割合同会社　合同会社である新設分割会社［→⑬］をいう（法813条2項）。

㉙　責任追及等の訴え　発起人，設立時取締役，設立時監査役，役員等［→

⑥]もしくは清算人の責任を追及する訴え，法102条の2第1項（払込みを仮装した設立時募集株式の引受人の支払義務），法212条1項（不公正な払込金額で株式を引き受けた者等の支払義務）もしくは法285条1項（不公正な払込金額で新株予約権を引き受けた者等の支払義務）の規定による支払を求める訴え，法120条3項（株主の権利の行使に関して財産上の利益の供与を受けた者の返還義務）の利益の返還を求める訴えまたは法213条の2第1項（出資の履行を仮装した募集株式の引受人の義務）もしくは法286条の2第1項（新株予約権に係る払込み等を仮装した新株予約権者等の義務）の規定による支払もしくは給付を求める訴えをいう（法847条1項）。

⑳　株式交換等完全子会社　当該株式会社の株式交換または株式移転があったときは当該株式会社，当該株式会社が吸収合併により消滅する会社となる吸収合併があったときはその吸収合併後存続する株式会社を，それぞれ，いう（法847条の2第1項）。

㉑　最終完全親会社等　当該株式会社の完全親会社等［→㉓］であって，その完全親会社等がないものをいう（法847条の3第1項）。

㉒　特定責任追及の訴え　特定責任［→㉕］に係る責任追及等の訴えをいう（法847条の3第1項）。

㉓　完全親会社等　(a)完全親会社または(b)株式会社の発行済株式の全部を他の株式会社およびその完全子会社等［→㉔］または他の株式会社の完全子会社等が有する場合における当該他の株式会社（完全親会社を除く）である株式会社をいう（法847条の3第2項）。

㉔　完全子会社等　株式会社がその株式または持分の全部を有する法人をいう（法847条の3第2項2号）。

㉕　特定責任　当該株式会社の発起人等の責任（発起人，設立時取締役，設立時監査役，役員等［→⑥］もしくは清算人の責任）の原因となった事実が生じた日において最終完全親会社等［→⑯］およびその完全子会社等（［→㉔］法847条の3第3項の規定により当該完全子会社等とみなされるものを含む）における当該株式会社の株式の帳簿価額が当該最終完全親会社等の総資産額として法務省令（218条の6）で定める方法により算定される額の5分の1（これを下回る割合を定款で定めた場合には，その割合）を超える場合における当該発起人等の責任をいう（法847条の3第4項）。

㉖　株式交換等完全親会社　法847条の2第1項各号に定める場合（当該株式会社の株式交換または株式移転があった場合に当該株式交換または株式移転によ

り当該株式会社の完全親会社の株式を取得し，引き続き当該株式を有するとき，または，当該株式会社が吸収合併により消滅する会社となる吸収合併があった場合に，当該吸収合併により，吸収合併後存続する株式会社の完全親会社の株式を取得し，引き続き当該株式を有するとき）または同条3項1号（同条4項および5項において準用する場合を含む）もしくは2号（同条4項および5項において準用する場合を含む）に掲げる場合における株式交換等完全子会社の完全親会社（同条1項各号に掲げる行為または同条3項1号（同条4項および5項において準用する場合を含む）の株式交換もしくは株式移転もしくは同項2号（同条4項および5項において準用する場合を含む）の合併の効力が生じた時においてその完全親会社があるものを除く）であって，当該完全親会社の株式交換もしくは株式移転または当該完全親会社が合併により消滅する会社となる合併によりその完全親会社となった株式会社がないものをいう（法849条2項1号）。

3 会社法施行規則に固有の定義（3項）

以下，◯つき数字は，本条3項の各号を示すものとする。

① 法人等 法人その他の団体をいう。法人等は会社等［→②］よりも広い概念として用いられている。

② 会社等 会社［→1①］（外国会社［→1②］を含む），組合（外国における組合に相当するものを含む）その他これらに準ずる事業体をいう。組合とは民法上の組合（民法667条1項）をいう。

「その他これらに準ずる事業体」としては，特定目的会社（資産の流動化に関する法律（平成10年法律第105号）2条3項），有限責任事業組合（有限責任事業組合契約に関する法律（平成17年法律第40号）2条），投資事業有限責任組合（投資事業有限責任組合契約に関する法律（平成10年法律第90号）2条2項），投資法人（投資信託及び投資法人に関する法律（昭和26年法律第198号）2条12項）などがある。外国における組合に相当するものとしては General Partnership, Limited Partnership, Limited Liability Partnership（LLP）などのパートナーシップがある。なお，アメリカ合衆国における Limited Liability Company（LLC）は法人格を有しないので，外国会社にあたるのか，外国における組合にあたるのか必ずしも明確ではないが，いずれにせよ，本号にいう「会社等」には含まれる。また，会社法施行規則との関連では，会計単位が問題となるわけではないので，会社の計算との関連での取扱い［→計規コンメ2条1③］とは異なり，建設業で用いられているジョイン

ト・ベンチャーも民法上の組合であるので，ここでいう会社等にあたると考えてよいと思われる。

　財団法人，社団法人，宗教法人あるいは学校法人なども収益事業を行っており，これらの法人が本号にいう「会社等」にあたるか否かは問題となりうる。日本公認会計士協会監査・保証実務委員会実務指針第88号「連結財務諸表における子会社及び関連会社の範囲の決定に関する監査上の留意点についてのQ＆A」（平成12年1月19日）Q12は本来営利を目的としないことを理由に「原則として，会社に準ずる事業体には該当しない」としているが，会社の計算との関連ではともかく，役員［→③］の定義からみて，会社法施行規則上は「会社等」にあたると考えられているのではないかと思われるし，特定非営利活動法人（NPO法人）や中間法人も「会社等」にあたると解してよいであろうし，一般社団法人及び一般財団法人に関する法律（平成18年法律第48号）にいう一般社団法人および一般財団法人もあたると考えられる（子会社の範囲はそれが問題となる規定しだいで異なる可能性について，相澤＝郡谷・商事法務1759号10頁参照）。

③　役員　取締役，会計参与，監査役，執行役，理事，監事その他これらに準ずる者をいう。法329条（株式会社の取締役，会計参与および監査役を「株式会社の役員」という）とは異なり，会社法施行規則では，役員という語は，会社等［→②］の役員を意味するものとして用いられている（（外部性を有する）会計監査人またはそれに準ずる者は含まれない点がポイントであろう）。会社等には外国会社などが含まれるため，すべての役員の呼称を列挙することができないため，「その他これらに準ずる者」という表現が用いられている。本号が定める「役員」概念を解するにあたっては，たとえば，他の法令における「役員」の定義が役立つのではないかと思われるところ，破産法（平成16年法律第75号）177条1項は，「理事，取締役，執行役，監事，監査役，清算人又はこれらに準ずる者」を役員というものとし（民事再生法（平成11年法律第225号）142条1項も同じ），金融商品取引法第2条に規定する定義に関する内閣府令（平成5年大蔵省令第14号）6条1項かっこ書は，役員について「相談役，顧問その他いかなる名称を有する者であるかを問わず，当該会社又はその被支配会社等に対し役員と同等以上の支配力を有するものと認められる者を含む」としている。また，法人税法2条15号は，役員とは「法人の取締役，執行役，会計参与，監査役，理事，監事及び清算人並びにこれら以外の者で法人の経営に従事している者のうち政令で定めるものをいう」と定

め，法人税法施行令7条では，「法人の使用人（職制上使用人としての地位のみを有する者に限る）以外の者でその法人の経営に従事しているもの」および一定の「同族会社の使用人」も役員にあたるものと定めている。一定の「同族会社の使用人」が役員にあたるとされているのは，法人税法の趣旨に基づくものであり，本号の解釈にはあてはまらないが，「法人の使用人（職制上使用人としての地位のみを有する者に限る）以外の者でその法人の経営に従事しているもの」は本号の解釈上も「役員」にあたると解する余地がある。

④　会社役員　その株式会社の取締役，会計参与，監査役および執行役をいう。役員［→③］のうち，株式会社の役員を会社役員と定義している。法329条と異なり，執行役が会社役員に含められているが，会社法上の役員等のうち，会計監査人は含まれていない。

⑤　社外役員　社外取締役［→1⑰］または社外監査役［→1⑱］のうち，監査役会設置会社（公開会社であり，かつ，大会社であるものに限る）であって金融商品取引法24条1項の規定によりその発行する株式について有価証券報告書を内閣総理大臣に提出しなければならないものに設置が要求される社外取締役（法327条の2），監査等委員会設置会社において監査等委員である取締役に占める社外取締役の割合要件にいう社外取締役（法331条6項），特別取締役による取締役会の決議が認められる要件にいう社外取締役（法373条1項2号），もしくは取締役会の決議により重要な業務執行の決定を取締役に委任することができるための割合要件にいう社外取締役（法399条の13第5項），指名委員会等設置会社の各委員会の委員に占める社外取締役の割合要件にいう社外取締役（法400条3項），もしくは監査役会設置会社における社外監査役の割合要件にいう社外監査役（法335条3項）にあたる場合，またはその会社役員をその株式会社の社外取締役または社外監査役であるものとして計算関係書類，事業報告，株主総会参考書類その他その株式会社が法令その他これに準ずるものの規定に基づき作成する資料に表示している場合のその会社役員［→④］をいう。したがって，社外取締役の要件（法2条15号）または社外監査役の要件（法2条16号）を満たす会社役員であっても，本号にいう「社外役員」には該当しない場合がある。「社外役員」は株主総会参考書類の記載事項（74条・74条の3）および事業報告の記載事項（124条）との関係で定められている概念である。

⑥　業務執行者　業務執行取締役，執行役その他の法人等の業務を執行する役

員（法348条の2第1項および2項の規定による委託を受けた社外取締役を除く），業務を執行する社員，および，法人が業務を執行する社員である場合に，その業務を執行する社員の職務を行うべき者（法598条1項）その他これに相当する者および使用人をいう。「その他これに相当する者」とされているのは，本号にいう「業務執行者」は法人等［→①］の業務執行者を意味するところ，法人等には広い範囲の団体が含まれ，その業務執行者の呼称を列挙することは不可能であるためである。なお，業務執行取締役とは株式会社の法363条1項各号に掲げる取締役および当該株式会社の業務を執行したその他の取締役をいうと定義されているところ（法2条15号），法348条の2第3項は，「前2項〔法第348条の2第1項および第2項〕の規定により委託された業務の執行は，第2条第15号イに規定する株式会社の業務の執行に該当しないものとする。ただし，社外取締役が業務執行取締役（指名委員会等設置会社にあっては，執行役）の指揮命令により当該委託された業務を執行したときは，この限りでない。」と定めている。したがって，本号で「（法第348条の2第1項及び第2項の規定による委託を受けた社外取締役を除く。）」と定めているのは，「社外取締役が業務執行取締役（指名委員会等設置会社にあっては，執行役）の指揮命令により当該委託された業務を執行したとき」（法348条の2第3項）にも業務執行者にはあたらないとしていることになる（立案担当者は，「仮に，会社法348条の2第1項および2項に基づく委託を受けた社外取締役が，業務執行取締役の指揮命令により当該委託された業務を執行したときは，当該業務の執行は同法2条15号イに規定する株式会社の業務の執行に該当するため（同法348条の2第3項），当該取締役は「業務執行取締役」（同法2条15号イ）に該当することとなり，施行規則2条3項6号イに規定する「業務執行者」に該当することとなる」との見解を示しているが（渡辺ほか・商事法務2250号6頁注6），文言解釈としては無理がある。すなわち，改正省令は，2条3項6号「イの「その他の法人等の業務を執行する役員」から，当該委託を受けた社外取締役を除くこととしている」と立案担当者は説明しているところ（渡辺ほか・前掲6頁），「その他の法人等の業務を執行する役員」（圏点―引用者）には業務執行取締役が含まれるのであって，本号イかっこ書の規定を設け，かつ，「業務執行取締役の指揮命令により当該委託された業務を執行した」のではないことを要件としなかった以上，法348条の2第1項および2項に基づく委託を受け，その業務の執行をしたにすぎない社外取締役は，「業務執行者」の定義（本号）との関係では，一律に「業務執行取締役」からも除かれることになると読むことが自然である）。

会社法施行規則において「業務執行者」という概念は、株主総会参考書類における取締役候補者についての記載（74条3項・4項・74条の3第3項・4項）・監査役候補者についての記載（76条3項・4項）、および、事業報告に含めるべき社外役員等に関する事項（124条）との関係で意義を有するが、本号かっこ書は、他の者の業務執行者であったかどうかの判断にあたって、「社外取締役が業務執行取締役（指名委員会等設置会社にあっては、執行役）の指揮命令により……委託された業務を執行した」ことがあるかどうかを考慮に入れることを求めることには無理があるからであると説明することができよう。

⑦　社外取締役候補者　株主総会参考書類の作成時点において、会社法上、社外取締役となりうる要件（法2条15号）を満たし、就任後においても満たさなくなる予定がないことに加え、監査役会設置会社（公開会社であり、かつ、大会社であるものに限る）であって金融商品取引法24条1項の規定によりその発行する株式について有価証券報告書を内閣総理大臣に提出しなければならないものに設置が要求される社外取締役（法327条の2）、監査等委員会設置会社において監査等委員である取締役に占める社外取締役の割合要件（法331条6項）、特別取締役による取締役会の決議が認められるための要件としての社外取締役（法373条1項2号）もしくは取締役会の決議により重要な業務執行の決定を取締役に委任することができるための取締役に占める社外取締役の割合要件（法399条の13第5項）、または指名委員会等設置会社の各委員会における社外取締役の割合要件（法400条3項）を満たすための社外取締役であるものとする予定であること、または、その候補者を当該株式会社の社外取締役であるものとして計算関係書類、事業報告、株主総会参考書類その他株式会社が法令その他これに準ずるものの規定に基づき作成する資料に表示する予定があることが要件とされている。すなわち、会社法施行規則上の「社外役員」［→⑤］にあたる社外取締役の候補者を意味し、「社外取締役候補者」は、株主総会参考書類に記載すべき選任議案に関する事項（74条4項）との関係で定められている概念である。

⑧　社外監査役候補者　株主総会参考書類の作成時点において、会社法上、社外監査役となりうる要件（法2条16号）を満たし、就任後においても満たさなくなる予定がないことに加え、その候補者を監査役会設置会社についての社外監査役の割合要件を満たすための社外監査役（法335条3項）とする予定があるか、その候補者を当該株式会社の社外監査役であるものとして計算関

係書類，事業報告，株主総会参考書類その他株式会社が法令その他これに準ずるものの規定に基づき作成する資料に表示する予定があることが要件とされている。すなわち，会社法施行規則上の「社外役員」[→⑤]にあたる社外監査役の候補者を意味し，「社外監査役候補者」は，株主総会参考書類に記載すべき選任議案に関する事項（74条4項）との関係で定められている概念である。

⑨ 最終事業年度　株式会社については各事業年度に係る計算書類（法435条2項，計規59条1項[→⑩]）につき定時株主総会の承認（定時株主総会の承認を要しない場合（法439条前段）にあっては，取締役会の承認）を受けた場合における当該各事業年度のうち最も遅いものを（法2条24号），持分会社については各事業年度に係る計算書類（法617条2項，計規71条1項[→⑩]）を作成した場合における当該事業年度のうち最も遅いものを，それぞれいう。計規2条3項1号と実質的に同じ定義である。

⑩ 計算書類　株式会社については各事業年度に係る貸借対照表，損益計算書，計規第3編の規定に従い作成される株主資本等変動計算書および個別注記表（法435条2項，計規59条1項）を，合同会社については各事業年度に係る貸借対照表，計規第3編の規定に従い作成される損益計算書，社員資本等変動計算書および個別注記表（法617条2項，計規74条1項2号）を，合名会社および合資会社については貸借対照表および会社が損益計算書，社員資本等変動計算書または個別注記表の全部または一部をこの編の規定に従い作成するものと定めた場合における計規第3編の規定に従い作成される損益計算書，社員資本等変動計算書または個別注記表（法617条2項，計規71条1項1号）を，それぞれいう。計規2条3項2号と実質的に同じ定義である。

　貸借対照表とは，一定の時点（事業年度の末日）における企業の財政状態を明らかにする一覧表であり，資産の部，負債の部および純資産の部からなる。損益計算書とは，一定の期間（1事業年度）に企業が獲得した利益または被った損失を算定する過程を，収益と費用を示して，計算表示する計算書類をいう。株主資本等変動計算書とは，貸借対照表の純資産の部の1事業年度における変動額のうち，主として，株主に帰属する部分である株主資本の各項目の変動事由を報告するための計算書類をいい，社員資本等変動計算書とは，貸借対照表の純資産の部の1事業年度における変動額のうち，主として，持分会社の社員に帰属する部分である社員資本の各項目の変動事由を報告するための計算書類をいう。個別注記表は，貸借対照表，損益計算書およ

び株主資本等変動計算書（持分会社の場合は社員資本等変動計算書）により会社の財産または損益の状態を正確に判断するために必要な事項を表示した計算書類をいう。

⑪　計算関係書類　成立の日における貸借対照表（法435条1項・617条1項），各事業年度に係る計算書類（法435条2項・617条2項，計規59条1項・71条1項［→⑩］）およびその附属明細書，臨時計算書類（法441条1項，計規60条［→2㊻］）および連結計算書類（法444条1項，計規61条1項［→2㊼］）をいう。計規2条3項3号と実質的に同じ定義である。

⑫　計算書類等　監査役設置会社［→1⑩］（監査役の監査の範囲を会計に関するものに限定する旨の定款の定めがある株式会社を含む）または会計監査人設置会社［→1⑫］においては，各事業年度に係る計算書類および事業報告ならびに監査報告または会計監査報告を，それ以外の株式会社においては，各事業年度に係る計算書類および事業報告を，持分会社においては法617条2項に規定する計算書類［→⑩］を，それぞれいう。

⑬　臨時計算書類等　監査役設置会社［→1⑩］（監査役の監査の範囲を会計に関するものに限定する旨の定款の定めがある株式会社を含む）または会計監査人設置会社［→1⑫］においては，臨時計算書類［→2㊻］および監査報告または会計監査報告を，それ以外の株式会社においては臨時計算書類を，それぞれいう。

⑭　新株予約権等　新株予約権その他当該法人等［→①］に対して行使することにより当該法人等の株式その他の持分の交付を受けることができる権利（株式引受権（計規2条3項34号）を除く）をいう。ここで，株式引受権とは，取締役または執行役がその職務の執行として株式会社に対して提供した役務の対価として当該株式会社の株式の交付を受けることができる権利（新株予約権を除く）をいう（計規2条3項34号。法202条の2参照）。

⑮　公開買付け等　金融商品取引法27条の2第6項（同法27条の22の2第2項において準用する場合を含む）に規定する公開買付けおよびこれに相当する外国の法令に基づく制度をいう。計規2条3項32号と同じ定義である。有価証券の公開買付けは，多数の投資者に対して，有価証券の買付けの申込みまたは売付けの申込みを勧誘し，有価証券市場外で有価証券を買い付けようとするものである。金融商品取引法は，公開買付けに応じて有価証券を提供すべきかどうかの投資判断に必要な情報を投資者に与えるための開示規制，投資者間の公平を確保するための買付条件・買付方法などの規制，別途買付けの禁

止を定めるほか，──多くの適用除外が定められているが──発行者以外の者による取引所有価証券市場外での買付けおよび所有割合が3分の1を超えることになる特定売買等による株券等の取得については公開買付けによる取得を強制している（金融商品取引法27条の2第1項2号）。

⑯　社債取得者　社債［→1㉔］を社債発行会社［→2㉞］以外の者から取得した者（当該社債発行会社を除く）をいう。

⑰　信託社債　信託の受託者が発行する社債であって，信託財産（信託法2条3項に規定する信託財産）のために発行するものをいう（162条8号・165条14号も参照）。信託財産のみをもってその履行責任を負うものとそうでないものとがある（99条2項）。

⑱　設立時役員等　設立時取締役［→2⑪］，設立時会計参与［→2⑭］，設立時監査役［→2⑮］および設立時会計監査人［→2⑯］をいう。

⑲　特定関係事業者　当該株式会社の主要な取引先である者（法人以外の団体を含む）のほか，当該株式会社に親会社等［→1⑥］がある場合には，当該親会社等ならびに当該親会社等の子会社等［→1④］（当該株式会社を除く）および関連会社［→⑳］（当該親会社等が会社でない場合におけるその関連会社に相当するものを含む），当該株式会社に親会社等がない場合には当該株式会社の子会社［→1③］および関連会社をいう。

　　親会社は会社であるとは限らないところ，法2条4号の親会社の定義によれば，その子会社は株式会社に限られ［→1⑤］，また，関連会社とは会社が他の会社等の財務および事業の方針の決定に対して重要な影響を与えることができる場合における当該他の会社等（子会社を除く）をいうものとされているから（2条3項20号，計規2条3項21号），ある会社からみて連結計算書類の対象となる企業集団に含まれるすべての会社その他の事業体を対象とするために，「当該親会社等が会社でない場合におけるその子会社及び関連会社に相当するものを含む」とされている（相澤＝郡谷・商事法務1759号10頁参照）。また，平成27年改正前には，当該株式会社に親会社がある場合には，当該親会社ならびに当該親会社の子会社および関連会社が特定関係事業者とされていたが，平成26年改正後会社法が親会社等と一定の関係を有する者は利益相反を監督するという観点から社外取締役または社外監査役の要件を満たさないものとするという方針を採用し，また，平成27年改正後会社法施行規則において親会社等との取引についての開示の充実を図ったことなどに鑑みると，親会社等およびその子会社等は当該株式会社と特別な関係を有する

と位置付けるのが首尾一貫しており，そのような観点から，特定関係事業者の範囲を画することが適切であると考えられた。他方，平成27年改正前には，当該株式会社自身も親会社の子会社として特定関係事業者に文理上含まれていたが，特定関係事業者は当該株式会社と一定の関係にある者を意味するため，「当該株式会社を除く」と規定された（坂本ほか・商事法務2063号42頁注67）。「主要な」取引先とは，「主要な取引先」が親会社等，親会社等の子会社等（兄弟会社はこれに含まれる）などと並列に規定されていることに照らすと，その株式会社の事業等の意思決定に対して，親会社等や兄弟会社あるいはその他の関係会社と同様の影響を与えることができる取引先をいうものと解するのが穏当であろう。たとえば，当該取引先との取引による売上高等がその株式会社の売上高等の相当部分を占めている場合（量的重要性）や当該取引先からその株式会社がその事業活動に欠くことができない商品あるいは役務の提供を受けている場合（質的重要性）などの，当該取引先が「主要な取引先」にあたると解される（相澤＝郡谷・商事法務1762号11頁）。

⑳ 関連会社　会社が他の会社等の財務および事業の方針の決定に対して重要な影響を与えることができる場合における当該他の会社等（［→②］子会社［→1③］を除く）をいう（計規2条3項21号）。財規8条5項にならったものである。「財務及び事業の方針の決定に対して重要な影響を与えることができる場合」は，計規2条4項に定められている［→計規コンメ2条4］。

㉑ 連結配当規制適用会社　ある事業年度の末日が最終事業年度［→⑨］の末日となる時から当該ある事業年度の次の事業年度の末日が最終事業年度の末日となる時までの間における当該株式会社の分配可能額の算定につき計規158条4号の規定を適用する旨を当該ある事業年度に係る計算書類の作成に際して定めた株式会社（ある事業年度に係る連結計算書類を作成しているものに限る）をいう（計規2条3項55号）［→計規コンメ158条2(4)］。

㉒ 組織変更株式交換　組織変更をする相互会社が組織変更をするのと同時に組織変更後株式会社の株式の全部を他の株式会社（組織変更株式交換完全親会社）に取得させることをいう（保険業法96条の5第1項）。

㉓ 組織変更株式移転　一または二以上の組織変更をする相互会社が組織変更をするのと同時に組織変更後株式会社（他の組織変更をする相互会社または株式会社と共同して組織変更株式移転により組織変更株式移転設立完全親会社を設立する場合には，その株式会社を含む）の発行する株式の全部を新たに設立する株式会社（組織変更株式移転設立完全親会社）に取得させることをいう（保

40　第1編　総　　則

険業法96条の8第1項)。

＊　　　＊　　　＊

〔施行　**会社法の一部を改正する法律**（令和元年法律第70号）**附則第1条ただし書に規定する規定の施行の日**〕［第2項に第62号を加える］
（定義）
第2条　（略）
2　この省令において，次の各号に掲げる用語の意義は，当該各号に定めるところによる。
　一～六十一　（略）
　六十二　電子提供措置　法第325条の2に規定する電子提供措置をいう。
　六十三～百二十七　（略）
3　（略）

2　会社法が定める定義によるもの（2項）
㉖'　電子提供措置　電磁的方法（法2条34号）により株主（種類株主総会を招集する場合にあっては，ある種類の株主に限る）が情報の提供を受けることができる状態に置く措置であって，法務省令（95条の2）で定めるものをいう。

第2章

子会社等及び親会社等

(子会社及び親会社)
第3条 法第2条第3号に規定する法務省令で定めるものは,同号に規定する会社が他の会社等の財務及び事業の方針の決定を支配している場合における当該他の会社等とする。
2 法第2条第4号に規定する法務省令で定めるものは,会社等が同号に規定する株式会社の財務及び事業の方針の決定を支配している場合における当該会社等とする。
3 前2項に規定する「財務及び事業の方針の決定を支配している場合」とは,次に掲げる場合(財務上又は事業上の関係からみて他の会社等の財務又は事業の方針の決定を支配していないことが明らかであると認められる場合を除く。)をいう(以下この項において同じ。)。
一 他の会社等(次に掲げる会社等であって,有効な支配従属関係が存在しないと認められるものを除く。以下この項において同じ。)の議決権の総数に対する自己(その子会社及び子法人等(会社以外の会社等が他の会社等の財務及び事業の方針の決定を支配している場合における当該他の会社等をいう。)を含む。以下この項において同じ。)の計算において所有している議決権の数の割合が100分の50を超えている場合
　イ 民事再生法(平成11年法律第225号)の規定による再生手続開始の決定を受けた会社等
　ロ 会社更生法(平成14年法律第154号)の規定による更生手続開始の決定を受けた株式会社
　ハ 破産法(平成16年法律第75号)の規定による破産手続開始の決定を受けた会社等
　ニ その他イからハまでに掲げる会社等に準ずる会社等
二 他の会社等の議決権の総数に対する自己の計算において所有している議決権の数の割合が100分の40以上である場合(前号に掲げる場合を除く。)であって,次に掲げるいずれかの要件に該当する場合

イ 他の会社等の議決権の総数に対する自己所有等議決権数（次に掲げる議決権の数の合計数をいう。次号において同じ。）の割合が100分の50を超えていること。
　⑴ 自己の計算において所有している議決権
　⑵ 自己と出資，人事，資金，技術，取引等において緊密な関係があることにより自己の意思と同一の内容の議決権を行使すると認められる者が所有している議決権
　⑶ 自己の意思と同一の内容の議決権を行使することに同意している者が所有している議決権
ロ 他の会社等の取締役会その他これに準ずる機関の構成員の総数に対する次に掲げる者（当該他の会社等の財務及び事業の方針の決定に関して影響を与えることができるものに限る。）の数の割合が100分の50を超えていること。
　⑴ 自己の役員
　⑵ 自己の業務を執行する社員
　⑶ 自己の使用人
　⑷ ⑴から⑶までに掲げる者であった者
ハ 自己が他の会社等の重要な財務及び事業の方針の決定を支配する契約等が存在すること。
ニ 他の会社等の資金調達額（貸借対照表の負債の部に計上されているものに限る。）の総額に対する自己が行う融資（債務の保証及び担保の提供を含む。ニにおいて同じ。）の額（自己と出資，人事，資金，技術，取引等において緊密な関係のある者が行う融資の額を含む。）の割合が100分の50を超えていること。
ホ その他自己が他の会社等の財務及び事業の方針の決定を支配していることが推測される事実が存在すること。
三 他の会社等の議決権の総数に対する自己所有等議決権数の割合が100分の50を超えている場合（自己の計算において議決権を所有していない場合を含み，前2号に掲げる場合を除く。）であって，前号ロからホまでに掲げるいずれかの要件に該当する場合
4 法第135条第1項の親会社についての第2項の規定の適用については，同条第1項の子会社を第2項の法第2条第4号に規定する株式会社とみなす。

1　子会社（1項）

　会社がその総株主の議決権の過半数を有する株式会社その他の当該会社がそ

の経営を支配している法人として法務省令で定めるものをいう（法2条3号）。これをうけて，1項は，会社が他の会社等（2条3項2号）の「財務及び事業の方針の決定を支配している場合における当該他の会社等」が子会社であると定め，3項が「財務及び事業の方針の決定を支配している場合」を定めている〔→**3**〕。

2 親 会 社（2項）

株式会社を子会社とする会社その他の当該株式会社の経営を支配している法人として法務省令で定めるものをいう（法2条4号）。これをうけて，2項は，会社等（2条3項2号）が他の「株式会社の財務及び事業の方針の決定を支配している場合における当該会社等」が親会社であると定め，3項が「財務及び事業の方針の決定を支配している場合」を定めている〔→**3**〕。なお，子会社による親会社株式取得との関連では，4項が特則を定めている〔→**4**〕。

3 「財務及び事業の方針の決定を支配している場合」（3項）

3項は，「財務及び事業の方針の決定を支配している場合」を定めている。すなわち，財務上または事業上の関係からみて他の会社等（2条3項2号）の財務または事業の方針の決定を支配していないことが明らかであると認められる場合を除き，①他の会社等（民事再生法の規定による再生手続開始の決定を受けた会社等，会社更生法の規定による更生手続開始の決定を受けた会社等，破産法の規定による破産手続開始決定を受けた会社等その他これらに準ずる会社等であって，かつ，有効な支配従属関係が存在しないと認められる会社等を除く。以下同じ）の議決権の総数に対する自己（その子会社および子法人等（会社以外の会社等が他の会社等の財務および事業の方針の決定を支配している場合における当該他の会社等をいう）を含む）の計算において所有している議決権の数の割合が100分の50を超えている場合，②他の会社等の議決権の総数に対する自己の計算において所有している議決権の数の割合が100分の40以上，100分の50以下である場合であって，かつ，(a)他の会社等の議決権の総数に対する自己所有等議決権数（自己の計算において所有している議決権の数，自己と出資，人事，資金，技術，取引等において緊密な関係があることにより自己の意思と同一の内容の議決権を行使すると認められる者の所有している議決権の数，および自己の意思と同一の内容の議決権を行使することに同意している者が所有している議決権の数を合計した数）の割合が100分の50を超えていること，(b)他の会社等の取締役会その他これに

準ずる機関の構成員の総数に対する自己の役員，自己の業務を執行する社員，自己の使用人またはこれらの者であった者（当該他の会社等の財務および事業の方針の決定に関して影響を与えることができるものに限る）の数の割合が100分の50を超えていること，(c)自己が他の会社等の重要な財務および事業の方針の決定を支配する契約等が存在すること，(d)他の会社等の資金調達額（貸借対照表の負債の部に計上されているものに限る）の総額に対する自己が行う融資（債務の保証および担保の提供を含む）の額（自己と出資，人事，資金，技術，取引等において緊密な関係のある者が行う融資（債務の保証および担保の提供を含む）の額を含む）の割合が100分の50を超えていること，(e)その他自己が他の会社等の財務および事業の方針の決定を支配していることが推測される事実が存在することのいずれかの要件に該当する場合，または，③他の会社等の議決権の総数に対する自己所有等議決権数の割合が100分の50を超えている場合（自己の計算において議決権を所有していない場合を含み，①および②の場合を除く）であって，かつ，(b)から(e)までのいずれかの要件に該当する場合が，財務および事業の方針の決定を支配している場合であるとする。

①では，会社によって議決権の過半数を実質的に所有されている会社等であっても，更生手続開始の決定を受けた会社，再生手続開始の決定を受けた会社，破産手続の開始決定を受けた会社その他これらに準ずる会社等であって，かつ，有効な支配従属関係が存在しないと認められる会社等は子会社にあたらないとされており，単に，更生手続開始の決定等を受けたことのみでは子会社から除外されないこととされている。すなわち，更生手続開始の決定等を受けた会社等であって，更生管財人などの管理下に置かれているような会社は，会社との間で有効な支配従属関係が存在しないため，組織の一体性を欠くと認められ，子会社に該当しないこととされている。これに対して，民事再生手続などにおいては必ずしも管財人は選任されないため，会社との間で有効な支配従属関係が存在する場合があり，そのような場合には再生手続開始の決定を受けた会社等であっても，子会社に該当する場合がありうる。

なお，破産会社，清算会社，特別清算会社など継続企業と認められない会社も子会社にあたるものと考えられる。すなわち，このような会社についても，会社によって意思決定機関が支配されている場合には，子会社に該当し，原則として連結の範囲に含められることになる。

議決権に対する割合は行使しうる議決権の総数を基準として算定するが，行使しうる議決権の総数は，当該他の会社が株式会社である場合には，株主総会

において行使しうるものと認められている総株主の議決権の数である。全部議決権制限株式，自己株式（法308条2項）および相互保有株式（法308条1項かっこ書，施規67条）に係る議決権は，行使しうる議決権の総数には含まれない。江頭教授は，67条を類推適用して，役員等の選任および定款の変更に関する議案の全部について株主総会において議決権を行使することができない株式の数は，議決権割合の算定にあたって分母・分子に含まれず，それ以外の議決権制限株式の数は含まれるとされる（江頭9頁注12）。しかし，親子会社関係の判定は議決権比率のみによってなされるものではなく，支配関係があるか否かが問題であるので，一部議決権制限株式は，一応，分母・分子に算入されると考えるべきであるようにも思われる。

②(a)において，「緊密な者」であるか否かの判断にあたっては，両者の関係が形成された経緯，両者の関係状況の内容，両者の過去の議決権の行使の状況，両者の商号の類似性などを踏まえることになる。たとえば，(i)会社（その子会社を含む。以下同じ）が議決権の100分の20以上を所有している会社等，(ii)会社の役員が議決権の過半数を所有している会社等，(iii)会社の役員もしくは使用人である者，またはこれらであった者で会社が他の会社等の財務および事業の方針の決定に関して影響を与えることができる者が，取締役会その他これに準ずる機関の構成員の過半数を占めている当該他の会社等，(iv)会社の役員もしくは使用人である者，またはこれらであった者で会社が他の会社等の財務および事業の方針の決定に関して影響を与えることができる者が，代表権のある役員として派遣されており，かつ，取締役会その他これに準ずる機関の構成員の相当数（過半数に満たない場合を含む）を占めている当該他の会社等，(v)会社が資金調達額（貸借対照表の負債の部に計上されているものに限る）の総額の過半について融資（債務保証および担保の提供を含む）を行っている会社等（金融機関が通常の営業取引として融資を行っている会社等を除く），(vi)会社が技術援助契約等を締結しており，当該契約の終了により，事業の継続に重要な影響を及ぼすこととなる会社等，(vii)会社との間の営業取引契約に関し，計算書類を作成する会社に対する事業依存度が著しく大きいことまたはフランチャイズ契約等により会社に対し著しく事業上の拘束を受けることとなる会社等は，一般的に緊密な者に該当するものと考えられる（企業会計基準適用指針第22号「連結財務諸表における子会社及び関連会社の範囲の決定に関する適用指針」9項）。また，「同意している者」とは，役員の選任，定款の変更等の他の会社等の財務および事業の方針の決定に関する議決権の行使にあたって，契約，合意等により，会社

の意思と同一内容の議決権を行使することに同意していると認められる者をいう（企業会計基準適用指針第22号10項参照）。

②(c)において，「他の会社等の重要な財務および事業の方針の決定を支配する契約等が存在すること」とは，他の会社との間の契約，協定などにより総合的に判断して当該他の会社の財務および事業の方針の決定を指示しまたは強制することができる能力を有すると認められる場合をいい，たとえば，他の会社から会社法にいう事業全部の経営の委任（法467条1項4号）を受けている場合である。また，原材料の供給・製品の販売に係る包括的契約，一手販売・一手仕入契約等により，当該他の会社にとっての事業依存度が著しく大きい場合，営業地域の制限を伴うフランチャイズ契約，ライセンス契約等により，当該他の会社等が著しく事業上の拘束を受ける場合，技術援助契約等について，当該契約の終了により，当該他の会社等の事業の継続に重要な影響を及ぼすこととなる場合にも，これに準じて取り扱うことが適当と考えられる（企業会計基準適用指針第22号12項参照）。

②(e)において，「その他の会社等の財務および事業の方針の決定を支配していることが推測される事実が存在すること」とは，たとえば，当該他の会社が重要な財務および事業の方針を決定するにあたり，会社の承認を得ることとなっている場合，当該他の会社に多額の損失が発生し，会社が当該他の会社に対し重要な経営支援を行っている場合または重要な経営支援を行うこととしている場合など，他の会社の意思決定機関を支配していることが推測される場合をいう。

なお，当該他の会社の株主総会において，議決権を行使しない株主（株主総会に出席せず，かつ委任状による議決権の行使も行わない株主をいう）が存在することにより，行使される議決権に対し，会社が過半数を占める状態が過去相当期間継続しており，当該事業年度に係る株主総会においても同様と考えられるときには，意思決定機関を支配していると推測することができる（企業会計基準適用指針第22号14項参照）。

ただし，財務上または事業上の関係からみて他の会社等の意思決定機関を支配していないことが明らかであると認められる会社は親会社にはあたらない（財規8条4項も参照）。

「他の会社等の意思決定機関を支配していないことが明らかであると認められる」のは，当該他の会社に親会社が存在する場合，当該他の会社が共同支配の実態にある合弁会社である場合（この場合には関連会社（2条3項20号，計規

2条3項21号・4項）にあたる）などである。したがって，当該他の会社の議決権の過半数を自己の計算において所有している株主が他に存在している場合には，当該他の会社は通常，子会社にはあたらない。また，「緊密な者」の子会社については，たとえば，当該子会社が緊密な者の一業務部門を実質的に担っており緊密な者と一体であることが明らかにされたときには，当該緊密な者が会社の子会社である場合を除き，子会社に該当しないと考えられる（企業会計基準適用指針第22号16項(3)参照）。さらに，支配していることに該当する要件を満たす場合であっても，会社が銀行等の金融機関である場合に融資先に対する経営支援が債権の回収を円滑に行うとともに営業取引関係を維持することなどによるものであり，傘下に入れる目的で行われていないことが明らかにされたとき，および，会社がベンチャーキャピタルである場合に他の会社の株式所有が投資育成という事業目的を達成するためであり，傘下に入れる目的で行われていないことが明らかにされたときなどには，子会社に該当しないと考えられる（企業会計基準適用指針第22号16項(4)参照）。

4　子会社による親会社株式取得との関連での「親会社」（4項）

　4項は，「法第135条第1項の親会社についての第2項の規定の適用については，同条第1項の子会社を第2項の法第2条第4号に規定する株式会社とみなす」と定めるが，これは，子会社が株式会社でなくとも，その子会社はその経営を支配している株式会社の株式を取得してはならないとされることを定めるものである。すなわち，法2条3号は，子会社とは「会社がその総株主の議決権の過半数を有する株式会社その他の当該会社がその経営を支配している法人として法務省令で定めるものをいう」と定めているにもかかわらず，法2条4号が，親会社とは「株式会社を子会社とする会社その他の当該株式会社の経営を支配している法人として法務省令で定めるものをいう」（圏点―引用者）と定めているため，株式会社でない子会社が親会社株式を取得することには制約がないと解される。しかし，子会社が株式会社であるか否かによって，子会社による親会社株式取得禁止が及ぶか否かが異なるとすることには合理的な理由がなく（親会社からみたいわゆる資本の空洞化が生ずることには差がない），また，現代化要綱第2部第4・10(1)②も「株式会社が親会社である場合には，子会社（親会社からの一定の支配権が及び得るとみられる法人等）である外国会社による当該親会社の株式の取得は，原則として，禁止されるものとする」ものとしていた。そこで，本項は，子会社による親会社株式取得禁止との関係では，

その子会社の経営を支配している株式会社が親会社であるとみなされると定めるものである。

---(子会社等及び親会社等)---
第3条の2 法第2条第3号の2ロに規定する法務省令で定めるものは、同号ロに規定する者が他の会社等の財務及び事業の方針の決定を支配している場合における当該他の会社等とする。
2 法第2条第4号の2ロに規定する法務省令で定めるものは、ある者(会社等であるものを除く。)が同号ロに規定する株式会社の財務及び事業の方針の決定を支配している場合における当該ある者とする。
3 前2項に規定する「財務及び事業の方針の決定を支配している場合」とは、次に掲げる場合(財務上又は事業上の関係からみて他の会社等の財務又は事業の方針の決定を支配していないことが明らかであると認められる場合を除く。)をいう(以下この項において同じ。)。
一 他の会社等(次に掲げる会社等であって、有効な支配従属関係が存在しないと認められるものを除く。以下この項において同じ。)の議決権の総数に対する自己(その子会社等を含む。以下この項において同じ。)の計算において所有している議決権の数の割合が100分の50を超えている場合
　イ 民事再生法の規定による再生手続開始の決定を受けた会社等
　ロ 会社更生法の規定による更生手続開始の決定を受けた株式会社
　ハ 破産法の規定による破産手続開始の決定を受けた会社等
　ニ その他イからハまでに掲げる会社等に準ずる会社等
二 他の会社等の議決権の総数に対する自己の計算において所有している議決権の数の割合が100分の40以上である場合(前号に掲げる場合を除く。)であって、次に掲げるいずれかの要件に該当する場合
　イ 他の会社等の議決権の総数に対する自己所有等議決権数(次に掲げる議決権の数の合計数をいう。次号において同じ。)の割合が100分の50を超えていること。
　　(1) 自己の計算において所有している議決権
　　(2) 自己と出資、人事、資金、技術、取引等において緊密な関係があることにより自己の意思と同一の内容の議決権を行使すると認められる者が所有している議決権
　　(3) 自己の意思と同一の内容の議決権を行使することに同意している者が所有している議決権
　　(4) 自己(自然人であるものに限る。)の配偶者又は二親等内の親族が所有している議決権

ロ　他の会社等の取締役会その他これに準ずる機関の構成員の総数に対する次に掲げる者（当該他の会社等の財務及び事業の方針の決定に関して影響を与えることができるものに限る。）の数の割合が100分の50を超えていること。
　　　　(1)　自己（自然人であるものに限る。）
　　　　(2)　自己の役員
　　　　(3)　自己の業務を執行する社員
　　　　(4)　自己の使用人
　　　　(5)　(2)から(4)までに掲げる者であった者
　　　　(6)　自己（自然人であるものに限る。）の配偶者又は二親等内の親族
　　ハ　自己が他の会社等の重要な財務及び事業の方針の決定を支配する契約等が存在すること。
　　ニ　他の会社等の資金調達額（貸借対照表の負債の部に計上されているものに限る。）の総額に対する自己が行う融資（債務の保証及び担保の提供を含む。ニにおいて同じ。）の額（自己と出資，人事，資金，技術，取引等において緊密な関係のある者及び自己（自然人であるものに限る。）の配偶者又は二親等内の親族が行う融資の額を含む。）の割合が100分の50を超えていること。
　　ホ　その他自己が他の会社等の財務及び事業の方針の決定を支配していることが推測される事実が存在すること。
　三　他の会社等の議決権の総数に対する自己所有等議決権数の割合が100分の50を超えている場合（自己の計算において議決権を所有していない場合を含み，前2号に掲げる場合を除く。）であって，前号ロからホまでに掲げるいずれかの要件に該当する場合

1　子会社等

　子会社等とは，子会社（法2条3号，施規3条1項）または「会社以外の者がその経営を支配している法人として法務省令で定めるもの」のいずれかに該当する者をいう（法2条3号の2）。これをうけて，本条1項が，会社以外の者が他の会社等の財務および事業の方針の決定を支配している場合における当該他の会社等を「会社以外の者がその経営を支配している法人として法務省令で定めるもの」と定め，本条3項が「財務及び事業の方針の決定を支配している場合」を定めている［→**3**］。

2　親会社等

　親会社等とは，親会社（法2条4号，施規3条2項）または，「株式会社の経営を支配している者（法人であるものを除く。）として法務省令で定めるもの」のいずれかに該当する者をいう（法2条4号の2）。これをうけて，本条2項が，ある者（会社等であるものを除く）がある株式会社の財務および事業の方針の決定を支配している場合における当該ある者を「株式会社の経営を支配している者（法人であるものを除く。）として法務省令で定めるもの」と定め，本条3項が「財務及び事業の方針の決定を支配している場合」を定めている［→3］。会社等であるものが除かれているのは，会社等である者が他の会社等の「財務及び事業の方針の決定を支配している場合」には，当該会社等は「親会社」（法2条4号）に該当するからである。

3　「財務及び事業の方針の決定を支配している場合」

　本条3項は，「財務及び事業の方針の決定を支配している場合」を定めているが，これは，親会社および子会社に該当する場合を定める3条において「財務及び事業の方針の決定を支配している場合」とパラレルな規定である［したがって，本条の解釈については，→3条3］。ただし，「子会社等」の「財務及び事業の方針の決定を支配している」者や親会社等が自然人であることも想定されるので，3項2号イ(4)，ロ(1)(6)およびニのような規定が設けられている。

　これは，自然人である自分自身が他の会社等の取締役会その他これに準ずる機関の構成員であるということは当該他の会社等の「財務及び事業の方針の決定を支配している」結果であることが十分に想定されるからである（3項2号ロ(1)・3号）。また，自己（自然人であるものに限る）の配偶者または二親等内の親族が所有している議決権は自己の意思と同一の内容で議決権が行使される可能性が十分にあるからである（3項2号イ(4)・3号）。さらに，自己（自然人であるものに限る）の配偶者または二親等内の親族が他の会社等の取締役会その他これに準ずる機関の構成員であるということは当該他の会社等の「財務及び事業の方針の決定を支配している」結果であることが十分に想定されるからである（3項2号ロ(6)・3号）。以上に加えて，他の会社等に対し自己（自然人であるものに限る）の配偶者または二親等内の親族が行う融資であっても，自己または自己と出資，人事，資金，技術，取引等において緊密な関係のある者が行う融資と合わせて，当該他の会社等の「財務及び事業の方針の決定を支配」する力を自己にもたらすことが想定できるからである（3項2号ニ・3号）。

なお，3条4号に相当する規定が設けられていないのは，「親会社等」のうち株式会社でないものについては，法135条1項の規定は適用されないためである。

(特別目的会社の特則)

第4条 第3条の規定にかかわらず，特別目的会社（資産の流動化に関する法律（平成10年法律第105号）第2条第3項に規定する特定目的会社及び事業の内容の変更が制限されているこれと同様の事業を営む事業体をいう。以下この条において同じ。）については，次に掲げる要件のいずれにも該当する場合には，当該特別目的会社に資産を譲渡した会社の子会社に該当しないものと推定する。
一 当該特別目的会社が適正な価額で譲り受けた資産から生ずる収益をその発行する証券（当該証券に表示されるべき権利を含む。）の所有者（資産の流動化に関する法律第2条第12項に規定する特定借入れに係る債権者及びこれと同様の借入れに係る債権者を含む。）に享受させることを目的として設立されていること。
二 当該特別目的会社の事業がその目的に従って適切に遂行されていること。

特別目的会社（資産の流動化に関する法律2条3項に規定する特定目的会社および事業内容の変更が制限されているこれと同様の事業を営む事業体をいう）については，適正な価額で譲り受けた資産から生ずる収益を当該特別目的会社が発行する証券の所有者（資産の流動化に関する法律2条12項に規定する特定借入れに係る債権者を含む）に享受させることを目的として設立されており，かつ，当該特別目的会社の事業がその目的に従って適切に遂行されているときは，当該特別目的会社に資産を譲渡した会社の子会社に該当しないものと推定される。

これは，特定目的会社は，「資産流動化計画に従って営む資産の流動化」（一連の行為として，特定目的会社が資産対応証券の発行もしくは特定借入れにより得られる金銭をもって資産を取得し，または信託会社もしくは信託業務を営む銀行その他の金融機関が資産の信託を受けて受益証券を発行し，これらの資産の管理および処分により得られる金銭をもって，特定社債，特定約束手形もしくは特定借入れまたは受益証券についてはその債務の履行を，優先出資については利益の配当および消却のための取得または残余財産の分配を，それぞれ行うこと）に係る「業務及びその附帯業務（対価を得て，当該資産流動化計画に記載され，又は記録され

た特定資産以外の資産の譲渡若しくは貸付け又は役務の提供を行うことを除く。）のほか，他の業務を営むことができない」とされ（資産の流動化に関する法律195条1項），かつ，資産流動化計画の変更が制限されているため（資産の流動化に関する法律151条2項），特定目的会社の議決権の過半数を自己の計算において所有している場合などであっても，当該特定目的会社は当該特定目的会社に資産を譲渡した会社から独立していることが多いからである。そして，事業の内容の変更が制限されている，特定目的会社と同様の事業を営む事業体についても同様に取り扱うことが適当であると考えられる（なお，資産の流動化を目的として設立された特別目的会社などが子会社に該当するものとして連結の範囲に含められると，資産を譲渡した会社にとって，財務諸表上オフバランスとされた取引が連結財務諸表上オンバランスとされるという不都合があることが，本条と実質的に同じ文言の財規8条7項の立法趣旨の1つであった。兼田・JICPAジャーナル524号91頁参照）。

したがって，「当該特別目的会社に資産を譲渡した会社の子会社に該当しないものと推定する」（圏点—引用者）という規定の意義は，3条3項各号の要件の1つを満たす場合であっても，当然に子会社にあたるわけではなく，逆に，財務上または事業上の関係からみて他の会社等の財務または事業の方針の決定を支配しているという実態があってはじめて子会社として取り扱わなければならないとされることを意味すると考えられる（相澤＝郡谷・商事法務1759号10頁も参照）。また，特別目的会社が関連会社（2条3項20号，計規2条3項21号・4項）にあたるか否かについては，本条の射程外であり，計規2条3項21号および4項に照らして判定される。

なお，平成23年11月16日法務省令第33号による改正前4条では，「当該特別目的会社に対する出資者……の子会社に該当しないものと推定する」ともされていたが，平成23年4月25日に企業会計基準第22号「連結財務諸表に関する会計基準」が改正され，同7-2項では，「当該特別目的会社に資産を譲渡した企業の子会社に該当しないものと推定する」とのみ規定されるに至ったので，本条の規定もこれに合わせて，当該部分を削除した。この会計基準の改正については，特別目的会社の「取扱いが資産の譲渡に関連して開発された設定当時の趣旨を踏まえ，資産の譲渡者のみに適用するよう改正することとした」と説明されている（企業会計基準第22号49-5項）。

第4条の2（株式交付子会社） 53

―**（株式交付子会社）**―
第4条の2 法第2条第32号の2に規定する法務省令で定めるものは，同条第3号に規定する会社が他の会社等の財務及び事業の方針の決定を支配している場合（第3条第3項第1号に掲げる場合に限る。）における当該他の会社等とする。

　法2条32号の2は，株式交付とは「株式会社が他の株式会社をその子会社（法務省令で定めるものに限る。第774条の3第2項において同じ。）とするために当該他の株式会社の株式を譲り受け，当該株式の譲渡人に対して当該株式の対価として当該株式会社の株式を交付することをいう」としており，この委任をうけて本条が定められている。

　法は，子会社とは「会社がその総株主の議決権の過半数を有する株式会社その他の当該会社がその経営を支配している法人として法務省令で定めるものをいう」と定め（2条3号），これをうけて，施規3条1項は「法第2条第3号に規定する法務省令で定めるものは，同号に規定する会社が他の会社等の財務及び事業の方針の決定を支配している場合における当該他の会社等とする」と定め，同条3項は「財務及び事業の方針の決定を支配している場合」とは，同項1号から3号までに掲げる場合（財務上または事業上の関係からみて他の会社等の財務または事業の方針の決定を支配していないことが明らかであると認められる場合を除く）をいうと定めている。

　ところが，3条3項2号および3号の場合の要件には，「自己と出資，人事，資金，技術，取引等において緊密な関係があることにより自己の意思と同一の内容の議決権を行使すると認められる者が所有している議決権」または「自己の意思と同一の内容の議決権を行使することに同意している者が所有している議決権」に基づくものが含まれ，また，他の会社等の取締役会その他これに準ずる機関の構成員の総数に対する一定の者の数の割合が100分の50を超えていること，自己が他の会社等の重要な財務および事業の方針の決定を支配する契約等が存在することなど，必ずしも外部から観察可能ではないものまたは安定的ではないものが含まれるのみならず，「その他自己が他の会社等の財務及び事業の方針の決定を支配していることが推測される事実が存在すること」という判断が分かれ得るような要件，実質的な要件が含まれている。

　しかし，株式交付の効力発生日が到来した後に，「株式交付の要件を満たさ

ないこととなるなどした場合には，法律関係が混乱するなどのおそれがあるため，株式交付に関する規律の対象の範囲は，株式交付をする前に判断することができる客観的かつ形式的な基準によって定めるものとすることが相当である」（竹林ほか・商事法務2228号6頁）という価値判断に基づき，本条では，「第3条第3項第1号に掲げる場合に限る」ものとされている。すなわち，他の会社等（民事再生法の規定による再生手続開始の決定を受けた会社等，会社更生法の規定による更生手続開始の決定を受けた株式会社，破産法の規定による破産手続開始の決定を受けた会社等その他これらの会社等に準ずる会社等であって，有効な支配従属関係が存在しないと認められるものを除く）の議決権の総数に対する自己（その子会社等を含む）の計算において所有している議決権の数の割合が100分の50を超えている場合（3条3項1号）という形式的に判断できる場合に限定している。

　なお，意見募集の結果（令和2年11月）では，「会社法施行規則第3条第3項第2号及び第3号に掲げる場合に該当するか否かを判断するためには，自己の意思と同一の内容の議決権を行使すると認められる者が所有している議決権の数や，取締役会に占める自己の役員等の数など，必ずしも株式交付をする前には該当の有無を確認することができない株式交付手続外の事情を考慮したり，実質的な判断をしたりすることが必要となり，株式交付を実施することの可否について，株式交付をする前に客観的かつ形式的な基準によって判断することができないこととなる。そのため，……他の会社を会社法施行規則第3条第3項第1号に掲げる場合に該当する子会社としようとする場合に限り，株式交付をすることができることとした」と説明されている（2頁）。

第2編 株式会社

第1章 設　　立

第1節　通　　則

（設立費用）
第5条　法第28条第4号に規定する法務省令で定めるものは，次に掲げるものとする。
　一　定款に係る印紙税
　二　設立時発行株式と引換えにする金銭の払込みの取扱いをした銀行等に支払うべき手数料及び報酬
　三　法第33条第3項の規定により決定された検査役の報酬
　四　株式会社の設立の登記の登録免許税

　本条は，定款に記載または記録することを要せず，かつ，検査役の調査を要せず，裁判所の監督に服さない，株式会社が負担する設立に関する費用を定めるものである。すなわち，法28条4号は，株式会社を設立する場合には，株式会社の負担する設立に関する費用は，定款に記載し，または記録しなければ，その効力を生じないと定めるが，同号かっこ書が「定款の認証の手数料その他株式会社に損害を与えるおそれがないものとして法務省令で定めるものを除

く」と定めており，これをうけて本条が定められている。

　まず，2号の「設立時発行株式と引換えにする金銭の払込みの取扱いをした銀行等に支払うべき手数料及び報酬」は，平成17年改正前商法168条8号ただし書を踏襲したものである。これは，このような費用は，株式会社の設立のために不可欠な費用であり，しかも，額にも相当の客観性が認められることが一般的であり，濫用のおそれが低いからである。

　また，4号の「株式会社の設立の登記の登録免許税」も，平成17年改正前商法168条8号の解釈として「設立費用」には含まれないと解されていた（新注会(2)116頁［上柳］）。これは，設立登記の登録免許税は，その算定に強度の客観性があり，濫用のおそれがないからである（鈴木＝竹内64頁）。なお，平成18年改正前商法施行規則35条1号は，平成17年改正前「商法第168条第1項第7号及び第8号の規定により支出した金額，同号ただし書の手数料及び報酬として支出した金額並びに設立登記のために支出した税額」は創立費に含まれるものと規定していたので，設立登記のために支出した税額は平成17年改正前商法168条8号にいう設立費用には含まれないことが前提とされていたと考えられる。

　他方，1号の「定款に係る印紙税」および3号の「法第33条第3項の規定により決定された検査役の報酬」（変態設立事項を調査する検査役の報酬）は，会社法の下で，変態設立事項としての設立費用に含まれないものとされた。いずれも，経済界からの要望に応えたものであるが，両者とも，設立にあたって必要な費用であり，前者は印紙税法の規定によって一意的に定まるし（印紙税法別表第1・6によると1通につき40,000円），後者は裁判所が定める以上，過大計上のおそれがないからである。

（検査役の調査を要しない市場価格のある有価証券）

第6条 法第33条第10項第2号に規定する法務省令で定める方法は，次に掲げる額のうちいずれか高い額をもって同号に規定する有価証券の価格とする方法とする。

　一　法第30条第1項の認証の日における当該有価証券を取引する市場における最終の価格（当該日に売買取引がない場合又は当該日が当該市場の休業日に当たる場合にあっては，その後最初になされた売買取引の成立価格）

　二　法第30条第1項の認証の日において当該有価証券が公開買付け等の対象であるときは，当該日における当該公開買付け等に係る契約における当該有価証券の価格

第6条（検査役の調査を要しない市場価格のある有価証券） 57

　本条は，市場価格のある有価証券の設立時における現物出資または財産引受けについて検査役の調査を要せず，裁判所の監督に服さないとされるための基準となる当該有価証券の市場価格として法務省令で定める方法により算定されるものを定めるものであり，検査役の調査を要せず，裁判所の監督に服さないとされるための基準となる当該有価証券の市場価格として法務省令で定める方法により算定されるものを，募集株式の発行等における現物出資について定める43条や，新株予約権の行使について定める59条とパラレルに規定している。
　すなわち，法33条10項は，現物出資財産等のうち，市場価格のある有価証券について定款に記載され，または記録された価額が当該有価証券の市場価格として法務省令で定める方法により算定されるものを超えない場合には，設立時における現物出資または財産引受けについて検査役の調査を要せず，裁判所の監督に服さないものと定めている。そこで，本条は，法33条10項2号をうけて，現物出資または財産引受けの目的物が市場価格のある有価証券である場合について，有価証券の市場価格の算定方法を定めるものである。
　1号が，「認証の日における当該有価証券を取引する市場における最終の価格（当該日に売買取引がない場合又は当該日が当該市場の休業日にあたる場合にあっては，その後最初になされた売買取引の成立価格）」と定めているのは，平成17年改正前商法220条ノ6（端株買取請求の場合。同法221条6項で単元未満株式買取請求に準用）が「請求ノ日ノ最終ノ市場価格」を基準としていたこと，および平成13年商法改正前の昭和56年商法改正附則19条2項が「証券取引所に上場されている株式について……請求があったときは，証券取引所（二以上の証券取引所に上場されている場合には，本店の最寄りの証券取引所をいう……）の開設する市場における請求の日の最終価格（その日に売買取引がないときは，その後最初にされた売買取引の成立価格）」を基準としていたことに対応するものであると推測される。
　もっとも，これは，平成17年改正前商法の下では，登記実務上，現物出資との関係で「取引所ノ相場」とは，当該有価証券が上場されている証券取引所の開設する市場における定款の認証の日の前日の最終価格（その日に売買取引がないときは，直近の取引日の最終価格）と定款の認証の日の属する月の前月の毎日の最終価格の平均額とのいずれか低い額をいうとされていたこと（平成2・12・25民事四第5666号民事局長通達）とは異なる。本条1号は，定款認証日の時価を基準とするという考え方を採用している点で，会社法の趣旨には合致していると解されるが，「当該〔行使期限〕日に売買取引がない場合又は当該〔行使

期限〕日が当該市場の休業日にあたる場合にあっては，その後最初になされた売買取引の成立価格」とされているため，取引量の少ない銘柄の場合には，価格の操作可能性が残り，立法論としては課題が残るように思われる。また，認証時よりも後に基準となる価格が決まることになるため，認証時には現物出資あるいは財産引受けの規制の適用があるのかどうかがわからないという問題も生じうる。複数の証券取引所に上場されている有価証券について，いずれの証券取引所の相場を基準とすべきかについて，立案担当者は最も高い額をいうものとしている（論点解説121頁）。

なお，「当該有価証券を取引する市場」に，金融商品取引所（証券取引所）が含まれることには異論がなく，「市場」には，法令の規定の裏づけがある。たとえば，日本証券業協会がかつて開設していた店頭市場のような取引所に類する市場は少なくとも含まれ，抽象的には，随時，売買・換金等を行うことができる取引システムを「市場」といってよいと思われるが，「市場」の外延がどこまで及ぶかは難しい問題である。少なくとも相対の個別交渉で決定された価格は「市場における最終の価格」とは評価できないであろう。また，複数の取引所に上場されている有価証券が存在するし，「市場」を広くとらえると，複数の市場で有価証券が取引されているという状況は容易に想定される。さらに，海外の証券取引所に上場されている場合にも市場価格がある有価証券にあたる（この場合について，論点解説121頁参照）。

他方，会社法施行規則や会社計算規則では，市場価格の決定に関して，当該有価証券が公開買付け等の対象である場合には，その公開買付け等に係る契約における有価証券の価格を基準に含めるものとしている。本条も，認証の日において当該有価証券が公開買付け等の対象であるときは，認証の日における当該公開買付け等に係る契約における当該有価証券の価格（2号）と1号の金額とのいずれか高い額を有価証券の価格とするものと定めている。これは，有価証券が公開買付け等の対象となっている場合には，通常，買付価格が市場価格より高いが，公開買付けを成功させ，支配権を取得するためにはプレミアムを付す必要があり，そのような買付価格もまた合理的に形成された価格であると解しているものと推測される（もっとも，買付数量が少ない場合に，買付価格を基準とすることに合理性があるのかというような懸念がある）。

なお，2号にいう公開買付け等とは，金融商品取引法27条の2第6項（同法27条の22の2第2項において準用する場合を含む）に規定する公開買付けおよびこれに相当する外国の法令に基づく制度をいうが（2条3項15号），本条の趣旨

からすれば，公開買付けに「相当する外国の法令に基づく制度」であるというためには，買付価格を引き下げることが原則としてできないこと（金融商品取引法27条の6第1項1号参照）が要件とされよう。なぜなら，買付価格を引き下げることができるのであれば，その買付価格を基準として有価証券の価格を決定することに合理性はないからである。

（銀行等）
第7条 法第34条第2項に規定する法務省令で定めるものは，次に掲げるものとする。
　一　株式会社商工組合中央金庫
　二　農業協同組合法（昭和22年法律第132号）第10条第1項第3号の事業を行う農業協同組合又は農業協同組合連合会
　三　水産業協同組合法（昭和23年法律第242号）第11条第1項第4号，第87条第1項第4号，第93条第1項第2号又は第97条第1項第2号の事業を行う漁業協同組合，漁業協同組合連合会，水産加工業協同組合又は水産加工業協同組合連合会
　四　信用協同組合又は中小企業等協同組合法（昭和24年法律第181号）第9条の9第1項第1号の事業を行う協同組合連合会
　五　信用金庫又は信用金庫連合会
　六　労働金庫又は労働金庫連合会
　七　農林中央金庫

　本条は，設立時発行株式に係る出資の履行としてなされる金銭の払込みの取扱いをすることができる銀行等を定めるものである。すなわち，金銭出資をする発起人は，設立時発行株式の引受け後遅滞なく，その引き受けた設立時発行株式につき，その出資に係る金銭の全額を払い込まなければならないが，この払込みは，発起人が定めた銀行等の払込みの取扱いの場所においてしなければならない（法34条）。そして，法34条2項は，「銀行等」とは，銀行，信託会社その他これに準ずるものとして法務省令で定めるものをいうと定めているので，これをうけて本条が定められている（なお，募集株式の発行等あるいは募集新株予約権の発行に係る払込み（法208条1項・246条1項）や新株予約権の行使に際しての払込み（法281条1項）についても，「銀行等」が払込取扱場所となる）。

　本条が掲げる金融機関は，平成17年改正前商法の下でも（昭和56・6・1民

事四第3454号民事局長通達），それぞれの設立根拠法により，会社の払込金の取扱いをすることができるとされていたので，本条は同じ規律を維持するためのものである。すなわち，株式会社商工組合中央金庫法（平成19年法律第74号）の制定前にも商工組合中央金庫は「所属団体又ハ其ノ構成員ノ為ニ其ノ出資若ハ株式ノ払込金ノ受入又ハ其ノ配当金ノ支払ノ取扱」をすることができたが（廃止前商工組合中央金庫法28条1項13号），株式会社商工組合中央金庫は「預金又は定期積金の受入れ」を行うことができることとされた（株式会社商工組合中央金庫法21条1項1号）。また，組合員の貯金または定期積金の受入れを行う農業協同組合または農業協同組合連合会（農業協同組合法10条6項9号），組合員または所属員の貯金または定期積金の受入れを行う漁業協同組合，漁業協同組合連合会，水産加工業協同組合または水産加工業協同組合連合会（水産業協同組合法11条3項8号・87条4項8号・93条2項8号・97条3項8号），信用協同組合または会員の預金もしくは定期積金の受入れを行う協同組合連合会（中小企業等協同組合法9条の8第2項13号・9条の9第6項1号），信用金庫または信用金庫連合会（信用金庫法53条3項8号・54条4項8号），労働金庫または労働金庫連合会（労働金庫法58条2項14号・58条の2第1項12号），および，農林中央金庫（農林中央金庫法54条4項11号）は，それぞれ，会社等の金銭の収納その他金銭に係る事務の取扱いを行うことができるとされている。

（出資の履行の仮装に関して責任をとるべき発起人等）

第7条の2 法第52条の2第2項に規定する法務省令で定める者は，次に掲げる者とする。

一 出資の履行（法第35条に規定する出資の履行をいう。次号において同じ。）の仮装に関する職務を行った発起人及び設立時取締役

二 出資の履行の仮装が創立総会の決議に基づいて行われたときは，次に掲げる者

イ 当該創立総会に当該出資の履行の仮装に関する議案を提案した発起人

ロ イの議案の提案の決定に同意した発起人

ハ 当該創立総会において当該出資の履行の仮装に関する事項について説明をした発起人及び設立時取締役

本条は，発起人による出資の履行の仮装がなされた場合に責任をとるべき発起人等を定めるものである。すなわち，法52条の2第2項は，発起設立におい

て発起人がその出資の履行を仮装することに関与した発起人または設立時取締役として法務省令で定める者は，株式会社に対し，払込みが仮装された場合には払込みを仮装した出資に係る金銭の全額の支払をする義務を，現物出資の給付が仮装された場合には給付を仮装した出資に係る金銭以外の財産価額に相当する金銭の支払をする義務を負うものと定めており，この委任をうけて，本条は，「出資の履行を仮装することに関与した発起人又は設立時取締役として法務省令で定める者」を定めている。

1　出資の履行の仮装に関する職務を行った発起人および設立時取締役（1号）

　出資の履行の仮装に関する職務を行った発起人および設立時取締役が「出資の履行を仮装することに関与した発起人又は設立時取締役として法務省令で定める者」の一類型として定められている。これは，出資の履行を受けることに関する職務を行うにあたって，発起人および設立時取締役には，出資の履行が確実に行われ，仮装されることがないように注意を尽くすことが求められ，かつ，そのような職務を行う者は出資の履行が仮装されているかどうかを通常は把握できるからであろう。

2　出資の履行の仮装が創立総会の決議に基づいて行われたときにおける，当該創立総会に当該出資の履行の仮装に関する議案を提案した発起人（2号イ）

　議案が創立総会に提出されれば，その議案が可決される可能性は，経験則上，高いということができる一方で，その者がその職務を行うについて注意を怠らなかったことを証明した場合には支払義務を負わないこととされていることから，「当該創立総会に当該出資の履行の仮装に関する議案を提案した発起人」を責任主体としても酷ではないと考えられるためである。

3　出資の履行の仮装が創立総会の決議に基づいて行われたときにおける，当該出資の履行の仮装に関する議案の提案の決定に同意した発起人（2号ロ）

　創立総会への議案の提出は発起人が決定するので（法67条1項2号参照），実際に創立総会に出資の履行の仮装に関する議案を提案した発起人のみならず，議案の提案に同意した発起人も「出資の履行を仮装することに関与した発起人」であるといえるからである。議案が創立総会に提出されれば，その議案が可決される可能性は，経験則上，高いということができる一方で，その職務を行うについて注意を怠らなかったことを証明した場合には支払義務を負わない

こととされていることから，このような発起人を責任主体としても酷ではないと考えられる。

4 出資の履行の仮装が創立総会の決議に基づいて行われたときにおける，当該創立総会において当該出資の履行の仮装に関する事項について説明をした発起人および設立時取締役（2号ハ）

　出資の履行の仮装が創立総会の決議に基づいて行われたときは，その創立総会において当該出資の履行の仮装に関する事項について説明をした発起人および設立時取締役も「出資の履行を仮装することに関与した発起人又は設立時取締役として法務省令で定める者」の一類型として定められている。

　おそらく，平成26年改正前会社法の下では，このような発起人および設立時取締役は，会社に対しては法53条1項による損害賠償責任を負うにすぎなかったのではないかと推測されるが，本条では，出資の履行の仮装に関する職務を行った発起人および設立時取締役と同様の責任主体とされている。これは，いわゆる見せ金等については，複数の行為の全体をとらえて出資の履行の仮装と判断される場合も多く，それらの個々の行為が創立総会の決議に基づいて行われることも想定されるが，そのような場合には「当該創立総会において当該出資の履行の仮装に関する事項について説明をした発起人及び設立時取締役」も出資の履行の仮装に関与したと考えられるからである（意見募集の結果（平成27年2月）第3・2(3)③）。他方，そのような発起人および設立時取締役もその職務を行うについて注意を怠らなかったことを証明した場合には支払義務を負わないこととされているため，責任主体に含めても過酷ではないといえる。

第2節　募集設立

┌─(申込みをしようとする者に対して通知すべき事項)──────
│　**第8条**　法第59条第1項第5号に規定する法務省令で定める事項は，次に掲げる事項とする。
│　一　発起人が法第32条第1項第1号の規定により割当てを受けた設立時発行株式（出資の履行をしたものに限る。）及び引き受けた設立時募集株式の数（設立しようとする株式会社が種類株式発行会社である場合にあっては，種

> 類及び種類ごとの数）
> 二　法第32条第２項の規定による決定の内容
> 三　株主名簿管理人を置く旨の定款の定めがあるときは，その氏名又は名称及び住所並びに営業所
> 四　定款に定められた事項（法第59条第１項第１号から第４号まで及び前号に掲げる事項を除く。）であって，発起人に対して設立時募集株式の引受けの申込みをしようとする者が当該者に対して通知することを請求した事項

　本条は，法59条１項１号から４号に掲げられた事項のほか，発起人が，設立時募集株式の引受けの申込みをしようとする者に対し通知しなければならない事項を定めるものである。すなわち，法59条１項５号は，発起人は，「前各号に掲げるもののほか，法務省令で定める事項」を，設立時募集株式の引受けの申込みをしようとする者に対し通知しなければならないと定めており，これをうけたものである。平成17年改正前商法175条２項・３項に対応する規定である。

1　発起人が割当てを受けた設立時発行株式（出資の履行をしたものに限る）および引き受けた設立時募集株式の数（設立しようとする株式会社が種類株式発行会社である場合には，種類および種類ごとの数）（１号）

　設立時募集株式の引受けの申込みをしようとする者にとっては，発起人が割当てを受け，出資の履行をした設立時発行株式および引き受けた設立時募集株式の数がどれほどであるかが重要な情報の１つだからである。なぜなら，発起人が成立後の会社に対して，どれほどの割合の持分・議決権を有する設立時株主となるかは成立後の会社のあり方に大きな影響を与えるし，出資の履行が行われた設立時株式の数は発起人のその会社に対するコミットメントの大きさを示すものと考えられるからである。さらに，種類株式発行会社［→２条１⑮］においては，発起人が成立後の会社に対して与える影響力を，設立時募集株式の引受けの申込みをしようとする者が予想する上で，発起人が割当てを受けた設立時発行株式の種類および種類ごとの数は重要な情報であると考えられるからである。

2　種類株式の内容（２号）

　法108条３項前段は，種類株式の内容（法108条２項各号に定める事項（剰余金

の配当について内容の異なる種類の種類株主が配当を受けることができる額その他法務省令（施規19条）で定める事項に限る））の全部または一部については，その種類の株式を初めて発行する時までに，株主総会（取締役会設置会社では株主総会または取締役会，清算人会設置会社では株主総会または清算人会）の決議によって定める旨を定款で定めることができるものと定めている。しかし，設立しようとする株式会社が種類株式発行会社である場合であって，発起人が割当てを受ける設立時発行株式が法108条3項前段の規定による定款の定めがあるものであるときは，発起人は，その全員の同意を得て，その設立時発行株式の内容を定めなければならないものとされており（法32条2項），そのように定められた，その設立時発行株式の内容を，発起人は設立時募集株式の引受けの申込みをしようとする者に対し通知しなければならないものとされている。

　これは，設立時募集株式の引受けの申込みをしようとする者は，発起人が割当てを受けた設立時発行株式の内容がどのようなものであるかについて重要な利害を有し，申込みをするか否かを的確に決定するにあたっては，発起人が割当てを受けた設立時発行株式の種類および種類ごとの数（1号）のみならず，その種類株式の内容を知ることが必要であると考えられるからである。

3　株主名簿管理人を置く旨の定款の定めがあるときは，その氏名または名称および住所ならびに営業所（3号）

　株式会社は，その株式会社に代わって株主名簿の作成および備置きその他の株主名簿に関する事務を行う者を置く旨を定款で定め，当該事務を行うことを委託することができるが（法123条），株式会社に代わって株主名簿の作成および備置きその他の株主名簿に関する事務を行う者を株主名簿管理人という。株主名簿管理人がある場合にはその営業所に，株式会社の株主名簿，株券喪失登録簿および新株予約権原簿が備え置かれるので（法125条1項・231条1項・252条1項），設立時募集株式を引き受けようとする者にとっては，株主名簿管理人が置かれるかどうか，置かれる場合にだれが株主名簿管理人となるかについて利害を有し，また，さまざまな請求をする上で，株主名簿管理人の住所または営業所は重要な情報だからである。

4　定款に定められた事項（法59条1項1号から4号までおよび本条3号に掲げる事項を除く）であって，発起人に対して設立時募集株式の引受けの申込みをしようとする者が当該者に対して通知することを請求した事項（4号）

第9条（招集の決定事項） 65

　これは，適法に定款に定められた事項は，株主を拘束し，株主の権利内容に影響を与えるため，設立時募集株式の引受けの申込みをしようとする者が申込みをするか否かを決定する上で重要な情報だからである。もっとも，定款に定められる事項は必ずしも少なくないことから，3号に規定された事項を除き，定款に定められた事項のうち，「発起人に対して設立時募集株式の引受けの申込みをしようとする者が当該者に対して通知することを請求した事項」を通知すれば足りるものとされている。「法第59条第1項第1号から第4号までおよび本条第3号に掲げる事項を除く」とされているのは，本条3号に掲げる事項（株主名簿管理人を置く旨の定款の定めがあるときは，その氏名または名称および住所ならびに営業所）は，設立時募集株式の引受けの申込みをしようとする者が当該者に対して通知することを請求しなくとも，必ず通知しなければならない事項であり，「法第59条第1項第1号から第4号まで……に掲げる事項」は，法59条1項により当然に通知しなければならない事項であるためである（本条は法59条1項5号の委任に基づくものであり，同号は「前各号に掲げるもののほか，法務省令で定める事項」（圏点―引用者）と定めているので，法59条1項1号から4号までに掲げる事項は本条では除かなければならないからである）。

―（招集の決定事項）―

第9条　法第67条第1項第5号に規定する法務省令で定める事項は，次に掲げる事項とする。
　一　法第67条第1項第3号又は第4号に掲げる事項を定めたときは，次に掲げる事項
　　イ　次条第1項の規定により創立総会参考書類に記載すべき事項
　　ロ　法第67条第1項第3号に掲げる事項を定めたときは，書面による議決権の行使の期限（創立総会の日時以前の時であって，法第68条第1項の規定による通知を発した日から2週間を経過した日以後の時に限る。）
　　ハ　法第67条第1項第4号に掲げる事項を定めたときは，電磁的方法による議決権の行使の期限（創立総会の日時以前の時であって，法第68条第1項の規定による通知を発した日から2週間を経過した日以後の時に限る。）
　　ニ　第11条第1項第2号の取扱いを定めるときは，その取扱いの内容
　　ホ　一の設立時株主が同一の議案につき次に掲げる場合の区分に応じ，次に定める規定により重複して議決権を行使した場合において，当該同一の議案に対する議決権の行使の内容が異なるものであるときにおける当該設立時株主の議決権の行使の取扱いに関する事項を定めるとき（次号に規定

する場合を除く。）は，その事項
- (1) 法第67条第1項第3号に掲げる事項を定めた場合　法第75条第1項
- (2) 法第67条第1項第4号に掲げる事項を定めた場合　法第76条第1項

二　法第67条第1項第3号及び第4号に掲げる事項を定めたときは，次に掲げる事項

イ　法第68条第3項の承諾をした設立時株主の請求があった時に当該設立時株主に対して法第70条第1項の規定による議決権行使書面（同項に規定する議決権行使書面をいう。以下この節において同じ。）の交付（当該交付に代えて行う同条第2項の規定による電磁的方法による提供を含む。）をすることとするときは，その旨

ロ　一の設立時株主が同一の議案につき法第75条第1項又は第76条第1項の規定により重複して議決権を行使した場合において，当該同一の議案に対する議決権の行使の内容が異なるものであるときにおける当該設立時株主の議決権の行使の取扱いに関する事項を定めるときは，その事項

三　第1号に規定する場合以外の場合において，次に掲げる事項が創立総会の目的である事項であるときは，当該事項に係る議案の概要

イ　設立時役員等の選任

ロ　定款の変更

　本条は，発起人が創立総会の招集に際して決定すべき事項を定めるものであり，株主総会の招集に際して決定すべき事項を定める63条とパラレルな規定である（もっとも，創立総会の性質上，決定すべき事項は63条が定める株主総会の招集に際して決定すべき事項に比べると限定されている［→2］）。すなわち，法67条1項は，発起人は，創立総会を招集する場合には，創立総会の日時および場所，創立総会の目的である事項，創立総会に出席しない設立時株主が書面によって議決権を行使することができることとするときは，その旨，ならびに，創立総会に出席しない設立時株主が電磁的方法によって議決権を行使することができることとするときは，その旨のほか「法務省令で定める事項」を定めなければならないものとしており，本条は，この委任をうけて定められている。

1　創立総会の招集時に決定すべき事項

　創立総会の招集時に決定すべき事項は，招集通知に記載しなければならないものとされており（法68条4項），設立時株主に与えるべき最低限度の情報という意味をも有する。

(1) 書面または電磁的方法による議決権行使を認めた場合（1号）
① 創立総会参考書類に記載すべき事項（1号イ）
　書面または電磁的方法による議決権行使を認める場合には，創立総会参考書類を株主に交付しなければならないので（法70条・71条），創立総会参考書類の内容を招集時に定めなければならないものとされている。

② 書面による議決権行使の期限（1号ロ）
　書面による議決権行使を認める場合の，株主総会における書面による議決権行使の期限については，特に定めなければ，株主総会の日時の直前の営業時間の終了時とされている（69条）のとは異なり，創立総会における書面による議決権行使については，創立総会の招集事項として定められた日時が，創立総会における書面による議決権行使の期限とされるため（13条），書面による議決権の行使の期限を創立総会の招集時に決定しなければならない。これは，創立総会の段階では，会社は成立しておらず，会社の営業時間を観念できないからである。
　「創立総会の日時以前の時であって」，招集「通知を発した日から2週間を経過した日以後の時に限る」とされているのは，書面による議決権行使の期限が創立総会の日時以前の時でなければ，株主総会の議場において行使された議決権と合算して，決議の成立を議場において明らかにすることができないため，「創立総会の日時以前の時」とされている。「創立総会の日時以前の時」（圏点―引用者）とされているので，創立総会の開始時刻以前であれば，創立総会の会日における特定の時刻を指定することもできる。「招集通知を発した日から2週間を経過した日以後の時」とされているのは，設立時株主に議案に賛成するか否かについての熟慮期間を確保するためである。そして，「招集通知を発した日から2週間を経過した日以後の時」とされているので，この要件を満たす限り，創立総会の日時より数日前の日時を指定することもできる。

③ 電磁的方法による議決権行使の期限（1号ハ）
　電磁的方法による議決権行使を認める場合の，株主総会における電磁的方法による議決権行使の期限については，特に定めなければ，株主総会の日時の直前の営業時間の終了時とされている（70条）のとは異なり，創立総会における電磁的方法による議決権行使については，創立総会の招集事項として定められた日時が，創立総会における電磁的方法による議決権行使の期限とされるため

(14条),電磁的方法による議決権の行使の期限を創立総会の招集時に決定しなければならない。これは,創立総会の段階では,会社は成立しておらず,会社の営業時間を観念できないからである。

「創立総会の日時以前の時であって」,招集「通知を発した日から2週間を経過した日以後の時に限る」とされているのは,電磁的方法による議決権行使の期限が創立総会の日時以前の時でなければ,創立総会の議場において行使された議決権と合算して,決議の成立を議場において明らかにすることができないため,「創立総会の日時以前の時」とされている。「創立総会の日時以前の時」(圏点—引用者)とされているので,創立総会の開始時刻以前であれば,創立総会の会日における特定の時刻を指定することもできる。「招集通知を発した日から2週間を経過した日以後の時」とされているのは,設立時株主に議案に賛成するか否かについての熟慮期間を確保するためである。そして,「招集通知を発した日から2週間を経過した日以後の時」とされているので,この要件を満たす限り,創立総会の日時より数日前の日時を指定することもできる。

④　賛否の記載がない場合の取扱い（1号ニ）

各議案について賛否を記載する欄に記載がない議決権行使書面が発起人に提出された場合に備えて,そのような場合には各議案についての賛成,反対または棄権のいずれかの意思の表示があったものとする取扱いを定めることができるものとされている。平成18年改正前商法施行規則25条を踏襲したものである。

すなわち,議決権行使書面に賛否の記載がないまま発起人に返送されるものがあることが十分に予想されるため,このような定めが設けられている。必要な記載すなわち賛否の記載がないときは,その投票は棄権として扱われ,その結果,決議が成立しないという事態が生じうるので,あらかじめ賛否等の記載がない場合の設立時株主の意思を推測し,その取扱いを定めることを認めるものである。そして,賛否の記載のない議決権行使書面の提出は,発起人に対する信任を表わす趣旨とも考えられる（稲葉・昭和56改正165頁参照）。そこで,設立時株主が賛否等の記載のない議決権行使書面を発起人に提出したときには,各議案につき賛成,反対または棄権のいずれかの意思表示があったものとして扱う旨を定めることを認めている。実務上すべての議案について賛成と扱う旨のみを定めることも考えられる。

なお,このような定めは主として発起人の便宜のために認められており,こ

のような定めをするか否かは発起人の任意である。

⑤　重複して議決権が行使され，同一の議案に対する議決権の行使の内容が異なる場合（1号ホ）

　書面による議決権行使または電磁的方法による議決権行使の一方のみが認められている場合にも，2号ロの場合と同様，書面または電磁的方法により，重複して議決権が行使され，同一の議案に対する議決権の行使の内容が異なることが考えられる。たしかに，平成17年改正前商法および平成17年廃止前商法特例法の下では，重複して議決権が行使され，同一の議案に対する議決権の行使の内容が異なる場合には，後にされた議決権行使により先になされたものが撤回されたものとして取り扱うのが原則であると解されていたが（江頭・株式有限309頁注14），書面による議決権行使あるいは電磁的方法による議決権行使が複数なされた場合には，たとえば，後になされた議決権行使が先になされた議決権行使よりも先に発起人に到達するというような事態が考えられるため，このルールを適用すると，発起人にとっての事務負担が重くなる可能性がある。とはいえ，発起人が適当な取扱いを定めることができるかどうかを解釈に委ねておくことは，実務にとって，不安定さをもたらすことに鑑み，明文の規定を設けることが適切であると考えられるため，本号ヘは，重複して議決権が行使され，同一の議案に対する議決権の行使の内容が異なる場合の取扱いを発起人があらかじめ定めておくことを認めている。これは，発起人の事務処理上の便宜を図るものである。発起人が定める取扱方法については，会社法施行規則上，明文の制約がなく，後に発信された議決権行使を優先する方法，後に発起人に到達した議決権行使を優先する方法，いずれの議決権行使も無効なものとして取り扱う方法，当該事項について賛否の記載がないものとして取り扱う方法［この場合については，→④］などが考えられる（相澤＝郡谷・商事法務1759号12頁参照）。

　なお，設立時株主が書面または電磁的方法により議決権行使をした後に，創立総会の当日に会場に現れて議決権行使をした場合については，本号の範囲外であり，発起人は定めを置くことはできず，議場での議決権行使が優先されることになると解するべきであろう。なぜなら，法67条1項3号および4号は「創立総会に出席しない設立時株主が書面によって議決権を行使することができることとするときは，その旨」，「創立総会に出席しない設立時株主が電磁的方法によって議決権を行使することができることとするときは，その旨」（圏

点—引用者）と定めており，創立総会に出席した以上は，書面または電磁的方法による議決権の行使は無効となると解するのが自然であり，重複して議決権が行使され，同一の議案に対する議決権の行使の内容が異なる場合には，後にされた議決権行使により先になされたものが撤回されたものとして取り扱うという原則からも自然である。また，1号ロ・ハが定める書面および電磁的方法による議決権行使の期限に照らせば，創立総会の会場における議決権行使が後になされたことは明白だからである。

(2) 書面による議決権行使および電磁的方法による議決権行使の両方を認める場合（2号）
① 議決権行使書面の交付等の時期（2号イ）

　法70条1項は，書面による議決権行使を認める場合には，創立総会招集の通知に際して，法務省令で定めるところにより，設立時株主に対し，議決権の行使について参考となるべき事項を記載した書類（創立総会参考書類）および設立時株主が議決権を行使するための書面（議決権行使書面）を交付しなければならないと定め，同条2項本文は，発起人は，電磁的方法により創立総会招集の通知を受けることにつき承諾をした設立時株主に対し電磁的方法による通知を発するときは，創立総会参考書類および議決権行使書面の交付に代えて，これらの書類に記載すべき事項を電磁的方法により提供することができると定めている。

　しかし，本号イは，電磁的方法により創立総会招集の通知を受けることにつき承諾をした設立時株主については，その設立時株主の請求があった時に初めてその設立時株主に対して議決権行使書面の交付（その交付に代えて行う法70条2項の規定による電磁的方法による提供を含む）をすることとすることを発起人に認めている。これは，電磁的方法による議決権行使を認める場合には，電磁的方法により創立総会招集の通知を受けることにつき承諾をした設立時株主に対する電磁的方法による通知に際して，法務省令で定めるところにより，設立時株主に対し，議決権行使書面に記載すべき事項をその電磁的方法により提供しなければならないとされているので（法71条3項），その設立時株主に対して議決権行使書面の交付（その交付に代えて行う法70条2項の規定による電磁的方法による提供を含む）をすると，書面による議決権行使と電磁的方法による議決権行使を重複して行われる可能性が高まることに鑑みて，設立時株主からの請求がない限り，議決権行使手段を複数与えることを回避することを発起人に認

めるものである。また、議決権行使書面の交付がつねに義務づけられるとすると、招集通知を電磁的方法により発出しても、発起人にとっては、郵送料や印刷費等の創立総会招集コストの軽減を図ることができず、電磁的方法による議決権行使を認めることのインセンティブが相当程度失われることとなる。その結果、設立時株主にとっても、簡便な方法での議決権行使という権利行使の拡大の機会が損なわれることになりかねないからである（要綱試案補足説明40頁参照）。

② 重複して議決権が行使され、同一の議案に対する議決権の行使の内容が異なる場合（2号ロ）

平成17年改正前商法および平成17年廃止前商法特例法の解釈としては、重複して議決権が行使され、同一の議案に対する議決権の行使の内容が異なる場合には、後にされた議決権行使により先になされたものが撤回されたものとして取り扱うのが原則である（江頭・株式有限309頁注14）ものの、書面による議決権行使と電磁的方法による議決権行使との両方がなされた場合には、その先後を判別することが容易ではないので、議決権行使書面等にあらかじめ、いずれか一方の方法による議決権行使を優先する旨を会社は記載し、それに従って処理することができるものと解されていた（郡谷・商事法務1664号38頁、江頭・株式有限309頁注14）。

しかし、明文の規定を設けることが適切であると考えられるため、本号ロは、重複して議決権が行使され、同一の議案に対する議決権の行使の内容が異なる場合の取扱いを発起人があらかじめ定めておくことを認めている。これは、発起人の事務処理上の便宜を図るものである。発起人が定める取扱方法については、会社法施行規則上、明文の制約がなく、書面による議決権行使または電磁的方法による議決権行使のいずれかを優先する方法、後にされた議決権行使を優先する方法、いずれの議決権行使も無効なものとして取り扱う方法、当該事項について賛否の記載がないものとして取り扱う方法［この場合については、→(1)④］などが考えられる（相澤＝郡谷・商事法務1759号12頁）。

なお、設立時株主が書面および電磁的方法により議決権行使をした後に、創立総会の当日に会場に現れて議決権行使をした場合については、本号の範囲外であり、発起人は定めを置くことはできず、議場での議決権行使が優先されることになると解するべきであろう。なぜなら、法67条1項3号および4号は「創立総会に出席しない設立時株主が書面によって議決権を行使することがで

きることとするときは，その旨」，「創立総会に出席しない設立時株主が電磁的方法によって議決権を行使することができることとするときは，その旨」（圏点─引用者）と定めており，創立総会に出席した以上は，書面および電磁的方法による議決権の行使は無効となると解するのが自然であり，重複して議決権が行使され，同一の議案に対する議決権の行使の内容が異なる場合には，後にされた議決権行使により先になされたものが撤回されたものとして取り扱うという原則からも自然である。また，1号ロ・ハが定める書面および電磁的方法による議決権行使の期限に照らせば，創立総会の会場における議決権行使が後になされたことは明白だからである。

(3) 議案の概要（株主総会参考書類を提供しない場合）(3号)

書面または電磁的方法による議決権行使を認める場合には，設立時株主に創立総会参考書類が提供され，創立総会参考書類には議案が記載される（10条1項1号）。しかし，創立総会参考書類が提供されない場合には，招集通知に議案が記載・記録されなければ，設立時株主としては，十分な準備ができない可能性がある。そこで，創立総会参考書類が提供されない場合には，設立時役員等の選任および定款の変更に関する議案の概要を招集時に決定すべきものとし，その結果，設立時役員等の選任および定款の変更に関する議案の概要が招集通知に記載されるようにしている（法68条4項）。

2 株主総会の招集時に決定すべき事項との相違

第1に，株主総会の招集時に決定すべき事項については，定款に定めがある場合には決定することを要しないとされる事項や（取締役に決定を委任できる事項のうち）取締役に決定を委任した事項については，招集時に決定することを要しないものとされているのに対し，創立総会については，そのような規定が設けられていない。これは，創立総会は反復的に開催されるものではないので，招集時に決定すべきものとしても煩瑣ではないと考えられるからであろう。

第2に，創立総会において書面または電磁的方法による議決権行使を認める場合には，必ずその行使期限を決定しなければならないものとされている。これは，株主総会について定められているデフォルト・ルールである「株主総会の日時の直前の営業時間の終了時」が会社成立前に行われる創立総会には妥当しないこと，および，創立総会は反復的に開催されるものではないので，招集

時に決定すべきものとしても煩瑣ではないと考えられることによるものであろう。

　第3に，株主総会が定時株主総会である場合に，定時株主総会の日が一定の要件のいずれかに該当するときは，その日時を決定した理由（63条1号）および株主総会の場所が過去に開催した株主総会のいずれの場所とも著しく離れた場所であるとき（一定の場合を除く）は，その場所を決定した理由（63条2号）に相当する事項は，創立総会の招集時に決定すべき事項には含まれていない。これは，創立総会は反復的に開催されるものではないため，集中日問題や従来と異なる時期に開催するという問題は生じないし，過去に開催した創立総会のいずれの場所とも著しく離れた場所で開催するということも考えられないからである。そもそも，創立総会が開催されることはまれであるため，あえて規律する必要はないと考えられるからであろう。

　第4に，代理人による議決権の行使について，代理権（代理人の資格を含む）を証明する方法，代理人の数その他代理人による議決権の行使に関する事項を定めるときは，その事項（63条5号）に相当する事項も，創立総会の招集時には決定することが求められていない。これは，創立総会の場合にはこのような事項を定めてはならないという趣旨ではなく，単に，創立総会が開催されることはまれであると予想されるため，あえて規定を設ける必要性は乏しいと考えたからであろう。また，少なくとも，創立総会の段階では，設立時株主間に一種の人的信頼関係があることが一般的であるので，このような事項を定めなくとも問題が生じにくいという判断によるのかもしれない。

　第5に，有する議決権を統一しないで行使する旨およびその理由の取締役会設置会社に対する通知の方法を定めるときも，創立総会の招集時にはその方法（63条6号）に相当する事項を決定することが求められていない。これは，創立総会の場合にはこのような事項を定めてはならないという趣旨ではなく，単に，創立総会が開催されることはまれであると予想されるため，あえて規定を設ける必要性は乏しいと考えたからであろう。また，少なくとも，創立総会の段階では，議決権の不統一行使が必要とされる場合がきわめてまれであると予想されるので，このような事項を定めなくとも問題が生じにくいという判断によるのかもしれない。

──（創立総会参考書類）──
　第10条　法第70条第1項又は第71条第1項の規定により交付すべき創立総会参

考書類に記載すべき事項は，次に掲げる事項とする。
一　議案及び提案の理由
二　議案が設立時取締役（設立しようとする株式会社が監査等委員会設置会社である場合にあっては，設立時監査等委員である設立時取締役を除く。）の選任に関する議案であるときは，当該設立時取締役についての第74条に規定する事項
三　議案が設立時監査等委員である設立時取締役の選任に関する議案であるときは，当該設立時監査等委員である設立時取締役についての第74条の3に規定する事項
四　議案が設立時会計参与の選任に関する議案であるときは，当該設立時会計参与についての第75条に規定する事項
五　議案が設立時監査役の選任に関する議案であるときは，当該設立時監査役についての第76条に規定する事項
六　議案が設立時会計監査人の選任に関する議案であるときは，当該設立時会計監査人についての第77条に規定する事項
七　議案が設立時役員等の解任に関する議案であるときは，解任の理由
八　前各号に掲げるもののほか，設立時株主の議決権の行使について参考となると認める事項
2　法第67条第1項第3号及び第4号に掲げる事項を定めた発起人が行った創立総会参考書類の交付（当該交付に代えて行う電磁的方法による提供を含む。）は，法第70条第1項及び第71条第1項の規定による創立総会参考書類の交付とする。

　本条は，創立総会において書面または電磁的方法による議決権行使を認める場合に創立総会参考書類に記載すべき事項を定めるものである。すなわち，創立総会に出席しない設立時株主が書面または電磁的方法によって議決権を行使することができることとした場合には，発起人は，創立総会の招集通知に際して，法務省令で定めるところにより，設立時株主に対し，議決権の行使について参考となるべき事項を記載した書類（創立総会参考書類）を交付しなければならない（法70条1項・71条1項）。この委任をうけて，本条が定められている。平成18年改正前商法施行規則22条に対応する規定である。
　1項2号と3号とが分けて規定されているのは，設立しようとする株式会社が監査等委員会設置会社である場合には，設立時取締役の選任は，設立時監査等委員である設立時取締役とそれ以外の設立時取締役とを区別してしなければ

第10条（創立総会参考書類）　75

ならないとされているからである（法38条2項）。

　もっとも，発起人は，電磁的方法により招集通知を受けることを承諾した設立時株主に対し電磁的方法による通知を発するときは，創立総会参考書類の交付に代えて，当該創立総会参考書類に記載すべき事項を電磁的方法により提供することができる（ただし，設立時株主から請求があったときは，創立総会参考書類を当該設立時株主に交付しなければならない。法71条2項）。

1　創立総会参考書類に記載すべき事項（1項）

(1)　議案および提案の理由（1号）

　株主総会参考書類に関する73条1項1号とパラレルな規定である。創立総会に提出される予定の議案はすべて記載されなければならない。創立総会の招集通知には，会議の目的たる事項すなわち議題を記載すれば足り，その議題について会社が提出しようとする議案まで記載する必要はない（法68条4項・67条1項2号）。しかし，議案が明らかにされなければ，書面または電磁的方法により，議決権を行使することは不可能なので，創立総会参考書類には議案の記載が必要とされる。提案の理由を記載させるのは，設立時株主にとって議決権行使にあたって参考となると考えられるためである。

(2)　議案が設立時取締役（設立しようとする株式会社が監査等委員会設置会社である場合にあっては，設立時監査等委員である設立時取締役を除く）の選任に関する議案であるとき（2号）

　その設立時取締役（設立しようとする株式会社が監査等委員会設置会社である場合には，設立時監査等委員である設立時取締役を除く）についての74条に規定する事項を記載すべきものとされている（「設立しようとする株式会社が監査等委員会設置会社である場合にあっては，設立時監査等委員である設立時取締役を除く」のは，1項3号で，「議案が設立時監査等委員である設立時取締役の選任に関する議案であるときは，当該設立時監査等委員である設立時取締役についての第74条の3に規定する事項」を記載すべきこととされているからである）。株主総会において取締役を選任する場合と創立総会において設立時取締役を選任する場合とでは，必要な情報に差がないと考えられるからである。もっとも，設立時取締役と取締役との間には相違があることにより，以下でみるように，若干の差異は生ずるし，読替えが必要となる。

　第1に，設立時取締役の候補者の氏名，生年月日および略歴，および，就任

の承諾を得ていないときは，その旨を，創立総会参考書類に記載しなければならないのは，取締役の選任議案について株主総会参考書類に記載しなければならないのと同じである［なお，→74条1項］。

なお，取締役（株式会社が監査等委員会設置会社である場合には，監査等委員である取締役を除く）の選任に関する議案を提出する場合に記載すべき事項を定める74条1項3号は，「株式会社が監査等委員会設置会社である場合において，法第342条の2第4項の規定による監査等委員会の意見があるときは，その意見の内容の概要」を挙げているが，設立時取締役を選任する時点では監査等委員会は設置されていないので，これに相当する記載は不要である。

第2に，当該候補者と設立しようとしている株式会社との間で責任限定契約（法427条1項）もしくは補償契約（法430条の2）を締結する予定があるときまたは当該候補者を被保険者とする役員等賠償責任保険契約（法430条の3）を締結する予定があるときには，その契約の内容の概要（成立後の会社における取締役選任の場合と異なり，責任限定契約もしくは補償契約または役員等賠償責任保険契約を締結していることはない）を創立総会参考書類に記載しなければならない。

第3に，設立しようとする株式会社が公開会社であるときは，その候補者の有する設立時株式の数（設立しようとする株式会社が種類株式発行会社である場合には，設立時株式の種類および種類ごとの数），および，候補者が当該株式会社の取締役に就任した場合に121条8号に定める重要な兼職に該当する事実があることとなるときは，その事実を創立総会参考書類に記載しなければならない。また，その候補者と設立しようとする株式会社との間に特別の利害関係があることとなるときは，その事実の概要も創立総会参考書類に記載しなければならないと考えられる［なお，→74条2(3)］。他方，取締役の選任議案について株主総会参考書類に記載すべきものとされている74条2項4号に掲げる事項（候補者が現に当該株式会社の取締役であるときは，当該株式会社における地位および担当）は，株式会社が成立していない以上，創立総会参考書類に記載することは考えられない。

第4に，設立しようとする株式会社が公開会社であって，かつ，その成立時に，他の者の子会社等となるときは，創立総会参考書類には，その候補者が現に当該他の者（自然人であるものに限る）であるときは，その旨，その候補者が現に当該他の者（当該他の者の子会社等を含む）の業務執行者であるときは，当該他の者における地位および担当，および，その候補者が過去10年間に当該他の者（当該他の者の子会社を含む）の業務執行者であったことを発起人が知って

いるときは，当該他の会社における地位および担当を記載しなければならない[なお，→74条3(2)]。

　第5に，設立しようとする株式会社が公開会社である場合において，設立時取締役の候補者が社外取締役候補者であるときは，創立総会参考書類には，(a)当該候補者が社外取締役候補者である旨，(b)当該候補者を社外取締役候補者とした理由，(c)当該候補者が社外取締役（社外役員に限る）に選任された場合に果たすことが期待される役割の概要，(d)当該候補者が過去5年間に他の株式会社の取締役，執行役または監査役に就任していた場合において，その在任中に当該他の株式会社において法令または定款に違反する事実その他不当な業務の執行が行われた事実があることを発起人が知っているときは，その事実（重要でないものを除き，当該候補者が当該他の株式会社における社外取締役（社外役員に限る）または監査役であったときは,当該事実の発生の予防のために当該候補者が行った行為および当該事実の発生後の対応として行った行為の概要を含む),(e)当該候補者が過去に社外取締役（社外役員に限る）または社外監査役（社外役員に限る）となること以外の方法で会社（外国会社を含む）の経営に関与していない者であるときは，当該経営に関与したことがない候補者であっても社外取締役としての職務を適切に遂行することができるものと発起人が判断した理由，(f)当該候補者が，設立しようとする株式会社が成立した時にその親会社等（自然人であるものに限る）となるものであること，その特定関係事業者となるものの業務執行者もしくは役員であり，または過去10年間にその業務執行者もしくは役員であったことがあること，設立しようとする株式会社が成立した時にその特定関係事業者となるものから多額の金銭その他の財産（これらの者の取締役，会計参与，監査役，執行役その他これらに類する者としての報酬等を除く）を受ける予定があり，または過去2年間に受けていたこと，設立しようとする株式会社が成立した時にその親会社等となるものもしくはその特定関係事業者となるものの業務執行者もしくは役員の配偶者，三親等以内の親族その他これに準ずるもの（重要でないものを除く）であること，のいずれかに該当することを発起人が知っているときは，その旨，(g)(a)から(f)に関する記載についての当該候補者の意見があるときは，その意見の内容を，それぞれ，記載しなければならない[→74条4]。

　なお，74条4項4号（当該候補者が現に当該株式会社の社外取締役（社外役員に限る）である場合において，当該候補者が最後に選任された後在任中に当該株式会社において法令または定款に違反する事実その他不当な業務の執行が行われた事実

（重要でないものを除く）があるときは、その事実ならびに当該事実の発生の予防のために当該候補者が行った行為および当該事実の発生後の対応として行った行為の概要）、同7号イ（過去に当該株式会社またはその子会社の業務執行者または役員（業務執行者であるものを除く）であったことがあること）、同7号ロの一部（過去10年間に当該株式会社の親会社等であったことがあること）、同7号ヘ（過去2年間に合併、吸収分割、新設分割または事業の譲受けにより他の株式会社がその事業に関して有する権利義務を当該株式会社が承継または譲受けをした場合において、当該合併等の直前に当該株式会社の社外取締役（社外役員に限る）または監査役でなく、かつ、当該他の株式会社の業務執行者であったこと）、および同8号（当該候補者が現に当該株式会社の社外取締役（社外役員に限る）または監査役であるときは、これらの役員に就任してからの年数）などに相当する記載は、会社が成立していない以上、そのような事実があるとは考えられないので、創立総会参考書類には含められない。

　設立しようとする株式会社が公開会社でない場合には、(a)(b)(c)(g)の事項を記載すれば足りるとされるのは、設立しようとする株式会社が公開会社でない場合には、書面または電磁的方法による議決権行使を認めないことが多く、その場合には創立総会参考書類は株主に提供されないし、また、書面または電磁的方法による議決権行使を認めても、創立総会に現実に出席する設立時株主の割合が多いと推測され、また、創立総会参考書類が膨大になることによるコストを負担させる合理性が認められない場合が少なくないからであろう。しかも、創立総会参考書類に記載させなくとも、議場において説明を求めれば十分であるし、そのような会社におけるコーポレート・ガバナンスにおいて、社外役員である社外取締役に期待される役割が必ずしも大きくないからであろう。

(3) 議案が設立時監査等委員である設立時取締役の選任に関する議案であるとき（3号）

　その設立時監査等委員である設立時取締役についての74条の3に規定する事項を記載すべきものとされている。

　株主総会において監査等委員である取締役を選任する場合と創立総会において設立時監査等委員である設立時取締役を選任する場合とでは、必要な情報に差がないと考えられるからである。もっとも、設立時監査等委員である設立時取締役と監査等委員である取締役との間には相違があることにより、以下でみるように、若干の差異は生ずるし、読替えが必要となる。また、設立時監査等

委員である設立時取締役は，設立時監査等委員である設立時取締役の選任を創立総会の目的とすることまたは設立時監査等委員である設立時取締役の選任に関する議案を創立総会に提出することを請求する権利や創立総会において設立時監査等委員である設立時取締役の選任について意見を述べる権利を有しないので，74条の3第1項4号および5号に相当する事項は創立総会参考書類には記載されない。

　第1に，設立時監査等委員である設立時取締役の候補者の氏名，生年月日および略歴，および，就任の承諾を得ていないときは，その旨を，創立総会参考書類に記載しなければならないのは，取締役の選任議案について株主総会参考書類に記載しなければならないのと同じである［なお，→74条の3］。

　第2に，その候補者と設立しようとする株式会社との間に特別の利害関係があることとなるときは，その事実の概要も創立総会参考書類に記載しなければならないと考えられる［なお，→74条の3］。また，当該候補者と設立しようとしている株式会社との間で責任限定契約（法427条1項）もしくは補償契約（法430条の2）を締結する予定があるときまたは当該候補者を被保険者とする役員等賠償責任保険契約（法430条の3）を締結する予定があるときには，その契約の内容の概要（成立後の会社における監査等委員である取締役選任の場合と異なり，責任限定契約もしくは補償契約または役員等賠償責任保険契約を締結していることはない）。

　第3に，設立しようとする株式会社が公開会社であるときは，その候補者の有する設立時株式の数（設立しようとする株式会社が種類株式発行会社である場合には，設立時株式の種類および種類ごとの数），および，候補者が設立しようとする株式会社の設立時監査等委員である設立時取締役に就任した場合に121条8号に定める重要な兼職に該当する事実があることとなるときは，その事実を創立総会参考書類に記載しなければならない。他方，監査等委員である取締役の選任議案について株主総会参考書類に記載すべきものとされている74条の3第2項3号に掲げる事項（候補者が現に当該株式会社の監査等委員である取締役であるときは，当該株式会社における地位および担当）は，株式会社が成立していない以上，創立総会参考書類に記載することは考えられない。

　第4に，設立しようとする株式会社が公開会社であって，かつ，その成立時に，他の者の子会社等となるときは，創立総会参考書類には，その候補者が現に当該他の者（自然人であるものに限る）であるときは，その旨，その候補者が現に当該他の者（当該他の者の子会社を含む）の業務執行者であるときは，当該

他の者における地位および担当，および，その候補者が過去10年間に当該他の者（当該他の会社の子会社を含む）の業務執行者であったことを発起人が知っているときは，当該他の者における地位および担当を記載しなければならない[なお，→74条3(2)]。

　第5に，設立しようとする株式会社が公開会社である場合において，設立時取締役の候補者が社外取締役候補者であるときは，創立総会参考書類には，(a)当該候補者が社外取締役候補者である旨，(b)当該候補者を社外取締役候補者とした理由，(c)当該候補者が社外取締役（社外役員に限る）に選任された場合に果たすことが期待される役割の概要，(d)当該候補者が過去5年間に他の株式会社の取締役，執行役または監査役に就任していた場合において，その在任中に当該他の株式会社において法令または定款に違反する事実その他不当な業務の執行が行われた事実があることを発起人が知っているときは，その事実（重要でないものを除き，当該候補者が当該他の株式会社における社外取締役（社外役員に限る）または監査役であったときは，当該事実の発生の予防のために当該候補者が行った行為および当該事実の発生後の対応として行った行為の概要を含む），(e)当該候補者が過去に社外取締役（社外役員に限る）または社外監査役（社外役員に限る）となること以外の方法で会社（外国会社を含む）の経営に関与していない者であるときは，当該経営に関与したことがない候補者であっても監査等委員である社外取締役としての職務を適切に遂行することができるものと発起人が判断した理由，(f)当該候補者が，設立しようとする株式会社が成立した時にその親会社等（自然人であるものに限る）となるものであること，その特定関係事業者となるものの業務執行者もしくは役員であり，または過去10年間にその業務執行者もしくは役員であったことがあること，設立しようとする株式会社が成立した時にその特定関係事業者となるものから多額の金銭その他の財産（これらの者の取締役，会計参与，監査役，執行役その他これらに類する者としての報酬等を除く）を受ける予定があり，または過去2年間に受けていたこと，設立しようとする株式会社が成立した時にその親会社等となるものもしくはその特定関係事業者となるものの業務執行者もしくは役員の配偶者，三親等以内の親族その他これに準ずるもの（重要でないものを除く）であること，のいずれかに該当することを発起人が知っているときは，その旨，(g)(a)から(f)に関する記載についての当該候補者の意見があるときは，その意見の内容を，それぞれ，記載しなければならない[→74条の3]。

　なお，74条の3第4項4号（当該候補者が現に当該株式会社の社外取締役（社

外役員に限る）である場合において，当該候補者が最後に選任された後在任中に当該株式会社において法令または定款に違反する事実その他不当な業務の執行が行われた事実（重要でないものを除く）があるときは，その事実ならびに当該事実の発生の予防のために当該候補者が行った行為および当該事実の発生後の対応として行った行為の概要），同7号イ（過去に当該株式会社またはその子会社の業務執行者または役員（業務執行者であるものを除く）であったことがあること），同7号ロの一部（過去10年間に当該株式会社の親会社等であったことがあること），同7号ヘ（過去2年間に合併，吸収分割，新設分割または事業の譲受けにより他の株式会社がその事業に関して有する権利義務を当該株式会社が承継または譲受けをした場合において，当該合併等の直前に当該株式会社の社外取締役（社外役員に限る）または監査役でなく，かつ，当該他の株式会社の業務執行者であったこと），および同8号（当該候補者が現に当該株式会社の社外取締役または監査等委員である取締役であるときは，これらの役員に就任してからの年数）などに相当する記載は，会社が成立していない以上，そのような事実があるとは考えられないので，創立総会参考書類には含められない。

設立しようとする株式会社が公開会社でない場合には，(a)(b)(c)(g)の事項を記載すれば足りるとされるのは，設立しようとする株式会社が公開会社でない場合には，書面または電磁的方法による議決権行使を認めないことが多く，その場合には創立総会参考書類は株主に提供されないし，また，書面または電磁的方法による議決権行使を認めても，創立総会に現実に出席する設立時株主の割合が多いと推測され，また，創立総会参考書類が膨大になることによるコストを負担させる合理性が認められない場合が少なくないからであろう。しかも，創立総会参考書類に記載させなくとも，議場において説明を求めれば十分であるし，そのような会社におけるコーポレート・ガバナンスにおいて，社外役員である社外取締役に期待される役割が必ずしも大きくないからであろう。

(4) 議案が設立時会計参与の選任に関する議案であるとき（4号）

その設立時会計参与についての75条に規定する事項を記載すべきものとされている。株主総会において会計参与を選任する場合と創立総会において設立時会計参与を選任する場合とでは，必要な情報に差がないと考えられるからである。もっとも，設立時会計参与には，創立総会において選任に関して意見を述べる権利は法定されていないので，75条3号に相当する事項を記載する余地はない。また，たとえば，「会計参与」を「設立時会計参与」，「株式会社」を

「発起人」，「株主総会参考書類」を「創立総会参考書類」と，それぞれ，読み替える必要がある。

① 設立時会計参与候補者の氏名・名称等
　候補者が自然人である公認会計士または税理士であるときは，その氏名・事務所の所在場所・生年月日および略歴を，監査法人または税理士法人であるときは，その名称・主たる事務所の所在場所および沿革を，それぞれ参考書類に記載しなければならない。候補者の経歴・沿革は設立時会計参与としての適格性を判断する重要な情報であるが，創立総会参考書類の分量などを考慮すれば，選任の判断にとって参考となる略歴で足りる。したがって，最近の経歴には限定されない。

② 就任の承諾を得ていないときは，その旨
　候補者から就任の承諾を得ていないときは，その旨を記載しなければならない。また，期限付承諾あるいは条件付承諾であるときは，その旨をも明らかにしなければならないと解されている。

③ 当該候補者と設立しようとしている株式会社との間で責任限定契約（法427条1項）もしくは補償契約（法430条の2）を締結する予定があるときまたは当該候補者を被保険者とする役員等賠償責任保険契約（法430条の3）を締結する予定があるときは，その契約の内容の概要
　成立後の会社における会計参与選任の場合と異なり，責任限定契約もしくは補償契約または役員等賠償責任保険契約を締結していることはない。

④ 当該候補者が過去2年間に業務の停止の処分を受けた者である場合における当該処分に係る事項のうち，発起人が創立総会参考書類に記載することが適切であるものと判断した事項
　「業務の停止の処分を受け，その停止の期間を経過しない者」は会計参与となることができないので（法333条3項2号），設立時会計監査人の選任に関する議案との関連では記載すべきものとされている「当該候補者が現に業務の停止の処分を受け，その停止の期間を経過しない者であるときは，当該処分に係る事項」（1項6号・77条8号）の記載は，設立時会計参与の選任に関する議案との関連では，要求されていない。

しかし，業務停止処分の根拠となった事実次第では，その候補者が過去に業務停止処分を受けたという事実は，その候補者の設立時会計参与としての適格性に疑問を投げかける根拠となりうるため，そのような事実は，設立時株主の議決権行使のために重要な事項であると考えられる。そこで，当該候補者が過去2年間に業務の停止の処分を受けた者である場合には，その処分に係る事項のうち，発起人が創立総会参考書類に記載することが適切であるものと判断した事項を記載させることとしている。創立総会参考書類に記載することが適切であるか否かの判断にあたっては，業務停止処分の根拠となった事実の重大性，業務停止期間終了後の期間の長短，設立時会計参与としての候補者の適格性にその業務停止処分があったことが影響をどの程度与えるか，その業務停止処分の後の候補者における体制の整備・改善の状況はどのようなものか，創立総会による選任にあたって設立時株主が知っておく必要性がどの程度あるか，などを考慮に入れることになろう。

　もちろん，2年以上前に業務停止期間が終了している場合についても，設立時株主の議決権行使の参考となると認められる，当該業務停止処分に係る事項を，創立総会参考書類に記載することは可能である（1項8号）。

(5) 議案が設立時監査役の選任に関する議案であるとき（5号）

　その設立時監査役についての76条に規定する事項を記載すべきものとされている。株主総会において監査役を選任する場合と創立総会において設立時監査役を選任する場合とでは，必要な情報に差がないと考えられるからである。もっとも，設立時監査役と監査役との間には相違があることにより，以下でみるように，若干の差異は生ずるし，読替えが必要となる。また，設立時監査役は，設立時監査役の選任を創立総会の目的とすることまたは設立時監査役の選任に関する議案を創立総会に提出することを請求する権利や創立総会において，設立時監査役の選任について意見を述べる権利を有しないので，76条1項4号および5号に相当する事項は創立総会参考書類には記載されない。

　第1に，設立時監査役の候補者の氏名，生年月日および略歴，および，就任の承諾を得ていないときは，その旨を，創立総会参考書類に記載しなければならないのは，監査役の選任議案について株主総会参考書類に記載しなければならないのと同じである。また，その候補者と設立しようとする株式会社との間に特別の利害関係があることとなるときは，その事実の概要も創立総会参考書類に記載しなければならないと考えられる［なお，→76条］。当該候補者と設立

しようとしている株式会社との間で責任限定契約（法427条1項）もしくは補償契約（法430条の2）を締結する予定があるときまたは当該候補者を被保険者とする役員等賠償責任保険契約（法430条の3）を締結する予定があるときは，その契約の内容の概要を含めなければならない。なお，成立後の会社における監査役選任の場合と異なり，責任限定契約もしくは補償契約または役員等賠償責任保険契約を締結していることはない。

　第2に，設立しようとする株式会社が公開会社であるときは，その候補者の有する設立時株式の数（設立しようとする株式会社が種類株式発行会社である場合には，設立時株式の種類および種類ごとの数），および，候補者が設立しようとする株式会社の設立時監査役に就任した場合に121条8号に定める重要な兼職に該当する事実があることとなるときは，その事実（重要でないものを除く）を創立総会参考書類に記載しなければならない［なお，→76条］。他方，監査役の選任議案について株主総会参考書類に記載すべきものとされている76条2項3号に掲げる事項（候補者が現に当該株式会社の監査役であるときは，当該株式会社における地位および担当）は，株式会社が成立していない以上，創立総会参考書類に記載することは考えられない。

　第3に，設立しようとする株式会社が公開会社であって，かつ，その成立時に，他の者の子会社等となるときは，創立総会参考書類には，その候補者が現に当該他の者（自然人であるものに限る）であるときは，その旨，その候補者が現に当該他の者（当該他の者の子会社を含む）の業務執行者であるときは，当該他の者における地位および担当，および，その候補者が過去10年間に当該他の者（当該他の会社の子会社を含む）の業務執行者であったことを発起人が知っているときは，当該他の者における地位および担当を記載しなければならない［なお，→76条］。

　第4に，設立しようとする株式会社が公開会社である場合において，設立時監査役の候補者が社外監査役候補者であるときは，創立総会参考書類には，(a)当該候補者が社外監査役候補者である旨，(b)当該候補者を社外監査役候補者とした理由，(c)当該候補者が過去5年間に他の株式会社の取締役，執行役または監査役に就任していた場合において，その在任中に当該他の株式会社において法令または定款に違反する事実その他不正な業務の執行が行われた事実があることを発起人が知っているときは，その事実（重要でないものを除き，当該候補者が当該他の株式会社における社外取締役（社外役員に限る）または監査役であったときは，当該事実の発生の予防のために当該候補者が行った行為および当該事

実の発生後の対応として行った行為の概要を含む），(d)当該候補者が過去に社外取締役（社外役員に限る）または社外監査役（社外役員に限る）となること以外の方法で会社（外国会社を含む）の経営に関与していない者であるときは，当該経営に関与したことがない候補者であっても社外監査役（社外役員に限る）としての職務を適切に遂行することができるものと発起人が判断した理由，(e)当該候補者が，設立しようとする株式会社が成立した時にその親会社等（自然人であるものに限る）となるものであること，その特定関係事業者となるものの業務執行者もしくは役員であり，または過去10年間にその業務執行者もしくは役員であったことがあること，設立しようとする株式会社が成立した時にその特定関係事業者となるものから多額の金銭その他の財産（これらの者の監査役としての報酬等を除く）を受ける予定があり，または過去２年間に受けていたこと，設立しようとする株式会社が成立した時にその親会社等となるものもしくはその特定関係事業者となるものの業務執行者もしくは役員の配偶者，三親等以内の親族その他これに準ずるものであること（重要でないものを除く），のいずれかに該当することを発起人が知っているときは，その旨，(f)(a)から(e)に関する記載についての当該候補者の意見があるときは，その意見の内容を，それぞれ，記載しなければならない［→76条］。

　なお，76条４項３号（当該候補者が現に当該株式会社の社外監査役（社外役員に限る）である場合において，当該候補者が最後に選任された後在任中に当該株式会社において法令または定款に違反する事実その他不正な業務の執行が行われた事実（重要でないものを除く）があるときは，その事実ならびに当該事実の発生の予防のために当該候補者が行った行為および当該事実の発生後の対応として行った行為の概要），同６号イ（過去に当該株式会社またはその子会社の業務執行者または役員（業務執行者であるものを除く）であったことがあること），同６号ロの一部（過去５年間に当該株式会社の親会社等であったことがあること），同６号ヘ（過去２年間に合併，吸収分割，新設分割または事業の譲受けにより他の株式会社がその事業に関して有する権利義務を当該株式会社が承継または譲受けをした場合において，当該合併等の直前に当該株式会社の社外監査役（社外役員に限る）でなく，かつ，当該他の株式会社の業務執行者であったこと），および同７号（当該候補者が現に当該株式会社の社外監査役（社外役員に限る）または監査役であるときは，これらの役員に就任してからの年数）に相当する記載は，会社が成立していない以上，そのような事実があるとは考えられないので，創立総会参考書類には含められない。

設立しようとする株式会社が公開会社でない場合には，(a)(b)(f)の事項を記載すれば足りるとされるのは，設立しようとする株式会社が公開会社でない場合には，書面または電磁的方法による議決権行使を認めないことが多く，その場合には創立総会参考書類は株主に提供されないし，また，書面または電磁的方法による議決権行使を認めても，創立総会に現実に出席する設立時株主の割合が多いと推測され，また，創立総会参考書類が膨大になることによるコストを負担させる合理性が認められない場合が少なくないからであろう。しかも，創立総会参考書類に記載させなくとも，議場において説明を求めれば十分であるし，そのような会社におけるコーポレート・ガバナンスにおいて，社外役員である社外監査役に期待される役割が必ずしも大きくないからであろう。

(6) 議案が設立時会計監査人の選任に関する議案であるとき（6号）

その設立時会計監査人についての77条に規定する事項を記載すべきものとされている。株主総会において会計監査人を選任する場合と創立総会において設立時会計監査人を選任する場合とでは，必要な情報に差がないと考えられるからである。もっとも，設立時会計監査人には，創立総会において選任に関して意見を述べる権利は法定されていないし，設立時監査役は設立時会計監査人の選任に関する議案の内容を決定しないし，創立総会の時点では監査役会，監査等委員会または監査委員会は存在しないため，それらが設立時会計監査人の選任に関する議案の内容を決定することも想定されないので，77条3号および4号に相当する事項を記載する余地はない。また，たとえば，「会計監査人」を「設立時会計監査人」，「株式会社」を「発起人」または「設立しようとする株式会社」，「株主総会参考書類」を「創立総会参考書類」と，それぞれ，読み替える必要がある。

① 設立時会計監査人候補者の氏名・名称等

株主総会における会計監査人の選任に関する議案の場合と同様，設立時会計監査人の候補者が自然人である公認会計士であるときは，その氏名・事務所の所在場所・生年月日および略歴を，監査法人であるときは，その名称・主たる事務所の所在場所および沿革を，それぞれ創立総会参考書類に記載しなければならない。候補者の経歴・沿革は設立時会計監査人としての適格性を判断する重要な情報であるが，創立総会参考書類の分量などを考慮すれば，選任の判断にとって参考となる略歴で足りる。したがって，最近の経歴には限定されな

い。

② 就任の承諾を得ていないときは，その旨

　候補者から就任の承諾を得ていないときは，その旨を記載しなければならない。また，期限付承諾あるいは条件付承諾であるときは，その旨をも明らかにしなければならないと解されている。

③ 当該候補者と設立しようとしている株式会社との間で責任限定契約（法427条1項）もしくは補償契約（法430条の2）を締結する予定があるときまたは当該候補者を被保険者とする役員等賠償責任保険契約（法430条の3）を締結する予定があるときは，その契約の内容の概要

　成立後の会社における会計監査人選任の場合と異なり，責任限定契約もしくは補償契約または役員等賠償責任保険契約を締結していることはない。

④ 当該候補者が現に業務の停止の処分を受け，その停止の期間を経過しない者であるときは，当該処分に係る事項

　会社法の下では，公認会計士法（昭和23年法律第103号）の規定により，計算書類について監査をすることができない者は，会計監査人となることができないものとされているが（法337条3項1号），公認会計士法の解釈として，業務停止については，「行為の態様や内部管理体制の状況等を考慮し，監査法人全体に対してではなく，一部分（部門，従たる事務所など）又は一部の業務に対してのみ業務停止を行うことができる」（金融庁「公認会計士・監査法人に対する懲戒処分等の考え方について」（平成17年3月31日））と解されているため，業務停止処分を受け，その停止の期間を経過しない者であっても，ある株式会社の会計監査人となることができる場合がある。

　しかし，業務停止処分の根拠となった事実次第では，その候補者が業務停止処分を受けたという事実は，その候補者の設立時会計監査人としての適格性に疑問を投げかける根拠となりうるため，そのような事実は，株主の議決権行使のために重要な事項であると考えられる。そこで，当該候補者が現に業務の停止の処分を受け，その停止の期間を経過しない者であるときは，当該処分に係る事項を記載させることとしている。その「候補者が現に業務の停止の処分を受け，その停止の期間を経過しない者である」ことを知らず，または，その処分の根拠となった事実等を株主が知らずに，創立総会において，そのような候

補者を設立時会計監査人として選任するということになるのは適当ではないという考えに基づくものと推測される。

⑤ 当該候補者が過去2年間に業務の停止の処分を受けた者である場合における当該処分に係る事項のうち,発起人が創立総会参考書類に記載することが適切であるものと判断した事項

　業務停止処分の根拠となった事実次第では,その候補者が過去に業務停止処分を受けたという事実は,その候補者の設立時会計監査人としての適格性に疑問を投げかける根拠となりうるため,そのような事実は,設立時株主の議決権行使のために重要な事項であると考えられる。そこで,当該候補者が過去2年間に業務の停止の処分を受けた者である場合には,その処分に係る事項のうち,発起人が創立総会参考書類に記載することが適切であるものと判断した事項を記載させることとしている。創立総会参考書類に記載することが適切であるか否かの判断にあたっては,業務停止処分の根拠となった事実の重大性,業務停止期間終了後の期間の長短,設立時会計監査人としての候補者の適格性にその業務停止処分があったことが影響をどの程度与えるか,その業務停止処分の後の候補者における体制の整備・改善の状況はどのようなものか,創立総会による選任にあたって設立時株主が知っておく必要性がどの程度あるか,などを考慮に入れることになろう。

　もちろん,2年以上前に業務停止期間が終了している場合についても,設立時株主の議決権行使の参考となると認められる,当該業務停止処分に係る事項を,創立総会参考書類に記載することは可能である（1項8号）。

⑥ 設立しようとする株式会社が公開会社である場合において,その成立時に,親会社等となるものがあるときには,当該親会社等となるものまたは当該親会社等となるものの子会社等もしくは関連会社（当該親会社等が会社でない場合におけるその関連会社に相当するものを含む）から,当該候補者が多額の金銭その他の財産上の利益（これらから受ける会計監査人としての報酬等および公認会計士法2条1項の業務の対価を除く）を受ける予定があるときまたは過去2年間に受けていたときは,その内容

　会計監査人には,株式会社およびその業務執行者（取締役・執行役など）から独立した立場から（公認会計士法1条参照）,会社の計算関係書類の監査を行うことが期待されている。すなわち,会計監査人は精神的な独立性をもって監

査を行うのみならず，会社およびその業務執行者から独立しているという外観を有することが求められる。

　そこで，公認会計士法24条の2は，公認会計士は，その公認会計士，その配偶者または当該公認会計士もしくはその配偶者が実質的に支配していると認められるものとして内閣府令（公認会計士法施行規則（平成19年内閣府令第81号）5条）で定める関係を有する法人その他の団体が，大会社等（会計監査人設置会社（資本金の額が100億円未満であり，かつ，最終事業年度に係る貸借対照表の負債の部に計上した額の合計額が1,000億円未満のものを除く（公認会計士法施行令（昭和27年政令第343号）8条））を含む）から一定の業務（会計帳簿の記帳の代行その他の財務書類の調製に関する業務，財務または会計に係る情報システムの整備または管理に関する業務，現物出資財産その他これに準ずる財産の証明または鑑定評価に関する業務，保険数理に関する業務，内部監査の外部委託に関する業務，監査または証明をしようとする財務書類を自らが作成していると認められる業務または被監査会社等の経営判断に関与すると認められる業務。公認会計士法施行規則6条）により継続的な報酬を受けている場合には，その大会社等の財務書類について，財務書類の監査証明を行ってはならないと，公認会計士法34条の11の2は，監査法人は，その当該監査法人または当該監査法人が実質的に支配していると認められるものとして内閣府令（公認会計士法施行規則5条）で定める関係を有する法人その他の団体が，大会社等から一定の業務により継続的な報酬を受けている場合には，その大会社等の財務書類について，財務書類の監査証明を行ってはならないと，それぞれ，定めている。

　そして，会計監査人が，その株式会社が属する企業集団内の他の会社から監査証明以外の業務により，多額の報酬を受け取ることにも，精神的独立性の確保と独立性を保持している外観の維持という観点から問題がありうる。そこで，設立しようとする株式会社の親会社や親会社の子会社または関連会社となる会社から多額の金銭その他の財産上の利益（これらの者から受ける会計監査人としての報酬等および公認会計士法2条1項の業務の対価を除く）を受ける予定があるときまたは過去2年間に受けていたときは，設立時株主がその独立性に影響を与える可能性のある情報を知ったうえで，設立時会計監査人を選任することを可能にするためにその内容を記載することが求められる。

　「当該親会社等が会社でない場合における関連会社に相当するものを含む」とされているのは，親会社等は会社であるとは限らないところ，関連会社とは会社が他の会社等の財務および事業の方針の決定に対して重要な影響を与える

ことができる場合における当該他の会社等（子会社を除く）をいうものとされているから（2条3項20号，計規2条3項21号），ある会社からみて連結計算書類の対象となる企業集団に含まれるすべての会社その他の事業体を対象とするためである（相澤＝郡谷・商事法務1759号10頁参照）。もちろん，設立しようとしている株式会社から，多額の金銭その他の財産上の利益を過去2年間に受けていたということはありえない。

「これらの者から受ける会計監査人としての報酬等及び公認会計士法2条1項の業務の対価を除く」とされているのは，監査証明業務による報酬等であれば，独立性を損なうおそれは少ないと考えられる一方で，公認会計士法2条1項の業務の対価は有価証券報告書において開示され（開示府令第2号様式・記載上の注意(56)d(f)i，第3号様式・記載上の注意(37)），会計監査人としての報酬等も当該株式会社の事業報告において開示されるからであろう（126条2号）。

設立しようとしている「株式会社が公開会社である場合」にのみ，創立総会参考書類に記載すべき事項とされているのは，設立しようとしている株式会社が公開会社である場合には，株主の保護の観点からコーポレート・ガバナンスの充実を図る必要性が高いと考えられるからである。他方，公開会社以外の会社を設立しようとする場合には，書面または電磁的方法による議決権行使を認めないことが多く，その場合には創立総会参考書類は設立時株主に提供されないし，また，書面または電磁的方法による議決権行使を認めても，創立総会に現実に出席する設立時株主の割合が多いと推測され，創立総会参考書類に記載させなくとも，議場において説明を求めれば十分だからであろう。

「内容」とは，金額にとどまらず，金銭以外の財産上の利益を受けたあるいは受ける場合にはその具体的内容を意味すると考えられる。すなわち，法361条1項各号に掲げる事項（額が確定しているものについては，その額，額が確定していないものについては，その具体的な算定方法，金銭でないもの（親会社等となるものの募集株式および募集新株予約権を除く）については，その具体的な内容など）に相当する事項であると解してよいのではないかと思われる。

(7) 議案が設立時役員等の解任に関する議案であるとき（7号）

株主総会の議案が会社役員の解任に関する議案であるときに株主総会参考書類に記載すべき事項（78条～81条）と異なり，創立総会の議案が設立時役員等（2条3項18号）の解任に関する議案であるときについては，創立総会参考書類には「解任の理由」のみの記載が要求されている。これは，設立時会計参与，

設立時監査役,設立時監査等委員である設立時取締役および設立時会計監査人には,創立総会における意見陳述権が与えられていないこと,設立時監査役または設立時監査等委員である設立時取締役は設立時会計監査人の解任を創立総会の目的とすることを請求できないことによる。なお,解任の対象となる設立時取締役,設立時監査等委員である設立時取締役もしくは設立時監査役の氏名または設立時会計参与もしくは設立時会計監査人の氏名もしくは名称が記載事項としてあげられていないが,これは,整合性を欠くように思われる（もっとも,議案に解任の対象となる設立時役員等の氏名または名称が記載されているはずなので実害はない）。

(8) (1)から(7)に掲げるもののほか,設立時株主の議決権の行使について参考となると認める事項（8号）

　株主総会参考書類に関する73条2項とパラレルな規定である。1号から7号に定めるもの（必要的記載事項）のほか,創立総会参考書類には,設立時株主の議決権の行使について参考となると認める事項（任意的記載事項）を記載することができる。1号から7号に列挙されているものが設立時株主の議決権の行使について参考となるべき事項のすべてを網羅しえていない可能性があるからである。もっとも,そのような事項であれば,記載を強制すべきであるとも考えられるが,限界が必ずしも明確でないうえ,その場合には記載を欠くと決議取消しの原因ともなるので,任意的な記載にとどめたと推測される。たとえば,設立時取締役・設立時会計参与・設立時監査役・設立時監査等委員である設立時取締役・設立時会計監査人の選任議案に関連して,候補者に関する具体的な推薦理由などが考えられる。

2　株主総会参考書類の内容とすべき事項との相違

　第1に,設立時監査役が,発起人が創立総会に提出しようとする議案等を調査するということがないため,創立総会参考書類には,議案につき法384条または389条3項の規定により監査役が株主総会に報告すべき調査の結果があるときの,その結果の概要（73条1項3号）に相当する記載事項がない。

　第2に,設立時役員等の解任議案については,解任の理由のみの記載が要求されるにとどまっている。これは,設立時監査役,設立時監査等委員である設立時取締役,設立時会計参与および設立時会計監査人には,創立総会において,その解任に関して意見を述べる権利が会社法上は定められていないことに

よる。

　第3に，会社役員（執行役を除く）の報酬等に関する議案について株主総会参考書類に記載すべき事項に相当する事項の創立総会参考書類への記載は要求されていない。これは，創立総会は，法第2編第1章第9「節に規定する事項及び株式会社の設立の廃止，創立総会の終結その他株式会社の設立に関する事項に限り，決議をすることができる」（法66条）とされており，設立時役員の報酬等に関する決議をすることはできないからである。

　同様に，創立総会では計算関係書類の承認はできず，合併契約等の承認もできないため，合併契約等の承認に係る議案との関連での株主総会参考書類の記載事項を定める86条から92条に相当する規定も設けられていない。

　第4に，設立時株主には，創立総会の議題追加権や議案の要領の通知請求権が与えられていないため，創立総会参考書類には株主提出の議案に係る記載事項はない。

　第5に，同一の株主総会に関して株主に対して提供する株主総会参考書類に記載すべき事項のうち，他の書面に記載している事項または電磁的方法により提供する事項がある場合には，これらの事項は，株主に対して提供する株主総会参考書類に記載することを要しない（73条3項）ものとされているが，創立総会参考書類についてはそのような記載の省略を認める規定がない。これは，創立総会においては，株主総会と異なり，事業報告や計算書類等は提供されないため，招集通知と創立総会参考書類のみが設立時株主に提供される情報となるからである。

　第6に，定款の定めがあり，一定の要件を満たす場合には株主総会参考書類に記載すべき事項（一定のものを除く）に係る情報を，その株主総会に係る招集通知を発出する時から当該株主総会の日から3ヵ月が経過する日までの間，継続して電磁的方法により株主が提供を受けることができる状態に置く措置をとる場合には，その事項は，その事項を記載した株主総会参考書類を株主に対して提供したものとみなされる（ウェブ開示によるみなし提供。94条）が，創立総会参考書類についてはそのような措置は認められていない。これは，創立総会は反復的に開催されるものではないので，設立時株主に対して個別に提供すべきものとしても煩瑣ではないと考えられるからであろう。そもそも，創立総会においては，株主総会と異なり，事業報告や計算書類等は提供されないため，招集通知と創立総会参考書類のみが設立時株主に提供され，その分量は，定時株主総会の際に株主に提供されるものに比べると相当少ないと考えられ

る。

　同様に，株主総会参考書類に記載すべき事項については，招集通知を発出した日から株主総会の前日までの間に修正をすべき事情が生じた場合における修正後の事項を株主に周知させる方法を，当該招集通知と併せて通知することができるものとされており，その修正の手間とコストを削減できるようにされているが（65条3項），創立総会参考書類についてはそのような規定は置かれていない。これは，創立総会が開催される場合であっても，創立総会は反復的に開催されるものではないので，株主総会参考書類についてのような配慮の必要性が少ないという判断に基づくものと推測される。

3　創立総会参考書類の交付（2項）

　株主総会参考書類の交付に関する65条2項と同趣旨の規定である。すなわち，発起人は，書面による議決権行使を認める旨を定めた場合には，創立総会招集の通知に際して，法務省令で定めるところにより，設立時株主に対し，議決権の行使について参考となるべき事項を記載した書類（創立総会参考書類）を交付しなければならないとされ（法70条1項），また，電磁的方法による議決権行使を認める旨を定めた場合には，創立総会招集の通知に際して，法務省令で定めるところにより，設立時株主に対し，創立総会参考書類を交付しなければならないとされている（法71条1項）。そこで，書面による議決権行使と電磁的方法による議決権行使の両方を認める場合には，設立時株主に対して，2通の創立総会参考書類を交付（その交付に代えて行う電磁的方法による提供を含む）しなければならないと文言上は解する余地があるが，同一の内容の書面等を，2通交付（その交付に代えて行う電磁的方法による提供を含む）させる必要はないので，2項は，1つの創立総会参考書類の交付（その交付に代えて行う電磁的方法による提供を含む）が法70条にいう交付（その交付に代えて行う電磁的方法による提供を含む）と法71条にいう交付（その交付に代えて行う電磁的方法による提供を含む）の両方にあたる旨を定めている。

―（議決権行使書面）――――――――――――――――――――――――――
　第11条　法第70条第1項の規定により交付すべき議決権行使書面に記載すべき
　　事項又は法第71条第3項若しくは第4項の規定により電磁的方法により提供す
　　べき議決権行使書面に記載すべき事項は，次に掲げる事項とする。
　　一　各議案（次のイ又はロに掲げる場合にあっては，当該イ又はロに定める

もの）についての賛否（棄権の欄を設ける場合にあっては，棄権を含む。）を記載する欄
　　イ　二以上の設立時役員等の選任に関する議案である場合　各候補者の選任
　　ロ　二以上の設立時役員等の解任に関する議案である場合　各設立時役員等の解任
　二　第9条第1号ニに掲げる事項を定めたときは，前号の欄に記載がない議決権行使書面が発起人に提出された場合における各議案についての賛成，反対又は棄権のいずれかの意思の表示があったものとする取扱いの内容
　三　第9条第1号ホ又は第2号ロに掲げる事項を定めたときは，当該事項
　四　議決権の行使の期限
　五　議決権を行使すべき設立時株主の氏名又は名称及び行使することができる議決権の数（次のイ又はロに掲げる場合にあっては，当該イ又はロに定める事項を含む。）
　　イ　議案ごとに行使することができる議決権の数が異なる場合　議案ごとの議決権の数
　　ロ　一部の議案につき議決権を行使することができない場合　議決権を行使することができる議案又は議決権を行使することができない議案
2　第9条第2号イに掲げる事項を定めた場合には，発起人は，法第68条第3項の承諾をした設立時株主の請求があった時に，当該設立時株主に対して，法第70条第1項の規定による議決権行使書面の交付（当該交付に代えて行う同条第2項の規定による電磁的方法による提供を含む。）をしなければならない。

　本条は，創立総会において書面または電磁的方法による議決権行使を認める場合に議決権行使書面に記載すべき事項を定めるものであり，株主総会において書面または電磁的方法による議決権行使を認める場合に議決権行使書面に記載すべき事項を定める66条とパラレルな規定である。すなわち，創立総会に出席しない設立時株主が書面によって議決権を行使することができることとした場合には，発起人は，創立総会の招集通知に際して，法務省令で定めるところにより，設立時株主に対し，設立時株主が議決権を行使するための書面（議決権行使書面）を交付しなければならない（法70条1項）。また，創立総会に出席しない設立時株主が電磁的方法によって議決権を行使することができることとした場合には，電磁的方法により招集通知を受けることを承諾した設立時株主に対する電磁的方法による招集通知に際して，法務省令で定めるところによ

り，設立時株主に対し，議決権行使書面に記載すべき事項を当該電磁的方法により提供しなければならないし，承諾をしていない設立時株主から創立総会の日の1週間前までに議決権行使書面に記載すべき事項の電磁的方法による提供の請求があったときは，法務省令で定めるところにより，ただちに，当該設立時株主に対し，当該事項を電磁的方法により提供しなければならない（法71条3項・4項）。これらの規定の委任をうけて本条が定められている。平成18年改正前商法施行規則24条から26条に対応する規定であるが，本条では，株式引受人が押印する欄を設けることは要求されていない。これは，従来の実務においても，議決権行使書面に押印された印影と届出印とを照合することは行われていなかったし，押印されていない場合の議決権行使書面による議決権行使も有効であると解する余地もあったため（稲葉・昭和56改正166頁），押印させることの意義は乏しいと考えられたからであろう。

1 議決権行使書面に記載すべき事項（1項）

議決権行使書面の具体的な様式は，その範囲で，発起人が定めることになる。なお，議決権行使書面という表題を付すことは要求されておらず，設立時株主が書面によって議決権を行使するための書面であることが明らかであればよい。本項が議決権行使書面に記載すべき事項を定めているのは，主として，書面または電磁的方法により議決権を行使する設立時株主の利益を保護するためである。すなわち，議案ごとの賛否を記載する欄や選任議案についての候補者ごとの賛否を記載する欄を設けることによって設立時株主の意思が適切に書面または電磁的方法による議決権行使に反映されることが期待できる。同時に，定型化された様式を用いることによって，発起人も設立時株主の意思を的確に把握することができるとともに，書面または電磁的方法による議決権行使の結果の大量かつ迅速な処理が可能になると予想される。

(1) 各議案についての賛否（棄権の欄を設ける場合には，棄権を含む）を記載する欄（1号）

平成18年改正前商法施行規則24条を踏襲するものである。

まず，議決権行使書面には，各議案についての賛否を記載する欄を設けなければならない。議案ごとに設立時株主の意思を的確に反映させるためである。また，設立時株主の意思の正確な反映を確保するという観点から，発起人は，どのような内容のものを1つの議案にまとめるのが適当であるかを判断して，

議案を提出するものと考えられるからである。

　なお，別に棄権の欄を設けることもできるとされている（1号かっこ書）。決議の成否に与える影響は，棄権も反対と同じであるため，棄権の欄を設けることは強制されていないが，発起人が自主的な判断に基づいて，設立時株主の意思をより正確に反映させるために，棄権の欄を設けることができることを明らかにしている。

　なお，設立時株主が議決権行使書面を用いて，たとえば，複数の議案のうち一部の議案にのみ議決権を行使しようとする場合もありうるが，このような場合は例外的であると考えられるので，会社法施行規則には特に規定が置かれていない。そこで，設立時株主が当該議案に関する記載を全部抹消するなど，当該議案については議決権を行使しないという趣旨であると認められる措置を議決権行使書面においてとったときは，その意思を尊重して処理することが適当であろう（稲葉・昭和56改正165頁参照）。

　また，二以上の設立時役員等（設立時取締役，設立時監査等委員である設立時取締役，設立時会計参与，設立時監査役または設立時会計監査人。2条3項18号）の選任に関する議案である場合には各候補者の選任について賛否を記載する欄を，二以上の設立時役員等の解任に関する議案である場合には各設立時役員等の解任について賛否を記載する欄を，それぞれ設けることが要求されている。これは，たとえば，選任議案の場合，多数の候補者について一括して賛否を記入する欄しか設けられないと，設立時株主がその一部を不適任と考えても，全体について賛成または反対の投票を行わなければならないため，設立時株主の意思が正確に反映されないことになるからである。選任決議は，本来，候補者ごとに行うのが原則と考えられることもこのような規定が設けられた背景にあると考えられるし（龍田・企業会計34巻6号68頁，竹内・昭和56改正124頁参照），選任予定数または定款に定められた上限を超える候補者が提案される場合には，必然的に候補者ごとに賛否の意思表示がなされなければならない。なお，選任予定数または定款に定められた上限を超える候補者が提案された場合には，たとえば，選任予定数まで賛成数の多い者から順に選任する旨の注意書を加える等の措置を講じておくことが必要とされよう（稲葉・別冊商事法務59号64頁参照）。

　もっとも，議決権行使書面に候補者の氏名を示して，それぞれに対する賛否を記載させる必要はなく，たとえば，創立総会参考書類において，各候補者の氏名の前に番号あるいは記号を付し，議決権行使書面にはその番号または記号

に対応する形で賛否記載欄を設ければ十分である。

　なお，平成17年改正前商法および平成18年改正前商法施行規則の解釈として，定款の定めにより累積投票を全面的に排除していない場合において，累積投票の請求の可能性があるときは，参考書類上もそのことを明らかにし，それに対応する議決権行使書面の様式を採用しなければならないという見解があった（稲葉・別冊商事法務59号58頁）。

(2)　9条1号ニに掲げる事項についての定めがあるときは，各議案に対する賛否を記載する欄に記載がない議決権行使書面が発起人に提出された場合における各議案についての賛成，反対または棄権のいずれかの意思の表示があったものとする取扱いの内容（2号）

　平成18年改正前商法施行規則25条を踏襲するものである。議決権行使書面に賛否の記載がないまま発起人に返送されるものがあることが十分に予想されるため，本号が設けられている。必要な記載すなわち賛否の記載がないときは，その投票は棄権として扱われ，その結果，決議が成立しないという事態が生じうるので，あらかじめ賛否等の記載がない場合の設立時株主の意思を推測し，その取扱いを明らかにしておくものである。そして，賛否の記載のない議決権行使書面の提出は，発起人に対する信任を表す趣旨とも考えられる（稲葉・昭和56改正165頁参照）。そこで，本号は，設立時株主が賛否等の記載のない議決権行使書面を発起人に提出したときには，各議案につき賛成，反対または棄権のいずれかの意思表示があったものとして扱う旨を議決権行使書面に記載しておくことを認めている。実務上は，すべての議案について賛成と扱う旨を記載することになるのではないかと思われる。

　なお，このような記載は主として発起人の便宜のために認められており，このような記載をするかどうかは発起人の任意である。

(3)　9条1号ホまたは2号ロに掲げる事項についての定めがあるときは，当該事項（3号）

　重複して議決権が行使され，同一の議案に対する議決権の行使の内容が異なる場合の取扱いについての定めがあるときは，その取扱いが記載すべき事項とされている。これは，設立時株主にとって，議決権は重要な権利であり，重複して議決権を行使した場合にどのように取り扱われるのかについて重大な利害を有するから，設立時株主に予測可能性を与える必要があるためであろう。

(4) 議決権の行使の期限（4号）

　書面または電磁的方法による議決権行使の期限は，招集の決定時に，決定しなければならない（9条1号ロ・ハ）。設立時株主にとっては，議決権は重要な権利であるから，書面または電磁的方法による議決権行使の期限が記載すべき事項の1つとされている。

(5) 議決権を行使すべき設立時株主の氏名または名称および行使することができる議決権の数（5号）

　議決権を行使すべき設立時株主の氏名または名称および行使することができる議決権の数を議決権行使書面に記載しなければならない。そして，議案ごとに当該設立時株主が行使することができる議決権の数が異なる場合には，議案ごとの議決権の数が，一部の議案につき議決権を行使することができない場合には議決権を行使することができる議案または議決権を行使することができない議案が，それぞれ，議決権行使書面に記載すべき事項とされている。これは，議決権制限株式が存在する場合，株主ごとに異なる取扱いを行う旨の定款の定めがある場合などには，議案ごとに議決権を行使することができる者が異なることや議案ごとに行使することができる議決権の数が異なることがありうるからである（相澤＝郡谷・商事法務1759号14頁参照）。

2　電磁的方法により創立総会招集通知を受けることを承諾した設立時株主に対する議決権行使書面の交付（2項）

　9条2号イは，電磁的方法による議決権行使と書面による議決権行使との両方を認める場合には，設立時株主に対して議決権行使書面の交付（その交付に代えて行う法70条2項の規定による電磁的方法による提供を含む）をすると，書面による議決権行使と電磁的方法による議決権行使とが重複して行われる可能性が高まるので，議決権行使手段を複数与えることをできるだけ回避することを可能にするため，電磁的方法により株主総会招集の通知を受けることにつき承諾をした設立時株主については，その設立時株主の請求があった時に初めてその設立時株主に対して議決権行使書面の交付（その交付に代えて行う法70条2項の規定による電磁的方法による提供を含む）をすることを発起人に認めている。設立時株主に対して議決権行使書面の交付をしなければならないとすると，電磁的方法により招集通知をすることによる費用などの削減効果が減殺され，電磁的方法による招集通知をするインセンティブが失われることも，9条2号イ

の立法趣旨の1つである。

　しかし，法70条1項は，書面による議決権行使を認める場合には，創立総会招集の通知に際して，法務省令で定めるところにより，設立時株主に対し，議決権の行使について参考となるべき事項を記載した書類（創立総会参考書類）および設立時株主が議決権を行使するための書面（議決権行使書面）を交付しなければならないと定め，同条2項本文は，発起人は，電磁的方法により創立総会招集の通知を受けることにつき承諾をした設立時株主に対し電磁的方法による通知を発するときは，創立総会参考書類および議決権行使書面の交付に代えて，これらの書類に記載すべき事項を電磁的方法により提供することができると定めているので，本項では，設立時株主の議決権行使の機会を十分に確保するという観点から，確認的に，電磁的方法により創立総会の招集通知を受けることにつき承諾をした株主の請求があった時に，その設立時株主に対して，議決権行使書面の交付（その交付に代えて行う電磁的方法による提供を含む）をしなければならないものと定めている（これは，9条2号イが認める定めとも整合的である）。これは，招集通知を電磁的方法により受領することを承諾した設立時株主であっても，議決権行使については書面によることを希望するものが存することも考えられ，創立総会参考書類を電磁的方法により提供することができる場合であっても，設立時株主からの請求があれば書面の形で創立総会参考書類を交付しなければならないこととされていること（法70条2項ただし書・71条2項ただし書）との平仄をとったものと解される（要綱試案補足説明40-41頁参照）。

（実質的に支配することが可能となる関係）

第12条　法第72条第1項に規定する法務省令で定める設立時株主は，成立後の株式会社（当該株式会社の子会社を含む。）が，当該成立後の株式会社の株主となる設立時株主である会社等の議決権（法第308第1項その他これに準ずる法以外の法令（外国の法令を含む。）の規定により行使することができないとされる議決権を含み，役員等（会計監査人を除く。）の選任及び定款の変更に関する議案（これらの議案に相当するものを含む。）の全部につき株主総会（これに相当するものを含む。）において議決権を行使することができない株式（これに相当するものを含む。）に係る議決権を除く。）の総数の4分の1以上を有することとなる場合における当該成立後の株式会社の株主となる設立時株主である会社等（当該設立時株主であるもの以外の者が当該創立総会の議案につき議決権を行使することができない場合（当該議案を決議する場合に限る。）

における当該設立時株主を除く。）とする。

　成立後の株式会社が設立時株主の経営を実質的に支配することが可能となる関係にあるときには，その設立時株主は，創立総会において，議決権を行使することができないとされているが，本条は，成立後の株式会社が設立時株主の経営を実質的に支配することが可能となる関係を定めるものであり，株主総会において株主が議決権を行使できないとされる場合の株式会社が株主の経営を実質的に支配することが可能となる関係を定める67条とパラレルな規定である。すなわち，法72条1項かっこ書は，「成立後の株式会社がその総株主の議決権の4分の1以上を有することその他の事由を通じて成立後の株式会社がその経営を実質的に支配することが可能となる関係にあるものとして法務省令で定める設立時株主」は創立総会における議決権を有しないものとしているが，この委任をうけて本条が定められている。

　法308条1項かっこ書は，株式の相互保有にはいわゆる資本の空洞化（株式を相互保有している2つの株式会社が交互に株式の発行を行い，その募集株式全部を互いに引き受けあうことにすると，払込金が両会社を出入りするたびに，両会社の純資産の部の金額は増加するが，実質的には資産は増加しないということ）および会社支配の歪曲化（株式を相互保有している場合には，一方会社の取締役を選任する株主総会決議は他方会社の取締役が支配することができ，その他方会社の取締役を選任する株主総会決議は一方会社の取締役が支配することができるということになり，多数株主でない取締役による総会支配が固定化し，会社運営に出資者である株主のコントロールが及ばなくなるということ）という弊害があることに鑑み，株式の相互保有のインセンティブを奪うという趣旨に基づくものである（竹内・昭和56改正89〜90頁）。このような問題は，創立総会との関連もありうると考えられるため，法72条1項かっこ書は法308条1項かっこ書と同趣旨の規定を設立時株主の議決権についても定めている（なお，平成17年改正前商法180条3項は，「会社，親会社及子会社又ハ子会社ガ他ノ株式会社ノ総株主ノ議決権ノ4分ノ1ヲ超ユル議決権又ハ他ノ有限会社ノ総社員ノ議決権ノ4分ノ1ヲ超ユル議決権ヲ有スル場合ニ於テハ其ノ株式会社又ハ有限会社ハ其ノ有スル会社又ハ親会社ノ株式ニ付テハ議決権ヲ有セズ」と定めていた平成17年改正前商法241条3項を準用していなかった）。

　まず，1項の最初のかっこ書において「当該株式会社の子会社を含む」とさ

れているが，ここでいう子会社とは法2条3号，会社法施行規則3条1項・3項にいう子会社をいう。これは，親会社と協調して議決権を行使すると考えられるかどうかは，実質的な基準によることが合理的だからであろう。

　また，「成立後の株式会社（当該株式会社の子会社を含む。）が，当該成立後の株式会社の株主となる設立時株主である会社等の議決権……の総数の4分の1以上を有することとなる場合における当該成立後の株式会社の株主となる設立時株主である」会社等〔→2条3②〕は，創立総会において議決権を有しないものとされている。これは，支配の歪曲化を防止し，相互保有のインセンティブを奪うという観点からは，制限される会社を株式会社等に限定する合理的な理由はないからである。

　さらに，「法第308条第1項その他これに準ずる法以外の法令（外国の法令を含む。）の規定により行使することができないとされる議決権を含」むとされているのは，他の株主が保有していれば議決権を行使することができる株式に係る議決権の数を分母としないと，分子とされる議決権数が分母に含まれないことになって，分母と分子とが対応しないし，これらを含めないと，相互保有対象議決権の数が少なくなりすぎて，議決権は株主の基本的かつ重要な権利であることに鑑みて，規制として厳しすぎるということになるともいえる（たとえば，議決権制限株式以外の株式が1,000株発行される場合に，このような規定が設けられていれば，250株以上保有されてはじめて法72条1項かっこ書の規律に服するのに対し，法308条1項かっこ書の規定により行使することができないとされる議決権の数を含まないとすると200株（200÷(1,000−200)＝1/4）以上保有されると議決権を行使することができないことになる）。なお，「外国の法令を含む」とされているのは，会社等には外国の会社その他の事業体が含まれうるからであり，「法第308条第1項その他これに準ずる法以外の法令」には，放送法116条4項（電波法5条4項3号イに掲げる者により同号ロに掲げる者を通じて間接に占められる議決権の割合が増加することにより，株主名簿に記載され，または記録されている同号ロに掲げる者が有する株式のすべてについて議決権を有することとした場合に株式会社である特定地上基幹放送事業者が同号に定める事由に該当することとなるときは，特定外国株主（株主名簿に記載され，または記録されている同号イおよびロに掲げる者が有する株式のうち同号に定める事由に該当することとならないように総務省令で定めるところ（放送法施行規則89条）により議決権を有することとなる株式以外の株式を有する株主をいう）は，当該株式についての議決権を有しない）などがあたるものと解される。

他方,「役員等(会計監査人を除く。)の選任及び定款の変更に関する議案(これらの議案に相当するものを含む。)の全部につき株主総会(これに相当するものを含む。)において議決権を行使することができない株式(これに相当するものを含む。)に係る議決権」を分母および分子から除いて議決権の総数に対する割合を算定するものとされている。平成17年改正前商法の下では,完全無議決権株式の数は分母および分子に含まれなかったが,一部無議決権株式の数は分母および分子に含まれていたことと対照的である。これは,今後は,さまざまな議決権制限株式が発行される可能性が高まり,その場合に,議決権を行使することができる事項がわずかでもあれば分母および分子に含まれるとすると,他の株主にそのような株式を大量に発行して,分母を大きくし,「実質的に支配することが可能となる関係」が実質的には存在するにもかかわらず,法72条1項かっこ書の適用を潜り抜けることが可能になるからであると推測される。「実質的に支配することが可能となる関係」があるといえるために最も重要な事項は取締役の選任を左右できるか否かであるが,ここで,会社経営には関与しないと考えられる,外部性の強い会計監査人を除き,役員等(取締役は,監査役,会計参与,執行役(執行役は株主総会では選任されないが))の選任に関する議案について議決権を行使することができる株式は分母および分子に含まれるものとされている(「役員等(会計監査人を除く。)」は2条3項4号の「会社役員」に相当する)。また,定款の変更により,株式の内容を変更できることなどに鑑み,定款の変更に関する議案について議決権を行使することができる株式は分母および分子に含まれるものとされている。

「役員等……の選任及び定款の変更に関する議案……に相当するものを含む」とされているのは,会社等[→2条3②]には会社法上の会社でないものが含まれているため,法423条1項にいう「役員等」ではない役員[→2条3③]がそれらの会社等には存在するし,会社等の最高の規則は「定款」に限らないからである。「株主総会……に相当するものを含む」とされているのは株式会社ではない会社等の最高の意思決定機関は株主総会ではないし,「株式……に相当するものを含む」とされているのも株式会社以外の会社等の社員等の地位は「株式」ではないからである。

以上に加えて,「当該設立時株主であるもの以外の者が当該創立総会の議案につき議決権を行使することができない場合(当該議案を決議する場合に限る。)における当該設立時株主を除く」とされているのは,当該設立時株主が当該創立総会の議案につき議決権を行使できないとすると,当該創立総会にお

いては決議をすることができないという不都合が生ずるからである［また, →67条1］。

なお, 株主総会に関する67条とは異なり, 創立総会については基準日という概念がないので, 対象議決権数の算定時期についての定めは置かれていない。すなわち, 創立総会の日が, 法72条1項かっこ書の適用があるか否かを判定する基準時となる。

(書面による議決権行使の期限)

第13条 法第75条第1項に規定する法務省令で定める時は, 第9条第1号ロの行使の期限とする。

本条は, 創立総会における書面による議決権行使の期限を定めるものである。

株主総会における書面による議決権行使の期限については, 特に定めがなければ, 株主総会の日時の直前の営業時間の終了時とされている（69条）のとは異なり, 創立総会における書面による議決権行使については, 創立総会の招集事項として定められた日時［→9条1(1)②］が, 創立総会における書面による議決権行使の期限とされる。これは, 創立総会の段階では, 会社は成立しておらず, 会社の営業時間を観念できない一方, 創立総会は株主総会と異なり反復的に開催されるものではないから, 書面による議決権行使の期限についてデフォルト・ルールを定める必要性が乏しいと考えられるからであると推測される。

(電磁的方法による議決権行使の期限)

第14条 法第76条第1項に規定する法務省令で定める時は, 第9条第1号ハの行使の期限とする。

本条は, 創立総会における電磁的方法による議決権行使の期限を定めるものである。

株主総会における電磁的方法による議決権行使の期限については, 特に定めなければ, 株主総会の日時の直前の営業時間の終了時とされている（70条）のとは異なり, 創立総会における電磁的方法による議決権行使については, 創立

総会の招集事項として定められた日時［→9条1⑴③］が，創立総会における電磁的方法による議決権行使の期限とされる。これは，創立総会の段階では，会社は成立しておらず，会社の営業時間を観念できない一方，創立総会は株主総会と異なり反復的に開催されるものではないから，電磁的方法による議決権行使の期限についてデフォルト・ルールを定める必要性が乏しいと考えられるからであると推測される。

（発起人の説明義務）

第15条 法第78条に規定する法務省令で定める場合は，次に掲げる場合とする。
一 設立時株主が説明を求めた事項について説明をするために調査をすることが必要である場合（次に掲げる場合を除く。）
　イ 当該設立時株主が創立総会の日より相当の期間前に当該事項を発起人に対して通知した場合
　ロ 当該事項について説明をするために必要な調査が著しく容易である場合
二 設立時株主が説明を求めた事項について説明をすることにより成立後の株式会社その他の者（当該設立時株主を除く。）の権利を侵害することとなる場合
三 設立時株主が当該創立総会において実質的に同一の事項について繰り返して説明を求める場合
四 前3号に掲げる場合のほか，設立時株主が説明を求めた事項について説明をしないことにつき正当な事由がある場合

本条は，創立総会において，発起人が説明を求められたにもかかわらず，説明をすることを要しない場合を定めるものであって，株主総会において，取締役等が説明を求められたにもかかわらず，説明をすることを要しない場合を定める71条とパラレルな規定である。すなわち，法78条は，発起人は，創立総会において，設立時株主から特定の事項について説明を求められた場合には，当該事項について必要な説明をしなければならないとしつつ，当該事項が創立総会の目的である事項に関しないものである場合，その説明をすることにより設立時株主の共同の利益を著しく害する場合その他正当な理由がある場合として法務省令で定める場合には説明をすることを要しないと定めており，この委任をうけて本条が定められている。本条は，平成17年改正前商法180条3項が準用していた同237条ノ3に対応するものである。

1 設立時株主が説明を求めた事項について説明をするために調査をすることが必要である場合（1号）

　発起人としては，知らないことは説明することができないから，設立時株主が説明を求めた事項について説明をするために調査をすることが必要である場合には，説明をしないことにつき正当な理由があると一般的にはいうことができる（竹内・昭和56改正108頁参照）。たとえば，平成17年改正前商法の下での取締役の説明義務に関するものであるが，「相当の期間前に書面で説明を求める旨通知することなく当日出された質問で，会計帳簿等を調査しなければ答えられないような事項は，原則として商法237条ノ3所定の説明義務の対象外と解すべきである」（圏点—引用者）とする裁判例（大阪地判平成元・4・5資料版商事法務61号15頁）がある。

　しかし，つねに，「調査をしなければ答えられない」と応ずれば足りるというのでは，法78条が発起人の説明義務を定めた趣旨が没却される。そこで，本号イは「当該設立時株主が創立総会の日より相当の期間前に当該事項を発起人に対して通知した場合」には，あらかじめ調査することができるので，説明をするために調査をすることが必要であることのみを理由として説明を拒むことはできないものとされている［ただし，→4］。ここで，法78条が「特定の事項」についての説明義務を定めていることから，本号イにいう「当該事項」は具体性を有していることを要し，一般的・抽象的な内容の通知は本号イにいう通知にはあたらないと解するべきであろう（竹内・昭和56改正109頁参照）。また，「相当の期間」がどれぐらいの期間であるかは，設立時株主が説明を求める事項によって異なり，比較的短時間で調査することができるような事項であれば，「相当の期間」は短く，調査に相当の時間を要する事項であれば，それに応じて「相当の期間」は長くなると解すべきである（竹内・昭和56改正108頁参照）。

　なお，平成17年改正前商法237条ノ3第2項と異なり，法78条および本条では，説明を求める事項を「書面で」発起人に通知することは設立時株主に求められていない。これは，今日のようにインターネットが発達した時代においては，必ずしも書面で通知を要求する必要はないと考えられるし，書面要件をファックス送信によって満たすことができるのであれば，電子メールで通知することを認めても発起人にとって過重な負担を課すことにはならないと考えられたためであろう。もっとも，会社法が通知の方法を法定していないのは，発起人の自治に委ねる趣旨であると解すると（相澤＝郡谷・商事法務1759号17頁参

照),設立時株主の権利行使を不当に妨げることのない,合理的な通知の方法を定めること(たとえば,書面によらなければならないとすること)はできると解され(ただし,63条6号と対照),発起人は,説明を求める事項の通知先としてのメールアドレスやファックスの番号を定めておくことは——そのアドレスや番号を設立時株主に周知させる手段を講じておけば——できるのではないかとも思われる。

　また,本号ロは「当該事項について説明をするために必要な調査が著しく容易である場合」には,設立時株主が説明を求めた事項について説明をするために調査をすることが必要であるとして,説明を拒めないことを明らかにしている。平成17年改正前商法237条ノ3の解釈としても,「質問の内容いかんでは,会社は,事前の通知がなかったことを理由として答弁を拒みえないことも,もちろんありうる」とされていたが(竹内・昭和56改正108～109頁参照),事前の通知がない場合には,質問された事項について説明するために調査が必要なことを理由として説明を拒めるという誤解を防ぐために,本号ロが設けられている(相澤＝郡谷・商事法務1759号14頁)。

　ここで,「著しく容易である」か否かは,説明を求められた創立総会の時点において,その状況に基づき判断され,説明をせず,事後的に「著しく容易である」ことが判明したとしても,当該創立総会の場ではそのような判断ができない状況にあった場合には,決議の方法に法令違反はなく,創立総会決議取消原因(法831条1項1号)はないものと考えられる(相澤＝郡谷・商事法務1759号14-15頁参照)。説明するための調査に要する費用が少なく,かつ,調査に要する時間が短く,実務上は,——その説明を求められた事項についての説明を別として——その創立総会の閉会時までに調査できる場合には,「著しく容易である」と評価してよいのではないかと思われる。

2　設立時株主が説明を求めた事項について説明をすることにより成立後の会社その他の者(当該設立時株主を除く)の権利を侵害することとなる場合(2号)

　典型的には,成立後の会社その他の者のプライバシーの侵害や営業秘密の漏洩につながる場合であり,成立後の会社の権利を侵害することとなる場合は,法78条ただし書の「その説明をすることにより設立時株主の共同の利益を著しく害する場合」にもあたることが多いであろう。なお,「当該設立時株主を除く」とされているのは,説明を求めた設立時株主の権利が侵害されることを理

由に，その設立時株主が説明を求めているにもかかわらず説明をしないことは適当ではないからである。

　説明をすることにより，発起人が刑事訴追あるいは行政処分を受けるおそれがある場合（たとえば，贈賄，談合，特別背任，秘密漏洩，公害など）は4号にあたるともいえるが，2号にあたると解する余地もあろう。

3　設立時株主が当該創立総会において実質的に同一の事項について繰り返して説明を求める場合（3号）

　平成17年改正前商法の下でも，株主総会においては，議長が質問の打切りなどを行っていたと推測され（平成17年改正前商法237条ノ4），すでに十分に説明した事項については説明をしなくとも，説明義務違反とはならないと解されてきたが（東京地判昭和60・9・24判時1187号126頁（東京高判昭和61・2・19判時1207号120頁，最判昭和61・9・25金法1140号23頁により是認）など参照），これを明らかにするために株主総会について規定を設けたため（相澤＝郡谷・商事法務1759号15頁），創立総会についてもパラレルな規定が設けられている。

4　1から3の場合のほか，設立時株主が説明を求めた事項について説明をしないことにつき正当な理由がある場合（4号）

　たとえば，説明を求められた事項について，十分な説明をするためには，その調査に過大な費用を要する場合が考えられる（竹内・昭和56改正109頁）。また，株主総会における説明義務に関するものであるが，ある裁判例（前掲東京地判昭和60・9・24）は，法的解釈を尋ねるものや抽象的・仮定的事例について取締役・監査役がどのように対処するかを問うものは説明義務の対象ではないと判示している。

（創立総会の議事録）

第16条　法第81条第1項の規定による創立総会の議事録の作成については，この条の定めるところによる。
2　創立総会の議事録は，書面又は電磁的記録（法第26条第2項に規定する電磁的記録をいう。第7編第4章第2節を除き，以下同じ。）をもって作成しなければならない。
3　創立総会の議事録は，次に掲げる事項を内容とするものでなければならない。

> 一　創立総会が開催された日時及び場所
> 二　創立総会の議事の経過の要領及びその結果
> 三　創立総会に出席した発起人，設立時取締役（設立しようとする株式会社が監査等委員会設置会社である場合にあっては，設立時監査等委員である設立時取締役又はそれ以外の設立時取締役），設立時執行役，設立時会計参与，設立時監査役又は設立時会計監査人の氏名又は名称
> 四　創立総会の議長が存するときは，議長の氏名
> 五　議事録の作成に係る職務を行った発起人の氏名又は名称
> 4　次の各号に掲げる場合には，創立総会の議事録は，当該各号に定める事項を内容とするものとする。
> 一　法第82条第1項の規定により創立総会の決議があったものとみなされた場合　次に掲げる事項
> 　イ　創立総会の決議があったものとみなされた事項の内容
> 　ロ　イの事項の提案をした者の氏名又は名称
> 　ハ　創立総会の決議があったものとみなされた日
> 　ニ　議事録の作成に係る職務を行った発起人の氏名又は名称
> 二　法第83条の規定により創立総会への報告があったものとみなされた場合　次に掲げる事項
> 　イ　創立総会への報告があったものとみなされた事項の内容
> 　ロ　創立総会への報告があったものとみなされた日
> 　ハ　議事録の作成に係る職務を行った発起人の氏名又は名称

　本条は，創立総会の議事録の作成について定めるものであり，株主総会の議事録の作成について定める72条とパラレルな規定である。すなわち，法81条1項は，創立総会の議事については，法務省令で定めるところにより，議事録を作成しなければならないと規定しており，この委任をうけて本条が定められている（他方，厳密には，本条4項が，会社法の委任に基づくものと評価できるかどうかについては，疑義がまったくないわけではない）。本条は，平成17年改正前商法180条3項が準用していた同244条2項・4項に対応するものである。

1　書面または電磁的記録（2項）

　会社法は創立総会の議事録をどのような媒体で作成しなければならないかについて直接には規律していないが，法81条3項は，創立総会の議事録が書面または電磁的記録をもって作成されることを前提とした規定である。そこで，本項は，創立総会の議事録は，書面または電磁的記録をもって作成しなければな

らないものと定めている。書面または電磁的記録をもって作成しなければならないとされているのは，発起人（株式会社の成立後には，当該株式会社）は，創立総会の日から10年間，創立総会の議事録を発起人が定めた場所（株式会社の成立後には，その本店）に備え置かなければならないとされていることに鑑みて，ある程度の期間，保存が可能な確実な記録媒体を用いることを要求するものである。

　本項でいう電磁的記録とは，電子的方式，磁気的方式その他人の知覚によっては認識することができない方式で作られる記録であって，電子計算機による情報処理の用に供されるものとして法務省令で定めるものをいい（法26条2項かっこ書），具体的には，磁気ディスクその他これに準ずる方法により一定の情報を確実に記録しておくことができる物をもって調製するファイルに情報を記録したものをいうものとされている（224条）。

　磁気ディスクにはフロッピー・ディスクなどが含まれるが，「その他これに準ずる方法により一定の情報を確実に記録しておくことができる物」には，磁気テープ，磁気ドラムのように磁気的方法により情報を記録するための媒体，ICカードやUSBメモリなどのような電子的方法により情報を記録するための媒体，CD-ROM，DVD-ROMなどのような光学的方式により情報を記録するための媒体が含まれる。そのような記録媒体を用いて調製するファイルに情報を記録したものが，本項にいう電磁的記録にあたる（江原＝太田・商事法務1627号8頁）。

2　議事録の内容（3項）

　創立総会の議事録の内容とすべき事項は，株主総会の議事録の内容とすべき事項（72条3項）とパラレルに定められているが，株主総会と創立総会の性質上の相違や決議事項の相違から，若干の差異がみられる。

　すなわち，平成17年改正前商法180条3項が準用する同244条2項は，議事録に議事の経過の要領およびその結果を記載または記録することを要求していたが，本項は，議事録の内容とすべき事項をより詳細に定めている。

(1)　創立総会が開催された日時および場所（1号）

　開催された日時とは，開催された日および開会時刻と閉会時刻を意味すると考えられる。

　なお，株主総会や取締役会と異なり，創立総会にオンライン会議，テレビ会

議または電話会議によって参加することができないと解する合理的理由がなく、そのような出席形態も許されると考えられるにもかかわらず、株主総会の議事録の内容とすべき事項とされているもの（72条3項1号）と異なり、「当該場所に存しない設立時取締役（設立しようとする株式会社が監査等委員会設置会社である場合にあっては、設立時監査等委員である設立時取締役又はそれ以外の設立時取締役）、設立時執行役、設立時会計参与、設立時監査役、設立時会計監査人又は設立時株主が株主総会に出席をした場合における当該出席の方法を含む」というようなかっこ書はない。これは、実際には募集設立がなされることはほとんど考えられず、したがって、創立総会が開催されることもほとんどないことから、会社法施行規則には必要最低限の規定を設けるにとどめていること（相澤ほか・商事法務1770号9頁）によるとも考えられるが、創立総会が行われることはまれであること、また、創立総会で決定される可能性のある事項は現実には多くないと考えられること、創立総会は設立段階において開催されるにとどまることなどから、創立総会の議事録の記載事項を簡略にしたものと推測される。

(2) 創立総会の議事の経過の要領およびその結果（2号）

「議事の経過の要領」とは、開会宣言から閉会宣言までの会議の経過の要約をいうと解され、「議事の経過の要領」には、標題、議長の開会宣言、議決権個数の報告、設立時取締役および設立時監査役の報告、報告事項の報告、質問状に対する一括回答、質疑応答、質問状の提出者が創立総会に欠席した場合、決議事項の上程および審議、決議事項に関する質疑応答、動議が出された場合、議長の閉会宣言および作成日付が含まれると解される（今井＝成毛185頁以下）。

(3) 創立総会に出席した発起人、設立時取締役（設立しようとする株式会社が監査等委員会設置会社である場合には、設立時監査等委員である設立時取締役またはそれ以外の設立時取締役）、設立時執行役、設立時会計参与、設立時監査役または設立時会計監査人の氏名または名称（3号）

「創立総会に出席した発起人、設立時取締役（設立しようとする株式会社が監査等委員会設置会社である場合にあっては、設立時監査等委員である設立時取締役又はそれ以外の設立時取締役）、設立時執行役、設立時会計参与、設立時監査役または設立時会計監査人の氏名又は名称」を議事録の内容とすべきも

のとされているのは，創立総会の出席者は意見を述べる可能性があるとともに，意見を述べなくとも，事実上の影響力を及ぼす可能性があるため，創立総会の出席者を議事録に含めることを要求するものである。取締役会議事録［→101条２］と異なり，出席した設立時取締役（設立しようとする株式会社が監査等委員会設置会社である場合には，設立時監査等委員である設立時取締役またはそれ以外の設立時取締役）および設立時監査役の氏名を株主総会議事録に含めることが要求されているのは，出席した設立時取締役および設立時監査役も創立総会議事録に署名あるいは記名押印等を行うことを要求されていないからである。

(4)　創立総会の議長が存するときは，議長の氏名（4号）

　「創立総会の議長が存するときは，議長の氏名」を議事録に含めるべきこととされているのは，議長は議事の進行に大きな影響力を与えるため，創立総会議事録を閲覧等する株主等にとって重要な情報でありうるからであろう。したがって，ここでいう「創立総会の議長」とは，その創立総会において議長を務めた者をいうと解される。議事の途中で，議長が交代した場合には，すべての議長の氏名を，どの事項についての報告・審議について議長を務めたかを明らかにして，示すべきことになろう。

(5)　議事録の作成に係る職務を行った発起人の氏名または名称（5号）

　「議事録の作成に係る職務を行った発起人の氏名または名称」を議事録に含めるべきこととされているのは，議事録の作成についての責任者を明らかにするためである。したがって，「議事録の作成に係る職務を行った発起人」とは，議事録案の最終決裁者であると解される。なお，「議事録の作成に係る職務を行った発起人の氏名または名称」（圏点―引用者）とされているのは，発起人は法人である場合があるからである。

　なお，平成17年改正前商法180条３項が準用する同244条３項・４項（さらに同33条ノ２第２項）によれば，議長および出席した発起人は，議事録が書面をもって作成された場合には議事録に署名し，電磁的記録をもって作成された場合にはその電磁的記録に記録された情報について署名に代わる措置であって法務省令に定めるもの（電子署名）をとらなければならなかった。しかし，会社法の下では，創立総会の議事録に対する発起人等の署名等には法的な意味がなく（取締役会，監査役会，委員会または清算人会の議事録に対する署名等の効果（法

369条5項・393条4項・412条5項・490条5項）と対照)，しかも，署名等を要求することによっては，偽造の防止や真正性の確保が実現するとは必ずしも考えられないことから，法令上，署名等は義務づけないこととされた（相澤＝郡谷・商事法務1759号15頁参照)。

3　創立総会の決議または創立総会への報告があったものとみなされた場合の議事録の作成（4項）

　発起人が創立総会の目的である事項について提案をした場合において，当該提案につき設立時株主（当該事項について議決権を行使することができるものに限る）の全員が書面または電磁的記録により同意の意思表示をしたときは，当該提案を可決する旨の創立総会の決議があったものとみなされるが，その場合には，発起人（株式会社の成立後には，当該株式会社）は，創立総会の決議があったものとみなされた日から10年間，当該書面または電磁的記録を発起人が定めた場所（株式会社の成立後には，その本店）に備え置かなければならないものとされている（法82条1項・2項)。また，発起人が設立時株主の全員に対して創立総会に報告すべき事項を通知した場合において，当該事項を創立総会に報告することを要しないことにつき設立時株主の全員が書面または電磁的記録により同意の意思表示をしたときは，当該事項の創立総会への報告があったものとみなされるが（法83条)，この場合には，当該書面または電磁的記録の備置きや閲覧・謄写等に応じることは要求されていない。

　しかし，設立時株主以外の者にとっては，特定の決議や報告が，会議を開催して行われたのか，設立時株主全員の同意によって行われたのかが明らかではないことから，創立総会の決議あるいは創立総会への報告に関する資料の保存等についての規律の首尾一貫性を確保するため，本条は，創立総会の決議または創立総会への報告があったものとみなされた場合にも議事録の作成を要求することとしたものである（相澤＝郡谷・商事法務1759号16頁参照)。議事録である以上，法81条により，備置き・閲覧・謄写等の対象となる。

　もっとも，会議が開催された場合と異なり，創立総会が開催された日時および場所ならびに創立総会の議事の経過の要領およびその結果といったような記載・記録事項はないし，創立総会の議長が存するということはないから，議長の氏名は記載・記録事項ではない。すなわち，創立総会の決議があったものとみなされた事項（または創立総会への報告があったものとみなされた事項）の内容（創立総会の決議があったものとみなされた場合には，さらに，その事項の提案をし

た者の氏名または名称)，創立総会の決議があったものとみなされた（創立総会への報告があったものとみなされた）日，および，議事録の作成に係る職務を行った発起人の氏名または名称を内容としなければならないものとされるにとどまっている。

（種類創立総会）
第17条 次の各号に掲げる規定は，当該各号に定めるものについて準用する。
　一　第9条　法第86条において準用する法第67条第1項第5号に規定する法務省令で定める事項
　二　第10条　種類創立総会の創立総会参考書類
　三　第11条　種類創立総会の議決権行使書面
　四　第12条　法第86条において準用する法第72条第1項に規定する法務省令で定める設立時株主
　五　第13条　法第86条において準用する法第75条第1項に規定する法務省令で定める時
　六　第14条　法第86条において準用する法第76条第1項に規定する法務省令で定める時
　七　第15条　法第86条において準用する法第78条に規定する法務省令で定める場合
　八　前条　法第86条において準用する法第81条第1項の規定による議事録の作成

　本条は，種類創立総会について，創立総会についての会社法施行規則の規定を準用する旨を定めるものである。すなわち，法86条1文は，法「第67条から第71条まで，第72条第1項及び第74条から第82条までの規定は，種類創立総会について準用する」ものと定めており，準用される規定において，法務省令に委任している事項がある場合には，種類創立総会との関係でも法務省令に定めを置く必要があるところ，種類創立総会の招集の決定にあたって定めるべき事項，種類創立総会参考書類，種類創立総会の議決権行使書面，成立後の株式会社が設立時種類株主の経営を実質的に支配することが可能になる関係，種類創立総会における書面または電磁的方法による議決権行使の期限，種類創立総会において発起人が説明することを要しない場合，および，種類創立総会の議事録については，創立総会と異なる規律を定める必要がないと考えられるため，本条では，種類創立総会について準用される創立総会に関する会社法施行規則

の規定を定めている。

(累積投票による設立時取締役の選任)

第18条 法第89条第5項の規定により法務省令で定めるべき事項は，この条の定めるところによる。

2　法第89条第1項の規定による請求があった場合には，発起人（創立総会の議長が存する場合にあっては，議長）は，同項の創立総会における設立時取締役（設立しようとする株式会社が監査等委員会設置会社である場合にあっては，設立時監査等委員である設立時取締役又はそれ以外の設立時取締役。以下この条において同じ。）の選任の決議に先立ち，法第89条第3項から第5項までに規定するところにより設立時取締役を選任することを明らかにしなければならない。

3　法第89条第4項の場合において，投票の同数を得た者が2人以上存することにより同条第1項の創立総会において選任する設立時取締役の数の設立時取締役について投票の最多数を得た者から順次設立時取締役に選任されたものとすることができないときは，当該創立総会において選任する設立時取締役の数以下の数であって投票の最多数を得た者から順次設立時取締役に選任されたものとすることができる数の範囲内で，投票の最多数を得た者から順次設立時取締役に選任されたものとする。

4　前項に規定する場合において，法第89条第1項の創立総会において選任する設立時取締役の数から前項の規定により設立時取締役に選任されたものとされた者の数を減じて得た数の設立時取締役は，同条第3項及び第4項に規定するところによらないで，創立総会の決議により選任する。

　本条は，創立総会における累積投票による設立時取締役の選任について定めるもので，株主総会における累積投票による取締役の選任について定める97条とパラレルな規定である（なお，平成17年改正前商法の下では，創立総会における累積投票は認められていなかった）。すなわち，定款に別段の定めがあるときを除き，設立時株主は累積投票の請求をすることができるが（法89条1項），法89条3項は，累積投票の「請求があった場合には，設立時取締役の選任の決議については，設立時株主は，その引き受けた設立時発行株式1株（単元株式数を定款で定めている場合にあっては，1単元の設立時発行株式）につき，当該創立総会において選任する設立時取締役の数と同数の議決権を有する。この場合においては，設立時株主は，1人のみに投票し，又は2人以上に投票して，そ

第18条（累積投票による設立時取締役の選任） 115

の議決権を行使することができる」と定め，同条4項は，その「場合には，投票の最多数を得た者から順次設立時取締役に選任されたものとする」と定め，同条5項は，「前2項に定めるもののほか，第1項の規定による請求があった場合における設立時取締役の選任に関し必要な事項は，法務省令で定める」ものとしているため，これをうけて本条が定められている。

1　累積投票による旨の議長等による宣言（2項）

　累積投票の請求があった場合には，創立総会の議長が存する場合には議長，議長が存しない場合には発起人は，創立総会における設立時取締役（設立しようとする株式会社が監査等委員会設置会社である場合には，設立時監査等委員である設立時取締役またはそれ以外の設立時取締役）の選任の決議に先立ち，法89条3項から5項までに規定するところ（累積投票）により取締役を選任することを明らかにしなければならないものとされている。これは，累積投票は，通常の方法（法72条1項）による議決権行使の例外なので，累積投票により設立時取締役の選任が行われることについて，設立時株主の注意を喚起するためである。議長または発起人が累積投票により設立時取締役を選任する旨を明らかにしなかった場合には，累積投票の方法によることが出席設立時株主（代理人を含む）全員に周知されていたときを除き，決議取消しの原因（法831条1項1号）があると解すべきであろう（新注会(6)49頁［上柳］，大隅＝今井・中153頁参照）。

　なお，法89条2項は，累積投票の請求は，創立総会の日の5日前までにしなければならないと定めているが，創立総会の招集通知が発せられた後でなければ請求できないと解されている（新注会(6)47頁［上柳］，大隅＝今井・中152頁参照）。したがって，創立総会参考書類に累積投票による旨を示したり，議決権行使書面を累積投票に合致した様式にしておくことができないことになる。すなわち，会社法においては，書面または電磁的方法による議決権行使を認める会社には，累積投票を認めているものがないという前提が暗黙のうちにとられているのかもしれないが，書面または電磁的方法による議決権行使を認める会社においても，累積投票が排除されているという保証はない。したがって，累積投票が排除されていない会社において，設立時株主による累積投票の請求があった場合には，書面または電磁的方法により行使された議決権をどのように扱うべきかが難問となろう（新注会(6)52頁［上柳］参照）。それと同時に，本条2項の趣旨に照らせば，書面または電磁的方法により議決権行使をする設立時

株主に対して，累積投票により設立時取締役が選任される旨が周知されないことには立法論として重大な欠陥があるということになるのではないかと思われる。

したがって，立法論としては，累積投票の請求は創立総会の招集通知の発出前にもなしうることを明確にし，かつ，創立総会の会日の一定期間前までに請求があったときには，創立総会参考書類に累積投票の請求があったことを明示し，かつ，累積投票と整合するような議決権行使書面を株主に対して送付することを要求すべきではないかと思われる。もっとも，平成17年改正前商法および平成18年改正前商法施行規則の解釈として，定款の定めにより累積投票を全面的に排除していない場合において，株主総会に関するものであるが，累積投票の請求の可能性があるときは，参考書類上もそのことを明らかにし，それに対応する議決権行使書面の様式を採用しなければならないという見解も示されていた（稲葉・別冊商事法務59号58頁）。

「（設立しようとする株式会社が監査等委員会設置会社である場合にあっては，設立時監査等委員である設立時取締役又はそれ以外の設立時取締役）」とされているのは，創立総会の目的である事項が2人以上の設立時取締役（設立しようとする株式会社が監査等委員会設置会社である場合にあっては，設立時監査等委員である設立時取締役またはそれ以外の設立時取締役）の選任である場合には，設立時株主は，定款に別段の定めがあるときを除き，発起人に対し，累積投票により設立時取締役を選任すべきことを請求することができるとされていること（法89条1項）に対応するものである。

2　投票の同数を得た者が2人以上存することにより投票の最多数を得た者から順次設立時取締役として選任された者とすることができない場合（3項・4項）

3項および4項は，たとえば，5人の設立時取締役を選任する創立総会において，第5位の得票者が複数存在した場合などについての取扱いを定めるものである。すなわち，明確なルールを定めておくことが，法的安定性の観点からも適当であるため，3項は，まず，その「創立総会において選任する設立時取締役の数以下の数であって投票の最多数を得た者から順次設立時取締役に選任されたものとすることができる数の範囲内で，投票の最多数を得た者から順次設立時取締役に選任されたものとする」と定めている。すなわち，たとえば，5人の設立時取締役を選任する創立総会において，A1,000票，B700票，C

700票，D・E・Fはいずれも500票の得票を得た場合には，A，BおよびCは設立時取締役に選任されたものとするとしている。

　その上で，4項は，その創立総会において選任すべき設立時取締役の数から3項により設立時取締役に選任されたものとされた数を減じて得た数の設立時取締役は，通常の方法により（原則として1株（単元株式数を定めている会社では1単元）1議決権），創立総会において選任するものと定めている。たとえば，5人の設立時取締役を選任する創立総会において，A1,000票，B700票，C700票，D・E・Fはいずれも500票の得票を得た場合には，A，BおよびCは設立時取締役に選任されたものとされるので，2人を，法72条1項に従って創立総会で選任すべきことになる。これは，株主総会における累積投票に関して，従来の通説的見解が「決選投票で2人以上選ぶときは累積投票によらなければならない」と解していたこととは対照的であるが，累積投票は例外的な制度であるから，累積投票は1回だけ行えばよいという価値判断に基づくものであると推測される。法72条1項に従って選任決議を行う場合の手間に比べると累積投票による場合には手間がかなりかかると考えられるからである。

　もっとも，3項および4項は，「投票の同数を得た者が2人以上存することにより」と定めており，たとえば，5人選任すべきところ，得票者4人以下であった場合については適用がなく，従来と同様，このような場合については解釈に委ねられている。株主総会における累積投票に関して，従来の多数説は，不足の員数についてのみ再投票をすべきであり，不足の員数が2人以上の場合には累積投票によるべきであると解しており（新注会(6)50頁［上柳］，大隅＝今井・中153頁参照），基本的には，それでよいのではないかと思われる。なぜなら，選任すべき設立時取締役の全部について累積投票が行われた以上，選任決議全部をやり直すべき理由はなく，第1回目の得票者は設立時取締役として選任されたとすることが本条3項とも整合的だからである。また，不足の員数が2人以上の場合に累積投票によるべきであると解することは，本条4項とは異なるが，本条3項があえて「投票の同数を得た者が2人以上存することにより」と限定していることからは，再投票において累積投票をすることを禁止する理由はないからである（もっとも，定款の定めにより，再投票については法72条1項に従うものと定めることも有効であろう）。

―（払込みの仮装に関して責任をとるべき発起人等）――――――
　第18条の2　法第103条第2項に規定する法務省令で定める者は，次に掲げる者

とする。
一　払込み（法第63条第１項の規定による払込みをいう。次号において同じ。）の仮装に関する職務を行った発起人及び設立時取締役
二　払込みの仮装が創立総会の決議に基づいて行われたときは，次に掲げる者
　　イ　当該創立総会に当該払込みの仮装に関する議案を提案した発起人
　　ロ　イの議案の提案の決定に同意した発起人
　　ハ　当該創立総会において当該払込みの仮装に関する事項について説明をした発起人及び設立時取締役

　本条は募集設立の場合において払込みの仮装に関して責任をとるべき発起人等を定めるものであって，発起人による出資の履行の仮装に関して責任をとるべき発起人等を定める７条の２とパラレルな規定である［→７条の２］。

第2章

株　　式

第1節　総　　則

(種類株主総会における取締役又は監査役の選任)
第19条　法第108条第2項第9号ニに規定する法務省令で定める事項は，次に掲げる事項とする。
　一　当該種類の株式の種類株主を構成員とする種類株主総会において取締役（監査等委員会設置会社にあっては，監査等委員である取締役又はそれ以外の取締役）を選任することができる場合にあっては，次に掲げる事項
　　イ　当該種類株主総会において社外取締役（監査等委員会設置会社にあっては，監査等委員である社外取締役又はそれ以外の社外取締役。イ及びロにおいて同じ。）を選任しなければならないこととするときは，その旨及び選任しなければならない社外取締役の数
　　ロ　イの定めにより選任しなければならない社外取締役の全部又は一部を他の種類株主と共同して選任することとするときは，当該他の種類株主の有する株式の種類及び共同して選任する社外取締役の数
　　ハ　イ又はロに掲げる事項を変更する条件があるときは，その条件及びその条件が成就した場合における変更後のイ又はロに掲げる事項
　二　当該種類の株式の種類株主を構成員とする種類株主総会において監査役を選任することができる場合にあっては，次に掲げる事項
　　イ　当該種類株主総会において社外監査役を選任しなければならないこととするときは，その旨及び選任しなければならない社外監査役の数
　　ロ　イの定めにより選任しなければならない社外監査役の全部又は一部を他の種類株主と共同して選任することとするときは，当該他の種類株主の有する株式の種類及び共同して選任する社外監査役の数
　　ハ　イ又はロに掲げる事項を変更する条件があるときは，その条件及びその条件が成就した場合における変更後のイ又はロに掲げる事項

本条は，その種類の株式の種類株主を構成員とする種類株主総会において取締役（監査等委員会設置会社では，監査等委員である取締役またはそれ以外の取締役）または監査役を選任することについて異なる定めをした内容の異なる二以上の種類の株式を発行する場合に会社が定款で定めなければならない事項の一部を定めるものである。すなわち，株式会社（指名委員会等設置会社および公開会社を除く）は，当該種類の株式の種類株主を構成員とする種類株主総会において取締役（監査等委員会設置会社では，監査等委員である取締役またはそれ以外の取締役）または監査役を選任することについて異なる定めをした内容の異なる二以上の種類の株式を発行することができるが，当該種類株主を構成員とする種類株主総会において取締役または監査役を選任することおよび選任する取締役または監査役の数，この定めにより選任することができる取締役または監査役の全部または一部を他の種類株主と共同して選任することとするときは，当該他の種類株主の有する株式の種類および共同して選任する取締役または監査役の数，これらの事項を変更する条件があるときは，その条件およびその条件が成就した場合における変更後の事項そのほか，法務省令で定める事項および発行可能種類株式総数を定款で定めなければならないものとされており（法108条2項9号），この委任を受けて本条が定められている。

本条2号は，平成17年廃止前商法特例法18条5項を踏襲したものであり，本条2号とパラレルに，本条1号は取締役について定めを置くものである。これは，指名委員会等設置会社ではない株式会社であっても，監査役会を設置する場合には，監査役の半数以上は社外監査役でなければならず（法335条3項），特別取締役による取締役会決議を行うこととするためには，社外取締役を選任しなければならない（法373条1項1号）のはもちろんのこと，任意に社外取締役や社外監査役を選任することは可能であることに注目したものである。当該種類の株式の種類株主を構成員とする種類株主総会において取締役または監査役を選任することについて異なる定めをした内容の異なる二以上の種類の株式を会社が発行する場合において，その会社が社外取締役または社外監査役を選任することとするときには，いずれの種類株主総会において社外取締役または社外監査役を選任することとするかを定めておかないと，現実には，社外取締役または社外監査役の選任がなされないという事態が生じうるのである。

「監査等委員会設置会社では，監査等委員である取締役又はそれ以外の取締役」とされているのは，法108条1項9号かっこ書が「監査等委員会設置会社にあっては，監査等委員である取締役又はそれ以外の取締役。次項第9号及び

第112条第1項において同じ」と定めていること（これは，法329条2項が「監査等委員会設置会社においては，前項の規定による取締役の選任は，監査等委員である取締役とそれ以外の取締役とを区別してしなければならない」と定めていることに対応している）をうけたものである。

1 **当該種類株主総会において社外取締役または社外監査役を選任しなければならないこととするときは，その旨および選任しなければならない社外取締役または社外監査役の数**（1号イ・2号イ）

　法108条2項9号イとパラレルな規定を，さらに社外取締役または社外監査役の選任について設けたものである。

　その会社において，社外取締役を選任しなければならない場合または社外取締役を選任するものとする場合であって，ある種類の株式の種類株主を構成員とする種類株主総会において取締役を選任することができるときには，そのような種類株主総会のうち全部または一部の種類株主総会において社外取締役を選任しなければならない旨を定める必要がある。そこで，ある種類の株式の種類株主を構成員とする種類株主総会において取締役を選任することができる場合には，その種類株主総会において社外取締役を選任しなければならないこととするか否か，および，選任しなければならないとするときには選任しなければならない社外取締役の数を定める必要があるが，それらは，定款において定めることを要するとするものである。

　同様に，その会社において，社外監査役を選任しなければならない場合または社外監査役を選任するものとする場合であって，ある種類の株式の種類株主を構成員とする種類株主総会において監査役を選任することができるときには，そのような種類株主総会のうち全部または一部の種類株主総会において社外監査役を選任しなければならない旨を定める必要がある。そこで，ある種類の株式の種類株主を構成員とする種類株主総会において監査役を選任することができる場合には，その種類株主総会において社外監査役を選任しなければならないこととするか否か，および，選任しなければならないとするときには選任しなければならない社外監査役の数を定める必要があるが，それらは，定款において定めることを要するとするものである。

　ある種類株主総会において，社外取締役または社外監査役を選任しなければならないものとすると，それだけ，選択の幅が狭まり，そのことはその種類株主にとって重大な利害を有することであることから，その種類株主および他の

種類の株主にとっての予測可能性を確保するため，定款において定めることを要するものとしている。

2　1の定めにより選任しなければならない社外取締役または社外監査役の全部または一部を他の種類株主と共同して選任することとするときは，当該他の種類株主の有する株式の種類および共同して選任する社外取締役または社外監査役の数（1号ロ・2号ロ）

　法108条2項9号ロとパラレルな規定を，さらに社外取締役または社外監査役の選任について設けたものである。その会社において，社外取締役を選任しなければならない場合または社外取締役を選任するものとする場合であって，ある種類の株式の種類株主を構成員とする種類株主総会において取締役を選任することができるとするときであっても，他の種類株主と共同して社外取締役を選任することとすることは可能である。同様に，その会社において，社外監査役を選任しなければならない場合または社外監査役を選任するものとする場合であって，ある種類の株式の種類株主を構成員とする種類株主総会において監査役を選任することができるとするときであっても，他の種類株主と共同して社外監査役を選任することとすることは可能である。そこで，その種類株主総会において選任しなければならない社外取締役または社外監査役の全部または一部を他の種類株主と共同して選任することとするときは，当該他の種類株主の有する株式の種類および共同して選任する社外取締役または社外監査役の数を定款において定めることを要するものとしている。

3　1または2を変更する条件があるときは，その条件およびその条件が成就した場合における変更後の1または2に掲げる事項（1号ハ・2号ハ）

　法108条2項9号ハとパラレルな規定を，さらに社外取締役または社外監査役の選任について設けたものである。これは，事情変更等が生じた場合に自動的に1または2を変更することとする場合には，自動的に変更する条件と変更後の内容を定めておかなければならないというものである。なぜなら，株式の内容は，原則として，株主総会の特別決議（および種類株主総会の決議）による定款変更により変更されるものであるから，自動的に変更される場合には，株主の保護の観点から，その条件と変更後の内容を定めておく必要があるからである。そして，条件と変更後の内容を定めておくことにより，株主にとっての予測可能性が確保される。

（種類株式の内容）

第20条 法第108条第３項に規定する法務省令で定める事項は，次の各号に掲げる事項について内容の異なる種類の株式の内容のうち，当該各号に定める事項以外の事項とする。
一　剰余金の配当　配当財産の種類
二　残余財産の分配　残余財産の種類
三　株主総会において議決権を行使することができる事項　法第108条第２項第３号イに掲げる事項
四　譲渡による当該種類の株式の取得について当該株式会社の承認を要すること　法第107条第２項第１号イに掲げる事項
五　当該種類の株式について，株主が当該株式会社に対してその取得を請求することができること　次に掲げる事項
　イ　法第107条第２項第２号イに掲げる事項
　ロ　当該種類の株式１株を取得するのと引換えに当該種類の株主に対して交付する財産の種類
六　当該種類の株式について，当該株式会社が一定の事由が生じたことを条件としてこれを取得することができること　次に掲げる事項
　イ　一定の事由が生じた日に当該株式会社がその株式を取得する旨
　ロ　法第107条第２項第３号ロに規定する場合における同号イの事由
　ハ　法第107条第２項第３号ハに掲げる事項（当該種類の株式の株主の有する当該種類の株式の数に応じて定めるものを除く。）
　ニ　当該種類の株式１株を取得するのと引換えに当該種類の株主に対して交付する財産の種類
七　当該種類の株式について，当該株式会社が株主総会の決議によってその全部を取得すること　法第108条第２項第７号イに掲げる事項
八　株主総会（取締役会設置会社にあっては株主総会又は取締役会，清算人会設置会社にあっては株主総会又は清算人会）において決議すべき事項のうち，当該決議のほか，当該種類の株式の種類株主を構成員とする種類株主総会の決議があることを必要とするもの　法第108条第２項第８号イに掲げる事項
九　当該種類の株式の種類株主を構成員とする種類株主総会において取締役（監査等委員会設置会社にあっては，監査等委員である取締役又はそれ以外の取締役）又は監査役を選任すること　法第108条第２項第９号イ及びロに掲げる事項
２　次に掲げる事項は，前項の株式の内容に含まれるものと解してはならない。
一　法第164条第１項に規定する定款の定め

二　法第167条第3項に規定する定款の定め
　三　法第168条第1項及び第169条第2項に規定する定款の定め
　四　法第174条に規定する定款の定め
　五　法第189条第2項及び第194条第1項に規定する定款の定め
　六　法第199条第4項及び第238条第4項に規定する定款の定め

　本条は，株式会社が，法108条1項各号に掲げる事項について異なる定めをした内容の異なる二以上の種類の株式を発行する場合であっても，それらの株式について，内容の要綱を定款に定めれば，同条2項各号に定める事項のうち，定款で定めることを要しない事項を定めるものである。すなわち，同条3項は，同条2項各号に定める事項（剰余金の配当について内容の異なる種類の種類株主が配当を受けることができる額その他法務省令で定める事項に限る）の全部または一部については，その種類の株式を初めて発行する時までに，株主総会（取締役会設置会社では株主総会または取締役会，清算人会設置会社では株主総会または清算人会）の決議によって定める旨を定款で定めることができるとしており，この委任をうけて，本条が定められている。

　法108条3項の立法趣旨は，資金調達を円滑かつできる限り会社にとって有利に行えるように，種類株式の発行の機動性を確保するところにあることをふまえて，本条1項では，種類株式について定款で必ず定めなければならない事項（法108条2項と併せ読むと，反射的に，一定の要件の下では，定款にはその要綱のみを定めれば足りる事項）を定めている。

1　種類株式について定款で必ず定めなければならない事項（1項）

(1)　剰余金の配当（1号）

　法108条2項1号は，その種類の株主に交付する配当財産の価額の決定の方法，剰余金の配当をする条件その他剰余金の配当に関する取扱いの内容を，原則として，定款で定めなければならないものとしているが，本条1項1号は，一定の要件の下で，配当財産の種類のみを定款で定め，その他の事項についてはその要綱を定款に定めることを認めている。これは，一方では，配当財産の種類は株主にとって重要な利害を有する事項であることによる。すなわち，会社法の下では，株主に金銭分配請求権を与える場合を除き，配当財産が金銭以外の財産である剰余金の配当は株主総会の特別決議によって決定しなければな

らないこととされている（法309条2項10号）。また，配当財産の種類は，資金調達の観点から，機動的に定めなければならないようなものではないと，通常考えられる。さらに，配当財産の種類について，かりに，その要綱を定めるのみで足りるとしても，配当財産の種類を定める以外に要綱を示すことはできないから，その要綱を定めるのみで足りるとする実益がない。

なお，配当財産の種類としては，会社法の規定からは，金銭，会社の社債・新株予約権・新株予約権付社債，金銭でもなく会社の株式等でもない財産という区分が考えられるが，「金銭でもなく会社の株式等でもない財産」というのみで配当財産の種類を特定していると解することには疑義があり，社債や新株予約権付社債についてはその種類を，新株予約権や「金銭でもなく会社の株式等でもない財産」についてはその内容を示さないと配当財産の種類を定めたとは評価できないのではないかと思われる。

他方で，「配当すべき額」（平成17年改正前商法222条3項）など，その種類の株主に交付する配当財産の価額の決定の方法，剰余金の配当をする条件その他剰余金の配当に関する取扱いの内容（配当財産の種類を除く）は，発行時の市場金利やその他の金融商品の期待収益率などをふまえて決定することができるとすることによって，会社にとって，必要な資金調達が可能となり，また，会社，ひいては既存株主にとって可能な限り有利な条件での資金調達が可能になると期待されるから，法108条3項の適用を認めることが望ましいと考えられる。そもそも，剰余金の配当は株主総会の普通決議によって決定することができ，一定の会社（法459条）においては，一定の条件が満たされる限り（計規155条），取締役会の決議によって定めることができることをふまえれば，法108条3項の適用を認めてもよいと考えられる。

(2) 残余財産の分配（2号）

法108条2項2号は，その種類の株主に交付する残余財産の価額の決定の方法，その残余財産の種類その他残余財産の分配に関する取扱いの内容を，原則として，定款で定めなければならないものとしているが，本条1項2号は，一定の要件の下で，残余財産の種類のみを定款で定め，その他の事項についてはその要綱を定款に定めることを認めている。

たしかに，剰余金の配当の場合と異なり，株主には金銭分配請求権が与えられるので（法505条1項），株主保護の観点からは「残余財産の種類」を定款に記載させる必要はないという見方も可能であるが，残余財産の分配について内

容の異なる株式を発行する場合には定款で具体的な内容を何も定めなくともよいというのでは，法108条2項の趣旨に反することになろう。そして，実質的に考えてみても，残余財産の種類は，資金調達の観点から，機動的に定めなければならないようなものではないと，通常考えられる。さらに，残余財産の種類について，かりに，その要綱を定めるのみで足りるとしても，残余財産の種類を定める以外に要綱を示すことはできないから，その要綱を定めるのみで足りるとする実益がない。

なお，残余財産の種類としては，会社法の規定からは，金銭，金銭以外の財産という区分も考えられるが，「金銭以外の財産」というのみで残余財産の種類を特定していると解することには疑義があり，金銭以外の財産についてはその内容を示さないと残余財産の種類を定めたとは評価できないのではないかと思われる。

他方で，その種類の株主に交付する残余財産の価額の決定の方法その他残余財産の分配に関する取扱いの内容（残余財産の種類を除く）は，発行時の市場金利やその他の金融商品の期待収益率などをふまえて決定することができるとすることによって，会社にとって，必要な資金調達が可能となり，また，会社，ひいては既存株主にとって可能な限り有利な条件での資金調達が可能になると期待されるから，法108条3項の適用を認めることが望ましいと考えられる（募集株式の引受けに応じる者は剰余金の配当に関する定めと残余財産の分配に関する定めとを相関的にふまえて意思決定をするものと推測される）。そもそも，残余財産の分配は清算人の決定（清算人会設置会社では清算人会の決議）によって決定されること（法504条1項）をふまえれば，法108条3項の適用を認めてもよいと考えられる。

(3) 株主総会において議決権を行使することができる事項（3号）

法108条2項3号は，株主総会において議決権を行使することができる事項，および，その種類の株式につき議決権の行使の条件を定めるときは，その条件を，原則として，定款で定めなければならないものとしているが，本条1項3号は，一定の要件の下で，株主総会において議決権を行使することができる事項のみを定款で定め，その種類の株式につき議決権の行使の条件を定めるときの，その議決権行使の条件についてはその要綱を定款に定めれば足りるものとしている。株主総会において議決権を行使することができる事項は定款に定めなければならないとされているのは，議決権を行使することができる事項

がどのようなものであるかは，その種類の株主のみならず，それ以外の株主にとっても重要な事項であり，定款に明確に定めておく必要があるからであると考えられる。他方，その種類の株式につき議決権の行使の条件を定めるときの，その議決権行使の条件についてはその要綱を定款に定めれば足りるものとしているのは，議決権行使の条件は付随的な事項であるという価値判断に基づくものであると考えられる。資金調達にあたって，剰余金の配当に関して異なる内容の株式を発行する場合に，たとえば，優先配当を受けられない場合には議決権を行使することができるとすることなどには合理性があり，したがって，議決権行使の条件を機動的に定めることができることは，資金調達の円滑化の観点から必要であると評価することは可能であろう。しかし，議決権行使の条件は付随的なものにすぎないという位置づけからは，議決権を行使することができる事項が制限されている場合に，制限されている事項についても一定の条件が満たされる場合には行使できると定めることは合理性を有するようにも思われるが，すべての事項について議決権を行使することができる株式に議決権行使の条件を定めることができるという見解（葉玉・商事法務1742号30頁）には，立法論としては問題があると思われる。

(4) 譲渡によるその種類の株式の取得についてその株式会社の承認を要すること（4号）

　法108条2項4号は，法107条2項1号に定める事項（(a)その種類の株式を譲渡により取得することについてその株式会社の承認を要する旨および(b)一定の場合において株式会社が譲渡による取得を承認したものとみなすとき）は，その旨およびその一定の場合を定款に定めなければならないものとしており，本条においても，(a)については例外は認められないものとされている。これは，ある種類の株式を譲渡により取得することについてその株式会社の承認を要する旨は発行に際して機動的に定めることが資金調達のために必要であるというようなものではないこと（むしろ，機動的な資金調達を必要とする場合には，譲渡制限の定めを置くことは考えにくい），および譲渡制限の定めを置くかどうかは既存株主にとって重大な利害を有する事項であると考えられることによる。

(5) その種類の株式について，株主がその株式会社に対してその取得を請求することができること（5号）

　法108条2項5号は，(a)その種類の株式の株主がその株式会社に対してその

株主の有する株式を取得することを請求することができる旨，(b)その種類の株式1株を取得するのと引換えにその株主に対してその株式会社の社債（新株予約権付社債についてのものを除く）を交付するときは，その社債の種類および種類ごとの各社債の金額の合計額またはその算定方法，(c)その種類の株式1株を取得するのと引換えにその株主に対してその株式会社の新株予約権（新株予約権付社債に付されたものを除く）を交付するときは，その新株予約権の内容および数またはその算定方法，(d)その種類の株式1株を取得するのと引換えにその株主に対してその株式会社の新株予約権付社債を交付するときは，その新株予約権付社債の種類および種類ごとの各社債の金額の合計額またはその算定方法およびその新株予約権付社債に付された新株予約権の内容および数またはその算定方法，(e)その種類の株式1株を取得するのと引換えにその株主に対してその株式会社の他の株式を交付するときは，当該他の株式の種類および種類ごとの数またはその算定方法，(f)その種類の株式1株を取得するのと引換えにその株主に対してその株式会社の株式等（株式，社債および新株予約権）以外の財産を交付するときは，その財産の内容および数もしくは額またはこれらの算定方法，および，(g)株主がその株式会社に対してその株式を取得することを請求することができる期間を，原則として，定款で定めなければならないものとしているが，本条1項5号は，一定の要件の下で，その種類の株式の株主がその株式会社に対してその株主の有する株式を取得することを請求することができる旨，および，その種類の株式1株を取得するのと引換えにその種類の株主に対して交付する財産の種類のみを定款で定め，その他の事項についてはその要綱を定款に定めることを認めている。

　これは，その種類の株式の株主がその株式会社に対してその株主の有する株式を取得することを請求することができる旨は取得請求権付株式の内容として中核的なものであり，また，定款に定めておくことによって，機動的な資金調達が妨げられることはないと考えられるからであろう。また，その種類の株式1株を取得するのと引換えにその種類の株主に対して交付する財産の種類も，資金調達の観点から，機動的に定めなければならないようなものではないと，通常考えられる。さらに，交付する財産の種類について，かりに，その要綱を定めるのみで足りるとしても，交付する財産の種類を定める以外に要綱を示すことはできないから，その要綱を定めるのみで足りるとする実益がない。

　なお，交付する財産の種類としては，会社法の規定からは，金銭，会社の社債・新株予約権・新株予約権付社債，金銭でもなく会社の株式等でもない財産

という区分が考えられるが,「金銭でもなく会社の株式等でもない財産」というのみで交付する財産の種類を特定していると解することには疑義があり,社債や新株予約権付社債についてはその種類を,新株予約権や「金銭でもなく会社の株式等でもない財産」についてはその内容を示さないと,交付する財産の種類を定めたとは評価できないのではないかと思われる。

　他方,機動的な資金調達の観点からは,株主がその株式会社に対してその株式を取得することを請求することができる期間については要綱のみを定款に記載すれば足りるとすることに意義がある。同様に,その種類の株式1株を取得するのと引換えにその株主に対してその株式会社の社債（新株予約権付社債についてのものを除く）を交付するときは,その社債の種類ごとの各社債の金額の合計額またはその算定方法,その種類の株式1株を取得するのと引換えにその株主に対してその株式会社の新株予約権（新株予約権付社債に付されたものを除く）を交付するときは,その新株予約権の数またはその算定方法,その種類の株式1株を取得するのと引換えにその株主に対してその株式会社の新株予約権付社債を交付するときは,その新株予約権付社債の種類ごとの各社債の金額の合計額またはその算定方法およびその新株予約権付社債に付された新株予約権の数またはその算定方法,その種類の株式1株を取得するのと引換えにその株主に対してその株式会社の他の株式を交付するときは,当該他の株式の種類ごとの数またはその算定方法,その種類の株式1株を取得するのと引換えにその株主に対してその株式会社の株式等（株式,社債および新株予約権）以外の財産を交付するときは,その財産の数もしくは額またはこれらの算定方法を,剰余金の配当あるいは残余財産の分配について内容の異なる株式を発行する場合と同様,発行時までに市場金利等の変動をふまえて,機動的に決定できるものとすることにも意義がある。

(6) その種類の株式について,その株式会社が一定の事由が生じたことを条件としてこれを取得することができること（6号）

　法108条2項6号は,(a)一定の事由が生じた日にその株式会社がその種類の株式を取得する旨およびその事由,(b)株式会社が別に定める日が到来することをもってその種類の株式をその株式会社が取得する条件である事由とするときは,その旨,(c)その種類の株式をその株式会社が取得する条件である事由が生じた日にその種類の株式の一部を取得することとするときは,その旨および取得する株式の一部の決定の方法,(d)その種類の株式1株を取得するのと引換え

にその株主に対してその株式会社の社債（新株予約権付社債についてのものを除く）を交付するときは，その社債の種類および種類ごとの各社債の金額の合計額またはその算定方法，(e)その種類の株式1株を取得するのと引換えにその株主に対してその株式会社の新株予約権（新株予約権付社債に付されたものを除く）を交付するときは，その新株予約権の内容および数またはその算定方法，(f)その種類の株式1株を取得するのと引換えにその株主に対してその株式会社の新株予約権付社債を交付するときは，その新株予約権付社債の種類および種類ごとの各社債の金額の合計額またはその算定方法およびその新株予約権付社債に付された新株予約権の内容および数またはその算定方法，(g)その種類の株式1株を取得するのと引換えにその株主に対してその株式会社の他の株式を交付するときは，当該他の株式の種類および種類ごとの数またはその算定方法，および，(h)その種類の株式1株を取得するのと引換えにその株主に対してその株式会社の株式等（株式，社債および新株予約権）以外の財産を交付するときは，その財産の内容および数もしくは額またはこれらの算定方法を，原則として，定款で定めなければならないものとしているが，本条1項6号は，一定の要件の下で，一定の事由が生じた日にその株式会社がその種類の株式を取得する旨，その株式会社が別に定める日が到来することをもって当該一定の事由とする旨，その種類の株式の一部を取得することとするときはその旨および取得する株式の一部の決定の方法（その種類の株式の株主の有する当該種類の株式の数に応じて定めるものを除く），および，その種類の株式1株を取得するのと引換えにその種類の株主に対して交付する財産の種類のみを定款で定め，その他の事項についてはその要綱を定款に定めることを認めている。

　これは，一定の事由が生じた日にその株式会社がその種類の株式を取得する旨は取得条項付株式の内容として中核的なものであり，また，定款に定めておくことによって，機動的な資金調達が妨げられることはないと考えられるからであろう。また，その種類の株式1株を取得するのと引換えにその種類の株主に対して交付する財産の種類も，資金調達の観点から，機動的に定めなければならないようなものではないと，通常考えられる。さらに，交付する財産の種類について，かりに，その要綱を定めるのみで足りるとしても，交付する財産の種類を定める以外に要綱を示すことはできないから，その要綱を定めるのみで足りるとする実益がない。

　なお，交付する財産の種類としては，会社法の規定からは，金銭，会社の株式・社債・新株予約権・新株予約権付社債，金銭でもなく会社の株式等でもな

い財産という区分が考えられるが,「金銭でもなく会社の株式等でもない財産」というのみで交付する財産の種類を特定していると解することには疑義があり,社債や新株予約権付社債についてはその種類を,新株予約権や「金銭でもなく会社の株式等でもない財産」についてはその内容を示さないと交付する財産の種類を定めたとは評価できないのではないかと思われる。

　また,その株式会社が別に定める日が到来することをもって,株式会社のその種類の株式を取得する事由とする旨を定款で定めさせても,株式会社は別に定める日を適当に定めることができるため,資金調達の機動性を損なうおそれがないので,定款に定めることが求められている。そもそも,このような事項について,その要綱を定めるとしても,「その株式会社が別に定める日が到来することをもって,株式会社のその種類の株式を取得する事由とする旨」を定めるしかないであろう。

　その種類の株式の一部を取得することとするときは,その旨および取得する株式の一部の決定の方法を定款で定めなければならないとされているのは,そのような場合には,持株数に応じた株主間の平等(法109条1項)が確保されない可能性があるからである。実際,株主間の平等が確保されると考えられる場合については,かっこ書において,「当該種類の株式の株主の有する当該種類の株式の数に応じて定めるものを除く」とされ,「当該種類の株式の株主の有する当該種類の株式の数に応じて定めるもの」は取得する株式の一部の決定の方法として定款に記載することを要しないものとされている。なお,「当該種類の株式の株主の有する当該種類の株式の数に応じて定めるもの」ではない「取得する株式の一部の決定の方法」の典型例としては抽選(抽選による方法は平等な方法とはいえないと指摘するものとして,郡谷・中小会社・有限会社の新・会社法139頁)があるが,その他に,「当該種類の株式の株主の有する当該種類の株式の数に応じて定めるもの」ではない「取得する株式の一部の決定の方法」として何が許されるのかは解釈に委ねられている。もっとも,法109条2項は,公開会社以外の会社においてのみ,剰余金の配当を受ける権利,残余財産の分配を受ける権利および株主総会における議決権に限って,株主ごとに異なる取扱いをする旨を定款に定めることができると定めているから,株主ごとに異なる取扱いをすることを株式の内容とすることはできないことには留意しなければならない。

　他方,(i)その種類の株式1株を取得するのと引換えにその株主に対してその株式会社の社債(新株予約権付社債についてのものを除く)を交付するときは,

その社債の種類ごとの各社債の金額の合計額またはその算定方法，(ii)その種類の株式1株を取得するのと引換えにその株主に対してその株式会社の新株予約権（新株予約権付社債に付されたものを除く）を交付するときは，その新株予約権の数またはその算定方法，(iii)その種類の株式1株を取得するのと引換えにその株主に対してその株式会社の新株予約権付社債を交付するときは，その新株予約権付社債の種類ごとの各社債の金額の合計額またはその算定方法およびその新株予約権付社債に付された新株予約権の数またはその算定方法，(iv)その種類の株式1株を取得するのと引換えにその株主に対してその株式会社の他の株式を交付するときは，当該他の株式の種類ごとの数またはその算定方法，(v)その種類の株式1株を取得するのと引換えにその株主に対してその株式会社の株式等（株式，社債，新株予約権および新株予約権付社債）以外の財産を交付するときは，その財産の数もしくは額またはこれらの算定方法を，剰余金の配当あるいは残余財産の分配について内容の異なる株式を発行する場合と同様，発行時までに市場金利等の変動をふまえて，機動的に決定できるものとすることにも意義がある。

(7) その種類の株式について，その株式会社が株主総会の決議によってその全部を取得すること（7号）

　法108条2項7号は，全部取得条項付種類株式を取得するのと引換えに交付する金銭等（取得対価）の価額の決定の方法，その株主総会の決議をすることができるか否かについての条件を定めるときは，その条件を，原則として，定款で定めなければならないものとしているが，本条1項7号は，一定の要件の下で，全部取得条項付種類株式を取得するのと引換えに交付する金銭等（取得対価）の価額の決定の方法のみを定款で定め，全部取得条項付種類株式を取得する旨の株主総会の決議をすることができるか否かについての条件を定めるときの，その条件についてはその要綱を定款に定めることを認めている。全部取得条項付種類株式を取得するのと引換えに交付する金銭等（取得対価）の価額の決定の方法がどのようなものであるかは，その全部取得条項付種類株式の株主のみならず，他の種類の株主にとっても重要な利害を有する事項であると同時に，全部取得条項付種類株式を資金調達目的で発行することは考えにくく，全部取得条項付種類株式については，その発行にあたり，全部取得条項付種類株式を取得するのと引換えに交付する金銭等（取得対価）の価額の決定の方法を機動的に決定する必要性が乏しいからであるとも考えられる。もっとも，全

部取得条項付種類株式を取得する旨の株主総会の決議をすることができるか否かについての条件を定めるときの，その条件についてはその要綱を定款に定めることが認められており，これは，全部取得条項付種類株式の発行にとっては，付随的な事項であると考えられるからであろう。

(8) 株主総会（取締役会設置会社では株主総会または取締役会，清算人会設置会社では株主総会または清算人会）において決議すべき事項のうち，その決議のほか，その種類の株式の種類株主を構成員とする種類株主総会の決議があることを必要とするもの（8号）

　法108条2項8号は，その種類株主総会の決議があることを必要とする事項，および，その種類株主総会の決議を必要とする条件を定めるときは，その条件を，原則として，定款で定めなければならないものとしているが，本条1項8号は，一定の要件の下で，その種類株主総会の決議があることを必要とする事項のみを定款で定め，その種類株主総会の決議を必要とする条件を定めるときの，その条件についてはその要綱を定款に定めることを認めている。これは，3号とパラレルな定め方である。その種類株主総会の決議があることを必要とする事項は定款に定めなければならないとされているのは，その種類株主総会の決議があることを必要とする事項がどのようなものであるかは，その種類の株主のみならず，それ以外の株主にとっても重要な事項であり，中核的な定めだからであり，定款に明確に定めておく必要があるからであると考えられる。他方，その種類株主総会の決議を必要とする条件を定めるときの，その種類株主総会の決議を必要とする条件についてはその要綱を定款に定めれば足りるものとしているのは，その種類株主総会の決議を必要とする条件は付随的な事項であるという価値判断に基づくものであると考えられる。資金調達にあたって，ある種類株主総会の決議があることを必要とする株式を発行する場合にも，ある場合にはその種類株主総会の決議を要求しないことには合理性があり，したがって，ある種類株主総会の決議を必要とする条件を機動的に定めることができることは，資金調達の円滑化の観点から必要であると評価することは可能であろう。

(9) その種類の株式の種類株主を構成員とする種類株主総会において取締役または監査役を選任すること（9号）

　法108条2項9号は，(a)その種類株主を構成員とする種類株主総会において

取締役（監査等委員会設置会社では，監査等委員である取締役またはそれ以外の取締役）または監査役を選任することおよび選任する取締役または監査役の数，(b)その種類株主を構成員とする種類株主総会において取締役または監査役を選任する旨の定款の定めにより選任することができる取締役または監査役の全部または一部を他の種類株主と共同して選任することとするときは，当該他の種類株主の有する株式の種類および共同して選任する取締役または監査役の数，(c)これらの事項を変更する条件があるときは，その条件およびその条件が成就した場合における変更後のこれらの事項，(d)その他法務省令で定める事項（19条）を，定款で定めなければならないものとしているが，本条においても，(a)および(b)について例外は認められないものとされている。これは，その種類株主を構成員とする種類株主総会において取締役または監査役を選任することおよび選任する取締役または監査役の数，および，その種類株主を構成員とする種類株主総会において取締役または監査役を選任する旨の定款の定めにより選任することができる取締役または監査役の全部または一部を他の種類株主と共同して選任することとするときは，当該他の種類株主の有する株式の種類および共同して選任する取締役または監査役の数はいずれも，その種類株主のみならず，他の種類の株主にとって重大な利害を有する事項だからである［なお，→19条］。

2　株式の内容に含まれない事項（2項）

(a)ある株式（種類株式発行会社では，ある種類の株式）の取得について特定の株主にその株式の取得に関する一定の事項の通知を行う旨の決定をするときであっても，株主（種類株式発行会社では，取得する株式の種類の種類株主）に対し，その特定の株主に自己をも加えたものを株主総会の議案とすることを，法務省令で定める時（28条）までに，請求することができる旨を通知することを要しない旨の定款の定め（法164条1項），(b)ある取得請求権付種類株式1株を取得するのと引換えにその株主に対してその株式会社の他の株式を交付する定めがある場合に，取得請求権付種類株式の取得を請求した株主が取得する当該他の株式の数に1株に満たない端数があるときの取扱いについての定款の定め（法167条3項），(c)株式会社が別に定める日が到来することをもって取得条項付株式を取得する事由とする定めがある場合において当該別に定める日を定める主体についての定款の定め（法168条1項），(d)取得条項付株式の一部を取得する定めがある場合において，その取得する取得条項付株式を決定する主体につ

いての定款の定め（法169条2項），(e)株式会社が，相続その他の一般承継によりその株式会社の株式（譲渡制限株式に限る）を取得した者に対し，その株式をその株式会社に売り渡すことを請求することができる旨の定款の定め（法174条），(f)単元未満株主が当該単元未満株式について，全部取得条項付種類株式と引換えに取得対価の交付を受ける権利，株式会社による取得条項付株式の取得と引換えに金銭等の交付を受ける権利，株式無償割当てを受ける権利，単元未満株式を買い取ることを請求する権利，残余財産の分配を受ける権利，および，法務省令（35条）で定める権利以外の権利の全部または一部を行使することができない旨の定款の定め（法189条2項），(g)単元未満株主が当該株式会社に対して単元未満株式売渡請求をすることができる旨の定款の定め（法194条1項），(h)種類株式発行会社において募集株式の種類が譲渡制限株式であるときに，その種類の株式に関する募集事項の決定につき，その種類の株式を引き受ける者の募集についてその種類の株式の種類株主を構成員とする種類株主総会の決議を要しない旨の定款の定め（法199条4項），(i)種類株式発行会社において，募集新株予約権の目的である株式の種類の全部または一部が譲渡制限株式であるときに，その募集新株予約権に関する募集事項の決定につき，その種類の株式を目的とする募集新株予約権を引き受ける者の募集についてその種類の株式の種類株主を構成員とする種類株主総会の決議を要しない旨の定款の定め（法238条4項）は，1項にいう株式の内容には含まれないと定めている。

　これは，これらの定款の定めについては，法108条3項が適用されず，したがって，その内容の要綱を定款で定め，その種類の株式を初めて発行する時までに，株主総会（取締役会設置会社では株主総会または取締役会，清算人会設置会社にあっては株主総会または清算人会）の決議によって定める旨のみを定款で定めるというようなことはできないということである。本項の定めが置かれている趣旨は以下のようなものであると推測される。たしかに，これらの定款の定めは，株式の内容をなすと評価する余地もあるが，そのような場合には，(a)（種類株式発行会社を除く），(f)および(g)を除けば，いずれの定款の定めも，ある種類の株式であることを前提にした規定であり，同じ種類の株式であるにもかかわらず，これらの事項についてのみ異なる定めを置くことはできないという点で，法108条が定める株式の内容とは異なる。また，(f)および(g)は法107条および108条にいう株式の内容とは異質なものである。しかも，これらの事項については，資金調達の観点から，市場のさまざまな指標をふまえて機動的に決定するという必要性があるようなものではないうえ，その要綱を定めれば足

りるとしても，その具体的内容とその要綱との間に差が生ずるものではないので，要綱を定めれば足りるとすることの意義は乏しい。以上に加えて，会社法は，108条2項に掲げられた事項についてのみ，その種類の株式を初めて発行する時までに，株主総会（取締役会設置会社では株主総会または取締役会，清算人会設置会社では株主総会または清算人会）の決議によって定める旨を定款で定めることができるものとされる事項を法務省令で定めることを委任しているにすぎないから，本項に掲げられた事項について，108条3項のような規律を適用する旨を法務省令で定めることはできない。

（利益の供与に関して責任をとるべき取締役等）

第21条 法第120条第4項に規定する法務省令で定める者は，次に掲げる者とする。

一 利益の供与（法第120条第1項に規定する利益の供与をいう。以下この条において同じ。）に関する職務を行った取締役及び執行役

二 利益の供与が取締役会の決議に基づいて行われたときは，次に掲げる者
　イ 当該取締役会の決議に賛成した取締役
　ロ 当該取締役会に当該利益の供与に関する議案を提案した取締役及び執行役

三 利益の供与が株主総会の決議に基づいて行われたときは，次に掲げる者
　イ 当該株主総会に当該利益の供与に関する議案を提案した取締役
　ロ イの議案の提案の決定に同意した取締役（取締役会設置会社の取締役を除く。）
　ハ イの議案の提案が取締役会の決議に基づいて行われたときは，当該取締役会の決議に賛成した取締役
　ニ 当該株主総会において当該利益の供与に関する事項について説明をした取締役及び執行役

本条は，法120条4項をうけて，株式会社が株主の権利の行使に関して財産上の利益の供与をしたときに，その職務を行うについて注意を怠らなかったことを証明した場合を除き，その株式会社に対して，連帯して，供与した利益の価額に相当する額を支払う義務を負う，「当該利益の供与をすることに関与した取締役（指名委員会等設置会社にあっては，執行役を含む。……）として法務省令で定める者」を定めるものである。

1 利益の供与に関する職務を行った取締役および執行役（1号）

　株主の権利の行使に関する財産上の利益の供与については，株主の権利の行使に関して財産上の利益の供与が，「当該利益の供与をすることに関与した取締役（指名委員会等設置会社にあっては，執行役を含む。……）として法務省令で定める者」（法120条の4項）の一類型として定められている。

　たしかに，平成17年改正前商法の下でも，同法295条1項の規定に違反して株主の権利の行使に関して財産上の利益を供与した（委員会等設置会社以外の会社の）取締役は弁済責任を（平成17年改正前商法266条1項2号），同法295条1項の規定に違反して株主の権利の行使に関して財産上の利益を供与した執行役および（委員会等設置会社の）取締役は金銭の支払義務を（平成17年廃止前商法特例法21条の20第1項），それぞれ負うものとされていた。株主の権利の行使に関して財産上の利益を供与した（委員会等設置会社以外の会社の）取締役または株主の権利の行使に関して財産上の利益を供与した執行役および（委員会等設置会社の）取締役にどのようなものが含まれるかは必ずしも明確ではなかった。

　そこで，本条では，法120条1項の規定に違反して株主の権利の行使に関する「利益の供与に関する職務を行った」取締役および執行役，というように定めを明確化している。「利益の供与に関する職務を行った取締役及び執行役」とされているのは，法120条1項が，株式会社は，その株式会社またはその子会社の計算において，何人に対しても，株主の権利の行使に関し，財産上の利益の供与をしてはならないと定めている以上，法120条1項に違反していないことを確認して，財産上の利益の供与に関する職務を行うべきだからである。

2 利益の供与が取締役会の決議に基づいて行われたとき（2号）

(1) 当該取締役会の決議に賛成した取締役（2号イ）

　その決定に係る取締役会において利益の供与に関する議案に賛成した取締役は，「当該利益の供与をすることに関与した取締役……として法務省令で定める者」にあたるものとされている。

　これは，平成17年改正前商法の下では同法266条1項の行為が取締役会の決議に基づいてなされたとき，その決議に賛成した取締役はその行為を「為シタルモノト看做ス」と定めていたので（平成17年改正前商法266条2項），取締役会においてその取締役会の決議に賛成した取締役も同法266条1項2号（同法295条1項の規定に違反してなした財産上の利益の供与）の責任を負うものと解されていたことをふまえたものである。実質的に考えても，取締役会において決定

する場合には，財産上の利益の供与により，法120条1項に違反することがないように，取締役としては，注意を払うべきである以上，「当該取締役会の決議に賛成した取締役」が責任主体に含められることはやむをえないといえよう。

(2) 当該取締役会に当該利益の供与に関する議案を提案した取締役および執行役（2号ロ）

　平成17年廃止前商法特例法21条の18第1項1号および3号は，委員会等設置会社において，平成17年改正前商法290条1項の規定に違反する利益配当に関する議案または同法293条ノ5第3項の規定に違反する金銭の分配に関する議案を取締役会に提出した執行役は，その職務を行うにつき注意を怠らなかったことを証明した場合を除き，支払義務を負うものとしていたが，同法295条に違反して財産上の利益を供与した場合の責任については，そのような規定は設けられていなかった（平成17年廃止前商法特例法21条の20参照）。しかし，平成17年廃止前商法特例法21条の18第1項1号および3号のような規定ぶりには合理性があるため，本号ロでは，当該取締役会に当該利益の供与に関する議案を提案した取締役および執行役も「当該利益の供与をすることに関与した取締役（委員会設置会にあっては，執行役を含む。……）として法務省令で定める者」にあたるものとされている。

　なお，平成17年改正前商法の下では，委員会等設置会社以外の会社において，取締役会に議案を提案した取締役は，同法266条1項5号の責任を負う可能性があったほか，取締役会の決議に賛成した場合には同条2項により，行為者と同じ責任を負う可能性があったが，取締役会に議案を提案した取締役の責任は特に定められていなかった。

3　利益の供与が株主総会の決議に基づいて行われたとき（3号）

(1) 当該株主総会に当該利益の供与に関する議案を提案した取締役（3号イ）

　本号イは，株主総会に議案を提案した取締役も「当該利益の供与をすることに関与した取締役……として法務省令で定める者」にあたるものと定めている。

　平成17年改正前商法266条1項1号は，委員会等設置会社以外の会社について，同法290条1項に違反する利益配当に関する議案を株主総会に提出した取締役は違法配当額について弁済責任を負うと定めていたが，同法295条に違反

して財産上の利益を供与する議案を株主総会に提出した取締役の責任については定めがなかった。しかし，利益の供与に関する議案が株主総会に提出されれば，その議案が承認される可能性は，経験則上，高いということができる一方で，その者（当該利益の供与をした取締役を除く）がその職務を行うについて注意を怠らなかったことを証明した場合には法120条4項の支払義務を負わないこととされていることから，「当該利益の供与をすることに関与した取締役……として法務省令で定める者」の範囲を広く解しても酷ではないと考えられるので，本号イのような定めが置かれている。

(2) 当該利益の供与に関する議案の提案の決定に同意した取締役（取締役会設置会社の取締役を除く）（3号ロ）

　会社が株主総会に提出する議案は，株主総会の招集の決定の一環として，取締役会設置会社以外の会社では取締役が決定するので（法298条1項・348条3項3号），本号ロは，その利益の供与に関する議案の提案の決定に同意した取締役（取締役会設置会社の取締役を除く）も，「当該利益の供与をすることに関与した取締役……として法務省令で定める者」にあたるものと定めている。

　これは，株主総会に議案を提案した取締役も「当該利益の供与をすることに関与した取締役……として法務省令で定める者」にあたるものとすると（本号イ），当該利益の供与に関する議案の提案の決定に同意した取締役（取締役会設置会社の取締役を除く）も「当該利益の供与をすることに関与した取締役……として法務省令で定める者」にあたるとすることが均衡がとれていると考えられることによる。本号ロの定めは本号ハの定めとも首尾一貫する。

(3) 当該利益の供与に関する議案の提案が取締役会の決議に基づいて行われたときは，当該取締役会の決議に賛成した取締役（3号ハ）

　会社が株主総会に提出する議案は，株主総会の招集の決定の一環として，取締役会設置会社では取締役会の決議により決定されるので（法298条4項），本号ハは，その利益の供与に関する議案の提案が取締役会の決議に基づいて行われたときは，その取締役会の決議に賛成した取締役も，「当該利益の供与をすることに関与した取締役……として法務省令で定める者」にあたるものとされている。

　これは，株主総会に議案を提案した取締役も「当該利益の供与をすることに関与した取締役……として法務省令で定める者」にあたるものとすると（本号

イ），当該利益の供与に関する議案の提案が取締役会の決議に基づいて行われたときは，当該取締役会の決議に賛成した取締役も「当該利益の供与をすることに関与した取締役……として法務省令で定める者」にあたるとすることが均衡がとれていると考えられることによる。すなわち，取締役会設置会社においては，株主総会に提出される議案のうち，一定の重要な事項に係るものは，株主が株主総会を招集するときおよび株主が提案権を行使した場合を除き，取締役会の決議によって決定され，各取締役にその決定を委任することができないと解されるところ（法298条4項・1項5号，施規63条7号），平成17年改正前商法266条2項は，同条1項の行為が取締役会の決議に基づいてなされたときはその決議に賛成した取締役はその行為を「為シタルモノト看做ス」と定めていたところ，株主総会の議案は取締役会において決定すべきものと解されていたから，たとえば，同法290条1項に違反する利益配当に関する議案の提出に取締役会において賛成した取締役も同法266条1項1号の責任を負うものと解されていたこととも整合的であるし，本号ロの定めとも首尾一貫する。

(4) 株主総会において説明をした取締役および執行役（3号ニ）

　株主の権利に関する財産上の利益の供与が株主総会の決議に基づいて行われたときには，その総会においてその利益の供与に関する議案について説明をした取締役および執行役も「当該利益の供与をすることに関与した取締役（委員会設置会にあっては，執行役を含む。……）として法務省令で定める者」にあたるものとされている。

　おそらく，平成17年改正前商法および平成17年廃止前商法特例法の下では，このような取締役・執行役は平成17年改正前商法266条1項5号あるいは平成17年廃止前商法特例法21条の17第1項による損害賠償責任を負うにすぎなかったのではないかと推測されるが，本号ニでは，利益の供与に関する職務を行った取締役および執行役と同様の責任主体とされている。これは，株主総会において説明をした取締役および執行役は，株主総会が法120条1項違反の決議をすることに大きく寄与していると評価できる一方で，そのような取締役および執行役もその職務を行うについて注意を怠らなかったことを証明したときには支払義務を負わないこととされているため（法120条4項ただし書），責任主体に含めても過酷ではないと考えられるからであろう。

第2節　株式の譲渡等

─（株主名簿記載事項の記載等の請求）─────────────
第22条　法第133条第2項に規定する法務省令で定める場合は，次に掲げる場合とする。
　一　株式取得者が株主として株主名簿に記載若しくは記録がされた者又はその一般承継人に対して当該株式取得者の取得した株式に係る法第133条第1項の規定による請求をすべきことを命ずる確定判決を得た場合において，当該確定判決の内容を証する書面その他の資料を提供して請求をしたとき。
　二　株式取得者が前号の確定判決と同一の効力を有するものの内容を証する書面その他の資料を提供して請求をしたとき。
　三　株式取得者が指定買取人である場合において，譲渡等承認請求者に対して売買代金の全部を支払ったことを証する書面その他の資料を提供して請求をしたとき。
　四　株式取得者が一般承継により当該株式会社の株式を取得した者である場合において，当該一般承継を証する書面その他の資料を提供して請求をしたとき。
　五　株式取得者が当該株式会社の株式を競売により取得した者である場合において，当該競売により取得したことを証する書面その他の資料を提供して請求をしたとき。
　六　株式取得者が株式売渡請求により当該株式会社の発行する売渡株式の全部を取得した者である場合において，当該株式取得者が請求をしたとき。
　七　株式取得者が株式交換（組織変更株式交換を含む。）により当該株式会社の発行済株式の全部を取得した会社である場合において，当該株式取得者が請求をしたとき。
　八　株式取得者が株式移転（組織変更株式移転を含む。）により当該株式会社の発行済株式の全部を取得した株式会社である場合において，当該株式取得者が請求をしたとき。
　九　株式取得者が法第197条第1項の株式を取得した者である場合において，同条第2項の規定による売却に係る代金の全部を支払ったことを証する書面その他の資料を提供して請求をしたとき。
　十　株式取得者が株券喪失登録者である場合において，当該株式取得者が株

券喪失登録日の翌日から起算して1年を経過した日以降に，請求をしたとき（株券喪失登録が当該日前に抹消された場合を除く。）。
　十一　株式取得者が法第234条第2項（法第235条第2項において準用する場合を含む。）の規定による売却に係る株式を取得した者である場合において，当該売却に係る代金の全部を支払ったことを証する書面その他の資料を提供して請求をしたとき。
2　前項の規定にかかわらず，株式会社が株券発行会社である場合には，法第133条第2項に規定する法務省令で定める場合は，次に掲げる場合とする。
　一　株式取得者が株券を提示して請求をした場合
　二　株式取得者が株式売渡請求により当該株式会社の発行する売渡株式の全部を取得した者である場合において，当該株式取得者が請求をしたとき。
　三　株式取得者が株式交換（組織変更株式交換を含む。）により当該株式会社の発行済株式の全部を取得した会社である場合において，当該株式取得者が請求をしたとき。
　四　株式取得者が株式移転（組織変更株式移転を含む。）により当該株式会社の発行済株式の全部を取得した株式会社である場合において，当該株式取得者が請求をしたとき。
　五　株式取得者が法第197条第1項の株式を取得した者である場合において，同項の規定による競売又は同条第2項の規定による売却に係る代金の全部を支払ったことを証する書面その他の資料を提供して請求をしたとき。
　六　株式取得者が法第234条第1項若しくは第235条第1項の規定による競売又は法第234条第2項（法第235条第2項において準用する場合を含む。）の規定による売却に係る株式を取得した者である場合において，当該競売又は当該売却に係る代金の全部を支払ったことを証する書面その他の資料を提供して請求をしたとき。

　本条は，株式をその株式を発行した株式会社以外の者から取得した者（その株式会社を除く）が，その取得した株式の株主として株主名簿に記載され，もしくは記録された者またはその相続人その他の一般承継人と共同せずに，その株式会社に対し，その株式に係る株主名簿記載事項を株主名簿に記載し，または記録すること（以下，本条に対するコメントにおいては，「名義書換」という）を請求することができる場合，すなわち，利害関係人の利益を害するおそれがないものとして法務省令で定める場合（法133条2項）を定めるものである。

1 株券発行会社以外の会社の場合（1項）

　株券発行会社（その株式（種類株式発行会社にあっては，全部の種類の株式）に係る株券を発行する旨の定款の定めがある株式会社。法117条7項）においては，株券の占有者は，当該株券に係る株式についての権利を適法に有するものと推定されるので（法131条1項），株券を占有する者は株券を提示することによって単独で名義書換を請求することができるものとされている（2項1号）。しかし，株券発行会社以外の会社においては，株券が発行されないため，法131条1項の適用の余地がない。これを前提とした上で，株式会社における安全かつ円滑な名義書換の実施を確保するために本項が定められている（始関・商事法務1708号27頁参照）。

(1) 株式取得者が株主として株主名簿に記載もしくは記録がされた者またはその一般承継人に対してその株式取得者の取得した株式に係る名義書換請求をすべきことを命ずる確定判決を得た場合において，その確定判決の内容を証する書面その他の資料を提供して請求をしたとき（1号）

　平成17年改正前商法206条ノ2第2項2号および平成18年改正前商法施行規則194条1項1号を踏襲したものである。その株式取得者の取得した株式に係る名義書換請求をすべきことを，株主として株主名簿に記載もしくは記録がされた者またはその一般承継人に対して命ずる確定判決によって，株主として株主名簿に記載もしくは記録がされた者またはその一般承継人が名義書換請求の意思表示をしたものとみなされるため（民事執行法177条1項），その確定判決の内容を証する書面その他の資料（確定判決の正本のほか，会社は謄本や確定判決の内容を証する電磁的記録等を許容することができるが（論点解説143頁），これは会社のリスクで許容されるものと考えられる）を提供して株式取得者が単独で名義書換を請求することを認めても利害関係人を害するおそれがないからである。

(2) 株式取得者が(1)の確定判決と同一の効力を有するものの内容を証する書面その他の資料を提供して請求をしたとき（2号）

　平成18年改正前商法施行規則194条1項2号を踏襲したものである。この場合には，確定判決と同一の効力を有するものを得ている以上，株式取得者が単独で名義書換請求することを認めても利害関係人を害するおそれがないからである。(1)の「確定判決と同一の効力を有するものの内容を証する書面その他の

資料」には，株主として株主名簿に記載もしくは記録がされた者またはその一般承継人が株式取得者への名義書換請求の意思表示をする旨を記載した和解調書や調停調書などがあたる。

(3) 株式取得者が指定買取人である場合において，譲渡等承認請求者に対して売買代金の全部を支払ったことを証する書面その他の資料を提供して請求をしたとき（3号）

　平成17年改正前商法206条ノ2第2項2号および平成18年改正前商法施行規則194条1項3号に相当する規定である。株券発行会社以外の会社では，株券が存在しないため，指定買取人との関係で譲渡等承認請求者が株券の供託をするという手続を要求することができない（法142条3項参照）。したがって，指定買取人は代金の支払や供託と株式取得の対抗要件の具備とを同時履行の関係にすることができない。しかし，指定買取人が代金を支払いまたは供託したにもかかわらず，譲渡等承認請求者が名義書換請求に協力しない場合に，指定買取人が意思表示を命じる確定判決（1号参照）を得なければ，名義書換を請求できないとすることは，株券発行会社における指定買取人に比べ不利益が大きすぎるため，本号は，譲渡等承認請求者の領収書など代金を支払ったことを証する書面や供託所の発行した代金の供託証明書を提供して，指定買取人が単独で名義書換を請求することを認めるものである（始関・商事法務1708号27頁）。

(4) 株式取得者が一般承継によりその株式会社の株式を取得した者である場合において，その一般承継を証する書面その他の資料を提供して請求をしたとき（4号）

　平成18年改正前商法施行規則194条1項5号に相当する規定である。相続や吸収合併の場合には，株主として株主名簿に記載もしくは記録がされた者がすでに存在しなくなっているため，共同して名義書換請求することはできないが，相続の場合には戸籍謄本や遺産分割協議書によって，会社の合併や分割の場合には商業登記簿の登記事項証明書（会社の分割の場合は，さらに，吸収分割契約あるいは新設分割計画）によって，一般承継が生じたことを株式会社は確認することができるので，そのような「一般承継を証する書面その他の資料」を提供して，名義書換の請求がなされる場合には，株式取得者単独での請求を認めても利害関係人を害するおそれがないからである（始関・商事法務1708号28頁）。

(5) 株式取得者がその株式会社の株式を競売により取得した者である場合において，その競売により取得したことを証する書面その他の資料を提供して請求をしたとき（5号）

　株式会社の株式を競売により取得する場合には，必ずしも，株主として株主名簿に記載もしくは記録がされた者の所在が明確ではなく（典型的には，所在不明株主の株式の競売の場合），明確であっても，名義書換の共同請求に協力的ではないことが一般的であろう。したがって，共同で，名義書換の請求をしなければならないとすることは実際的ではない。ところが，裁判所が行う競売手続においては代金を納付することによって，株式を取得するから，意思表示を命ずる確定判決（1号参照）を取得せずに，単独請求による名義書換を認めても，利害関係人を害するおそれはないと考えられるからである（始関・商事法務1708号27～28頁）。

(6) 株式取得者が株式売渡請求により当該株式会社の発行する売渡株式の全部を取得した者である場合において，当該株式取得者が請求をしたとき（6号）

　法179条1項は，株式会社の特別支配株主は，当該株式会社の株主（当該株式会社および当該特別支配株主を除く）の全員に対し，その有する当該株式会社の株式の全部を当該特別支配株主に売り渡すことを請求することができると定めており，売渡株主と共同して名義書換を請求しなければならないとすると，株式売渡請求制度を設けた趣旨に沿わない。また，売渡株主が共同請求に協力的であるとは限らない上，共同請求によらなければならないとすると煩瑣である。しかも，対象会社にとっては，当該株式取得者が売渡株式を取得したことは明らかである。したがって，この場合には，単独請求による名義書換を認めても，利害関係人を害するおそれはないと考えられる（坂本ほか・商事法務2063号50頁）。

(7) 株式取得者が株式交換（組織変更株式交換を含む）によりその株式会社の発行済株式の全部を取得した会社である場合において，その株式取得者が請求をしたとき（7号）

　平成17年改正前商法206条ノ2第2項3号および平成18年改正前商法施行規則194条2項1号を踏襲したものである。株式交換（組織変更株式交換（保険業法96条の5第1項）を含む［→2条3㉒］）は，株主総会の特別決議により，完全子会社となる株式会社の発行済株式の全部を完全親会社となる会社に移転する

手続であるから，完全子会社となる会社の株主全員と共同して名義書換を請求することは実務上の負担も重いし，反対株主が有する株式を含めて，その意思にかかわらず完全親会社となる会社に移転する手続であるから，反対株主は完全親会社となる会社と共同して名義書換請求することに協力してくれない可能性もある。したがって，このような場合に，株主として株主名簿に記載もしくは記録がされた者と共同しなければ，名義書換を請求できないとすることは実際的ではない。そして，株式交換の効力発生日において，完全子会社となる会社の発行済株式全部が完全親会社となる会社に移転するものであることに鑑みれば，完全親会社となった会社が単独で名義書換を請求することを認めても，利害関係人を害するおそれはないので，本号のような定めが置かれている（始関・商事法務1708号28頁）。

(8) 株式取得者が株式移転（組織変更株式移転を含む）によりその株式会社の発行済株式の全部を取得した株式会社である場合において，その株式取得者が請求をしたとき（8号）

　平成17年改正前商法206条ノ2第2項3号および平成18年改正前商法施行規則194条2項1号を踏襲したものである。株式移転（組織変更株式移転（保険業法96条の8第1項）を含む［→2条3㉓］）は，株主総会の特別決議により，完全子会社となる株式会社の発行済株式の全部を完全親会社となる設立会社に移転する手続であるから，完全子会社となる会社の株主全員と共同して名義書換を請求することは実務上の負担も重いし，反対株主が有する株式を含めて，その意思にかかわらず完全親会社となる設立会社に移転する手続であるから，反対株主は完全親会社となる設立会社と共同して名義書換を請求することに協力してくれない可能性もある。したがって，このような場合に，株主として株主名簿に記載もしくは記録がされた者と共同しなければ，名義書換を請求できないとすることは実際的ではない。そして，株式移転の効力発生日において，完全子会社となる会社の発行済株式全部が完全親会社となる会社に移転するものであることに鑑みれば，完全親会社となった設立会社が単独で名義書換を請求することを認めても，利害関係人を害するおそれはないので，本号のような定めが置かれている（始関・商事法務1708号28頁）。

(9) 株式取得者が所在不明株主の株式の売却において，その株式会社の株式を取得した者である場合において，その売却に係る代金の全部を支払ったこと

第22条（株主名簿記載事項の記載等の請求） 147

を証する書面その他の資料を提供して請求をしたとき（9号）

所在不明株主の株式の売却においては，株主として株主名簿に記載もしくは記録がされた者の所在が明確ではなく，したがって，共同で，名義書換の請求をしなければならないとすることは実際的ではない。意思表示を命じる確定判決（1号参照）を得ることを求めることも煩瑣である。他方，競売の場合も売却の場合も，当該株式取得者がそれにより当該株式を取得したことは会社にとって明らかになっている。とりわけ，所在不明株主の株式の売却は，発行会社である株式会社が行うものであることに鑑みると，株式取得者がその売却に係る代金の全部を支払ったことを証する書面その他の資料を提供して，単独で名義書換を請求することを認めても，利害関係人を害するおそれはないものと考えられる（株式会社自身がその売却代金を受け取り，それを保管するはずであり，代金を受け取っていないにもかかわらず，代金の全部を支払ったことを証する書面その他の資料を交付すれば，株式会社が責任を負うし，株式会社は提供された「代金の全部を支払ったことを証する書面その他の資料」の真否を容易に確認できるはずである）。

(10) 株式取得者が株券喪失登録者である場合において，当該株式取得者が株券喪失登録日の翌日から起算して1年を経過した日以降に，請求をしたとき（株券喪失登録が当該日前に抹消された場合を除く）（10号）

本号は，平成17年改正前商法230条ノ6第2項をふまえたものである。同項は，株券失効手続により無効となった株券について株券喪失登録者がその株券に係る株式の名義人でない場合には，その株券が無効となった日に，株式会社はその株券喪失登録者につき名義書換をしたものとみなすとしていたが，会社法の下では，名義書換は株券喪失登録者の請求を受けてなすこととしている。しかし，株券失効制度の下で無効となった株券に係る株主として株主名簿に記載もしくは記録がされた者が，株券喪失登録者による名義書換請求に協力するということは考えられない（そもそも，株券喪失登録がなされたときには，その株券に係る株主として株主名簿に記載もしくは記録がされた者に対して，株券喪失登録をした旨などが通知されるから（法224条1項），株券喪失登録が抹消されずに株券喪失登録日の翌日から起算して1年を経過するということは，その株券に係る株主として株主名簿に記載もしくは記録がされた者は，当該株券に係る株式の株主ではないことが一般的であろう）。したがって，共同して名義書換を請求しなければならないとすることは実際的ではない。他方，株券失効制度は，株券喪失

登録が抹消されずに株券喪失登録日の翌日から起算して1年を経過した場合には，株券喪失登録者の形式的資格を認めるというものであり，株券発行会社においては，株券喪失登録者に対して株券の再発行がなされ（法228条2項），その結果，株券喪失登録者は単独で名義書換請求できること（2項1号）との均衡からは，株券発行会社以外の会社においても，株券喪失登録者が単独で名義書換を請求できるとすることが適当である。

(11) 株式取得者が法234条2項（法235条2項において準用する場合を含む）の規定による売却に係る株式を取得した者である場合において，当該売却に係る代金の全部を支払ったことを証する書面その他の資料を提供して請求をしたとき（11号）

　法234条1項は，取得条項付株式の取得の場合などに際して，会社の株式を交付する場合において，その者に対し交付しなければならない当該会社の株式の数に1株に満たない端数があるときは，その端数の合計数に相当する数の株式を競売し，かつ，その端数に応じてその競売により得られた代金を当該者に交付しなければならないとしているが，同条2項は，競売に代えて，市場価格のある同項の株式については市場価格として法務省令で定める方法により算定される額をもって，市場価格のない同項の株式については裁判所の許可を得て競売以外の方法により，これを売却することができるものとしている（法235条1項は，「株式会社が株式の分割又は株式の併合をすることにより株式の数に1株に満たない端数が生ずるときは，その端数の合計数……に相当する数の株式を競売し，かつ，その端数に応じてその競売により得られた代金を株主に交付しなければならない」とし，同条2項は法234条2項から5項を準用している）。この場合には，1株に満たない端数について権利を有する者は売却された株式に係る株主ではないから，共同請求の主体ではないと考えられる（実質的に考えてみても，そのような者と共同請求しなければならないとするのは煩瑣であるし，そのような者が共同請求に協力的であるとは限らない）。しかも，株式取得者は会社から取得するという位置づけであることに鑑みると，会社と共同して会社に対し名義書換を請求するというのも奇妙であるし，共同請求を要求する必要もない。むしろ，立法論としては，法132条1項3号（自己株式の処分）の場合と同様，株主の請求によらずに，会社は当該株式の株主に係る株主名簿記載事項を株主名簿に記載し，または記録しなければならないとしてもよいぐらいである。

2　株券発行会社の場合（2項）

　確定判決を得た場合や競売等の場合には，株券を提示して名義書換を請求することになるので，特別な定めは置かれていない（相澤＝郡谷・商事法務1760号6頁）。

(1)　株式取得者が株券を提示して請求をした場合（1号）
　株券発行会社においては，株券の占有者は，当該株券に係る株式についての権利を適法に有するものと推定されるからである（法131条1項）。

(2)　株式取得者が株式売渡請求により当該株式会社の発行する売渡株式の全部を取得した者である場合において，当該株式取得者が請求をしたとき（2号）
　株式取得者が株式売渡請求により当該株式会社の発行する売渡株式の全部を取得した者である場合において，当該株式取得者が請求をしたときには，株券を提示しなくとも株主名簿に記録または記載することを求めることができる。これは，一方で，当該株式に係る売渡株主と共同して請求しなければならないとすると，株式売渡請求制度を設けた趣旨に沿わないことに加え，売渡株主が共同請求に協力的であるとは限らない上，共同請求によらなければならないとすると煩瑣であるためである。他方で，対象会社にとっては，当該株式取得者が売渡株式を取得したことは明らかであるからである。したがって，単独請求による名義書換を認めても，利害関係人を害するおそれはないと考えられるからである（坂本ほか・商事法務2063号50頁）。

(3)　株式取得者が株式交換（組織変更株式交換を含む）により当該株式会社の発行済株式の全部を取得した会社である場合において，当該株式取得者が請求をしたとき（3号）
　1項7号とパラレルな規定である。株式交換（組織変更株式交換を含む）は，株主総会の特別決議により，完全子会社となる株式会社の発行済株式の全部を完全親会社となる会社に移転する手続であるから，完全子会社となる会社の株主全員からその有する株式に係る株券の交付を受けることや完全子会社となる会社の株主全員と共同して名義書換請求することは実務上の負担も重いし，反対株主が有する株式を含めて，その意思にかかわらず完全親会社となる会社に移転する手続であるから，反対株主はその有する株式に係る株券を完全親会社となる会社に交付してくれない可能性や完全親会社となる会社と共同して名義

書換請求することに協力してくれない可能性もある。したがって，このような場合に，株主として株主名簿に記載もしくは記録がされた者と共同しなければ，名義書換請求できないとすることは実際的ではない。そして，株式交換の効力発生日において，完全子会社となる会社の発行済株式全部が完全親会社となる会社に移転するものであることに鑑みれば，完全親会社となった会社が単独で名義書換を請求することを認めても，利害関係人を害するおそれはないので，本号のような定めが置かれている。

(4) 株式取得者が株式移転（組織変更株式移転を含む）により当該株式会社の発行済株式の全部を取得した株式会社である場合において，当該株式取得者が請求をしたとき（4号）

　1項8号とパラレルな規定である。株式移転（組織変更株式移転を含む）は，株主総会の特別決議により，完全子会社となる株式会社の発行済株式の全部を完全親会社となる設立会社に移転する手続であるから，完全子会社となる会社の株主全員からその有する株式に係る株券の交付を受けることや完全子会社となる会社の株主全員と共同して名義書換請求することは実務上の負担も重いし，反対株主が有する株式を含めて，その意思にかかわらず完全親会社となる設立会社に移転する手続であるから，反対株主はその有する株式に係る株券を完全親会社となる設立会社に交付してくれない可能性や完全親会社となる設立会社と共同して名義書換請求することに協力してくれない可能性もある。したがって，このような場合に，株主として株主名簿に記載もしくは記録がされた者と共同しなければ，名義書換請求できないとすることは実際的ではない。そして，株式移転の効力発生日において，完全子会社となる会社の発行済株式全部が完全親会社となる会社に移転するものであることに鑑みれば，完全親会社となった設立会社が単独で名義書換を請求することを認めても，利害関係人を害するおそれはないので，本号のような定めが置かれている。

(5) 株式取得者が所在不明株主の株式の競売または売却によって，その株式会社の株式を取得した者である場合において，その競売または売却に係る代金の全部を支払ったことを証する書面その他の資料を提供して請求をしたとき（5号）

　所在不明株主の株式の競売または売却においては，株主として株主名簿に記載もしくは記録がされた者の所在が明確ではなく，したがって，共同で名義書

換の請求をしなければならないとすることは，実際的ではない。また，当然のことながら，株券の交付を受けることも通常は考えられない。しかも，意思表示を命じる確定判決（1項1号参照）を得ることを求めることも煩瑣である。他方，競売の場合も売却の場合も，当該株式取得者がそれにより当該株式を取得したことは会社にとって明らかになっている。とりわけ，所在不明株主の株式の売却は，発行会社である株式会社が行うものであることに鑑みると，株式取得者がその競売または売却に係る代金の全部を支払ったことを証する書面その他の資料を提供して，単独で名義書換請求することを認めても，利害関係人を害するおそれはないものと考えられる（売却の場合であっても，株式会社自身がその売却代金を受け取り，それを保管するはずであり，代金を受け取っていないにもかかわらず，代金の全部を支払ったことを証する書面その他の資料を交付すれば，株式会社が責任を負うし，株式会社は提供された「代金の全部を支払ったことを証する書面その他の資料」の真否を容易に確認できるはずである）。

(6)　株式取得者が法234条1項もしくは法235条1項の規定による競売または法234条2項（法235条2項において準用する場合を含む）の規定による売却に係る株式を取得した者である場合において，当該競売または当該売却に係る代金の全部を支払ったことを証する書面その他の資料を提供して請求をしたとき（6号）

法234条1項は，取得条項付株式の取得の場合などに際して，会社の株式を交付する場合において，その者に対し交付しなければならない当該会社の株式の数に1株に満たない端数があるときは，その端数の合計数に相当する数の株式を競売し，かつ，その端数に応じてその競売により得られた代金を当該者に交付しなければならないとしているが，同条2項は，競売に代えて，市場価格のある同項の株式については市場価格として法務省令で定める方法により算定される額をもって，市場価格のない同項の株式については裁判所の許可を得て競売以外の方法により，これを売却することができるものとしている。

この場合には，1株に満たない端数について権利を有する者は競売または売却された株式に係る株主ではないから，共同請求の主体ではないと考えられる（実質的に考えてみても，そのような者と共同請求しなければならないとするのは煩瑣であるし，そのような者が共同請求に協力的であるとは限らない）。

他方，競売の場合には，株式取得者が競売により当該株式を取得した者であることは会社にとって明らかになっている。また，売却の場合に，株式取得者

は会社から当該株式を取得するという位置づけであることに鑑みると，会社と共同して会社に対し名義書換を請求するというのは奇妙であるし，共同請求を要求する必要もない。むしろ，立法論としては，法132条1項3号（自己株式の処分）の場合と同様，株主の請求によらずに，会社は当該株式の株主に係る株主名簿記載事項を株主名簿に記載し，または記録しなければならないとしてもよいぐらいである。

（子会社による親会社株式の取得）

第23条 法第135条第2項第5号に規定する法務省令で定める場合は，次に掲げる場合とする。

一 吸収分割（法以外の法令（外国の法令を含む。以下この条において同じ。）に基づく吸収分割に相当する行為を含む。）に際して親会社株式の割当てを受ける場合

二 株式交換（法以外の法令に基づく株式交換に相当する行為を含む。）に際してその有する自己の株式（持分その他これに準ずるものを含む。以下この条において同じ。）と引換えに親会社株式の割当てを受ける場合

三 株式移転（法以外の法令に基づく株式移転に相当する行為を含む。）に際してその有する自己の株式と引換えに親会社株式の割当てを受ける場合

四 他の法人等が行う株式交付（法以外の法令に基づく株式交付に相当する行為を含む。）に際して親会社株式の割当てを受ける場合

五 親会社株式を無償で取得する場合

六 その有する他の法人等の株式につき当該他の法人等が行う剰余金の配当又は残余財産の分配（これらに相当する行為を含む。）により親会社株式の交付を受ける場合

七 その有する他の法人等の株式につき当該他の法人等が行う次に掲げる行為に際して当該株式と引換えに当該親会社株式の交付を受ける場合

　イ 組織の変更

　ロ 合併

　ハ 株式交換（法以外の法令に基づく株式交換に相当する行為を含む。）

　ニ 株式移転（法以外の法令に基づく株式移転に相当する行為を含む。）

　ホ 取得条項付株式（これに相当する株式を含む。）の取得

　ヘ 全部取得条項付種類株式（これに相当する株式を含む。）の取得

八 その有する他の法人等の新株予約権等を当該他の法人等が当該新株予約権等の定めに基づき取得することと引換えに親会社株式の交付をする場合において，当該親会社株式の交付を受けるとき。

九　法第135条第１項の子会社である者（会社を除く。）が行う次に掲げる行為に際して当該者がその対価として親会社株式を交付するために、その対価として交付すべき当該親会社株式の総数を超えない範囲において当該親会社株式を取得する場合
　　イ　組織の変更
　　ロ　合併
　　ハ　法以外の法令に基づく吸収分割に相当する行為による他の法人等がその事業に関して有する権利義務の全部又は一部の承継
　　ニ　法以外の法令に基づく株式交換に相当する行為による他の法人等が発行している株式の全部の取得
十　他の法人等（会社及び外国会社を除く。）の事業の全部を譲り受ける場合において、当該他の法人等の有する親会社株式を譲り受けるとき。
十一　合併後消滅する法人等（会社を除く。）から親会社株式を承継する場合
十二　吸収分割又は新設分割に相当する行為により他の法人等（会社を除く。）から親会社株式を承継する場合
十三　親会社株式を発行している株式会社（連結配当規制適用会社に限る。）の他の子会社から当該親会社株式を譲り受ける場合
十四　その権利の実行に当たり目的を達成するために親会社株式を取得することが必要かつ不可欠である場合（前各号に掲げる場合を除く。）

　本条は、法135条２項５号の委任をうけて、子会社による親会社株式の取得が許される場合を定めるものである。すなわち、会社法は、他の会社（外国会社を含む）の事業の全部を譲り受ける場合において当該他の会社の有する親会社株式を譲り受ける場合（法135条２項１号）、合併後消滅する会社から親会社株式を承継する場合（同項２号）、吸収分割により他の会社から親会社株式を承継する場合（同項３号）、および、新設分割により他の会社から親会社株式を承継する場合（同項４号）には子会社による親会社株式の取得が許されると定めているが、本条は、これらの「ほか、法務省令で定める場合」を定める（同項５号）ものである。また、吸収合併消滅株式会社もしくは株式交換完全子会社の株主、吸収合併消滅持分会社の社員または吸収分割会社（消滅会社等の株主等）に対して交付する金銭等の全部または一部が存続株式会社等の親会社株式である場合（法800条１項）には、その存続株式会社等は、吸収合併等に際して消滅会社等の株主等に対して交付するその親会社株式の総数を超えない

範囲においてその親会社株式を取得することができると定めている。

　子会社による親会社株式取得が禁止されている主要な理由は、会社法が定める自己の株式取得に関する財源規制および取得方法規制を潜脱することを防止することにあると考えられる。そこで、そのような弊害がない場合あるいは子会社による親会社株式取得が必要と考えられる一方で弊害が少ないと考えられる場合について、法135条、800条および本条は、子会社による親会社株式取得禁止が及ばないものと定めている。

1　吸収分割（会社法以外の法令（外国の法令を含む）に基づく吸収分割に相当する行為を含む）に際して親会社株式の割当てを受ける場合（1号）

　平成17年改正前商法211条ノ2第1項1号を踏襲したものである。

　子会社にとっては、親会社株式も財産的価値を有する。そして、吸収分割により、吸収分割会社である子会社は、吸収分割の対象である事業に関して有する権利義務の全部または一部を分割後他の会社（吸収分割承継会社）に承継させるので、その対価として親会社株式の割当てを受けることが認められないとすると、子会社の会社財産が減少することになるという不都合が生じ、子会社の株主・社員および会社債権者に不利益が生ずることになるので、吸収分割に際して親会社株式の割当てを受ける場合には親会社株式の取得を認める必要がある。他方で、このような場合には、親会社が吸収分割承継会社であるときには、その親会社において株主総会の特別決議を原則として経ることになるし、親会社以外の会社が吸収分割承継会社であっても（分割対価の柔軟化（法758条4号）に伴うものである）、吸収分割に伴うものである以上、子会社による親会社株式の取得が許容されるべきであると考えられる。さらに、吸収分割により他の会社から親会社株式を承継する場合（法135条2項3号）との均衡からも認められてよいと考えられる。

　「法以外の法令（外国の法令を含む。……）に基づく吸収分割に相当する行為を含む」とされているのは、そのような行為により親会社株式が割り当てられる場合であっても、同様の根拠があてはまるからである。もっとも、子会社が株式会社であって、他の法令に規定がない場合に、会社以外の法人等との間で株式会社が会社法以外の法令（外国の法令を含む）に基づく吸収分割に相当する行為を行うことができるかどうかについては検討を要する。

2　株式交換（会社法以外の法令（外国の法令を含む）に基づく株式交換に相当す

る行為を含む）に際してその有する自己の株式等と引換えに親会社株式の割当てを受ける場合（2号）

平成17年改正前商法211条ノ2第1項1号を踏襲したものである。

　子会社にとっては，親会社株式も財産的価値を有する。そして，株式交換により，株式交換完全子会社である子会社が，その有する自己の株式（持分その他これに準ずるものを含む）を株式交換完全親会社に移転する場合に，その対価として親会社株式の割当てを受けることが認められないとすると，子会社の会社財産が減少することになるという不都合が生じ，子会社の株主・社員および会社債権者に不利益が生ずることになるので，株式交換に際してその有する自己の株式と引換えに親会社株式の割当てを受ける場合には親会社株式の取得を認める必要がある。すなわち，親会社株式の取得を認めても，それによる子会社における会社財産の流出はなく，親会社が有する子会社株式の価値に悪影響を与えないからである。他方で，このような場合には，親会社が株式交換親会社であるときには，その親会社において株主総会の特別決議を原則として経ることになるし（法795条1項），親会社以外の会社が株式交換完全親会社であっても（株式交換対価の柔軟化（法768条1項2号）に伴うものである），株式交換に伴うものである以上，子会社による親会社株式の取得が許容されるべきであると考えられる。

　「法以外の法令〔外国の法令を含む。1号〕に基づく株式交換に相当する行為を含む」とされているのは，そのような行為により親会社株式が割り当てられる場合であっても，同様の根拠があてはまるからである。もっとも，子会社が株式会社である場合に，他の法令に規定がない場合に（ただし，組織変更株式交換（2条3項22号）），会社以外の法人等との間で株式会社が会社法以外の法令（外国の法令を含む）に基づく株式交換に相当する行為を行うことができるかどうかについては検討を要する。

3　株式移転（会社法以外の法令（外国の法令を含む）に基づく株式移転に相当する行為を含む）に際してその有する自己の株式等と引換えに親会社株式の割当てを受ける場合（3号）

平成17年改正前商法211条ノ2第1項1号を踏襲したものである。

　子会社にとっては，親会社株式も財産的価値を有する。そして，株式移転により，株式移転完全子会社である子会社が，その有する自己の株式（持分その他これに準ずるものを含む）を株式移転設立完全親会社に移転する場合に，その

対価として親会社株式の割当てを受けることが認められないとすると、子会社の会社財産が減少することになるという不都合が生じ、子会社の株主・社員および会社債権者に不利益が生ずることになるので、株式移転に際してその有する自己の株式と引換えに親会社株式の割当てを受ける場合には親会社株式の取得を認める必要がある。すなわち、親会社株式の取得を認めても、それによる子会社における会社財産の流出はなく、親会社が有する子会社株式の価値に悪影響を与えないからである。また、株式移転については、株主総会の特別決議を経ることとされているので（法804条1項）、株主間の公平という問題も生じない。「法以外の法令〔外国の法令を含む。1号〕に基づく株式移転に相当する行為を含む」とされているのは、そのような行為により親会社株式が割り当てられる場合であっても、同様の根拠があてはまるからである。もっとも、子会社が株式会社である場合に、他の法令に規定がない場合に（ただし、組織変更株式移転。2条3項23号）、会社以外の法人等との間で株式会社が会社法以外の法令（外国の法令を含む）に基づく株式移転に相当する行為を行うことができるかどうかについては検討を要する。

4 他の法人等が行う株式交付（法以外の法令に基づく株式交付に相当する行為を含む）に際して親会社株式の割当てを受ける場合（4号）

親会社が株式交付親会社でない場合には、親会社からの財産の流出は生ぜず、また、他の法人等が行う株式交付に際して、親会社の株式の交付を受けても、それは、当該他の法人等から優先的に親会社株式を子会社が取得するとも評価できないので親会社株主間の平等を損なうとは評価されず、親会社による自己の株式取得規制の潜脱とはならない。親会社（3条3項2号または3号の場合）が株式交付親会社である場合には、子会社が親会社株式の割当てを受けても、親会社から子会社以外の株主に対する財産の流出は生じないし、子会社から親会社の他の株主に対する財産の流出もない。また、子会社が優先的に親会社株式を割り当てられるわけでもないから、親会社による自己の株式取得と評価できるものではない。

また、子会社にとっては、親会社株式も財産的価値を有する。そして、かりに、株式交付により、子会社が、その有する株式交付子会社の株式を株式交付親会社に譲り渡す場合に、その対価として親会社株式の割当てを受けることが認められないとすると、子会社の会社財産が減少することになるため、親会社株式の割当てを受けることが当該子会社にとって経済的に有利であると考えら

れる場合や株式交付によって株式交付子会社の株式の価値が下落すると考えられる場合にも株式交付に応ずることができなくなる。そこで，株式交付に際して有する株式交付子会社株式と引換えに親会社株式の割当てを受ける場合には親会社株式の取得を認める必要がある。

「法以外の法令に基づく株式交付に相当する行為を含む」とされているのは，そのような行為により親会社株式が割り当てられる場合であっても，同様の根拠があてはまるからである。

5 親会社株式を無償で取得する場合（5号）

平成17年改正前商法の下でも解釈上認められていたものである（新注会(3)276頁［蓮井］）。

親会社株式を無償で取得する場合には，親会社の特定の株主に対して払戻しをするという面もなく，また，子会社から財産が流出しない以上，親会社が有する子会社株式の価値が下落するという弊害もないからである。

6 その有する他の法人等の株式等につきその他の法人等が行う剰余金の配当または残余財産の分配（これらに相当する行為を含む）により親会社株式の交付を受ける場合（6号）

これは，親会社自身が自己の株式を取得できる場合を定める27条2号とパラレルな規定である。

本号は，子会社が他の法人等（法人その他の団体。2条3項1号）の株式（持分その他これに準ずるものを含む）を保有している場合に，当該他の法人等が剰余金の配当または残余財産の分配（これらに相当する行為を含む）を行うと，子会社が保有している他の法人等の株式の価値が下落し，またはその株式を失うので，もし，その親会社の株式の交付を受けないと，当該他の法人等の他の株主等に富が移転し，子会社にとっては財産が減少するだけになってしまう。したがって，このような場合には，親会社の株式の交付を受けることによって子会社の財産が減少するとは評価できない（子会社にとっては親会社株式も財産である）ので，親会社が有する子会社株式の価値が下落するとは考えられず，親会社にとって会社財産の確保の点から弊害があるとは評価されない。また，この場合に，親会社の株式の交付を受けても，それは，当該他の法人等から優先的に親会社株式を子会社が取得するとも評価できないので親会社株主間の平等を損なうとは評価されない。

「持分その他これに準ずるものを含む」または「剰余金の配当または残余財産の分配（これらに相当する行為を含む。）」とされているのは，他の「法人等」には，株式会社以外の「法人その他の団体」，しかも，外国の「法人その他の団体」が含まれるところ，株式会社以外の「法人その他の団体」の持分は株式とは呼ばれないし，そのような法人その他の団体においては，「剰余金の配当」または「残余財産の分配」に相当する行為を「剰余金の配当」または「残余財産の分配」とは呼ばない可能性があるからである。もっとも，他の法人等が株式会社である場合には，現物配当や現物による残余財産分配が認められたことを背景として設けられた規定であると評価することができる。

7　その有する他の法人等の株式等につきその他の法人等が行う組織の変更，合併，株式交換（会社法以外の法令（外国の法令を含む）に基づく株式交換に相当する行為を含む），株式移転（会社法以外の法令（外国の法令を含む）に基づく株式移転に相当する行為を含む），取得条項付株式（これに相当する株式等を含む）の取得，全部取得条項付種類株式（これに相当する株式等を含む）の取得に際してその株式等と引換えにその親会社株式の交付を受ける場合（7号）

これは，親会社自身が自己の株式を取得できる場合を定める27条3号とパラレルな規定である。

本号は，子会社が他の法人等の株式（持分その他これに準ずるものを含む）を保有している場合に，当該他の法人等が組織の変更，合併または株式交換（法以外の法令（外国の法令を含む）に基づく株式交換に相当する行為を含む），株式移転（会社法以外の法令（外国の法令を含む）に基づく株式移転に相当する行為を含む），取得条項付株式（これに相当する株式を含む）の取得または全部取得条項付種類株式（これに相当する株式を含む）の取得を行うと，子会社は保有している他の法人等の株式を失うので，もし，その親会社の株式の交付を受けないと，当該他の法人等の他の株主等に富が移転し，子会社にとっては財産が減少するだけになってしまう。したがって，このような場合には，親会社の株式の交付を受けることによって会社の財産が減少するとは評価できない（子会社にとっては親会社株式も財産である）ので，親会社が有する子会社株式の価値が下落するとは考えられず，親会社にとって会社財産の確保の点から弊害があるとは評価されない。また，この場合に，親会社の株式の交付を受けても，それは，当該他の法人等から優先的に親会社株式を子会社が取得するとも評価できないので親会社株主間の平等を損なうとは評価されない。

「持分その他これに準ずるものを含む」または「取得条項付株式（これに相当する株式を含む。）」，「全部取得条項付種類株式（これに相当する株式を含む。）」とされているのは，他の「法人等」には，株式会社以外の「法人その他の団体」，しかも，外国の「法人その他の団体」が含まれるところ，株式会社以外の「法人その他の団体」の持分は株式とは呼ばれないし，その結果，全部取得条項付種類株式や取得条項付株式に相当するものも全部取得条項付種類株式あるいは取得条項付株式とは呼ばれないからである。また，そのような法人その他の団体においては，株式交換に相当する行為を「株式交換」とは呼ばない可能性があるからである。もっとも，本号は，他の法人等が株式会社である場合には，組織再編対価の柔軟化（法749条1項2号・768条1項2号），取得条項付株式（法107条1項3号・108条1項6号）または全部取得条項付株式（法108条1項7号）の制度に対応するものと評価できる。

8 その有する他の法人等の新株予約権等をその他の法人等がその新株予約権等の定めに基づき取得することと引換えに親会社株式の交付をする場合において，その親会社株式の交付を受けるとき（8号）

これは，親会社自身が自己株式を取得できる場合を定める27条4号とパラレルな規定である。

本号は，子会社が他の法人等の新株予約権等（新株予約権その他その法人等に対して行使することによりその法人等の株式その他の持分の交付を受けることができる権利。2条3項14号）を保有している場合に，当該他の法人等がその新株予約権等の定めに基づきその新株予約権等の取得を行うと，子会社は保有している他の法人等の新株予約権等を失うので，もし，その親会社の株式の交付を受けないと，当該他の法人等の他の株主等に富が移転し，子会社にとっては財産が減少するだけになってしまう。したがって，このような場合には，親会社である株式会社の株式の交付を受けることによって会社の財産が減少するとは評価できない（子会社にとっては親会社株式も財産である）ので，親会社が有する子会社株式の価値が下落するとは考えられず，親会社にとって会社財産の確保の点から弊害があるとは評価されない。また，この場合に，親会社の株式の交付を受けても，それは，当該他の法人等から優先的に親会社株式を子会社が取得するとも評価できないので親会社株主間の平等を損なうとは評価されない。

本号は，他の法人等が株式会社である場合には，取得条項付新株予約権（法236条1項7号）が認められたことに対応するものと評価できる。

9　法135条1項の子会社である者（会社を除く）が行う組織の変更，合併，会社法以外の法令（外国の法令を含む）に基づく吸収分割に相当する行為による他の法人等がその事業に関して有する権利義務の全部または一部の承継，会社法以外の法令に基づく株式交換に相当する行為による他の法人等が発行している株式等の全部の取得に際してその者がその対価として親会社株式を交付するために，その対価として交付すべき親会社株式の数を超えない範囲内において親会社株式を取得する場合（9号）

　これは，法800条1項とパラレルな例外である。すなわち，同項は，吸収合併消滅株式会社もしくは株式交換完全子会社の株主，吸収合併消滅持分会社の社員または吸収分割会社（消滅会社等の株主等）に対して交付する金銭等の全部または一部が吸収合併存続株式会社，吸収分割承継株式会社または株式交換完全親会社の親会社株式である場合には，その吸収合併存続株式会社，吸収分割承継株式会社または株式交換完全親会社は，吸収合併等に際して消滅会社等の株主等に対して交付するその親会社株式の総数を超えない範囲においてその親会社株式を取得することができるものとしているが，これを，子会社が日本法上の会社でない場合にも認めるものである。すなわち，会社法において，子会社とは会社がその総株主の議決権の過半数を有する株式会社その他の当該会社がその経営を支配している法人として法務省令で定めるものをいう（法2条3号）とされ，3条1項は，会社が他の会社等（会社（外国会社を含む），組合（外国における組合に相当するものを含む）その他これらに準ずる事業体。2条3項2号）「の財務及び事業の方針の決定を支配している場合における当該他の会社等」が子会社であると定めているから，子会社は日本法上の会社に限られない。

　ところで，法800条1項は，「買収，事業統合等を含む企業活動の国際化等を背景として，組織再編行為の対価を存続会社等の株式に限定することなく，金銭その他の財産をもその対価とすることができるようにすべきであるという要望が，国内外から強く寄せられ……具体的には，子会社が，他の会社を吸収合併する場合にその親会社の株式を対価として交付する合併（いわゆる「三角合併」）」等に関する要望に応えたものである（要綱試案補足説明88頁）。そして，吸収合併等を中止したときを除き，吸収合併等の効力発生日までの間は，親会社株式を保有することができるという要件を課せば（法800条2項），子会社が親会社株式を保有する弊害は少ないと考えられたのである。

　このような立法趣旨に照らせば，子会社が日本法上の会社でない場合にも，

子会社が行う組織の変更，合併，会社法以外の法令（外国の法令を含む）に基づく吸収分割に相当する行為による他の法人等がその事業に関して有する権利義務の全部または一部の承継，会社法以外の法令に基づく株式交換に相当する行為による他の法人等が発行している株式等の全部の取得に際してその者がその対価として親会社株式を交付するために，その対価として交付すべき親会社株式の数を超えない範囲内において親会社株式を取得する場合には，子会社による親会社株式の取得を認めてもよいというのが本号の趣旨である（相澤＝郡谷・商事法務1760号7頁。ただし，立法論としては，800条2項の規律が（解釈論としては，類推適用すべきであるが）本号の場合には明文では及んでいないという問題があろう）。

「法以外の法令〔外国の法令を含む。1号〕に基づく吸収分割に相当する行為」，「法以外の法令に基づく株式交換に相当する行為」とされているのは，子会社には，株式会社以外の「法人その他の団体」，しかも，外国の「法人その他の団体」が含まれるところ，そのような法人その他の団体においては，吸収分割または株式交換に相当する行為を「吸収分割」または「株式交換」とは呼ばない可能性があるからである。

10　他の法人等（会社および外国会社を除く）の事業の全部を譲り受ける場合において，その他の法人等の有する親会社株式を譲り受けるとき（10号）

平成17年改正前商法211条ノ2第1項1号を踏襲したものである。

これは，他の会社（外国会社を含む）の事業の全部を譲り受ける場合において当該他の会社の有する親会社株式を譲り受ける場合（法135条2項1号）と，パラレルな規定である。また，親会社自身が自己の株式を取得できる場合を定める27条7号と，パラレルな規定である。

すなわち，法135条2項1号では，他の会社（外国会社を含む）の事業の全部を譲り受ける場合において当該他の会社の有する親会社株式を譲り受ける場合には親会社株式を取得することができるものとされているが，事業を譲渡する法人等が会社でも外国会社でもない場合であっても同様に認めてもよいと考えられるからである。なぜなら，法467条1項3号は「他の会社（外国会社その他の法人を含む。……）の事業の全部の譲受け」（圏点―引用者）については，株主総会の特別決議を原則として経なければならないものと定めており，親会社株主間の公平が法135条2項1号の場合に問題とされないのであれば，他の法人等（会社および外国会社を除く）の事業の全部を譲り受ける場合にも問題と

ならないと解するのが適当だからである。また，事業の全部譲受けの場合には，債権者保護手続がふまれないため，会社財産の流出という観点からは問題がないわけではないが，法135条2項1号は，株式会社が他の会社または外国会社の事業全部の譲受けを行う際の便宜を考慮して，親会社株式の取得を認めており，譲渡する法人等がどのようなものであるかは，自己株式の取得を認めるかどうかにあたって影響を与えるべき要素とは考えられない。

11 合併後消滅する法人等（会社を除く）から親会社株式を承継する場合（11号）

これは，合併後消滅する会社から親会社株式を承継する場合（法135条2項2号）とパラレルな規定である。平成17年改正前商法211条ノ2第1項1号を踏襲したものである。

合併後消滅する法人等が会社でない場合にも同様に親会社株式の取得を認めてもよいと考えられるからである。すなわち，一般承継をする場合に，親会社株式をその対象から除くというのは不自然であるし，親会社株式を取得できないとすることが吸収合併を行う妨げになる可能性がある。

12 吸収分割または新設分割に相当する行為により他の法人等（会社を除く）から親会社株式を承継する場合（12号）

これは，吸収分割により他の会社から親会社株式を承継する場合（法135条2項3号），および，新設分割により他の会社から親会社株式を承継する場合（法135条2項4号）とパラレルな規定である。平成17年改正前商法211条ノ2第1項1号を踏襲したものである。

吸収分割または新設分割に相当する行為をする法人等が会社でない場合にも同様に親会社株式の取得を認めてもよいと考えられるからである。すなわち，一般承継をする場合に，親会社株式をその対象から除くというのは不自然であるし，親会社株式を取得できないとすることが吸収分割または新設分割に相当する行為を行う妨げになる可能性がある。しかも，同様の場合に，親会社である会社自身は自己株式を取得することができるにもかかわらず（27条7号），子会社が親会社株式を取得できないと解するのは不均衡であろう。

13 親会社株式を発行している株式会社（連結配当規制適用会社に限る）の他の子会社からその親会社株式を譲り受ける場合（13号）

　本号は，連結ベースでの配当規制が加えられている場合には，資本の空洞化という問題が少ないと考えられることを根拠とする（相澤＝郡谷・商事法務1760号7頁）。すなわち，親会社が連結配当規制適用会社（ある事業年度の末日が最終事業年度の末日となる時から当該ある事業年度の次の事業年度の末日が最終事業年度の末日となる時までの間における当該株式会社の分配可能額の算定につき，計規158条4号の規定を適用する旨を当該ある事業年度に係る計算書類の作成に際して定めた株式会社（ある事業年度に係る連結計算書類を作成しているものに限る。計規2条3項55号））である場合には，連結子会社が親会社株式を保有している場合には，その親会社の分配可能額算定上，連結子会社が保有する親会社株式の帳簿価額のうち親会社持分相当額が控除されることになるため，子会社が親会社株式を保有することによる，親会社における自己株式取得に係る財源規制の潜脱の弊害が少ないと考えられるからである。親会社の分配可能額がゼロの場合などには，財源規制の潜脱であるともいえるが，子会社間での譲渡・譲受けなので，さほど問題視する必要はないかもしれない。もっとも，立法論としては，すべての子会社が連結されるわけではないので問題は残っており，非連結子会社が連結子会社から親会社株式を取得する場合にこのような例外を認めてよいとはいえないのではないかと思われる。

　また，親会社が子会社から自己株式を取得する場合には売主追加請求権が株主には認められないこと，および，取締役会設置会社であれば取締役会決議によって決定できること（法163条）に照らすと，株主間の公平という点からも問題視する必要はないと考えられる。

14 その権利の実行にあたり目的を達成するために親会社株式を取得することが必要かつ不可欠である場合（14号）

　平成17年改正前商法211条ノ2第1項2号を踏襲したものである。たとえば，子会社の債権者が親会社株式以外に財産を有しないときに，それを代物弁済として受領する場合や強制執行により取得する場合がこの場合にあたる（相澤＝郡谷・商事法務1760号7頁）。子会社にとっては，親会社株式は財産であり，子会社による親会社株式取得に親会社における自己株式取得に係る財源規制または取得方法規制の潜脱という弊害が生じうるとしても，子会社の財産を維持するために親会社株式の取得を認めなければならない（子会社の株主および債

権者のためには子会社財産の維持が必要である）場合は本号にあたる。

─**（株式取得者からの承認の請求）**─

第24条 法第137条第2項に規定する法務省令で定める場合は，次に掲げる場合とする。
　一　株式取得者が株主として株主名簿に記載若しくは記録がされた者又はその一般承継人に対して当該株式取得者の取得した株式に係る法第137条第1項の規定による請求をすべきことを命ずる確定判決を得た場合において，当該確定判決の内容を証する書面その他の資料を提供して請求をしたとき。
　二　株式取得者が前号の確定判決と同一の効力を有するものの内容を証する書面その他の資料を提供して請求をしたとき。
　三　株式取得者が当該株式会社の株式を競売により取得した者である場合において，当該競売により取得したことを証する書面その他の資料を提供して請求をしたとき。
　四　株式取得者が組織変更株式交換により当該株式会社の株式の全部を取得した会社である場合において，当該株式取得者が請求をしたとき。
　五　株式取得者が株式移転（組織変更株式移転を含む。）により当該株式会社の発行済株式の全部を取得した株式会社である場合において，当該株式取得者が請求をしたとき。
　六　株式取得者が法第197条第1項の株式を取得した者である場合において，同条第2項の規定による売却に係る代金の全部を支払ったことを証する書面その他の資料を提供して請求をしたとき。
　七　株式取得者が株券喪失登録者である場合において，当該株式取得者が株券喪失登録日の翌日から起算して1年を経過した日以降に，請求をしたとき（株券喪失登録が当該日前に抹消された場合を除く。）。
　八　株式取得者が法第234条第2項（法第235条第2項において準用する場合を含む。）の規定による売却に係る株式を取得した者である場合において，当該売却に係る代金の全部を支払ったことを証する書面その他の資料を提供して請求をしたとき。
2　前項の規定にかかわらず，株式会社が株券発行会社である場合には，法第137条第2項に規定する法務省令で定める場合は，次に掲げる場合とする。
　一　株式取得者が株券を提示して請求をした場合
　二　株式取得者が組織変更株式交換により当該株式会社の株式の全部を取得した会社である場合において，当該株式取得者が請求をしたとき。
　三　株式取得者が株式移転（組織変更株式移転を含む。）により当該株式会社の発行済株式の全部を取得した株式会社である場合において，当該株式取得

者が請求をしたとき。
四　株式取得者が法第197条第１項の株式を取得した者である場合において，同項の規定による競売又は同条第２項の規定による売却に係る代金の全部を支払ったことを証する書面その他の資料を提供して請求をしたとき。
五　株式取得者が法第234条第１項若しくは第235条第１項の規定による競売又は法第234条第２項（法第235条第２項において準用する場合を含む。）の規定による売却に係る株式を取得した者である場合において，当該競売又は当該売却に係る代金の全部を支払ったことを証する書面その他の資料を提供して請求をしたとき。

　本条は，譲渡制限株式を取得した株式取得者が，その取得した株式の株主として株主名簿に記載され，もしくは記録された者またはその相続人その他の一般承継人と共同せずに，株式会社に対し，その譲渡制限株式を取得したことについて承認をするか否かの決定をすることを請求することができる場合，すなわち，利害関係人の利益を害するおそれがないものとして法務省令で定める場合（法137条２項）を定めるものである。本条１項は，株式をその株式を発行した株式会社以外の者から取得した者（その株式会社を除く）が，その取得した株式の株主として株主名簿に記載され，もしくは記録された者またはその相続人その他の一般承継人と共同せずに，その株式会社に対し，その株式に係る株主名簿記載事項を株主名簿に記載し，または記録することを請求することができる場合について定める22条とパラレルに定められている。
　これは，会社法においては，取得者からの承認請求に係る手続と名義書換請求に係る手続とを融合させたためである。すなわち，平成17年改正前商法の下では，株主としての投下資本の回収機会を与えられる資格を有する者（すなわち，株式の真の権利者）かどうかを確認する手続が設けられていなかったため，特に株券がない場合には真の権利者が不当に害されるおそれがあるなど，承認手続に関連して種々の問題が生ずる可能性があったことにも対応するため（要綱試案補足説明17～18頁），会社法は，譲渡による取得につき会社の承認を要する株式の取得者から会社に対して承認を請求する手続（法137条２項）を，名義書換請求のために要求される手続（法133条２項）と同様のものとし，承認なく株式を取得した者からの名義書換請求については，会社はその取得を承認せず名義書換を拒むことができるものとしている（法134条）。
　なお，譲渡による取得の承認請求が問題となっているので，22条１項３号・

4号に対応する規定はない。

1 株券発行会社以外の会社の場合（1項）

株券発行会社（その株式（種類株式発行会社にあっては、全部の種類の株式）に係る株券を発行する旨の定款の定めがある株式会社。法117条7項）においては、株券の占有者は、当該株券に係る株式についての権利を適法に有するものと推定されるので（法131条1項）、株券を占有する者は株券を提示することによって単独で譲渡による取得の承認を請求することができるものとされている（2項1号）。しかし、株券発行会社以外の会社においては、株券が発行されないため、法131条1項の適用の余地がない。これを前提とした上で、株式会社における安全かつ円滑な名義書換の実施を確保するために本項が定められている。

(1) 株式取得者が株主として株主名簿に記載もしくは記録がされた者またはその一般承継人に対してその株式取得者の取得した株式に係る取得承認請求をすべきことを命ずる確定判決を得た場合において、その確定判決の内容を証する書面その他の資料を提供して請求をしたとき（1号）

その株式取得者の取得した株式に係る取得承認請求をすべきことを、株主として株主名簿に記載もしくは記録がされた者またはその一般承継人に対して命ずる確定判決によって、株主として株主名簿に記載もしくは記録がされた者またはその一般承継人が取得承認請求の意思表示をしたものとみなされるため（民事執行法177条1項）、その確定判決の内容を証する書面その他の資料を提供して株式取得者が単独で譲渡による取得の承認を請求することを認めても利害関係人を害するおそれがないからである。

(2) 株式取得者が(1)の確定判決と同一の効力を有するものの内容を証する書面その他の資料を提供して請求をしたとき（2号）

この場合には、確定判決と同一の効力を有するものを得ている以上、株式取得者が単独で譲渡による取得の承認を請求することを認めても利害関係人を害するおそれがないからである。(1)の「確定判決と同一の効力を有するものの内容を証する書面その他の資料」には、株主として株主名簿に記載もしくは記録がされた者またはその一般承継人が株式取得者への名義書換請求の意思表示をする旨を記載した和解調書や調停調書などがあたる。

(3) 株式取得者がその株式会社の株式を競売により取得した者である場合において，その競売により取得したことを証する書面その他の資料を提供して請求をしたとき（3号）

　株式会社の株式を競売により取得する場合には，必ずしも，株主として株主名簿に記載もしくは記録がされた者の所在が明確ではなく（典型的には，所在不明株主の株式の競売の場合），明確であっても，譲渡による取得の承認の共同請求に協力的ではないことが一般的であろう。したがって，共同で，譲渡による取得の承認の請求をしなければならないとすることは実際的ではない。ところが，裁判所が行う競売手続においては代金を納付することによって，株式を取得するから，意思表示を命ずる確定判決（1号参照）を取得せずに，譲渡による取得の承認を単独で請求することを認めても，利害関係人を害するおそれはないと考えられるからである。

(4) 株式取得者が組織変更株式交換によりその株式会社の発行済株式の全部を取得した会社である場合において，その株式取得者が請求をしたとき（4号）

　組織変更株式交換（保険業法96条の5第1項［→2条3㉒］）は，株式交換と同様，社員総会または総代会の決議により，組織変更をする相互会社が組織変更をするのと同時に組織変更後株式会社の株式の全部を完全親会社となる会社に移転する手続であるから，このような場合に，株主として株主名簿に記載もしくは記録がされた者と共同しなければ，譲渡による取得の承認を請求できないとすることは論理的ではない。そして，組織変更株式交換の効力発生日において，完全子会社となる会社の株式全部が完全親会社となる会社に移転するものであることに鑑みれば，完全親会社となった会社が単独で譲渡による取得の承認を請求することを認めても，利害関係人を害するおそれはないので，本号のような定めが置かれている。

　なお，22条1項6号と異なり，株式取得者が株式交換により取得した会社である場合については規定されていないのは，株式交換完全親株式会社が，効力発生日に，株式交換完全子会社の発行済株式（株式交換完全親株式会社の有する株式交換完全子会社の株式を除く）の全部を取得した場合には，株式交換完全親株式会社が株式交換完全子会社の株式（譲渡制限株式に限り，その株式交換完全親株式会社が効力発生日前から有するものを除く）を取得したことについて，その株式交換完全子会社が譲渡による取得の承認をしたものとみなされるからである（法769条2項）。

(5) 株式取得者が株式移転（組織変更株式移転を含む）によりその株式会社の発行済株式の全部を取得した株式会社である場合において，その株式取得者が請求をしたとき（5号）

　株式移転（組織変更株式移転（保険業法96条の8第1項）を含む［→2条3㉓］）は，株主総会の特別決議により，完全子会社となる株式会社の発行済株式の全部を完全親会社となる設立会社に移転する手続であるから，完全子会社となる会社の株主全員と共同して譲渡による取得の承認を請求することは実務上の負担も重いし，反対株主が有する株式を含めて，その意思にかかわらず完全親会社となる設立会社に移転する手続であるから，反対株主は完全親会社となる設立会社と共同して譲渡による取得の承認を請求することに協力してくれない可能性もある。したがって，このような場合に，株主として株主名簿に記載もしくは記録がされた者と共同しなければ，譲渡による取得の承認を請求できないとすることは実際的ではない。そして，株式移転の効力発生日において，完全子会社となる会社の発行済株式全部が完全親会社となる会社に移転するものであることに鑑みれば，完全親会社となった設立会社が単独で譲渡による取得の承認を請求することを認めても，利害関係人を害するおそれはないので，本号のような定めが置かれている。

(6) 株式取得者が所在不明株主の株式の売却において，その株式会社の株式を取得した者である場合において，その売却に係る代金の全部を支払ったことを証する書面その他の資料を提供して請求をしたとき（6号）

　所在不明株主の株式の売却においては，株主として株主名簿に記載もしくは記録がされた者の所在が明確ではなく，したがって，共同で，譲渡による取得の承認の請求をしなければならないとすることは実際的ではない。意思表示を命じる確定判決（1号参照）を得ることを求めることも煩瑣であるところ，所在不明株主の株式の売却は，発行会社である株式会社が行うものであることに鑑みると，株式取得者がその売却に係る代金の全部を支払ったことを証する書面その他の資料を提供して，単独で譲渡による取得の承認を請求することを認めても，利害関係人を害するおそれはないものと考えられる（株式会社自身がその売却代金を受け取り，それを保管するはずであり，代金を受け取っていないにもかかわらず，代金の全部を支払ったことを証する書面その他の資料を交付すれば，株式会社が責任を負うし，株式会社は提供された「代金の全部を支払ったことを証する書面その他の資料」の真否を容易に確認できるはずである）。ただ，立法論と

しては，会社から売却により取得した場合に，改めて譲渡による取得の承認を請求しなければならないというのは不自然であり，所在不明株主の株式の売却がなされるときは，譲渡による取得の承認がなされたものとみなすべきではないかと考えられる。

(7) 株式取得者が株券喪失登録者である場合において，当該株式取得者が株券喪失登録日の翌日から起算して１年を経過した日以降に，請求をしたとき（株券喪失登録が当該日前に抹消された場合を除く）（7号）

　本号は，平成17年改正前商法230条ノ６第２項をふまえたものである。同項は，株券失効手続により無効となった株券について株券喪失登録者がその株券に係る株式の名義人でない場合には，その株券が無効となった日に，株式会社はその株券喪失登録者につき名義書換をしたものとみなすとしていたが，会社法の下では，名義書換は株券喪失登録者の請求を受けてなすこととしている。しかし，株券失効制度の下で無効となった株券に係る株主として株主名簿に記載もしくは記録がされた者が，株券喪失登録者による譲渡による取得の承認請求に協力するということは考えられない（そもそも，株券喪失登録がなされたときには，その株券に係る株主として株主名簿に記載もしくは記録がされた者に対して，株券喪失登録をした旨などが通知されるから（法224条１項），株券喪失登録が抹消されずに株券喪失登録日の翌日から起算して１年を経過するということは，その株券に係る株主として株主名簿に記載もしくは記録がされた者は，当該株券に係る株式の株主ではないことが一般的であろう）。したがって，共同して譲渡による取得の承認を請求しなければならないとすることは実際的ではない。他方，株券失効制度は，株券喪失登録が抹消されずに株券喪失登録日の翌日から起算して１年を経過した場合には，株券喪失登録者の形式的資格を認めるというものであり，株券発行会社においては，株券喪失登録者に対して株券の再発行がなされ（法228条２項），株券喪失登録者は単独で譲渡による取得の承認を請求できること（２項１号）との均衡からは，株券発行会社以外の会社においても，株券喪失登録者が単独で譲渡による取得の承認を請求できるとすることが適当である。

(8) 株式取得者が法234条２項（法235条２項において準用する場合を含む）の規定による売却に係る株式を取得した者である場合において，当該売却に係る代金の全部を支払ったことを証する書面その他の資料を提供して請求をしたとき（8号）

法234条1項は，取得条項付株式の取得の場合などに際して，会社の株式を交付する場合において，その者に対し交付しなければならない当該会社の株式の数に1株に満たない端数があるときは，その端数の合計数に相当する数の株式を競売し，かつ，その端数に応じてその競売により得られた代金を当該者に交付しなければならないとしているが，同条2項は，競売に代えて，市場価格のある同項の株式については市場価格として法務省令で定める方法により算定される額をもって，市場価格のない同項の株式については裁判所の許可を得て競売以外の方法により，これを売却することができるものとしている（法235条1項は，「株式会社が株式の分割又は株式の併合をすることにより株式の数に1株に満たない端数が生ずるときは，その端数の合計数……に相当する数の株式を競売し，かつ，その端数に応じてその競売により得られた代金を株主に交付しなければならない」とし，同条2項は法234条2項から5項を準用している）。この場合には，1株に満たない端数について権利を有する者は売却された株式に係る株主ではないから，共同請求の主体ではないと考えられる（実質的に考えてみても，そのような者と共同請求しなければならないとするのは煩瑣であるし，そのような者が共同請求に協力的であるとは限らない）。しかも，株式取得者は会社から取得するという位置づけであることに鑑みると，会社と共同して会社に対し譲渡による取得の承認を請求するというのも奇妙であるし，共同請求を要求する必要もない。ただ，立法論としては，会社から売却により取得した場合に，改めて譲渡による取得の承認を請求しなければならないというのは不自然であり，法234条2項（法235条2項において準用する場合を含む）の規定による売却がなされるときは，譲渡による取得の承認がなされたものとみなすべきではないかと考えられる。

2　株券発行会社の場合（2項）

確定判決を得た場合や競売等の場合には，株券を提示して譲渡による取得の承認を請求することになるので，特別な定めは置かれていない（相澤＝郡谷・商事法務1760号6頁）。

(1)　株式取得者が株券を提示して請求をした場合（1号）

株券発行会社においては，株券の占有者は，当該株券に係る株式についての権利を適法に有するものと推定されるからである（法131条1項）。

(2) 株式取得者が組織変更株式交換によりその株式会社の発行済株式の全部を取得した会社である場合において，当該株式取得者が請求をしたとき（2号）

　　1項4号とパラレルな規定である。組織変更株式交換は，株主総会の特別決議により，完全子会社となる株式会社の発行済株式の全部を完全親会社となる会社に移転する手続であるから，完全子会社となる会社の株主全員からその有する株式に係る株券の交付を受けることや完全子会社となる会社の株主全員と共同して譲渡による取得の承認を請求することは実務上の負担も重いし，反対株主が有する株式を含めて，その意思にかかわらず完全親会社となる会社に移転する手続であるから，反対株主はその有する株式に係る株券を完全親会社となる会社に交付してくれない可能性や完全親会社となる会社と共同して譲渡による取得の承認請求することに協力してくれない可能性もある。したがって，このような場合に，株主として株主名簿に記載もしくは記録がされた者と共同しなければ，譲渡による取得の承認請求できないとすることは実際的ではない。そして，組織変更株式交換の効力発生日において，完全子会社となる会社の発行済株式全部が完全親会社となる会社に移転するものであることに鑑みれば，完全親会社となった会社が単独で譲渡による取得の承認を請求することを認めても，利害関係人を害するおそれはないので，本号のような定めが置かれている。

　　なお，22条2項3号と異なり，株式取得者が株式交換により取得した会社である場合については規定されていないのは，株式交換完全親株式会社が，効力発生日に，株式交換完全子会社の発行済株式（株式交換完全親株式会社の有する株式交換完全子会社の株式を除く）の全部を取得した場合には，株式交換完全親株式会社が株式交換完全子会社の株式（譲渡制限株式に限り，その株式交換完全親株式会社が効力発生日前から有するものを除く）を取得したことについて，その株式交換完全子会社が譲渡による取得の承認をしたものとみなされるからである（法769条2項）。

(3) 株式取得者が株式移転（組織変更株式移転を含む）により当該株式会社の発行済株式の全部を取得した株式会社である場合において，当該株式取得者が請求をしたとき（3号）

　　1項5号とパラレルな規定である。株式移転（組織変更株式移転を含む）は，株主総会の特別決議により，完全子会社となる株式会社の発行済株式の全部を完全親会社となる設立会社に移転する手続であるから，完全子会社となる会社

の株主全員からその有する株式に係る株券の交付を受けることや完全子会社となる会社の株主全員と共同して譲渡による取得の承認を請求することは，実務上の負担も重いし，反対株主が有する株式を含めて，その意思にかかわらず完全親会社となる設立会社に移転する手続であるから，反対株主はその有する株式に係る株券を完全親会社となる設立会社に交付してくれない可能性や完全親会社となる設立会社と共同して譲渡による取得の承認を請求することに協力してくれない可能性もある。したがって，このような場合に，株主として株主名簿に記載もしくは記録がされた者と共同しなければ，譲渡による取得の承認を請求できないとすることは実際的ではない。そして，株式移転の効力発生日において，完全子会社となる会社の発行済株式全部が完全親会社となる会社に移転するものであることに鑑みれば，完全親会社となった設立会社が単独で譲渡による取得の承認を請求することを認めても，利害関係人を害するおそれはないので，本号のような定めが置かれている。

(4) 株式取得者が所在不明株主の株式の競売または売却において，その株式会社の株式を取得した者である場合において，その競売または売却に係る代金の全部を支払ったことを証する書面その他の資料を提供して請求をしたとき（4号）

所在不明株主の株式の競売または売却においては，株主として株主名簿に記載もしくは記録がされた者の所在が明確ではなく，したがって，共同で，譲渡による取得の承認の請求をしなければならないとすることは実際的ではない。また，当然のことながら，株券の交付を受けることも通常は考えられない。しかも，意思表示を命じる確定判決（1項1号参照）を得ることを求めることも煩瑣である。他方，競売の場合も売却の場合も，当該株式取得者がそれにより当該株式を取得したことは会社にとって明らかになっている。とりわけ，所在不明株主の株式の売却は，発行会社である株式会社が行うものであることに鑑みると，株式取得者がその競売または売却に係る代金の全部を支払ったことを証する書面その他の資料を提供して，単独で譲渡による取得の承認を請求することを認めても，利害関係人を害するおそれはないものと考えられる（売却の場合であっても，株式会社自身がその売却代金を受け取り，それを保管するはずであり，代金を受け取っていないにもかかわらず，代金の全部を支払ったことを証する書面その他の資料を交付すれば，株式会社が責任を負うし，株式会社は提供された「代金の全部を支払ったことを証する書面その他の資料」の真否を容易に確認で

きるはずである)。ただ，立法論としては，会社から売却により取得した場合に，改めて譲渡による取得の承認を請求しなければならないというのは不自然であり，法234条2項(法235条2項において準用する場合を含む)の規定による売却がなされるときは，譲渡による取得の承認がなされたものとみなすべきではないかと考えられる。

(5) 株式取得者が法234条1項もしくは法235条1項の規定による競売または同234条2項(法235条2項において準用する場合を含む)の規定による売却に係る株式を取得した者である場合において，当該競売または当該売却に係る代金の全部を支払ったことを証する書面その他の資料を提供して請求をしたとき(5号)

　法234条1項は，取得条項付株式の取得の場合などに際して，会社の株式を交付する場合において，その者に対し交付しなければならない当該会社の株式の数に1株に満たない端数があるときは，その端数の合計数に相当する数の株式を競売し，かつ，その端数に応じてその競売により得られた代金を当該者に交付しなければならないとしているが，同条2項は，競売に代えて，市場価格のある同項の株式については市場価格として法務省令で定める方法により算定される額をもって，市場価格のない同項の株式については裁判所の許可を得て競売以外の方法により，これを売却することができるものとしている(法235条1項，「株式会社が株式の分割又は株式の併合をすることにより株式の数に1株に満たない端数が生ずるときは，その端数の合計数……に相当する数の株式を競売し，かつ，その端数に応じてその競売により得られた代金を株主に交付しなければならない」とし，同条2項は法234条2項から5項を準用している)。この場合には，1株に満たない端数について権利を有する者は競売または売却された株式に係る株主ではないから，共同請求の主体ではないと考えられる(実質的に考えてみても，そのような者と共同請求しなければならないとするのは煩瑣であるし，そのような者が共同請求に協力的であるとは限らない)。

　他方，競売の場合も売却の場合も，当該株式取得者がそれにより当該株式を取得したことは会社にとって明らかになっている。とりわけ，売却の場合には，株式取得者は会社から取得するという位置づけであることに鑑みると，会社と共同して会社に対し譲渡による取得の承認を請求するというのも奇妙であるし，共同請求を要求する必要もない。そもそも，立法論としては，会社から売却により取得した場合に，改めて譲渡による取得の承認を請求しなければな

らないというのは不自然であり，法234条2項（法235条2項において準用する場合を含む）の規定による売却がなされるときは，譲渡による取得の承認がなされたものとみなすべきではないかと考えられる。

（1株当たり純資産額）
第25条 法第141条第2項に規定する法務省令で定める方法は，基準純資産額を基準株式数で除して得た額に1株当たり純資産額を算定すべき株式についての株式係数を乗じて得た額をもって当該株式の1株当たりの純資産額とする方法とする。
2　当該株式会社が算定基準日において清算株式会社である場合における前項の規定の適用については，同項中「基準純資産額」とあるのは，「法第492条第1項の規定により作成した貸借対照表の資産の部に計上した額から負債の部に計上した額を減じて得た額（零未満である場合にあっては，零）」とする。
3　第1項に規定する「基準純資産額」とは，算定基準日における第1号から第7号までに掲げる額の合計額から第8号に掲げる額を減じて得た額（零未満である場合にあっては，零）をいう。
　一　資本金の額
　二　資本準備金の額
　三　利益準備金の額
　四　法第446条に規定する剰余金の額
　五　最終事業年度（法第461条第2項第2号に規定する場合にあっては，法第441条第1項第2号の期間（当該期間が二以上ある場合にあっては，その末日が最も遅いもの））の末日（最終事業年度がない場合にあっては，株式会社の成立の日）における評価・換算差額等に係る額
　六　株式引受権の帳簿価額
　七　新株予約権の帳簿価額
　八　自己株式及び自己新株予約権の帳簿価額の合計額
4　第1項に規定する「基準株式数」とは，次に掲げる場合の区分に応じ，当該各号に定める数をいう。
　一　種類株式発行会社でない場合　発行済株式（自己株式を除く。）の総数
　二　種類株式発行会社である場合　株式会社が発行している各種類の株式（自己株式を除く。）の数に当該種類の株式に係る株式係数を乗じて得た数の合計数
5　第1項及び前項第2号に規定する「株式係数」とは，一（種類株式発行会社において，定款である種類の株式についての第1項及び前項の適用に関して当該種類の株式1株を一とは異なる数の株式として取り扱うために一以外の数

を定めた場合にあっては,当該数)をいう。
6 第2項及び第3項に規定する「算定基準日」とは,次の各号に掲げる規定に規定する1株当たり純資産額を算定する場合における当該各号に定める日をいう。
一 法第141条第2項 同条第1項の規定による通知の日
二 法第142条第2項 同条第1項の規定による通知の日
三 法第144条第5項 法第141条第1項の規定による通知の日
四 法第144条第7項において準用する同条第5項 法第142条第1項の規定による通知の日
五 法第167条第3項第2号 法第166条第1項本文の規定による請求の日
六 法第193条第5項 法第192条第1項の規定による請求の日
七 法第194条第4項において準用する法第193条第5項 単元未満株式売渡請求の日
八 法第283条第2号 新株予約権の行使の日
九 法第796条第2項第1号イ 吸収合併契約,吸収分割契約又は株式交換契約を締結した日(当該契約により当該契約を締結した日と異なる時(当該契約を締結した日後から当該吸収合併,吸収分割又は株式交換の効力が生ずる時の直前までの間の時に限る。)を定めた場合にあっては,当該時)
十 法第816条の4第1項第1号イ 株式交付計画を作成した日(当該株式交付計画により当該株式交付計画を作成した日と異なる時(当該株式交付計画を作成した日後から当該株式交付の効力が生ずる時の直前までの間の時に限る。)を定めた場合にあっては,当該時)
十一 第33条第2号 法第166条第1項本文の規定による請求の日

　株式会社が,譲渡等承認請求者に対して譲渡等承認請求に係る譲渡制限株式を買い取る旨などの通知をしようとするときには,1株当たり純資産額に対象株式の数を乗じて得た額をその本店の所在地の供託所に供託し,かつ,当該供託を証する書面を譲渡等承認請求者に交付しなければならないものとされているが(法141条2項),本条は,譲渡制限株式の譲渡による取得の承認請求があったにもかかわらず,株式会社が承認をしない旨の決定をし,その譲渡等承認請求に係る譲渡制限株式(対象株式)を買い取る旨などの通知をしようとするときに供託すべき額の算定基準となる1株当たりの純資産額として法務省令で定める方法により算定される額(1株当たり純資産額)を定めるものである。本条が定める1株当たり純資産額を算定する方法は,会社法の他の規定において,「1株当たり純資産額」を算定するにあたっても用いるものとされている

[→5]。

1 株式の1株当たりの純資産額 （1項・2項）

　原則として、株式の1株当たりの純資産額＝基準純資産額（3項）÷基準株式数（4項）×株式係数（5項）として算定される。

　他方、清算株式会社（法475条の規定により清算をする株式会社（法476条））である場合には、株式の1株当たりの純資産額＝法492条1項の規定により作成した貸借対照表の資産の部に計上した額から負債の部に計上した額を減じて得た額（ゼロ未満である場合にあっては、ゼロ）÷基準株式数（4項）×株式係数（5項）として算定される。清算株式会社については、「基準純資産額」とあるのを、「法第492条第1項の規定により作成した貸借対照表の資産の部に計上した額から負債の部に計上した額を減じて得た額（零未満である場合にあっては、零）」とされているのは、清算株式会社においては、剰余金の配当は行われないので、資本金、資本準備金、利益準備金という区分や剰余金の額は意味を有さず［詳細については、→145条2］、純資産の部は細分されないことになっているため（145条3項柱書）、3項で定める基準純資産額の算定を行うことができないからである。

2 基準純資産額 （3項）

　平成17年改正前商法の下では、株主総会（委員会等設置会社においては、一定の要件を満たすときは取締役会の決議）により確定した最終の貸借対照表上の純資産額、すなわち資産の部の金額の合計額から負債の部の金額の合計額を控除して得た額を基準として、1株当たり純資産額を算定していた（新注会(3)104～105頁［今井］）。

　しかし、本項では、基準純資産額を算定基準日（6項）における「第1号から第7号までに掲げる額の合計額から第8号に掲げる額を減じて得た額（零未満である場合にあっては、零）」と定めているが、これは、評価・換算差額等以外の項目については事業年度中の変動（当該事業年度の損益計算書に反映されるべき損益を除く）を反映した額を用いて、基準純資産額を算定しようというものである。すなわち、資本金の額、資本準備金の額、利益準備金の額、法446条に規定する剰余金の額、株式引受権の帳簿価額、新株予約権の帳簿価額ならびに自己株式および自己新株予約権の帳簿価額の合計額については、算定基準日の額を用いるというものである。評価・換算差額等に係る額は、最終事

業年度（臨時計算書類を作成したときは，臨時会計年度（臨時会計年度が二以上ある場合には，その末日が最も遅いもの））の末日（最終事業年度がない場合には，株式会社の成立の日）における額を用いることとされているが，これは，事業年度中の評価・換算差額等（その他有価証券評価差額金，繰延ヘッジ損益および土地再評価差額金［→計規コンメ76条**8**］）を把握することは，会社にとって，手間が掛かることから，計算書類または臨時計算書類上の額を用いることができるようにしたものである。

　法446条に規定する剰余金の額には，最終事業年度の末日後にした自己株式の処分，資本金または準備金の額の減少と剰余金の額の増加，剰余金の額の減少と資本金または準備金の額の増加，吸収型再編受入行為による資本剰余金および利益剰余金の額の変動，自己株式の消却，剰余金の配当が反映されるという点で［詳細については，→計規コンメ149条・150条］，最終事業年度に係る貸借対照表上の純資産の部の額の合計額を基準として1株当たり純資産額を算定するよりも合理的であるといえる。

　しかし，立法論としては，本項の定めには，少なくとも2つの点で課題がある。第1に，臨時計算書類を作成した場合に，臨時損益計算書に計上された当期純損益金額を基準純資産額の算定に反映させない理由はないと思われる。臨時損益計算書に計上された当期純損益金額だけ，株式会社の純資産の額は増加していると考えてよい一方で，評価・換算差額等の増減は臨時損益計算書に計上された収益・費用・利益・損失と結びついているはずなので，臨時会計年度中の評価・換算差額等の増減は基準純資産額に反映し，臨時会計年度に係る純損益金額は反映させないことは均衡のとれていない取扱いであるといえるからである。第2に，新株予約権の金額（自己新株予約権の金額があるときは，その額を控除した後の額）を基準純資産額の算定にあたって考慮することが適当であるかどうかについては疑義がある。なぜなら，新株予約権の金額は，新株予約権者に帰属する部分を表しているとみることもできる一方で，新株予約権をたとえば買収防衛策の一環として，あるいは有利発行として無償で発行すると新株予約権の額はゼロであるが，その後，市場で新株予約権を取得すると自己新株予約権の額は正の値をとり，新株予約権の金額から自己新株予約権の金額を控除した額はマイナスとなって，それが基準純資産額を減少させることになるが，それでよいのかという問題がある。

3 基準株式数（4項）

　種類株式発行会社でない会社においては、発行済株式（自己株式を除く）の総数が（1号）、種類株式発行会社においては、株式会社が発行している各種類の株式（自己株式を除く）の数にその種類の株式に係る株式係数（5項）を乗じて得た数の合計数が（2号）、それぞれ、基準株式数になるものとされている。これは、種類株式発行会社において、株式係数が1でない種類株式が発行されている場合には、加重平均して、1株当たり純資産額を算定する必要があるからである。

　清算株式会社でないとすれば、本項の定めの結果、種類株式発行会社でない会社においては、株式の1株当たりの純資産額＝基準純資産額（3項）÷発行済株式（自己株式を除く）の総数となり、種類株式発行会社においては、株式の1株当たりの純資産額＝基準純資産額（3項）÷発行している各種類の株式（自己株式を除く）の数にその種類の株式に係る株式係数を乗じて得た数の合計数）×株式係数、となる。

　なお、「自己株式を除く」とされているのは、分子の基準純資産額の算定上、自己株式の金額が控除されているため（3項7号）、分母と分子とを対応させるためには自己株式の数を除かなければならないし、1株当たり純資産額の算定には、株主（その株式会社を除く）に帰属する額を明らかにするという目的があるので、自己株式の数を控除することが適当である。

4 株式係数（5項）

　株式係数は、定款に別段の定めがなければ、1とされるが、種類株式発行会社において、定款である種類の株式について1株当たり純資産額の算定のために、その種類の株式1株を1とは異なる数の株式として取り扱うために1以外の数を定めた場合には、その数とされる。これは、種類株式の中には、剰余金の配当や残余財産の分配について、他の種類の株式と内容が異なることによって、その種類株式1株の経済的価値が異なる場合がありうるという認識に基づいている。すなわち、たとえば、2種類の株式があり、一方の種類株式は他方の種類株式に比べ、1株当たり2倍の剰余金の配当と残余財産の分配を受けることができるとされているような場合を考えると、前者の種類株式の経済的価値が後者の種類株式の経済的価値の2倍程度になるということは十分に考えられる。そこで、1株当たり純資産額を計算する際に、その種類株式1株を他の種類株式1株と同一に扱うことが適切でない場合に備えて、本条では、定款で「株式係数」を定めることができるものとして、合理的な取扱いをすることが

できるようにしている（相澤＝郡谷・商事法務1760号8頁）。定款で定めなければならないものとしているのは，株式係数は，実質的には，その種類の株式の内容となると評価できる以上，法108条と同様，定款の定めを要求するのが首尾一貫するからである。

5 算定基準日（6項）

算定基準日は，1株当たり純資産額を計算すべき場合ごとに定められている。

(1) 譲渡制限株式の譲渡等を承認せずに株式会社が買い取る旨を決定した場合に，株式会社が買取りの通知をするときに，供託すべき金額の算定基礎となる1株当たり純資産額（1号）

譲渡等承認請求者への買取りの通知の日が算定基準日とされる。これは，株式会社は，通知をしようとするときは，1株当たり純資産額に対象株式の数を乗じて得た額を株式会社の本店の所在地の供託所に供託し，かつ，その供託を証する書面を譲渡等承認請求者に交付しなければならないとされているため（法142条2項），買取りの通知の日よりも後の日を算定基準日とすることはできないからである。また，譲渡等承認請求者は，株式会社から買取りの通知を受けた後は，株式会社の承諾を得た場合に限り，その請求を撤回することができることとされているので（法143条1項），買取りの通知の日を基準とすることが適当であるということもできる。

(2) 譲渡制限株式の譲渡等を承認せずに株式会社が指定買取人を指定した場合に，指定買取人が買取りの通知をするときに，供託すべき金額の算定基礎となる1株当たり純資産額（2号）

指定買取人による譲渡等承認請求者への買取りの通知の日が算定基準日とされる。これは，指定買取人は，通知をしようとするときは，1株当たり純資産額に対象株式の数を乗じて得た額を株式会社の本店の所在地の供託所に供託し，かつ，その供託を証する書面を譲渡等承認請求者に交付しなければならないとされているため（法142条2項），買取りの通知の日よりも後の日を算定基準日とすることはできないからである。また，譲渡等承認請求者は，指定買取人から買取りの通知を受けた後は，指定買取人の承諾を得た場合に限り，その請求を撤回することができることとされているので（法143条2項），買取りの通知の日を基準とすることが適当であるということもできる。

(3) 譲渡制限株式の譲渡等を承認せずに株式会社が買い取る旨を決定し，株式会社が買取りの通知をしたにもかかわらず，株式会社または譲渡等承認請求者が，その通知の日から20日以内に，裁判所に対し，売買価格の決定の申立てを申し立てなかったとき（対象株式の売買価格についてその期間内に株式会社と譲渡等承認請求者との協議が調った場合を除く）の対象株式の売買価格の算定基礎となる1株当たり純資産額（3号）

(1)と同様，譲渡等承認請求者への買取りの通知の日が算定基準日とされる。これは，法144条5項が，株式会社がした買取りの通知の日から20日以内に，株式会社または譲渡等承認請求者が，裁判所に対し，売買価格の決定の申立てを申し立てなかったとき（対象株式の売買価格についてその期間内に株式会社と譲渡等承認請求者との協議が調った場合を除く）には「1株当たり純資産額に……対象株式の数を乗じて得た額をもって当該対象株式の売買価格とする」と定めているのは，株式会社が供託した金額を売買価格とすることによって，精算を必要としないようにして処理を簡単にしようとする趣旨に基づくものであり，算定基準日を同一にする必要があるからである。

(4) 譲渡制限株式の譲渡等を承認せずに株式会社が指定買取人を指定し，指定買取人が買取りの通知をしたにもかかわらず，指定買取人または譲渡等承認請求者が，その通知の日から20日以内に，裁判所に対し，売買価格の決定の申立てを申し立てなかったとき（対象株式の売買価格についてその期間内に指定買取人と譲渡等承認請求者との協議が調った場合を除く）の対象株式の売買価格の算定基礎となる1株当たり純資産額（4号）

(2)と同様，譲渡等承認請求者への買取りの通知の日が算定基準日とされる。これは，法144条7項が準用する同条5項が，指定買取人がした買取りの通知の日から20日以内に，指定買取人または譲渡等承認請求者が，裁判所に対し，売買価格の決定の申立てを申し立てなかったとき（対象株式の売買価格についてその期間内に指定買取人と譲渡等承認請求者との協議が調った場合を除く）には「1株当たり純資産額に……対象株式の数を乗じて得た額をもって当該対象株式の売買価格とする」と定めているのは，指定買取人が供託した金額を売買価格とすることによって，精算を必要としないようにして処理を簡単にしようとする趣旨に基づくものであり，算定基準日を同一にする必要があるからである。

(5) 取得請求権付株式の取得の請求があった場合に，その株主が取得する他の

株式（市場価格のない株式である場合）の数に端数が生じたときに，株式会社が交付すべき金銭の額の算定基礎としての1株当たり純資産額（5号）

　取得請求権付株式の取得の請求の日が算定基準日とされる。これは，取得の請求の日における当該他の株式の価値を前提として取得を請求するという申込みがあったと考えることが，通常は，取得請求権付株式の取得を請求した株主の合理的意思に合致すると考えられるからであろう。取得請求権付株式の取得を請求した株主が取得する当該他の株式が市場価格のある株式である場合には，原則として，請求の日におけるその株式を取引する市場における最終の価格と，請求の日においてその株式が公開買付け等の対象であるときは，その請求の日におけるその公開買付け等に係る契約におけるその株式の価格とのより高い金額が株式会社が交付すべき金銭の額の算定基礎としての市場価格とされること（31条）との首尾一貫性も図られている。

(6)　単元未満株式（市場価格のない株式である場合）の買取りの請求があった場合に，請求をした単元未満株主または株式会社が，その請求の日から20日以内に，裁判所に対し，価格の決定の申立てをしなかったとき（その単元未満株式の価格についてその期間内に指定買取人と譲渡等承認請求者との協議が調った場合を除く）のその単元未満株式の価格の算定基礎となる1株当たり純資産額（6号）

　単元未満株式の買取りの請求の日が算定基準日とされる。これは，通常は，買取りの請求をした日における単元未満株式の価格で単元未満株主は買取りを求めていると考えられる以上，裁判所に価格の決定の申立てをしない場合には，算定基準日を買取りの請求の日とすることが平仄がとれるからである。単元未満株式が市場価格のある株式である場合には，原則として，請求の日におけるその株式を取引する市場における最終の価格と請求の日においてその株式が公開買付け等の対象であるときは，その請求の日におけるその公開買付け等に係る契約におけるその株式の価格とのより高い金額が単元未満株式の価格とされること（36条）との首尾一貫性も図られている。

(7)　単元未満株式（市場価格のない株式である場合）の売渡しの請求があった場合に，請求をした単元未満株主または株式会社が，その請求の日から20日以内に，裁判所に対し，価格の決定の申立てをしなかったとき（その単元未満株式の価格についてその期間内に指定買取人と譲渡等承認請求者との協議が調っ

た場合を除く）のその単元未満株式の価格の算定基礎となる1株当たり純資産額（7号）

　単元未満株式の売渡しの請求の日が算定基準日とされる。これは、通常は、売渡しの請求をした日における単元未満株式の価格で単元未満株主は売渡しを求めていると考えられる以上，裁判所に価格の決定の申立てをしない場合には，算定基準日を買取りの請求の日とすることが平仄がとれるからである。単元未満株式が市場価格のある株式である場合には，原則として，請求の日におけるその株式を取引する市場における最終の価格と，請求の日においてその株式が公開買付け等の対象であるときは，その請求の日におけるその公開買付け等に係る契約におけるその株式の価格とのより高い金額が単元未満株式の価格とされること（37条）との首尾一貫性も図られているし，6号の定めとも首尾一貫する。

(8)　新株予約権が行使された場合に，その新株予約権の新株予約権者に交付する株式（市場価格のない株式である場合）の数に1株に満たない端数が生じたときに株式会社が交付すべき金銭の額の算定基礎としての1株当たり純資産額（8号）

　新株予約権の行使の日が算定基準日とされる。これは、新株予約権の行使の日における新株予約権の対象となっている株式の価値を前提として新株予約権を行使するという申込みがあったと考えることが，通常は，新株予約権者の合理的意思に合致すると考えられるからであろう。新株予約権者が取得する株式が市場価格のある株式である場合には，原則として，行使日におけるその株式を取引する市場における最終の価格と行使日においてその株式が公開買付け等の対象であるときは，その行使日におけるその公開買付け等に係る契約におけるその株式の価格とのより高い金額が株式会社が交付すべき金銭の額の算定基礎としての市場価格とされること（58条）との首尾一貫性も図られている。

(9)　簡易組織再編行為を行うことができるか否かの判断基準（法796条2項1号イ）の関連での1株当たり純資産額（9号）

　吸収合併契約，吸収分割契約または株式交換契約を締結した日（その契約によりその契約を締結した日と異なる時（その契約を締結した日後からその吸収合併，吸収分割または株式交換の効力が生ずる時の直前までの間の時に限る）を定めた場合にあっては，その時）が算定基準日とされる。すなわち，法796条2項は，「吸

収合併消滅株式会社若しくは株式交換完全子会社の株主，吸収合併消滅持分会社の社員又は吸収分割会社……に対して交付する存続株式会社等の株式の数に１株当たり純資産額を乗じて得た額」，「交付する存続株式会社等の社債，新株予約権又は新株予約権付社債の帳簿価額の合計額」，「交付する存続株式会社等の株式等以外の財産の帳簿価額の合計額」を合計した額の存続株式会社，承継株式会社または完全親会社となる株式会社の純資産額として法務省令で定める方法により算定される額に対する割合が５分の１（これを下回る割合を存続株式会社，承継株式会社または完全親会社となる株式会社の定款で定めた場合には，その割合）を超えない場合には，原則として，存続株式会社，承継株式会社または完全親会社となる株式会社においては，吸収合併契約，吸収分割契約または株式交換契約につき株主総会の特別決議による承認を受けることを要しないものとしている。そして，簡易組織再編行為として行うことができるかどうかは，吸収合併，吸収分割または株式交換のスケジュールに重要な影響を与える可能性があるため，吸収合併契約，吸収分割契約または株式交換契約を締結する段階で簡易組織再編行為の要件を満たせる可能性があるかどうかを判断できることが望ましいし，簡易組織再編行為の要件を途中で満たさないことになると組織再編行為を行う上で支障となる。そこで，本号では，「吸収合併契約，吸収分割契約又は株式交換契約を締結した日」を算定基準日とすることを原則としている。

　もっとも，簡易組織再編行為の要件を定める法796条２項は，その組織再編行為が存続株式会社，承継株式会社または完全親会社となる株式会社の株主に与える可能性のある影響の大小に注目しているものであり，理論的には，吸収合併，吸収分割または株式交換の効力が生ずる時点を基準時として要件を満たすか否かを判断することがより適切であるし，また，吸収合併契約，吸収分割契約または株式交換契約の締結後，その組織再編行為の当事会社において，剰余金の配当その他会社の財産の状況に重要な影響を与える行為を行うことが予想される場合には，吸収合併契約，吸収分割契約または株式交換契約を締結した日後の日を算定基準日とすることが適切でありうる。そこで，本号では，「当該契約により当該契約を締結した日と異なる時（当該契約を締結した日後から当該吸収合併，吸収分割または株式交換の効力が生ずる時の直前までの間の時に限る。）を定めた場合にあっては，当該時」を算定基準日としている。

(10)　簡易株式交付を行うことができるか否かの判断基準（法816条の４第１項）

との関連での1株当たり純資産額（10号）

　株式交付計画を作成した日（その株式交付計画によりその株式交付計画を作成した日と異なる時（その株式交付計画を作成した日後からその株式交付の効力が生ずる時の直前までの間の時に限る）を定めた場合には，その時）が算定基準日とされる。すなわち，法816条の4第1項は，「株式交付子会社の株式及び新株予約権等の譲渡人に対して交付する株式交付親会社の株式の数に1株当たり純資産額を乗じて得た額」，「株式交付子会社の株式及び新株予約権等の譲渡人に対して交付する株式交付親会社の社債，新株予約権又は新株予約権付社債の帳簿価額の合計額」，ならびに，「株式交付子会社の株式及び新株予約権等の譲渡人に対して交付する株式交付親会社の株式等以外の財産の帳簿価額の合計額」を合計した額の株式交付親会社の純資産額として法務省令で定める方法（213条の5）により算定される額に対する割合が5分の1（これを下回る割合を株式交付親会社の定款で定めた場合には，その割合）を超えない場合には，原則として，株式交付親会社においては，株式交付計画につき株主総会の特別決議による承認を受けることを要しないものとしている。そして，簡易株式交付として行うことができるかどうかは，株式交付のスケジュールに重要な影響を与える可能性があるため，株式交付契約を作成する段階で簡易株式交付の要件を満たせる可能性があるかどうかを判断できることが望ましいし，簡易株式交付の要件を途中で満たさないことになると組織再編行為を行う上で支障となる。そこで，本号では，「株式交付契約を作成した日」を算定基準日とすることを原則としている。

　もっとも，簡易株式交付の要件を定める法816条の4第1項は，その株式交付が株式交付親会社の株主に与える可能性のある影響の大小に注目しているものであり，理論的には，株式交付の効力が生ずる時点を基準時として要件を満たすか否かを判断することがより適切であるし，また，株式交付計画の作成後，その株式交付親会社において，剰余金の配当その他会社の財産の状況に重要な影響を与える行為を行うことが予想される場合には，株式交付計画を作成した日後の日を算定基準日とすることが適切でありうる。そこで，本号では，「当該株式交付計画により当該株式交付計画を作成した日と異なる時（当該株式交付計画を作成した日後から当該株式交付の効力が生ずる時の直前までの間の時に限る。）を定めた場合にあっては，当該時」を算定基準日としている。

(11)　取得請求権付株式の取得の請求があった場合に，その株主が取得する新株

予約権に端数が生ずるときの取扱いとの関係での市場価格がなく，かつ会計帳簿に付すべき価額も算定することができない新株予約権の価格の算定基礎としての1株当たり純資産額（11号）

取得請求権付株式の請求の日が算定基準日とされる。これは，取得の請求の日において取得する新株予約権の価値を前提として取得を請求するという申込みがあったと考えることが，通常は，取得請求権付株式の取得を請求した株主の合理的意思に合致すると考えられるからであろう。取得請求権付株式の取得を請求した株主が取得する新株予約権が市場価格のある新株予約権である場合には，原則として，請求の日におけるその新株予約権を取引する市場における最終の価格と請求の日においてその新株予約権が公開買付け等の対象であるときは，その請求の日におけるその公開買付け等に係る契約におけるその新株予約権の価格とのより高い金額が株式会社が交付すべき金銭の額の算定基礎としての市場価格とされること（32条2号）および市場価格のない株式に端数が生じた場合の処理（本項5号）との首尾一貫性も図られている。

―（承認したものとみなされる場合）――――――――――――――――
第26条 法第145条第3号に規定する法務省令で定める場合は，次に掲げる場合とする。
一 株式会社が法第139条第2項の規定による通知の日から40日（これを下回る期間を定款で定めた場合にあっては，その期間）以内に法第141条第1項の規定による通知をした場合において，当該期間内に譲渡等承認請求者に対して同条第2項の書面を交付しなかったとき（指定買取人が法第139条第2項の規定による通知の日から10日（これを下回る期間を定款で定めた場合にあっては，その期間）以内に法第142条第1項の規定による通知をした場合を除く。）。
二 指定買取人が法第139条第2項の規定による通知の日から10日（これを下回る期間を定款で定めた場合にあっては，その期間）以内に法第142条第1項の規定による通知をした場合において，当該期間内に譲渡等承認請求者に対して同条第2項の書面を交付しなかったとき。
三 譲渡等承認請求者が当該株式会社又は指定買取人との間の対象株式に係る売買契約を解除した場合

本条は，譲渡制限株式の譲渡承認等請求を株式会社が承認したものとみな

れる場合を定めるものである。すなわち，株式会社と譲渡等承認請求者との合意により別段の定めをしたときを除き，株式会社が譲渡承認等請求の日から2週間（これを下回る期間を定款で定めた場合には，その期間）以内に譲渡等を承認するか否かの決定の内容を通知しなかった場合および株式会社が譲渡等を承認するか否かの決定の内容を通知した日から40日（これを下回る期間を定款で定めた場合には，その期間）以内に，その譲渡等承認請求に係る譲渡制限株式を株式会社が買い取る旨などの通知をしなかった場合（指定買取人が株式会社が譲渡等を承認するか否かの決定の内容を通知した日から10日（これを下回る期間を定款で定めた場合には，その期間）以内に指定買取人として指定を受けた旨および指定買取人が買い取る対象株式の数（種類株式発行会社にあっては，対象株式の種類および種類ごとの数）を通知をした場合を除く）のほか，法務省令で定める場合には，株式会社は，譲渡制限株式の譲渡による取得を承認する旨の決定をしたものとみなされるが（法145条），この委任をうけて，「法務省令で定める場合」を定めているのが本条である。

1　会社が，一定期間内に，供託を証する書面を譲渡等承認請求者に交付しなかった場合（1号）

　本条は，平成17年改正前商法204条ノ2第7項に対応する規定である。

　「指定買取人が法第139条第2項の規定による通知の日から10日（これを下回る期間を定款で定めた場合にあっては，その期間）以内に法第142条第1項の規定による通知をした場合を除く」とされているのは，指定買取人が指定された場合には，会社が供託を証する書面を譲渡等承認請求者に交付することはないし，期限内に指定買取人が買取りの通知をしたときは，譲渡等承認請求者は株式会社ではなく，指定買取人が買取りをすることを知ることができるから，会社が供託を証する書面を譲渡等承認請求者に交付しなかったことによって，譲渡による取得を承認する旨の決定をしたものとみなすことは適当ではないし，みなす必要もないからである。

　ここで，40日がデフォルトの期間とされているのは，平成17年改正前商法204条ノ3第1項が取締役会によって譲渡の相手方として指定された者は同法204条ノ2第5項「ノ通知ノ日ヨリ10日内ニ」（圏点―引用者）譲渡承認・譲渡の相手方指定の請求をした株主に対し書面をもって譲渡承認請求の対象株式を自己に売り渡すべき旨を請求することができると定めていたところ，同法204条ノ3ノ2第2項が取締役会が会社を譲渡の相手方と指定した場合において会

社が株式の売渡しを請求する決議は「第204条ノ2第5項ノ通知ノ日ヨリ30日
・
内ニ」（圏点—引用者）しなければならないと定め，同条6項が，取締役会が会
社を譲渡の相手方として指定した場合には同法204条ノ3第1項の期間は同法
204条ノ3ノ2「第1項ノ決議ノ日ヨリ之ヲ起算ス」と定めていたことをうけ
て，10日と30日とを合算して，40日としたものと推測される。この40日以内
という期間は，一方で，法140条2項の規定に基づく株主総会を開催するために
必要な手続である基準日の公告期間および株主総会の招集通知の発出から株主
総会の日までの期間を考慮し，他方で，譲渡等承認請求者の地位の安定を考慮
して定められたものであると推測される（吉戒・平成5・6改正417頁参照）。

　なお，「これを下回る期間を定款で定めた場合にあっては，その期間」とさ
れているのは，定款の定めによって，譲渡等承認請求者の地位をより早期に安
定させることは投下資本回収の機会を与えるという観点からは好ましいと考え
られるからである。40日以内という期間の計算については，民法の原則に従
い，初日は不算入である（民法140条）。「交付しなかったとき」とされている
が，これは，譲渡等承認請求者の地位の安定を図るという観点からも，文言上
も，供託を証する書面が譲渡等承認請求者に，40日以内に到達しなかったとき
という意味に解するのが適当である（新注会(3)101～102頁［今井］参照）。そし
て，法126条は「通知又は催告」についての規定であることから，供託を証す
る書面の交付には適用がなく，譲渡等承認請求者が株主名簿上の株主である場
合でも，株主名簿に記載された株主の住所またはその者が会社に通知した住所
にあてて，供託を証する書面を送付しても，当然に到達したものとみなされる
ものではなく，また，通常到達すべきであった時に到達したものとみなされる
こともない（味村・昭和41改正39頁参照）。もっとも，譲渡等承認請求者が正当
な理由なくしてその受領を拒絶したときには，民法の一般理論に従って，通常
到達すべき時に交付されたとみなすべきであろうし，株主が不当に到達を妨害
し，または困難にした場合にも同様に解してよいであろう（新注会(3)102頁［今
井］参照）。また，――通常は考えられないが――譲渡等承認請求者の所在が
不明であるというような場合には，到達があったとみなすことはできないとし
ても，40日以内に供託を証する書面を交付することができなかったのは，譲渡
等承認請求者の責めに帰すべき事由に基づくものである以上，本号に基づく，
みなし承認の効果は生じないと解するのが適当である（味村・昭和41改正39頁，
新注会(3)102頁［今井］参照）。

　なお，会社が一部について取得するものとして，残部について指定買取人が

指定された場合（法140条4項は,「対象株式の全部又は一部を買い取る者」を指定買取人としている（圏点—引用者）ので,この取扱いは許されると解すべきであろう）には,会社が40日以内に供託を証する書面を譲渡等承認請求者に交付しても,（すべての）指定買取人が10日以内に供託を証する書面を譲渡等承認請求者に交付しなければ,譲渡等の承認の請求の対象となった株式全部について,譲渡等をその株式会社は承認したものとみなされると解するべきであろう（新注会(3)108頁［今井］参照）。なぜなら,譲渡等承認請求者としては,対象株式の全部について支払が担保されることを要求する理由があるからである。

2 指定買取人が, 一定期間内に, 供託を証する書面を譲渡等承認請求者に交付しなかった場合（2号）

本号は,平成17年改正前商法204条ノ2第7項を準用する同法204条ノ3第5項に対応する規定である。株式会社が,譲渡等承認請求者に対し,その譲渡等を承認しない旨を通知した日から10日（これを下回る期間を定款で定めた場合には,その期間）以内に,指定買取人が譲渡等承認請求者に対し,指定買取人として指定を受けた旨および指定買取人が買い取る対象株式の数（種類株式発行会社では,対象株式の種類および種類ごとの数）を通知しても,その期間内に譲渡等承認請求者に対して法142条2項に従った供託を証する書面を交付しなかったときには,譲渡制限株式の譲渡承認等請求を株式会社が承認したものとみなされるものとしている。これは,譲渡等承認請求者としては,単に指定買取人から通知を受けただけではなく,法142条2項に従った供託を証する書面の交付を受けて初めて,指定買取人が確定的に買い受ける意思があることを知ることができるし,供託には指定買受人の代金支払債務の履行を担保するという機能があり,譲渡等承認請求者はその限りにおいて保護されるからである。

10日以内という期間は,指定買受人にとっての熟慮期間と資金の準備に要する時間を一方で考慮し,他方で譲渡等承認請求者の地位の安定を図って定められたものであると推測されるが,「これを下回る期間を定款で定めた場合にあっては,その期間」とされている。これは,定款の定めによって,譲渡等承認請求者の地位をより早期に安定させることは投下資本回収の機会を与えるという観点からは好ましいと考えられるからである。10日以内という期間の計算については,民法の原則に従い,初日は不算入である（民法140条）。「交付しなかったとき」とされているが,これは,譲渡等承認請求者の地位の安定を図るという観点からも,文言上も,供託を証する書面が譲渡等承認請求者に,10日

以内に到達しなかったときという意味に解するのが適当である（新注会(3)101〜102頁[今井]参照）。そして，法126条は会社が株主に対してする「通知又は催告」についての規定であることから，指定買受人がする書面の交付には適用がなく，譲渡等承認請求者が株主名簿上の株主である場合でも，株主名簿に記載された株主の住所またはその者が会社に通知した住所にあてて，供託を証する書面を送付しても，当然に到達したものとみなされるものではなく，また，通常到達すべかりし時に到達したものとみなされることもない（味村・昭和41改正39頁参照）。もっとも，譲渡等承認請求者が正当な理由なくしてその受領を拒絶したときには，民法の一般理論に従って，通常到達すべき時に交付されたとみなすべきであろうし，株主が不当に到達を妨害し，または困難にした場合にも同様に解してよいであろう（新注会(3)102頁[今井]参照）。また，——通常は考えられないが——譲渡等承認請求者の所在が不明であるというような場合には，到達があったとみなすことはできないとしても，10日以内に供託を証する書面を交付することができなかったのは，譲渡等承認請求者の責めに帰すべき事由に基づくものである以上，本号に基づく，みなし承認の効果は生じないと解するのが適当である（味村・昭和41改正39頁，新注会(3)102頁[今井]参照）。

　なお，指定買取人が複数指定された場合（法140条4項は，「対象株式の全部又は一部を買い取る者」（圏点—引用者）を指定買取人としているので，この取扱いは許されると解すべきであろう）には，すべての指定買取人が10日以内に供託を証する書面を譲渡等承認請求者に交付しなければ，譲渡等の承認の請求の対象となった株式全部について，譲渡等をその株式会社は承認したものとみなされると解するべきであろう（新注会(3)108頁[今井]参照）。なぜなら，譲渡等承認請求者としては，対象株式の全部について支払が担保されることを要求する理由があるからである。

3　譲渡等承認請求者がその株式会社または指定買取人との間の対象株式に係る売買契約を解除した場合（3号）

　本条は，平成17年改正前商法204条ノ2第7項を準用する同法204条ノ4第7項に対応する規定である。すなわち，同法204条ノ4第7項は，裁判所の決定した売買価格と会社または先買権者が供託した額との差額に相当する金額の支払がないため株主が売買契約を解除した場合には，同法204条ノ2第7項を準用するものと定め，同項は「株式ノ譲渡ニ付取締役会ノ承認アリタルモノト看做ス」と定めていたが，本号はこれをうけたものである。

会社法には，平成17年改正前商法204条ノ4第7項に相当する規定は設けられていないが，裁判所の決定した売買価格が会社または指定買取人が供託した額を上回る場合には，会社または指定買取人は譲渡等承認請求者に対して，その差額に相当する金額を支払う義務があるから，民法の一般原則（債務不履行）に基づき，その差額の支払がない場合には，譲渡等承認請求者は，その株式会社または指定買取人との間の対象株式に係る売買契約を解除することができ（民法541条），損害があれば，損害賠償を請求することもできる（民法545条3項）。そして，本号は，この場合には，譲渡等の承認請求の対象となった株式の譲渡承認等請求を株式会社が承認したものとみなすものとしている。これは，対象株式の譲渡をしようとした譲渡等承認請求者には帰責事由がない以上，あらためて，譲渡等承認を請求させたり，会社が別の指定買取人を指定することによって，投下資本回収の時期を遅らせることができるとするのは不当だからである。

なお，譲渡等承認請求者が売買契約を解除するためには，相当の期間を定めて支払を催告しなければならないのが原則である（鈴木＝竹内154頁注16）。

第3節　株式会社による自己の株式の取得

―（自己の株式を取得することができる場合）――
第27条　法第155条第13号に規定する法務省令で定める場合は，次に掲げる場合とする。
　一　当該株式会社の株式を無償で取得する場合
　二　当該株式会社が有する他の法人等の株式（持分その他これに準ずるものを含む。以下この条において同じ。）につき当該他の法人等が行う剰余金の配当又は残余財産の分配（これらに相当する行為を含む。）により当該株式会社の株式の交付を受ける場合
　三　当該株式会社が有する他の法人等の株式につき当該他の法人等が行う次に掲げる行為に際して当該株式と引換えに当該株式会社の株式の交付を受ける場合
　　イ　組織の変更
　　ロ　合併
　　ハ　株式交換（法以外の法令（外国の法令を含む。）に基づく株式交換に相

当する行為を含む。）
　　二　取得条項付株式（これに相当する株式を含む。）の取得
　　ホ　全部取得条項付種類株式（これに相当する株式を含む。）の取得
　四　当該株式会社が有する他の法人等の新株予約権等を当該他の法人等が当該新株予約権等の定めに基づき取得することと引換えに当該株式会社の株式の交付をする場合において，当該株式会社の株式の交付を受けるとき。
　五　当該株式会社が法第116条第5項，第182条の4第4項，第469条第5項，第785条第5項，第797条第5項，第806条第5項又は第816条の6第5項（これらの規定を株式会社について他の法令において準用する場合を含む。）に規定する株式買取請求に応じて当該株式会社の株式を取得する場合
　六　合併後消滅する法人等（会社を除く。）から当該株式会社の株式を承継する場合
　七　他の法人等（会社及び外国会社を除く。）の事業の全部を譲り受ける場合において，当該他の法人等の有する当該株式会社の株式を譲り受けるとき。
　八　その権利の実行に当たり目的を達成するために当該株式会社の株式を取得することが必要かつ不可欠である場合（前各号に掲げる場合を除く。）

　本条は，法155条1号から12号に掲げられた場合のほか，株式会社が自己の株式を取得できる場合を定めるものである。すなわち，法155条は，(a)取得条項付株式の取得することができる条件である事由（法107条2項3号イ）が生じた場合，(b)譲渡制限株式の譲渡等の承認の請求があり，かつ，承認しないときはその株式会社または指定買取人がその対象となっている譲渡制限株式を買い取ることの請求があった場合，(c)株式会社が株主との合意によりその株式会社の株式を有償で取得する際の取得に関する事項について株主総会の決議があった場合，(d)取得請求権付株式の取得請求があった場合，(e)全部取得条項付種類株式を取得する株主総会の決議があった場合，(f)定款の定めに基づき，相続その他の一般承継によりその株式会社の株式（譲渡制限株式に限る）を取得した者に対し，その株式の売渡請求をした場合，(g)単元未満株式の買取請求があった場合，(h)所在不明株主の株式を売却する場合に株式会社が買い取る株式の数などを定めた場合，(i)一定の行為に際して一定の者に対し交付しなければならないその株式会社の株式の数に1株に満たない端数があり，その端数の合計数に相当する数の株式を売却する場合（法234条4項）に株式会社がその全部または一部を買い取るとき，(j)他の会社（外国会社を含む）の事業の全部を譲り受

ける場合において当該他の会社が有するその株式会社の株式を取得する場合，(k)合併後消滅する会社からその株式会社の株式を承継する場合，および，(l)吸収分割をする会社からその株式会社の株式を承継する場合のほか，(m)法務省令で定める場合には，株式会社は自己の株式を取得できる旨を定めているが，本条は，この委任をうけて「法務省令で定める場合」（法155条13号）を定めている。

法155条が，株式会社が自己の株式を取得することができる場合を限定列挙しているのは，財源規制および取得方法規制の実効性を担保するためである。すなわち，自己の株式の取得は剰余金の配当と同様，会社財産の流出をもたらすため，会社財産の確保ひいては会社債権者の保護の観点から自己の株式の取得については財源規制を及ぼす必要があり，会社法は一定の自己の株式の取得については財源規制を及ぼし（法461条1項・166条1項・170条5項），また，その規制に違反した場合の業務執行者等の支払責任（法462条），一定の自己の株式の取得に係る超過額支払義務（法464条），業務執行者の塡補責任（法465条）を規定している。また，ある株主からのみ自己の株式を取得する場合には，その株主にのみ処分の機会を与えることになることによって，または，その株主から高い価格で自己の株式を取得することになることによって，株主間の平等を損なう可能性があるため，会社法は取得方法について規制を加えている（法156条以下）。

本条は，法155条に具体的に列挙されている場合以外であって，株式会社が自己の株式を取得できる場合を以下のとおり列挙するものであって，いずれも，取得方法規制や財源規制が定められていない（ただし，5号の場合には業務執行者の支払義務が規定されているものがある。法464条）自己の株式の取得である。

1　その株式会社の株式を無償で取得する場合（1号）

無償で取得する場合には，一部の株主に不平等に利益を与えるということはないから，株主間の平等を損なうこともないし，会社から財産が流出することもない。したがって，財源規制や取得方法規制の対象とする必要がない。なお，平成17年改正前商法の下では「買受」にあたらないことを理由として，取得が認められると解されていた（最判平成5・9・9民集47巻7号4814頁参照）。

2　その株式会社が有する他の法人等の株式（持分その他これに準ずるものを含

む）につき当該他の法人等が行う剰余金の配当または残余財産の分配（これらに相当する行為を含む）によりその株式会社の株式の交付を受ける場合（2号）

　これは，株式会社が他の法人等（法人その他の団体。2条3項1号）の株式（持分その他これに準ずるものを含む）を保有している場合に，当該他の法人等が剰余金の配当または残余財産の分配（これらに相当する行為を含む）を行うと，株式会社が保有している他の法人等の株式の価値が下落し，または株式会社はその株式を失うので，もし，その株式会社の株式の交付を受けないと，当該他の法人等の他の株主等に富が移転し，株式会社にとっては財産が減少するだけになってしまう。したがって，このような場合には，株式会社の株式の交付を受けることによって会社の財産が減少するとは評価できないので，会社財産の確保の点から弊害があるとは評価されない。また，この場合に，株式会社の株式の交付を受けても，それは，当該他の法人等から優先的に自己の株式を取得するとも評価できないので株主間の平等を損なうとは評価されない。なお，株式会社の意思決定により，株式会社の株式の交付を受けるわけではないので，財源規制や取得方法規制の対象とすることはできない。

　本号は，他の法人等が株式会社である場合には，現物配当（法454条4項）や現物による残余財産分配（法504条1項1号）が認められたことを背景として設けられた規定であると評価することができる。

3　その株式会社が有する他の法人等の株式（持分その他これに準ずるものを含む）につき，当該他の法人等が行う組織の変更，合併，株式交換（法以外の法令（外国の法令を含む）に基づく株式交換に相当する行為を含む），取得条項付株式（これに相当する株式を含む）の取得または全部取得条項付種類株式（これに相当する株式を含む）の取得に際してその株式と引換えにその株式会社の株式の交付を受ける場合（3号）

　これは，株式会社が他の法人等の株式（持分その他これに準ずるものを含む）を保有している場合に，当該他の法人等が組織の変更，合併，株式交換（法以外の法令（外国の法令を含む）に基づく株式交換に相当する行為を含む），取得条項付株式（これに相当する株式を含む）の取得または全部取得条項付種類株式（これに相当する株式を含む）の取得を行うと，株式会社は保有している他の法人等の株式を失うので，もし，その株式会社の株式の交付を受けないと，当該他の法人等の他の株主等に富が移転し，株式会社にとっては財産が減少するだけ

になってしまう。したがって，このような場合には，株式会社が自己の株式の交付を受けることによって会社の財産が減少するとは評価できないので，会社財産の確保の点から弊害があるとは評価されない。また，この場合に，株式会社の株式の交付を受けても，それは，当該他の法人等から優先的に自己の株式を取得するとも評価できないので株主間の平等を損なうとは評価されない。なお，株式会社の意思決定により，株式会社の株式の交付を受けるわけではないので，財源規制や取得方法規制の対象とすることはできない。

　本号は，他の法人等が株式会社である場合には，組織再編対価の柔軟化（法749条1項2号・768条1項2号）に対応するもの，あるいは取得条項付株式（法107条1項3号・108条1項6号）または全部取得条項付種類株式（法108条1項7号）の制度に対応するものであると評価できる。

4　その株式会社が有する他の法人等の新株予約権等を当該他の法人等が当該新株予約権等の定めに基づき取得することと引換えにその株式会社の株式の交付をする場合において，その株式会社の株式の交付を受けるとき（4号）

　これは，株式会社が他の法人等の新株予約権等（新株予約権その他その法人等に対して行使することによりその法人等の株式その他の持分の交付を受けることができる権利。2条3項14号）を保有している場合に，当該他の法人等がその新株予約権等の定めに基づきその新株予約権等の取得を行うと，株式会社は保有している他の法人等の新株予約権等を失うので，もし，その株式会社の株式の交付を受けないと，当該他の法人等の他の株主等に富が移転し，株式会社にとっては財産が減少するだけになってしまう。したがって，このような場合には，株式会社が自己の株式の交付を受けることによって会社の財産が減少するとは評価できないので，会社財産の確保の点から弊害があるとは評価されない。また，この場合に，株式会社の株式の交付を受けても，それは，当該他の法人等から優先的に自己の株式を取得するとも評価できないので株主間の平等を損なうとは評価されない。なお，株式会社の意思決定により，株式会社の株式の交付を受けるわけではないので，財源規制や取得方法規制の対象とすることはできない。

　本号は，他の法人等が株式会社である場合には，取得条項付新株予約権（法236条1項7号）が認められたことに対応するものと評価できる。

5　その株式会社が法116条5項，182条の4第4項，469条5項，785条5項，

797条5項，806条5項または816条の6第5項（これらの規定を株式会社について他の法令において準用する場合を含む）に規定する株式買取請求に応じてその株式会社の株式を取得する場合（5号）

　これは，反対株主の株式買取請求に応じて自己の株式を取得する場合であり，本来，会社財産の流出が生じ，かつ，株主間の平等を損なうという面はあるが，平成17年改正前商法と同様，少数派株主保護の観点から認められているものである。すなわち，事業の譲渡等に対する反対株主（法469条5項），吸収合併・吸収分割・株式交換に対する反対株主（法785条5項・797条5項），新設合併・新設分割・株式移転に対する反対株主（法806条5項），および，株式交付に対する反対株主（法816条の6第5項）のほか，その発行する全部の株式を譲渡制限株式とする定款の変更に対する反対株主，ある種類の株式を譲渡制限株式または全部取得条項付種類株式とする定款の変更に対するその種類の株式の反対株主，1株に満たない端数が生ずる株式の併合に対する反対株主（株式併合により自己の有する株式のうち1株に満たない端数となるものに限る）および，ある種類株主総会の決議を要しない旨の定款の定めがある場合に，株式の併合または株式の分割，株式無償割当て，単元株式数についての定款の変更，その株式会社の株式を引き受ける者の募集（株主に割当てを受ける権利を与えるものに限る），その株式会社の新株予約権を引き受ける者の募集（株主に割当てを受ける権利を与えるものに限る）または新株予約権無償割当てが，その種類の株式を有する種類株主に損害を及ぼすおそれがあるときのその種類の株式の反対株主に株式買取請求権が認められている。

　「これらの規定を株式会社について他の法令において準用する場合を含む」とされているが，たとえば，相互会社と株式会社の合併の際の反対株主の株式買取請求権について定める保険業法165条の5第2項（同法165条の12で準用）および協同組織金融機関と普通銀行との合併の際の反対株主の株式買取請求権を定める金融機関の合併及び転換に関する法律24条2項（同法31条で準用）は会社法785条5項を，株式会社金融商品取引所と会員金融商品取引所との吸収合併の際の反対株主の株式買取請求権を定める金融商品取引法139条の11および株式会社商品取引所と会員商品取引所との吸収合併の際の反対株主の株式買取請求権を定める商品先物取引法144条の10は会社法797条5項を，株式会社金融商品取引所と会員金融商品取引所との新設合併の際の反対株主の株式買取請求権を定める金融商品取引法139条の17第2項および株式会社商品取引所と会員商品取引所との新設合併の際の反対株主の株式買取請求権を定める商品先物

取引法144条の17第2項は会社法806条5項を，それぞれ，準用している。

なお，その発行する全部の株式を譲渡制限株式とする定款の変更に対する反対株主，ある種類の株式を譲渡制限株式または全部取得条項付種類株式とする定款の変更に対するその種類の株式の反対株主，および，ある種類株主総会の決議を要しない旨の定款の定めがある場合に，株式の併合または株式の分割，株式無償割当て，単元株式数についての定款の変更，その株式会社の株式を引き受ける者の募集（株主に割当てを受ける権利を与えるものに限る），その株式会社の新株予約権を引き受ける者の募集（株主に割当てを受ける権利を与えるものに限る）または新株予約権無償割当てが，その種類の株式を有する種類株主に損害を及ぼすおそれがあるときのその種類の株式の反対株主の株式買取請求に応じて株式を取得した場合については，その請求をした株主に対して支払った金銭の額がその支払の日における分配可能額を超えるときは，その職務を行うについて注意を怠らなかったことを証明した場合を除き，その株式の取得に関する職務を行った業務執行者は，株式会社に対し，連帯して，その超過額を支払う義務を負うものとされている（法464条1項）。これは，組織再編行為と異なり，このような定款変更やある種類株主に損害を及ぼすおそれのある行為は，会社が存続・発展するために不可避なものということが必ずしもできないという根拠に基づくものである。

6 合併後消滅する法人等（会社を除く）からその株式会社の株式を承継する場合（6号）

本号は，法155条11号とパラレルな規定である。すなわち，同号では，合併後消滅する会社からその株式会社の株式を承継する場合には自己の株式を取得することができるものとされているが，合併後消滅する法人等が会社でない場合にも同様に自己の株式の取得を認めてもよいと考えられるからである。すなわち，一般承継をする場合に，親会社株式をその対象から除くというのは不自然であるし，親会社株式を取得できないとすることが吸収合併を行う妨げになる可能性がある。しかも，会社法上は，株式会社が会社ではない他の法人等と合併を行うことは認められていないが，他の法令においてそれが認められている場合についてみるならば，吸収合併を行う場合には，存続会社である株式会社では，株主総会の特別決議等が要求され（たとえば，金融機関の合併及び転換に関する法律29条，保険業法165条の10，商品先物取引法144条の6，金融商品取引法139条の8），かつ，債権者保護手続が履践されることになっており（たとえ

ば，金融機関の合併及び転換に関する法律26条・31条，保険業法165条の7・165条の12，商品先物取引法144条の10，金融商品取引法139条の11)，株主間の公平や会社財産の確保の観点からは問題がないと考えられるからである。

7　他の法人等（会社および外国会社を除く）の事業の全部を譲り受ける場合において，その他の法人等の有するその株式会社の株式を譲り受けるとき（7号）

本号は，法155条10号とパラレルな規定である。すなわち，同号では，他の会社（外国会社を含む）の事業の全部を譲り受ける場合において当該他の会社が有するその株式会社の株式を取得する場合には自己の株式を取得することができるものとされているが，事業を譲渡する法人等が会社でも外国会社でもない場合であっても同様に自己の株式の取得を認めてもよいと考えられるからである。なぜなら，法467条1項3号は「他の会社（外国会社その他の法人を含む。……）の事業の全部の譲受け」（圏点―引用者）については，株主総会の特別決議を原則として経なければならないものと定めており，株主間の公平が法155条10号の場合に問題とされないのであれば，他の法人等（会社および外国会社を除く）の事業の全部を譲り受ける場合にも問題とならないと解するのが適当だからである。また，事業の全部譲受けの場合には，債権者保護手続がふまれないため，会社財産の流出という観点からは問題がないわけではないが，法155条10号は，株式会社が他の会社または外国会社の事業全部の譲受けを行う際の便宜を考慮して，自己の株式の取得を認めている。そして，事業全部の譲受けにおいては，譲受会社の債権者は事業の譲受け後も譲受会社の債権者であり続けるのであるから，譲渡する法人等がどのようなものであるかは，自己の株式の取得を認めるかどうかにあたって影響を与えるべき要素とは考えられない。

8　その権利の実行にあたり目的を達成するために当該株式会社の株式を取得することが必要かつ不可欠である場合（8号）

「会社ノ権利ノ実行ニ当リ其ノ目的ヲ達スル為必要」なときには自己の株式を取得できるものとする平成13年改正前商法210条3号が，平成13年6月改正により，自己株式取得が原則として自由化された際に削除されたものの，平成17年改正前商法の解釈としては，自己の株式を代物弁済等で取得することは認められ，その場合には，財源規制および取得方法規制に服さないという見解が

多数説であった（神田＝武井・新しい株式制度69頁参照）。この見解は，もし，買受規制に服するとすると，特定の株主（債務者）からの取得である以上，株主総会の特別決議を要し，他の株主の売主追加請求権が認められ，その結果，そのような代物弁済等は事実上実行できないことになること，および，「会社ノ権利ノ実行ニ当リ其ノ目的ヲ達スル為必要ナルトキ」（平成17年改正前商法211条ノ2第1項2号）には子会社による親会社株式取得が認められるとされていること，を主たる根拠としてあげていた。

　これに対し，会社法施行規則の制定当初は，自己の株式の取得については，子会社による親会社株式取得が許される場合を定める23条13号（当時。現在は14号）（「その権利の実行に当たり目的を達成するために親会社株式を取得することが必要，かつ，不可欠である場合」）に相当する規定が設けられなかった。したがって，会社法の下では，立法論としてはともかく，解釈論としては，法155条および本条が定める場合以外に自己の株式の取得が許される場合はなく，担保権の実行や代物弁済等による取得の場合も法160条にいう「特定の株主」からの取得にあたると解するのが適当であると思われた（論点解説153頁，相澤＝豊田・商事法務1740号46頁）。なぜなら，本条では，「当該株式会社の株式を無償で取得する場合」をあげており，会社法および会社法施行規則では，自己の株式の取得が許される場合をすべて列挙しようとしていることが明らかであり，列挙されていない場合には，自己の株式の取得は許されないと解するのが自然だからである。そして，同じ会社法施行規則の中で，子会社による親会社株式取得に関して，23条13号（当時。現在は14号）が「その権利の実行に当たり目的を達成するために親会社株式を取得することが必要，かつ，不可欠である場合」には子会社による親会社株式取得が許されると定めているにもかかわらず，自己の株式の取得が許される場合があげられていなかったという事実は，法155条および本条が列挙する場合以外には「その権利の実行に当たり目的を達成するために自己の株式を取得することが必要，かつ，不可欠である場合」であるとして，自己の株式の取得が許されるものとはしないという立案担当者の意図を示していたものと解される。さらに，代物弁済等による取得が自己の株式の「買受」（平成17年改正前商法210条）にあたらないとしても，自己の株式の「取得」（法155条）にあたらないと解するのは文言上無理があった。

　しかし，平成21年3月27日法務省令第7号による改正により，本号が設けられた。債務者が当該株式会社の株式以外にみるべき財産を有しない場合において，当該自己の株式を強制執行により取得する場合または代物弁済として受領

する場合が「その権利の実行に当たり目的を達成するために当該株式会社の株式を取得することが必要かつ不可欠である場合」の典型的なものであると考えられている（大野ほか・商事法務1862号18頁）。もっとも，代物弁済または強制執行により取得しないと債権価値がゼロとなることから，このような場合は一種の無償取得にあたる（本条1号）とする見解も有力である（江頭253頁）。

（特定の株主から自己の株式を取得する際の通知時期）

第28条 法第160条第2項に規定する法務省令で定める時は，法第156条第1項の株主総会の日の2週間前とする。ただし，次の各号に掲げる場合には，当該各号に定める時とする。
一 法第299条第1項の規定による通知を発すべき時が当該株主総会の日の2週間を下回る期間（1週間以上の期間に限る。）前である場合 当該通知を発すべき時
二 法第299条第1項の規定による通知を発すべき時が当該株主総会の日の1週間を下回る期間前である場合 当該株主総会の日の1週間前
三 法第300条の規定により招集の手続を経ることなく当該株主総会を開催する場合 当該株主総会の日の1週間前

　本条は，株式会社が特定の株主から自己の株式を取得する旨を定めた場合に，売主追加請求ができる旨を株主に対して通知しなければならない時期を定めるものである。
　すなわち，株式会社は，自己の株式の取得に関する事項（法156条1項各号に掲げる事項）を決定する株主総会の決議と併せて，その事項の通知を特定の株主に対して行う旨を定めることができるが，株式会社は，このような決定をしようとするときは，法務省令で定める時までに，株主（種類株式発行会社にあっては，取得する株式の種類の種類株主）に対し，特定の株主に自己をも加えたものを株主総会の議案とすることを，法務省令で定める時（29条）までに，請求することができる旨を通知しなければならない。この委任をうけて，会社が株主（種類株式発行会社にあっては，取得する株式の種類の種類株主）に通知しなければならない期限（法務省令で定める時）を本条は定めている。
　株式会社が特定の株主から自己の株式を取得する旨を定めた場合に，株主（種類株式発行会社にあっては，取得する株式の種類の種類株主）が，特定の株主に自己をも加えたものを株主総会の議案とすることを請求すること（売主追加

請求）ができるのは，自己の株式の取得に関する事項（法156条1項各号に掲げる事項）を決定する株主総会の日の5日（定款でこれを下回る期間を定めた場合には，その期間）前までとされているので（29条），当然のこととして，会社が株主（種類株式発行会社にあっては，取得する株式の種類の種類株主）に対して株主が売主追加請求をすることができる旨を通知しなければならない期限はそれ以前でなければならない。

　そこで，本条では，原則として，自己の株式の取得に関する事項（法156条1項各号に掲げる事項）を決定する株主総会の日の2週間前までに会社は株主（種類株式発行会社にあっては，取得する株式の種類の種類株主）に対して株主が売主追加請求権を有する旨を通知しなければならないものとしている。これは，公開会社である株式会社および書面または電磁的方法により議決権行使を認める株式会社は株主総会の2週間前までに株主総会の招集通知を発しなければならないとされているところ（法299条1項），招集通知の発出前にその株主総会において自己の株式の取得に関する事項（法156条1項各号に掲げる事項）の決定が議題となること，および，その事項の通知を特定の株主に対して行うことが議案に含められることが決定されているはずであり，しかも，株主が売主追加請求をすることができる旨の通知をその株主総会の招集通知と併せて行えば，株式会社にとって費用と手間の節約になることを考慮すると，会社が株主（種類株式発行会社にあっては，取得する株式の種類の種類株主）に対して株主が売主追加請求をすることができる旨を通知しなければならない期限を自己の株式の取得に関する事項を決定する株主総会の日の2週間前としても，株式会社にとって負担とはならないと考えられるからである。

　しかし，公開会社以外の取締役会設置会社においては，書面または電磁的方法による議決権行使を認めないときは，株主総会の招集通知を株主総会の日の1週間前までに発すればよいとされており（法299条1項かっこ書），そのような会社については，招集通知と同時に株主が売主追加請求をすることができる旨の通知を行うことを可能にするため，1号では，「通知を発すべき時が当該株主総会の日の2週間を下回る期間（1週間以上の期間に限る。）前である場合」には当該通知を発すべき時までに，株式会社は株主（種類株式発行会社にあっては，取得する株式の種類の種類株主）に対して，株主が売主追加請求をすることができる旨の通知をすれば足りると定めている。

　もっとも，取締役会設置会社ではない会社においては，書面または電磁的方法による議決権行使を認める場合を除き，定款の定めによって，招集通知の発

出時期を株主総会の日の1週間前よりも遅らせることができるが（法299条1項かっこ書），株主（種類株式発行会社にあっては，取得する株式の種類の種類株主）が，特定の株主に自己をも加えたものを株主総会の議案とすることを請求すること（売主追加請求）ができるのは，自己の株式の取得に関する事項を決定する株主総会の日の5日（定款でこれを下回る期間を定めた場合には，その期間）前までとされているので（29条），売主追加請求をするかどうかを考慮し，売主追加請求をするためには，定款に別段の定めがない限り，株主総会の日の5日前以前には通知を受けておく必要があるため，かりに，株主総会の招集「通知を発すべき時が当該株主総会の日の1週間を下回る期間前である場合」であっても，自己の株式の取得に関する事項（法156条1項各号に掲げる事項）を決定する株主総会の日の1週間前までに，売主追加請求をすることができる旨を株式会社は株主（種類株式発行会社にあっては，取得する株式の種類の種類株主）に対して通知しなければならないものとされている。

　同様に，書面または電磁的方法による議決権行使を認める場合を除き，株主総会は，株主の全員の同意があるときは，招集の手続を経ることなく開催することができるが（法300条），この場合にも，自己の株式の取得に関する事項（法156条1項各号に掲げる事項）を決定する株主総会の日の1週間前までに，売主追加請求をすることができる旨を株式会社は株主（種類株式発行会社にあっては，取得する株式の種類の種類株主）に対して通知しなければならないものとされている。株主（種類株式発行会社にあっては，取得する株式の種類の種類株主）が，特定の株主に自己をも加えたものを株主総会の議案とすることを請求すること（売主追加請求）ができるのは，自己の株式の取得に関する事項を決定する株主総会の日の5日（定款でこれを下回る期間を定めた場合には，その期間）前までとされているので（29条），売主追加請求をするかどうかを考慮し，売主追加請求をするためには，定款に別段の定めがない限り，株主総会の日の5日前以前には通知を受けておく必要があるためである。

　もっとも，株主総会の招集通知の発出期限と異なり，本条は，「通知しなければならない」期限を定めるものであるから，本条が定める時期までに通知を発出するだけでは足りず，その通知が本条が定める期限までに株主に到達することが必要である。売主追加請求をすることができる期限（29条）を過ぎて売主追加請求ができる旨の通知が到達したのでは，株主は売主追加請求をすることができない以上，通知が到達しなければならない期限を法160条2項および本条が定めるのは当然のことである。

―(議案の追加の請求の時期)―――――――――――――――――
第29条　法第160条第3項に規定する法務省令で定める時は，法第156条第1項の株主総会の日の5日（定款でこれを下回る期間を定めた場合にあっては，その期間）前とする。ただし，前条各号に掲げる場合には，3日（定款でこれを下回る期間を定めた場合にあっては，その期間）前とする。

　本条は，株式会社が特定の株主から自己の株式を取得することを決定する場合に，株主が売主追加請求をすることができる期限を定めるものである。すなわち，株式会社は，自己の株式の取得に関する事項（法156条1項各号に掲げる事項）を決定する株主総会の決議と併せて，その事項の通知を特定の株主に対して行う旨を定めることができるが，その場合には，株主（種類株式発行会社にあっては，取得する株式の種類の種類株主）は，特定の株主に自己をも加えたものを株主総会の議案とすることを，法務省令で定める時までに，請求することができるものとされている（法160条3項）。この委任をうけて，「法務省令で定める時」を本条は定めている。

　28条の規定により株式会社は，株主総会の招集通知の発出時期が株主総会の日の1週間前以前である場合には株主総会の招集通知の発出時期までに，それ以外の場合には株主総会の日の1週間前までに，売主追加請求をすることができる旨を株主（種類株式発行会社にあっては，取得する株式の種類の種類株主）に対して通知しなければならないものとされている。したがって，本条のように，売主追加請求の期限を，原則として，自己の株式の取得に関する事項（法156条1項各号に掲げる事項）を決定する株主総会の日の5日前までと定めても，最低2日間の考慮期間が株主には与えられることになる。また，株式会社は，株主により長い考慮期間を与えるために，定款の定めによって，売主追加請求の期限を遅らせることもできる。売主追加請求を織り込んだ議案は，招集通知や株主総会参考書類には反映されないことに鑑みると，株主総会において，特定の株主からの自己の株式の取得を議題として審議を開始する前であれば，売主追加請求ができるという定款の定めも許されるのではないかと思われる（法304条参照）。

　本条ただし書は，平成21年法務省令第7号により追加されたものであるが，(a)法299条1項の規定による通知を発すべき時が当該株主総会の日の2週間を下回る期間（1週間以上の期間に限る）前である場合，(b)当該株主総会の日の1週間を下回る期間前である場合または(c)法300条の規定により招集の手続を経

ることなく当該株主総会を開催する場合には、3日（定款でこれを下回る期間を定めた場合にあっては、その期間）前とすると定めている。これは、株主に会社に対する投資を回収するか否かの判断をするための時間的余裕を与えるためである（大野ほか・商事法務1862号18頁）。すなわち、本条の規律によると、公開会社でない会社においては、他の株主に対し、自己を売主に追加したものを議案とすることを請求することができる旨を当該株主総会の1週間前までに通知すればよいというのが原則であるということになるので、本条本文の規律の下では、2日（1週間－5日）しか熟慮期間がなくなるおそれがあり、それでは短すぎるという判断に基づくものである。

（市場価格を超えない額の対価による自己の株式の取得）

第30条　法第161条に規定する法務省令で定める方法は、次に掲げる額のうちいずれか高い額をもって同条に規定する株式の価格とする方法とする。
一　法第156条第1項の決議の日の前日における当該株式を取引する市場における最終の価格（当該日に売買取引がない場合又は当該日が当該市場の休業日に当たる場合にあっては、その後最初になされた売買取引の成立価格）
二　法第156条第1項の決議の日の前日において当該株式が公開買付け等の対象であるときは、当該日における当該公開買付け等に係る契約における当該株式の価格

　本条は、株式会社が株主との合意により自己の株式を、特定の株主から、有償で取得する場合であっても、株主（種類株式発行会社にあっては、取得する株式の種類の種類株主）に対し、特定の株主に自己をも加えたものを株主総会の議案とすることを、法務省令で定める時（29条）までに、請求することができる旨を通知することを要しないとされる場合の1つとの関連で、株式1株の市場価格を定めるものである。すなわち、法161条は、取得する株式が市場価格のある株式である場合であって、当該株式1株を取得するのと引換えに交付する金銭等の額がその株式1株の市場価格として法務省令で定める方法により算定されるものを超えないときは、株主（種類株式発行会社にあっては、取得する株式の種類の種類株主）に対し、特定の株主に自己をも加えたものを株主総会の議案とすることを請求することができる旨を通知することを要しないものと定めており、この委任をうけて、本条では、その「株式1株の市場価格として法務省令で定める方法により算定されるもの」を定めている。

1号が，31条1号，36条1号，37条1号などとは異なり，株式会社が株主との合意により自己株式を有償で取得する場合の，その取得事項を定める株主総会（法156条1項）の「決議の日の前日における当該株式を取引する市場における最終の価格（当該日に売買取引がない場合又は当該日が当該市場の休業日に当たる場合にあっては，その後最初になされた売買取引の成立価格）」（圏点—引用者）と定めているのは，決議の段階では，可能であれば，価格が明らかになっていることが適当であると考えられるためであろう。

ここで，「当該株式を取引する市場」に，金融商品取引所（証券取引所）が含まれることには異論がなく，「市場」には，法令の規定の裏づけがある，たとえば，日本証券業協会がかつて開設していた店頭市場のような取引所に類する市場は少なくとも含まれ，抽象的には，随時，売買・換金等を行うことができる取引システムを「市場」といってよいと思われるが，「市場」の外延がどこまで及ぶかは難しい問題である。少なくとも相対の個別交渉で決定された価格は「市場における最終の価格」とは評価できないであろう。

また，複数の取引所に上場されている有価証券が存在するし，「市場」を広くとらえると，複数の市場で株式が取引されているという状況は容易に想定される。したがって，複数の市場で取引されている株式について，いずれの市場における最終価格を基準とすべきかが問題となる。立案担当者は最も高い額をいうものとしているが（論点解説121頁），市場の範囲を広く解し，このような解釈によると，市場の厚みのない市場における価格によらなければならない場合があるという不都合が生ずる。そこで，会社の定款や株式取扱規則で，どの「市場」における最終の価格を基準とするかを定めることができるが（原田・商事法務1608号100頁，落合ほか・商事法務1602号28頁［中西発言］［前田発言］［落合発言］など参照），その定めが不合理な場合には，株主は争うことができると解するのが穏当なのではないかと思われる。定め方としては，ある市場を1つ特定することも考えられるが，たとえば，「上場株式については東京証券取引所における終値があれば，その終値，なければ，札幌証券取引所における終値」というような定め方もありえよう。市場の特定は，単元未満株式の買取り，端株の買取り，端数の処理，現物配当や現物残余財産分配といった類型ごとにするのではなく，すべての類型を通じて，統一的にすることが原則として求められるのではないかと思われる（もっとも，会社が取得条項付株式，全部取得条項付種類株式あるいは取得条項付新株予約権を取得する場合の取扱いについては，株主の自由意思に基づくものではないから，株主にとって最も有利な（最も高

い)，当該株式を取引する市場における最終の価格を基準とすべきであると考えることが合理的なのかもしれない)。少なくとも，事前に定めておくべきであり，「市場における最終の価格」が基準として金額が決まるような株主あるいは会社の行為ごとに，市場を特定することは許されず，特に定めていない場合には，株主にとって有利に市場の選択がなされるべきであるという考え方も成り立たないわけではないのではないか。

「当該日に売買取引がない場合又は当該日が当該市場の休業日に当たる場合にあっては，その後最初になされた売買取引の成立価格」とされているのは，当該日前の終値と当該日「後最初になされた売買取引の成立価格」とのどちらを基準とするほうが適切であるかを考えると，当該日前の最終の売買取引後に，株式の価格に重要な影響を与えるような事象が発生する可能性があることをふまえると，当該日「後最初になされた売買取引の成立価格」を用いることに合理性があるからである。実際，単位未満株式の買取請求に係る，平成13年改正前の昭和56年商法改正附則19条2項については，「請求の日の終値を基準とすると定めているが，これでは，午後3時に終値が決まった後，翌日の始値では当然暴落が予想されるような情報が入っても，少なくとも一般の営業時間である午後5時まではその終値で買取請求ができることになる」ので「株主は市場で売却しないで会社に買取請求するであろうし，会社は買い取った株式の売却損を負担しなければならない」から，「立法論としては，請求の日の翌取引日の始値を基準とすべきであった」という指摘もあった（竹内・昭和56改正72頁）。

なお，「株式の価格」は委託手数料相当額などを控除した後の額なのかどうかという問題もありえよう（落合ほか・商事法務1602号28〜29頁［落合発言］など参照）。たしかに，平成13年改正前の昭和56年商法改正附則19条3項のような「株式の売買の委託に係る手数料に相当する金額の支払を請求することができる」という定めがなく，文言からは，控除することはできないと解するのが自然であるように思われるが，株主が自己の意思で株式を売却する場合には，株主に対して，証券会社を通じて売却するよりも有利な条件で売却する権利を与える必要はないから（竹内・昭和56改正72頁），控除することができると解すべきであろう（もっとも，現在では，株式売買の手数料を定額制とする証券会社も現れており，そうであれば，控除できないと解したほうがよいのかもしれない）。

平成17年改正前商法と異なり，会社計算規則および会社法施行規則では，当該株式が公開買付け等の対象である場合には，その公開買付け等に係る契約に

おける株式の価格を基準に含めるものとしている。本条も，株式会社が株主との合意により自己の株式を有償で取得する場合の，その取得事項を定める決議（法156条1項）の日の前日において当該株式が公開買付け等の対象であるときは，その日における当該公開買付け等に係る契約における当該株式の価格（2号）と1号の金額とのいずれか高い額を株式の価格とするものと定めている。これは，株式が公開買付け等の対象となっている場合には，通常，買付価格が市場価格より高いが，公開買付けに応ずることによって，その買付価格で株式を処分できる可能性があるためであると推測される（もっとも，買付数量が少ない場合に，買付価格を基準とすることに合理性があるのか，会社自身が公開買付けを行っている場合には問題があるのではないかというような問題があり，本条の定めが立法論として，つねに適切であるとはいいきれない）。

なお，2号にいう「公開買付け等」とは，金融商品取引法27条の2第6項（同法27条の22の2第2項において準用する場合を含む）に規定する公開買付けおよびこれに相当する外国の法令に基づく制度をいうが（2条3項15号），本条の趣旨からすれば，公開買付けに「相当する外国の法令に基づく制度」であるというためには，買付価格を引き下げることが原則としてできないこと（金融商品取引法27条の6第3項参照）が要件とされよう。なぜなら，買付価格を引き下げることができるのであれば，その買付価格を基準として株式の価格を決定することに合理性はないからである。

（取得請求権付株式の行使により株式の数に端数が生ずる場合）

第31条 法第167条第3項第1号に規定する法務省令で定める方法は，次に掲げる額のうちいずれか高い額をもって同号に規定する株式の価格とする方法とする。

一　法第166条第1項の規定による請求の日（以下この条において「請求日」という。）における当該株式を取引する市場における最終の価格（当該請求日に売買取引がない場合又は当該請求日が当該市場の休業日に当たる場合にあっては，その後最初になされた売買取引の成立価格）

二　請求日において当該株式が公開買付け等の対象であるときは，当該請求日における当該公開買付け等に係る契約における当該株式の価格

本条は，取得請求権付株式の取得を請求した場合に，その株主が取得する株式の数に端数が生ずるときの取扱いとの関係で，株式1株の市場価格を定める

ものである。すなわち，法167条３項１号は，取得請求権付株式の取得の対価として，その株式会社の他の株式が交付される場合に，当該他の株式の数に１株に満たない端数が生ずるときは，これを切り捨てるものとしつつ，株式会社は，定款に別段の定めがある場合を除き，その株式が市場価格のある株式である場合にはその「株式１株の市場価格として法務省令で定める方法により算定される額」にその端数を乗じて得た額に相当する金銭を取得請求権付株式の取得請求をした株主に対して交付しなければならないと定めており，本条は，この委任をうけて，「株式１株の市場価格として法務省令で定める方法により算定される額」を定めるものである。「決議の日の前日」が「請求日」とされることを除けば，30条とパラレルな規定振りとなっている［解釈については，→30条］。

ただし，当分の間，２号の規定は適用されないものとされている（附則３条２項）。これは，金融商品取引法の下での，今後の公開買付制度の見直し次第では，会社法施行規則が定める規律の再検討が必要とされる可能性があり，現時点で，多額の費用を投じてシステム整備を行わせることは適当ではないこと，および，現在のシステムで名義書換代理人が公開買付価格を適時かつ正確に把握することは困難であることに鑑みたものである（相澤・金融法務事情1769号35頁）。

（取得請求権付株式の行使により市場価格のある社債等に端数が生ずる場合）

第32条 法第167条第４項において準用する同条第３項第１号に規定する法務省令で定める方法は，次の各号に掲げる財産の区分に応じ，当該各号に定める額をもって当該財産の価格とする方法とする。

　一　社債（新株予約権付社債についてのものを除く。以下この号において同じ。）法第166条第１項の規定による請求の日（以下この条において「請求日」という。）における当該社債を取引する市場における最終の価格（当該請求日に売買取引がない場合又は当該請求日が当該市場の休業日に当たる場合にあっては，その後最初になされた売買取引の成立価格）

　二　新株予約権（当該新株予約権が新株予約権付社債に付されたものである場合にあっては，当該新株予約権付社債。以下この号において同じ。）次に掲げる額のうちいずれか高い額

　　イ　請求日における当該新株予約権を取引する市場における最終の価格（当該請求日に売買取引がない場合又は当該請求日が当該市場の休業日に当たる場合にあっては，その後最初になされた売買取引の成立価格）

□ 請求日において当該新株予約権が公開買付け等の対象であるときは，当該請求日における当該公開買付け等に係る契約における当該新株予約権の価格

　本条は，取得請求権付株式の取得を請求した場合に，その株主が取得する社債，新株予約権または新株予約権付社債の数に端数が生ずるときの取扱いとの関係で，社債，新株予約権または新株予約権付社債1個の市場価格を定めるものである。すなわち，法167条4項は，取得請求権付株式の取得の対価として，その株式会社の社債，新株予約権または新株予約権付社債が交付される場合に，当該社債，新株予約権または新株予約権付社債の数に1個に満たない端数が生ずるときは，これを切り捨てるものとしつつ，株式会社は，定款に別段の定めがある場合を除き，その社債，新株予約権または新株予約権付社債が市場価格のある社債，新株予約権または新株予約権付社債である場合にはその社債，新株予約権または新株予約権付社債1個「の市場価格として法務省令で定める方法により算定される額」にその端数を乗じて得た額に相当する金銭を取得請求権付株式の取得請求をした株主に対して交付しなければならないと定めており，本条は，この委任をうけて，社債，新株予約権または新株予約権付社債1個「の市場価格として法務省令で定める方法により算定される額」を定めるものである。取得請求権付株式の取得を請求した場合に，その株主が取得する株式の数に端数が生ずるときの取扱いとの関係で，株式1株の市場価格を定める31条とパラレルな規定振りとなっている。

1　社債（新株予約権付社債についてのものを除く）（1号）

　本号は，社債（新株予約権付社債についてのものを除く）について，取得請求権付株式の株主が，株式会社に対して，その株主の有する取得請求権付株式を取得することを請求した日（請求日）「における当該社債を取引する市場における最終の価格（当該請求日に売買取引がない場合又は当該請求日が当該市場の休業日に当たる場合にあっては，その後最初になされた売買取引の成立価格）」と定め，31条1号とパラレルな定めを設けている。平成17年改正前商法220条ノ6第2項（端株買取請求の場合。同法221条6項で単元未満株式買取請求に準用）が「請求ノ日ノ最終ノ市場価格」を基準としていたこと，および平成13年商法改正前の昭和56年商法改正附則19条2項が「証券取引所に上場されてい

る株式について……請求があつたときは，証券取引所（二以上の証券取引所に上場されている場合には，本店の最寄りの証券取引所をいう……）の開設する市場における請求の日の最終価格（その日に売買取引がないときは，その後最初にされた売買取引の成立価格）」を基準としていたことに対応するものであると推測される［解釈については，→30条］。

2　新株予約権および新株予約権付社債（2号）

本号イが，取得請求権付株式の株主が，株式会社に対して，その株主の有する取得請求権付株式を取得することを請求した日（請求日）における，その新株予約権（または新株予約権付社債。以下，本コメントにおいて同じ）「を取引する市場における最終の価格（当該請求日に売買取引がない場合又は当該請求日が当該市場の休業日に当たる場合にあっては，その後最初になされた売買取引の成立価格）」と定めているのは，31条と同じ趣旨に基づくものであり，平成17年改正前商法220条ノ6第2項（端株買取請求の場合。同法221条6項で単元未満株式買取請求に準用）が「請求ノ日ノ最終ノ市場価格」を基準としていたこと，および平成13年商法改正前の昭和56年商法改正附則19条2項が「証券取引所に上場されている株式について……請求があつたときは，証券取引所（二以上の証券取引所に上場されている場合には，本店の最寄りの証券取引所をいう……）の開設する市場における請求の日の最終価格（その日に売買取引がないときは，その後最初にされた売買取引の成立価格）」を基準としていたことに対応するものであると推測される［解釈については，→30条］。

ただし，当分の間，本号ロの規定は適用されないものとされている（附則3条2項）。これは，金融商品取引法の下での，今後の公開買付制度の見直し次第では，会社法施行規則が定める規律の再検討が必要とされる可能性があり，現時点で，多額の費用を投じてシステム整備を行わせることは適当ではないこと，および，現在のシステムで名義書換代理人が公開買付価格を適時かつ正確に把握することは困難であることに鑑みたものである（相澤・金融法務事情1769号35頁）。

─（取得請求権付株式の行使により市場価格のない社債等に端数が生ずる場合）─
第33条　法第167条第4項において準用する同条第3項第2号に規定する法務省令で定める額は，次の各号に掲げる場合の区分に応じ，当該各号に定める額とする。

一　社債について端数がある場合　当該社債の金額
二　新株予約権について端数がある場合　当該新株予約権につき会計帳簿に付すべき価額（当該価額を算定することができないときは，当該新株予約権の目的である各株式についての１株当たり純資産額の合計額から当該新株予約権の行使に際して出資される財産の価額を減じて得た額（零未満である場合にあっては，零））

　本条は，取得請求権付株式の取得を請求した場合に，その株主が取得する社債，新株予約権または新株予約権付社債の数に端数が生ずるときの取扱いとの関係で，市場価格のない社債，新株予約権または新株予約権付社債１個の価格を定めるものである。すなわち，法167条４項は，取得請求権付株式の取得の対価として，その株式会社の社債，新株予約権または新株予約権付社債が交付される場合に，その社債，新株予約権または新株予約権付社債の数に１個に満たない端数が生ずるときは，これを切り捨てるものとしつつ，株式会社は，定款に別段の定めがある場合を除き，その社債，新株予約権または新株予約権付社債が市場価格のない社債，新株予約権または新株予約権付社債である場合にはその社債，新株予約権または新株予約権付社債の「法務省令で定める額」にその端数を乗じて得た額に相当する金銭を取得請求権付株式の取得請求をした株主に対して交付しなければならないと定めており，本条は，この委任をうけて，「法務省令で定める額」を定めるものである。

1　市場価格のない社債について端数がある場合（１号）

　株式会社の会計帳簿に付すべき価額との関係では，計規５条１項ならびに企業会計基準委員会・企業会計基準第10号「金融商品に関する会計基準」19項(1)および14項によれば，市場価格のない社債にはその取得価額を付すのが原則であるが，平成18年改正前商法施行規則30条１項では金銭債権については債権金額を付すべきものと定めていた。これは，弁済期における金銭債権の価値はその債権金額と一致するという考え方に基づくものであり，社債も金銭債権の一種であることからは，取得価額に相当するものがない場合には，その社債金額（満期において償還される金額）が社債の経済的価値であるとすることが自然である。たしかに，社債の価値はその表面金利と市場金利との乖離および満期までの残存期間ならびに発行体の信用力などによって，社債金額と相違するのが通常であるが，それは，個々の社債ごとに異なる（社債金額を上回ることも下回

ることもある）ことを考慮し，本条が定めるのは，あくまで，端数部分の処理に関するものであることから，事務処理上の簡便性を重視して，「当該社債の金額」を会社が交付すべき金銭の額の算定基礎と定めている。

2　市場価格のない新株予約権について端数がある場合（2号）

　本号は，市場価格のない新株予約権について端数がある場合には，「当該新株予約権につき会計帳簿に付すべき価額」を，原則として，会社が交付すべき金銭の額の算定基礎と定めている。計規55条1項は，「当該新株予約権と引換えにされた金銭の払込みの金額，金銭以外の財産の給付の額又は当該株式会社に対する債権をもってされた相殺の額その他の適切な価格」を新株予約権に付すべき価額と定めているが，結局は，一般に公正妥当と認められる企業会計の基準その他の企業会計の慣行をしん酌して定められるものである（計規3条）。もっとも，本号との関係では，「一般に公正妥当と認められる企業会計の基準その他の企業会計の慣行」は存在しないようであり，そうであるとすれば，取得の対象となった取得請求権付株式の1株当たりの価格をそれ1株と引換えに交付される新株予約権の個数で除して得た額が「当該新株予約権につき会計帳簿に付すべき価額」であるとするのが算定方法の1つであると考えられる。しかし，（新株予約権の価値よりは株式の価値をより高い信頼性をもって推定することが可能であると推測されるが）その取得請求権付株式の価格を信頼性をもって測定できない場合には，このように算定することはできない。

　したがって，多くの場合，「当該新株予約権につき会計帳簿に付すべき価額」を算定することができないと推測されるため，本号では，その新株予約権につき会計帳簿に付すべき価額を算定することができないときは，「当該新株予約権の目的である各株式についての1株当たり純資産額の合計額から当該新株予約権の行使に際して出資される財産の価額を減じて得た額（零未満である場合にあっては，零）」を会社が交付すべき金銭の額の算定基礎と定めている。これは，その新株予約権の目的である株式についての1株当たり純資産額をその株式の価値の近似値として用い，その上で，その「新株予約権の目的である各株式についての1株当たり純資産額の合計額」とその「新株予約権の行使に際して出資される財産の価額」との差をその新株予約権の価値とみるものであって，新株予約権の時間的価値を無視し，本源的価値をもって新株予約権の価値の近似値とみるものであると考えられる。市場価格のない株式の価値の近似値として，1株当たり純資産額を用いるのは，法144条5項・7項，167条

3項2号，193条5項，194条4項および283条2号と整合的であり，とりわけ，新株予約権を行使した場合に交付されるべき株式に端数が生じた場合の取扱いを定める法283条2号とは首尾一貫するものと考えられる。また，新株予約権の時間的価値を無視するのも，企業会計基準委員会・企業会計基準第8号「ストック・オプション等に関する会計基準」13項が定める未公開企業における取扱いと整合的であるということができよう。

なお，1株当たり純資産額は，種類株式発行会社でない会社においては，株式の1株当たりの純資産額＝基準純資産額÷発行済株式（自己株式を除く）の総数と，種類株式発行会社においては，株式の1株当たりの純資産額＝基準純資産額÷発行している各種類の株式（自己株式を除く）の数にその種類の株式に係る株式係数を乗じて得た数の合計数×株式係数と，それぞれ，算定される。基準純資産額は，取得請求権付株式の請求の日（25条6項11号）における25条3項1号から7号に掲げる額の合計額から8号に掲げる額を減じて得た額（ゼロ未満であるときはゼロ）である［詳細については→25条］。

3　市場価格のない新株予約権付社債について端数がある場合

本条では，市場価格のない新株予約権付社債については「法務省令で定める額」を規定していないが，これは，社債部分について「法務省令で定める額」を1号に，新株予約権部分について「法務省令で定める額」を2号に，それぞれ従って算定し，それらの額を合計した額が，市場価格のない新株予約権付社債に係る「法務省令で定める額」となるという考え方に基づくものであろう。

（全部取得条項付種類株式の取得に関する事前開示事項）

第33条の2　法第171条の2第1項に規定する法務省令で定める事項は，次に掲げる事項とする。

一　取得対価（法第171条第1項第1号に規定する取得対価をいう。以下この条において同じ。）の相当性に関する事項

二　取得対価について参考となるべき事項

三　計算書類等に関する事項

四　備置開始日（法第171条の2第1項各号に掲げる日のいずれか早い日をいう。第4項第1号において同じ。）後株式会社が全部取得条項付種類株式の全部を取得する日までの間に，前3号に掲げる事項に変更が生じたときは，変更後の当該事項

2　前項第1号に規定する「取得対価の相当性に関する事項」とは，次に掲げ

る事項その他の法第171条第1項第1号及び第2号に掲げる事項についての定め（当該定めがない場合にあっては，当該定めがないこと）の相当性に関する事項とする。
一　取得対価の総数又は総額の相当性に関する事項
二　取得対価として当該種類の財産を選択した理由
三　全部取得条項付種類株式を取得する株式会社に親会社等がある場合には，当該株式会社の株主（当該親会社等を除く。）の利益を害さないように留意した事項（当該事項がない場合にあっては，その旨）
四　法第234条の規定により1に満たない端数の処理をすることが見込まれる場合における次に掲げる事項
　イ　次に掲げる事項その他の当該処理の方法に関する事項
　　(1)　法第234条第1項又は第2項のいずれの規定による処理を予定しているかの別及びその理由
　　(2)　法第234条第1項の規定による処理を予定している場合には，競売の申立てをする時期の見込み（当該見込みに関する取締役（取締役会設置会社にあっては，取締役会。(3)及び(4)において同じ。）の判断及びその理由を含む。）
　　(3)　法第234条第2項の規定による処理（市場において行う取引による売却に限る。）を予定している場合には，売却する時期及び売却により得られた代金を株主に交付する時期の見込み（当該見込みに関する取締役の判断及びその理由を含む。）
　　(4)　法第234条第2項の規定による処理（市場において行う取引による売却を除く。）を予定している場合には，売却に係る株式を買い取る者となると見込まれる者の氏名又は名称，当該者が売却に係る代金の支払のための資金を確保する方法及び当該方法の相当性並びに売却する時期及び売却により得られた代金を株主に交付する時期の見込み（当該見込みに関する取締役の判断及びその理由を含む。）
　ロ　当該処理により株主に交付することが見込まれる金銭の額及び当該額の相当性に関する事項
3　第1項第2号に規定する「取得対価について参考となるべき事項」とは，次の各号に掲げる場合の区分に応じ，当該各号に定める事項その他これに準ずる事項（法第171条の2第1項に規定する書面又は電磁的記録にこれらの事項の全部又は一部の記載又は記録をしないことにつき全部取得条項付種類株式を取得する株式会社の総株主の同意がある場合にあっては，当該同意があったものを除く。）とする。
一　取得対価の全部又は一部が当該株式会社の株式である場合　次に掲げる

事項
　　イ　当該株式の内容
　　ロ　次に掲げる事項その他の取得対価の換価の方法に関する事項
　　　⑴　取得対価を取引する市場
　　　⑵　取得対価の取引の媒介，取次ぎ又は代理を行う者
　　　⑶　取得対価の譲渡その他の処分に制限があるときは，その内容
　　ハ　取得対価に市場価格があるときは，その価格に関する事項
　ニ　取得対価の全部又は一部が法人等の株式，持分その他これらに準ずるもの（当該株式会社の株式を除く。）である場合　次に掲げる事項（当該事項が日本語以外の言語で表示されている場合にあっては，当該事項（氏名又は名称を除く。）を日本語で表示した事項）
　　イ　当該法人等の定款その他これに相当するものの定め
　　ロ　当該法人等が会社でないときは，次に掲げる権利に相当する権利その他の取得対価に係る権利（重要でないものを除く。）の内容
　　　⑴　剰余金の配当を受ける権利
　　　⑵　残余財産の分配を受ける権利
　　　⑶　株主総会における議決権
　　　⑷　合併その他の行為がされる場合において，自己の有する株式を公正な価格で買い取ることを請求する権利
　　　⑸　定款その他の資料（当該資料が電磁的記録をもって作成されている場合にあっては，当該電磁的記録に記録された事項を表示したもの）の閲覧又は謄写を請求する権利
　　ハ　当該法人等が，その株主，社員その他これらに相当する者（以下この号において「株主等」という。）に対し，日本語以外の言語を使用して情報の提供をすることとされているときは，当該言語
　　ニ　当該株式会社が全部取得条項付種類株式の全部を取得する日に当該法人等の株主総会その他これに相当するものの開催があるものとした場合における当該法人等の株主等が有すると見込まれる議決権その他これに相当する権利の総数
　　ホ　当該法人等について登記（当該法人等が外国の法令に準拠して設立されたものである場合にあっては，法第933条第１項の外国会社の登記又は外国法人の登記及び夫婦財産契約の登記に関する法律（明治31年法律第14号）第２条の外国法人の登記に限る。）がされていないときは，次に掲げる事項
　　　⑴　当該法人等を代表する者の氏名又は名称及び住所
　　　⑵　当該法人等の役員（⑴の者を除く。）の氏名又は名称

ヘ　当該法人等の最終事業年度（当該法人等が会社以外のものである場合にあっては，最終事業年度に相当するもの。以下この号において同じ。）に係る計算書類（最終事業年度がない場合にあっては，当該法人等の成立の日における貸借対照表）その他これに相当するものの内容（当該計算書類その他これに相当するものについて監査役，監査等委員会，監査委員会，会計監査人その他これらに相当するものの監査を受けている場合にあっては，監査報告その他これに相当するものの内容の概要を含む。）

　ト　次に掲げる場合の区分に応じ，次に定める事項
　　⑴　当該法人等が株式会社である場合　当該法人等の最終事業年度に係る事業報告の内容（当該事業報告について監査役，監査等委員会又は監査委員会の監査を受けている場合にあっては，監査報告の内容を含む。）
　　⑵　当該法人等が株式会社以外のものである場合　当該法人等の最終事業年度に係る第118条各号及び第119条各号に掲げる事項に相当する事項の内容の概要（当該事項について監査役，監査等委員会，監査委員会その他これらに相当するものの監査を受けている場合にあっては，監査報告その他これに相当するものの内容の概要を含む。）

　チ　当該法人等の過去5年間にその末日が到来した各事業年度（次に掲げる事業年度を除く。）に係る貸借対照表その他これに相当するものの内容
　　⑴　最終事業年度
　　⑵　ある事業年度に係る貸借対照表その他これに相当するものの内容につき，法令の規定に基づく公告（法第440条第3項の措置に相当するものを含む。）をしている場合における当該事業年度
　　⑶　ある事業年度に係る貸借対照表その他これに相当するものの内容につき，金融商品取引法第24条第1項の規定により有価証券報告書を内閣総理大臣に提出している場合における当該事業年度

　リ　前号ロ及びハに掲げる事項
　ヌ　取得対価が自己株式の取得，持分の払戻しその他これらに相当する方法により払戻しを受けることができるものであるときは，その手続に関する事項

三　取得対価の全部又は一部が当該株式会社の社債，新株予約権又は新株予約権付社債である場合　第1号ロ及びハに掲げる事項

四　取得対価の全部又は一部が法人等の社債，新株予約権，新株予約権付社債その他これらに準ずるもの（当該株式会社の社債，新株予約権又は新株予約権付社債を除く。）である場合　次に掲げる事項（当該事項が日本語以外の言語で表示されている場合にあっては，当該事項（氏名又は名称を除く。）を日本語で表示した事項）

イ　第1号ロ及びハに掲げる事項
　　ロ　第2号イ及びホからチまでに掲げる事項
　五　取得対価の全部又は一部が当該株式会社その他の法人等の株式，持分，社債，新株予約権，新株予約権付社債その他これらに準ずるもの及び金銭以外の財産である場合　第1号ロ及びハに掲げる事項
4　第1項第3号に規定する「計算書類等に関する事項」とは，次に掲げる事項とする。
　一　全部取得条項付種類株式を取得する株式会社（清算株式会社を除く。以下この項において同じ。）において最終事業年度の末日（最終事業年度がない場合にあっては，当該株式会社の成立の日）後に重要な財産の処分，重大な債務の負担その他の会社財産の状況に重要な影響を与える事象が生じたときは，その内容（備置開始日後当該株式会社が全部取得条項付種類株式の全部を取得する日までの間に新たな最終事業年度が存することとなる場合にあっては，当該新たな最終事業年度の末日後に生じた事象の内容に限る。）
　二　全部取得条項付種類株式を取得する株式会社において最終事業年度がないときは，当該株式会社の成立の日における貸借対照表

　全部取得条項付種類株式を取得する株式会社は，法171条の2第1項1号または2号に掲げる日のいずれか早い日から取得日後6カ月を経過する日までの間，法171条1項各号に掲げる事項その他法務省令で定める事項を記載し，または記録した書面または電磁的記録をその本店に備え置かなければならず，全部取得条項付種類株式を取得する株主は，当該株式会社に対して，その営業時間内は，いつでも，その閲覧等の請求をすることができる（法171条の2第1項・2項）。これは全部取得条項付種類株式を取得を承認するかどうかを意思決定するために必要な情報を株主に提供することを目的とする。また，株主が全部取得条項付種類株式の取得差止請求（法171条の3）を行うかどうかを判断するための情報，価格決定の申立て（法172条）を行うかどうかを判断するための情報を提供するという面もある。
　本条は，法171条の2第1項の委任をうけて，「法務省令で定める事項」を定めるものである。
　なお，全部取得条項付種類株式の全部取得はキャッシュ・アウトの手段として用いられることが一般的であることに鑑み，株式交換親株式会社の株式以外の金銭等が株式交換対価とされる株式交換と整合的な規律を行うという観点から，事前開示，差止請求および事後開示についての規定が平成26年会社法改

正により創設された。そこで、株式交換における株式交換完全子会社の事前開示事項（184条）を参考として、本条は事前開示事項を定めている。ただし、全部取得条項付種類株式の取得により、少数株主には、1株に満たない端数の株式が交付され、当該株式の端数の合計数の整数部分を売却した代金を対価として受け取ることになること（法234条）が想定されることに対応する規定も設けられている。

1 取得対価の相当性に関する事項（1項1号・2項）

(a)取得対価の総数または総額の相当性に関する事項、(b)取得対価として当該種類の財産を選択した理由、(c)全部取得条項付種類株式を取得する株式会社に親会社等がある場合には、当該株式会社の株主（当該親会社等を除く）の利益を害さないように留意した事項（当該事項がない場合には、その旨）、および、(d)法234条の規定により1に満たない端数の処理をすることが見込まれる場合における当該処理の方法に関する事項（法234条1項または2項のいずれの規定による処理を予定しているかの別およびその理由、同条1項の規定による処理を予定している場合には、競売の申立てをする時期の見込み（その見込みに関する取締役（取締役会設置会社では取締役会）の判断およびその理由を含む）、同条2項の規定による処理のうち市場において行う取引による売却を予定している場合には、売却する時期および売却により得られた代金を株主に交付する時期の見込み（その見込みに関する取締役（取締役会設置会社では取締役会）の判断およびその理由を含む）、同項の規定による処理（市場において行う取引による売却を除く）を予定している場合には、売却に係る株式を買い取る者となると見込まれる者の氏名または名称、その者が売却に係る代金の支払のための資金を確保する方法およびその方法の相当性ならびに売却する時期および売却により得られた代金を株主に交付する時期の見込み（その見込みに関する取締役（取締役会設置会社では取締役会）の判断およびその理由を含む）を含む）、当該処理により株主に交付することが見込まれる金銭の額および当該額の相当性に関する事項その他の法171条1項1号および2号に掲げる事項についての定め（当該定めがない場合には、当該定めがないこと）の相当性に関する事項が事前開示事項とされている〔(a)および(b)については、→184条1〕。

(c)全部取得条項付種類株式を取得する株式会社に親会社等がある場合には、当該株式会社の株主（当該親会社等を除く）の利益を害さないように留意した事項（当該事項がない場合には、その旨）を記載させるのは、株式交換完全子会

社の事前開示事項に株式交換完全親会社と株式交換完全子会社とが共通支配下関係にあるときは，当該株式交換完全子会社の株主（当該株式交換完全親会社と共通支配下関係にある株主を除く）の利益を害さないように留意した事項の記載が要求されるのと同じ趣旨に基づくものである。親会社等がある場合には，株式会社またはその株主共同の利益よりも，親会社等の利益を優先して，全部取得条項付種類株式の取得の条件や対価，1株に満たない端数の処理などが決定されるおそれがあることに鑑みたものである。また，当該株式会社の株主（当該親会社等を除く）の利益を害さないように留意した事項が「ない場合にあっては，その旨」を記載させることによって，当該株式会社の株主（当該親会社等を除く）の利益を害さないように留意するよう当該株式会社の取締役を仕向けようとしている。この記載としては，親会社等から独立し，かつ専門的能力を有する第三者算定機関による株式価値評価書の取得や親会社等から独立した第三者委員会の設置およびその第三者委員会による意見の尊重などが考えられる。

(d)全部取得条項付種類株式の取得の対価として，少数株主には，1株に満たない端数の株式のみが交付されることとされ，当該株式の端数の合計数の整数部分を売却した代金を対価として受け取ることになる場合には，少数株主にとっては最終的に交付されることとなる金銭の額等に関する情報が重要であると考えられる。そこで，令和2年改正前には，1株に満たない端数の処理（法234条）をすることが見込まれる場合における当該処理の方法に関する事項，当該処理により株主に交付することが見込まれる金銭の額および当該額の相当性に関する事項が例示されていた（2項4号）。そして，端数の処理方法に関する事項には，競売または任意売却のいずれの方法によるかに加え，事前開示時点で想定されている端数処理の日程の概要，とりわけ，少数株主に対して金銭を交付することが見込まれる時期等も含まれ得ると指摘されていた（坂本ほか・商事法務2064号26頁（注95））。

しかし，これはあくまで有力な解釈にとどまるため，令和2年改正では，明文で開示事項を規定し，締め出される少数株主の保護を図るものとされた。すなわち，会社法制（企業統治等関係）部会において，全部取得条項付種類株式の取得の効力は，所定の取得日に生ずるにもかかわらず（法173条），全部取得条項付種類株式の取得の効力発生後に1に満たない端数の処理により株主に実際に交付される代金の額は，競売または任意売却の結果に依存しており，実際に競売または任意売却がされるまでの事情変動等による代金額の低下や代金の

不交付のリスクは，その代金の交付を受けるべき株主が負うこととなることから，確実かつ速やかな競売または任意売却の実施および株主への代金の交付を確保するための措置の導入について検討すべきであるという指摘がなされたことをうけて，全部取得条項付種類株式の取得を利用したキャッシュ・アウトに際してする端数処理手続に関して情報開示を充実させ（中間試案補足説明69頁），会社が少数株主の正当な利益を保護するように仕向けることとした。

すなわち，1に満たない端数の処理がなされる場合には，第1に，株式を競売し，かつ，その端数に応じてその競売により得られた代金を1に満たない端数を有することとなった者に交付するのか（法234条1項），それとも，市場価格のある株式については市場価格として法務省令で定める方法（50条）により算定される額をもって，市場価格のない株式については裁判所の許可を得て競売以外の方法により，これを売却し，かつ，その端数に応じてその売却により得られた代金を1に満たない端数を有することとなった者に交付するのか（法234条2項）のいずれを予定しているかの別およびその理由を開示することが求められる。これによって，少数株主にとって好ましい方法を選択するインセンティブを会社に与えることが期待される。

第2に，(1)株式を競売することを予定している場合には，競売の申立てをする時期の見込み（その見込みに関する取締役（取締役会設置会社では，取締役会）の判断およびその理由を含む）を含めることが求められる。これによって，有利な価格で処分できる限り，できるだけ早く，競売の申立てをするというインセンティブを会社に与えることができると期待される。また，「当該見込みに関する取締役（取締役会設置会社にあっては，取締役会……）の判断及びその理由を含む」とされているのは，取締役（取締役会設置会社では，取締役会）が競売の申立てをする時期の見込みについて検討を加え，少数株主の利益を保護する役割を果たすよう仕向けるためである（十分に検討を加えなければ，説得力を有する理由を示すことはできないはずである）。

(2)同様の趣旨に基づいて，市場において行う取引による売却を予定している場合には，売却する時期および売却により得られた代金を株主に交付する時期の見込み（その見込みに関する取締役（取締役会設置会社では，取締役会）の判断およびその理由を含む）を含めなければならないものとされている。

(3)競売以外の方法による売却（市場において行う取引による売却を除く）を予定している場合にも，同様の趣旨に基づいて，売却する時期および売却により得られた代金を株主に交付する時期の見込み（その見込みに関する取締役（取締

役会設置会社では，取締役会）の判断およびその理由を含む）を含めなければならないとされている。さらに，売却に係る株式を買い取る者となると見込まれる者の氏名または名称，その者が売却に係る代金の支払のための資金を確保する方法およびその方法の相当性（その見込みに関する取締役（取締役会設置会社では，取締役会）の判断およびその理由を含む）を含めることが要求されている。これは，競売や市場において行う取引による売却の場合と異なり，売却に係る株式を買い取る者となると見込まれる者の資力が問題となるからである。また，会社がある者を「買い取る者となると見込まれる者」として開示する場合には，通常，その者が資金を確保する方法等について確認することは困難ではないと考えられる（意見募集の結果（令和2年11月）6頁）。これは，特別支配株主による売渡請求の場合の事前開示事項（33条の7第2号・33条の5第1項1号）とパラレルな開示事項である（33条の7に対するコメント参照）。

なお，「見込みに関する取締役（取締役会設置会社にあっては，取締役会）の判断及びその理由」の記載は，「取締役（取締役会設置会社にあっては，取締役会）がどのような判断過程及び理由により，競売の申立てをする時期又は売却する時期及び売却により得られた代金を株主に交付する時期を見込んだのかについて記載することを求めるものである」と説明されている（意見募集の結果（令和2年11月）5頁）。

第3に，端数処理により株主に交付することが見込まれる金銭の額およびその額の相当性に関する事項を含めることが求められている。これは，特別支配株主による売渡請求の場合の事前開示事項（33条の7第1号イ）とパラレルな開示事項である。「当該額の相当性に関する事項」（本条2項4号ロ）として，端数処理により株主に交付することが見込まれる金銭の額が相当であると考えられる根拠を示さなければならないと考えられ，そうであるとすれば，締め出される少数株主の利益が十分に保護されるような額であることを示すために，とりわけ，競売以外の方法による売却（市場において行う取引による売却を除く）を予定している場合には，合理的に価格が決定されるよう動機づけられるものと期待される。

以上に加えて，締め出される少数株主の判断にとって重要と考えられる端数処理の方法に関するその他の事項を含めなければならない。

なお，実務上，端数の処理の方法や交付が見込まれる金銭等についてキャッシュ・アウトを行おうとする大株主等と株式会社との間で事前に合意されることも多いことに照らせば，このような開示が求められても，株式会社は対応で

きるものと期待される。

2 取得対価について参考となるべき事項（1項2号・3項）

本条3項は、取得対価について参考となるべき事項を、株式「交換対価について参考となるべき事項」を定める184条4項とパラレルに定めている［趣旨および解釈については，→184条2］。

3 計算書類等に関する事項（1項3号・4項）

184条6項2号とパラレルに、最終事業年度があるときは重要な後発事象の記載が、最終事業年度がないときは、成立の日における貸借対照表を含めることが、それぞれ求められている。前者は、最終事業年度に係る計算書類等を株主は閲覧等できるが、開示されなければ重要な後発事象を知ることができず、その結果、全部取得条項付種類株式の取得対価の合理性、とりわけ、1株に満たない端数の処理をすることが見込まれる場合における当該処理により株主に交付することが見込まれる金銭の額および当該額の相当性を判断するための材料を持たないことになるからである。また、後者は、最終事業年度がないときは、判断材料となる計算書類等が存在せず、かつ、判断材料となりうる成立の日における貸借対照表は各事業年度に係る計算書類等と異なり、閲覧等の対象となっていないので、事前開示事項として開示させようというものである。なお、「備置開始日後当該株式会社が全部取得条項付種類株式の全部を取得する日までの間に新たな最終事業年度が存することとなる場合にあっては、当該新たな最終事業年度の末日後に生じた事象の内容に限る」とされているのは、新たな最終事業年度に係る計算書類には、備置開始日後新たな最終事業年度の末日までの生じた事象が反映されているからである［詳細については，→184条4］。

4 変更後の事項（1項4号）

1項1号から3号に掲げる事項についての情報が古くなってしまうと、株主にとって有用な情報ではなくなり、または、かえって誤導する情報ともなるので、備置開始日（法171条の2第1項各号に掲げる日のいずれか早い日）後、株式会社が全部取得条項付種類株式の全部を取得する日までの間に、1項1号から3号に掲げる事項に変更が生じたときは、変更後の当該事項を開示することが求められている。

───(全部取得条項付種類株式の取得に関する事後開示事項)───
第33条の3 法第173条の2第1項に規定する法務省令で定める事項は、次に掲げる事項とする。
　一　株式会社が全部取得条項付種類株式の全部を取得した日
　二　法第171条の3の規定による請求に係る手続の経過
　三　法第172条の規定による手続の経過
　四　株式会社が取得した全部取得条項付種類株式の数
　五　前各号に掲げるもののほか、全部取得条項付種類株式の取得に関する重要な事項

　全部取得条項付種類株式の全部取得を行った株式会社は、取得日後遅滞なく、株式会社が取得した全部取得条項付種類株式の数その他の全部取得条項付種類株式の取得に関する事項として法務省令で定める事項を記載し、または記録した書面または電磁的記録を作成し、取得日から6カ月間、その本店に備え置かなければならない（法173条の2第1項・2項）。この委任をうけて、「全部取得条項付種類株式の取得に関する事項として法務省令で定める事項」を定めるのが本条である。

　全部取得条項付種類株式の取得に係る事後開示は、全部取得条項付種類株式を取得した株式会社の株主または取得日に当該株式会社の株主であった者が全部取得条項付種類株式の全部取得が適法に行われたかどうかを確かめるための情報を提供するという点で意義を有する（法173条の2第3項参照）。同時に、全部取得を行う株式会社の取締役・執行役が適切に職務執行を行ったことを明らかにするという機能を有し、当該株式会社の取締役・執行役に適切に職務執行をするインセンティブを与えるという機能を有する。

　株式会社が全部取得条項付種類株式の全部を取得した日（1号）を記載させるのは、その日が取得の効果が生ずる日（法173条）であり、また事後開示書面の備置期間の終期がこれにより定まるからである（法173条の2第2項）と推測される。

　全部取得条項付種類株式の取得の差止請求（法171条の3）に係る手続の経過（2号）が事後開示事項とされているのは、裁判所による取得差止めの仮処分または判決に反してなされる取得は無効であると考える余地があるほか（最判平成5・12・16民集47巻10号5423頁参照）、（全部取得条項付種類株式の取得無効の訴えは法定されていないことから、私法の一般原則に照らして）法令または定款に

違反する全部取得条項付種類株式の取得は無効であると考えられるため、このような手続の経過を開示することが、株主その他の者が適切な判断を行うために重要であると考えられるためである。また、全部取得条項付種類株式の取得の価格の決定手続（法172条）の経過（3号）が事後開示事項とされているのは、この手続の結果が全部取得条項付種類株式を取得した株式会社の財産に影響を与え、ひいては当該株式会社の株主が有する株式の価値に影響を与えるからである。また、この決定手続の過程で、会社の取締役・執行役が全部取得条項付種類株式の取得にあたって任務を懈怠したことを示唆するような事情が判明する可能性があることに鑑みると、取締役・執行役が善管注意義務を払って、全部取得条項付種類株式の取得に関する職務を執行するインセンティブを与えるという効果も期待できる。

株式会社が取得した全部取得条項付種類株式の数（4号）は、法173条の2第1項が例示する事項を挙げたものである（法173条の2第1項は、「株式会社が取得した全部取得条項付種類株式の数その他の全部取得条項付種類株式の取得に関する事項」（圏点—引用者）と定めている）。

「前各号に掲げるもののほか、全部取得条項付種類株式の取得に関する重要な事項」（5号）としては、全部取得条項付種類株式の取得に係る決議に先立ち、当該定款変更に係る決議が同一の株主総会で行われるような場合には、当該株式買取請求に係る手続の経過が想定できる（坂本ほか・商事法務2064号27頁注101）。

第3節の2　特別支配株主の株式等売渡請求

―（特別支配株主完全子法人）――――

第33条の4　法第179条第1項に規定する法務省令で定める法人は、次に掲げるものとする。

一　法第179条第1項に規定する者がその持分の全部を有する法人（株式会社を除く。）

二　法第179条第1項に規定する者及び特定完全子法人（当該者が発行済株式の全部を有する株式会社及び前号に掲げる法人をいう。以下この項において同じ。）又は特定完全子法人がその持分の全部を有する法人

> 2　前項第2号の規定の適用については，同号に掲げる法人は，同号に規定する特定完全子法人とみなす。

　本条は，法179条1項が，特別支配株主を「株式会社の総株主の議決権の10分の9（これを上回る割合を当該株式会社の定款で定めた場合にあっては，その割合）以上を当該株式会社以外の者及び当該者が発行済株式の全部を有する株式会社その他これに準ずるものとして法務省令で定める法人（以下この条及び次条第1項において「特別支配株主完全子法人」という。）が有している場合における当該者をいう」と定めていることをうけて，特別支配株主完全子法人にあたるものを定めるものである。

　本条の規定は，略式事業譲渡など（法468条1項・784条）との関係で特別支配会社を定めている136条と同様の規定振りとなっている。また，特定完全子法人には株式会社以外の法人が含まれるのに対し，218条の3にいう完全子会社は株式会社である点を除くと，同条における完全子会社の定義とパラレルに特定完全子法人が定義されている。

　1項1号かっこ書が「株式会社を除く」と定めているのは，法179条1項が「当該株式会社以外の者及び当該者が発行済株式の全部を有する株式会社その・他これに準ずるものとして法務省令で定める法人（以下この条及び次条第1項において「特別支配株主完全子法人」という。）」（圏点—引用者）と定め，特別支配株主完全子法人は，特定支配株主が「発行済株式の全部を有する株式会社」に準ずるものを意味するため，特定支配株主が「発行済株式の全部を有する株式会社」自体は特別支配株主完全子法人に含まれないからである。

　1項2号は，特別支配株主が発行済株式の全部を有する株式会社および特別支配株主がその持分の全部を有する法人（株式会社を除く）を特定完全子法人と呼ぶこととし，(a)特別支配株主およびその特定完全子法人がその持分の全部を有する法人または(b)特別支配株主の特定完全子法人がその持分の全部を有する法人は，法179条1項にいう特別支配株主が「発行済株式の全部を有する株式会社その他これに準ずるものとして法務省令で定める法人」にあたると定めている。もちろん，ここでいう特別支配株主の特定完全子法人は複数であってもよい。

　2項は，(a)または(b)の法人を特別支配株主の特定完全子法人とみなすと定めており，特別支配株主と(a)もしくは(b)の法人がその株式の全部を有する法人ま

たは(a)もしくは(b)の法人がその持分の全部を有する法人も，法179条1項にいう特別支配株主が「発行済株式の全部を有する株式会社その他これに準ずるものとして法務省令で定める法人」にあたることになる。

(株式等売渡請求に際して特別支配株主が定めるべき事項)

第33条の5　法第179条の2第1項第6号に規定する法務省令で定める事項は，次に掲げる事項とする。
　一　株式売渡対価（株式売渡請求に併せて新株予約権売渡請求（その新株予約権売渡請求に係る新株予約権が新株予約権付社債に付されたものである場合における法第179条第3項の規定による請求を含む。以下同じ。）をする場合にあっては，株式売渡対価及び新株予約権売渡対価）の支払のための資金を確保する方法
　二　法第179条の2第1項第1号から第5号までに掲げる事項のほか，株式等売渡請求に係る取引条件を定めるときは，その取引条件
2　前項第1号に規定する「株式売渡対価」とは，法第179条の2第1項第2号の金銭をいう（第33条の7第1号イ及び第2号において同じ。）。
3　第1項第1号に規定する「新株予約権売渡対価」とは，法第179条の2第1項第4号ロの金銭をいう（第33条の7第1号イ及び第2号において同じ。）。

　本条は，株式等売渡請求は，法179条の2第1項6号が「前各号に掲げるもののほか，法務省令で定める事項」を定めてしなければならないと定めていることをうけたものである。

　特別支配株主による株式等売渡請求においては，対象会社の承認を受けなければならないとされている（法179条の3第1項）。そして，対象会社の取締役（取締役会設置会社では取締役会）は，株式等売渡請求を承認するか否かを決定するにあたって，売渡株主等の利益が適切に保護されているかどうかを善良な管理者としての注意を払って検討しなければならないと考えられるところ，その判断にあたっては，株式等売渡請求の条件等が適正かどうかが問題となるが，特別支配株主完全子法人に対して株式売渡請求をしないこととするときは，その旨およびその特別支配株主完全子法人の名称，売渡株主に対して売渡株式の対価として交付する金銭の額またはその算定方法，売渡株主に対する当該金銭の割当てに関する事項，新株予約権売渡請求をするときは，その旨および特別支配株主完全子会社に対して新株予約権売渡請求をしないこととする

きはその旨および当該特別支配完全子法人の名称，売渡新株予約権者に対して売渡新株予約権の対価として交付する金銭の額またはその算定方法，売渡新株予約権者に対する当該金銭の割当てに関する事項，特別支配株主が売渡株式等を取得する日（取得日）など法179条の2第1項1号から5号に掲げられた事項のみならず，売渡株式または売渡新株予約権の対価の交付の見込みその他の株式等売渡請求に係る取引条件についても検討することが求められる。

　とりわけ，1項1号では，特に特別支配株主に対し，株式売渡対価および新株予約権売渡対価の支払のための資金を確保する方法を定め，対象会社に通知することを求め，このことは，対象会社の取締役（取締役会設置会社では取締役会）は，株式等売渡請求の承認を決定するにあたって，この事項も売渡株主等の保護という観点から適切に定められていることを確かめなければならないことを意味する。このような規定が設けられたのは，参議院の法務委員会における法案審議の過程において，株式売渡対価が確実に交付されるような手当てが必要であると認識されたことによる。すなわち，参議院法務委員会（平成26年6月19日）において，谷垣法務大臣（当時）は，「委員から，売渡し株主への代金支払を確保すべきであるという御指摘をいただいたことも踏まえまして，対象会社の取締役が対価の交付の見込みを確認することを法務省令で担保することを検討しております。」とし，「具体的には，対象会社が売渡し株主の閲覧に供する事前開示事項というのがございますが，この事前開示事項として，特別支配株主から売渡し株主に対する対価の交付の見込みを定める方向で検討しております。これによりまして，対象会社の取締役ないし取締役会は，対価の交付の見込みも確認した上で株式売渡し請求を承認するかどうかを判断して，これを承認した場合には，対価の交付の見込みを売渡し株主に対して開示するということが明らかとなってくると，こういうことを今検討しているところでございます。」と述べた（第186回国会参議院法務委員会会議録第25号2頁）。

　1項2号が，「株式等売渡請求に係る取引条件を定めるときは，その取引条件」と定めるのは，法179条の2第1項1号から5号および本条1項1号が定める事項以外の取引条件についても，対象会社の取締役（取締役会設置会社では取締役会）は，株式等売渡請求を承認するか否かを決定するにあたって考慮に入れるべきであるが，株式等売渡請求に係る取引の内容または条件としてはさまざまなものが想定されるため，具体的な例示はなされていない（坂本ほか・商事法務2063号47頁）。株式売渡対価および新株予約権売渡対価の支払日などは，ここでいう取引条件にあたるものと考えられる。

第33条の6 (売渡株主等に対して通知すべき事項) 227

──(売渡株主等に対して通知すべき事項)──────────
第33条の6　法第179条の4第1項第1号に規定する法務省令で定める事項は，前条第1項第2号に掲げる事項とする。
────────────────────────

　対象会社は，特別支配株主の株式等売渡請求を承認したときは，取得日の20日前までに，売渡株主（特別支配株主が株式売渡請求に併せて新株予約権売渡請求をする場合には，売渡株主および売渡新株予約権者）に対し，当該承認をした旨，特別支配株主の氏名または名称および住所，法179条の2第1項1号から5号までに掲げる事項その他法務省令で定める事項（同項6号）を通知（売渡新株予約権者に対しては公告をもって代えることができる）しなければならない（法179条の4第1項・2項）。本条は，これをうけて，特別支配株主の株式等売渡請求を承認したときに，対象会社が売渡株主等に対して通知すべき事項として，法179条の2第1項1号から5号までに掲げる事項のほか，株式等売渡請求に係る取引条件を定めるときは，その取引条件を定めるものである。このような取引条件は，特別支配株主と売渡株主等との間の取引の内容または条件であることから，通知することを要求している。
　これに対して，株式売渡対価および新株予約権売渡対価の支払のための資金を確保する方法（33条の5第1項1号）を売渡株主等に対して通知することは要求されていない。これは，特別支配株主から対象会社に対する資金を確保するための方法についての通知には金融機関からの融資証明書などが含まれると予想され，個別通知または公告に適さない面があると考えられたこと，および，資金確保方法は特別支配株主と売渡株主等との間の契約の内容または条件を成すものではないことによると説明されている（坂本ほか・商事法務2063号47頁）。
　なお，対象会社の事前開示事項（法179条の5第1項）には，株式売渡対価および新株予約権売渡対価の支払のための資金を確保する方法についての定めの相当性その他の株式売渡対価および新株予約権売渡対価の交付の見込みに関する事項（当該見込みに関する対象会社の取締役の判断およびその理由を含む）が含められている（33条の7第2号）。したがって，売渡株主等は，事前開示書類を閲覧等することにより，株式売渡対価および新株予約権売渡対価の支払のための資金を確保する方法を知ることができる。

――(対象会社の事前開示事項)――

第33条の7 法第179条の5第1項第4号に規定する法務省令で定める事項は，次に掲げる事項とする。

一 次に掲げる事項その他の法第179条の2第1項第2号及び第3号に掲げる事項（株式売渡請求に併せて新株予約権売渡請求をする場合にあっては，同項第2号及び第3号並びに第4号ロ及びハに掲げる事項）についての定めの相当性に関する事項（当該相当性に関する対象会社の取締役（取締役会設置会社にあっては，取締役会。次号及び第3号において同じ。）の判断及びその理由を含む。）

 イ 株式売渡対価の総額（株式売渡請求に併せて新株予約権売渡請求をする場合にあっては，株式売渡対価の総額及び新株予約権売渡対価の総額）の相当性に関する事項

 ロ 法第179条の3第1項の承認に当たり売渡株主等の利益を害さないように留意した事項（当該事項がない場合にあっては，その旨）

二 第33条の5第1項第1号に掲げる事項についての定めの相当性その他の株式売渡対価（株式売渡請求に併せて新株予約権売渡請求をする場合にあっては，株式売渡対価及び新株予約権売渡対価）の交付の見込みに関する事項（当該見込みに関する対象会社の取締役の判断及びその理由を含む。）

三 第33条の5第1項第2号に掲げる事項についての定めがあるときは，当該定めの相当性に関する事項（当該相当性に関する対象会社の取締役の判断及びその理由を含む。）

四 対象会社についての次に掲げる事項

 イ 対象会社において最終事業年度の末日（最終事業年度がない場合にあっては，対象会社の成立の日）後に重要な財産の処分，重大な債務の負担その他の会社財産の状況に重要な影響を与える事象が生じたときは，その内容（法第179条の4第1項第1号の規定による通知の日又は同条第2項の公告の日のいずれか早い日（次号において「備置開始日」という。）後特別支配株主が売渡株式等の全部を取得する日までの間に新たな最終事業年度が存することとなる場合にあっては，当該新たな最終事業年度の末日後に生じた事象の内容に限る。）

 ロ 対象会社において最終事業年度がないときは，対象会社の成立の日における貸借対照表

五 備置開始日後特別支配株主が売渡株式等の全部を取得する日までの間に，前各号に掲げる事項に変更が生じたときは，変更後の当該事項

特別支配株主による株式等の売渡請求を承認した対象会社は，179条の4第1項1号の規定による通知の日または同条2項の公告の日のいずれか早い日から取得日後6カ月（対象会社が公開会社でない場合には，取得日後1年）を経過する日までの間，特別支配株主の氏名または名称および住所，法179条の2第1項各号に掲げる事項，法179条の3第1項の承認をした旨のほか，法務省令で定める事項を記載し，または記録した書面または電磁的記録をその本店に備え置かなければならず，売渡株主・売渡新株予約権者は，対象会社に対して，その営業時間内は，いつでも，その閲覧等の請求をすることができる（法179条の5第1項・2項）。これは，一方では，売渡株主等に売渡株式等の取得の差止請求（法179条の7）を行うかどうか，価格決定申立て（法179条の8）を行うかどうか，株式等売渡無効の訴え（法846条の2）を提起すべきかどうかを判断するために必要な情報を提供するという面を有している。他方では，対象会社の取締役（取締役会設置会社では取締役会）が売渡請求を承認するにあたって，売渡株主等の利益を十分に図るインセンティブを与えるという機能を有する。

　金銭を対価とする株式交換によっても，少数株主の締め出しが可能であり，特別支配株主による株式の売渡請求と類似した効果を有することに鑑み，本条は，株式交換における株式交換完全子会社の事前開示事項（184条）を参考にして，特別支配株主による株式等売渡請求を承認した対象会社の事前開示事項を定めている。

　まず，株式売渡対価の額またはその算定方法および売渡株主に対するその割当てに関する事項（株式売渡請求に併せて新株予約権売渡請求をする場合には，さらに新株予約権売渡対価の額またはその算定方法および売渡新株予約権者に対するその割当てに関する事項）についての定めの相当性に関する事項を開示させることとしているが，そのような事項の中でも重要と考えられるものとして，株式売渡対価の総額（株式売渡請求に併せて新株予約権売渡請求をする場合には，株式売渡対価の総額および新株予約権売渡対価の総額）の相当性に関する事項を規定している（1号イ）。株式売渡対価の総額および新株予約権売渡対価として売渡株主等に交付される財産の価値の総和は，対象会社の企業価値に基づいたものとなるべきであるという視点から総額を開示させることとしている。株式売渡対価の総額（株式売渡請求に併せて新株予約権売渡請求をする場合には，株式売渡対価の総額および新株予約権売渡対価の総額）を含む，株式売渡対価の額またはその算定方法および売渡株主に対するその割当てに関する事項（株式売渡請求に併せて新株予約権売渡請求をする場合には，さらに新株予約権売渡対価の額

またはその算定方法および売渡新株予約権者に対するその割当てに関する事項）の「相当性に関する対象会社の取締役（取締役会設置会社にあっては，取締役会……）の判断及びその理由を含む」とされているのは，対象会社は，株式等売渡請求に係る取引の当事者ではないが，株式等売渡請求を承認するにあたっては，対象会社自ら株式売渡対価等の相当性を判断しなければならないことを明確にするという趣旨に基づくものである（坂本ほか・商事法務2063号48頁）。

　売渡請求の承認にあたり売渡株主等の利益を害さないように留意した事項（当該事項がない場合にあっては，その旨）を記載させる（1号ロ）のは，会社の取締役は特別支配株主が対象会社の特別支配株主であることもありうるし，そうでなくとも，特別支配株主が取締役の選任を支配しているのが一般的であることから，特別支配株主の利益を図り，売渡株主等の利益を犠牲にするような売渡請求が承認されるおそれがあることに鑑みたものである。売渡株主等の利益を害さないように留意した「事項がない場合にあっては，その旨」を記載させることによって，売渡株主等の利益を害さないように留意するよう対象会社の取締役を仕向けようとしている。この記載としては，特別支配株主から独立し，かつ専門的能力を有する第三者算定機関による株式価値評価書の取得や特別支配株主から独立した第三者委員会の設置およびその第三者委員会による意見の尊重などが考えられる。

　また，とりわけ，参議院法務委員会における法案審議において，売渡株主等への対価の支払を確保する方策を講ずる必要性が指摘されたこと［→33条の5］を踏まえ，株式売渡対価等の支払のための資金を確保する方法（33条の5第1項1号）の相当性を含む，対価の交付の見込みに関する事項として株式売渡対価（株式売渡請求と併せて新株予約権売渡請求をする場合には株式売渡対価および新株予約権売渡対価）の交付の見込みに関する事項が事前開示事項とされている（2号）。これについても，「当該見込みに関する対象会社の取締役の判断及びその理由を含む」とされ，対象会社は，株式等売渡請求を承認するにあたって，対象会社自ら株式売渡対価等の交付の見込みを判断しなければならないことが明らかにされている。参議院法務委員会（平成26年6月19日）において，谷垣法務大臣（当時）は，「対象会社の取締役が確認いたしますのは特別支配株主から売渡し株主に対する対価の交付の見込みでございますから，対象会社の取締役は，特別支配株主の資金確保の手段だけではなくて，その負債の面も含めまして，特別支配株主が売渡し株主に対して対価を交付するということが合理的に見込まれるかどうか，これを確認しなければならないと，こうい

う仕組みにしたいというふうに考えているわけでございます。それで，具体的には，資金確保の手段としては特別支配株主の預金残高証明書であるとかあるいは金融機関からの融資証明書等々，それから特別支配株主の負債については特別支配株主の貸借対照表等を確認することが想定されるわけでございます。もっとも，特別支配株主が法人でありますならば今のような手段がございますが，自然人ということになりますと，対象会社の取締役は特別支配株主に対して聞き取り調査等々の手段を取りましてその財産状況を確認するというようなことになると考えられます。それから，その聞き取り調査等を踏まえた対価の交付の見込みに関する事前内容の虚偽があると考える売渡し株主は，そのことを理由として売渡し株式の取得の差止め請求をすることができるようになると，そういうような手だてを講じるということではないかと思っております。」という見解を示した（第186回国会参議院法務委員会会議録第25号2頁）。

なお，株式等売渡請求に先行して，公開買付けが行われる場合には，当該公開買付けに係る公開買付届出書に資金証明（金融商品取引法27条の3第2項，発行者以外の者による株券等の公開買付けの開示に関する内閣府令13条1項7号）として融資証明書が添付されることがある。当該融資証明書の対象となっている融資が当該公開買付け後に行われる予定の株式等売渡請求における株式売渡対価等の支払資金の融資も含んでいる場合には，そのような融資は株式売渡対価等のための資金の支払いの方法ということができ，対象会社の取締役（取締役会設置会社では取締役会）としては当該融資証明書を確認することも考えられる（坂本ほか・商事法務2063号47頁・49頁注87）。

同様に，特別支配株主と売渡株主等との間の取引の内容または条件が特別支配株主によって定められた場合には，その相当性に係る情報も売渡株主等に対して開示されるべきであると考えられるため，取引条件の相当性に関する事項が事前開示事項とされている（3号）。「当該相当性に関する対象会社の取締役の判断及びその理由を含む」とされており，対象会社は，株式等売渡請求を承認するにあたって，対象会社自ら取引条件の相当性も判断しなければならないことが明確化されている。

さらに，184条6項2号とパラレルに，最終事業年度があるときは重要な後発事象の記載が，最終事業年度がないときは成立の日における貸借対照表を含めることが，それぞれ求められている（4号）。前者は，最終事業年度に係る計算書類等を株主は閲覧等できるが，開示されなければ重要な後発事象を知ることができず，その結果，取得価格の合理性，とりわけ，1株に満たない端数

の処理をすることが見込まれる場合における当該処理により株主に交付することが見込まれる金銭の額および当該額の相当性を判断するための材料を持たないことになるからである。また，後者は，最終事業年度がないときは，判断材料となる計算書類等が存在せず，かつ，判断材料となりうる成立の日における貸借対照表は各事業年度に係る計算書類等と異なり，閲覧等の対象となっていないので，事前開示事項として開示させようというものである。なお，「備置開始日……後特別支配株主が売渡株式等の全部を取得する日までの間に新たな最終事業年度が存することとなる場合にあっては，当該新たな最終事業年度の末日後に生じた事象の内容に限る」とされているのは，新たな最終事業年度に係る計算書類には，備置開始日後新たな最終事業年度の末日までの生じた事象が反映されているからである［詳細については，→184条4］。

以上に加えて，1号から4号に掲げる事項についての情報が古くなってしまうと，株主にとって有用な情報ではなくなり，または，かえって誤導する情報ともなるので，備置開始日後特別支配株主が売渡株式等の全部を取得する日までの間に，1号から4号に掲げる事項に変更が生じたときは，変更後の当該事項（5号）を開示することが求められている。

─（対象会社の事後開示事項）────────────────────
第33条の8　法第179条の10第1項に規定する法務省令で定める事項は，次に掲げる事項とする。
　一　特別支配株主が売渡株式等の全部を取得した日
　二　法第179条の7第1項又は第2項の規定による請求に係る手続の経過
　三　法第179条の8の規定による手続の経過
　四　株式売渡請求により特別支配株主が取得した売渡株式の数（対象会社が種類株式発行会社であるときは，売渡株式の種類及び種類ごとの数）
　五　新株予約権売渡請求により特別支配株主が取得した売渡新株予約権の数
　六　前号の売渡新株予約権が新株予約権付社債に付されたものである場合には，当該新株予約権付社債についての各社債（特別支配株主が新株予約権売渡請求により取得したものに限る。）の金額の合計額
　七　前各号に掲げるもののほか，株式等売渡請求に係る売渡株式等の取得に関する重要な事項

第33条の8（対象会社の事後開示事項） 233

　対象会社は，取得日後遅滞なく，株式等売渡請求により特別支配株主が取得した売渡株式等の数その他の株式等売渡請求に係る売渡株式等の取得に関する事項として法務省令で定める事項を記載し，または記録した書面または電磁的記録を作成し，取得日から6カ月間（対象会社が公開会社でない場合には，取得日から1年間），その本店に備え置かなければならない（法179条の10第1項・2項）。この委任をうけて，「株式等売渡請求に係る売渡株式等の取得に関する事項として法務省令で定める事項」を定めるのが本条である。
　株式等売渡請求に係る事後開示は，主として，売渡株主あるいは売渡新株予約権者が，株式等売渡無効の訴え（法846条の2）を提起すべきかどうかを判断するために必要な情報を提供するという観点から定められている。
　①特別支配株主が売渡株式等の全部を取得した日（取得日。1号）が事後開示事項とされているのは，売渡株式等の取得の無効の訴えは，取得日から6カ月以内（対象会社が公開会社でない場合にあっては，当該取得日から1年以内）でなければ提起することができないとされていること（法846条の2第1項）と関連する。
　②売渡株式等の取得差止請求（法179条の7）に係る手続の経過（2号）が事後開示事項とされているのは，売渡株式等の取得差止めの仮処分または判決に反してなされる売渡株式等の取得には無効原因があると考えられるほか（最判平成5・12・16民集47巻10号5423頁参照），法令または定款に違反する売渡株式等の取得には無効原因があるとされる場合があるため，このような手続の経過を開示することが，株主その他の者が適切な判断を行うため，とりわけ，売渡株式等の取得の無効の訴えを提起するか否かを判断するために重要であると考えられるためである。
　③売渡株式等の売買価格の決定の申立て（法179条の8）に係る手続の経過（3号）が事後開示事項とされているのは，売渡株式等の売買価格の決定は売渡株主等の経済的利益を保護するという観点から重要な手続だからである。この決定手続の過程で，会社の取締役・執行役が全部取得条項付種類株式の取得にあたって任務を懈怠したことを示唆するような事情が判明する可能性があることに鑑みると，取締役・執行役が善管注意義務を払って，全部取得条項付種類株式の取得に関する職務を執行するインセンティブを与えるという効果も期待できる。
　④株式売渡請求により特別支配株主が取得した売渡株式の数（対象会社が種類株式発行会社であるときは，売渡株式の種類および種類ごとの数。4号），新株予

約権売渡請求により特別支配株主が取得した売渡新株予約権の数（5号）および売渡新株予約権が新株予約権付社債に付されたものである場合には，当該新株予約権付社債についての各社債（特別支配株主が新株予約権売渡請求により取得したものに限る）の金額の合計額（6号）の記載・記録が要求されているのは，どのような株式，新株予約権，新株予約権付社債が特別支配株主に移転したのかを明らかにすることが利害関係人の判断のために重要だからである。なお，これらは，法179条の10第1項が例示しているものを挙げたものである（同項は，「株式等売渡請求により特別支配株主が取得した売渡株式等の数その他の株式等売渡請求に係る売渡株式等の取得に関する事項」（圏点―引用者）と定めている）。

1号から6号までに列挙された事項のほかにも利害関係人の判断にとって重要な事項がありうるため，バスケット条項として7号が定められている。

第3節の3　株式の併合

（株式の併合に関する事前開示事項）
第33条の9　法第182条の2第1項に規定する法務省令で定める事項は，次に掲げる事項とする。
　一　次に掲げる事項その他の法第180条第2項第1号及び第3号に掲げる事項についての定めの相当性に関する事項
　　イ　株式の併合をする株式会社に親会社等がある場合には，当該株式会社の株主（当該親会社等を除く。）の利益を害さないように留意した事項（当該事項がない場合にあっては，その旨）
　　ロ　法第235条の規定により1株に満たない端数の処理をすることが見込まれる場合における次に掲げる事項
　　　(1)　次に掲げる事項その他の当該処理の方法に関する事項
　　　　(i)　法第235条第1項又は同条第2項において準用する法第234条第2項のいずれの規定による処理を予定しているかの別及びその理由
　　　　(ii)　法第235条第1項の規定による処理を予定している場合には，競売の申立てをする時期の見込み（当該見込みに関する取締役（取締役会設置会社にあっては，取締役会。(iii)及び(iv)において同じ。）の判断及びその理由を含む。）
　　　　(iii)　法第235条第2項において準用する法第234条第2項の規定による

処理（市場において行う取引による売却に限る。）を予定している場合には，売却する時期及び売却により得られた代金を株主に交付する時期の見込み（当該見込みに関する取締役の判断及びその理由を含む。）

　　(ⅳ)　法第235条第2項において準用する法第234条第2項の規定による処理（市場において行う取引による売却を除く。）を予定している場合には，売却に係る株式を買い取る者となると見込まれる者の氏名又は名称，当該者が売却に係る代金の支払のための資金を確保する方法及び当該方法の相当性並びに売却する時期及び売却により得られた代金を株主に交付する時期の見込み（当該見込みに関する取締役の判断及びその理由を含む。）

　　(2)　当該処理により株主に交付することが見込まれる金銭の額及び当該額の相当性に関する事項

二　株式の併合をする株式会社（清算株式会社を除く。以下この号において同じ。）についての次に掲げる事項

　イ　当該株式会社において最終事業年度の末日（最終事業年度がない場合にあっては，当該株式会社の成立の日）後に重要な財産の処分，重大な債務の負担その他の会社財産の状況に重要な影響を与える事象が生じたときは，その内容（備置開始日（法第182条の2第1項各号に掲げる日のいずれか早い日をいう。次号において同じ。）後株式の併合がその効力を生ずる日までの間に新たな最終事業年度が存することとなる場合にあっては，当該新たな最終事業年度の末日後に生じた事象の内容に限る。）

　ロ　当該株式会社において最終事業年度がないときは，当該株式会社の成立の日における貸借対照表

三　備置開始日後株式の併合がその効力を生ずる日までの間に，前2号に掲げる事項に変更が生じたときは，変更後の当該事項

　株式の併合（単元株式数（種類株式発行会社では，法180条2項3号の種類の株式の単元株式数）を定款で定めている場合には，当該単元株式数に株式併合の割合を乗じて得た数に1に満たない端数が生ずるものに限る）をする株式会社は，法182条の2第1項1号または2号に掲げる日のいずれか早い日から効力発生日後6カ月を経過する日までの間，法180条2項各号に掲げる事項その他法務省令で定める事項を記載し，または記録した書面または電磁的記録をその本店に備え置かなければならず，株式の併合をする株式会社の株主は，当該株式会社

に対して，その営業時間内は，いつでも，その閲覧等の請求をすることができる（法182条の2第1項・2項）。これは株式の併合を承認するかどうかを意思決定するために必要な情報を株主に提供することを目的とする。また，株主が株式併合差止請求（法182条の3）を行うかどうかを判断するための情報，株式買取請求（法182条の4）を行うかどうかを判断するための情報を提供するという面もある。

　本条は，法182条の2第1項の委任をうけて，「法務省令で定める事項」を定めるものである。

　なお，全部取得条項付種類株式の全部取得と同様，株式の併合がキャッシュ・アウトの手段として用いられる可能性があることに鑑みて，株式交換親株式会社の株式以外の金銭等が株式交換対価とされる株式交換と整合的な規律を行うという観点から，一定の株式の併合についても事前開示，差止請求および事後開示についての規定が平成26年会社法改正により創設された。すなわち，株式の併合により，少数株主は，1株に満たない端数の株式のみを有することとされ，当該株式の端数の合計数の整数部分を売却した代金を対価として受け取ることになること（法235条）が想定される。そこで，株式交換における株式交換完全子会社の事前開示事項（184条）を参考として定められた全部取得条項付種類株式の取得に関する事前開示事項（33条の2）と同様の開示事項を本条は定めている。ただ，全部取得条項付種類株式の取得と異なり，株式の取得と対価の交付を伴わないため，開示事項はかなり単純になっている。

　①　株式の併合をする株式会社に親会社等（法2条4号の2，施規3条の2）がある場合には，当該株式会社の株主（当該親会社等を除く）の利益を害さないように留意した事項（当該事項がない場合には，その旨），1株に満たない端数の処理（法235条）をすることが見込まれる場合における当該処理の方法に関する事項，当該処理により株主に交付することが見込まれる金銭の額および当該額の相当性に関する事項を含む，併合の割合（法180条2項1号）および併合する株式の種類（同項3号）についての定めの相当性に関する事項の開示が求められている。

　②　株式の併合をする株式会社に親会社等がある場合には，当該株式会社の株主（当該親会社等を除く）の利益を害さないように留意した事項（当該事項がない場合には，その旨）を記載させるのは，株式交換完全子会社の事前開示事項に株式交換完全親会社と株式交換完全子会社とが共通支配下関係にあるときは，当該株式交換完全子会社の株主（当該株式交換完全子会社と共通支配下関係

にある株主を除く）の利益を害さないように留意した事項の記載が要求されるのと同じ趣旨に基づくものである。親会社等がある場合には，株式会社またはその株主共同の利益よりも，親会社等の利益を優先して，株式の併合の条件や1株に満たない端数の処理などが決定されるおそれがあることに鑑みたものである。当該株式会社の株主（当該親会社等を除く）の利益を害さないように留意した事項……が「ない場合にあっては，その旨」を記載させることによって，当該株式会社の株主（当該親会社等を除く）の利益を害さないように留意するよう当該株式会社の取締役を仕向けようとしている。この記載としては，親会社等から独立し，かつ専門的能力を有する第三者算定機関による株式価値評価書の取得や親会社等から独立した第三者委員会の設置およびその第三者委員会による意見の尊重などが考えられる。

　③　株式の併合により，少数株主が，1株に満たない端数の株式のみを有することとされ，当該株式の端数の合計数の整数部分を売却した代金を対価として受け取ることになる（法235条）場合には，少数株主にとっては最終的に交付されることとなる金銭の額等に関する情報が重要であると考えられる。そこで，令和2年改正前には1株に満たない端数の処理（法235条）をすることが見込まれる場合における当該処理の方法に関する事項，当該処理により株主に交付することが見込まれる金銭の額および当該額の相当性に関する事項が例示されていた。そして，端数の処理方法に関する事項には，競売または任意売却のいずれの方法によるかに加え，事前開示時点で想定されている端数処理の日程の概要，とりわけ，少数株主に対して金銭を交付することが見込まれる時期等も含まれ得ると指摘されていた（坂本ほか・商事法務2064号26頁（注95））。

　しかし，これはあくまで有力な解釈にとどまるため，令和2年改正では，明文で開示事項を規定し，締め出される少数株主の保護を図るものとされた。すなわち，会社法制（企業統治等関係）部会において，株式の併合の効力は，所定の効力発生日に生ずるにもかかわらず（法182条），株式の併合の効力発生後に1に満たない端数の処理により株主に実際に交付される代金の額は，競売または任意売却の結果に依存しており，実際に競売または任意売却がされるまでの事情変動等による代金額の低下や代金の不交付のリスクは，その代金の交付を受けるべき株主が負うこととなることから，確実かつ速やかな競売または任意売却の実施および株主への代金の交付を確保するための措置の導入について検討すべきであるという指摘がなされたことをうけて，株式の併合を利用したキャッシュ・アウトに際してする端数処理手続に関して情報開示を充実させ

(中間試案補足説明69頁)，会社が少数株主の正当な利益を保護するように仕向けることとされた。

すなわち，1に満たない端数の処理がなされる場合には，第1に，株式を競売し，かつ，その端数に応じてその競売により得られた代金を1に満たない端数の株式を有することとなった者に交付するのか（法235条1項），それとも，市場価格のある株式については市場価格として法務省令で定める方法（50条）により算定される額をもって，市場価格のない株式については裁判所の許可を得て競売以外の方法により，これを売却し，かつ，その端数に応じてその売却により得られた代金を1に満たない端数の株式を有することとなった者に交付するのか（法235条2項・234条2項）のいずれを予定しているかの別およびその理由を開示することが求められる。これによって，少数株主にとって好ましい方法を選択するインセンティブを会社に与えることが期待される。

第2に，(1)株式を競売することを予定している場合には，競売の申立てをする時期の見込み（その見込みに関する取締役（取締役会設置会社では，取締役会）の判断およびその理由を含む）を含めることが求められる。これによって，有利な価格で処分できる限り，できるだけ早く，競売の申立てをするというインセンティブを会社に与えることができると期待される。また，「当該見込みに関する取締役（取締役会設置会社にあっては，取締役会……）の判断及びその理由を含む」とされているのは，取締役（取締役会設置会社では，取締役会）が競売の申立てをする時期の見込みについて検討を加え，少数株主の利益を保護する役割を果たすよう仕向けるためである（十分に検討を加えなければ，説得力を有する理由を示すことはできないはずである）。

(2)同様の趣旨に基づいて，市場において行う取引による売却を予定している場合には，売却する時期および売却により得られた代金を株主に交付する時期の見込み（その見込みに関する取締役（取締役会設置会社では，取締役会）の判断およびその理由を含む）を含めなければならないものとされている。

(3)競売以外の方法による売却（市場において行う取引による売却を除く）を予定している場合にも，同様の趣旨に基づいて，売却する時期および売却により得られた代金を株主に交付する時期の見込み（その見込みに関する取締役（取締役会設置会社では，取締役会）の判断およびその理由を含む）を含めなければならないとされている。さらに，売却に係る株式を買い取る者となると見込まれる者の氏名または名称，その者が売却に係る代金の支払のための資金を確保する方法およびその方法の相当性（その見込みに関する取締役（取締役会設置会社で

は，取締役会）の判断およびその理由を含む）を含めることが要求されている。これは，競売や市場において行う取引による売却の場合と異なり，売却に係る株式を買い取る者となると見込まれる者の資力が問題となるからである。また，会社がある者を「買い取る者となると見込まれる者」として開示する場合には，通常，その者が資金を確保する方法等について確認することは困難ではないと考えられる（意見募集の結果（令和2年11月）6頁）。これは，特別支配株主による売渡請求の場合の事前開示事項（33条の7第2号・33条の5第1項1号）とパラレルな開示事項である（33条の7に対するコメント参照）。

なお，「見込みに関する取締役（取締役会設置会社にあっては，取締役会……）の判断及びその理由」の記載は，「取締役（取締役会設置会社にあっては，取締役会）がどのような判断過程及び理由により，競売の申立てをする時期又は売却する時期及び売却により得られた代金を株主に交付する時期を見込んだのかについて記載することを求めるものである」と説明されている（意見募集の結果（令和2年11月）5頁）。

第3に，端数処理により株主に交付することが見込まれる金銭の額およびその額の相当性に関する事項を含めることが求められている。これは，特別支配株主による売渡請求の場合の事前開示事項（33条の7第1号イ）とパラレルな開示事項である。「当該額の相当性に関する事項」として，端数処理により株主に交付することが見込まれる金銭の額が相当であると考えられる根拠を示さなければならないと考えられ，そうであるとすれば，締め出される少数株主の利益が十分に保護されるような額であることを示すために，とりわけ，競売以外の方法による売却（市場において行う取引による売却を除く）を予定している場合には，合理的に価格が決定されるよう動機づけられるものと期待される。

以上に加えて，締め出される少数株主の判断にとって重要と考えられる端数処理の方法に関するその他の事項を含めなければならない。

なお，実務上，端数の処理の方法や交付が見込まれる金銭等について，キャッシュ・アウトを行おうとする大株主等と株式会社との間で事前に合意されることも多いことに照らせば，このような開示が求められても，株式会社は対応できるものと期待される。

④　184条6項2号とパラレルに，最終事業年度があるときは重要な後発事象の記載が，最終事業年度がないときは，成立の日における貸借対照表を含めることが，それぞれ求められている（2号）。前者は，最終事業年度に係る計算書類等を株主は閲覧等できるが，開示されなければ重要な後発事象を知るこ

とができず，その結果，株式併合の合理性，とりわけ，1株に満たない端数の処理をすることが見込まれる場合における当該処理により株主に交付することが見込まれる金銭の額および当該額の相当性を判断するための材料を持たないことになるからである。また，後者は，最終事業年度がないときは，判断材料となる計算書類等が存在せず，かつ，判断材料となりうる成立の日における貸借対照表は各事業年度に係る計算書類等と異なり，閲覧等の対象となっていないので，事前開示事項として開示させようというものである。「備置開始日……後株式の併合がその効力を生ずる日までの間に新たな最終事業年度が存することとなる場合にあっては，当該新たな最終事業年度の末日後に生じた事象の内容に限る」とされているのは，新たな最終事業年度に係る計算書類には，備置開始日後新たな最終事業年度の末日までの生じた事象が反映されているからである［詳細については，→184条4］。

　なお，東京地判令和3・1・13金判1614号36頁は，自己株式には配当請求権や共益権がないこと（法453条，308条2項），自己株式処分をする場合には新株発行と同様の規律に服すること（法199条参照），自己株式は貸借対照表の純資産の部の株主資本に係る項目の中で控除項目として表示され（計規76条2項5号）その資産性が否定されていることなどからすると，自己株式が消却されても1株当たりの価値の算定には影響しないから，自己株式の消却は，「会社財産の状況に重要な影響を与える事象」（本条2号イ）にあたらないと判示している。

　⑤　1号または2号の事項についての情報が古くなってしまうと，株主にとって有用な情報ではなくなり，または，かえって誤導する情報ともなるので，備置開始日後株式の併合がその効力を生ずる日までの間に事前開示事項に変更が生じたときは，変更後の当該事項（3号）を開示することが求められている。

―（株式の併合に関する事後開示事項）――
　第33条の10　法第182条の6第1項に規定する法務省令で定める事項は，次に掲げる事項とする。
　　一　株式の併合が効力を生じた日
　　二　法第182条の3の規定による請求に係る手続の経過
　　三　法第182条の4の規定による手続の経過
　　四　株式の併合が効力を生じた時における発行済株式（種類株式発行会社にあっては，法第180条第2項第3号の種類の発行済株式）の総数

五　前各号に掲げるもののほか，株式の併合に関する重要な事項

　株式の併合をした株式会社は，効力発生日後遅滞なく，株式の併合が効力を生じた時における発行済株式（種類株式発行会社では，法180条2項3号の種類の発行済株式）の総数その他の株式の併合に関する事項として法務省令で定める事項を記載し，または記録した書面または電磁的記録を作成し，効力発生日から6カ月間，その本店に備え置かなければならない（法182条の6第1項・2項）。この委任をうけて，「株式の併合に関する事項として法務省令で定める事項」を定めるのが本条である。全部取得条項付種類株式の取得に係る事後開示事項（33条の3）と同様の事項を定めている。

　株式の併合に係る事後開示は，株式の併合をした株式会社の株主または効力発生日に当該株式会社の株主であった者が株式の併合が適法に行われたかどうかを確かめるための情報を提供するという点で意義を有する（法182条の6第3項参照）。同時に，株式の併合を行う株式会社の取締役・執行役が適切に職務執行を行ったことを明らかにするという機能を有し，当該株式会社の取締役・執行役に適切に職務執行をするインセンティブを与えるという機能を有する。

　株式会社が株式の併合が効力を生じた日（1号）を記載させるのは，その日が併合の効果が生ずる日（法182条）であり，また事後開示書面の備置期間の終期がこれにより定まるからである（法182条の6第2項）と推測される。

　株式の併合の差止請求（法182条の3）に係る手続の経過（2号）が事後開示事項とされているのは，裁判所による株式併合差止の仮処分または判決に反してなされる取得は無効であると考える余地があるほか（最判平成5・12・16民集47巻10号5423頁参照），（株式併合無効の訴えは法定されていないことから，私法の一般原則に照らして）法令または定款に違反する株式の併合は無効であると考えられるため，このような手続の経過を開示することが，株主その他の者が適切な判断を行うために重要であると考えられるためである。また，反対株主の株式買取請求手続（法182条の4）の経過（3号）が事後開示事項とされているのは，この手続の結果が株式の併合をした株式会社の財産に影響を与え，ひいては当該株式会社の株主が有する株式の価値に影響を与えるからである。また，この決定手続の過程で，会社の取締役・執行役が株式の併合にあたって任務を懈怠したことを示唆するような事情が判明する可能性があることに鑑みると，取締役・執行役が善管注意義務を払って，株式の併合に関する職務を執行するインセンティブを与えるという効果も期待できる。

「株式の併合が効力を生じた時における発行済株式（種類株式発行会社にあっては，法第180条第2項第3号の種類の発行済株式）の総数」（4号）は，法182条の6第1項が例示する事項を挙げたものである（同項は，「株式の併合が効力を生じた時における発行済株式（種類株式発行会社にあっては，第180条第2項第3号の種類の発行済株式）の総数その他の株式の併合に関する事項として法務省令で定める事項」（圏点―引用者）と定めている）。

株式の併合の株主総会決議において定めるべき事項には効力発生日における発行可能株式総数が含まれ（法180条2項4号），公開会社においては，当該発行可能株式総数は，当該効力発生日における発行済株式の総数の4倍を超えることができないこととされていること（同条3項）との関連で意義を有する開示事項である。

1号から4号までに列挙された事項以外にも株主の判断にとって重要な事項がありうるため，バスケット条項として5号が定められている。

第4節　単元株式数

（単元株式数）
第34条　法第188条第2項に規定する法務省令で定める数は，1,000及び発行済株式の総数の200分の1に当たる数とする。

本条は，1単元の株式の数の上限を定めるものである。すなわち，法188条1項は，株式会社は，その発行する株式について，一定の数の株式をもって株主が株主総会または種類株主総会において1個の議決権を行使することができる1単元の株式とする旨を定款で定めることができるとするが，同条2項は，「一定の数」は，法務省令で定める数を超えることはできないと定めており，この委任をうけて，本条が定められている。

平成17年改正前商法221条1項ただし書は「1単元ノ株式ノ数ハ1,000及発行済株式ノ総数ノ200分ノ1ニ当ル数ヲ超ユルコトヲ得ズ」と定めていたが，その一部のみを踏襲したものである。同ただし書については，1,000を超えては

ならないとされるのは1単元をあまりに大きなものとすることは許さないとする趣旨に基づくものであり（前田［第10版］141頁），発行済株式総数の200分の1に相当する数を超えてはならないとされるのは大株主等による単元株制度の濫用を防止する趣旨によるものである（江頭・株式有限272頁）と説明されていた。そして，1,000というのは，昭和56年改正後商法の下での単位株制度において，実務上，1単位の株式数は1,000以下であるのが一般的であったことに基づくものであり，200分の1は，最低資本金の1,000万円をかつての額面株式の最低券面額の5万円と比較した数と説明することができた（原田ほか・商事法務1608号101頁）。

　ところが，本条では，当初，1単元の株式の数は，発行済株式総数の200分の1を超えてはならないという規律は採用されなかった。これは，株式併合についてはその併合割合について会社法は何ら規制していないところ，株式併合よりも単元株式数の設定のほうが，株主の利益を害する程度が低いにもかかわらず，単元株式数の設定についてのみ制約を加えることは不均衡であること，端株制度の廃止に伴い，従来，端株制度を利用していた会社が単元株制度を利用する可能性があるが，1単元の株式の数は，発行済株式総数の200分の1を超えてはならないという規律を維持すると，会社法の下では，端株制度の下では行うことができた取扱いをすることができなくなるという問題点があることによると説明されていた（相澤＝郡谷・商事法務1760号10頁）。しかし，平成21年3月27日法務省令第7号による改正により，「及び発行済株式の総数の200分の1に当たる数」が加えられた。これは，単元株式数につき会社法が規律を加える趣旨である少数株主の保護をより十分なものとするためである（大野ほか・商事法務1862号18頁）。なお，同改正附則3条1項は「施行日前に定められた単元株式数に関する定款の定めは，なお効力を有する」と定めており，この適用をうける会社は，平成21年4月1日以降に単元株式数に関する定款の変更をするときに初めて，1単元の株式の数は「発行済株式の総数の200分の1に当たる数」を超えてはならないという規律に服することになる（同改正附則3条2項）。

―（単元未満株式についての権利）――――――――――――――――――――
　第35条　法第189条第2項第6号に規定する法務省令で定める権利は，次に掲げるものとする。
　　一　法第31条第2項各号に掲げる請求をする権利

二　法第122条第1項の規定による株主名簿記載事項（法第154条の2第3項に規定する場合にあっては，当該株主の有する株式が信託財産に属する旨を含む。）を記載した書面の交付又は当該株主名簿記載事項を記録した電磁的記録の提供を請求する権利

三　法第125条第2項各号に掲げる請求をする権利

四　法第133条第1項の規定による請求（次に掲げる事由により取得した場合における請求に限る。）をする権利

　　イ　相続その他の一般承継
　　ロ　株式売渡請求による売渡株式の全部の取得
　　ハ　吸収分割又は新設分割による他の会社がその事業に関して有する権利義務の承継
　　ニ　株式交換又は株式移転による他の株式会社の発行済株式の全部の取得
　　ホ　法第197条第2項の規定による売却
　　ヘ　法第234条第2項（法第235条第2項において準用する場合を含む。）の規定による売却
　　ト　競売

五　法第137条第1項の規定による請求（前号イからトまでに掲げる事由により取得した場合における請求に限る。）をする権利

六　株式売渡請求により特別支配株主が売渡株式の取得の対価として交付する金銭の交付を受ける権利

七　株式会社が行う次に掲げる行為により金銭等の交付を受ける権利

　　イ　株式の併合
　　ロ　株式の分割
　　ハ　新株予約権無償割当て
　　ニ　剰余金の配当
　　ホ　組織変更

八　株式会社が行う次の各号に掲げる行為により当該各号に定める者が交付する金銭等の交付を受ける権利

　　イ　吸収合併（会社以外の者と行う合併を含み，合併により当該株式会社が消滅する場合に限る。）　当該吸収合併後存続するもの
　　ロ　新設合併（会社以外の者と行う合併を含む。）　当該新設合併により設立されるもの
　　ハ　株式交換　株式交換完全親会社
　　ニ　株式移転　株式移転設立完全親会社

2　前項の規定にかかわらず，株式会社が株券発行会社である場合には，法第189条第2項第6号に規定する法務省令で定める権利は，次に掲げるものとする。

一　前項第1号，第3号及び第6号から第8号までに掲げる権利
　二　法第133条第1項の規定による請求をする権利
　三　法第137条第1項の規定による請求をする権利
　四　法第189条第3項の定款の定めがある場合以外の場合における法第215条第4項及び第217条第6項の規定による株券の発行を請求する権利
　五　法第189条第3項の定款の定めがある場合以外の場合における法第217条第1項の規定による株券の所持を希望しない旨の申出をする権利

　本条は，定款の定めによっても奪うことができない単元未満株主の権利を定めるものである。すなわち，法189条1項が，単元株式数に満たない数の株式（単元未満株式）を有する株主（単元未満株主）は，その有する単元未満株式について，株主総会および種類株主総会において議決権を行使することができないと定め，同条2項が，株式会社が全部取得条項付種類株式を取得する場合に取得対価の交付を受ける権利，株式会社による取得条項付株式の取得と引換えに金銭等の交付を受ける権利，株式無償割当てを受ける権利，単元未満株式を買い取ることを請求する権利，残余財産の分配を受ける権利そのほか，法務省令で定める権利を除き，株式会社は，単元未満株主がその単元未満株式について株主の権利の全部または一部を行使することができない旨を定款で定めることができると定めていることをうけて，本条では，単元未満株主がその単元未満株式について行使できないとは定款でも定めることができない「法務省令で定める権利」を定めている。

　会社法においては，単元株制度と端株制度との統合に伴い，単元未満株主の権利については，「単元未満株主は議決権および議決権を前提とする権利を有しないものとするほか，定款の定めにより，現行の端株に係る権利に加えることができる制限と同様の制限を加えることができることとされている」と説明されているが（相澤＝豊田・商事法務1741号18頁），平成17年改正前商法の下での端株に係る端株主の権利と会社法の下での単元未満株式に係る単元未満株主の権利との間には若干の差異がみられる。

　会社法では，転換予約権付株式，強制転換条項付株式，償還株式および買受株式が取得請求権付株式および取得条項付株式に整理され，また，株式や新株予約権の無償割当ての制度が新設され，他方で，新株・新株予約権・新株予約権付社債の引受権という概念がなくなるなどの変更がなされたため，平成17年改正前商法の下での端株に係る端株主の権利と会社法の下での単元未満株式に

係る単元未満株主の権利とを完全に対応する形で比較することはできないが，おおざっぱには，平成17年改正前商法の下での端株に係る端株主の権利よりも会社法の下での単元未満株式に係る単元未満株主の権利のほうが広く認められているということができる。

　第1に，平成17年改正前商法の下での端株主に強行法的に保障されていた権利（定款の定めによっても奪うことができない権利）は，端株そのものの代替物と認められるものであると説明されていた（竹内・昭和56改正48頁）。そして，建設利息配当請求権・利益配当請求権・中間配当請求権は端株に代わるものというよりは，それから派生する権利であり，端株主に対して必ずしも保障する必要はないと解されていた（竹内・昭和56改正51頁参照）。しかし，最低資本金制度の廃止もあって，資本金や資本準備金の額を減少させ，その他資本剰余金の額を増加させることに限度がなくなった会社法の下では，剰余金の配当により株式の価値は大幅に下落する可能性が出てきており，剰余金の配当を受ける権利が単元未満株式から派生する権利であるという位置づけは不適当になっている。むしろ，剰余金の配当によって，株式の一部が現金化されているというのが正しい。そこで，会社法の下では単元未満株主にも剰余金の配当を受ける権利が強行法的に保障されることとなった（本条1項7号・2項1号）。もっとも，株主管理コスト（送金費用）の点から定款自治を認めるべきであり，立法論として問題があるという指摘がある（江頭304〜305頁注2）。

　第2に，平成17年改正前商法の下では，端株券は発行されないこととされていたが，単位未満株式については，株券発行会社においては，単元未満株式に係る株券を発行しないことができる旨を定款で定めない限り（法189条3項），単元未満株主も，法215条4項および217条6項の規定による株券の発行を請求する権利および株券の所持を希望しない旨の申出をする権利を有することとされている（本条2項4号・5号）。そして，株券発行会社においては，単元未満株主にも，株式の取得者がその株式に係る株主名簿記載事項を株主名簿に記載し，または記録することを請求する権利および譲渡制限株式の取得者がその譲渡制限株式を取得したことについて承認をするか否かの決定をすることを請求する権利が認められる（本条2項2号・3号）。これは，株券発行会社においては，単元未満株式に係る株券を発行しないことにより（法189条3項），その単元未満株式の譲渡を制限することができるにもかかわらず，あえて，その単元未満株式に係る株券を発行しつつ，名義書換を拒むことができるとする実務上の必要性は乏しいと考えられたこと，株券の交付により単元未満株式が譲渡さ

れたにもかかわらず，名義書換が行われないと大量の失念株主を生じさせるおそれがあること，および，保管振替制度との関係で実務上対応が困難な不都合が生じうることによると説明されている（相澤・金融法務事情1769号33頁）。

他方，株券発行会社以外の会社においても，相続その他の一般承継，株式売渡請求による売渡株式の全部の取得，吸収分割または新設分割による他の会社がその事業に関して有する権利義務の承継，株式交換もしくは株式移転による他の株式会社の発行済株式の全部の取得，所在不明株主の株式の売却もしくは端数の処理として行われる株式の売却（法234条・235条）または競売により取得した場合には（このように限定されているのは，株券発行会社においては株券を発行しないことによって譲渡を制限できるのに対し，株券発行会社以外の会社においてはそのような方法では譲渡を制限できないので，名義書換を拒むことによって譲渡を制限することを認めるという趣旨である），株式の取得者がその株式に係る株主名簿記載事項を株主名簿に記載し，または記録することを請求する権利および譲渡制限株式の取得者がその譲渡制限株式を取得したことについて承認をするか否かの決定をすることを請求する権利が認められる（本条1項4号・5号）。相続その他の一般承継の場合や吸収分割または新設分割による他の会社がその事業に関して有する権利義務の承継の場合（4号イとハとが書き分けられていること，中小企業等協同組合法上の組合持分について会社分割による承継には組合の承諾を得ることを要するとした大阪高判平成30・2・1公刊物未登載（平成29年（行コ）第185号），合併や相続の場合と異なり，会社分割の場合には分割会社が存続していることなどを理由として，会社分割による承継は一般承継ではないという見解もある（相澤哲（編著）・Q＆A会社法の実務論点20講18頁，田中亘・会社法［第3版］652頁）。しかし，平成17年改正前商法の下では会社分割による承継は（分割会社が存続するにもかかわらず，あえて）一般承継であると法律構成したものであり，かつ，会社法制定の際にそのような位置づけを変更することは想定されていなかったこと，したがって，本条4号の書きぶりによって一般承継にあたらないものへと変更できたとは考えられないこと，中小企業等協同組合は組合であり，持分の譲渡に組合の承認を要することが原則であるのに対し（しかも，中小企業等協同組合法10条3項2号では，そもそも，会社分割の場合だけでなく合併の場合にも，当然に組合員となるわけではない（加入することが必要である）ことが前提とされている），株式会社の株式は自由に譲渡できることが原則であるから，前掲大阪高判平成30・2・1の解釈を譲渡制限株式に推し及ぼすことには無理があること，一般承継でないものを特定承継と呼んでいる以上，会社分割による承継を（吸収分割契

約は株式の譲渡を直接の目的とするものではなく，――吸収合併などの場合と同様――吸収分割の効果として株式が移転するものであるから）特定承継にはあたらないが一般承継でもないということはできないこと，22条では書き分けられておらず，会社の分割による取得は一般承継にあたると解していると考えるのが自然であることなどから，会社分割による承継は一般承継にあたるといわざるをえない［江頭235～236頁］）には，一般承継によるものであり，譲渡による取得ではないので譲渡制限株式についても，株式の取得者がその株式に係る株主名簿記載事項を株主名簿に記載し，または記録することを請求する権利を認めない理由はないからである。また，株式交換もしくは株式移転による他の株式会社の発行済株式の全部の取得または株式売渡請求による売渡株式の全部の取得の場合には，株式の取得者がその株式に係る株主名簿記載事項を株主名簿に記載し，または記録することを請求する権利を認める必要があるし，発行会社においても株式交換契約あるいは株式移転契約が承認されているからである。さらに，所在不明株主の株式の売却または端数の処理として行われる株式の売却により取得した場合には，会社が売却している以上，株式の取得者がその株式に係る株主名簿記載事項を株主名簿に記載し，または記録することを請求する権利が認められるのは当然である（これと均衡する形で競売の場合にも株式の取得者にその株式に係る株主名簿記載事項を株主名簿に記載し，または記録することを請求する権利が認められる）。以上に加えて，譲渡制限株式の取得者がその譲渡制限株式を取得したことについて承認をするか否かの決定をすることを請求する権利を認めなければおかしいからである。

　第3に，単元未満株主にも，株主名簿記載事項を記載した書面の交付またはその株主名簿記載事項を記録した電磁的記録の提供を請求する権利が認められている（本条1項2号・2項1号）。これは，単元未満株式に係る株券が発行されていない場合には，このような権利を認めないと，単元未満株主は自分が単元未満株主であることを株式会社以外に対して示すことができないからである（平成17年改正前商法の下でも，株券廃止会社の単元未満株主には，この権利が認められていた。同法206条ノ2第3項）。

　第4に，平成17年改正前商法の下では，組織変更が広く認められていなかったこともあるのであろうか，端株主には，組織変更により金銭等の交付を受ける権利が保障されていなかったが，会社法の下では，この権利が強行法的に保障されている（本条1項7号・2項1号）。組織変更により交付を受ける金銭等は，単元未満株式そのものの代替物であると評価できるから，当然の規定である。

第5に，単元未満株式も株式であり，単元未満株主も株主なので，株主名簿の閲覧等を請求する権利が単元未満株主には認められている（本条1項3号・2項1号）。

　第6に，単元未満株式については，株券を発行しないことにより，その譲渡を制限することができ，また，株券発行会社以外の会社においては上述のように名義書換請求権を制約することによって譲渡を制限することができるものとされている。そこで，単元未満株主の投下資本回収の機会を確保するために，単元未満株式の買取請求権は強行法的に保障されている。

　なお，平成17年改正前商法の下では，新株引受権・新株予約権引受権・新株予約権付社債引受権の付与を受ける権利は，端株に代わるものというよりは，それから派生する権利であり，端株主に対して必ずしも保障する必要はないと解されていた（竹内・昭和56改正51頁参照）。そして，法189条2項および本条では，募集株式・募集新株予約権・募集新株予約権付社債の割当てを受ける権利は定款で排除できない権利としては掲げられていない。そこで，定款に定めがあれば，株式・新株予約権・新株予約権付社債の募集において株主に割当てを受ける権利を与えるときにも，単元未満株主に与えないことができるのかが問題となるが，株式・新株予約権・新株予約権付社債の募集において株主に割当てを受ける権利を与えるときには，単元未満株主にも与えなければならないと解すべきであろう。なぜなら，平成17年改正前商法220条ノ3第2項は，新株引受権・新株予約権引受権・新株予約権付社債引受権の付与を受ける権利を，定款の定めによって端株主には与えないことができる旨を明文で定めていたが，会社法ではそのような規定振りにはなっておらず，法202条2項および241条2項は，「株主（当該株式会社を除く。）は，その有する株式の数に応じて……割当てを受ける権利を有する」と定めており，単元未満株主を排除していないからである（法847条1項かっこ書と対照）。むしろ，新株予約権の無償割当てにより金銭等の交付を受ける権利が強行法的に保障されていること（本条1項7号・2項1号）との均衡からも単元未満株主にも与えなければならないと解するのが自然である。そして，会社法の下では，株式・新株予約権・新株予約権付社債の募集において割当てを受ける権利は株主の固有の権利ではなく，株主に株式・新株予約権・新株予約権付社債の募集において割当てを受ける権利を与える場合には，有利発行に必要な手続を要求しないという意味合いを有するにすぎないからである。実質的に考えても，有利な払込金額で募集が行われる場合には，単元未満株式の価値も下落する以上，割当てを受ける権利を与

える必要がある。

　第7に，単元未満株式も株式であり，かつ，単元未満株式について組織変更等により金銭等の交付を受ける権利が強行的に保障されていること（1項7号・2項1号）とのバランス，および，1株に満たない端数についても一定の経済的利益の保護が図られていること（法234条・235条）も勘案すると，単元未満株式を経済的補償なしに奪うことを認めることはできない。そこで，単元未満株式についても，株式売渡請求により特別支配株主が売渡株式の取得の対価として交付する金銭の交付を受ける権利および吸収合併，新設合併，株式交換または株式移転により金銭等の交付を受ける権利は定款の定めによっても奪うことはできないものとされている（1項6号・8号・2項1号）。

　なお，会社の組織に関する訴えに係る単元未満株主の原告適格を定款の定めによって排除できるのかという点が問題となる。責任追及等の訴えについて規定する法847条1項では，「6箇月（これを下回る期間を定款で定めた場合にあっては，その期間）前から引き続き株式を有する株主（第189条第2項の定款の定めによりその権利を行使することができない単元未満株主を除く。）は，株式会社に対し，書面その他の法務省令で定める方法により，……責任追及等の訴え……の提起を請求することができる」（圏点―引用者）と定められているのに対し，会社の組織に関する訴え（法834条参照）については「第189条第2項の定款の定めによりその権利を行使することができない単元未満株主を除く」というようなかっこ書はなく（法828条2項・831条），株主に原告適格が認められるという条文のつくりになっている。

　このことからは，単元未満株主は責任追及等の訴を提起することを請求できない（反射的に株主代表訴訟を提起することはできない）と定款で定めることはできるが，会社の組織に関する訴えを提起することができないという定款の規定は無効であると解する余地が生ずる。たしかに，法847条1項のかっこ書は，単元株制度が導入された後，単元未満株主が代表訴訟を提起できるとされたことは適切ではないという批判をふまえて確認的に置かれているという評価も不可能ではない。しかし，同項は，代表訴訟提起の原告適格そのものを定めるものではなく，責任追及等の訴えの提起を会社に請求する権利を定めているものである。すなわち，「責任追及等の訴えの提起を会社に請求する権利」は株主の権利であるが，代表訴訟の原告適格そのものは株主の権利の問題ではない。つまり，「責任追及等の訴えの提起を会社に請求する権利」を単元未満株主について定款の定めによって認めないことの反射的効果として，単元未満株

主は代表訴訟を提起できないにすぎないという理解も可能である。そして，代表訴訟は，株主が，会社の権利を代位して提起するので，法律上の特別の規定がなければ，株主の代表訴訟提起は認められないのに対し，会社の組織に関する訴えの大部分は，無効の主張権者，主張方法や主張できる期間を制限する制度であると考えることもできる。つまり，会社の組織に関する訴えは，いつでも，誰でも，訴えの利益があれば無効を主張できるという原則の例外として定められた制度である以上，定款の定めによって，さらに原告適格を制約できるというのは不自然であるし，原告適格の有無は私的自治に委ねるようなものではないとも解される。

ただし，定款の定めによって，単元未満株主による会社の組織に関する訴えの提起を認めないことができるとする見解がある（新会社法実務相談40〜41頁［松尾］参照。また，江頭304頁は，単元未満株主は総会決議取消訴権を有しないとする）。

（市場価格のある単元未満株式の買取りの価格）

第36条 法第193条第1項第1号に規定する法務省令で定める方法は，次に掲げる額のうちいずれか高い額をもって同号に規定する株式の価格とする方法とする。

一 法第192条第1項の規定による請求の日（以下この条において「請求日」という。）における当該株式を取引する市場における最終の価格（当該請求日に売買取引がない場合又は当該請求日が当該市場の休業日に当たる場合にあっては，その後最初になされた売買取引の成立価格）

二 請求日において当該株式が公開買付け等の対象であるときは，当該請求日における当該公開買付け等に係る契約における当該株式の価格

本条は，市場価格のある株式である単元未満株式の買取請求があった場合の買取価格を定めるものである。すなわち，単元未満株主が，株式会社に対し，自己の有する単元未満株式を買い取ることを請求した場合であって，その単元未満株式が市場価格のある株式であるときには，その単元未満株式の市場価格として法務省令で定める方法により算定される額がその請求に係る単元未満株式の価格とされるので（法193条1項1号），この委任をうけて，本条がその「単元未満株式の市場価格として法務省令で定める方法により算定される額」を定めている。

本条は31条とパラレルな規定振りとなっている〔解釈については，→31条・30条〕。

なお，当分の間，2号の規定は適用されないものとされている（附則3条2項）。これは，金融商品取引法の下での，今後の公開買付制度の見直し次第では，会社法施行規則が定める規律の再検討が必要とされる可能性があり，現時点で，多額の費用を投じてシステム整備を行わせることは適当ではないこと，および，現在のシステムで名義書換代理人が公開買付価格を適時かつ正確に把握することは困難であることに鑑みたものである（相澤・金融法務事情1769号35頁）。

（市場価格のある単元未満株式の売渡しの価格）
第37条 法第194条第4項において準用する法第193条第1項第1号に規定する法務省令で定める方法は，次に掲げる額のうちいずれか高い額をもって単元未満株式売渡請求に係る株式の価格とする方法とする。
　一　単元未満株式売渡請求の日（以下この条において「請求日」という。）における当該株式を取引する市場における最終の価格（当該請求日に売買取引がない場合又は当該請求日が当該市場の休業日に当たる場合にあっては，その後最初になされた売買取引の成立価格）
　二　請求日において当該株式が公開買付け等の対象であるときは，当該請求日における当該公開買付け等に係る契約における当該株式の価格

本条は，単元未満株主がその株式会社に対して単元未満株式売渡請求（単元未満株主が有する単元未満株式の数と併せて単元株式数となる数の株式をその単元未満株主に売り渡すことを請求すること）をした場合であって，その単元未満株式が市場価格のある株式であるときには，その単元未満株式の市場価格として法務省令で定める方法により算定される額がその請求に係る単元未満株式の価格とされるので（法194条4項・193条1項1号），この委任をうけて，本条がその「単元未満株式の市場価格として法務省令で定める方法により算定される額」を定めている。

本条は36条（さらに31条）とパラレルな規定振りとなっているため，36条，31条および30条についての解釈が基本的にあてはまる。

ただし，「株式の価格」は委託手数料相当額などを加算した額なのかどうかという問題はありえよう（落合ほか・商事法務1602号28頁〔落合発言〕など参

照)。たしかに，単元未満株主が証券会社などから取得する場合に比べて有利な価格で取得できるとすることは適当ではないという考え方もありえようが，36条の場合と異なり，会社が売り渡す側であり，会社はその株式を取得するにあたって，必ずしも委託手数料を支払っているわけではないことを考えると，本条1号にいう「株式の価格」には委託手数料相当額などは加算されないと解するべきであろう。

　なお，当分の間，2号の規定は適用されないものとされている（附則3条2項）。これは，金融商品取引法の下での，今後の公開買付制度の見直し次第では，会社法施行規則が定める規律の再検討が必要とされる可能性があり，現時点で，多額の費用を投じてシステム整備を行わせることは適当ではないこと，および，現在のシステムで名義書換代理人が公開買付価格を適時かつ正確に把握することは困難であることに鑑みたものである（相澤・金融法務事情1769号35頁）。

第5節　株主に対する通知の省略等

─（市場価格のある株式の売却価格）─
第38条　法第197条第2項に規定する法務省令で定める方法は，次の各号に掲げる場合の区分に応じ，当該各号に定める額をもって同項に規定する株式の価格とする方法とする。
　一　当該株式を市場において行う取引によって売却する場合　当該取引によって売却する価格
　二　前号に掲げる場合以外の場合　次に掲げる額のうちいずれか高い額
　　イ　法第197条第2項の規定により売却する日（以下この条において「売却日」という。）における当該株式を取引する市場における最終の価格（当該売却日に売買取引がない場合又は当該売却日が当該市場の休業日に当たる場合にあっては，その後最初になされた売買取引の成立価格）
　　ロ　売却日において当該株式が公開買付け等の対象であるときは，当該売却日における当該公開買付け等に係る契約における当該株式の価格

　本条は，株式会社が所在不明株主の株式のうち，市場価格のある株式を競売

することに代えて，売却するときの価格を定めるものである。すなわち，株式会社は，その株式の株主に対して通知および催告をすることを要しない（法196条1項・294条2項）ものであって，その株式の株主が継続して5年間剰余金の配当を受領しなかった株式を競売し，かつ，その代金をその株式の株主に交付することができるが（法197条1項），株式会社は，競売に代えて，市場価格のある株式については市場価格として法務省令で定める方法により算定される額をもって，これを売却することができるものとされている（同条2項）。そこで，この委任をうけて，本条は「市場価格として法務省令で定める方法により算定される額」を定めている。

1号は，その株式を市場において行う取引によって売却する場合には，その取引によって売却する価格と定めているが，市場取引で売却する以上，価格は市場で決定されるので，当然のことを定めた規定である。

2号イが売却日「における当該株式を取引する市場における最終の価格（当該売却日に売買取引がない場合又は当該売却日が当該市場の休業日に当たる場合にあっては，その後最初になされた売買取引の成立価格）」と定めているのは，平成17年改正前商法220条ノ6（端株買取請求の場合。同法221条6項で単元未満株式買取請求に準用）が「請求ノ日ノ最終ノ市場価格」を基準としていたこと，および平成13年商法改正前の昭和56年商法改正附則19条2項が「証券取引所に上場されている株式について……請求があったときは，証券取引所（二以上の証券取引所に上場されている場合には，本店の最寄りの証券取引所をいう……）の開設する市場における請求の日の最終価格（その日に売買取引がないときは，その後最初にされた売買取引の成立価格）」を基準としていたことをふまえたものであると考えられる［当該株式を取引する市場における最終の価格の解釈については，→30条］。

「当該売却日に売買取引がない場合又は当該売却日が当該市場の休業日に当たる場合にあっては，その後最初になされた売買取引の成立価格」とされているのは，実際，当該売却日の前日の終値と当該売却日「後最初になされた売買取引の成立価格」とのどちらを基準とするほうが適切であるかを考えると，当該売却日の前日の最終の売買取引後に，株式の価格に重要な影響を与えるような事象が発生する可能性があることをふまえると，当該売却日「後最初になされた売買取引の成立価格」を用いることに合理性があるからであろう。しかし，「当該売却日に売買取引がない場合又は当該売却日が当該市場の休業日に当たる場合」には，売却をする時点では価格が決まっておらず，「翌日以降最

初になされた売買取引の成立価格」において売却する，購入するという契約を締結するというのは不自然であるようにも思われるし，そのような日を会社が売却日として選定することに問題はないのかという疑問も生ずる。

　平成17年改正前商法と異なり，会社法施行規則では，当該株式が公開買付け等の対象である場合には，その公開買付け等に係る契約における株式の価格を基準に含めるものとしている（30条・31条・36条・37条・43条・50条など）。本条も，売却日において当該株式が公開買付け等の対象であるときは，当該売却日における当該公開買付け等に係る契約における当該株式の価格（2号ロ）と2号イの金額とのいずれか高い額を株式の価格とするものと定めている。これは，株式が公開買付け等の対象となっている場合には，通常，買付価格が市場価格より高いが，公開買付けに応ずることによって，その買付価格で株式を処分できる可能性があるためであると推測される（もっとも，買付数量が少ない場合に，買付価格を基準とすることに合理性があるのか，会社自身が公開買付けを行っている場合には問題があるのではないかというような問題があり，本条の定めが立法論として，つねに適切であるとはいいきれない）。

　なお，2号ロにいう公開買付け等とは，金融商品取引法27条の2第6項（同法27条の22の2第2項において準用する場合を含む）に規定する公開買付けおよびこれに相当する外国の法令に基づく制度をいうが（2条3項15号），本条の趣旨からすれば，公開買付け「に相当する外国の法令に基づく制度」であるというためには，買付価格を引き下げることが原則としてできないこと（金融商品取引法27条の6第3項参照）が要件とされよう。なぜなら，買付価格を引き下げることができるのであれば，その買付価格を基準として株式の価額を決定することに合理性はないからである。

（公告事項）
第39条　法第198条第1項に規定する法務省令で定める事項は，次に掲げるものとする。
　一　法第197条第1項の株式（以下この条において「競売対象株式」という。）の競売又は売却をする旨
　二　競売対象株式の株主として株主名簿に記載又は記録がされた者の氏名又は名称及び住所
　三　競売対象株式の数（種類株式発行会社にあっては，競売対象株式の種類及び種類ごとの数）
　四　競売対象株式につき株券が発行されているときは，当該株券の番号

本条は，株式会社が所在不明株主の株式を競売または売却するときに公告し，かつ，その株式の株主およびその登録株式質権者に催告すべき事項を定めるものである。すなわち，株式会社は，その株式の株主に対して通知および催告をすることを要しない（法196条1項・294条2項）ものであって，その株式の株主が継続して5年間剰余金の配当を受領しなかった株式を競売し，かつ，その代金をその株式の株主に交付することができるが（法197条1項），株式会社は，その株式の株主その他の利害関係人が一定の期間内に異議を述べることができる旨その他法務省令で定める事項を公告し，かつ，その株式の株主およびその登録株式質権者には，各別にこれを催告しなければならない（法198条1項）。この委任をうけて，「法務省令で定める事項」を定めるのが本条である。

このような公告および通知が要求されているのは，所在不明株主の株式の競売・売却は，その株主の意思とは無関係に，その株式を売却するというものである以上，その株式を保有する株主等に競売や売却を阻止する機会を与えるためである。したがって，株主または登録株式質権者が，自己の保有等する株式が所在不明株主の株式として競売または売却の対象となることを確知することができるために必要な事項は，公告し，かつ，その株主およびその登録株式質権者に通知しなければならない事項とされなければならない。

そこで，本条では，所在不明株主の株式（法197条1項の株式。競売対象株式）の競売または売却をする旨（1号），競売対象株式の株主として株主名簿に記載または記録がされた者の氏名または名称および住所（2号），競売対象株式の数（種類株式発行会社では，競売対象株式の種類および種類ごとの数）（3号），および，競売対象株式につき株券が発行されているときは，その株券の番号（4号）が，公告し，かつ，その株主およびその登録株式質権者に通知しなければならない事項とされている。所在不明株主の株式（法197条1項の株式。競売対象株式）の競売または売却をする旨が事項に含められているのは，何についての公告または通知であるかを明らかにするためである。「競売対象株式の株主として株主名簿に記載又は記録がされた者の氏名又は名称及び住所」（2号）が含められることによって，株主または登録株式質権者は自己の保有する株式が競売対象株式とされる危険性を知ることができる。氏名または名称だけでは特定できないが，住所が含められることによって，だれが「競売対象株式の株主として株主名簿に記載または記録がされた者」であるかを把握することができる。さらに，競売対象株式の数（種類株式発行会社では，競売対象株式の種類および種類ごとの数。3号）が公告・通知事項に含められることによって株

主等としてどれだけの数の株式が競売または売却の対象となる可能性があるかを知り，リスクの大きさを把握することができる。以上に加えて，「競売対象株式につき株券が発行されているときは，その株券の番号」（4号）が公告・通知の対象とされれば，手元にある株券をチェックすることにより，自己の有する株式が競売対象株式とされているかを容易に知ることができると期待されるため，本条では，公告し，通知しなければならない事項の1つとして掲げているものと推測される。

第6節　募集株式の発行等

―(募集事項の通知等を要しない場合)―

第40条　法第201条第5項に規定する法務省令で定める場合は，株式会社が同条第3項に規定する期日の2週間前までに，金融商品取引法の規定に基づき次に掲げる書類（同項に規定する募集事項に相当する事項をその内容とするものに限る。）の届出又は提出をしている場合（当該書類に記載すべき事項を同法の規定に基づき電磁的方法により提供している場合を含む。）であって，内閣総理大臣が当該期日の2週間前の日から当該期日まで継続して同法の規定に基づき当該書類を公衆の縦覧に供しているときとする。

一　金融商品取引法第4条第1項から第3項までの届出をする場合における同法第5条第1項の届出書（訂正届出書を含む。）

二　金融商品取引法第23条の3第1項に規定する発行登録書及び同法第23条の8第1項に規定する発行登録追補書類（訂正発行登録書を含む。）

三　金融商品取引法第24条第1項に規定する有価証券報告書（訂正報告書を含む。）

四　金融商品取引法第24条の4の7第1項に規定する四半期報告書（訂正報告書を含む。）

五　金融商品取引法第24条の5第1項に規定する半期報告書（訂正報告書を含む。）

六　金融商品取引法第24条の5第4項に規定する臨時報告書（訂正報告書を含む。）

本条は，公開会社において，取締役会の決議によって募集株式の募集事項を定めた場合であっても，その募集事項を株主に対して通知し，または公告することを要しない場合を定めるものである。すなわち，公開会社において，取締役会の決議によって募集株式の募集事項を定めた場合には，割当日の2週間前までに，株主に対し，その募集事項を通知するか公告しなければならないが（法201条3項・4項），株式会社が募集事項について割当日の2週間前までに金融商品取引法4条1項から3項の届出をしている場合その他の株主の保護に欠けるおそれがないものとして法務省令で定める場合には，通知および公告を要しないものとされている（法201条5項）。この委任をうけて，本条は，「株主の保護に欠けるおそれがないものとして法務省令で定める場合」を定めている。

これは，会社法に基づく公告等に係るコストを削減し，会社法と金融商品取引法との開示規制の差異による実務上の負担およびスケジュールその他の調整を容易にしようとするものである。平成17年改正前商法の下では，新株発行の際には，払込期日の2週間前までに一定の事項につき公告・通知を行うべきこととされていたが（同法280条ノ3ノ2），これは，新株発行についての情報を事前に株主に知らせることにより，それが法令・定款に違反する場合または不公正な方法によるものである場合には，損害を受けるおそれのある株主が発行差止め等の措置を講ずることができるようにするためであったから，株主が払込期日の2週間前までにこれらの情報を受領することができれば，会社法による公告・通知を重ねて行う必要はないという理解に基づくものである（要綱試案補足説明37頁）。

なお，「当該書類に記載すべき事項を同〔金融商品取引〕法の規定に基づき電磁的方法により提供している場合を含む」とされているが，これは，有価証券報告書，四半期報告書，半期報告書，臨時報告書およびこれらの訂正報告書ならびに有価証券届出書およびその訂正届出書，発行登録書・訂正発行登録書，発行登録追補書類の提出は，原則として，開示用電子情報処理組織（EDINET）を使用して行わなければならないものとされており（金融商品取引法27条の30の2・27条の30の3第1項），本条各号に掲げられた書類に記載すべき事項は金融商品取引法の規定に基づき電磁的方法により提供され，財務局および福岡財務支局において，その使用に係る電子計算機の出入力装置の映像面に表示して，公衆の縦覧に供されるからである（金融商品取引法施行令14条の12）。

金融商品取引法4条1項から3項の届出をする場合における同法5条1項の届出書（同法7条，9条および10条に規定する訂正届出書），同法23条の3第1項

第40条（募集事項の通知等を要しない場合）　259

に規定する発行登録書（同法23条の4，23条の9および23条の10に規定する訂正発行登録書）および同法23条の8第1項に規定する発行登録追補書類，同法24条1項に規定する有価証券報告書（同法24条の2に規定する訂正報告書），同法24条の4の7第1項に規定する四半期報告書（同条4項に規定する訂正報告書），同法24条の5第1項に規定する半期報告書（同条5項に規定する訂正報告書），および，同法24条の5第4項に規定する臨時報告書（同条5項に規定する訂正報告書）があげられているが，これは，いずれも，内閣総理大臣が受理した日から財務局および福岡財務支局において，それらの書類の写しは，発行者の本店および主要な支店で内閣総理大臣に提出した日から，さらに上場証券の場合には上場している金融商品取引所，店頭売買有価証券の場合には認可金融商品取引業協会において，写しの提出があった日から，それぞれ，一定の期間，公衆の縦覧に供される。また，これらの書類については，届出から縦覧まで電子開示システムである開示用電子情報処理組織（EDINET）を用いて行われ，行政サービスの一環として，提出された情報は，インターネット上で公開されている。

1　有価証券届出書（1号）

　有価証券届出書とは，有価証券の募集・売出しに際して，内閣総理大臣への提出が要求される書類であって，原則として発行会社が属する企業集団および発行会社ならびに募集・売出しの対象となる有価証券に関する重要な事項等を記載した開示文書である。内国会社の有価証券届出書の様式は5つあり，開示府令第2号様式は原則的な様式，第2号の2様式は組込方式，第2号の3様式は参照方式，第2号の4様式は株式新規公開会社が証券取引所または日本証券業協会の規則により発行株式の募集または売出しを行う場合に用いられる様式，第2号の5様式は一定の要件をみたす会社が発行総額・売出総額が1億円以上5億円未満の募集・売出しを行うときに使用できる様式である。いずれの様式による場合であっても，証券情報は記載され，たとえば，株式の発行の場合，証券情報としては，募集要項が記載されるが，法199条1項にいう募集事項および同法201条2項にいう払込金額の決定の方法などは募集要項に記載すべき事項に含まれている（開示府令第2号様式・第2号の2様式・第2号の3様式・第2号の4様式・第2号の5様式）。

　有価証券届出書は，発行開示のための媒体であり，本条の定めは当然のものであると評価できよう。

2　発行登録書・発行登録追補書類（2号）

　発行登録書をあらかじめ内閣総理大臣に提出しておけば（金融商品取引法23条の3第1項），有価証券の発行時には有価証券届出書を提出する必要はなく，発行条件等の証券情報等を記載した発行登録追補書類を提出するだけで，有価証券を投資者に取得させ，または売り付けることができる（同法23条の8第1項）。発行登録書には，募集または売出しが予定される期間，有価証券の種類，発行予定額，引受けを予定する証券会社のうち主たるものの名称および直近の継続開示書類を参照すべき旨が記載される。そして，発行登録追補書類には，原則として，発行に係る有価証券の発行条件等の証券情報（法199条1項にいう募集事項および同法201条2項にいう払込金額の決定の方法などを含める必要がある）のみを記載すれば足りるものとされている。発行登録書および発行登録追補書類は，発行開示のための媒体であり，本条の定めは当然のものであると評価できよう。

3　有価証券報告書（3号）

　(a)金融商品取引所に上場されている有価証券，(b)認可金融商品取引業協会に登録された店頭売買有価証券，(c)有価証券届出書または発行登録追補書類を提出した有価証券（(a)および(b)に掲げるものを除く），または(d)その会社（資本金額5億円以上の会社に限る）の発行する株券，優先出資証券または電子記録移転権利で，最近5事業年度のいずれかの末日において，その所有者が1,000（特定投資家向け有価証券の場合は，1,000に内閣府令で定めるところにより計算した特定投資家の数を加えた数）名以上であるもの（(a)～(c)に掲げるものを除く。いわゆる外形基準。金融商品取引法施行令3条の6第2項）を発行する会社が，事業年度経過後3カ月（外国会社は6カ月以内）以内に内閣総理大臣に提出する開示書類をいう（金融商品取引法24条1項）。有価証券報告書は，その会社の属する企業集団およびその会社の事業内容や経理の状況に関する重要な事項等が記載される開示文書である。しかし，現実には，法201条1項に「規定する募集事項に相当する事項をその内容とする」と評価できる場合はないのではないかと推測される。

4　四半期報告書（4号）

　有価証券報告書を提出しなければならない会社のうち，金融商品取引所に上場されている有価証券の発行者である会社その他の政令で定めるもの（その事

業年度が3カ月を超えるものに限る）が，当該事業年度の期間を3カ月ごとに区分した各期間（第4四半期期間を除く）ごとに，当該各期間経過後45日以内（特定事業会社については，第2四半期報告書についてのみ第2四半期経過後60日以内）に内閣総理大臣に提出しなければならない開示書類をいう（金融商品取引法24条の4の7第1項）。四半期報告書には，当該会社の属する企業集団の経理の状況その他の公益または投資者保護のため必要かつ適当なものとして内閣府令で定める事項が記載される。内国会社については開示府令第4号の3様式が定められている。しかし，これから発行する有価証券に関する事項は記載されないので，現実には，法201条1項に「規定する募集事項に相当する事項をその内容とする」と評価できる場合はないのではないかと推測される。

5　半期報告書（5号）

　半期報告書は，事業年度開始後6カ月間（半期）の会社の属する企業集団およびその会社の事業の内容や経理の状況に関する重要な事項等を記載した開示書類をいう。内国会社の半期報告書の様式としては，開示府令第5号様式と第5号の2様式とがあり，第5号の2様式は少額募集等に係る特例による有価証券届出書を提出した会社で，少額募集等に係る特例の半期報告書を提出しようとする会社が使用する簡略化された様式であり，第5号様式は少額募集適用以外の会社が使用する原則的な様式である。有価証券報告書提出会社は，その期間経過後3カ月以内に半期報告書を提出しなければならない（金融商品取引法24条の5第1項）。しかし，いずれの様式による場合であっても，これから発行する有価証券に関する事項は記載されないので，現実には，法201条1項に「規定する募集事項に相当する事項をその内容とする」と評価できる場合はないのではないかと推測される。

6　臨時報告書（6号）

　臨時報告書は，その会社または連結会社の財政状態または経営成績に重要な影響を与える事象の発生があった場合，その内容を記載した開示書類をいう。有価証券報告書提出会社は，その事象発生後遅滞なく臨時報告書を内閣総理大臣に提出しなければならない（金融商品取引法24条の5第4項）。たしかに，有価証券の募集または売出しが海外において開始された場合（開示府令19条2項1号）あるいは有価証券の募集によらないで発行する決議があった場合等（同項2号）などには臨時報告書を提出しなければならないものとされており，法

201条1項に「規定する募集事項に相当する事項をその内容とする」と評価できる場合があると推測される。しかし、継続開示のための開示書類として位置づけられている臨時報告書が、株主にとって、募集株式の募集事項を知るための情報源として適切であるといえるのかについては、立法論としては疑義がある。

（申込みをしようとする者に対して通知すべき事項）

第41条 法第203条第1項第4号に規定する法務省令で定める事項は、次に掲げる事項とする。

一 発行可能株式総数（種類株式発行会社にあっては、各種類の株式の発行可能種類株式総数を含む。）

二 株式会社（種類株式発行会社を除く。）が発行する株式の内容として法第107条第1項各号に掲げる事項を定めているときは、当該株式の内容

三 株式会社（種類株式発行会社に限る。）が法第108条第1項各号に掲げる事項につき内容の異なる株式を発行することとしているときは、各種類の株式の内容（ある種類の株式につき同条第3項の定款の定めがある場合において、当該定款の定めにより株式会社が当該種類の株式の内容を定めていないときは、当該種類の株式の内容の要綱）

四 単元株式数についての定款の定めがあるときは、その単元株式数（種類株式発行会社にあっては、各種類の株式の単元株式数）

五 次に掲げる定款の定めがあるときは、その規定
　イ 法第139条第1項、第140条第5項又は第145条第1号若しくは第2号に規定する定款の定め
　ロ 法第164条第1項に規定する定款の定め
　ハ 法第167条第3項に規定する定款の定め
　ニ 法第168条第1項又は第169条第2項に規定する定款の定め
　ホ 法第174条に規定する定款の定め
　ヘ 法第347条に規定する定款の定め
　ト 第26条第1号又は第2号に規定する定款の定め

六 株主名簿管理人を置く旨の定款の定めがあるときは、その氏名又は名称及び住所並びに営業所

七 定款に定められた事項（法第203条第1項第1号から第3号まで及び前各号に掲げる事項を除く。）であって、当該株式会社に対して募集株式の引受けの申込みをしようとする者が当該者に対して通知することを請求した事項

第41条（申込みをしようとする者に対して通知すべき事項） 263

　本条は，募集株式の引受けの申込みをしようとする者に株式会社が通知すべき事項を定めるものである。すなわち，株式会社は，募集株式の募集に応じて募集株式の引受けの申込みをしようとする者に対し，株式会社の商号，募集事項，新株予約権の行使に際して金銭の払込みをすべきときは，払込みの取扱いの場所そのほか，法務省令で定める事項を通知しなければならないものとされており（法203条1項），この委任をうけて，本条は「前3号に掲げるもののほか，法務省令で定める事項」（法203条1項4号）を定めるものである。募集新株予約権の引受けの申込みをしようとする者に対して通知すべき事項（54条）と多くが共通している。これは，新株予約権は，株式会社に対して行使することによりその株式会社の株式の交付を受けることができる権利（法2条21号）なので，新株予約権の価値はその行使により交付を受けることができるその株式会社の株式によって影響を受けるからである。

1　発行可能株式総数（種類株式発行会社では，各種類の株式の発行可能種類株式総数を含む）（1号）

　発行可能株式総数は定款変更をすることなく，株式会社が発行することができる株式の総数であり，公開会社においては，授権株式ともいうべきものであって，株主としては，公正な払込金額で募集がなされる限り，自己の持株割合や議決権割合が募集株式の発行等により減少しても，それに甘んじなければならないのが原則である。したがって，とりわけ，公開会社において，発行可能株式総数は，どの程度，自己の持株割合等が希薄化される可能性があるかを知る上で重要な情報なので，通知すべき事項に含められている。また，種類株式発行会社においては，さらに，有する株式の価値や議決権割合はどのような種類の株式が［→3］，どれだけ発行される可能性があるのかによって影響を受けることから，各種類の株式の発行可能種類株式総数も通知することが要求されている。

2　株式会社（種類株式発行会社を除く）が発行する株式の内容として法107条1項各号に掲げる事項を定めているときは，その株式の内容（2号）

　すべての株式の内容として，譲渡によるその株式の取得についてその株式会社の承認を要すること，株主がその株式会社に対してその株式の取得を請求することができること，または，その株式会社が一定の事由が生じたことを条件としてその株式を取得することができることが定められている場合には，その

株式の価値およびその株式に係る株主の投下資本回収に重大な影響が及ぶから，通知が要求されている。

3　株式会社（種類株式発行会社に限る）が法108条1項各号に掲げる事項につき内容の異なる株式を発行することとしているときは，各種類の株式の内容（ある種類の株式につき法108条3項の定款の定めがある場合において，その定款の定めにより株式会社がその種類の株式の内容を定めていないときは，当該種類の株式の内容の要綱）（3号）

　どのような種類株式が発行されるかということは，その種類株主にとっても，他の種類株主にとっても重要な影響を与えることになる。すなわち，ある種類の株式の経済的価値は，他の種類の株式がどのような内容の株式であるかによって大きく左右されるし，また，ある種類の株式が有する会社の意思決定に与える影響（典型的には，拒否権付株式や全部議決権制限株式）が，他の種類の株式が会社の意思決定に与えることができる影響の大小を左右するからである。したがって，募集株式の引受けの申込みをしようとする者にとっても，その種類の株式の内容およびそれ以外の種類株式の内容は重要な情報であるので，通知が要求されている。「ある種類の株式につき同〔法108〕条第3項の定款の定めがある場合において，当該定款の定めにより株式会社が当該種類の株式の内容を定めていないときは，当該種類の株式の内容の要綱」とされているのは，法108条3項の定款の定めがある場合には，定款には，「株式の内容の要綱」のみが定められているにすぎず，また，具体的な内容が定められていないことがあるからである。

4　単元株式数についての定款の定めがあるときは，その単元株式数（種類株式発行会社では，各種類の株式の単元株式数）（4号）

　単元未満株式については議決権を行使することができないほか，一定の権利を除き，定款の定めによって，その権利の全部または一部を制限することができるものとされているから，株主にとっては，単元株式数についての定款の定めがあるときは，その単元株式数（種類株式発行会社では，各種類の株式の単元株式数）は，その投下資本回収の観点からも，会社における議決権割合などの点からも重要な意味を有し，したがって，募集株式の引受けの申込みをしようとする者にとっても重要な情報であるので，通知が要求されている。

第41条（申込みをしようとする者に対して通知すべき事項） 265

5 一定の重要な定款の定めがあるときは、その規定（5号）

　譲渡制限株式の譲渡等を株式会社が承認したとみなされる要件との関連で株式会社または指定買取人が通知をすべき期間についての別段の定款の定め（法145条1号・2号），会社が特定の株主から自己株式を取得する場合に他の株主に売主追加請求権を与えない旨の定款の定め（法164条1項），取得請求権付株式の取得により交付される他の株式の数に1株に満たない端数が生じたときの金銭交付義務に関する別段の定款の定め（法167条3項），株式会社が，相続その他の一般承継により当該株式会社の株式（譲渡制限株式に限る）を取得した者に対し，その株式をその株式会社に売り渡すことを請求することができる旨の定款の定め（法174条），譲渡制限株式の譲渡等を株式会社が承認したとみなされる要件との関連で株式会社または指定買取人が供託を証する書面を交付すべき期間についての別段の定款の定め（26条1号・2号）があるときは，それらを通知しなければならないものとされている。これらの定款の定めは，株主にとっての投下資本回収に重要な影響がある事項や株主としての地位の継続に影響を与える事項に関するものだからである。

　また，譲渡制限株式の譲渡等の承認をするか否かの決定をする主体についての別段の定款の定め（法139条1項），譲渡制限株式の譲渡等を承認しない場合の指定買取人を指定する主体についての別段の定款の定め（法140条5項ただし書），株式会社が別に定める日が取得条項付株式の取得事由であるときにその日を定める主体についての別段の定款の定め（法168条1項ただし書），取得条項付株式の一部のみを取得する場合のその取得する取得条項付株式を決定する主体についての別段の定款の定め（法169条2項ただし書）を通知しなければならないとされているのは，会社法が定める原則的な意思決定機関以外に意思決定をさせるものだからである。

　同様に，種類株主総会における取締役または監査役の選任に関する定款の定め（法347条）があるときは，通知しなければならないこととされている。このような定めがあるときは，持株数とは無関係にある種類株主が取締役または監査役を選任できる可能性があり，会社における支配権のあり方に大きな影響を与えるからである。

6 株主名簿管理人を置く旨の定款の定めがあるときは、その氏名または名称および住所ならびに営業所（6号）

　株式会社は，その株式会社に代わって株主名簿の作成および備置きその他の

株主名簿に関する事務を行う者を置く旨を定款で定め、当該事務を行うことを委託することができるが（法123条）、株式会社に代わって株主名簿の作成および備置きその他の株主名簿に関する事務を行う者を株主名簿管理人という。株主名簿管理人がある場合にはその営業所に、株式会社の株主名簿、株券喪失登録簿および新株予約権原簿が備え置かれるので（法125条1項・231条1項・252条1項）、募集株式を引き受けようとする者にとっては、株主名簿管理人が置かれるかどうか、置かれる場合にだれが株主名簿管理人となるかについて利害を有し、また、さまざまな請求をする上で、株主名簿管理人の住所または営業所は重要な情報だからである。

7　定款に定められた事項（法203条1項1号から3号までおよび本条1号から6号までに掲げる事項を除く）であって、その株式会社に対して募集株式の引受けの申込みをしようとする者が自己に対して通知することを請求した事項

（7号（令和2年改正未施行部分の施行後は8号））

これは、適法に定款に定められた事項は、株主を拘束し、株主の権利内容に影響を与えるため、募集株式の引受けの申込みをしようとする者が申込みをするか否かを決定する上で重要な情報だからである。もっとも、定款に定められる事項は必ずしも少なくないことから、法203条1項1号から3号までおよび本条1号から前号までに掲げる事項を除き、定款に定められた事項のうち、「その株式会社に対して募集株式の引受けの申込みをしようとする者が当該者に対して通知することを請求した事項」を通知すれば足りるものとされている。

「法第203条第1項第1号から第3号まで及び前各号に掲げる事項を除く」とされているのは、これらの事項は、募集株式の引受けの申込みをしようとする者に対して——法203条4項の場合を除き——、その請求がなくとも、株式会社が必ず通知しなければならない事項だからである。また、法203条1項4号は、「前3号に掲げるもののほか、法務省令で定める事項」（圏点—引用者）と定めているので、法203条1項1号から3号までに掲げる事項は本条では除かなければならないからである。

　　　　　＊　　　　　＊　　　　　＊

第42条（申込みをしようとする者に対する通知を要しない場合）　267

〔施行　会社法の一部を改正する法律（令和元年法律第70号）附則第1条ただし書に規定する規定の施行の日〕［第7号を加える］
（申込みをしようとする者に対して通知すべき事項）
第41条　法第203条第1項第4号に規定する法務省令で定める事項は，次に掲げる事項とする。
　一～六　（略）
　七　電子提供措置をとる旨の定款の定めがあるときは，その規定
　八　（略）

7′　電子提供措置をとる旨の定款の定めがあるときは，その規定（7号）

　電子提供措置をとる旨の定款の定めがあるときは，取締役が，株主総会資料の内容である情報を特定のウェブサイトに掲載し，株主に対して当該ウェブサイトのアドレス等を株主総会の招集の通知に記載等して通知した場合には，株主の個別の承諾を得ていないときであっても，取締役は，株主に対して株主総会資料を適法に提供したものとされ，会社に対して電子提供措置事項を記載した書面の交付を請求しない限り，電子提供措置事項を知るためには，株主は当該ウェブサイトを閲覧することが必要となる。これは，株主にとって不便または手間を要することにつながりうるので，「電子提供措置をとる旨の定款の定めがあるときは，その規定」が募集株式の引受けの申込みをしようとする者に対して通知すべき事項に含められている。

　法325条の2後段は「その定款には，電子提供措置をとる旨を定めれば足りる」と規定しており，たとえば，「当会社は，定時株主総会の招集に際し，株主総会参考書類，議決権行使書面，計算書類及び事業報告ならびに連結計算書類の内容である情報につき，法令の定めるところに従い，電子提供措置をとる。」という定款の定めを設けた場合には，その定款の定めを通知すべきことになる。

（申込みをしようとする者に対する通知を要しない場合）
第42条　法第203条第4項に規定する法務省令で定める場合は，次に掲げる場合であって，株式会社が同条第1項の申込みをしようとする者に対して同項各号に掲げる事項を提供している場合とする。
　一　当該株式会社が金融商品取引法の規定に基づき目論見書に記載すべき事

項を電磁的方法により提供している場合
　二　当該株式会社が外国の法令に基づき目論見書その他これに相当する書面その他の資料を提供している場合

　本条は，募集株式の引受けの申込みをしようとする者に対して通知を要しない場合を定めるものである。すなわち，株式会社は，募集に応じて募集株式の引受けの申込みをしようとする者に対し，一定の事項を通知しなければならないが（法203条1項），株式会社がその一定の事項を記載した金融商品取引法2条10項に規定する目論見書を募集株式の引受けの申込みをしようとする者に対して交付している場合，その他募集株式の引受けの申込みをしようとする者の保護に欠けるおそれがないものとして法務省令で定める場合には，通知することを要しないものとされている（法203条4項）。この委任をうけて，本条は，株式会社がその一定の事項を記載した金融商品取引法2条10項に規定する目論見書を募集株式の引受けの申込みをしようとする者に対して交付している場合以外の場合であって，募集株式の引受けの申込みをしようとする者の保護に欠けるおそれがないものとして法務省令で定める場合を定めるものである。

　これは，会社法に基づく通知等のコストを削減し，会社法と金融商品取引法との規制の差異による実務上の負担を軽減しようとするものである。目論見書等により会社と募集株式に関する事項が募集株式を引き受けようとする者に提供されるのであれば，重ねて通知による情報提供をさせる必要はないと考えられるためである（要綱試案補足説明37頁）。

1　目論見書の意義と記載事項

　金融商品取引法2条10項に規定する目論見書とは，有価証券の募集もしくは売出し（適格機関投資家向け証券の売出しで，適格機関投資家のみを相手方とするものを除く）または適格機関投資家向け証券の一般投資者向け勧誘（有価証券の売出しにあたるものを除く）のためにその有価証券の発行者の事業その他の事項に関する説明を記載する文書であって，相手方に交付し，または相手方からの交付の請求があった場合に交付するものをいう。

　目論見書には，有価証券届出書の記載事項（公衆の縦覧に供しないこととされた事項を除く）と特記事項とが記載される（金融商品取引法13条2項1号イ，開示府令12条・13条1項）。特記事項としては，届出目論見書にはその目論見書に係る有価証券の募集または売出しに関して，その届出が効力を生じている旨

(開示府令13条1項1号イ)が記載され，届出仮目論見書には，その届出仮目論見書に係る有価証券の募集または売出しに関して，その届出を行った日および届出の効力が生じていない旨(同項2号イ)を記載する。

また，参照方式による場合には，利用適格要件をみたしていることを示す書面，重要な事実の内容を記載した書面および事業内容の概要および主要な経営指標等の推移を的確かつ簡明に説明した書面に記載された事項を，特記事項として記載しなければならない(開示府令13条1項1号ハ・2号ハ)。

すでに開示された有価証券に係る目論見書には，有価証券届出書を提出していればそれに記載すべきであった事項を記載するほか，有価証券の売出しに係る届出は行われていない旨を特記事項に記載する(金融商品取引法13条2項1号ロ，開示府令14条1項1号イ・2号イ)。

発行登録仮目論見書や発行登録目論見書には発行登録書または訂正発行登録書に記載すべき内容が記載されるほか，特記事項として，発行登録目論見書には，有価証券の募集または売出しに関し，発行登録がその効力を生じている旨(開示府令14条の13第1項1号)を，発行登録仮目論見書には，有価証券の募集または売出しに関し，発行登録がその効力を生じていない旨(同項2号イ)を，それぞれ，記載する。

他方，発行登録追補目論見書には，発行登録追補書類に記載すべき内容が記載され，特記事項として，発行登録追補書類において参照すべき旨が記載された有価証券報告書の提出日以後に生じた重要な事実の内容等を記載しなければならない(開示府令14条の13第1項3号)。

2 当該株式会社が金融商品取引法の規定に基づき目論見書に記載すべき事項を電磁的方法により提供している場合(1号)

金融商品取引法上，目論見書および発行登録目論見書の提供を受ける者の承諾を得て，目論見書および発行登録目論見書の紙媒体での交付に代えて，これらに記載された事項を電子情報処理組織を使用する方法や磁気ディスク，CD-ROMなどを交付する方法によって提供することができ，それらの事項を提供した者は，その目論見書または発行登録目論見書を交付したものとみなされる(金融商品取引法27条の30の9第1項，開示府令23条の2第1項・2項)。募集株式の引受けの申込みをしようとする者に対し目論見書を書面の形で交付せず，目論見書に記載すべき事項を電磁的方法により提供している場合であっても，募集株式の引受けの申込みをしようとする者に対し必要な情報は提供されるの

で，このような場合にも，法203条1項による通知を要求する必要はない。そもそも，同項は，書面による通知を要求しておらず，電磁的方法その他による通知でかまわないこととしていることとの均衡からも，本号の場合に会社法に基づく通知を要求する必要はない。

3 当該株式会社が外国の法令に基づき目論見書その他これに相当する書面その他の資料を提供している場合（2号）

　法203条4項は，会社法に基づく通知等のコストを削減し，会社法と金融商品取引法との規制の差異による実務上の負担を軽減しようとするものであり，他の法令により会社と株式に関する事項が株式を引き受けようとする者に提供されているのであれば，重ねて通知をする必要はないという発想に基づくものである。外国の法令に基づいて目論見書その他これに相当する書面その他の資料を提供している場合にも，二重の負担を課す必要はないし，また，外国の法令も投資者を保護することを目的とする以上，それなりの要求をしていると期待できるので，募集株式の引受けの申込みをしようとする者に対する通知を要求しないこととするのが本号である。なお，本条柱書で法203条1項各号に掲げる事項を提供していることが要件とされているから，かりに外国の法令が日本の金融商品取引法に比べ緩やかな開示規制をしているとしても，法203条1項が要求する情報提供は実現できると考えられる。

―（株主に対して通知すべき事項）――――――――――――――

　第42条の2　法第206条の2第1項に規定する法務省令で定める事項は，次に掲げる事項とする。

　　一　特定引受人（法第206条の2第1項に規定する特定引受人をいう。以下この条において同じ。）の氏名又は名称及び住所

　　二　特定引受人（その子会社等を含む。第5号及び第7号において同じ。）がその引き受けた募集株式の株主となった場合に有することとなる議決権の数

　　三　前号の募集株式に係る議決権の数

　　四　募集株式の引受人の全員がその引き受けた募集株式の株主となった場合における総株主の議決権の数

　　五　特定引受人に対する募集株式の割当て又は特定引受人との間の法第205条第1項の契約の締結に関する取締役会の判断及びその理由

　　六　社外取締役を置く株式会社において，前号の取締役会の判断が社外取締役の意見と異なる場合には，その意見

第42条の2（株主に対して通知すべき事項） 271

> 七　特定引受人に対する募集株式の割当て又は特定引受人との間の法第205条第１項の契約の締結に関する監査役，監査等委員会又は監査委員会の意見

　公開会社は，募集株式の割当てを受けた申込者または総数引受契約により募集株式の総数を引き受けた者（引受人）について，「当該引受人（その子会社等を含む。）がその引き受けた募集株式の株主となった場合に有することとなる議決権の数」の「当該募集株式の引受人の全員がその引き受けた募集株式の株主となった場合における総株主の議決権の数」に対する割合が２分の１を超える場合には，当該引受人が当該公開会社の親会社等である場合または法202条の規定により株主に株式の割当てを受ける権利を与えた場合を除き，割当日の２週間前までに，株主に対し，当該引受人（特定引受人）の氏名または名称および住所，当該特定引受人についての「当該引受人（その子会社等を含む。）がその引き受けた募集株式の株主となった場合に有することとなる議決権の数」その他の法務省令で定める事項を通知しなければならない（法206条の２第１項）。この委任を受けて，株主に通知すべき「法務省令で定める事項」を定めるのが本条である。

　法206条の２第１項が「その他の法務省令で定める事項」（圏点―引用者）と定めていることから，本条１号および２号は，法206条の２第１項が定めている「当該引受人（以下……「特定引受人」という。）の氏名又は名称及び住所」と「当該特定引受人についての〔法206条の２第１項〕第１号に掲げる数」とを掲げている。

　３号は，２号の「募集株式に係る議決権の数」を，４号は，「募集株式の引受人の全員がその引き受けた募集株式の株主となった場合における総株主の議決権の数」を記載することを求めている。法206条の２第１項による通知が求められるかどうかは，本条２号の数を分子とし，４号の数を分母として算定された値が２分の１を超えるかどうかによるため，当該引受人が特定引受人にあたることを基礎づける情報として，４号は，「募集株式の引受人の全員がその引き受けた募集株式の株主となった場合における総株主の議決権の数」を記載することを求めている。他方，３号が定める事項は，当該引受人が特定引受人に該当するかどうかの判定には必要とされないが，当該募集株式の発行により，特定引受人が有する議決権が増加する程度も，既存株主が反対通知を行うかどうかを判断する上で有用な情報であると考えられたため，通知事項とされている（坂本ほか・商事法務2064号29～30頁）。

5号では，特定引受人に対する募集株式の割当てまたは特定引受人との間の総数引受契約（法205条1項）の締結に関する取締役会の判断およびその理由が通知事項とされている。これは，既存株主が反対の意思を通知するかどうかを判断するにあたって，当該割当て等について当該公開会社の取締役会がどのように考えているかは重要な判断材料と考えられるからである。ここでいう取締役会の「判断」とは取締役会の決議による判断を意味するところ，このような通知（または公告）がなされる以上，取締役会は特定引受人に対して募集株式を割り当て，または総数引受契約を締結するという決議をしているのだから，「判断」そのものには情報としての価値は実はない。他方，判断の「理由」は，当該取締役会がそのような決議を行った理由を意味するから，株主が反対の意思を通知をするか否かを判断する上で，重要な参考情報となると期待できるし，理由の開示が求められる場合には，一応合理的な理由を示したいというインセンティブが生ずると期待されるため，取締役会における審議が十分に行われるという効果も期待できる。このような観点から，当該特定引受人に対する割当て等を行うという判断の「理由」は当該決議に至る審議の過程に即した内容とすることが求められる。そして，取締役会の判断の理由として複数の理由を記載することが適当である場合には，当該複数の理由を記載する必要がある（坂本ほか・商事法務2064号30頁）。具体的には，当該公開会社の状況，資金調達の必要性・緊急性，当該特定引受人の属性，当該割当て等が当該公開会社に与える影響等を踏まえて通知することが想定される。

6号では，社外取締役を置く株式会社において取締役会の判断が社外取締役の意見と異なる場合には，その意見を通知することを求めている。これは，支配株主の異動を伴う募集株式の割当て等が行われる場合には，株式会社と業務執行者との間の利益相反が存在することがありうるため，業務執行者から独立した立場で株式会社と業務執行者との間の利益相反を監督する機能が期待されている社外取締役の意見が取締役会の判断と異なる場合には，その意見も既存の株主にとって重要な情報になると考えられる一方で，取締役会の判断と異なる社外取締役の意見が通知されるという場合には，取締役会の審議において社外取締役の意見を等閑視することなく，社外取締役の意見とは異なる判断を取締役会が行う場合には十分な検討を行い，一応合理的な理由に基づくというインセンティブが働くと期待できるからである。社外取締役の意見には，その理由も含むと解すべきである。なぜなら，社外取締役が取締役会の判断に賛成しない場合には，その理由も含めて意見を述べることが一般的であると考えられ

るし，社外取締役が示す理由は，既存株主が反対の意思を通知するかどうかを判断する上で重要な考慮要素になりうるからである。

　7号では，特定引受人に対する募集株式の割当てまたは特定引受人との間の総数引受契約の締結に関する監査役，監査等委員会または監査委員会の意見が通知事項の1つとして定められている。これは，監査役，監査等委員会または監査委員会は取締役（指名委員会等設置会社では，さらに執行役）の職務の執行を監査し，会社を支配する者のあり方に関する基本方針などあるいは親会社等との取引について意見を述べる立場にあることから，これらの者の意見は既存の株主の判断にとって重要な参考となると考えられるためである。また，監査役，監査等委員会または監査委員会の意見が取締役会の判断と異なる場合には，取締役会の審議において監査役，監査等委員または監査委員の意見を等閑視することなく，それらの者の意見とは異なる判断を取締役会が行う場合には十分な検討を行い，一応合理的な理由に基づくというインセンティブが働くと期待できるからである。なお，社外取締役の意見と異なり，監査役，監査等委員会または監査委員会の意見は，取締役会の判断と異ならない場合にも通知事項とされている。これは，社外取締役は取締役会の審議に参加し，その議決に加わっているのに対し，監査役は取締役会の議決には加わっていないこと，および，監査役，監査等委員会または監査委員会の意見は監査という観点から表明されるため，より客観的あるいは第三者的な意見であり，既存株主にとって重要な情報であると考えられるためであろう。

（株主に対する通知を要しない場合）

第42条の3　法第206条の2第3項に規定する法務省令で定める場合は，株式会社が同条第1項に規定する期日の2週間前までに，金融商品取引法の規定に基づき第40条各号に掲げる書類（前条各号に掲げる事項に相当する事項をその内容とするものに限る。）の届出又は提出をしている場合（当該書類に記載すべき事項を同法の規定に基づき電磁的方法により提供している場合を含む。）であって，内閣総理大臣が当該期日の2週間前の日から当該期日まで継続して同法の規定に基づき当該書類を公衆の縦覧に供しているときとする。

　株式会社が法206条の2第1項の事項について割当日の2週間前までに金融商品取引法4条1項から3項までの届出をしている場合その他の株主の保護に欠けるおそれがないものとして法務省令で定める場合には，支配株主の異動を

伴う募集株式の割当て等に係る通知を要しないものとされていること（法206条の2第3項）をうけて，本条は，株主の保護に欠けるおそれがないものとして法務省令で定める場合を，募集株式の発行等において募集事項の通知を要しない場合（法201条5項）を定める40条とパラレルに定めている。

「その他の株主の保護に欠けるおそれがないものとして法務省令で定める場合」（圏点―引用者）と規定されているため，本条では，金融商品取引法4条1項から3項までの届出をしている場合を包含するように規定されている。すなわち，42条の2各号に掲げる事項に相当する事項をその内容とする有価証券届出書（訂正届出書を含む），発行登録書および発行登録追補書類（訂正発行登録書を含む），有価証券報告書（訂正報告書を含む），四半期報告書（訂正報告書を含む），半期報告書（訂正報告書を含む）または臨時報告書（訂正報告書を含む）の届出または提出をしている場合（当該書類に記載すべき事項を金融商品取引法の規定に基づき電磁的方法により提供している場合を含む）であって，内閣総理大臣が当該割当日の2週間前の日から当該割当日まで継続して金融商品取引法の規定に基づき当該書類を公衆の縦覧に供しているときとして定めている。

このような場合には，通知または公告がなされなくとも，株主は，EDINETまたはそのウェブサイトを通じて，42条の2各号に掲げる事項についての情報を得ることができるからである。

―（株主に対する通知を要しない場合における反対通知の期間の初日）――
第42条の4 法第206条の2第4項に規定する法務省令で定める日は，株式会社が金融商品取引法の規定に基づき前条の書類の届出又は提出（当該書類に記載すべき事項を同法の規定に基づき電磁的方法により提供した場合にあっては，その提供）をした日とする。

法206条の2第3項（および施規42条の3）により，支配株主の異動を伴う募集株式の割当て等に係る通知を要しないとされる場合において，株主が特定引受人（その子会社等を含む）による募集株式の引受けに反対する旨を公開会社に対して通知する期間の起算点は，法務省令で定める日とされており（法206条の2第4項），この委任をうけて，本条は定められている。株式会社が金融商品取引法の規定に基づき会社法施行規則42条の3の書類の届出または提出（当該書類に記載すべき事項を同法の規定に基づき電磁的方法により提供した場合に

第43条（検査役の調査を要しない市場価格のある有価証券） 275

は、その提供）をした日とするとされているのは、42条の2各号に掲げる事項に相当する事項をその内容とする有価証券届出書（訂正届出書を含む)、発行登録書および発行登録追補書類（訂正発行登録書を含む)、有価証券報告書（訂正報告書を含む)、四半期報告書（訂正報告書を含む)、半期報告書（訂正報告書を含む）または臨時報告書（訂正報告書を含む）の届出がなされ、または提出された場合（当該書類に記載すべき事項を金融商品取引法の規定に基づき電磁的方法により提供した場合を含む）には、その届出、提出または提供があれば、EDINETまたはそのウェブサイトを通じて、株主は42条の2各号に掲げる事項についての情報を得ることができるからである。

（検査役の調査を要しない市場価格のある有価証券）

第43条 法第207条第9項第3号に規定する法務省令で定める方法は、次に掲げる額のうちいずれか高い額をもって同号に規定する有価証券の価格とする方法とする。

一　法第199条第1項第3号の価額を定めた日（以下この条において「価額決定日」という。）における当該有価証券を取引する市場における最終の価格（当該価額決定日に売買取引がない場合又は当該価額決定日が当該市場の休業日に当たる場合にあっては、その後最初になされた売買取引の成立価格）

二　価額決定日において当該有価証券が公開買付け等の対象であるときは、当該価額決定日における当該公開買付け等に係る契約における当該有価証券の価格

　本条は、募集株式の発行等にあたって現物出資がなされる場合において、市場価格のある有価証券について検査役の調査を要しないとされるための要件との関係で有価証券の価格を定める方法を定めるものである。すなわち、株式会社は、募集株式等の発行において、募集事項として、金銭以外の財産を出資の目的とする旨ならびにその財産の内容および価額を定めることができ、この場合には、現物出資財産の給付があった後、遅滞なく、現物出資財産の価額を調査させるため、裁判所に対し、検査役の選任の申立てをしなければならないが（法207条1項)、現物出資財産のうち、市場価格のある有価証券について新株予約権の内容として定められた出資の目的とされる金銭以外の財産の価額がその有価証券の市場価格として法務省令で定める方法により算定されるものを超えない場合には、その有価証券についての現物出資財産の価額は検査役の調査を

要しないものとされている（法207条9項3号）。この委任をうけて，本条は，「有価証券の市場価格として法務省令で定める方法により算定されるもの」を定めている。

1号が，出資の目的とする金銭以外の財産の価額を定めた日（価額決定日）「における当該有価証券を取引する市場における最終の価格（当該価額決定日に売買取引がない場合又は当該価額決定日が当該市場の休業日に当たる場合にあっては，その後最初になされた売買取引の成立価格）」と定めているのは，平成17年改正前商法220条ノ6第2項（端株買取請求の場合。同法221条6項で単元未満株式買取請求に準用）が「請求ノ日ノ最終ノ市場価格」を基準としていたこと，および平成13年商法改正前の昭和56年商法改正附則19条2項が「証券取引所に上場されている株式について……請求があったときは，証券取引所（二以上の証券取引所に上場されている場合には，本店の最寄りの証券取引所をいう……）の開設する市場における請求の日の最終価格（その日に売買取引がないときは，その後最初にされた売買取引の成立価格）」を基準としていたことに対応するものであると推測される。

ここで，「当該有価証券を取引する市場」に，金融商品取引所（証券取引所）が含まれることには異論がなく，「市場」には，法令の規定の裏づけがある，たとえば，日本証券業協会がかつて開設していた店頭市場のような取引所に類する市場は少なくとも含まれ，抽象的には，随時，売買・換金等を行うことができる取引システムを「市場」といってよいと思われるが，「市場」の外延がどこまで及ぶかは難しい問題である。少なくとも相対の個別交渉で決定された価格は「市場における最終の価格」とは評価できないであろう。また，複数の取引所に上場されている有価証券が存在するし，「市場」を広くとらえると，複数の市場で株式が取引されているという状況は容易に想定される。現物出資との関係においても，会社の定款などで，どの「市場」における最終の価格を基準とするかを定めることができるかが問題となりうるが，会社法の下では，現物出資財産の価額に係る検査役の調査も，既存株主・株式引受人間の公平を確保するための制度であり，会社財産確保のための制度でないと位置づけられるとすると，肯定的に解すべきであろう（立案担当者は最も高い額をいうと解しているが（論点解説121頁），市場の厚みのない市場における価格によらなければならない場合があるとすることは適当でないように思われる）。そして，会社の定款などで，どの「市場」における最終の価格を基準とするかを定めることができるが，その定めが不合理な場合には，株主は争うことができると解するのが穏

当なのではないかと思われる。定め方としては、ある市場を1つ特定することも考えられるが、たとえば、「上場株式については東京証券取引所における終値があれば、その終値、なければ、札幌証券取引所における終値」というような定め方もありえよう。市場の特定は、単元未満株式の買取り、端株の買取り、端数の処理、現物配当や現物残余財産分配といった類型ごとにするのではなく、すべての類型を通じて、統一的にすることが原則として求められるのではないかと思われる（もっとも、会社が取得条項付株式、全部取得条項付種類株式あるいは取得条項付新株予約権を取得する場合の取扱いについては、株主の自由意思に基づくものではないから、株主にとって最も有利な（最も高い）、当該株式を取引する市場における最終の価格を基準とすべきであると考えるべきであろう）。少なくとも、事前に定めておくべきであるという考え方も成り立たないわけではないのではないか。

「当該価額決定日に売買取引がない場合又は当該価額決定日が当該市場の休業日に当たる場合にあっては、その後最初になされた売買取引の成立価格」とされているのは、当該価額決定日の前日の終値と当該価額決定日「後最初になされた売買取引の成立価格」とのどちらを基準とするほうが適切であるかを考えると、当該価額決定日の前日の最終の売買取引後に、有価証券の価格に重要な影響を与えるような事象が発生する可能性があることをふまえると、当該行使日「後最初になされた売買取引の成立価格」を用いることに合理性があるからである。

平成17年改正前商法と異なり、会社計算規則および会社法施行規則では、当該有価証券が公開買付け等の対象である場合には、その公開買付け等に係る契約における有価証券の価格を基準に含めるものとしている。本条も、価額決定日において当該有価証券が公開買付け等の対象であるときは、当該価額決定日における当該公開買付け等に係る契約における当該有価証券の価格（2号）と1号の金額とのいずれか高い額を株式の価格とするものと定めている。これは、有価証券が公開買付け等の対象となっている場合には、通常、買付価格が市場価格より高いが、公開買付けに応ずることによって、その買付価格で有価証券を処分できる可能性があるためであると推測される（もっとも、買付数量が少ない場合に、買付価格を基準とすることに合理性があるのか、会社自身が公開買付けを行っている場合には問題があるのではないかというような問題があり、本条の定めが立法論として、つねに適切であるとはいいきれない）。

なお、2号にいう公開買付け等とは、金融商品取引法27条の2第6項（同法

27条の22の2第2項において準用する場合を含む）に規定する公開買付けおよびこれに相当する外国の法令に基づく制度をいうが（2条3項15号），本条の趣旨からすれば，公開買付け「に相当する外国の法令に基づく制度」であるというためには，買付価格を引き下げることが原則としてできないこと（金融商品取引法27条の6第3項参照）が要件とされよう。なぜなら，買付価格を引き下げることができるのであれば，その買付価格を基準として株式の価格を決定することに合理性はないからである。

（出資された財産等の価額が不足する場合に責任をとるべき取締役等）

第44条 法第213条第1項第1号に規定する法務省令で定めるものは，次に掲げる者とする。

一　現物出資財産（法第207条第1項に規定する現物出資財産をいう。以下この条から第46条までにおいて同じ。）の価額の決定に関する職務を行った取締役及び執行役

二　現物出資財産の価額の決定に関する株主総会の決議があったときは，当該株主総会において当該現物出資財産の価額に関する事項について説明をした取締役及び執行役

三　現物出資財産の価額の決定に関する取締役会の決議があったときは，当該取締役会の決議に賛成した取締役

本条は，募集株式の発行等において現物出資がなされた場合に出資された財産等の価額が不足するときに責任をとるべき取締役等を定めるものである。すなわち，法213条1項1号は，募集株式の引受人が募集株式の株主となった時におけるその給付した現物出資財産の価額が募集事項において定められた出資の目的である金銭以外の財産の価額（法199条1項3号）に著しく不足する場合に，その募集株式の引受人の募集に関する職務を行った業務執行取締役（指名委員会等設置会社では，執行役）その他当該業務執行取締役の行う業務の執行に職務上関与した者として法務省令で定めるものは，株式会社に対し，その不足額を支払う義務を負うものと定めており，この委任をうけて，本条は，「当該業務執行取締役の行う業務の執行に職務上関与した者として法務省令で定めるもの」を定めている。

第44条（出資された財産等の価額が不足する場合に責任をとるべき取締役等） 279

1 現物出資財産の価額の決定に関する職務を行った取締役および執行役（1号）

　現物出資財産の価額の決定に関する職務を行った取締役および執行役が「当該業務執行取締役の行う業務の執行に職務上関与した者として法務省令で定めるもの」の一類型として定められている。

　たしかに，平成17年廃止前商法特例法21条の24第1項は，現物出資の目的たる財産（現物出資財産）の新株発行当時における実価が予定価格（平成17年改正前商法280条ノ2第1項3号の価格）に著しく不足する場合において，予定価格が委任に基づき執行役により定められたときは，その執行役は，委員会等設置会社に対し，連帯して，当該不足額を支払う義務を負うものと定めていたし，同条3項2号は，予定価格が株主総会の決議により定められたときは，その決議に係る議案の内容の決定に係る議案を取締役会に提出した取締役または執行役は，委員会等設置会社に対し，連帯して，現物出資財産についての当該議案における価格と実価との差額を限度として，その不足額を支払う義務を負うと定めていた。しかし，委員会等設置会社以外の会社においては，平成17年改正前商法280条ノ13の2は，現物出資の目的財産の新株発行当時における実価が取締役会の決議により定めた価格に著しく不足するときはその決議に賛成した取締役が，現物出資の目的財産の新株発行当時における実価が株主総会の決議により定めた価格に著しく不足するときは現物出資に関する議案を株主総会に提出した取締役およびその議案の提出することについての取締役会の決議に賛成した取締役が，それぞれ，株式会社に対し連帯してその不足額を支払う義務を負うと定めるにとどまっていた。

　そこで，本条では，現物出資財産の価額の決定に関する職務を行った取締役および執行役が，分配可能額を超えた剰余金の配当等に関して支払義務を負う業務執行者（計規159条）などに似た形で定められている。「現物出資財産の価額の決定に関する職務を行った取締役及び執行役」が法286条1項1号の支払義務を負うものとされているのは，現物出資財産の価額の決定にあたっては，現物出資財産の給付時における現物出資財産の実価が新株予約権の内容として定められた現物出資財産の価額を大きく下回ることがないように，現物出資財産の価額の決定を慎重に行うべきだからである。

2　現物出資財産の価額の決定に関する株主総会の決議があったときは，当該株主総会において当該現物出資財産の価額に関する事項について説明をした取締役および執行役（2号）

　現物出資財産の価額の決定に関する株主総会の決議があったときは，その株主総会においてその現物出資財産の価額に関する事項について説明をした取締役および執行役も「当該業務執行取締役の行う業務の執行に職務上関与した者として法務省令で定めるもの」の一類型として定められている。

　おそらく，平成17年改正前商法および平成17年廃止前商法特例法の下では，このような取締役・執行役は平成17年改正前商法266条1項5号あるいは平成17年廃止前商法特例法21条の17第1項による損害賠償責任を負うにすぎなかったのではないかと推測されるが，本条では，現物出資財産の価額の決定に関する職務を行った取締役および執行役と同様の責任主体とされている。これは，株主総会において説明をした取締役および執行役は，株主総会が現物出資財産の価額を過大に決定する決議をすることに大きく寄与していると評価できる一方で，そのような取締役および執行役もその職務を行うについて注意を怠らなかったことを証明したときには支払義務を負わないこととされているため，責任主体に含めても過酷ではないと考えられるからであろう。

3　現物出資財産の価額の決定に関する取締役会の決議があったときは，当該取締役会の決議に賛成した取締役（3号）

　現物出資財産の価額の決定に関する取締役会の決議があったときは，当該取締役会の決議に賛成した取締役は，「当該業務執行取締役の行う業務の執行に職務上関与した者として法務省令で定めるもの」にあたるものとされている。

　これは，平成17年改正前商法280条ノ13ノ2第1項が現物出資の目的財産の新株発行当時における実価が取締役会の決議により定めた価格に著しく不足するときはその決議に賛成した取締役が，株式会社に対し連帯してその不足額を支払う義務を負うと定め，平成17年廃止前商法特例法21条の24第2項1号が，予定価格が取締役会の決議により定められたときは，その決議に賛成した取締役は，委員会等設置会社に対し，連帯して，その不足額を支払う義務を負うと定めていたことを，それぞれ踏襲したものである。実質的に考えても，取締役会において現物出資財産の価額を決定する場合には，取締役としては，過大に決定することがないように注意を払うべきである以上，「その決定に係る取締役会において賛成した取締役」が責任主体に含められることはやむをえないと

いえよう。

> **第45条** 法第213条第1項第2号に規定する法務省令で定めるものは，次に掲げる者とする。
> 一 株主総会に現物出資財産の価額の決定に関する議案を提案した取締役
> 二 前号の議案の提案の決定に同意した取締役（取締役会設置会社の取締役を除く。）
> 三 第1号の議案の提案が取締役会の決議に基づいて行われたときは，当該取締役会の決議に賛成した取締役

　本条は，募集株式の発行等において現物出資がなされた場合，出資された財産等の価額が不足するときに責任をとるべき取締役等を定めるものである。すなわち，法213条1項2号は，募集株式の引受人が募集株式の株主となった時におけるその給付した現物出資財産の価額が募集事項において定められた出資の目的である金銭以外の財産の価額（法199条1項3号）に著しく不足する場合に，現物出資財産の価額の決定に関する株主総会の決議があったときは，その株主総会に議案を提案した取締役として法務省令で定めるものは，株式会社に対し，その不足額を支払う義務を負うものと定めており，この委任をうけて，本条は，「当該株主総会に議案を提案した取締役として法務省令で定めるもの」を定めている。

1　株主総会に現物出資財産の価額の決定に関する議案を提案した取締役（1号）

　本条1号は，株主総会に現物出資財産の価額の決定に関する議案を提案した取締役を「当該株主総会に議案を提案した取締役として法務省令で定めるもの」としている。これは，平成17年改正前商法280条ノ13ノ2第2項が，「現物出資ノ目的タル財産ノ価格ヲ株主総会ノ決議ニ依リ定メタル場合ニ於テ其ノ財産ノ新株発行当時ニ於ケル実価ガ決議ニ依リ定メタル価格ニ著シク不足スルトキハ現物出資ニ関スル議案ヲ総会ニ提出シタル取締役ハ議案ニ掲ゲタル財産ノ価格ト実価トノ差額ヲ限度トシテ会社ニ対シ連帯シテ其ノ不足額ヲ支払フ義務ヲ負フ」と，平成17年廃止前商法特例法21条の24第3項1号が，予定価格が株主総会の決議により定められたときは，その決議に係る議案を株主総会に提出した取締役は，委員会等設置会社に対し，連帯して，現物出資財産についての

当該議案における価格と実価との差額を限度として，その不足額を支払う義務を負うと，それぞれ，定めていたものを踏襲したものと位置づけられよう。現物出資財産の価額の決定に関する議案が株主総会に提出されれば，その議案が承認される可能性は，経験則上，高いということができる一方で，その者がその職務を行うについて注意を怠らなかったことを証明した場合には支払義務を負わないこととされていることから，「当該株主総会に議案を提案した取締役として法務省令で定めるもの」の範囲を広く解しても酷ではないと考えられるので，本号のような定めが置かれている。

2 現物出資財産の価額の決定に関する議案の提案の決定に同意した取締役（取締役会設置会社の取締役を除く）（2号）

これは，平成17年廃止前有限会社法54条3項が準用する同法30条ノ2第2項は，同意した取締役はその行為を「為シタルモノト看做ス」と定めており，現物出資財産の資本増加当時における実価が資本増加の決議により定めた価格に著しく不足するときは，資本増加の議案の提出に賛成した取締役も同法54条2項の不足額支払義務を負うものと解されていたことを踏襲したものである。そして，株主総会に現物出資財産の価額の決定に関する議案を提案した取締役が「当該株主総会に議案を提案した取締役として法務省令で定めるもの」にあたるものとすると（1号），その現物出資財産の価額の決定に関する議案の提案の決定に同意した取締役（取締役会設置会社の取締役を除く）も「当該株主総会に議案を提案した取締役として法務省令で定めるもの」にあたるとすることが均衡がとれていると考えられる。なぜなら，取締役会設置会社以外の会社が株主総会に提出する議案は，定款に別段の定めがある場合を除き，取締役の過半数によって決定され，各取締役にその決定を委任することができないとされているからである（法348条3項3号・2項・298条1項）。そして，本号の定めは3号の定めとも首尾一貫する。

3 現物出資財産の価額の決定に関する議案の提案が取締役会の決議に基づいて行われたときは，その取締役会の決議に賛成した取締役（3号）

取締役会設置会社では議案の内容を取締役会が決定するので(法298条4項)，本号では「第1号の議案の提案が取締役会の決議に基づいて行われたときは，当該取締役会の決議に賛成した取締役」も，「当該株主総会に議案を提案した取締役として法務省令で定めるもの」にあたるものと定めている。

平成17年改正前商法280条ノ13ノ2第3項が準用する同法266条2項が，株主総会への議案の提出することにつき取締役会の決議に賛成した取締役はその行為を「為シタルモノト看做ス」と定めていたこと，および，平成17年廃止前商法特例法21条の24第4項が準用する平成17年改正前商法266条2項が，予定価格が株主総会の決議により定められたときに，その決議に係る議案を株主総会に提出することにつき取締役会の決議に賛成した取締役はその行為を「為シタルモノト看做ス」と定めていたことを踏襲したものである。

これは，「株主総会に議案を提案した取締役」が「当該株主総会に議案を提案した取締役として法務省令で定めるもの」にあたるものとすると（1号），株主総会に現物出資財産の価額の決定に関する議案の提案が取締役会の決議に基づいて行われたときは，当該取締役会の決議に賛成した取締役も「当該株主総会に議案を提案した取締役として法務省令で定めるもの」にあたるとすることが均衡がとれていると考えられることによる。なぜなら，取締役会設置会社においては，株主総会に提出する議案は，株主が株主総会を招集するときおよび株主が提案権を行使した場合を除き，取締役会の決議によって決定され，各取締役にその決定を委任することができないとされているからである（法298条4項・1項5号）。そして，本号の定めは，2号の定めとも首尾一貫する。

> **第46条** 法第213条第1項第3号に規定する法務省令で定めるものは，取締役会に現物出資財産の価額の決定に関する議案を提案した取締役及び執行役とする。

本条は，募集株式の発行等において現物出資がなされた場合に出資された財産等の価額が不足するときに責任をとるべき取締役等を定めるものである。すなわち，法213条1項3号は，募集株式の引受人が募集株式の株主となった時におけるその給付した現物出資財産の価額が募集事項において定められた出資の目的である金銭以外の財産の価額（法199条1項3号）に著しく不足する場合に，現物出資財産の価額の決定に関する取締役会の決議があったときは，その取締役会に議案を提案した取締役（指名委員会等設置会社にあっては，取締役または執行役）として法務省令で定めるものは，株式会社に対し，その不足額を支払う義務を負うものと定めており，この委任をうけて，本条は，「当該取締役会に議案を提案した取締役（指名委員会等設置会社にあっては，取締役又

は執行役）として法務省令で定めるもの」を定めている。

　平成17年廃止前商法特例法21条の24第2項2号は，委員会等設置会社において，現物出資の目的たる財産（現物出資財産）の新株発行当時における実価が予定価格（平成17年改正前商法280条ノ2第1項3号の価格）に著しく不足する場合であって，予定価格が取締役会の決議によって定められたときは，その決議に係る議案を取締役会に提出した取締役（その決議に賛成した取締役を除く）または執行役は，その不足額（現物出資財産についてのその議案における価格と実価との差額を限度とする）を，委員会等設置会社に支払う義務を負うものとされていた。本条は，これをふまえたものと評価することができる。

　なお，平成17年改正前商法の下では，委員会等設置会社以外の会社においては，取締役会に議案を提案した取締役は，同法266条1項5号の責任を負う可能性があったほか，取締役会の決議に賛成した場合には同条2項により，行為者と同じ責任を負う可能性があったが，取締役会に議案を提案した取締役の責任は特に定められていなかった。しかし，委員会等設置会社における取締役会に議案を提案した執行役の責任との平仄を図って，本条では，「取締役会に現物出資財産の価額の決定に関する議案を提案した・取・締・役・及・び・執・行・役」（圏点―引用者）と定めている。

┌─**（出資の履行の仮装に関して責任をとるべき取締役等）**─
│ **第46条の2**　法第213条の3第1項に規定する法務省令で定める者は，次に掲げる者とする。
│ 　一　出資の履行（法第208条第3項に規定する出資の履行をいう。以下この条において同じ。）の仮装に関する職務を行った取締役及び執行役
│ 　二　出資の履行の仮装が取締役会の決議に基づいて行われたときは，次に掲げる者
│ 　　イ　当該取締役会の決議に賛成した取締役
│ 　　ロ　当該取締役会に当該出資の履行の仮装に関する議案を提案した取締役及び執行役
│ 　三　出資の履行の仮装が株主総会の決議に基づいて行われたときは，次に掲げる者
│ 　　イ　当該株主総会に当該出資の履行の仮装に関する議案を提案した取締役
│ 　　ロ　イの議案の提案の決定に同意した取締役（取締役会設置会社の取締役を除く。）
│ 　　ハ　イの議案の提案が取締役会の決議に基づいて行われたときは，当該取

締役会の決議に賛成した取締役
二　当該株主総会において当該出資の履行の仮装に関する事項について説明をした取締役及び執行役

　本条は、出資の履行の仮装に関して責任をとるべき取締役等を定めるものであるが、現物「出資された財産等の価額が不足する場合に責任をとるべき取締役等」を定める44条から46条の規定とパラレルに定められている。

1　出資の履行の仮装に関する職務を行った取締役および執行役（1号）

　「出資の履行……の仮装に関する職務を行った取締役及び執行役」が法213条の3第1項にいう「募集株式の引受人が出資の履行を仮装することに関与した取締役（指名委員会等設置会社にあっては、執行役を含む。）として法務省令で定める者」の一類型とされているのは、出資の履行を受けることに関する職務を行うにあたって、発起人および設立時取締役には、出資の履行が確実に行われ、仮装されることがないように注意を尽くすことが求められ、かつ、そのような職務を行う者は出資の履行が仮装されているかどうかを通常は把握できるからであろう。

2　出資の履行の仮装が取締役会の決議に基づいて行われたとき（2号）

(1)　当該取締役会の決議に賛成した取締役（2号イ）

　出資の履行の仮装が取締役会の決議に基づいて行われたときには、そのような決議が行われないように、取締役としては注意を払うべきであるという観点から、当該取締役会の決議に賛成した取締役も「募集株式の引受人が出資の履行を仮装することに関与した取締役……として法務省令で定める者」にあたるものとされている。

(2)　当該取締役会に当該出資の履行の仮装に関する議案を提案した取締役および執行役（2号ロ）

　出資の履行の仮装が取締役会の決議に基づいて行われたときには、出資の履行が仮装されるような結果を招くような議案を取締役会に提出することがないように、取締役や執行役は注意を払うべきであるという観点から、当該取締役会に当該出資の履行の仮装に関する議案を提案した取締役および執行役も「募集株式の引受人が出資の履行を仮装することに関与した取締役（指名委員会等

設置会社にあっては,執行役を含む。)として法務省令で定める者」の一類型とされている。

3 出資の履行の仮装が株主総会の決議に基づいて行われたとき（3号）

(1) 当該株主総会に当該出資の履行の仮装に関する議案を提案した取締役（3号イ）

　出資の履行の仮装が株主総会の決議に基づいて行われたときには,出資の履行に関する議案が株主総会に提出されれば,その議案が承認される可能性は,経験則上,高いということができるため,議案の提出にあたっては,出資の履行が仮装される結果を招くことがないように注意を払うべきであるという観点から,当該株主総会に当該出資の履行の仮装に関する議案を提案した取締役も「募集株式の引受人が出資の履行を仮装することに関与した取締役……として法務省令で定める者」にあたるものとされている。

(2) (1)の議案の提案の決定に同意した取締役（取締役会設置会社の取締役を除く）（3号ロ）

　取締役会設置会社以外の会社においても,会社が株主総会に提出する議案は,定款に別段の定めがある場合を除き,取締役の過半数によって決定され,各取締役にその決定を委任することができないとされているため（法298条1項・348条3項3号参照）,株主総会に対する議案の提出にあたって,(1)の取締役以外の取締役が議案の決定に同意を与えることが想定されており,その場合に,かりに,十分な注意を払えば,出資の履行の仮装に関する議案が株主総会に提出されることを阻止でき,その結果,出資の履行の仮装を予防できることがあり得るので,出資の履行の仮装が株主総会の決議に基づいて行われたときに,当該株主総会に出資の履行の仮装に関する当該議案を提出することに合意した取締役も「募集株式の引受人が出資の履行を仮装することに関与した取締役……として法務省令で定める者」にあたるものとされている。

(3) (1)の議案の提案が取締役会の決議に基づいて行われたときは,当該取締役会の決議に賛成した取締役（3号ハ）

　取締役会設置会社では株主総会に提出される議案の内容を取締役会が決定するところ（法298条4項）,議案が株主総会に提出されれば,その議案が承認される可能性は,経験則上,高いということができるので,出資の履行の仮装が

株主総会の決議に基づいて行われた場合に，出資の履行の仮装に関する議案の提案が取締役会の決議に基づいて行われたときは，当該取締役会の決議に賛成した取締役も「募集株式の引受人が出資の履行を仮装することに関与した取締役……として法務省令で定める者」にあたるものとされている。

(4) 当該株主総会において当該出資の履行の仮装に関する事項について説明をした取締役および執行役（3号ニ）

　出資の履行の仮装が株主総会の決議に基づいて行われたときは，その株主総会において当該出資の履行の仮装に関する事項について説明をした取締役および執行役も「募集株式の引受人が出資の履行を仮装することに関与した取締役（指名委員会等設置会社にあっては，執行役を含む。）として法務省令で定める者」の一類型として定められている。これは，いわゆる見せ金等については，複数の行為の全体をとらえて出資の履行の仮装と判断される場合も多く，それらの個々の行為が株主総会の決議に基づいて行われることも想定されるが，そのような場合には，「当該株主総会において当該出資の履行の仮装に関する事項について説明をした取締役及び執行役」も出資の履行の仮装に関与したと考えられるからである（意見募集の結果（平成27年2月）第3・2(3)③）。他方，そのような取締役および執行役もその職務を行うについて注意を怠らなかったことを証明した場合には支払義務を負わないこととされているため，責任主体に含めても過酷ではないといえる。

第7節　株　　　券

―（株券喪失登録請求）―――――――――――――――――――
　第47条　法第223条の規定による請求（以下この条において「株券喪失登録請求」という。）は，この条に定めるところにより，行わなければならない。
　2　株券喪失登録請求は，株券喪失登録請求をする者（次項において「株券喪失登録請求者」という。）の氏名又は名称及び住所並びに喪失した株券の番号を明らかにしてしなければならない。
　3　株券喪失登録請求者が株券喪失登録請求をしようとするときは，次の各号に掲げる場合の区分に応じ，当該各号に定める資料を株式会社に提供しなけれ

ばならない。
　一　株券喪失登録請求者が当該株券に係る株式の株主又は登録株式質権者として株主名簿に記載又は記録がされている者である場合　株券の喪失の事実を証する資料
　二　前号に掲げる場合以外の場合　次に掲げる資料
　　イ　株券喪失登録請求者が株券喪失登録請求に係る株券を，当該株券に係る株式につき法第121条第３号の取得の日として株主名簿に記載又は記録がされている日以後に所持していたことを証する資料
　　ロ　株券の喪失の事実を証する資料
４　株券喪失登録に係る株券が会社法の施行に伴う関係法律の整備等に関する法律の施行に伴う経過措置を定める政令（平成17年政令第367号）第２条の規定により法第121条第３号の規定が適用されない株式に係るものである場合における前項第２号の規定の適用については，同号中「次に」とあるのは，「ロに」とする。

　本条は，株券喪失登録請求の方法を定めるものである。すなわち，法223条が「株券を喪失した者は，法務省令で定めるところにより，株券発行会社に対し，当該株券についての株券喪失登録簿記載事項を株券喪失登録簿に記載し，又は記録すること（以下「株券喪失登録」という。）を請求することができる」としていることをうけて定めるものであって，平成17年改正前商法230条および平成18年改正前商法施行規則197条を踏襲したものである。

1　株券喪失登録請求の方法（２項）

　株券喪失登録請求は，株券喪失登録請求をする者（株券喪失登録請求者）の氏名または名称および住所ならびに喪失した株券の番号を明らかにしてしなければならないとされている。これは，平成17年改正前商法230条３項を踏襲したものであるが，同項と異なり，署名は要求されていない。おそらく，株券喪失登録請求書に署名させても，その署名には法的な意味がなく，偽造やなりすましの問題が署名を要求することによって解消されるとは必ずしもいえないから（平成18年改正前商法施行規則197条３号とは異なり，会社法施行規則では，請求者の印鑑証明書その他の当該申請者の氏名または名称および住所が株券喪失登録申請書に記載された氏名または名称および住所と同じであるかどうかを確認することができる資料を要求していない），法令上，署名を要求する必要はないという考

えが背景にあるのであろう。もっとも，株券喪失登録請求が書面の提出によってなされる場合には署名または記名押印を，電磁的方法によってなされる場合には署名に代わる措置（電子署名）を，株式会社が求めることは許されよう。

　株券喪失登録請求者の氏名または名称および住所ならびに喪失した株券の番号を明らかにしてしなければならないとされているのは，株券喪失登録請求者の氏名または名称および住所は株券喪失登録簿の記載事項であり（法221条1号・2号），それが明らかにされなければ，株式会社としては，株券喪失登録簿を作成することができないし，株券喪失登録者がその株券に係る株式の名義人でないときは，株券発行会社は，遅滞なく，その名義人に対し，その株券について株券喪失登録をした旨ならびに法221条1号，2号および4号に掲げる事項を通知しなければならないとされ（法224条1項），株券所持者による株券喪失登録の抹消の申請を受けた株券発行会社は，遅滞なく，株券喪失登録者に対し，抹消の申請をした者の氏名または名称および住所ならびにその株券の番号を通知しなければならないとされているが（法225条3項），それらもできないからである。

2　株券喪失登録請求に際して会社に提供すべき資料（3項）

(1)　株券喪失登録請求者がその株券に係る株式の株主または登録株式質権者として株主名簿に記載または記録がされている者である場合（1号）

　株券喪失登録請求者がその株券に係る株式の株主または登録株式質権者として株主名簿に記載または記録がされている者である場合には，株券喪失の事実を証する資料を提供すれば足りるものとされている。「株券の喪失の事実を証する資料」には，警察署の発行する盗難届証明書，遺失届証明書，消防署の発行する罹災証明書などが該当すると考えられる。

(2)　株券喪失登録請求者がその株券に係る株式の株主または登録株式質権者として株主名簿に記載または記録がされている者でない場合（2号）

　株券喪失の事実を証する資料のほか，株券喪失登録請求者が株券喪失登録請求に係る株券を，その株券に係る株式につき法121条3号の取得の日として株主名簿に記載または記録がされている日以後に所持していたことを証する資料を提供しなければならない。

　本号イの「株券喪失登録請求者が株券喪失登録請求に係る株券を，当該株券に係る株式につき法第121条第3号の取得の日として株主名簿に記載又は記録

がされている日以後に所持していたことを証する資料」には，証券会社を通じて株式を取得した場合にはその売渡証明書，証券会社を介さないで売買がなされた場合には売買の日付が記載された契約書などがあたる。このような添付資料が要求されるのは，株券失効制度が濫用されるおそれがあるからである。

なお，平成18年改正前商法施行規則197条は，株券失効制度が濫用されるおそれに鑑みると申請者の氏名または名称および住所が明確にされる必要があるとして，申請者が名義人でないときは，申請者を追跡できるように，その同一性を確認するため（法務省民事局参事官室「商法等の一部を改正する法律案要綱中間試案の解説」（平成13年4月）第五），申請者の印鑑証明書その他の当該申請者の氏名または名称および住所が申請書に記載された氏名または名称および住所と同じであるかどうかを確認することができる資料（印鑑証明書のほか，このような確認資料としては，住民票の写し，外国人登録原票記載事項証明書，在外公館の発行する在留証明書，運転免許証などの公的証明書など）を添付しなければならないものとしていたが（同条3号），本条では要求されていない。これは，署名を要求しないこととしたことと関連するが，株式会社が，そのような資料の提出を株券喪失登録請求者に対して求めることはできるし，実務上，そうしないことによって，（株券が失効し，株券喪失登録者が株券の再発行を受け，善意無重過失で第三者がその株券の交付によって株式の譲渡を受け，善意取得したために，反射的に）真の株主が株式を失い，真の株主が損害を被った場合には，株式会社は，不法行為に基づく損害賠償責任（民法709条）を負う可能性がある。

3　旧有限会社法の特例（4項）

法121条3号は，株式会社は，株主名簿を作成し，これに株主名簿上の株主が株式を取得した日を記載し，または記録しなければならないと定めているが，会社法の施行に伴う関係法律の整備等に関する法律の施行に伴う経過措置を定める政令2条は「旧有限会社法第20条第1項に規定する事項を社員名簿に記載し，又は記録した出資口数に係る持分であって，会社法整備法第2条第2項の規定により株式とみなされたものについては，株主名簿に当該株式の取得に係る株主名簿記載事項（会社法第121条に規定する株主名簿記載事項をいう。）を記載し，又は記録するまでの間は，会社法第121条第3号の規定は，適用しない」と定めている。この特例が適用される場合には，株券喪失登録請求者は，「株券喪失登録請求者が株券喪失登録請求に係る株券を，当該株券に係る株式につき法第121条第3号の取得の日として株主名簿に記載又は記録がさ

れている日以後に所持していたことを証する資料」（3項2号イ）を提供することができないので、本項では、株券喪失登録請求にあたっては、株券の喪失の事実を証する資料を提供すれば足りるものと定めている。

（株券を所持する者による抹消の申請）
第48条 法第225条第1項の規定による申請は、株券を提示し、当該申請をする者の氏名又は名称及び住所を明らかにしてしなければならない。

　本条は、株券を所持する者による株券喪失登録の抹消の申請の方法を定めるもので、平成17年改正前商法230条ノ4第1項および2項に相当するものである。法225条1項本文が、「株券喪失登録がされた株券を所持する者（その株券についての株券喪失登録者を除く。）は、法務省令で定めるところにより、株券発行会社に対し、当該株券喪失登録の抹消を申請することができる」と定めていることをうけて、本条が定められている。

　株券の提示が求められているのは、法225条1項は、株券喪失登録がされた株券を所持する者（その株券についての株券喪失登録者を除く）に、株券喪失登録の抹消を申請することを認めているのであり、株券を所持していない限り、株券喪失登録の抹消を申請することはできないからである（もっとも、法225条2項は、株券喪失登録の抹消を申請をしようとする者は、株券発行会社に対し、株券喪失登録がされた株券を提出しなければならないと定めている）。また、株券喪失登録の抹消の申請を受けた株券発行会社は、遅滞なく、株券喪失登録者に対し、株券喪失登録の抹消の申請がされた株券喪失登録がされた株券の番号を通知しなければならないとされており（法225条3項）、提示を受けて、その株券の番号を把握する必要があるからである。さらに、株券喪失登録を抹消する場合に、どの株券についての株券喪失登録を抹消すべきかを把握する必要もあるからである。

　申請をする者の氏名または名称および住所を明らかにしてしなければならないとされているのは、申請を受けた株券発行会社は、遅滞なく、株券喪失登録者に対し、株券喪失登録の抹消の申請をした者の氏名または名称および住所を通知しなければならないとされており（法225条3項）、株券発行会社は株券喪失登録の抹消の申請をした者の氏名または名称および住所を知っておく必要があるからである。

─(株券喪失登録者による抹消の申請)──────────────
第49条 法第226条第1項の規定による申請は，当該申請をする株券喪失登録者の氏名又は名称及び住所並びに当該申請に係る株券喪失登録がされた株券の番号を明らかにしてしなければならない。
─────────────────────────────

　本条は，株券喪失登録者による株券喪失登録の抹消の申請の方法を定めるものである。すなわち，法226条1項は，株券喪失登録者は，法務省令で定めるところにより，株券発行会社に対し，株券喪失登録の抹消を申請することができると定めており，この委任に基づいて本条が定められている。平成17年改正前商法230条ノ5第3項に相当する規定である。

　申請をする株券喪失登録者の氏名または名称および住所ならびにその申請に係る株券喪失登録がされた株券の番号を明らかにしてしなければならないとされているのは，どの株券喪失登録を抹消すべきかを特定するためにそれが必要だからである。すなわち，株券喪失登録がされた株券の番号だけでは，同一の株券について複数の株券喪失登録がされている場合に，抹消すべき株券喪失登録を特定できないからであると推測される。

第8節　雑　　　則

─(株式の発行等により1に満たない株式の端数を処理する場合における市場価格)─
第50条 法第234条第2項に規定する法務省令で定める方法は，次の各号に掲げる場合の区分に応じ，当該各号に定める額をもって同項に規定する株式の価格とする方法とする。
　一　当該株式を市場において行う取引によって売却する場合　当該取引によって売却する価格
　二　前号に掲げる場合以外の場合　次に掲げる額のうちいずれか高い額
　　イ　法第234条第2項の規定により売却する日(以下この条において「売却日」という。)における当該株式を取引する市場における最終の価格(当該売却日に売買取引がない場合又は当該売却日が当該市場の休業日に当たる場合にあっては，その後最初になされた売買取引の成立価格)
　　ロ　売却日において当該株式が公開買付け等の対象であるときは，当該売

第51条（1に満たない社債等の端数を処理する場合における市場価格）　293

却日における当該公開買付け等に係る契約における当該株式の価格

　本条は、市場価格のある株式について、取得条項付株式の取得等により生ずる1に満たない株式の端数を処理する場合における市場価格を定めるものである。すなわち、取得条項付株式の取得、全部取得条項付種類株式の取得、株式無償割当て、取得条項付新株予約権の取得、吸収合併、新設合併、株式交換、株式移転または株式交付に際して株主や新株予約権者に株式を交付する場合に、その者に対し交付しなければならないその株式会社の株式の数に1株に満たない端数があるときは、その端数の合計数（その合計数に1に満たない端数がある場合には、これを切り捨てる）に相当する数の株式を競売し、かつ、その端数に応じてその競売により得られた代金を株式の交付を受けるべき者に交付しなければならないが（法234条1項）、株式会社は、競売に代えて、市場価格のある株式については市場価格として法務省令で定める方法により算定される額をもって、これを売却することができるものとされている（同条2項）。この委任をうけて、「市場価格として法務省令で定める方法により算定される額」を定めるのが本条である。

　本条は38条とパラレルな規定振りとなっている［解釈については、→38条・30条］。

――（1に満たない社債等の端数を処理する場合における市場価格）――
　第51条　法第234条第6項において準用する同条第2項に規定する法務省令で定める方法は、次の各号に掲げる場合の区分に応じ、当該各号に定める額をもって同条第6項において準用する同条第2項の規定により売却する財産の価格とする方法とする。
　　一　法第234条第6項に規定する社債又は新株予約権を市場において行う取引によって売却する場合　当該取引によって売却する価格
　　二　前号に掲げる場合以外の場合において、社債（新株予約権付社債についての社債を除く。以下この号において同じ。）を売却するとき　法第234条第6項において準用する同条第2項の規定により売却する日（以下この条において「売却日」という。）における当該社債を取引する市場における最終の価格（当該売却日に売買取引がない場合又は当該売却日が当該市場の休業日に当たる場合にあっては、その後最初になされた売買取引の成立価格）
　　三　第1号に掲げる場合以外の場合において、新株予約権（当該新株予約権

が新株予約権付社債に付されたものである場合にあっては，当該新株予約権付社債。以下この号において同じ。）を売却するとき　次に掲げる額のうちいずれか高い額
　　イ　売却日における当該新株予約権を取引する市場における最終の価格（当該売却日に売買取引がない場合又は当該売却日が当該市場の休業日に当たる場合にあっては，その後最初になされた売買取引の成立価格）
　　ロ　売却日において当該新株予約権が公開買付け等の対象であるときは，当該売却日における当該公開買付け等に係る契約における当該新株予約権の価格

　本条は，市場価格のある株式について，取得条項付株式の取得などにより生ずる1に満たない社債，新株予約権または新株予約権付社債の端数を処理する場合における市場価格を定めるものである。すなわち，取得条項付株式の取得，全部取得条項付種類株式の取得，取得条項付新株予約権の取得，吸収合併，新設合併，株式交換，株式移転または株式交付に際して株主や新株予約権者に社債，新株予約権または新株予約権付社債を交付する場合に，その者に対し交付しなければならないその株式会社の社債，新株予約権または新株予約権付社債の数に1株に満たない端数があるときは，その端数の合計数（その合計数に1に満たない端数がある場合には，これを切り捨てる）に相当する数の社債，新株予約権または新株予約権付社債を競売し，かつ，その端数に応じてその競売により得られた代金を社債，新株予約権または新株予約権付社債の交付を受けるべき者に交付しなければならないが（法234条6項・1項），株式会社は，競売に代えて，市場価格のある社債，新株予約権または新株予約権付社債については市場価格として法務省令で定める方法により算定される額をもって，これを売却することができるものとされている（同条6項・2項）。この委任をうけて，「市場価格として法務省令で定める方法により算定される額」を定めるのが本条である。

1　社債，新株予約権または新株予約権付社債を市場において行う取引によって売却する場合（1号）

　その社債，新株予約権または新株予約権付社債を市場において行う取引によって売却する場合には，その取引によって売却する価格と定めているが，市場

取引で売却する以上，価格は市場で決定されるので，当然のことを定めた規定である。

2　社債（新株予約権付社債についての社債を除く）を市場において行う取引によらずに売却する場合（2号）

売却日「における当該社債を取引する市場における最終の価格（当該売却日に売買取引がない場合又は当該売却日が当該市場の休業日に当たる場合にあっては，その後最初になされた売買取引の成立価格）」と定めているのは，平成17年改正前商法220条ノ6（端株買取請求の場合。同法221条6項で単元未満株式買取請求に準用）が「請求の日の最終の市場価格」を基準としていたこと，および平成13年商法改正前の昭和56年商法改正附則19条2項が「証券取引所に上場されている株式について……請求があったときは，証券取引所（二以上の証券取引所に上場されている場合には，本店の最寄りの証券取引所をいう……）の開設する市場における請求の日の最終価格（その日に売買取引がないときは，その後最初にされた売買取引の成立価格）」を基準としていたことをふまえたものであると考えられる。

ここで，「当該社債を取引する市場」に，証券取引所が含まれることには異論がなく（ただし，普通社債が上場されていることは少ない），「市場」には，法令の規定の裏づけがある市場は少なくとも含まれ，抽象的には，随時，売買・換金等を行うことができる取引システムを「市場」といってよいと思われるが，「市場」の外延がどこまで及ぶかは難しい問題である。少なくとも相対の個別交渉で決定された価格は「市場における最終の価格」とは評価できないであろう。また，複数の取引所に上場されている有価証券が存在するし，「市場」を広くとらえると，複数の市場で社債等が取引されているという状況は容易に想定される。したがって，複数の市場で取引されている社債等について，いずれの市場における最終価格を基準とすべきかが問題となる。立案担当者は最も高い額をいうものと解しているが（論点解説121頁），市場の範囲を広く解し，このような解釈によると，市場の厚みのない市場における価格によらなければならない場合があるという不都合が生ずる。そこで，会社の定款で，どの「市場」における最終の価格を基準とするかを定めることができるが（原田・商事法務1608号100頁，落合ほか・商事法務1602号28頁［中西発言］［前田発言］［落合発言］など参照），その定めが不合理な場合には，株主等は争うことができると解するのが穏当なのではないかと思われる。定め方としては，ある市場を1

つ特定することも考えられる。市場の特定は，単元未満株式の買取り，端株の買取り，端数の処理，現物配当や現物残余財産分配といった類型ごとにするのではなく，すべての類型を通じて，統一的にすることが原則として求められるのではないかと思われる（もっとも，会社が取得条項付株式，全部取得条項付種類株式あるいは取得条項付新株予約権を取得する場合の取扱いについては，株主の自由意思に基づくものではないから，株主にとって最も有利な（最も高い），当該株式を取引する市場における最終の価格を基準とすべきであると考えるべきであろう）。少なくとも，事前に定めておくべきであり，「市場における最終の価格」が基準として金額が決まるような株主あるいは会社の行為ごとに，市場を特定することは許されず，特に定めていない場合には，株主にとって有利に市場の選択がなされるべきであるという考え方も成り立たないわけではないのではないか。

「当該売却日に売買取引がない場合又は当該売却日が当該市場の休業日に当たる場合にあっては，その後最初になされた売買取引の成立価格」とされているのは，実際，当該売却日の前日の終値と当該売却日「後最初になされた売買取引の成立価格」とのどちらを基準とするほうが適切であるかを考えると，当該売却日の前日の最終の売買取引後に，株式の価格に重要な影響を与えるような事象が発生する可能性があることをふまえると，当該売却日「後最初になされた売買取引の成立価格」を用いることに合理性があるからであろう。しかし，「当該売却日に売買取引がない場合又は当該売却日が当該市場の休業日に当たる場合」には，売却をする時点では価格が決まっておらず，「翌日以降最初になされた売買取引の成立価格」において売却する，購入するという契約を締結するというのは不自然であるようにも思われるし，そのような日を会社が売却日として選定することに問題はないのかという疑問も生ずる。

なお，3号と異なり，「売却日において……公開買付け等の対象であるときは，当該売却日における当該公開買付け等に係る契約における……価格」という規定が設けられていないのは，社債（新株予約権付社債を除く）については，公開買付け等を想定できないからである。

3 新株予約権または新株予約権付社債を市場において行う取引によらずに売却する場合（3号）

本号は，売却日においてその新株予約権（新株予約権付社債を含む。以下，本コメントにおいて同じ）が公開買付け等の対象であるときは，その売却日におけるその公開買付け等に係る契約におけるその新株予約権の価格（本号ロ）と

第52条（株式の分割等により1に満たない株式の端数を処理する場合における市場価格）　297

本号イの金額（売却日におけるその新株予約権を取引する市場における最終の価格。その売却日に売買取引がない場合またはその売却日がその市場の休業日にあたる場合にあっては，その後最初になされた売買取引の成立価格）［→2］とのいずれか高い額を新株予約権の価格とするものと定めている。これは，新株予約権が公開買付け等の対象となっている場合には，通常，買付価格が市場価格より高いが，公開買付けに応ずることによって，その買付価格で新株予約権を処分できる可能性があるためであると推測される（もっとも，買付数量が少ない場合に，買付価格を基準とすることに合理性があるのか，会社自身が公開買付けを行っている場合には問題があるのではないかというような疑問があり，本条の定めが立法論として，つねに適切であるとはいいきれない）。

なお，本号ロにいう公開買付け等とは，金融商品取引法27条の2第6項（同法27条の22の2第2項において準用する場合を含む）に規定する公開買付けおよびこれに相当する外国の法令に基づく制度をいうが（2条3項15号），本条の趣旨からすれば，公開買付け「に相当する外国の法令に基づく制度」であるというためには，買付価格を引き下げることが原則としてできないこと（金融商品取引法27条の6第3項参照）が要件とされよう。なぜなら，買付価格を引き下げることができるのであれば，その買付価格を基準として新株予約権の価格を決定することに合理性はないからである。

（株式の分割等により1に満たない株式の端数を処理する場合における市場価格）

第52条　法第235条第2項において準用する法第234条第2項に規定する法務省令で定める方法は，次の各号に掲げる場合の区分に応じ，当該各号に定める額をもって法第235条第2項において準用する法第234条第2項に規定する株式の価格とする方法とする。

一　当該株式を市場において行う取引によって売却する場合　当該取引によって売却する価格

二　前号に掲げる場合以外の場合　次に掲げる額のうちいずれか高い額

　イ　法第235条第2項において準用する法第234条第2項の規定により売却する日（以下この条において「売却日」という。）における当該株式を取引する市場における最終の価格（当該売却日に売買取引がない場合又は当該売却日が当該市場の休業日に当たる場合にあっては，その後最初になされた売買取引の成立価格）

　ロ　売却日において当該株式が公開買付け等の対象であるときは，当該売却日における当該公開買付け等に係る契約における当該株式の価格

本条は，市場価格のある株式について，株式の分割または併合により生じた1に満たない株式の端数を処理する場合における市場価格を定めるもので，取得条項付株式の取得等により生ずる1に満たない株式の端数を処理する場合における市場価格を定める50条とパラレルな規定である。すなわち，株式会社が株式の分割または株式の併合をすることにより株式の数に1株に満たない端数が生ずるときは，その端数の合計数（その合計数に1に満たない端数が生ずる場合には，これを切り捨てる）に相当する数の株式を競売し，かつ，その端数に応じてその競売により得られた代金を株主に交付しなければならないが（法235条1項），株式会社は，競売に代えて，市場価格のある株式については市場価格として法務省令で定める方法により算定される額をもって，これを売却することができるものとされている（法235条2項・234条2項）。この委任をうけて，「市場価格として法務省令で定める方法により算定される額」を定めるのが本条である［解釈については，→50条・38条・30条］。

第3章

新株予約権

──(募集事項の通知を要しない場合)──

第53条 法第240条第4項に規定する法務省令で定める場合は，株式会社が割当日（法第238条第1項第4号に規定する割当日をいう。第55条の4において同じ。）の2週間前までに，金融商品取引法の規定に基づき次に掲げる書類（法第238条第1項に規定する募集事項に相当する事項をその内容とするものに限る。）の届出又は提出をしている場合（当該書類に記載すべき事項を同法の規定に基づき電磁的方法により提供している場合を含む。）であって，内閣総理大臣が当該割当日の2週間前の日から当該割当日まで継続して同法の規定に基づき当該書類を公衆の縦覧に供しているときとする。

一　金融商品取引法第4条第1項から第3項までの届出をする場合における同法第5条第1項の届出書（訂正届出書を含む。）

二　金融商品取引法第23条の3第1項に規定する発行登録書及び同法第23条の8第1項に規定する発行登録追補書類（訂正発行登録書を含む。）

三　金融商品取引法第24条第1項に規定する有価証券報告書（訂正報告書を含む。）

四　金融商品取引法第24条の4の7第1項に規定する四半期報告書（訂正報告書を含む。）

五　金融商品取引法第24条の5第1項に規定する半期報告書（訂正報告書を含む。）

六　金融商品取引法第24条の5第4項に規定する臨時報告書（訂正報告書を含む。）

　本条は，公開会社において，取締役会の決議によって募集新株予約権の募集事項を定めた場合であっても，その募集事項を株主に対して通知し，または公告することを要しない場合を定めるものである。募集株式の発行等に際して募集事項の通知等を要しない場合を定める40条とパラレルに定められている。す

なわち，公開会社において，取締役会の決議によって募集新株予約権の募集事項を定めた場合には，割当日の2週間前までに，株主に対し，その募集事項を通知するか公告しなければならないが（法240条2項・3項），株式会社が募集事項について割当日の2週間前までに金融商品取引法4条1項から3項の届出をしている場合その他の株主の保護に欠けるおそれがないものとして法務省令で定める場合には，通知および公告を要しないものとされている（法240条4項）。この委任をうけて，本条は，「株主の保護に欠けるおそれがないものとして法務省令で定める場合」を定めている。

これは，会社法に基づく公告等に係るコストを削減し，会社法と金融商品取引法との開示規制の差異による実務上の負担およびスケジュールその他の調整を容易にしようとするものである。平成17年改正前商法の下では，新株予約権発行の際には，払込期日の2週間前までに一定の事項につき公告・通知を行うべきこととされていたが（平成17年改正前商法280条ノ23），これは，新株予約権の発行についての情報を事前に株主に知らせることにより，それが法令・定款に違反する場合または不公正な方法によるものである場合には，損害を受けるおそれのある株主が発行差止め等の措置を講ずることができるようにするためであったから，株主が払込期日の2週間までにこれらの情報を受領することができれば，会社法による公告・通知を重ねて行う必要はないという理解に基づくものである（要綱試案補足説明37頁参照）。

なお，「当該書類に記載すべき事項を同〔金融商品取引〕法の規定に基づき電磁的方法により提供している場合を含む」とされているが，これは，有価証券報告書，半期報告書，四半期報告書，臨時報告書およびこれらの訂正報告書ならびに有価証券届出書およびその訂正届出書，発行登録書・訂正発行登録書，発行登録追補書類の提出は，原則として，開示用電子情報処理組織（EDINET）を使用して行わなければならないものとされており（金融商品取引法27条の30の2・27条の30の3第1項），本条各号に掲げられた書類に記載すべき事項は金融商品取引法の規定に基づき電磁的方法により提供され，財務局および福岡財務支局において，その使用に係る電子計算機の入出力装置の映像面に表示して，公衆の縦覧に供されるからである（金融商品取引法施行令14条の12）。

金融商品取引法4条1項から3項の届出をする場合における同法5条1項の届出書（同法7条，9条および10条に規定する訂正届出書），同法23条の3第1項に規定する発行登録書（同法23条の4，23条の9および23条の10に規定する訂正発行登録書）および同法23条の8第1項に規定する発行登録追補書類，同法24条

1項に規定する有価証券報告書（同法24条の2に規定する訂正報告書），同法24条の4の7第1項に規定する四半期報告書（同条4項に規定する訂正報告書），同法24条の5第1項に規定する半期報告書（同条5項に規定する訂正報告書），および，同法24条の5第4項に規定する臨時報告書（同条5項に規定する訂正報告書）があげられているが，これは，いずれも，内閣総理大臣が受理した日から財務局および福岡財務支局において，それらの書類の写しは，発行者の本店および主要な支店で内閣総理大臣に提出した日から，さらに上場証券の場合には上場している金融商品取引所（店頭売買有価証券の場合には政令（金融商品取引法施行令3条）で定める認可金融商品取引業協会）において写しの提出があった日から，それぞれ，一定の期間，公衆の縦覧に供される（金融商品取引法25条2項・3項）。また，これらの書類については，届出から縦覧まで電子開示システムである開示用電子情報処理組織（EDINET）を用いて行われ，提出された情報は，行政サービスの一環としてインターネット上で公開されている。

1　有価証券届出書（1号）

　有価証券届出書とは，有価証券の募集・売出しに際して，内閣総理大臣への提出が要求される書類であって，原則として発行会社が属する企業集団および発行会社ならびに募集・売出しの対象となる有価証券に関する重要な事項等を記載した開示文書である。有価証券届出書には証券情報が記載され，たとえば，新株予約権の発行の場合，証券情報としては，募集要項が記載されるが，法238条1項にいう募集事項などは募集要項に記載すべき事項に含まれている。

　有価証券届出書は，発行開示のための媒体であり，本号の定めは当然のものであると評価できよう。

2　発行登録書・発行登録追補書類（2号）

　発行登録書をあらかじめ内閣総理大臣に提出しておけば（金融商品取引法23条の3第1項），有価証券の発行時には有価証券届出書を提出する必要はなく，発行条件等の証券情報等を記載した発行登録追補書類を提出するだけで，有価証券を投資者に取得させ，または売り付けることができる（同法23条の8第1項）。発行登録書には，募集または売出しが予定される期間，有価証券の種類，発行予定額，引受けを予定する証券会社のうち主たるものの名称および直近の継続開示書類を参照すべき旨が記載される。そして，発行登録追補書類には，原則として，発行に係る有価証券の発行条件等の証券情報（法238条1項にいう

募集事項などを含める必要がある）のみを記載すれば足りるものとされている。発行登録書および発行登録追補書類は，発行開示のための媒体であり，本号の定めは当然のものであると評価できよう。

3　有価証券報告書（3号）

　(a)金融商品取引所に上場されている有価証券，(b)認可金融商品取引業協会に登録された店頭売買有価証券，(c)有価証券届出書または発行登録追補書類を提出した有価証券（(a)および(b)に掲げるものを除く），または(d)その会社（資本金額5億円以上の会社に限る）の発行する株券または優先出資証券で，最近5事業年度のいずれかの末日において，その所有者が1,000（特定投資家向け有価証券の場合は，1,000に内閣府令で定めるところにより計算した特定投資家の数を加えた数）名以上であるもの（(a)～(c)に掲げるものを除く。いわゆる外形基準。金融商品取引法施行令3条の6第2項）を発行する会社が，事業年度経過後3カ月（外国会社は6カ月以内）以内に内閣総理大臣に提出する開示書類をいう（金融商品取引法24条1項）。有価証券報告書は，その会社の属する企業集団およびその会社の事業内容や経理の状況に関する重要な事項等が記載される開示文書である。しかし，現実には，法238条1項に「規定する募集事項に相当する事項をその内容とする」と評価できる場合はないのではないかと推測される。

4　四半期報告書（4号）

　有価証券報告書を提出しなければならない会社のうち，金融商品取引所に上場されている有価証券の発行者である会社その他の政令で定めるもの（その事業年度が3カ月を超えるものに限る）が，当該事業年度の期間を3カ月ごとに区分した各期間（第4四半期期間を除く）ごとに，当該各期間経過後45日以内（特定事業会社については，第2四半期報告書についてのみ第2四半期経過後60日以内）に内閣総理大臣に提出しなければならない開示書類をいう（金融商品取引法24条の4の7第1項）。四半期報告書には，当該会社の属する企業集団の経理の状況その他の公益または投資者保護のため必要かつ適当なものとして内閣府令で定める事項が記載される。内国会社については開示府令第4号の3様式が定められている。しかし，これから発行する有価証券に関する事項は記載されないので，現実には，法238条1項に「規定する募集事項に相当する事項をその内容とする」と評価できる場合はないのではないかと推測される。

5　半期報告書（5号）

　半期報告書は，事業年度開始後6カ月間（半期）の会社の属する企業集団およびその会社の事業の内容や経理の状況に関する重要な事項等を記載した開示書類をいう。四半期報告書を提出しない有価証券報告書提出会社は，その期間経過後3カ月以内に半期報告書を提出しなければならない（金融商品取引法24条の5第1項）。しかし，半期報告書には，これから発行する有価証券に関する事項は記載されないので，現実には，法238条1項に「規定する募集事項に相当する事項をその内容とする」と評価できる場合はないのではないかと推測される。

6　臨時報告書（6号）

　臨時報告書は，その会社または連結会社の財政状態または経営成績に重要な影響を与える事象の発生があった場合，その内容を記載した開示書類をいう。有価証券報告書提出会社は，その事象発生後遅滞なく臨時報告書を内閣総理大臣に提出しなければならない（金融商品取引法24条の5第4項）。たしかに，新株予約権証券を募集または売出しによらないで発行する決議があった場合（開示府令19条2項2号）などには臨時報告書を提出しなければならないものとされており，法238条1項に「規定する募集事項に相当する事項をその内容とする」と評価できる場合があると推測される。しかし，継続開示のための開示書類として位置づけられている臨時報告書が，株主にとって，募集新株予約権の募集事項を知るための情報源として適切であるといえるのかについては，立法論としては疑義がある。

（申込みをしようとする者に対して通知すべき事項）

第54条　法第242条第1項第4号に規定する法務省令で定める事項は，次に掲げる事項とする。

一　発行可能株式総数（種類株式発行会社にあっては，各種類の株式の発行可能種類株式総数を含む。）

二　株式会社（種類株式発行会社を除く。）が発行する株式の内容として法第107条第1項各号に掲げる事項を定めているときは，当該株式の内容

三　株式会社（種類株式発行会社に限る。）が法第108条第1項各号に掲げる事項につき内容の異なる株式を発行することとしているときは，各種類の株式の内容（ある種類の株式につき同条第3項の定款の定めがある場合におい

て，当該定款の定めにより株式会社が当該種類の株式の内容を定めていないときは，当該種類の株式の内容の要綱
四　単元株式数についての定款の定めがあるときは，その単元株式数（種類株式発行会社にあっては，各種類の株式の単元株式数）
五　次に掲げる定款の定めがあるときは，その規定
　イ　法第139条第1項，第140条第5項又は第145条第1号若しくは第2号に規定する定款の定め
　ロ　法第164条第1項に規定する定款の定め
　ハ　法第167条第3項に規定する定款の定め
　ニ　法第168条第1項又は第169条第2項に規定する定款の定め
　ホ　法第174条に規定する定款の定め
　ヘ　法第347条に規定する定款の定め
　ト　第26条第1号又は第2号に規定する定款の定め
六　株主名簿管理人を置く旨の定款の定めがあるときは，その氏名又は名称及び住所並びに営業所
七　定款に定められた事項（法第242条第1項第1号から第3号まで及び前各号に掲げる事項を除く。）であって，当該株式会社に対して募集新株予約権の引受けの申込みをしようとする者が当該者に対して通知することを請求した事項

　本条は，募集新株予約権の引受けの申込みをしようとする者に株式会社が通知すべき事項を定めるものである。すなわち，株式会社は，募集新株予約権の募集に応じて募集新株予約権の引受けの申込みをしようとする者に対し，株式会社の商号，募集事項，新株予約権の行使に際して金銭の払込みをすべきときは，払込みの取扱いの場所そのほか，法務省令で定める事項を通知しなければならないものとされており（法242条1項），この委任をうけて，本条は「前3号に掲げるもののほか，法務省令で定める事項」（同項4号）を定めるものである。募集株式の引受けの申込みをしようとする者に対して通知すべき事項（41条）と多くが共通している。これは，新株予約権は，株式会社に対して行使することによりその株式会社の株式の交付を受けることができる権利（法2条21号）なので，新株予約権の価値はその行使により交付を受けることができるその株式会社の株式によって影響を受けるからである。

1 発行可能株式総数（種類株式発行会社では，各種類の株式の発行可能種類株式総数を含む）（1号）

　発行可能株式総数は定款変更をすることなく，株式会社が発行することができる株式の総数であり，公開会社においては，授権株式ともいうべきものであって，株主としては，公正な払込金額で募集がなされる限り，自己の持株割合や議決権割合が募集株式の発行等により減少しても，それに甘んじなければならないのが原則である。したがって，とりわけ，公開会社において，発行可能株式総数は，どの程度，自己の持株割合等が希薄化される可能性があるかを知る上で重要な情報なので，通知すべき事項に含められている。また，種類株式発行会社においては，さらに，有する株式の価値や議決権割合はどのような種類の株式が［→3］，どれだけ発行される可能性があるのかによって影響を受けることから，各種類の株式の発行可能種類株式総数も通知することが要求されている。

2 株式会社（種類株式発行会社を除く）が発行する株式の内容として法107条1項各号に掲げる事項を定めているときは，その株式の内容（2号）

　すべての株式の内容として，譲渡によるその株式の取得についてその株式会社の承認を要すること，株主がその株式会社に対してその株式の取得を請求することができること，または，その株式会社が一定の事由が生じたことを条件としてその株式を取得することができることが定められている場合には，その株式の価値およびその株式に係る株主の投下資本回収に重大な影響が及ぶ。そして，当然，新株予約権を行使したことによって交付される株式の内容としてもそのような事項が定められていることになるから募集新株予約権の引受けの申込みをしようとする者にとっても重要な情報であるので，通知が要求されている。

3 株式会社（種類株式発行会社に限る）が法108条1項各号に掲げる事項につき内容の異なる株式を発行することとしているときは，各種類の株式の内容（ある種類の株式につき同条3項の定款の定めがある場合において，その定款の定めにより株式会社がその種類の株式の内容を定めていないときは，当該種類の株式の内容の要綱）（3号）

　どのような種類株式が発行されるかということは，その種類株主にとっても，他の種類株主にとっても重要な影響を与えることになる。すなわち，ある種類の株式の経済的価値は他の種類の株式がどのような内容の株式であるかに

よって大きく左右されるし，また，ある種類の株式が有する会社の意思決定に与える影響（典型的には，拒否権付株式や全部議決権制限株式）が他の種類の株式が会社の意思決定に与えることができる影響の大小を左右するからである。そして，新株予約権を行使した場合にはあらかじめ定められている種類の株式が交付されることになるので，募集新株予約権の引受けの申込みをしようとする者にとっても，その種類の株式の内容およびそれ以外の種類株式の内容は重要な情報であるので，通知が要求されている。「ある種類の株式につき同〔法108〕条第3項の定款の定めがある場合において，当該定款の定めにより株式会社が当該種類の株式の内容を定めていないときは，当該種類の株式の内容の要綱」とされているのは，法108条3項の定款の定めがある場合には，定款には，「株式の内容の要綱」のみが定められているにすぎず，また，具体的な内容が定められていないことがあるからである。

4　単元株式数についての定款の定めがあるときは，その単元株式数（種類株式発行会社では，各種類の株式の単元株式数）（4号）

単元未満株式については議決権を行使することができないほか，一定の権利を除き，定款の定めによって，その権利の全部または一部を制限することができるものとされているから，株主にとっては，単元株式数についての定款の定めがあるときは，その単元株式数（種類株式発行会社では，各種類の株式の単元株式数）は，その投下資本回収の観点からも，会社における議決権割合などの点からも重要な意味を有し，したがって，募集新株予約権の引受けの申込みをしようとする者にとっても重要な情報であるので，通知が要求されている。

5　一定の重要な定款の定めがあるときは，その規定（5号）

譲渡制限株式の譲渡による取得を株式会社が承認したとみなされる要件との関連で株式会社または指定買取人が通知をすべき期間についての別段の定款の定め（法145条1号・2号），譲渡制限株式の譲渡による取得を株式会社が承認したとみなされる要件との関連で株式会社または指定買取人が供託を証する書面を交付すべき期間についての別段の定款の定め（26条1号・2号），会社が特定の株主から自己株式を取得する場合に他の株主に売主追加請求権を与えない旨の定款の定め（法164条1項），取得請求権付株式の取得により交付される他の株式の数に1株に満たない端数が生じたときの金銭交付義務に関する別段の定款の定め（法167条3項），株式会社が，相続その他の一般承継により当該株

式会社の株式(譲渡制限株式に限る)を取得した者に対し,その株式をその株式会社に売り渡すことを請求することができる旨の定款の定め(法174条)があるときは,それらを通知しなければならないものとされている。これらの定款の定めは,株主にとっての投下資本回収に重要な影響がある事項や株主としての地位の継続に影響を与える事項に関するものだからである。

　また,譲渡制限株式の譲渡等の承認をするか否かの決定をする主体についての別段の定款の定め(法139条1項),譲渡制限株式の譲渡等を承認しない場合の指定買取人を指定する主体についての別段の定款の定め(法140条5項),株式会社が別に定める日が取得条項付株式の取得事由であるときにその日を定める主体についての別段の定款の定め(法168条1項),取得条項付株式の一部のみを取得する場合のその取得する取得条項付株式を決定する主体についての別段の定款の定め(法169条2項)を通知しなければならないとされているのは,会社法が定める原則的な意思決定機関以外に意思決定をさせるものだからである。

　同様に,種類株主総会における取締役または監査役の選任に関する定款の定め(法347条)があるときは,通知しなければならないこととされている。このような定めがあるときは,持株数とは無関係にある種類株主が取締役または監査役を選任できる可能性があり,会社における支配権のあり方に大きな影響を与えるからである。

6　株主名簿管理人を置く旨の定款の定めがあるときは,その氏名または名称および住所ならびに営業所(6号)

　株式会社は,その株式会社に代わって株主名簿の作成および備置きその他の株主名簿に関する事務を行う者を置く旨を定款で定め,当該事務を行うことを委託することができるが(法123条),株式会社に代わって株主名簿の作成および備置きその他の株主名簿に関する事務を行う者を株主名簿管理人という。株主名簿管理人がある場合にはその営業所に,株式会社の株主名簿,株券喪失登録簿および新株予約権原簿が備え置かれるので(法125条1項・231条1項・252条1項),募集新株予約権を引き受けようとする者にとっては,株主名簿管理人が置かれるかどうか,置かれる場合にだれが株主名簿管理人となるかについて利害を有し,また,さまざまな請求をする上で,株主名簿管理人の住所または営業所は重要な情報だからである。

7　定款に定められた事項（法242条1項1号から3号までおよび本条1号から6号までに掲げる事項を除く）であって，その株式会社に対して募集新株予約権の引受けの申込みをしようとする者が自己に対して通知することを請求した事項（7号（令和2年改正未施行部分の施行後は8号））

　これは，適法に定款に定められた事項は，株主を拘束し，株主の権利内容に影響を与えるため，募集新株予約権の引受けの申込みをしようとする者が申込みをするか否かを決定する上で重要な情報だからである。もっとも，定款に定められる事項は必ずしも少なくないことから，法242条1項1号から3号までおよび本条1号から6号までに掲げる事項を除き，定款に定められた事項のうち，「当該株式会社に対して募集新株予約権の引受けの申込みをしようとする者が当該者に対して通知することを請求した事項」を通知すれば足りるものとされている。

　「法第242条第1項第1号から第3号まで及び前各号に掲げる事項を除く」とされているのは，これらの事項は，募集新株予約権の引受けの申込みをしようとする者に対して——法242条4項の場合を除き——，その請求がなくとも，株式会社が必ず通知しなければならない事項だからである。また，法242条1項4号は，「前3号に掲げるもののほか，法務省令で定める事項」（圏点—引用者）と定めているので，法242条1項1号から3号までに掲げる事項は本条では除かなければならないからである。

　　　　　　　　　　＊　　　　　＊　　　　　＊

〔施行　会社法の一部を改正する法律（令和元年法律第70号）附則第1条ただし書に規定する規定の施行の日〕〔第7号を加える〕
（申込みをしようとする者に対して通知すべき事項）
第54条　法第242条第1項第4号に規定する法務省令で定める事項は，次に掲げる事項とする。
　一～六　（略）
　七　電子提供措置をとる旨の定款の定めがあるときは，その規定
　八　（略）

7′　電子提供措置をとる旨の定款の定めがあるときは，その規定（7号）

　電子提供措置をとる旨の定款の定めがあるときは，取締役が，株主総会資料

第55条（申込みをしようとする者に対する通知を要しない場合）　309

の内容である情報を特定のウェブサイトに掲載し，株主に対して当該ウェブサイトのアドレス等を株主総会の招集の通知に記載等して通知した場合には，株主の個別の承諾を得ていないときであっても，取締役は，株主に対して株主総会資料を適法に提供したものとされ，会社に対して電子提供措置事項を記載した書面の交付を請求しない限り，電子提供措置事項を知るためには，株主は当該ウェブサイトを閲覧することが必要となる。これは，株主にとって不便または手間を要することにつながりうるので，「電子提供措置をとる旨の定款の定めがあるときは，その規定」が募集新株予約権の引受けの申込みをしようとする者に対して通知すべき事項に含められている。

　法325条の2後段は「その定款には，電子提供措置をとる旨を定めれば足りる」と規定しており，たとえば，「当会社は，定時株主総会の招集に際し，株主総会参考書類，議決権行使書面，計算書類及び事業報告ならびに連結計算書類の内容である情報につき，法令の定めるところに従い，電子提供措置をとる。」という定款の定めを設けた場合には，その定款の定めを通知すべきことになる。

（申込みをしようとする者に対する通知を要しない場合）
第55条　法第242条第4項に規定する法務省令で定める場合は，次に掲げる場合であって，株式会社が同条第1項の申込みをしようとする者に対して同項各号に掲げる事項を提供している場合とする。
　一　当該株式会社が金融商品取引法の規定に基づき目論見書に記載すべき事項を電磁的方法により提供している場合
　二　当該株式会社が外国の法令に基づき目論見書その他これに相当する書面その他の資料を提供している場合

　本条は，募集新株予約権の引受けの申込みをしようとする者に対して通知を要しない場合を定めるものである。すなわち，株式会社は，募集に応じて募集新株予約権の引受けの申込みをしようとする者に対し，一定の事項を通知しなければならないが（法242条1項），株式会社がその一定の事項を記載した金融商品取引法2条10項に規定する目論見書を募集新株予約権の引受けの申込みをしようとする者に対して交付している場合，その他募集新株予約権の引受けの申込みをしようとする者の保護に欠けるおそれがないものとして法務省令で定める場合には，通知することを要しないものとされている（法242条4項）。こ

の委任をうけて，本条は，株式会社がその一定の事項を記載した金融商品取引法2条10項に規定する目論見書を募集新株予約権の引受けの申込みをしようとする者に対して交付している場合以外であって，「募集新株予約権の引受けの申込みをしようとする者の保護に欠けるおそれがないものとして法務省令で定める場合」を定めるものである。

これは，会社法に基づく通知等のコストを削減し，会社法と金融商品取引法との規制の差異による実務上の負担を軽減しようとするものである。目論見書等により会社と募集新株予約権に関する事項が募集新株予約権を引き受けようとする者に提供されるのであれば，重ねて通知による情報提供をさせる必要はないと考えられるためである（要綱試案補足説明37頁参照）。

1 目論見書の意義と記載事項

金融商品取引法2条10項に規定する目論見書とは，有価証券の募集もしくは売出し，適格機関投資家取得有価証券一般勧誘（有価証券の売出しにあたるものを除く）または特定投資家等取得有価証券一般勧誘（有価証券の売出しにあたるものを除く）のためにその有価証券の発行者の事業その他の事項に関する説明を記載する文書であって，相手方に交付し，または相手方からの交付の請求があった場合に交付するものをいう。

目論見書には，有価証券届出書の記載事項（公衆の縦覧に供しないこととされた事項を除く）と特記事項とが記載される（金融商品取引法13条2項1号イ，開示府令12条・13条1項）。特記事項としては，届出目論見書にはその目論見書に係る有価証券の募集または売出しに関して，その届出が効力を生じている旨（開示府令13条1項1号イ）が記載され，届出仮目論見書には，その届出仮目論見書に係る有価証券の募集または売出しに関して，その届出を行った日および届出の効力が生じていない旨（同項2号イ）を記載する。

また，参照方式による場合には，利用適格要件をみたしていることを示す書面，重要な事実の内容を記載した書面および事業内容の概要および主要な経営指標等の推移を的確かつ簡明に説明した書面に記載された事項を，特記事項として記載しなければならない（開示府令13条1項1号ハ・2号ハ）。

すでに開示された有価証券に係る目論見書には，有価証券届出書を提出していればそれに記載すべきであった事項を記載するほか，有価証券の売出しに係る届出は行われていない旨を特記事項に記載する（金融商品取引法13条2項1号ロ，開示府令14条1項1号イ・2号イ）。

発行登録仮目論見書や発行登録目論見書には発行登録書または訂正発行登録書に記載すべき内容が記載されるほか，特記事項として，発行登録目論見書には，有価証券の募集または売出しに関し，発行登録がその効力を生じている旨（開示府令14条の13第1項1号）を，発行登録仮目論見書には，有価証券の募集または売出しに関し，発行登録がその効力を生じていない旨（同項2号）を，それぞれ，記載する。

他方，発行登録追補目論見書には，発行登録追補書類に記載すべき内容が記載され，特記事項として，発行登録追補書類において参照すべき旨が記載された有価証券報告書の提出日以後に生じた重要な事実の内容等を記載しなければならない（開示府令14条の13第1項3号）。

2　当該株式会社が金融商品取引法の規定に基づき目論見書に記載すべき事項を電磁的方法により提供している場合（1号）

金融商品取引法上，目論見書および発行登録目論見書の提供を受ける者の承諾を得て，目論見書および発行登録目論見書の紙媒体での交付に代えて，これらに記載された事項を電子情報処理組織を使用する方法や磁気ディスク，CD-ROM その他これらに準ずる方法により一定の事項を確実に記録しておくことができる物（USB メモリや DVD など）をもって調製するファイルに記載事項を記録したものを交付する方法によって提供することができ，それらの事項を提供した者は，その目論見書または発行登録目論見書を交付したものとみなされる（金融商品取引法27条の30の9第1項，開示府令23条の2第1項）。募集新株予約権の引受けの申込みをしようとする者に対し目論見書を書面の形で交付せず，目論見書に記載すべき事項を電磁的方法により提供している場合であっても，募集新株予約権の引受けの申込みをしようとする者に対し必要な情報は提供されるので，このような場合にも，法242条1項による通知を要求する必要はない。そもそも，同項は，書面による通知を要求しておらず，電磁的方法その他による通知でかまわないこととしていることとの均衡からも，本号の場合に会社法に基づく通知を要求する必要はない。

3　当該株式会社が外国の法令に基づき目論見書その他これに相当する書面その他の資料を提供している場合（2号）

法242条4項は，会社法に基づく通知等のコストを削減し，会社法と金融商品取引法との規制の差異による実務上の負担を軽減しようとするものであり，

他の法令により会社と新株予約権に関する事項が新株予約権を引き受けようとする者に提供されているのであれば，重ねて通知をする必要はないという発想に基づくものである。外国の法令に基づいて目論見書その他これに相当する書面その他の資料を提供している場合にも，二重の負担を課す必要はないし，また，外国の法令も投資者を保護することを目的とする以上，それなりの要求をしていると期待できるので，募集新株予約権の引受けの申込みをしようとする者に対する通知を要求しないこととするのが本号である。なお，本条柱書で法242条1項各号に掲げる事項を提供していることが要件とされているから，かりに外国の法令が日本の金融商品取引法に比べ緩やかな開示規制をしているとしても，法242条1項が要求する情報提供は実現できると考えられる。

（株主に対して通知すべき事項）
第55条の2 法第244条の2第1項に規定する法務省令で定める事項は，次に掲げる事項とする。
　一　特定引受人（法第244条の2第1項に規定する特定引受人をいう。以下この条及び次条第3項において同じ。）の氏名又は名称及び住所
　二　特定引受人（その子会社等を含む。以下この条及び次条第3項において同じ。）がその引き受けた募集新株予約権に係る交付株式（法第244条の2第2項に規定する交付株式をいう。次号及び次条第3項において同じ。）の株主となった場合に有することとなる最も多い議決権の数
　三　前号の交付株式に係る最も多い議決権の数
　四　第2号に規定する場合における最も多い総株主の議決権の数
　五　特定引受人に対する募集新株予約権の割当て又は特定引受人との間の法第244条第1項の契約の締結に関する取締役会の判断及びその理由
　六　社外取締役を置く株式会社において，前号の取締役会の判断が社外取締役の意見と異なる場合には，その意見
　七　特定引受人に対する募集新株予約権の割当て又は特定引受人との間の法第244条第1項の契約の締結に関する監査役，監査等委員会又は監査委員会の意見

公開会社は，募集新株予約権の割当てを受けた申込者または総数引受契約により募集新株予約権の総数を引き受けた者（引受人）について，「当該引受人（その子会社等を含む。）がその引き受けた募集新株予約権に係る交付株式の株主となった場合に有することとなる最も多い議決権の数」の「〔当該引受人（そ

第55条の2（株主に対して通知すべき事項） 313

の子会社等を含む）がその引き受けた募集新株予約権に係る交付株式の株主となった〕場合における最も多い総株主の議決権の数」に対する割合が2分の1を超える場合には、当該引受人が当該公開会社の親会社等である場合または法241条の規定により株主に新株予約権の割当てを受ける権利を与えた場合を除き、割当日の2週間前までに、株主に対し、当該引受人（特定引受人）の氏名または名称および住所、当該特定引受人についての「当該引受人（その子会社等を含む。）がその引き受けた募集新株予約権に係る交付株式の株主となった場合に有することとなる最も多い議決権の数」その他の法務省令で定める事項を通知しなければならない（法244条の2第1項）。この委任を受けて、株主に通知すべき「法務省令で定める事項」を定めるのが本条である。

　法244条の2第1項が「その他の法務省令で定める事項」（圏点―引用者）と定めていることから、本条1号および2号は、法244条の2第1項が定めている「当該引受人（以下……「特定引受人」という。）の氏名又は名称及び住所」と「当該特定引受人についての〔法244条の2第1項〕第1号に掲げる数」とを掲げている。

　3号は、2号の「交付株式に係る最も多い議決権の数」を、4号は、2号に「規定する場合における最も多い総株主の議決権の数」を記載することを求めている。法244条の2第1項による通知が求められるかどうかは、2号の数を分子とし、4号の数を分母として算定された値が2分の1を超えるかどうかによるため、当該引受人が特定引受人にあたることを基礎づける情報として、4号は、2号に「規定する場合における最も多い総株主の議決権の数」を記載することを求めている。他方、3号が定める事項は、当該引受人が特定引受人に該当するかどうかの判定には必要とされないが、当該募集新株予約権の発行により、特定引受人が有する潜在的議決権が増加する程度も、既存株主が反対通知を行うかどうかを判断する上で有用な情報であると考えられたため、募集株式の割当て等の場合（42条の2第3号）と同様、通知事項とされている。

　また、支配株主の異動を伴う募集株式の割当て等の場合の通知事項とパラレルに、5号から7号では、特定引受人に対する募集新株予約権の割当てまたは特定引受人との間の法244条1項の契約の締結に関する取締役会の判断およびその理由、社外取締役を置く株式会社において、5号の取締役会の判断が社外取締役の意見と異なる場合には、その意見、ならびに、特定引受人に対する募集新株予約権の割当てまたは特定引受人との間の法244条1項の契約の締結に関する監査役、監査等委員会または監査委員会の意見が記載事項とされている

[なお,「交付株式」の定義については,→55条の3]。

──(交付株式)─────────────────────────────
第55条の3 法第244条の2第2項に規定する法務省令で定める株式は,次に掲げる株式とする。
　一　募集新株予約権の内容として次のイ又はロに掲げる事項についての定めがある場合における当該イ又はロに定める新株予約権(次号及び次項において「取得対価新株予約権」という。)の目的である株式
　　イ　法第236条第1項第7号へに掲げる事項　同号への他の新株予約権
　　ロ　法第236条第1項第7号トに掲げる事項　同号トの新株予約権付社債に付された新株予約権
　二　取得対価新株予約権の内容として法第236条第1項第7号ニに掲げる事項についての定めがある場合における同号ニの株式
2　前項の規定の適用については,取得対価新株予約権の内容として同項第1号イ又はロに掲げる事項についての定めがある場合における当該イ又はロに定める新株予約権は,取得対価新株予約権とみなす。
3　交付株式の数が特定引受人に対する募集新株予約権の割当ての決定又は特定引受人との間の法第244条第1項の契約の締結の日(以下この項において「割当等決定日」という。)後のいずれか1の日の市場価額その他の指標に基づき決定する方法その他の算定方法により決定される場合における当該交付株式の数は,割当等決定日の前日に当該交付株式が交付されたものとみなして計算した数とする。
─────────────────────────────

1　交付株式に含まれる株式(1項・2項)

　法244条の2第2項は,「交付株式」とは,①募集新株予約権の目的である株式(法236条1項1号),②取得条項に基づく募集新株予約権の取得と引換えに交付される株式(=募集新株予約権の内容として法236条1項7号ニに掲げる事項についての定めがある場合における同号ニの株式)および③募集新株予約権の新株予約権者が交付を受ける株式として法務省令で定める株式をいうと定めている。

　この委任を受けて,1項は,④募集新株予約権に,新株予約権または新株予約権付社債を取得対価とする取得条項が付されている場合における,当該新株予約権または当該新株予約権付社債に付された新株予約権(取得対価新株予約権)の目的である株式(1項1号)および⑤取得対価新株予約権に株式を対価

とする取得条項が付されている場合における当該株式（1項2号）を交付株式としている。したがって、取得対価新株予約権についての①または②に相当する株式も、交付株式にあたる。

　また、新株予約権または新株予約権付社債を取得対価とする取得条項が取得対価新株予約権に付されている場合には、当該新株予約権または当該新株予約権付社債に付された新株予約権も、取得対価新株予約権とみなすこととしている（2項）。したがって、新株予約権または新株予約権付社債を取得対価とする取得条項が何重にも連鎖する場合であっても、その各段階の取得対価新株予約権に係る①または②に相当する株式も交付株式にあたる（坂本ほか・商事法務2064号31頁）。このように定めているのは、新株予約権または新株予約権付社債を取得対価とする取得条項を連鎖的に用いることによって、法244条の2の規律が潜脱されることを防ぐためであると推測される。

2　交付株式の数が算定方式により決定される場合の当該交付株式の数（3項）

　3項は、交付株式の数が特定引受人に対する募集新株予約権の割当ての決定または特定引受人との間の総数引受契約の締結の日（割当等決定日）後のいずれか1の日の市場価額その他の指標に基づき決定する方法その他の算定方法により決定される場合における当該交付株式の数は、割当等決定日の前日に当該交付株式が交付されたものとみなして計算した数とすると定めている。このような場合には、割当等決定日においては交付株式の数が確定しないこととなりうるため、当該割当て等について法244条の2の規定の適用があるかどうかが明らかにならず、当該公開会社における当該割当ての決定等に支障を来すことがありうることに鑑みたものである。

　割当等決定日の前日に当該交付株式が交付されたものとみなすと、どのように計算されることになるかが問題となるが、交付株式の数が当該公開会社の株式の「将来の1の日における市場価額」に基づき決定されるとされている場合には、割当等決定日の前日（直前の取引日の市場価額を用いることが許容されることが多いと考えてよいであろう）における市場価額に基づき決定することとなると考えられる。同様に、交付株式の数が当該公開会社の株式の将来の一定期間の市場価額に基づき決定されることとされている場合には、「その他の指標に基づき決定する方法……により決定される」場合にあたり、割当等決定日の前日までの当該一定期間における当該株式の市場価額に基づき決定されることになると考えられる。

なお、当該公開会社が株式の分割または併合を行った場合につき、交付株式の数の調整条項が設けられている場合には、「その他の算定方法により決定される場合」にあたり、割当等決定日以後に株式の分割または併合がなされる可能性を考慮に入れず、割当等決定日の前日を基準として交付株式の数を計算することとなると考えられる（坂本ほか・商事法務2064号32頁）。

―**（株主に対する通知を要しない場合）**――――――――――――
　第55条の4　法第244条の2第4項に規定する法務省令で定める場合は、株式会社が割当日の2週間前までに、金融商品取引法の規定に基づき第53条各号に掲げる書類（第55条の2各号に掲げる事項に相当する事項をその内容とするものに限る。）の届出又は提出をしている場合（当該書類に記載すべき事項を同法の規定に基づき電磁的方法により提供している場合を含む。）であって、内閣総理大臣が当該割当日の2週間前の日から当該割当日まで継続して同法の規定に基づき当該書類を公衆の縦覧に供しているときとする。
――――――――――――――――――――――――――――――

　株式会社が法244条の2第1項の事項について割当日の2週間前までに金融商品取引法4条1項から3項までの届出をしている場合、その他の株主の保護に欠けるおそれがないものとして法務省令で定める場合には、支配株主の異動を伴う募集新株予約権の割当て等に係る通知を要しないものとされていること（法244条の2第4項）をうけて、本条は、株主の保護に欠けるおそれがないものとして法務省令で定める場合を、42条の3とパラレルに定めている。
　「その他の株主の保護に欠けるおそれがないものとして法務省令で定める場合」（圏点―引用者）と規定されているため、本条では、金融商品取引法4条1項から3項までの届出をしている場合を包含するように規定されている。すなわち、55条の2各号に掲げる事項に相当する事項をその内容とする有価証券届出書（訂正届出書を含む）、発行登録書および発行登録追補書類（訂正発行登録書を含む）、有価証券報告書（訂正報告書を含む）、四半期報告書（訂正報告書を含む）、半期報告書（訂正報告書を含む）または臨時報告書（訂正報告書を含む）の届出または提出をしている場合（当該書類に記載すべき事項を金融商品取引法の規定に基づき電磁的方法により提供している場合を含む）であって、内閣総理大臣が当該割当日の2週間前の日から当該割当日まで継続して金融商品取引法の規定に基づき当該書類を公衆の縦覧に供しているときを定めている。
　このような場合には、通知または公告がなされなくとも、株主は、EDINET

またはそのウェブサイトを通じて，55条の2各号に掲げる事項についての情報を得ることができるからである。

（株主に対する通知を要しない場合における反対通知の期間の初日）
第55条の5 法第244条の2第5項に規定する法務省令で定める日は，株式会社が金融商品取引法の規定に基づき前条の書類の届出又は提出（当該書類に記載すべき事項を同法の規定に基づき電磁的方法により提供した場合にあっては，その提供）をした日とする。

法244条の2第4項（および施規55条の4）により，支配株主の異動を伴う募集新株予約権の割当て等に係る通知を要しないとされる場合において，株主が特定引受人（その子会社等を含む）による募集新株予約権の引受けに反対する旨を公開会社に対して通知する期間の起算点は，法務省令で定める日とされている（法244条の2第5項）。この委任をうけて，本条は，42条の4とパラレルに定めている。これは，55条の2各号に掲げる事項に相当する事項をその内容とする有価証券届出書（訂正届出書を含む），発行登録書および発行登録追補書類（訂正発行登録書を含む），有価証券報告書（訂正報告書を含む），四半期報告書（訂正報告書を含む），半期報告書（訂正報告書を含む）または臨時報告書（訂正報告書を含む）の届出がなされ，または提出された場合（当該書類に記載すべき事項を金融商品取引法の規定に基づき電磁的方法により提供した場合を含む）には，その届出，提出または提供があれば，EDINETまたはそのウェブサイトを通じて，株主は55条の2各号に掲げる事項についての情報を得ることができるからである。

（新株予約権原簿記載事項の記載等の請求）
第56条 法第260条第2項に規定する法務省令で定める場合は，次に掲げる場合とする。
　一　新株予約権取得者が新株予約権者として新株予約権原簿に記載若しくは記録がされた者又はその一般承継人に対して当該新株予約権取得者の取得した新株予約権に係る法第260条第1項の規定による請求をすべきことを命ずる確定判決を得た場合において，当該確定判決の内容を証する書面その他の資料を提供して請求をしたとき。
　二　新株予約権取得者が前号の確定判決と同一の効力を有するものの内容を

証する書面その他の資料を提供して請求をしたとき。
　三　新株予約権取得者が一般承継により当該株式会社の新株予約権を取得した者である場合において、当該一般承継を証する書面その他の資料を提供して請求をしたとき。
　四　新株予約権取得者が当該株式会社の新株予約権を競売により取得した者である場合において、当該競売により取得したことを証する書面その他の資料を提供して請求をしたとき。
　五　新株予約権取得者が新株予約権売渡請求により当該株式会社の発行する売渡新株予約権の全部を取得した者である場合において、当該新株予約権取得者が請求をしたとき。
2　前項の規定にかかわらず、新株予約権取得者が取得した新株予約権が証券発行新株予約権又は証券発行新株予約権付社債に付された新株予約権である場合には、法第260条第2項に規定する法務省令で定める場合は、次に掲げる場合とする。
　一　新株予約権取得者が新株予約権証券又は新株予約権付社債券を提示して請求をした場合
　二　新株予約権取得者が新株予約権売渡請求により当該株式会社の発行する売渡新株予約権の全部を取得した者である場合において、当該新株予約権取得者が請求をしたとき。

　本条は、新株予約権取得者が株式会社に対し、単独で、取得した新株予約権に係る新株予約権原簿記載事項を新株予約権原簿に記載し、または記録することを請求することができる場合を定めるものである。すなわち、新株予約権を当該新株予約権を発行した株式会社以外の者から取得した者（その株式会社を除く。新株予約権取得者）は、その株式会社に対し、その新株予約権に係る新株予約権原簿記載事項を新株予約権原簿に記載し、または記録することを請求することができるが、この請求は、利害関係人の利益を害するおそれがないものとして法務省令で定める場合を除き、その取得した新株予約権の新株予約権者として新株予約権原簿に記載され、もしくは記録された者またはその相続人その他の一般承継人と共同してしなければならないとされている（法260条2項）。そこで、本条は、これをうけて、「利害関係人の利益を害するおそれがないものとして法務省令で定める場合」を定めている。1項は、平成17年改正前商法280条ノ35第3項が準用する同法206条ノ2および平成18年改正前商法施行規則195条を踏襲したものである。

1 新株予約権取得者が取得した新株予約権が証券発行新株予約権または証券発行新株予約権付社債に付された新株予約権である場合（2項）

　新株予約権取得者が取得した新株予約権が証券発行新株予約権または証券発行新株予約権付社債に付された新株予約権である場合には，新株予約権取得者が新株予約権証券または新株予約権付社債券を提示して請求をしたときに限り，新株予約権取得者は，単独で，取得した新株予約権に係る新株予約権原簿記載事項を新株予約権原簿に記載し，または記録することを請求することができるものとしている（1号）。

　これは，新株予約権証券の占有者は，その新株予約権証券に係る証券発行新株予約権についての権利を適法に有するものと推定され（法258条1項），新株予約権付社債券の占有者は，その新株予約権付社債券に係る証券発行新株予約権付社債に付された新株予約権についての権利を適法に有するものと推定されるから（同条3項），単独で，取得した新株予約権に係る新株予約権原簿記載事項を新株予約権原簿に記載し，または記録することを請求することができるものとしても，利害関係人の利益を害するおそれがないと考えられるからである。株式取得者に関する24条2項2号から4号に相当する規定がないのは，新株予約権または新株予約権付社債については，株式交換や株式移転のような制度がなく，また，所在不明株主の株式の競売・売却のような制度がないためである。

　また，新株予約権取得者が新株予約権の売渡請求により当該新株予約権を取得した者である場合において，新株予約権取得者が請求をしたときには，新株予約権証券を提示しなくとも新株予約権原簿に記録または記載することを求めることができる（2号）。これは，一方で，売渡新株予約権者と共同して請求しなければならないとすると，新株予約権の売渡請求制度を設けた趣旨に沿わないことに加え，売渡新株予約権者が共同請求に協力的であるとは限らない上，共同請求によらなければならないとすると煩瑣であるためである。他方で，対象会社にとっては，当該社債取得者が売渡新株予約権を取得したことは明らかであるからである。したがって，単独請求による名義書換を認めても，利害関係人を害するおそれはないと考えられるからである（坂本ほか・商事法務2063号50頁参照）。

2　1以外の場合（1項）

(1)　新株予約権取得者が新株予約権者として新株予約権原簿に記載もしくは記

録がされた者またはその一般承継人に対してその新株予約権取得者の取得した新株予約権に係る新株予約権原簿記載事項を新株予約権原簿に記載し，または記録することを株式会社に対して請求をすべきことを命ずる確定判決を得た場合において，その確定判決の内容を証する書面その他の資料を提供して請求をしたとき（1号）

　平成17年改正前商法280条ノ35第3項が準用する同法206条ノ2第2項2号および平成18年改正前商法施行規則195条1号を踏襲したものである。その新株予約権取得者の取得した新株予約権に係る新株予約権原簿記載事項を新株予約権原簿に記載し，または記録することを株式会社に対して請求をすべきことを，新株予約権原簿に記載もしくは記録がされた者またはその一般承継人に対して命ずる確定判決によって，新株予約権原簿に記載もしくは記録がされた者またはその一般承継人がその請求の意思表示をしたものとみなされるため（民事執行法177条1項），その確定判決の内容を証する書面その他の資料（確定判決の正本のほか，会社は謄本や確定判決の内容を証する電磁的記録等を許容することができるが（論点解説143頁参照），これは会社のリスクで許容されるものと考えられる）を提供して新株予約権取得者が単独で名義書換請求することを認めても利害関係人を害するおそれがないからである。

(2)　新株予約権取得者が(1)の確定判決と同一の効力を有するものの内容を証する書面その他の資料を提供して請求をしたとき（2号）

　平成17年改正前商法280条ノ35第3項が準用する同法206条ノ2第2項2号および平成18年改正前商法施行規則195条2号を踏襲したものである。この場合には，確定判決と同一の効力を有するものを得ている以上，新株予約権取得者が単独で名義書換請求することを認めても利害関係人を害するおそれがないからである。(1)の「確定判決と同一の効力を有するものの内容を証する書面その他の資料」には，新株予約権原簿に記載もしくは記録がされた者またはその一般承継人が新株予約権取得者への名義書換請求の意思表示をする旨を記載した和解調書や調停調書などがあたる。

(3)　新株予約権取得者が一般承継によりその株式会社の新株予約権を取得した者である場合において，その一般承継を証する書面その他の資料を提供して請求をしたとき（3号）

　平成17年改正前商法280条ノ35第3項が準用する同法206条ノ2第2項2号お

第56条（新株予約権原簿記載事項の記載等の請求）　321

および平成18年改正前商法施行規則195条３号に相当する規定である。相続や吸収合併の場合には，新株予約権原簿に記載もしくは記録がされた者がすでに存在しなくなっているため，共同して名義書換請求することはできないが，相続の場合には戸籍謄本や遺産分割協議書によって，会社の合併や分割の場合には商業登記簿の登記事項証明書（会社の分割の場合は，さらに，吸収分割契約または新設分割計画）によって，一般承継が生じたことを株式会社は確認することができるので，そのような「一般承継を証する書面その他の資料」を提供して，名義書換の請求がなされる場合には，新株予約権取得者単独での請求を認めても利害関係人の利益を害するおそれがないからである。

(4)　新株予約権取得者がその株式会社の新株予約権を競売により取得した者である場合において，その競売により取得したことを証する書面その他の資料を提供して請求をしたとき（４号）

　新株予約権を競売により取得する場合には，必ずしも，新株予約権原簿に記載もしくは記録がされた者の所在が明確ではなく，明確であっても，新株予約権原簿に記載もしくは記録がされた者は共同請求に協力的ではないことが一般的であろう。したがって，共同で，請求をしなければならないとすることは実際的ではない。ところが，裁判所が行う競売手続においては代金を納付することによって，株式を取得するから，意思表示を命ずる確定判決（１号参照）を取得せずに，単独請求を認めても，利害関係人を害するおそれはないと考えられるからである。

(5)　新株予約権取得者が新株予約権売渡請求により当該株式会社の発行する売渡新株予約権の全部を取得した者である場合において，当該新株予約権取得者が請求をしたとき（５号）

　法179条２項は，特別支配株主は，株式売渡請求をするときは，併せて，新株予約権売渡請求をすることができるとしている。ところで，売渡新株予約権者と共同して請求しなければならないとすると，新株予約権の売渡請求制度を設けた趣旨に沿わない。また，売渡新株予約権者が共同請求に協力的であるとは限らない上，共同請求によらなければならないとすると煩瑣である。しかも，対象会社にとっては，当該新株予約権取得者が売渡新株予約権を取得したことは明らかである。したがって，この場合には，単独請求による名義書換を認めても，利害関係人を害するおそれはないと考えられる（坂本ほか・商事法

務2063号50頁参照)。

──(新株予約権取得者からの承認の請求)──
第57条 法第263条第2項に規定する法務省令で定める場合は，次に掲げる場合とする。
　一　新株予約権取得者が新株予約権者として新株予約権原簿に記載若しくは記録がされた者又はその一般承継人に対して当該新株予約権取得者の取得した新株予約権に係る法第263条第1項の規定による請求をすべきことを命ずる確定判決を得た場合において，当該確定判決の内容を証する書面その他の資料を提供して請求をしたとき。
　二　新株予約権取得者が前号の確定判決と同一の効力を有するものの内容を証する書面その他の資料を提供して請求をしたとき。
　三　新株予約権取得者が当該株式会社の新株予約権を競売により取得した者である場合において，当該競売により取得したことを証する書面その他の資料を提供して請求をしたとき。
2　前項の規定にかかわらず，新株予約権取得者が取得した新株予約権が証券発行新株予約権又は証券発行新株予約権付社債に付された新株予約権である場合には，法第263条第2項に規定する法務省令で定める場合は，新株予約権取得者が新株予約権証券又は新株予約権付社債券を提示して請求をした場合とする。

　本条は，譲渡制限新株予約権を取得した新株予約権取得者が，単独で，株式会社に対し，当該譲渡制限新株予約権を取得したことについて承認をするか否かの決定をすることを請求することができる場合を定めるものであり，新株予約権取得者が株式会社に対し，単独で，取得した新株予約権に係る新株予約権原簿記載事項を新株予約権原簿に記載し，または記録することを請求することができる場合を定める56条とパラレルな規定ぶりになっている。すなわち，譲渡制限新株予約権を取得した新株予約権取得者は，株式会社に対し，その譲渡制限新株予約権を取得したことについて承認をするか否かの決定をすることを請求することができるが（法263条1項），この請求は，利害関係人の利益を害するおそれがないものとして法務省令で定める場合を除き，その取得した新株予約権の新株予約権者として新株予約権原簿に記載され，もしくは記録された者またはその相続人その他の一般承継人と共同してしなければならないものとされている（同条2項）。そこで，この委任をうけて，本条は，「利害関係人の

利益を害するおそれがないものとして法務省令で定める場合」を定めるものである。

1 新株予約権取得者が取得した新株予約権が証券発行新株予約権または証券発行新株予約権付社債に付された新株予約権である場合（2項）

　新株予約権取得者が取得した新株予約権が証券発行新株予約権または証券発行新株予約権付社債に付された新株予約権である場合には，新株予約権取得者が新株予約権証券または新株予約権付社債券を提示して請求をしたときに限り，新株予約権取得者は，単独で，株式会社に対し，その譲渡制限新株予約権を取得したことについて承認をするか否かの決定をすることを請求することができるものとされている。

　これは，新株予約権証券の占有者は，その新株予約権証券に係る証券発行新株予約権についての権利を適法に有するものと推定され（法258条1項），新株予約権付社債券の占有者は，その新株予約権付社債券に係る証券発行新株予約権付社債に付された新株予約権についての権利を適法に有するものと推定されるから（同条3項），単独で，株式会社に対し，その譲渡制限新株予約権を取得したことについて承認をするか否かの決定をすることを請求することができるものとしても，利害関係人の利益を害するおそれがないと考えられるからである。

2 1以外の場合（1項）

(1)　新株予約権取得者が新株予約権者として新株予約権原簿に記載もしくは記録がされた者またはその一般承継人に対してその新株予約権取得者が譲渡制限新株予約権を取得したことについて承認をするか否かの決定をすることを株式会社に対して請求をすべきことを命ずる確定判決を得た場合において，その確定判決の内容を証する書面その他の資料を提供して請求をしたとき（1号）

　平成18年改正前商法施行規則195条1号を踏襲したものである。この場合には，その新株予約権取得者が譲渡制限新株予約権を取得したことについて承認をするか否かの決定をすることを株式会社に対して請求をすべきことを，新株予約権原簿に記載もしくは記録がされた者またはその一般承継人に対して命ずる確定判決によって，新株予約権原簿に記載もしくは記録がされた者またはその一般承継人がその請求の意思表示をしたものとみなされるため（民事執行法

177条1項)，新株予約権取得者が，単独で，その確定判決の内容を証する書面その他の資料（確定判決の正本のほか，会社は謄本や確定判決の内容を証する電磁的記録等を許容することができるが（論点解説143頁参照），これは会社のリスクで許容されるものと解される）を提供して，株式会社に対しその譲渡制限新株予約権を取得したことについて承認をするか否かの決定を請求することを認めても，利害関係人を害するおそれがないからである。

(2) 新株予約権取得者が(1)の確定判決と同一の効力を有するものの内容を証する書面その他の資料を提供して請求をしたとき（2号）

　平成18年改正前商法施行規則195条2号を踏襲したものである。この場合には，確定判決と同一の効力を有するものを得ている以上，新株予約権取得者が単独でその新株予約権取得者が譲渡制限新株予約権を取得したことについて承認をするか否かの決定をすることを株式会社に対して請求することを認めても，利害関係人を害するおそれがないからである。(1)の「確定判決と同一の効力を有するものの内容を証する書面その他の資料」とは，新株予約権原簿に記載もしくは記録がされた者またはその一般承継人が，その新株予約権取得者が譲渡制限新株予約権を取得したことについて承認をするか否かの決定をすることを株式会社に対して請求する旨を記載した和解調書や調停調書などがあたる。

(3) 新株予約権取得者がその株式会社の新株予約権を競売により取得した者である場合において，その競売により取得したことを証する書面その他の資料を提供して請求をしたとき（3号）

　新株予約権を競売により取得する場合には，必ずしも，新株予約権原簿に記載もしくは記録がされた者の所在が明確ではなく，明確であっても，新株予約権原簿に記載もしくは記録がされた者は共同請求に協力的ではないことが一般的であろう。したがって，共同で，請求をしなければならないとすることは実際的ではない。ところが，裁判所が行う競売手続においては代金を納付することによって，株式を取得するから，意思表示を命ずる確定判決（1号参照）を取得せずに，単独請求を認めても，利害関係人を害するおそれはないと考えられるからである。

───**(新株予約権の行使により株式に端数が生じる場合)**────────
　第58条　法第283条第１号に規定する法務省令で定める方法は、次に掲げる額のうちいずれか高い額をもって同号に規定する株式の価格とする方法とする。
　　一　新株予約権の行使の日（以下この条において「行使日」という。）における当該株式を取引する市場における最終の価格（当該行使日に売買取引がない場合又は当該行使日が当該市場の休業日に当たる場合にあっては、その後最初になされた売買取引の成立価格）
　　二　行使日において当該株式が公開買付け等の対象であるときは、当該行使日における当該公開買付け等に係る契約における当該株式の価格

　本条は、新株予約権を行使した場合に、その者に交付される株式の数に端数が生ずるときの取扱いとの関係で、株式１株の市場価格を定めるものである。すなわち、法283条は、新株予約権が行使された場合にその新株予約権の新株予約権者に交付する株式の数に１株に満たない端数があるときは、法236条１項９号の定めがある場合を除き、株式会社は、その新株予約権者に対し、その株式が市場価格のある株式である場合にはその株式１株の市場価格として法務省令で定める方法により算定される額にその端数を乗じて得た額に相当する金銭を交付しなければならないと定めており、本条は、この委任をうけて、「株式１株の市場価格として法務省令で定める方法により算定される額」を定めるものである。

　１号が、新株予約権の行使の日（行使日）「における当該株式を取引する市場における最終の価格（当該行使日に売買取引がない場合又は当該行使日が当該市場の休業日に当たる場合にあっては、その後最初になされた売買取引の成立価格）」と定めているのは、平成17年改正前商法220条ノ６（端株買取請求の場合。同法221条６項で単元未満株式買取請求に準用）が「請求ノ日ノ最終ノ市場価格」を基準としていたこと、および平成13年商法改正前の昭和56年商法改正附則19条２項が「証券取引所に上場されている株式について……請求があつたときは、証券取引所（二以上の証券取引所に上場されている場合には、本店の最寄りの証券取引所をいう……）の開設する市場における請求の日の最終価格（その日に売買取引がないときは、その後最初にされた売買取引の成立価格）」を基準としていたことに対応するものであると推測される。

　本条は、「請求日」が「行使日」とされることを除くと31条とパラレルな規定振りとなっている〔解釈については、→31条・30条〕。

なお，当分の間，2号の規定は適用されないものとされている（附則3条2項）。これは，金融商品取引法の下での，今後の公開買付制度の見直し次第では，会社法施行規則が定める規律の再検討が必要とされる可能性があり，現時点で，多額の費用を投じてシステム整備を行わせることは適当ではないこと，および，現在のシステムで名義書換代理人が公開買付価格を適時かつ正確に把握することは困難であることに鑑みたものである（相澤・金融法務事情1769号35頁）。

（検査役の調査を要しない市場価格のある有価証券）
第59条 法第284条第9項第3号に規定する法務省令で定める方法は，次に掲げる額のうちいずれか高い額をもって同号に規定する有価証券の価格とする方法とする。
　一　新株予約権の行使の日（以下この条において「行使日」という。）における当該有価証券を取引する市場における最終の価格（当該行使日に売買取引がない場合又は当該行使日が当該市場の休業日に当たる場合にあっては，その後最初になされた売買取引の成立価格）
　二　行使日において当該有価証券が公開買付け等の対象であるときは，当該行使日における当該公開買付け等に係る契約における当該有価証券の価格

　本条は，新株予約権の行使にあたって現物出資がなされる場合において，市場価格のある有価証券について検査役の調査を要しないとされるための要件との関係で有価証券の価格を定める方法を定めるものである。すなわち，株式会社は，その内容として，金銭以外の財産をその新株予約権の行使に際してする出資の目的とする旨ならびにその財産の内容および価額についての定めがある新株予約権が行使された場合には，現物出資財産の給付があった後，遅滞なく，現物出資財産の価額を調査させるため，裁判所に対し，検査役の選任の申立てをしなければならないが（法284条1項），現物出資財産のうち，市場価格のある有価証券について新株予約権の内容として定められた出資の目的とされる金銭以外の財産の価額がその有価証券の市場価格として法務省令で定める方法により算定されるものを超えない場合には，その有価証券についての現物出資財産の価額は検査役の調査を要しないものとされている（同条9項3号）。この委任をうけて，本条は，「有価証券の市場価格として法務省令で定める方法により算定されるもの」を定めている。

第60条（出資された財産等の価額が不足する場合に責任をとるべき取締役等）　327

　募集株式の発行等における現物出資との関係で検査役の調査を要しない市場価格のある有価証券について定める43条とパラレルな規定である［解釈については，→43条］。

（出資された財産等の価額が不足する場合に責任をとるべき取締役等）

第60条　法第286条第１項第１号に規定する法務省令で定めるものは，次に掲げる者とする。

　一　現物出資財産（法第284条第１項に規定する現物出資財産をいう。以下この条から第62条までにおいて同じ。）の価額の決定に関する職務を行った取締役及び執行役

　二　現物出資財産の価額の決定に関する株主総会の決議があったときは，当該株主総会において当該現物出資財産の価額に関する事項について説明をした取締役及び執行役

　三　現物出資財産の価額の決定に関する取締役会の決議があったときは，当該取締役会の決議に賛成した取締役

　本条は，新株予約権の行使にあたって出資された財産等の価額が不足する場合に責任をとるべき取締役等を，募集株式の発行等において現物出資がなされた場合に出資された財産等の価額が不足するときに責任をとるべき取締役等を定める44条とパラレルに，定めるものである。すなわち，法286条１項１号は，新株予約権を行使した新株予約権者が株主となった時におけるその給付した現物出資財産の価額がこれについて新株予約権の内容として定められた当該財産の価額（法236条１項３号）に著しく不足する場合には，その新株予約権者の募集に関する職務を行った業務執行取締役（指名委員会等設置会社では，執行役）その他当該業務執行取締役の行う業務の執行に職務上関与した者として法務省令で定めるものは，株式会社に対し，その不足額を支払う義務を負うものと定めており，この委任をうけて，本条は，「当該業務執行取締役の行う業務の執行に職務上関与した者として法務省令で定めるもの」を定めている。

1　現物出資財産の価額の決定に関する職務を行った取締役および執行役（１号）

　現物出資財産の価額の決定に関する職務を行った取締役および執行役が「当該業務執行取締役の行う業務の執行に職務上関与した者として法務省令で定め

るもの」の一類型として定められている。

　たしかに，平成17年廃止前商法特例法21条の24第1項は，現物出資の目的たる財産（現物出資財産）の新株発行当時における実価が予定価格（平成17年改正前商法280条ノ2第1項3号の価格）に著しく不足する場合において，予定価格が委任に基づき執行役により定められたときは，その執行役は，委員会等設置会社に対し，連帯して，当該不足額を支払う義務を負うものと定めていたし，平成17年廃止前商法特例法21条の24第3項2号は，予定価格が株主総会の決議により定められたときは，その決議に係る議案の内容の決定に係る議案を取締役会に提出した取締役または執行役は，委員会等設置会社に対し，連帯して，現物出資財産についての当該議案における価格と実価との差額を限度として，その不足額を支払う義務を負うと定めていた。しかし，委員会等設置会社以外の会社においては，平成17年改正前商法280条ノ13ノ2は，現物出資の目的財産の新株発行当時における実価が取締役会の決議により定めた価格に著しく不足するときはその決議に賛成した取締役が，現物出資の目的財産の新株発行当時における実価が株主総会の決議により定めた価格に著しく不足するときは現物出資に関する議案を株主総会に提出した取締役およびその議案を提出することについての取締役会の決議に賛成した取締役が，それぞれ，株式会社に対し連帯してその不足額を支払う義務を負うと定めるにとどまっていた。

　そこで，本条では，現物出資財産の価額の決定に関する職務を行った取締役および執行役が，分配可能額を超えた剰余金の配当等に関して支払義務を負う業務執行者（計規159条）などに似た形で定められている。「現物出資財産……の価額の決定に関する職務を行った取締役及び執行役」が法286条1項1号の支払義務を負うものとされているのは，現物出資財産の価額の決定にあたっては，現物出資財産の給付時における現物出資財産の実価が新株予約権の内容として定められた現物出資財産の価額を大きく下回ることがないように，現物出資財産の価額の決定を慎重に行うべきだからである。

2　現物出資財産の価額の決定に関する株主総会の決議があったときは，当該株主総会において当該現物出資財産の価額に関する事項について説明をした取締役および執行役（2号）

　現物出資財産の価額の決定に関する株主総会の決議があったときは，その株主総会においてその現物出資財産の価額に関する事項について説明をした取締役および執行役も「当該業務執行取締役の行う業務の執行に職務上関与した者

として法務省令で定めるもの」の一類型として定められている。

　おそらく，平成17年改正前商法および平成17年廃止前商法特例法の下では，このような取締役・執行役は平成17年改正前商法266条1項5号または平成17年廃止前商法特例法21条の17第1項による損害賠償責任を負うにすぎなかったのではないかと推測されるが，本条では，現物出資財産の価額の決定に関する職務を行った取締役および執行役と同様の責任主体とされている。これは，株主総会において説明をした取締役および執行役は，株主総会が現物出資財産の価額を過大に決定する決議をすることに大きく寄与していると評価できる一方で，そのような取締役および執行役もその職務を行うについて注意を怠らなかったことを証明したときには支払義務を負わないこととされているため，責任主体に含めても過酷ではないと考えられるからであろう。

3　現物出資財産の価額の決定に関する取締役会の決議があったときは，当該取締役会の決議に賛成した取締役（3号）

　現物出資財産の価額の決定に関する取締役会の決議があったときは，当該取締役会の決議に賛成した取締役は，「当該業務執行取締役の行う業務の執行に職務上関与した者として法務省令で定めるもの」にあたるものとされている。

　これは，平成17年改正前商法280条ノ13ノ2第1項が，現物出資の目的財産の新株発行当時における実価が取締役会の決議により定めた価格に著しく不足するときは，その決議に賛成した取締役が，株式会社に対し連帯してその不足額を支払う義務を負うと定め，平成17年廃止前商法特例法21条の24第2項1号が，予定価格が取締役会の決議により定められたときは，その決議に賛成した取締役は，委員会等設置会社に対し，連帯して，その不足額を支払う義務を負うと定めていたことを，それぞれ踏襲したものである。実質的に考えても，取締役会において決定する場合には，現物出資財産の価額を過大に決定することがないように，取締役としては，注意を払うべきである以上，その決定に係る取締役会において賛成した取締役が責任主体に含められることはやむをえないといえよう。

第61条　法第286条第1項第2号に規定する法務省令で定めるものは，次に掲げる者とする。
　一　株主総会に現物出資財産の価額の決定に関する議案を提案した取締役
　二　前号の議案の提案の決定に同意した取締役（取締役会設置会社の取締役

を除く。）
三　第1号の議案の提案が取締役会の決議に基づいて行われたときは、当該取締役会の決議に賛成した取締役

　本条は、新株予約権の行使にあたって出資された財産等の価額が不足する場合に責任をとるべき取締役等を、募集株式の発行等において現物出資がなされた場合に出資された財産等の価額が不足するときに責任をとるべき取締役等を定める45条とパラレルに、定めるものである。すなわち、法286条1項2号は、新株予約権を行使した新株予約権者が株主となった時におけるその給付した現物出資財産の価額が、これについて新株予約権の内容として定められた当該財産の価額（法236条1項3号）に著しく不足する場合に、現物出資財産の価額の決定に関する株主総会の決議があったときは、その株主総会に議案を提案した取締役として法務省令で定めるものは、株式会社に対し、その不足額を支払う義務を負うものと定めており、この委任をうけて、本条は、「当該株主総会に議案を提案した取締役として法務省令で定めるもの」を定めている。

1　株主総会に現物出資財産の価額の決定に関する議案を提案した取締役（1号）

　本号は、株主総会に現物出資財産の価額の決定に関する議案を提案した取締役を「当該株主総会に議案を提案した取締役として法務省令で定めるもの」としている。これは、平成17年改正前商法280条ノ13ノ2第2項が、「現物出資ノ目的タル財産ノ価格ヲ株主総会ノ決議ニ依リ定メタル場合ニ於テ其ノ財産ノ新株発行当時ニ於ケル実価ガ決議ニ依リ定メタル価格ニ著シク不足スルトキハ現物出資ニ関スル議案ヲ総会ニ提出シタル取締役ハ議案ニ掲ゲタル財産ノ価格ト実価トノ差額ヲ限度トシテ会社ニ対シ連帯シテ其ノ不足額ヲ支払フ義務ヲ負フ」と、平成17年廃止前商法特例法21条の24第3項1号が、予定価格が株主総会の決議により定められたときは、その決議に係る議案を株主総会に提出した取締役は、委員会等設置会社に対し、連帯して、現物出資財産についての当該議案における価格と実価との差額を限度として、その不足額を支払う義務を負うと、それぞれ、定めていたものを踏襲したものと位置づけられよう。現物出資財産の価額の決定に関する議案が株主総会に提出されれば、その議案が承認される可能性は、経験則上、高いということができる一方で、その者がその職務を行うについて注意を怠らなかったことを証明した場合には支払義務を負わ

ないこととされていることから,「当該株主総会に議案を提案した取締役として法務省令で定めるもの」の範囲を広く解しても酷ではないと考えられるので,本号のような定めが置かれている。

2 現物出資財産の価額の決定に関する議案の提案の決定に同意した取締役（取締役会設置会社の取締役を除く）(2号)

これは,平成17年廃止前有限会社法54条3項が準用する同法30条ノ2第2項は,同意した取締役はその行為を「為シタルモノト看做ス」と定めており,現物出資財産の資本増加当時における実価が資本増加の決議により定めた価格に著しく不足するときは,資本増加の議案の提出に賛成した取締役も同法54条2項の不足額支払義務を負うものと解されていたことを踏襲したものである。そして,株主総会に現物出資財産の価額の決定に関する議案を提案した取締役が「当該株主総会に議案を提案した取締役として法務省令で定めるもの」にあたるものとすると（1号），その現物出資財産の価額の決定に関する議案の提案の決定に同意した取締役（取締役会設置会社の取締役を除く）も「当該株主総会に議案を提案した取締役として法務省令で定めるもの」にあたるとすることが均衡がとれていると考えられる。なぜなら,取締役会設置会社以外の会社が株主総会に提出する議案は,定款に別段の定めがある場合を除き,取締役の過半数によって決定され,各取締役にその決定を委任することができないとされているからである（法348条3項3号・2項）。そして,本号の定めは3号の定めとも首尾一貫する。

3 現物出資財産の価額の決定に関する議案の提案が取締役会の決議に基づいて行われたときは,その取締役会の決議に賛成した取締役(3号)

定款に別段の定めがない限り,取締役会設置会社以外の会社では議案の内容を取締役が決定するので（法298条1項・348条3項3号），本号では「第1号の議案の提案が取締役会の決議に基づいて行われたときは,当該取締役会の決議に賛成した取締役」も,「当該株主総会に議案を提案した取締役として法務省令で定めるもの」にあたるものと定めている。

平成17年改正前商法280条ノ13ノ2第3項が準用する同法266条2項が,株主総会への議案の提出をすることにつき取締役会の決議に賛成した取締役はその行為を「為シタルモノト看做ス」と定めていたこと,および,平成17年廃止前商法特例法21条の24第4項が準用する平成17年改正前商法266条2項が,予定

価格が株主総会の決議により定められたときに，その決議に係る議案を株主総会に提出することにつき取締役会の決議に賛成した取締役はその行為を「為シタルモノト看做ス」と定めていたことを踏襲したものである。

これは，「株主総会に議案を提案した取締役」が「当該株主総会に議案を提案した取締役として法務省令で定めるもの」にあたるものとすると（1号），株主総会に現物出資財産の価額の決定に関する議案の提案が取締役会の決議に基づいて行われたときは，当該取締役会の決議に賛成した取締役も「当該株主総会に議案を提案した取締役として法務省令で定めるもの」にあたるとすることが均衡がとれていると考えられることによる。なぜなら，取締役会設置会社においては，株主総会に提出する議案は，株主が株主総会を招集するときおよび株主が提案権を行使した場合を除き，取締役会の決議によって決定され，各取締役にその決定を委任することができないとされているからである（法298条4項・1項5号）。そして，本号の定めは，2号の定めとも首尾一貫する。

> **第62条** 法第286条第1項第3号に規定する法務省令で定めるものは，取締役会に現物出資財産の価額の決定に関する議案を提案した取締役及び執行役とする。

本条は，新株予約権の行使にあたって出資された財産等の価額が不足する場合に責任をとるべき取締役等を，募集株式の発行等において現物出資がなされた場合に出資された財産等の価額が不足するときに責任をとるべき取締役等を定める46条とパラレルに，定めるものである。すなわち，法286条1項3号は，新株予約権を行使した新株予約権者が株主となった時におけるその給付した現物出資財産の価額が，これについて新株予約権の内容として定められた当該財産の価額（法236条1項3号）に著しく不足する場合に，現物出資財産の価額の決定に関する取締役会の決議があったときは，その取締役会に議案を提案した取締役（指名委員会等設置会社では，取締役または執行役）として法務省令で定めるものは，株式会社に対し，その不足額を支払う義務を負うものと定めており，この委任をうけて，本条は，「当該取締役会に議案を提案した取締役（指名委員会等設置会社にあっては，取締役又は執行役）として法務省令で定めるもの」を定めている。

平成17年廃止前商法特例法21条の24第2項2号は，委員会等設置会社におい

て，現物出資の目的たる財産（現物出資財産）の新株発行当時における実価が予定価格（平成17年改正前商法280条ノ2第1項3号の価格）に著しく不足する場合であって，予定価格が取締役会の決議によって定められたときは，その決議に係る議案を取締役会に提出した取締役（その決議に賛成した取締役を除く）または執行役は，その不足額（現物出資財産についてのその議案における価格と実価との差額を限度とする）を，委員会等設置会社に支払う義務を負うものとされていた。本条は，これをふまえたものと評価することができる。

　なお，平成17年改正前商法の下では，委員会等設置会社以外の会社においては，取締役会に議案を提案した取締役は，同法266条1項5号の責任を負う可能性があったほか，取締役会の決議に賛成した場合には同条2項により，行為者と同じ責任を負う可能性があったが，取締役会に議案を提案した取締役の責任は特に定められていなかった。しかし，指名委員会等設置会社における取締役会に議案を提案した執行役の責任との平仄を図って，本条では，「取締役会に現物出資財産の価額の決定に関する議案を提案した取締役及び執行役」（圏点―引用者）と定めている。

（新株予約権に係る払込み等の仮装に関して責任をとるべき取締役等）

第62条の2 法第286条の3第1項に規定する法務省令で定める者は，次に掲げる者とする。

一　払込み等（法第286条の2第1項各号の払込み又は給付をいう。以下この条において同じ。）の仮装に関する職務を行った取締役及び執行役

二　払込み等の仮装が取締役会の決議に基づいて行われたときは，次に掲げる者

　イ　当該取締役会の決議に賛成した取締役

　ロ　当該取締役会に当該払込み等の仮装に関する議案を提案した取締役及び執行役

三　払込み等の仮装が株主総会の決議に基づいて行われたときは，次に掲げる者

　イ　当該株主総会に当該払込み等の仮装に関する議案を提案した取締役

　ロ　イの議案の提案の決定に同意した取締役（取締役会設置会社の取締役を除く。）

　ハ　イの議案の提案が取締役会の決議に基づいて行われたときは，当該取締役会の決議に賛成した取締役

　ニ　当該株主総会において当該払込み等の仮装に関する事項について説明

| をした取締役及び執行役 |

　本条は，新株予約権に係る払込み等の仮装に関して責任をとるべき取締役等（法286条の３第１項）を定めるものであり，「出資の履行の仮装に関して責任をとるべき取締役等」を定める46条の２の規定とパラレルに定められている［→46条の２］。

第4章

機　　関

第1節　株主総会及び種類株主総会

＊　　　＊　　　＊

[施行　会社法の一部を改正する法律（令和元年法律第70号）附則第1条ただし書に規定する規定の施行の日］［節名を改める］

第1節　株主総会及び種類株主総会等

第1款　通　　則

―(招集の決定事項)――

第63条　法第298条第1項第5号に規定する法務省令で定める事項は，次に掲げる事項とする。

一　法第298条第1項第1号に規定する株主総会が定時株主総会である場合において，同号の日が次に掲げる要件のいずれかに該当するときは，その日時を決定した理由（ロに該当する場合にあっては，その日時を決定したことにつき特に理由がある場合における当該理由に限る。）
　イ　当該日が前事業年度に係る定時株主総会の日に応当する日と著しく離れた日であること。
　ロ　株式会社が公開会社である場合において，当該日と同一の日において定時株主総会を開催する他の株式会社（公開会社に限る。）が著しく多いこと。

二　法第298条第1項第1号に規定する株主総会の場所が過去に開催した株主総会のいずれの場所とも著しく離れた場所であるとき（次に掲げる場合を除

く。)は，その場所を決定した理由
  イ　当該場所が定款で定められたものである場合
  ロ　当該場所で開催することについて株主総会に出席しない株主全員の同意がある場合
三　法第298条第1項第3号又は第4号に掲げる事項を定めたときは，次に掲げる事項（定款にロからニまで及びへに掲げる事項についての定めがある場合又はこれらの事項の決定を取締役に委任する旨を決定した場合における当該事項を除く。)
  イ　次款の規定により株主総会参考書類に記載すべき事項（第85条の2第3号，第85条の3第3号，第86条第3号及び第4号，第87条第3号及び第4号，第88条第3号及び第4号，第89条第3号，第90条第3号，第91条第3号，第91条の2第3号並びに第92条第3号に掲げる事項を除く。)
  ロ　特定の時（株主総会の日時以前の時であって，法第299条第1項の規定により通知を発した日から2週間を経過した日以後の時に限る。）をもって書面による議決権の行使の期限とする旨を定めるときは，その特定の時
  ハ　特定の時（株主総会の日時以前の時であって，法第299条第1項の規定により通知を発した日から2週間を経過した日以後の時に限る。）をもって電磁的方法による議決権の行使の期限とする旨を定めるときは，その特定の時
  ニ　第66条第1項第2号の取扱いを定めるときは，その取扱いの内容
  ホ　第94条第1項の措置をとることにより株主に対して提供する株主総会参考書類に記載しないものとする事項
  ヘ　1の株主が同一の議案につき次に掲げる場合の区分に応じ，次に定める規定により重複して議決権を行使した場合において，当該同一の議案に対する議決権の行使の内容が異なるものであるときにおける当該株主の議決権の行使の取扱いに関する事項を定めるとき（次号に規定する場合を除く。）は，その事項
    (1)　法第298条第1項第3号に掲げる事項を定めた場合　法第311条第1項
    (2)　法第298条第1項第4号に掲げる事項を定めた場合　法第312条第1項
四　法第298条第1項第3号及び第4号に掲げる事項を定めたときは，次に掲げる事項（定款にイ又はロに掲げる事項についての定めがある場合における当該事項を除く。)
  イ　法第299条第3項の承諾をした株主の請求があった時に当該株主に対して法第301条第1項の規定による議決権行使書面（法第301条第1項に規定

する議決権行使書面をいう。以下この節において同じ。）の交付（当該交付に代えて行う同条第２項の規定による電磁的方法による提供を含む。）をすることとするときは，その旨

　　ロ　１の株主が同一の議案につき法第311条第１項又は第312条第１項の規定により重複して議決権を行使した場合において，当該同一の議案に対する議決権の行使の内容が異なるものであるときにおける当該株主の議決権の行使の取扱いに関する事項を定めるときは，その事項

五　法第310条第１項の規定による代理人による議決権の行使について，代理権（代理人の資格を含む。）を証明する方法，代理人の数その他代理人による議決権の行使に関する事項を定めるとき（定款に当該事項についての定めがある場合を除く。）は，その事項

六　法第313条第２項の規定による通知の方法を定めるとき（定款に当該通知の方法についての定めがある場合を除く。）は，その方法

七　第３号に規定する場合以外の場合において，次に掲げる事項が株主総会の目的である事項であるときは，当該事項に係る議案の概要（議案が確定していない場合にあっては，その旨）

　　イ　役員等の選任
　　ロ　役員等の報酬等
　　ハ　全部取得条項付種類株式の取得
　　ニ　株式の併合
　　ホ　法第199条第３項又は第200条第２項に規定する場合における募集株式を引き受ける者の募集
　　ヘ　法第238条第３項各号又は第239条第２項各号に掲げる場合における募集新株予約権を引き受ける者の募集
　　ト　事業譲渡等
　　チ　定款の変更
　　リ　合併
　　ヌ　吸収分割
　　ル　吸収分割による他の会社がその事業に関して有する権利義務の全部又は一部の承継
　　ヲ　新設分割
　　ワ　株式交換
　　カ　株式交換による他の株式会社の発行済株式全部の取得
　　ヨ　株式移転
　　タ　株式交付

本条は，株主総会の招集にあたって定めるべき事項を定めるものである。すなわち，法298条1項は，取締役（株主が株主総会を招集する場合には，当該株主）は，株主総会を招集する場合には，株主総会の日時および場所，株主総会の目的である事項があるときは，当該事項，株主総会に出席しない株主が書面によって議決権を行使することができることとするときは，その旨，株主総会に出席しない株主が電磁的方法によって議決権を行使することができることとするときは，その旨，その他法務省令で定める事項を定めなければならないと規定しており，この委任をうけて本条が定められている。

なお，法298条1項1号から4号までに掲げられた事項および本条に定められた事項は，書面または電磁方法により招集を行う場合には招集通知に記載または記録すべき事項でもある（法299条4項）。

1 定時株主総会の日時（1号）

まず，定時株主総会の日が前事業年度に係る定時株主総会の日に応当する日と著しく離れた日であるときには，その日時を決定した理由を記載・記録しなければならないものとされている。これは，定時株主総会は一定の時期に開催すべきものとされており（法296条1項），株主は，定時株主総会に出席するためにスケジュールの調整をしている可能性があることを考えると，日程を変更する場合には合理的な理由が必要であると考えられることに鑑みたものである（相澤＝郡谷・商事法務1759号11頁）。すなわち，このような理由を招集通知に記載・記録させることによって，適切な理由がないにもかかわらず，前事業年度に係る定時株主総会の日に応当する日と著しく離れた日を定時株主総会の日として定めるようなことをしないというインセンティブを経営者に与えようとしている。

前事業年度に係る定時株主総会の日に応当する日と著しく離れた日を定時株主総会の日として定める合理的な理由としては，事業年度の末日を変更したことや剰余金の配当を取締役会の決議によって定める旨の定款の定めを設けたことによって定時株主総会の招集時期の制約がなくなったことなどが考えられる。

他方，株式会社が公開会社である場合において，当該日と同一の日において定時株主総会を開催する他の株式会社（公開会社に限る）が著しく多いときは，その日時を決定したことにつき特に理由がある場合には当該理由を決定しなければならないとされているのは，定時株主総会の会日が6月末の数日に集中す

るという、いわゆる集中日問題に対応するものである（相澤＝郡谷・商事法務1759号11頁）。

すなわち、事業年度の末日を3月31日とする会社が多く、基準日の有効期間が3カ月であること、および、定款の定めがない限り剰余金の配当を株主総会で決定しなければならないことや計算書類等の作成・監査に要する期間を考慮すると、会社法において、直接、集中日に株主総会を開催することを規制することは適切ではないが、集中日（定時株主総会を開催する他の公開会社が著しく多い日）を株主総会の会日として決定したことについて特に理由があるときには、それを決定し、株主総会の招集通知に記載させることにして、集中日を定時株主総会の開催日として定めないインセンティブを経営者に与えようとしている。「特に理由がある場合」に限って決定することを要求しているのは、実質的な内容がない、形式的な理由を決定し、招集通知に記載・記録させても無意味だからであると考えられる。「特に理由がある場合」としては、計算書類の作成・監査に要する日程と招集通知の発出のタイミングに加え、その日でなければ適当な会場の確保ができない場合（もっとも、集中日にはむしろ会場の確保にかなりの努力を要すると考えられる）などが考えられる。なお、剰余金の配当を取締役会で決定することができる旨の定款の定めがある会社については、集中日に定時株主総会を開催すべき必要性が少ないため、「特に理由がある場合」はかなり限定的に解すべきことになろう。

当該日と同一の日において定時株主総会を開催する他の「公開会社」が著しく多い場合に理由を決定すべきものとされているのは、公開会社以外の株式会社の株主総会の会日を把握することは難しく、また、いわゆる集中日問題は公開会社について問題とされていることによるものと推測される。なお、当該日と同一の日において定時株主総会を開催する他の株式会社（公開会社に限る）が「著しく多い」とはどのようなことを意味するのかは今後の解釈に委ねられているが、過半数に至らなくとも「著しく多い」と評価されうる一方、計算書類の作成・監査に要する期間などを考慮に入れると、定時株主総会を開催することができる適切な期間はたかだか2週間程度と考えられることから、10%程度の集中であれば、「著しく多い」とは評価されないと考えられる。

2　株主総会の開催場所（2号）

株主総会は、定款に別段の定めがある場合を除き、本店の所在地またはそれに隣接する地に招集することを要するものとしていた平成17年改正前商法233

条と異なり、株主の利便性を考慮するなどの観点から、本店所在地外で借りた会場を株主総会の開催場所として用いる会社が増えているにもかかわらず、定款に格別の定めを置かないと、招集地が限定されてしまうという不都合があるという認識（要綱試案補足説明39頁）に基づいて、会社法では、株主総会の招集地についての制約を加えていない。しかし、これは、合理的な理由なく、株主が出席しにくい場所を株主総会の開催場所として選定することを認める趣旨ではない。そこで、定款で定められた場所である場合あるいはその場所で開催することについて株主総会に出席しない株主全員の同意がある場合を除き、株主総会の開催場所が過去に開催した株主総会のいずれの場所とも著しく離れた場所であるときには、その場所を決定した理由を決定し（かつ、招集通知に記載・記録し）なければならないものとされている。

これは、適切な理由がないにもかかわらず、過去に開催した株主総会のいずれの場所とも著しく離れた場所を株主総会の開催場所として定めて、株主の定時株主総会への出席を妨げるようなことをしないというインセンティブを経営者に与えようとするものである。

なお、定款で定められた場所であれば、株主の期待に反することはないし、株主総会の開催場所に関する定款の定めは株主総会の特別決議によってのみ変更できることから、株主の意思に基づくものであると考えられるからである。また、その場所で開催することについて株主総会に出席しない株主全員の同意がある場合には、それ自体が合理的な理由であると考えられるからであろう。

3 書面または電磁的方法による議決権行使に関する事項（3号）

(1) 株主総会参考書類の記載事項（3号イ）

書面または電磁的方法による議決権行使を認める場合には、株主総会参考書類を株主に交付しなければならないので（法301条・302条）、株主総会参考書類の内容を招集時に定めなければならないものとされている。なお、全部取得条項付種類株式の取得の事前開示事項（85条の2第3号）、株式の併合の事前開示事項（85条の3第3号）、吸収合併消滅株式会社の事前開示事項（86条3号）、吸収合併存続株式会社の事前開示事項（86条4号）、吸収分割株式会社の事前開示事項（87条3号）、吸収分割承継株式会社の事前開示事項（87条4号）、株式交換完全子会社の事前開示事項（88条3号）、株式交換完全親会社の事前開示事項（88条4号）、新設合併消滅株式会社の事前開示事項（89条3号）、新設分割株式会社の事前開示事項（90条3号）、株式移転完全子会社の事前開示

事項（91条3号），株式交付親会社の事前開示事項（91条の2第3号）および事業譲渡等契約に基づき当該株式会社が受け取る対価または契約の相手方に交付する対価の算定の相当性に関する事項の概要（92条3号）は決定することを要しないものとされているのは，必ずしも株主総会の招集の決定時に内容が確定しているわけではないこと（そこで，86条3号・4号，87条3号・4号，88条3号・4号，89条3号，90条3号，91条3号および91条の2第3号は，「法第298条第1項の決定をした日における……事項があるとき」と規定している），会社の意思決定とはかかわりなく定まるものも少なくないこと（典型的には，重要な後発事象（182条6項1号ハ・2号イ・183条4号ハ・5号イ・184条6項1号ハ・2号イ・191条3号ハ・5号イ・192条4号ハ・6号イ・193条3号ハ・4号イ・204条3号ハ・5号イ・205条4号ハ・6号イ・206条3号ハ・4号イ・213条の2第4号ハ・5号イ）），および，会社の意思決定により定まるものも別途の手続によって決定されること（たとえば，吸収合併契約，吸収分割契約，株式交換契約，吸収分割契約などの内容である事項は，株主総会の招集に際して決定される事項ではない）によるものである（相澤＝郡谷・商事法務1759号12頁）。

(2) 書面または電磁的方法による議決権行使の期限（3号ロ・ハ）

　書面または電磁的方法による議決権行使の期限は，特に定めがなければ，株主総会の日時の直前の営業時間の終了時であるが，招集の決定時に，これと異なる時を定めることができるものとされている（69条・70条）。そこで，本号ロおよびハは，株主総会の日時以前の時であって，招集通知を発した時から2週間を経過した時以後の時を書面または電磁的方法による議決権の行使の期限とする旨を定めることができるものとしている。書面または電磁的方法による議決権行使の期限が株主総会の日時以前の時でなければ，株主総会の議場において行使された議決権と合算して，決議の成立を議場において明らかにすることができないため，「株主総会の日時以前の時」とされている。「株主総会の日時以前の時」（圏点—引用者）とされているので，株主総会の開始時刻以前であれば，株主総会の会日における特定の時刻を指定することもできる。招集「通知を発した日から2週間を経過した日以後の時」とされているのは，株主に議案に賛成するか否かについての熟慮期間を確保するためである。そして，招集「通知を発した日から2週間を経過した日以後の時」とされているので，この要件を満たす限り，株主総会の日時より数日前の日時を指定することもできる。

　なお，定款に定めがある場合やその決定を取締役に委任した場合には，招集

時に決定する必要はなく（本号柱書），その結果，招集通知に記載することを要しないとも解されるが（法299条4項），定款に定めがある場合や決定が取締役に委任された場合であっても，賛否の記載がない場合の取扱いが定められているときはそれを議決権行使書面に記載・記録しなければならない（66条1項4号）。

(3) 賛否の記載がない場合の取扱い（3号ニ）

本号ニでは，各議案について賛否を記載する欄に記載がない議決権行使書面が株式会社に提出された場合に備えて，そのような場合には各議案についての賛成，反対または棄権のいずれかの意思の表示があったものとする取扱いを定めることができるものとされている。平成18年改正前商法施行規則25条を踏襲したものである。

すなわち，議決権行使書面に賛否の記載がないまま会社に返送されるものがあることが十分に予想されるため，このような定めが設けられている。必要な記載すなわち賛否の記載がないときは，その投票は棄権として扱われ，その結果，決議が成立しないという事態が生じうるので，あらかじめ賛否等の記載がない場合の株主の意思を推測し，その取扱いを定めることを認めるものである。そして，賛否の記載のない議決権行使書面の提出は，取締役等の現在の経営者に対する信任を表わす趣旨とも考えられる（稲葉・昭和56改正165頁）。そこで，株主が賛否等の記載のない議決権行使書面を会社に提出したときには，各議案につき賛成，反対または棄権のいずれかの意思表示があったものとして扱う旨を定めることを認めている。実務上，会社（取締役（会））提案については賛成，株主提案については反対として扱う旨を定めることになろう。もっとも，会社提案のみの場合には，すべての議案について賛成と扱う旨のみを定めることも考えられる。

なお，このような定めは主として会社の便宜のために認められており，このような定めをするか否かは会社の任意である。

なお，定款に定めがある場合やその決定を取締役に委任した場合には，招集時に決定する必要はなく（本号柱書），その結果，招集通知に記載することを要しないとも解されるが（法299条4項），定款に定めがある場合や決定が取締役に委任された場合であっても，賛否の記載がない場合の取扱いが定められているときはそれを議決権行使書面に記載・記録しなければならない（66条1項2号）。

第63条（招集の決定事項） 343

(4) ウェブ開示によるみなし提供事項の決定（3号ホ）

　会社法施行規則は，株主総会参考書類に含めるべき事項の一部をインターネット上のウェブサイトに掲載し，かつ，そのウェブサイトのURLを株主に通知すれば，当該事項に係る情報が株主に提供されたものとみなすものとして，書面等による提供を省略すること（ウェブ開示によるみなし提供）を認めている。これは，定時株主総会の招集通知に際して，株主に対して，書面等により提供すべき情報が多くなると，印刷代や郵送料などの費用が著しく増大するという経済界の懸念に応える一方で，書面等による提供を強制すると，会社が費用を抑えるために株主に提供する情報の量を削減する可能性があることに鑑み，そのようなインセンティブを減少させようとするものである（相澤＝郡谷・商事法務1759号7頁）。

　デジタル・デバイドの問題もあるため，電子公告制度の採用の場合とのバランス上，ウェブ開示によるみなし提供を行うためには，その旨の定款の定めが必要とされている。また，ウェブ開示によるみなし提供の対象とはできない事項が定められている。第1に，議案は，株主が書面または電磁的方法により議決権行使するためには論理的に不可欠な記載事項なので，ウェブ開示の対象とはできず，必ず，株主総会の招集通知に際して書面または電磁的方法で提供しなければならない。第2に，事業報告の内容とすべき事項のうちウェブ開示によるみなし提供が認められない事項（94条1項3号・133条3項1号）を株主総会参考書類に記載することとしている場合には，ウェブ開示の対象とはできず，必ず，株主総会の招集通知に際して書面または電磁的方法で提供しなければならない。これは，事業報告に記載する場合には省略できない以上，株主総会参考書類の記載事項とすることによって，ウェブ開示によるみなし提供の対象とされ，株主総会の招集通知に際して書面または電磁的方法で提供することを要しないとすると，事業報告についての規律が潜脱されることになるからである。第3に，株主総会参考書類に記載すべき事項をウェブ開示の対象とし，株主総会の招集通知に際して書面または電磁的方法で提供しないことについて監査役または監査委員会が異議を述べている場合には，その事項はウェブ開示によるみなし提供の対象とすることはできない。これは，株主総会参考書類に含めるべき事項の中には，株主の議決権行使にとってきわめて重要な情報が含まれている可能性があり，監査役または監査委員会が，株主の議決権行使にとって重要性が高く，それは，インターネット環境を有しない，あるいは，インターネットによるアクセスを好まない株主にも必ず提供すべきであると判断す

る場合には，株主総会の招集通知に際して書面または電磁的方法で提供しなければならないとすることが適当だからである［→94条］。

(5) 重複して議決権が行使され，同一の議案に対する議決権の行使の内容が異なる場合（3号ヘ）

　書面による議決権行使または電磁的方法による議決権行使の一方のみが認められている場合にも，4号ロの場合と同様，書面または電磁的方法により，重複して議決権が行使され，同一の議案に対する議決権の行使の内容が異なることが考えられる。たしかに，平成17年改正前商法および平成17年廃止前商法特例法の下では，重複して議決権が行使され，同一の議案に対する議決権の行使の内容が異なる場合には，後にされた議決権行使により先になされたものが撤回されたものとして取り扱うのが原則であると解されていたが（江頭・株式有限309頁注14），書面による議決権行使あるいは電磁的方法による議決権行使が複数なされた場合には，たとえば，後になされた議決権行使が先になされた議決権行使よりも先に会社に到達するというような事態が考えられるため，このルールを適用すると，会社にとっての事務負担が重くなる可能性がある。とはいえ，会社が適当な取扱いを定めることができるかどうかを解釈に委ねておくことは，実務にとって，不安定さをもたらすことに鑑み，明文の規定を設けることが適切であると考えられるため，本号ヘは，重複して議決権が行使され，同一の議案に対する議決権の行使の内容が異なる場合の取扱いを会社があらかじめ定めておくことを認めている。これは，会社の事務処理上の便宜を図るものである。会社が定める取扱方法については，会社法施行規則上，明文の制約がなく，後に発信された議決権行使を優先する方法，後に会社に到達した議決権行使を優先する方法，いずれの議決権行使も無効なものとして取り扱う方法，当該事項について賛否の記載がないものとして取り扱う方法［この場合については，→3(3)］などが考えられる（相澤＝郡谷・商事法務1759号12頁）。

　定款に定めがある場合やその決定を取締役に委任した場合には，招集時に決定する必要はなく（本号柱書），その結果，招集通知に記載することを要しないとも解されるが（法299条4項），定款に定めがある場合や決定が取締役に委任された場合であっても，重複して議決権が行使され，同一の議案に対する議決権の行使の内容が異なる場合の取扱いが定められているときは，それを議決権行使書面に記載・記録しなければならない（66条1項3号）。

　なお，株主が書面または電磁的方法により議決権行使をした後に，株主総会

の当日に会場に現れて議決権行使をした場合については，本号の範囲外であり，会社は定めを置くことはできず，議場での議決権行使が優先されることになると解するべきであろう。なぜなら，法298条１項３号および４号は「株主総会に出席しない株主が書面によって議決権を行使することができることとするときは，その旨」，「株主総会に出席しない株主が電磁的方法によって議決権を行使することができることとするときは，その旨」（圏点—引用者）と定めており，株主総会に出席した以上は，書面または電磁的方法による議決権の行使は無効となると解するのが自然であり，重複して議決権が行使され，同一の議案に対する議決権の行使の内容が異なる場合には，後にされた議決権行使により先になされたものが撤回されたものとして取り扱うという原則からも自然である。また，本号ロ・ハが定める書面または電磁的方法による議決権行使の期限に照らせば，株主総会の会場における議決権行使が後になされたことは明白だからである。

4　書面による議決権行使および電磁的方法による議決権行使の両方を認める場合（４号）

　定款に定めがある場合やその決定を取締役に委任した場合には，招集時に決定する必要はなく（本号柱書），その結果，招集通知に記載することを要しないとも解されるが（法299条４項），定款に定めがある場合や決定が取締役に委任された場合であっても，重複して議決権が行使され，同一の議案に対する議決権の行使の内容が異なる場合の取扱いが定められているときは，それを議決権行使書面に記載・記録しなければならない（66条１項３号）。

(1)　議決権行使書面の交付等の時期（４号イ）

　法301条１項は，書面による議決権行使を認める場合には，株主総会招集の通知に際して，法務省令で定めるところにより，株主に対し，議決権の行使について参考となるべき事項を記載した書類（株主総会参考書類）および株主が議決権を行使するための書面（議決権行使書面）を交付しなければならないと定め，同条２項本文は，取締役は，電磁的方法により株主総会招集の通知を受けることにつき承諾をした株主に対し電磁的方法による通知を発するときは，株主総会参考書類および議決権行使書面の交付に代えて，これらの書類に記載すべき事項を電磁的方法により提供することができると定めている。

　しかし，本号イは，電磁的方法により株主総会招集の通知を受けることにつ

き承諾をした株主については，その株主の請求があった時に初めてその株主に対して議決権行使書面の交付（その交付に代えて行う法301条2項の規定による電磁的方法による提供を含む）をすることを会社に認めている。これは，電磁的方法による議決権行使を認める場合には，電磁的方法により株主総会招集の通知を受けることにつき承諾をした株主に対する電磁的方法による通知に際して，法務省令で定めるところにより，株主に対し，議決権行使書面に記載すべき事項をその電磁的方法により提供しなければならないとされているので（法302条3項），その株主に対して議決権行使書面の交付（その交付に代えて行う法301条2項の規定による電磁的方法による提供を含む）をすると，書面による議決権行使と電磁的方法による議決権行使が重複して行われる可能性が高まることに鑑みて，株主からの請求がない限り，議決権行使手段を複数与えることを回避することを会社に認めるものである。また，議決権行使書面の交付がつねに義務づけられるとすると，招集通知を電磁的方法により発出しても，会社にとっては，郵送料や印刷費等の株主総会招集コストの軽減を図ることができず，電磁的方法による議決権行使を認めることのインセンティブが相当程度失われることとなる。その結果，株主にとっても，簡便な方法での議決権行使という権利行使の拡大の機会が損なわれることになりかねないからである（要綱試案補足説明40頁）。

(2) 重複して議決権が行使され，同一の議案に対する議決権の行使の内容が異なる場合（4号ロ）

　平成17年改正前商法および平成17年廃止前商法特例法の解釈としては，重複して議決権が行使され，同一の議案に対する議決権の行使の内容が異なる場合には，後にされた議決権行使により先になされたものが撤回されたものとして取り扱うのが原則であると解されていた（江頭・株式有限309頁注14）ものの，書面による議決権行使と電磁的方法による議決権行使との両方がなされた場合には，その先後を判別することが容易ではないので，議決権行使書面等にあらかじめ，いずれか一方の方法による議決権行使を優先する旨を会社は記載し，それに従って処理することができるものと解されていた（郡谷・商事法務1664号38頁，江頭・株式有限309頁注14）。

　しかし，明文の規定を設けることが適切であると考えられるため，本号ロは，重複して議決権が行使され，同一の議案に対する議決権の行使の内容が異なる場合の取扱いを会社があらかじめ定めておくことを認めている。これは，

会社の事務処理上の便宜を図るものである。会社が定める取扱方法については，会社法施行規則上，明文の制約がなく，書面による議決権行使または電磁的方法による議決権行使のいずれかを優先する方法，後にされた議決権行使を優先する方法，いずれの議決権行使も無効なものとして取り扱う方法，当該事項について賛否の記載がないものとして取り扱う方法〔この場合については，→**3**(3)〕などが考えられる（相澤＝郡谷・商事法務1759号12頁）。

なお，株主が書面および電磁的方法により議決権行使をした後に，株主総会の当日に会場に現れて議決権行使をした場合については，本号の範囲外であり，会社は定めを置くことはできず，議場での議決権行使が優先されることになると解するべきであろう。なぜなら，法298条1項3号および4号は「株主総会に出席しない株主が書面によって議決権を行使することができることとするときは，その旨」，「株主総会に出席しない株主が電磁的方法によって議決権を行使することができることとするときは，その旨」（圏点—引用者）と定めており，株主総会に出席した以上は，書面および電磁的方法による議決権の行使は無効となると解するのが自然であり，重複して議決権が行使され，同一の議案に対する議決権の行使の内容が異なる場合には，後にされた議決権行使により先になされたものが撤回されたものとして取り扱うという原則からも自然である。また，3号ロ・ハが定める書面および電磁的方法による議決権行使の期限に照らせば，株主総会の会場における議決権行使が後になされたことは明白だからである。

5　代理人に関する事項（5号）

株主は，代理人によってその議決権を行使することができるが（法310条1項），この場合においては，当該株主または代理人は，代理権を証明する書面を株式会社に提出し，または，代理権を証明する書面の提出に代えて，政令で定めるところにより，株式会社の承諾を得て，その書面に記載すべき事項を電磁的方法により提供しなければならないとされている（同条1項・3項）。また，株式会社は，株主総会に出席することができる代理人の数を制限することができるものとされている（同条5項）。本号は，代理人による議決権の行使について，代理権（代理人の資格を含む）を証明する方法，代理人の数その他代理人による議決権の行使に関する事項を，株主総会の招集に際して，取締役（会）が定めることができることを前提としている。代理権を証明する方法として，会社法は代理権を証明する書面（委任状）の提出またはその書面に記載

すべき事項の電磁的方法による提供を定めているが，たとえば，複数の委任状が交付された場合などに実務上困難が生ずるため，議決権行使書面を持参すべきこととするなどの付加的な手続を会社は定めることができる（相澤＝郡谷・商事法務1759号13頁）。また，「代理人の資格を含む」と定められているのは，代理人の資格が定款で制限されていることが少なくないが，そのような資格を代理人が満たしていることを証明する方法を定めることも実務上必要でありうるからである。さらに，代理人の数についての制限に関して，許容される数や許容される条件等を定めることも考えられる。

定款にこれらの事項についての定めがある場合には，株主総会の招集決定に際して，改めて定める必要がないのは当然である（株主総会の招集通知に記載・記録することは要求されない）。

6 議決権の不統一行使の事前通知の方法（6号）

株主は，その有する議決権を統一しないで行使することができるが，取締役会設置会社においては，その有する議決権を統一しないで行使する株主は，株主総会の日の3日前までに，取締役会設置会社に対してその有する議決権を統一しないで行使する旨およびその理由を通知しなければならないものとされている（法313条2項）。これは，議決権の不統一行使が行われる場合には，会社はその不統一行使を拒むか否かを検討することが必要であるし，株主総会の準備のためにも不統一行使者の有無を知ることが必要であるためであると説明されている（味村・昭和41改正145頁）。ところが，書面または電磁的方法による通知を要求していた平成17年改正前商法239条ノ4と異なり，会社法では通知の方法について特に定めを設けていない。そこで，本号では，会社が事務処理の便宜および法的安定性の確保の観点から，議決権の不統一行使の事前通知の方法を定めることができることを前提として，そのような方法を定めるときは，株主総会の招集に際して定めるべきものとしている（かつ，株主総会の招集通知に記載・記録される。法299条4項）。もっとも，定款に定めがある場合には，株主総会の招集決定に際して，改めて定める必要がないのは当然である（株主総会の招集通知に記載・記録することは要求されない）。

7 議案の概要（株主総会参考書類を提供しない場合）（7号）

書面または電磁的方法による議決権行使を認める場合には，株主に株主総会参考書類が提供され，株主総会参考書類には議案が記載される（73条1項1

号)。しかし，株主総会参考書類が提供されない場合には，招集通知に議案が記載・記録されなければ，株主としては，十分な準備ができない可能性がある。そこで，平成17年改正前商法においても，自己株式の買受け（同法210条6項），営業の全部または一部の譲渡等（同法245条2項），新株・新株予約権・新株予約権付社債の第三者への有利発行（同法280ノ2第3項・280条ノ21第3項・341条ノ3第3項），定款変更（同法342条2項），株式交換（同法353条4項），株式移転（同法365条3項・353条4項），会社の分割（同法374条4項・374条ノ17第4項），資本減少（同法375条3項），合併（同法408条3項）など特定の重要な議題については議案等の要領を招集通知に記載・記録すべきものとされていた。そして，平成17年改正前商法と同様，役員等の選任，役員等の報酬等，全部取得条項付種類株式の取得，株式の併合，払込金額が引受人に特に有利な金額である場合における募集株式を引き受ける者の募集，金銭の払込みを要しないこととすることが引受人に特に有利な条件であるか払込金額が引受人に特に有利な金額である場合における募集新株予約権を引き受ける者の募集，事業譲渡等，定款の変更，合併，吸収分割，吸収分割による他の会社がその事業に関して有する権利義務の全部または一部の承継，新設分割，株式交換，株式交換による他の株式会社の発行済株式全部の取得，株式移転および株式交付に係る決議に係る議案の概要を，招集にあたって決定しなければならない（そして，招集通知に記載・記録しなければならない。法299条4項）と定めるのが本号である。

＊　　　　＊　　　　＊

〔**施行　会社法の一部を改正する法律（令和元年法律第70号）附則第1条ただし書に規定する規定の施行の日**〕［第3号にトを，第4号にハを加える。下線部分は改正部分］

(招集の決定事項)

第63条　法第298条第1項第5号に規定する法務省令で定める事項は，次に掲げる事項とする。

　一・二　（略）

　三　法第298条第1項第3号又は第4号に掲げる事項を定めたときは，次に掲げる事項（定款にロからニまで及びへに掲げる事項についての定めがある場合又はこれらの事項の決定を取締役に委任する旨を決定した場合における当該事項を除く。）

350　第2編　株式会社

　　イ～ヘ　（略）
　　ト　株主総会参考書類に記載すべき事項のうち，法第325条の5第3項の規定による定款の定めに基づき同条第2項の規定により交付する書面（第95条の4において「電子提供措置事項記載書面」という。）に記載しないものとする事項
　四　法第298条第1項第3号及び第4号に掲げる事項を定めたときは，次に掲げる事項（定款に<u>イからハまで</u>に掲げる事項についての定めがある場合における当該事項を除く。）
　　イ・ロ　（略）
　　ハ　電子提供措置をとる旨の定款の定めがある場合において，法第299条第3項の承諾をした株主の請求があった時に議決権行使書面に記載すべき事項（当該株主に係る事項に限る。第66条第3項において同じ。）に係る情報について電子提供措置をとることとするときは，その旨
　五～七　（略）

3　書面または電磁的方法による議決権行使に関する事項（3号）

(6)　株主総会参考書類に記載すべき事項のうち，電子提供措置事項記載書面に記載しないものとする事項（3号ト）

　電子提供措置をとる旨の定款の定めがある株式会社の株主（自己に対する招集通知を電磁的方法により発することにつき承諾をした株主を除く）は，株式会社に対し，①株主総会または種類株主総会を招集する場合に定めるべき事項（法298条1項各号・325条），②書面による議決権行使を認める場合には，株主総会参考書類および議決権行使書面に記載すべき事項，③電磁的方法による議決権行使を認める場合には，株主総会参考書類に記載すべき事項，④議案要領通知（記載・記録）請求があった場合には，その議案の要領，⑤株式会社が取締役会設置会社である場合において，取締役が定時株主総会を招集するときは，計算書類および事業報告に記載され，または記録された事項，⑥株式会社が会計監査人設置会社（取締役会設置会社に限る）である場合において，取締役が定時株主総会を招集するときは，連結計算書類に記載され，または記録された事項，ならびに，⑦①から⑥の事項を修正したときは，その旨および修正前の事項（電子提供措置事項）を記載した書面の交付を請求することができるが（法325条の5第1項），株式会社は，電子提供措置事項のうち法務省令（95条の4）で定めるものの全部または一部については，交付する書面に記載することを要しない旨を定款で定めることができる（法325条の5第3項）。

第63条（招集の決定事項） 351

　ここでは，電子提供措置事項のうち法務省令（95条の4）で定めるものの全部または一部について交付する書面に記載することを要しない旨が定款に定められるにすぎず，それぞれの株主総会を招集する場合に，取締役（取締役会設置会社では取締役会）が，株主総会参考書類に記載または記録される事項のうち，当該株主総会において議決権を行使することができる株主の議決権行使のために必要と考えられる情報としては，議案以外にどのようなものがあるかを考え，定款で電子提供措置事項記載書面に記載することを要しないとされている事項の範囲内で，株主総会参考書類に記載または記録される，いずれの情報を当該株主総会に係る電子提供措置事項記載書面に記載しないかを判断することになる。そこで，本号トでは株主総会参考書類に記載すべき事項のうち，電子提供措置事項記載書面に記載しないものとする事項を定めている。

4　書面による議決権行使および電磁的方法による議決権行使の両方を認める場合（4号）

(3)　議決権行使書面に記載すべき事項に係る情報について電子提供措置をとる旨（4号ハ）

　議決権行使書面の記載事項には，株主の氏名または名称および行使することができる議決権の数が含まれているため（66条1項5号），66条が定める議決権行使書面の記載事項に係る情報についてすべて電子提供措置をとらなければならないこととすると，株式会社は，株主の氏名または名称および行使することができる議決権の数を含めた議決権行使書面の記載事項を各株主のためにウェブサイトに掲載しなければならないこととなり，事務負担が過大となるおそれがある。そこで，法299条1項の通知に際して株主に対し議決権行使書面を交付するときは，議決権行使書面に記載すべき事項に係る情報については，電子提供措置をとることを要しないこととしている（法325条の3第2項）。しかし，書面による招集通知の発出に代えて，電磁的方法により通知を発することにつき承諾した株主については，その株主の請求があった場合には，議決権行使書面の記載事項に係る情報についても電子提供措置をとることが当該株主にとって便宜であり，電磁的方法により通知を発することと首尾一貫しているところ，会社にとっても，その程度であれば，その株主の氏名または名称および行使することができる議決権の数を含めた議決権行使書面の記載事項をその株主のためにウェブサイトに掲載する事務負担に耐えられるという場合もありうる。そこで，本号ハは，電子提供措置をとる旨の定款の定めがある場合におい

て，電磁的方法により招集通知を会社が発することにつき承諾した株主の請求があった時に議決権行使書面に記載すべき事項（当該株主に係る事項に限る）に係る情報について電子提供措置をとることとするときは，その旨を決定・決議すべきこととしている。

---(書面による議決権の行使について定めることを要しない株式会社)---
第64条 法第298条第２項に規定する法務省令で定めるものは，株式会社の取締役（法第297条第４項の規定により株主が株主総会を招集する場合にあっては，当該株主）が法第298条第２項（同条第３項の規定により読み替えて適用する場合を含む。）に規定する株主の全部に対して金融商品取引法の規定に基づき株主総会の通知に際して委任状の用紙を交付することにより議決権の行使を第三者に代理させることを勧誘している場合における当該株式会社とする。

本条は，株主総会に出席しない株主が書面によって議決権を行使することができることとする旨を定めることを要しない株式会社を定めるものである。すなわち，法298条２項本文が，取締役は，株主（株主総会において決議をすることができる事項の全部につき議決権を行使することができない株主を除く）の数が1,000人以上である場合には，株主総会に出席しない株主が書面によって議決権を行使することができることとする旨を定めなければならないとしつつ，ただし書において，「当該株式会社が金融商品取引法第２条第16項に規定する金融商品取引所に上場されている株式を発行している株式会社であって法務省令で定めるものである場合は，この限りでない」と定めていることをうけて，本条は定められている。

本条は，「改正後の商法特例法第21条の３の規定は，当分の間，同条第１項の会社で証券取引所に上場されている株式を発行しているものが株主総会の招集の通知に委任状の用紙を添付して総株主に対し議決権の行使を第三者に代理させることを勧誘したときは，適用しない」（圏点―引用者）と定めていた平成17年廃止前商法特例法の昭和56年改正附則26条を踏襲するものであり，「証取法に基づく委任状勧誘規則もそれなりの機能を果たしてきたものであるので，書面投票と委任状のいずれを選ぶかは実務に任せるという考え方」（竹内・昭和56改正126頁）に基づくものである。

しかし，法298条２項ただし書が立法論としては疑問の残る規定であることは否定できない。なぜなら，賛成の指示がある委任状だけを選別して代理行使

を引き受けたり，委任状に記載された賛否の指示に反して代理行使を行っても，それは，株主総会決議取消原因とはならないという解釈の余地がないわけではなく（新注会(5)198頁［菱田］），それでは，書面による議決権行使を認めることと等価とはいえないからである（もっとも，上場株式の議決権の代理行使の勧誘に関する内閣府令（平成15年内閣府令第21号）43条は，金融商品取引法施行令「36条の２第５項に規定する委任状の用紙には，議案ごとに被勧誘者が賛否を記載する欄を設けなければならない。ただし，別に棄権の欄を設けることを妨げない」と定め，また，会社法施行規則とパラレルに参考書類の記載事項を定めている）。

（株主総会参考書類）

第65条 法第301条第１項又は第302条第１項の規定により交付すべき株主総会参考書類に記載すべき事項は，次款の定めるところによる。

２ 法第298条第１項第３号及び第４号に掲げる事項を定めた株式会社が行った株主総会参考書類の交付（当該交付に代えて行う電磁的方法による提供を含む。）は，法第301条第１項及び第302条第１項の規定による株主総会参考書類の交付とする。

３ 取締役は，株主総会参考書類に記載すべき事項について，招集通知（法第299条第２項又は第３項の規定による通知をいう。以下この節において同じ。）を発出した日から株主総会の前日までの間に修正をすべき事情が生じた場合における修正後の事項を株主に周知させる方法を，当該招集通知と併せて通知することができる。

1　株主総会参考書類の交付（２項）

　取締役は，書面による議決権行使を認める旨を定めた場合には，株主総会招集の通知に際して，法務省令で定めるところにより，株主に対し，議決権の行使について参考となるべき事項を記載した書類（株主総会参考書類）を交付しなければならないとされ（法301条１項），また，電磁的方法による議決権行使を認める旨を定めた場合には，株主総会招集の通知に際して，法務省令で定めるところにより，株主に対し，株主総会参考書類を交付しなければならないとされている（法302条１項）。そこで，書面による議決権行使と電磁的方法による議決権行使の両方を認める場合には，株主に対して，２通の株主総会参考書類を交付（その交付に代えて行う電磁的方法による提供を含む）しなければならないと文言上は解する余地があるが，同一の内容の書面等を，２通交付（その

交付に代えて行う電磁的方法による提供を含む）させる必要はないので，2項は，1つの株主総会参考書類の交付（その交付に代えて行う電磁的方法による提供を含む）が法301条1項にいう交付（その交付に代えて行う電磁的方法による提供を含む）と法302条1項にいう交付（その交付に代えて行う電磁的方法による提供を含む）の両方にあたる旨を定めている。

2　株主総会参考書類の修正（3項）

3項は，株主総会参考書類に記載すべき事項について，招集通知を発出した日から株主総会の前日までの間に修正をすべき事情が生じた場合における修正後の事項を株主に周知させる方法を，その招集通知と併せて通知することができるものとしている。これは，株主総会参考書類に印刷ミスその他の事情で誤りがあった場合または発出後の事情変更等があった場合に，株主総会参考書類の再交付によらずに，修正後の事項を株主に周知させることを認めるものである。すなわち，株主総会参考書類に記載すべき事項について修正が必要である場合には，株主が的確に議決権行使をすることが可能になるように株主に適時に修正後の情報が提供されなければならないが，修正後の株主総会参考書類を株主に交付しなければならないとすると，会社にとって，印刷や送付のための費用がかなりのものとなるだけではなく，招集通知の発出期間に関する規制（法299条1項）との関係が問題となる。そこで，別途の対応が可能であることを明らかにしたのが本項である（相澤＝郡谷・商事法務1759号18頁）。

ウェブ開示によるみなし提供［→63条3(4)］と同様の方法も「修正後の事項を株主に周知させる方法」の1つとして考えられる。すなわち，掲載するウェブサイトのURLを株主に通知しておき，修正後の事項をインターネット上のウェブサイトに掲載することによって，株主に周知させることができる。

なお，この方法によって，議案の内容を修正することができるかどうかについては，疑義がある。たしかに，株主総会参考書類には議案を記載すべきこととされているが（73条1項1号），議決権行使書面には各議案について賛否を記載する欄が設けられており（66条1項1号），議決権行使書面または議決権行使書面に記載すべき事項を変更しない限り，株主は適切に議決権を行使することができないという問題がある（松井・商事法務1765号19頁参照）。また，株主総会参考書類を提供しない場合であっても，一定の重要な議案については，その概要を招集通知に記載・記録しなければならないものとされているところ（63条7号，法299条4項），招集通知自体については本項のような手当てがなされ

ていないこととの均衡からは，63条7号により（株主総会参考書類を提供しない場合に）議案の概要を招集通知に記載することが要求されている議案以外の議案に限って，本項の手続による議案の内容の修正を認めるのが適当であるとするのが穏当ではないかと考えられる。

（議決権行使書面）

第66条　法第301条第1項の規定により交付すべき議決権行使書面に記載すべき事項又は法第302条第3項若しくは第4項の規定により電磁的方法により提供すべき議決権行使書面に記載すべき事項は，次に掲げる事項とする。
　一　各議案（次のイからハまでに掲げる場合にあっては，当該イからハまでに定めるもの）についての賛否（棄権の欄を設ける場合にあっては，棄権を含む。）を記載する欄
　　イ　二以上の役員等の選任に関する議案である場合　各候補者の選任
　　ロ　二以上の役員等の解任に関する議案である場合　各役員等の解任
　　ハ　二以上の会計監査人の不再任に関する議案である場合　各会計監査人の不再任
　二　第63条第3号ニに掲げる事項についての定めがあるときは，第1号の欄に記載がない議決権行使書面が株式会社に提出された場合における各議案についての賛成，反対又は棄権のいずれかの意思の表示があったものとする取扱いの内容
　三　第63条第3号ヘ又は第4号ロに掲げる事項についての定めがあるときは，当該事項
　四　議決権の行使の期限
　五　議決権を行使すべき株主の氏名又は名称及び行使することができる議決権の数（次のイ又はロに掲げる場合にあっては，当該イ又はロに定める事項を含む。）
　　イ　議案ごとに当該株主が行使することができる議決権の数が異なる場合　議案ごとの議決権の数
　　ロ　一部の議案につき議決権を行使することができない場合　議決権を行使することができる議案又は議決権を行使することができない議案
2　第63条第4号イに掲げる事項についての定めがある場合には，株式会社は，法第299条第3項の承諾をした株主の請求があった時に，当該株主に対して，法第301条第1項の規定による議決権行使書面の交付（当該交付に代えて行う同条第2項の規定による電磁的方法による提供を含む。）をしなければならない。

> 3 同一の株主総会に関して株主に対して提供する招集通知の内容とすべき事項のうち，議決権行使書面に記載している事項がある場合には，当該事項は，招集通知の内容とすることを要しない。
> 4 同一の株主総会に関して株主に対して提供する議決権行使書面に記載すべき事項（第1項第2号から第4号までに掲げる事項に限る。）のうち，招集通知の内容としている事項がある場合には，当該事項は，議決権行使書面に記載することを要しない。

　本条は，株主総会の議決権行使書面の記載事項を定めるものである。すなわち，株主総会に出席しない株主が書面によって議決権を行使することができることとした場合には，取締役は，株主総会の招集通知に際して，法務省令で定めるところにより，株主に対し，株主が議決権を行使するための書面（議決権行使書面）を交付しなければならない（法301条1項）。また，株主総会に出席しない株主が電磁的方法によって議決権を行使することができることとした場合には，電磁的方法により招集通知を受けることを承諾した株主に対する電磁的方法による招集通知に際して，法務省令で定めるところにより，株主に対し，議決権行使書面に記載すべき事項を当該電磁的方法により提供しなければならないし，承諾をしていない株主から株主総会の日の1週間前までに議決権行使書面に記載すべき事項の電磁的方法による提供の請求があったときは，法務省令で定めるところにより，ただちに，その株主に対し，当該事項を電磁的方法により提供しなければならない（法302条3項・4項）。これらの規定の委任をうけて本条が定められている。

　平成18年改正前商法施行規則24条から26条に対応する規定であるが，本条では，株主が押印する欄を設けることは要求されていない。これは，従来の実務においても，議決権行使書面に押印された印影と届出印とを照合することは行われていなかったし，押印されていない場合の議決権行使書面による議決権行使も有効であると解する余地もあったため（稲葉・昭和56改正166頁），押印させることの意義は乏しいと考えられたからであろう。

　なお，会社から交付された議決権行使書面を株主が喪失した場合に，会社に対し用紙の再交付を求めることができるか否かについて明文の規定はない。株主等の費用負担を前提に再交付請求権を認める見解（竹内・昭和56改正122頁，鴻ほか・株主総会266頁［森本発言］）と，会社としていったん議決権行使書面を送付した以上，再交付に応ずる義務はないとする見解とがありうる。

第66条（議決権行使書面）　357

1　議決権行使書面に記載すべき事項（1項）

　議決権行使書面の具体的な様式は，その範囲で，各会社が定めることになる。なお，議決権行使書面という表題を付すことは要求されておらず，株主等が書面によって議決権を行使するための書面であることが明らかであればよい。本項が議決権行使書面に記載すべき事項を定めているのは，主として，書面または電磁的方法により議決権を行使する株主等の利益を保護するためである。すなわち，議案ごとの賛否を記載する欄や選任議案についての候補者ごとの賛否を記載する欄を設けることによって株主等の意思が適切に書面または電磁的方法による議決権行使に反映されることが期待できる。同時に，定型化された様式を用いることによって，会社も株主等の意思を的確に把握することができるとともに，書面または電磁的方法による議決権行使の結果の大量かつ迅速な処理が可能になると予想される。

⑴　各議案についての賛否（棄権の欄を設ける場合には，棄権を含む）を記載する欄（1号）

　本号は，平成18年改正前商法施行規則24条を踏襲するものである。
　まず，議決権行使書面には，各議案についての賛否を記載する欄を設けなければならない。議案ごとに株主の意思を的確に反映させるためである。また，株主の意思の正確な反映を確保するという観点から，どのような内容のものを1つの議案にまとめるのが適当であるかを判断して，取締役（会）または株主は議案を提出するものと考えられるからである。
　なお，別に棄権の欄を設けることもできるとされている（本号かっこ書）。決議の成否に与える影響は，棄権も反対と同じであるため，棄権の欄を設けることは強制されていないが，会社が自主的な判断に基づいて，株主等の意思をより正確に反映させるために，棄権の欄を設けることができることを明らかにしている。
　なお，株主が議決権行使書面によって，たとえば，複数の議案のうち一部の議案にのみ議決権を行使しようとする場合もありうるが，このような場合は例外的であると考えられるので，会社法施行規則には特に規定が置かれていない。そこで，株主が当該議案に関する記載を全部抹消するなど，当該議案については議決権を行使しないという趣旨であると認められる措置を議決権行使書面においてとったときは，その意思を尊重して処理することが適当であろう（稲葉・昭和56改正165頁）。

また，二以上の役員等（取締役，会計参与，監査役，執行役または会計監査人。2条2項65号〔令和2年改正未施行部分の施行後は66号〕，法423条1項）の選任に関する議案である場合には各候補者の選任について賛否を記載する欄を，二以上の役員等の解任に関する議案である場合には各役員等の解任について賛否を記載する欄を，二以上の会計監査人の不再任に関する議案である場合には各会計監査人の不再任について賛否を記載する欄を，それぞれ設けることが要求されている。これは，多数の候補者について一括して賛否を記入する欄しか設けられないと，株主がその一部を不適任と考えても，全体について賛成または反対の投票を行わなければならないため，株主等の意思が正確に反映されないことになるからである。選任決議は，本来，候補者ごとに行うのが原則と考えられることもこのような規定が設けられた背景にあると考えられるし（龍田・企業会計34巻6号68頁，竹内・昭和56改正124頁），選任予定数または定款に定められた上限を超える候補者が提案される場合には，必然的に候補者ごとに賛否の意思表示がなされなければならない。なお，選任予定数または定款に定められた上限を超える候補者が提案された場合には，たとえば，選任予定数まで賛成数の多い者から順に選任する旨の注意書を加える等の措置を講じておくことが必要とされよう（稲葉・別冊商事法務59号64頁）。

　もっとも，議決権行使書面に候補者の氏名を示して，それぞれに対する賛否を記載させる必要はなく，たとえば，参考書類において，各候補者の氏名の前に番号あるいは記号を付し，議決権行使書面にはその番号または記号に対応する形で賛否記載欄を設ければ十分である。

　なお，平成17年改正前商法および平成18年改正前商法施行規則の解釈として，定款の定めにより累積投票を全面的に排除していない場合において，累積投票の請求の可能性があるときは，参考書類上もそのことを明らかにし，それに対応する議決権行使書面の様式を採用しなければならないという見解があった（稲葉・別冊商事法務59号58頁）。

(2)　63条3号ニに掲げる事項についての定めがあるときは，各議案に対する賛否を記載する欄に記載がない議決権行使書面が株式会社に提出された場合における各議案についての賛成，反対または棄権のいずれかの意思の表示があったものとする取扱いの内容（2号）

　本号は，平成18年改正前商法施行規則25条を踏襲するものである。議決権行使書面に賛否の記載がないまま会社に返送されるものがあることが十分に予想

されるため，本号が設けられている。必要な記載すなわち賛否の記載がないときは，その投票は棄権として扱われ，その結果，決議が成立しないという事態が生じうるので，あらかじめ賛否等の記載がない場合の株主の意思を推測し，その取扱いを明らかにしておくものである。そして，賛否の記載のない議決権行使書面の提出は，取締役等の現在の経営者に対する信任を表わす趣旨とも考えられる（稲葉・昭和56改正165頁）。そこで，本号は，株主が賛否等の記載のない議決権行使書面を会社に提出したときには，各議案につき賛成，反対または棄権のいずれかの意思表示があったものとして扱う旨を議決権行使書面に記載しておくことを認めている。実務上，取締役提案については賛成，株主提案については反対として扱う旨を記載することになろう。もっとも，取締役提案のみの場合には，すべての議案について賛成と扱う旨を記載することも考えられる。

　なお，このような記載は主として会社の便宜のために認められており，このような記載をするかどうかは会社の任意である。

(3) 63条3号ヘまたは4号ロに掲げる事項についての定めがあるときは，当該事項（3号）

　重複して議決権が行使され，同一の議案に対する議決権の行使の内容が異なる場合の取扱いについての定めがあるときは，その取扱いが記載すべき事項とされている。これは，株主にとって，議決権は重要な権利であり，重複して議決権を行使した場合にどのように取り扱われるのかについて重大な利害を有するから，株主に予測可能性を与える必要があるからであろう。

(4) 議決権の行使の期限（4号）

　書面または電磁的方法による議決権行使の期限は，特に定めがなければ，株主総会の日時の直前の営業時間の終了時であるが，招集の決定時に，これと異なる時を定めることができるし，定款で定め，または取締役にその決定を委任することができる（69条・70条）。ところが，株主にとっては，議決権は重要な権利であるから，書面または電磁的方法による議決権行使の期限が記載すべき事項の1つとされている。

(5) 議決権を行使すべき株主の氏名または名称および行使することができる議決権の数（5号）

議決権を行使すべき株主の氏名または名称および行使することができる議決権の数を，議決権行使書面に記載しなければならない。そして，議案ごとに当該株主が行使することができる議決権の数が異なる場合には，議案ごとの議決権の数が，一部の議案につき議決権を行使することができない場合には議決権を行使することができる議案または議決権を行使することができない議案が，それぞれ，議決権行使書面に記載すべき事項とされている。これは，議決権制限株式が存在する場合，株主ごとに異なる取扱いを行う旨の定款の定めがある場合，または一定の自己株式の取得に係る決議の場合などには，議案ごとに議決権を行使することができる者が異なることや議案ごとに行使することができる議決権の数が異なることがありうるからである（相澤＝郡谷・商事法務1759号14頁）。

2　電磁的方法により株主総会招集通知を受けることを承諾した株主に対する議決権行使書面の交付（2項）

63条4号イは，電磁的方法による議決権行使と書面による議決権行使との両方を認める場合には，株主に対して議決権行使書面の交付（その交付に代えて行う法301条2項の規定による電磁的方法による提供を含む）をすると，書面による議決権行使と電磁的方法による議決権行使とが重複して行われる可能性が高まることに鑑みて，議決権行使手段を複数与えることをできるだけ回避するため，電磁的方法により株主総会招集の通知を受けることにつき承諾をした株主については，その株主の請求があった時に初めてその株主に対して議決権行使書面の交付（その交付に代えて行う法301条2項の規定による電磁的方法による提供を含む）をすることを会社に認めている。

しかし，法301条1項は，書面による議決権行使を認める場合には，株主総会招集の通知に際して，法務省令で定めるところにより，株主に対し，議決権の行使について参考となるべき事項を記載した書類（株主総会参考書類）および株主が議決権を行使するための書面（議決権行使書面）を交付しなければならないと定め，同条2項本文は，取締役は，電磁的方法により株主総会招集の通知を受けることにつき承諾をした株主に対し電磁的方法による通知を発するときは，株主総会参考書類および議決権行使書面の交付に代えて，これらの書類に記載すべき事項を電磁的方法により提供することができると定めているので，本項では，株主の議決権行使の機会を十分に確保するという観点から，確認的に，電磁的方法により株主総会の招集通知を受けることにつき承諾をした

株主の請求があった時に，その株主に対して，議決権行使書面の交付（その交付に代えて行う電磁的方法による提供を含む）をしなければならないものと定めている（これは，63条4号イが認める定めとも整合的である）。これは，招集通知を電磁的方法により受領することを承諾した株主であっても，議決権行使については書面によることを希望するものが存することも考えられ，株主総会参考書類を電磁的方法により提供することができる場合であっても，株主からの請求があれば書面の形で株主総会参考書類を交付しなければならないこととされていること（法301条2項ただし書・302条2項ただし書）との平仄をとったものと解される（要綱試案補足説明40～41頁）。

3　招集通知の記載の省略（3項（令和2年改正未施行部分の施行後は4項））

　同一の株主総会に関して株主に対して提供する招集通知の内容とすべき事項（法299条4項）のうち，議決権行使書面に記載している事項がある場合には，その事項は，招集通知の内容とすることを要しないものとされている。招集通知か議決権行使書面に記載すれば足りるという価値判断に基づくものである。これは，招集通知に際して議決権行使書面が交付されるか，議決権行使書面に記載すべき事項が電磁的方法により提供されるため（法301条・302条），どちらかに記載されていれば，株主は十分な情報を得ることができると考えられるためである。

　具体的には，議決権行使書面の記載事項である，賛否の記載がない場合の取扱い（1項2号），重複して議決権が行使され，同一の議案に対する議決権の行使の内容が異なる場合の取扱い（1項3号）および議決権行使の期限（1項4号）が株主総会の招集に際して決定された場合には，法298条1項5号に掲げられた事項（63条）の1つとして，招集通知に記載すべき事項とされるが（法299条4項），これらを議決権行使書面に記載した場合には招集通知に記載することを要しない。

4　議決権行使書面の記載の省略（4項（令和2年改正未施行部分の施行後は5項））

　同一の株主総会に関して株主に対して提供する議決権行使書面に記載すべき事項（1項2号から4号までに掲げる事項に限る）のうち，招集通知の内容としている事項がある場合には，当該事項は，議決権行使書面に記載することを要しないものとされている。3項と同様，招集通知か議決権行使書面に記載すれば足りるという価値判断に基づくものである。これは，招集通知に際して議決

権行使書面が交付されるか，議決権行使書面に記載すべき事項が電磁的方法により提供されるため（法301条・302条），どちらかに記載されていれば，株主は十分な情報を得ることができると考えられるためである。議決権行使書面の記載事項である，賛否の記載がない場合の取扱い（1項2号），重複して議決権が行使され，同一の議案に対する議決権の行使の内容が異なる場合の取扱い（1項3号）および議決権行使の期限（1項4号）が株主総会の招集に際して決定された場合（63条の文言からは，定款に定めがある場合または取締役に決定を委任した場合には，法298条1項5号に規定する事項にはあたらないと考えられる）には，法298条1項5号に掲げられた事項（63条）の1つとして，招集通知に記載すべき事項とされるが（法299条4項），これらを招集通知に記載した場合には議決権行使書面に記載することを要しない。

各議案に対する賛否を記載する欄（1項1号）および株主の氏名・名称および行使することができる議決権の数（1項5号）は，招集通知に記載することが適切なものではないため，必ず，議決権行使書面に記載しなければならない。

＊　　　　＊　　　　＊

〔施行　会社法の一部を改正する法律（令和元年法律第70号）附則第1条ただし書に規定する規定の施行の日〕〔第3項を加える〕
（議決権行使書面）
第66条　（略）
2　（略）
3　第63条第4号ハに掲げる事項についての定めがある場合には，株式会社は，法第299条第3項の承諾をした株主の請求があった時に，議決権行使書面に記載すべき事項に係る情報について電子提供措置をとらなければならない。ただし，当該株主に対して，法第325条の3第2項の規定による議決権行使書面の交付をする場合は，この限りでない。
4・5　（略）

3′　議決権行使書面記載事項と電子提供措置（3項）

議決権行使書面の記載事項には，株主の氏名または名称および行使することができる議決権の数が含まれているため（66条1項5号），66条が定める議決権

行使書面の記載事項に係る情報についてすべて電子提供措置をとらなければならないこととすると，株式会社は，株主の氏名または名称および行使することができる議決権の数を含めた議決権行使書面の記載事項を各株主のためにウェブサイトに掲載しなければならないこととなり，事務負担が過大となるおそれがある。そこで，法299条1項の通知に際して株主に対し議決権行使書面を交付するときは，議決権行使書面に記載すべき事項に係る情報については，電子提供措置をとることを要しないこととしている（325条の3第2項）。しかし，書面による招集通知の発出に代えて，電磁的方法により通知を発することにつき承諾した株主については，その株主の請求があった場合には，議決権行使書面の記載事項に係る情報についても電子提供措置をとることが当該株主にとって便宜であり，電磁的方法により通知を発することと首尾一貫しているところ，会社にとっても，その程度であれば，その株主の氏名または名称および行使することができる議決権の数を含めた議決権行使書面の記載事項をその株主のためにウェブサイトに掲載する事務負担に耐えられるという場合もありうる。そこで，63条4号ハは，電子提供措置をとる旨の定款の定めがある場合において，電磁的方法により招集通知を会社が発することにつき承諾した株主の請求があった時に議決権行使書面に記載すべき事項（当該株主に係る事項に限る）に係る情報について電子提供措置をとることとするときは，株主総会を招集する場合には，取締役（取締役会設置会社では取締役会）は，その旨を決定・決議すべきこととしている。

このような決定・決議がなされた場合には，電磁的方法により招集通知を会社が発することにつき承諾した株主の請求があった時に議決権行使書面に記載すべき事項（当該株主に係る事項に限る）に係る情報について電子提供措置をとらなければならないとするのが本項である。ただし，当然のことであるが，その株主に対して，招集通知に際して議決権行使書面の交付をする場合には，議決権行使書面に記載すべき事項に係る情報について電子提供措置をとることを要しない。

―**(実質的に支配することが可能となる関係)**―

第67条 法第308条第1項に規定する法務省令で定める株主は，株式会社（当該株式会社の子会社を含む。）が，当該株式会社の株主である会社等の議決権（同項その他これに準ずる法以外の法令（外国の法令を含む。）の規定により行使することができないとされる議決権を含み，役員等（会計監査人を除く。）

の選任及び定款の変更に関する議案（これらの議案に相当するものを含む。）の全部につき株主総会（これに相当するものを含む。）において議決権を行使することができない株式（これに相当するものを含む。）に係る議決権を除く。以下この条において「相互保有対象議決権」という。）の総数の4分の1以上を有する場合における当該株主であるもの（当該株主であるもの以外の者が当該株式会社の株主総会の議案につき議決権を行使することができない場合（当該議案を決議する場合に限る。）における当該株主を除く。）とする。

2　前項の場合には，株式会社及びその子会社の有する相互保有対象議決権の数並びに相互保有対象議決権の総数（以下この条において「対象議決権数」という。）は，当該株式会社の株主総会の日における対象議決権数とする。

3　前項の規定にかかわらず，特定基準日（当該株主総会において議決権を行使することができる者を定めるための法第124条第1項に規定する基準日をいう。以下この条において同じ。）を定めた場合には，対象議決権数は，当該特定基準日における対象議決権数とする。ただし，次の各号に掲げる場合には，当該各号に定める日における対象議決権数とする。

一　特定基準日後に当該株式会社又はその子会社が株式交換，株式移転その他の行為により相互保有対象議決権の全部を取得した場合　当該行為の効力が生じた日

二　対象議決権数の増加又は減少が生じた場合（前号に掲げる場合を除く。）において，当該増加又は減少により第1項の株主であるものが有する当該株式会社の株式につき議決権を行使できることとなること又は議決権を行使できないこととなることを特定基準日から当該株主総会についての法第298条第1項各号に掲げる事項の全部を決定した日（株式会社が当該日後の日を定めた場合にあっては，その日）までの間に当該株式会社が知ったとき　当該株式会社が知った日

4　前項第2号の規定にかかわらず，当該株式会社は，当該株主総会についての法第298条第1項各号に掲げる事項の全部を決定した日（株式会社が当該日後の日を定めた場合にあっては，その日）から当該株主総会の日までの間に生じた事項（当該株式会社が前項第2号の増加又は減少の事実を知ったことを含む。）を勘案して，対象議決権数を算定することができる。

　本条は，会社が株主の経営を実質的に支配することが可能となる関係があるため，株主総会において議決権を行使することができないとされる株主を定めるものである。すなわち，株主は原則として1株につき1議決権を有する旨を定める法308条1項かっこ書が「株式会社がその総株主の議決権の4分の1以

上を有することその他の事由を通じて株式会社がその経営を実質的に支配することが可能な関係にあるものとして法務省令で定める株主を除く」と定めていることをうけて，本条が定められている。

1　実質的に支配することが可能となる関係（1項）

　　法308条1項かっこ書は，株式の相互保有にはいわゆる資本の空洞化（株式を相互保有している2つの株式会社が交互に株式の発行を行い，その募集株式全部を互いに引き受けあうことにすると，払込金が両会社を出入りするたびに，両会社の純資産の部の金額は増加するが，実質的には資産は増加しないということ）および会社支配の歪曲化（株式を相互保有している場合には，一方会社の取締役を選任する株主総会決議は他方会社の取締役が支配することができ，その他方会社の取締役を選任する株主総会決議は一方会社の取締役が支配することができるということになり，多数株主でない取締役による総会支配が固定化し，会社運営に出資者である株主のコントロールが及ばなくなるということ）という弊害があることに鑑み，株式の相互保有のインセンティブを奪うという趣旨に基づくものである（竹内・昭和56改正89～90頁）。

　　本条は，「会社，親会社及子会社又ハ子会社ガ他ノ株式会社ノ総株主ノ議決権ノ4分ノ1ヲ超ユル議決権又ハ他ノ有限会社ノ総社員ノ議決権ノ4分ノ1ヲ超ユル議決権ヲ有スル場合ニ於テハ其ノ株式会社又ハ有限会社ハ其ノ有スル会社又ハ親会社ノ株式ニ付テハ議決権ヲ有セズ」と定めていた平成17年改正前商法241条3項を基本的には踏襲したものであるが，いくつかの点で異なっている。

　　第1に，1項の最初のかっこ書において「当該株式会社の子会社を含む」とされているが，会社法の下では，平成17年改正前商法の下とは，子会社の範囲が異なっているため（法2条3号，施規3条1項・3項），実質的に支配することが可能になる関係が広く認められることになる。これは，親会社と協調して議決権を行使すると考えられるかどうかは，形式的な基準ではなく，実質的な基準によることが合理的だからであろう。

　　第2に，「株式会社（当該株式会社の子会社を含む。）が，当該株式会社の株主である会社等の議決権……の総数の4分の1以上を有する場合における当該株主であるもの」は，当該株式会社の株主総会において議決権を有しないものとされている。これは，現代化要綱第2部第4・10(3)が「相互保有株式の議決権の制限に関する取扱いについても，制限される会社を株式会社・有限会社に

限定せず、外国会社を含む法人等も含めるものとする」としていたことをうけたものである。支配の歪曲化を防止し、相互保有のインセンティブを奪うという観点からは、制限される会社を株式会社等に限定する合理的な理由はないからである。

　第3に、「同〔法308条1〕項その他これに準ずる法以外の法令（外国の法令を含む。）の規定により行使することができないとされる議決権を含」むとされているのは、他の株主が保有していれば議決権を行使することができる株式に係る議決権の数を分母としないと、分子とされる議決権数が分母に含まれないことになって、分母と分子とが対応しないし、これらを含めないと、相互保有対象議決権の数が少なくなりすぎて、議決権は株主の基本的かつ重要な権利であることに鑑みて、規制として厳しすぎるということになるともいえる（たとえば、議決権制限株式以外の株式が1,000株発行されている場合に、このような規定が設けられていれば、250株以上保有されてはじめて法308条1項かっこ書の規律に服するのに対し、同項かっこ書の規定により行使することができないとされる議決権の数を含まないとすると200株（200÷(1,000－200)＝1/4）以上保有されると議決権を行使することができないことになる）。なお、「外国の法令を含む」とされているのは、会社等には外国の会社その他の事業体が含まれうるからであり、「同〔法308条1〕項その他これに準ずる法以外の法令」には、放送法116条4項（電波法5条4項3号イに掲げる者により同号ロに掲げる者を通じて間接に占められる議決権の割合が増加することにより、株主名簿に記載され、または記録されている同号ロに掲げる者が有する株式のすべてについて議決権を有することとした場合に株式会社である特定地上基幹放送事業者が同号に定める事由に該当することとなるときは、特定外国株主（株主名簿に記載され、または記録されている同号イおよびロに掲げる者が有する株式のうち同号に定める事由に該当することとならないように総務省令で定めるところ（放送法施行規則89条）により議決権を有することとなる株式以外の株式を有する株主をいう）は、当該株式についての議決権を有しない）などがあたるものと解される。

　第4に、「役員等（会計監査人を除く。）の選任及び定款の変更に関する議案（これらの議案に相当するものを含む。）の全部につき株主総会（これに相当するものを含む。）において議決権を行使することができない株式（これに相当するものを含む。）に係る議決権」を分母および分子から除いて議決権の総数に対する割合を算定するものとされている。平成17年改正前商法の下では、完全無議決権株式の数は分母および分子に含まれなかったが、一部無議決権株式

の数は分母および分子に含まれていたことと対照的である。これは，今後は，さまざまな議決権制限株式が発行される可能性が高まり，その場合に，議決権を行使することができる事項がわずかでもあれば分母および分子に含まれるとすると，他の株主にそのような株式を大量に発行して，分母を大きくし，「実質的に支配することが可能となる関係」が実質的には存在するにもかかわらず，法308条1項かっこ書の適用を潜り抜けることが可能になるからであると推測される。「実質的に支配することが可能となる関係」があるといえるために最も重要な事項は取締役の選任を左右できるか否かであるが，ここで，会社経営には関与しないと考えられる，外部性の強い会計監査人を除き，役員等（取締役，監査役，会計参与，執行役（執行役は株主総会では選任されないが））の選任に関する議案について議決権を行使することができる株式は分母および分子に含まれるものとされている（「役員等（会計監査人を除く。）」は2条3項4号の「会社役員」に相当する）。また，定款の変更により，株式の内容を変更できることなどに鑑み，定款の変更に関する議案について議決権を行使することができる株式は分母および分子に含まれるものとされている。

「役員等……の選任及び定款の変更に関する議案（……に相当するものを含む）」とされているのは，会社等［→2条3②］には会社法上の会社でないものが含まれているため，法423条1項にいう「役員等」ではない役員［→2条3③］がそれらの会社等には存在するし，会社等の最高の規則は「定款」に限らないからである。「株主総会（……に相当するものを含む）」とされているのは，株式会社ではない会社等の最高の意思決定機関は株主総会ではないし，「株式（……に相当するものを含む）」とされているのも，株式会社以外の会社等の社員等の地位は「株式」ではないからである。

第5に，「当該株主であるもの以外の者が当該株式会社の株主総会の議案につき議決権を行使することができない場合（当該議案を決議する場合に限る。）における当該株主を除く」とされているのは，当該株主が当該株式会社の株主総会の議案につき議決権を行使できないとすると，当該株式会社においては株主総会の決議をすることができないという不都合が生ずるからである。たとえば，完全子会社が完全親会社の相互保有対象議決権の4分の1以上を有している場合である。そして，このような場合には，当該株主に議決権を行使させても弊害は大きくないと考えられるからである（法160条4項ただし書など参照）。

第6に，細かい相違であるが，平成17年改正前商法241条3項では会社が他の株式会社の総株主の議決権の4分の1を「超ユル」議決権を有している場合

に，当該他の株式会社はその有する会社の株式について議決権を有しないものとされていたのに対し，法308条1項かっこ書では，株式会社がその総株主の議決権の4分の1「以上」を有することを通じて株式会社がその経営を実質的に支配することが可能な関係にあるものとして法務省令で定める株主は当該株式会社の株主総会において議決権を有しないものとされている。

なお，本条の下では，必ずしも，すべての子会社がその親会社の株主総会において議決権を行使できないわけではない。すなわち，法308条1項では，「株式会社がその総株主の議決権の4分の1以上を有することその他の事由を通じて株式会社がその経営を実質的に支配することが可能な関係にあるものとして法務省令で定める株主」とされているが，「その他の事由」は定められておらず，親会社・子会社の定義（法2条3号，施規2条1項・3条1項・3項）と異なり，実質基準にはよっていない。その結果，子会社であっても，親会社がその子会社の議決権総数の4分の1以上を有していない場合（3条3項3号の場合にはこのような場合が含まれうる）には，子会社が親会社の株主総会等において議決権を行使することができることになる。これは，議決権の行使を認めるか否かは客観的な基準によって判断できないと会社の実務上の負担や不安定性が高まる上，議決権は株主の権利であるから，その制約は最小限にすべきであり，子会社がその親会社の株主総会等において議決権を行使したことによって不当な決議がなされた場合には法831条1項3号に基づく決議取消しの訴えが認められると解すれば充分だからであろう。

2　対象議決権数の算定時期（2項〜4項）

平成17年改正前商法の下では，相互保有株主として議決権を有しないとされるかどうかの基準時は法定されていなかったが，2項から4項では，規律の明確化を求める実務の要望に応えて，定めが置かれている（相澤・金融法務事情1769号34頁）。

相互保有株式についての法308条1項かっこ書の規制の趣旨が，株式相互保有から生ずる可能性のある弊害に鑑み，株式の相互保有をディスカレッジしようとすることにあり，会社支配の歪曲化が株式相互保有から生ずる可能性のある弊害の1つであることをふまえると，株主総会の会日が判定時となることが理論的である。そこで，2項は，株式会社およびその子会社の有する相互保有対象議決権の数ならびに相互保有対象議決権の総数（対象議決権数）は，当該株式会社の株主総会の日における対象議決権数とすると定めている。

しかし，3項本文は，ある株主総会において議決権を行使することができる者を定めるための基準日（会社が定める一定の日であって，その日において株主名簿に記載され，または記録されている株主がその権利を行使することができる者とされるもの。法124条1項）を会社が定めた場合には，対象議決権数は，当該特定基準日における対象議決権数とするものとしている。これは，ある株主総会において議決権を行使することができない株主に対しては，その株主総会の招集通知を発することを要しないとされているところ（法299条1項・298条2項かっこ書），実務上は，基準日における株主名簿の記載・記録を基準として株主総会の招集通知発送の作業を進めるので，基準日において判定できるとすることが，実務の負担軽減の観点から望ましいと考えられたためであると推測される。すなわち，ある株主に係る相互保有対象議決権の総数は，その株主の意思決定によって（たとえば，募集株式の発行等，自己株式の取得などにより）変動することが少なくなく，その変動を株式会社がつねに把握しておかなければならないとすることは実務上煩瑣だからである。

もっとも，3項ただし書は，①特定基準日後に当該株式会社またはその子会社が株式交換，株式移転その他の行為により相互保有対象議決権の全部を取得した場合には当該行為の効力が生じた日において，②対象議決権数の増加または減少が生じた場合（①の場合を除く）において，当該増加または減少により株主が有する当該株式会社の株式につき議決権を行使できることとなることまたは議決権を行使できないこととなることを特定基準日から当該株主総会についての招集事項（法298条1項各号に掲げる事項）の全部を決定した日（株式会社が当該日後の日を定めた場合には，その日）までの間に当該株式会社が知ったときには当該株式会社が知った日において，それぞれ，判定すべきものとしている。①の場合には，株式会社およびその子会社の有する相互保有対象議決権の数と相互保有対象議決権の総数とは連動するので，相互保有対象議決権の総数を別個に把握する必要はないし，本来，その株式会社の株主総会の日を基準とすることが望ましいからである。②の場合には，当該株式会社がその事実を知った以上は，当該株式会社の知った日を基準として，できるだけ判定時期を株主総会の会日に近づけることが法308条1項かっこ書の趣旨に照らして望ましいし，招集通知の発送前であり，かつ，当該株式会社の知った日を基準とするのであれば，株式会社にとっての実務上の負担も重くはないと考えられるからである（このような規定の下では，株式会社はある株主に係る相互保有対象議決権の総数が変動したか否かをわざわざ調査する必要がない）。

さらに，法308条1項かっこ書の趣旨に照らすと株主総会の会日を基準として判定することが理論的であるので，株主総会についての招集事項（法298条1項各号に掲げる事項）の全部を決定した日からその株主総会の会日までの間に生じた事項（当該株式会社が対象議決権数の増加または減少の事実を知ったことを含む）を勘案して，対象議決権数を算定することが会社には認められている（4項）。

なお，法124条4項は，「基準日株主が行使することができる権利が株主総会又は種類株主総会における議決権である場合には，株式会社は，当該基準日後に株式を取得した者の全部又は一部を当該権利を行使することができる者と定めることができる」と定めているが，会社がこのような定めをすることができるのは，当該株主総会についての招集事項（法298条1項各号に掲げる事項）の全部を決定した日までの間であると解されるので，3項2号が適用され，このような定めを前提として，対象議決権数が定まり，法308条1項かっこ書の適用があるか否かが決定されることになる。

―（欠損の額）――
第68条 法第309条第2項第9号ロに規定する法務省令で定める方法は，次に掲げる額のうちいずれか高い額をもって欠損の額とする方法とする。
　一　零
　二　零から分配可能額を減じて得た額

本条は，資本金額の減少決議の要件が普通決議とされるための要件との関連で「欠損の額」の算定方法を定めるものである。すなわち，法309条2項9号は，資本金額の減少の決議は特別決議によるべきことを原則としつつ，定時株主総会において減少する資本金の額，減少する資本金の額の全部または一部を準備金とするときは，その旨および準備金とする額，ならびに，資本金の額の減少がその効力を生ずる日（法447条1項）を定め，かつ，減少する資本金の額がその定時株主総会の日（会計監査人設置会社において，取締役会の承認を受けた計算書類が法令および定款に従い株式会社の財産および損益の状況を正しく表示しているものとして法務省令で定める要件（計規135条）に該当する場合には，その取締役会の承認があった日）における欠損の額として法務省令で定める方法により算定される額を超えない場合には，特別決議によることを要しないものと定

法309条２項９号が，減少する資本金の額がその「定時株主総会の日……における欠損の額として法務省令で定める方法により算定される額を超えない」場合には，普通決議により資本金額を減少することができるとしているのは，資本金の額を減少させることにより，分配可能額が増加するという点では株主にとっては有利であり，特別決議という厳格な決議要件に服させる必要が乏しい上，欠損を填補する場合には，株主に対する払戻し（剰余金の配当）は行われないので，会社の一部清算という面もないので，特別決議という厳格な決議要件に服させる必要がないと考えられるためである（相澤・一問一答155〜156頁）。したがって，分配可能額が負の値をとる場合に，分配可能額がゼロになるまで資本金額を減少させる（その他資本剰余金の額を増加させる）ことが認められるべきである。そこで，本条はゼロとゼロから分配可能額を減じて得た額とのいずれか高い額を「欠損の額」と定めている。これは，ゼロ（１号）よりゼロから分配可能額を減じて得た額（２号）が高い額となるのは分配可能額が負の値をとる場合であり，逆に，ゼロから分配可能額を減じて得た額（２号）よりゼロ（１号）が高い額となるのは分配可能額が正の値をとる場合（この場合には欠損の填補の必要はないから，欠損の額はゼロであると解するのが合理的である）だからである。

なお，本条が定める「欠損の額」の算定方法は，準備金額の減少に際して債権者保護手続を要しないものとされる要件との関連で計規151条が定める「欠損の額」の算定方法と同じである。

（書面による議決権行使の期限）

第69条 法第311条第１項に規定する法務省令で定める時は，株主総会の日時の直前の営業時間の終了時（第63条第３号ロに掲げる事項についての定めがある場合にあっては，同号ロの特定の時）とする。

本条は，株主総会における書面による議決権行使の期限を定めるものである。すなわち，法311条１項が，書面による議決権の行使は，議決権行使書面に必要な事項を記載し，法務省令で定める時までに当該記載をした議決権行使書面を株式会社に提出して行うと定めていることをうけたものである。

本条は，株主総会の招集に際して書面による議決権行使の期限を定めた場

合，定款に書面による議決権行使の期限が定められている場合，および，書面による議決権行使の期限の決定が取締役に委任され，取締役が決定した場合を除き，書面による議決権行使の期限は株主総会の日時の直前の営業時間の終了時であると定めるものである。これは，平成17年改正前商法239条ノ2第5項が「総会ノ会日ノ前日迄」と定めていたのとは対照的であるが，会社の集計作業上の実務上の負担を考慮したものである（要綱試案補足説明41頁参照）。

もっとも，会社の「営業時間の終了時」がいつなのか，必ずしも明確ではないという問題はあろう。すなわち，複数の事務所・事業所（店舗・工場等）を有する会社の場合，どの事務所・事業所における営業時間の終了時なのかは，必ずしも株主にとっては明らかではない（とりわけ，世界中に事務所・事業所を有している場合には問題が大きいかもしれない）。したがって，会社としては，株主総会の招集事項として，書面による議決権行使の期限を定めることが実務上は賢明であろう。もし，定めなかった場合には，株主の権利行使をできる限り認めるという観点から，会社の事務所・事業所——日本国内のものに限られるという解釈の余地はあるが——の営業時間の終了時の中で最も遅い時刻が書面による議決権行使の期限となると解するべきであろう。

（電磁的方法による議決権行使の期限）
第70条 法第312条第1項に規定する法務省令で定める時は，株主総会の日時の直前の営業時間の終了時（第63条第3号ハに掲げる事項についての定めがある場合にあっては，同号ハの特定の時）とする。

本条は，株主総会における電磁的方法による議決権行使の期限を定めるものである。すなわち，法312条1項が，電磁的方法による議決権の行使は，政令（施行令1条）で定めるところにより，株式会社の承諾を得て，法務省令で定める時までに議決権行使書面に記載すべき事項を，電磁的方法により当該株式会社に提供して行うと定めていることをうけたものである。

本条は，株主総会の招集に際して電磁的方法による議決権行使の期限を定めた場合，定款に電磁的方法による議決権行使の期限が定められている場合，および，電磁的方法による議決権行使の期限の決定が取締役に委任され，取締役が決定した場合を除き，電磁的方法による議決権行使の期限は株主総会の日時の直前の営業時間の終了時であると定めるものである。これは，平成17年改正

前商法239条ノ3第5項が「総会ノ会日ノ前日迄」と定めていたのとは対照的であるが，会社の集計作業上の実務上の負担を考慮したものである（要綱試案補足説明41頁参照）。

　もっとも，会社の「営業時間の終了時」がいつなのか，必ずしも明確ではないという問題はあろう。すなわち，複数の事務所・事業所（店舗・工場等）を有する会社の場合，どの事務所・事業所における営業時間の終了時なのかは，必ずしも株主にとっては明らかではない（とりわけ，世界中に事務所・事業所を有している場合には問題が大きいかもしれない）。したがって，会社としては，株主総会の招集事項として，電磁的方法による議決権行使の期限を定めることが実務上は賢明であろう。もし，定めなかった場合には，株主の権利行使をできる限り認めるという観点から，会社の事務所・事業所――日本国内のものに限られるという解釈の余地はあるが――の営業時間の終了時の中で最も遅い時刻が電磁的方法による議決権行使の期限となると解するべきであろう。

（取締役等の説明義務）

第71条　法第314条に規定する法務省令で定める場合は，次に掲げる場合とする。

一　株主が説明を求めた事項について説明をするために調査をすることが必要である場合（次に掲げる場合を除く。）
　イ　当該株主が株主総会の日より相当の期間前に当該事項を株式会社に対して通知した場合
　ロ　当該事項について説明をするために必要な調査が著しく容易である場合
二　株主が説明を求めた事項について説明をすることにより株式会社その他の者（当該株主を除く。）の権利を侵害することとなる場合
三　株主が当該株主総会において実質的に同一の事項について繰り返して説明を求める場合
四　前3号に掲げる場合のほか，株主が説明を求めた事項について説明をしないことにつき正当な理由がある場合

　本条は，株主総会において，株主が説明を求めた事項について説明をしないことが許される場合を定めるものである。すなわち，法314条本文は，取締役，会計参与，監査役および執行役は，株主総会において，株主から特定の事項について説明を求められた場合には，当該事項について必要な説明をしなけ

ればならないと定めるが、同条ただし書が、「当該事項が株主総会の目的である事項に関しないものである場合、その説明をすることにより株主の共同の利益を著しく害する場合その他正当な理由がある場合として法務省令で定める場合は、この限りでない」と定めていることをうけて、本条では、「その他正当な理由がある場合として法務省令で定める場合」を定めている。

本条は、実質的には、平成17年改正前商法237条ノ3を踏襲し、または裁判例において受け入れられている立場を明文化したものである。

1 株主が説明を求めた事項について説明をするために調査をすることが必要である場合（1号）

取締役等としては、知らないことは説明することができないから、株主が説明を求めた事項について説明をするために調査をすることが必要である場合には、説明をしないことにつき正当な理由があると一般的にはいうことができる（竹内・昭和56改正108頁）。たとえば、「相当の期間前に書面で説明を求める旨通知することなく当日出された質問で、会計帳簿等を調査しなければ答えられないような事項は、原則として商法237条ノ3所定の説明義務の対象外と解すべきである」（圏点―引用者）とする裁判例（大阪地判平成元・4・5資料版商事法務61号15頁）がある。

しかし、つねに、「調査をしなければ答えられない」と応ずれば足りるというのでは、法314条が取締役等の説明義務を定めた趣旨が没却される。そこで、「当該株主が株主総会の日より相当の期間前に当該事項を株式会社に対して通知した場合」には、あらかじめ調査することができるので、説明をするために調査をすることが必要であることのみを理由として説明を拒むことはできないものとされている［ただし、→**4**］。ここで、法314条が「特定の事項」についての説明義務を定めていることから、本号イにいう「当該事項」は具体性を有していることを要し、一般的・抽象的な内容の通知は本号イにいう通知にはあたらないと解するべきであろう（竹内・昭和56改正109頁）。また、「相当の期間」がどれぐらいの期間であるかは、株主が説明を求める事項によって異なり、比較的短時間で調査することができるような事項であれば、「相当の期間」は短く、調査に相当の時間を要する事項であれば、それに応じて「相当の期間」は長くなると解すべきである（竹内・昭和56改正108頁）。

なお、平成17年改正前商法237条ノ3第2項と異なり、法314条および本条では、説明を求める事項を「書面で」会社に通知することは株主に求められてい

ない。これは，今日のようにインターネットが発達した時代においては，必ずしも書面で通知を要求する必要はないと考えられるし，書面要件をファックス送信によって満たすことができるのであれば，電子メールで通知することを認めても会社にとって過重な負担を課すことにはならないと考えられたためであろう。そして，会社法が通知の方法を法定していないのは，会社の自治に委ねる趣旨であると解すると（相澤＝郡谷・商事法務1759号17頁），株主の権利行使を不当に妨げることのない，合理的な通知の方法を会社が定款またはその授権に基づく株主取扱規則で定めること（たとえば，書面によらなければならないとすること）はできると解され（ただし，63条6号と対照），会社は，説明を求める事項の通知先としてのメールアドレスやファックスの番号を定めておくことは──そのアドレスや番号を株主に周知させる手段を講じておけば──できるのではないかとも思われる。もし，定めがなければ，たとえば，株主から顧客対応等において口頭で質問があった場合や会社の使用するウェブサイトに書き込まれた場合であっても，それが株主総会において質問することの予告である場合には，「通知」があったと解されることになろう（松井・商事法務1765号22頁）。

また，本号ロは「当該事項について説明をするために必要な調査が著しく容易である場合」には，株主が説明を求めた事項について説明をするために調査をすることが必要であるとして，説明を拒めないことを明らかにしている。平成17年改正前商法237条ノ3の解釈としても，「質問の内容いかんでは，会社は，事前の通知がなかったことを理由として答弁を拒みえないことも，もちろんありうる」とされていたが（竹内・昭和56改正108～109頁），事前の通知がない場合には，質問された事項について説明するために調査が必要なことを理由として説明を拒めるという誤解を防ぐために，本号ロが設けられている（相澤＝郡谷・商事法務1759号14頁）。

ここで，「著しく容易である」か否かは，説明を求められた株主総会の時点において，その状況に基づき判断され，説明をせず，事後的に「著しく容易である」ことが判明したとしても，当該株主総会の場ではそのような判断ができない状況にあった場合には，決議の方法に法令違反はなく，株主総会決議取消原因（法831条1項1号）はないものと考えられる（相澤＝郡谷・商事法務1759号14～15頁）。説明するための調査に要する費用が少なく，かつ，調査に要する時間が短く，実務上は，──その説明を求められた事項についての説明を別として──その株主総会の閉会時までに調査できる場合には，「著しく容易であ

る」と評価してよいのではないかと思われる。

2 株主が説明を求めた事項について説明をすることにより株式会社その他の者（当該株主を除く）の権利を侵害することとなる場合（2号）

　典型的には，株式会社その他の者のプライバシーの侵害や営業秘密の漏洩につながる場合であり，株式会社の権利を侵害することとなる場合は，法314条ただし書の「その説明をすることにより株主の共同の利益を著しく害する場合」にもあたることが多いであろう。なお，「当該株主を除く」とされているのは，説明を求めた株主の権利が侵害されることを理由に，その株主が説明を求めているにもかかわらず説明をしないことは適当ではないからである。

　説明をすることにより，取締役等または株式会社が刑事訴追あるいは行政処分を受けるおそれがある場合（たとえば，贈賄，談合，特別背任，秘密漏洩，公害など）は4号にあたるともいえるが，本号にあたると解する余地もあろう。

3 株主が当該株主総会において実質的に同一の事項について繰り返して説明を求める場合（3号）

　平成17年改正前商法の下でも，議長が質問の打切りなどを行っていたと推測され（平成17年改正前商法237条ノ4），すでに十分に説明した事項については説明をしなくとも，説明義務違反とはならないと解されてきたが（東京地判昭和60・9・24判時1187号126頁・東京高判昭和61・2・19判時1207号120頁・最判昭和61・9・25金法1140号23頁により是認）など参照），これを明らかにするために規定を設けたものである（相澤＝郡谷・商事法務1759号15頁）。

4 1から3の場合のほか，株主が説明を求めた事項について説明をしないことにつき正当な理由がある場合（4号）

　たとえば，説明を求められた事項について，十分な説明をするためには，その調査に過大な費用を要する場合が考えられる（竹内・昭和56改正109頁）。また，ある裁判例（前掲東京地判昭和60・9・24）は，法的解釈を尋ねるものや抽象的・仮定的事例について取締役・監査役がどのように対処するかを問うものは説明義務の対象ではないと判示している。

　他方，計算書類については附属明細書に記載が求められる事項，決議事項については参考書類に記載が求められる事項を超えて説明することを要しない，すなわち，会社の会計帳簿資料を閲覧しなければ判明しない事項あるいは業務

財産調査検査役でなければ閲覧等できない帳簿資料に記載・記録された事項については説明をすることを要しないという見解も実務においては有力なようであるが（たとえば，前掲東京地判昭和60・9・24，福岡地判平成3・5・14判時1392号126頁，広島高松江支判平成8・9・27資料版商事法務155号48頁など参照），このような見解はやや説得力を欠くように思われる。なぜならば，会計帳簿資料閲覧権が少数株主権とされ，その他の帳簿資料へのアクセスは業務財産調査検査役にのみ認められている趣旨は，閲覧等を認めると探索的な行動が可能であり，本来，必要でない部分についてまで株主が情報を得て，会社の利益，ひいては株主共同の利益を害するおそれがあること，あるいは，会社の経理業務の妨げになり，あるいは会社がそれに対応するために資源を割かなければならないという点に求められると考えられるところ，株主総会において，説明をすることにはそのような弊害は認められないからである。

　また，公開会社以外の会社については事業報告の内容とすべき事項として具体的に掲げられているものは少なく（118条），公開会社以外の会社（会計監査人設置会社を除く）については個別注記表に含めるべき事項として列挙されているものは限定されており（計規98条2項1号），計算書類の附属明細書に含めるべき事項として列挙されているものも限定的である（計規117条柱書参照）が，そのような会社では，株主に与える情報が少なくともよいという合理的な理由はなく，単に，計算書類およびその附属明細書あるいは事業報告という形で情報を提供する必要はないというにすぎないと考えられる（公開会社以外の会社であれば，公開会社に比べて，説明を求めることが株主になおさら認められてよさそうなのにもかかわらず，個別注記表などで開示されていない以上，会計帳簿資料閲覧権を行使しなければ知りえない情報であるとして，説明を拒めるというのは背理であろう）。

　さらに，当該株式会社の状況に関する重要な事項が事業報告の内容とすべき事項（118条1号），事業報告の内容を補足する重要な事項が事業報告の附属明細書の内容とすべき事項（128条柱書）とされている。同様に，計規117条柱書では「各事業年度に係る株式会社の計算書類に係る附属明細書には，次に掲げる事項……のほか，株式会社の貸借対照表，損益計算書，株主資本等変動計算書及び個別注記表の内容を補足する重要な事項を表示しなければならない」（圏点—引用者）とされ，会社計算規則98条1項19号および116条によれば「第100条から前条〔115条の2〕までに掲げるもののほか，貸借対照表等，損益計算書等及び株主資本等変動計算書等により会社（連結注記表にあっては，企業

集団）の財産又は損益の状態を正確に判断するために必要な事項」（圏点―引用者）を個別注記表の内容としなければならないものとされている。このことから，現実に事業報告およびその附属明細書，個別注記表あるいは計算書類の附属明細書の内容として記載されていないことの一事をもって，ある事項が会計帳簿等を閲覧しなければ知ることのできない事項にあたるとして，説明義務の対象外となるということはできないといえよう。

以上に加えて，参考書類の記載事項は，株主に対して株主総会の招集に際し提供するための印刷・郵送等のコストを考慮して，絞り込まれているのであって，株主総会において説明を求める場合であれば，そのようなコストは要しないし，株主総会に出席する者の中に，参考書類に記載された事項について疑問をもって，さらに説明を求めるものが存在することは自然であると考えられる（前田393頁，東京地判平成16・5・15資料版商事法務243号111頁参照）。

なお，前掲大阪地判平成元・4・5は会計帳簿等を調査しなければならない事項も説明義務の対象となりうる場合があることを前提としているものと推測される。もっとも，会計帳簿等を閲覧しなければ知りえないような事項の中には，説明をすることによって株主共同の利益を著しく害するものや1号から3号までのいずれかにあたるものがありえ，それらは，説明を拒絶できると考えられる。また，会計帳簿等を閲覧しなければ知りえないような事項は，株主総会の目的である事項に関しないといえる場合，すなわち，株主が会議の目的たる事項の合理的な理解および判断をするために客観的に必要と認められる事項ではないと評価できる場合（大阪高判平成2・3・30判時1360号152頁，前掲東京地判平成16・5・15など参照）も少なからずありえよう。

― **（議事録）** ―
第72条　法第318条第1項の規定による株主総会の議事録の作成については，この条の定めるところによる。
2　株主総会の議事録は，書面又は電磁的記録をもって作成しなければならない。
3　株主総会の議事録は，次に掲げる事項を内容とするものでなければならない。
　一　株主総会が開催された日時及び場所（当該場所に存しない取締役（監査等委員会設置会社にあっては，監査等委員である取締役又はそれ以外の取締役。第4号において同じ。），執行役，会計参与，監査役，会計監査人又は株

主が株主総会に出席をした場合における当該出席の方法を含む。)
　二　株主総会の議事の経過の要領及びその結果
　三　次に掲げる規定により株主総会において述べられた意見又は発言があるときは，その意見又は発言の内容の概要
　　イ　法第342条の2第1項
　　ロ　法第342条の2第2項
　　ハ　法第342条の2第4項
　　ニ　法第345条第1項(同条第4項及び第5項において準用する場合を含む。)
　　ホ　法第345条第2項(同条第4項及び第5項において準用する場合を含む。)
　　ヘ　法第361条第5項
　　ト　法第361条第6項
　　チ　法第377条第1項
　　リ　法第379条第3項
　　ヌ　法第384条
　　ル　法第387条第3項
　　ヲ　法第389条第3項
　　ワ　法第398条第1項
　　カ　法第398条第2項
　　ヨ　法第399条の5
　四　株主総会に出席した取締役，執行役，会計参与，監査役又は会計監査人の氏名又は名称
　五　株主総会の議長が存するときは，議長の氏名
　六　議事録の作成に係る職務を行った取締役の氏名
4　次の各号に掲げる場合には，株主総会の議事録は，当該各号に定める事項を内容とするものとする。
　一　法第319条第1項の規定により株主総会の決議があったものとみなされた場合　次に掲げる事項
　　イ　株主総会の決議があったものとみなされた事項の内容
　　ロ　イの事項の提案をした者の氏名又は名称
　　ハ　株主総会の決議があったものとみなされた日
　　ニ　議事録の作成に係る職務を行った取締役の氏名
　二　法第320条の規定により株主総会への報告があったものとみなされた場合　次に掲げる事項
　　イ　株主総会への報告があったものとみなされた事項の内容
　　ロ　株主総会への報告があったものとみなされた日
　　ハ　議事録の作成に係る職務を行った取締役の氏名

本条は，株主総会の議事録の作成について定めるものである。すなわち，法318条1項は，株主総会の議事については，法務省令で定めるところにより，議事録を作成しなければならないと規定しており，この委任をうけて本条が定められている（他方，厳密には，4項が，会社法の委任に基づくものと評価できるかどうかについては，疑義がまったくないわけではない）。

1 書面または電磁的記録（2項）

会社法は株主総会の議事録をどのような媒体で作成しなければならないかについて直接には規律していないが，法318条3項は，株主総会の議事録が書面または電磁的記録をもって作成されることを前提とした規定である。そこで，本項は，株主総会の議事録は，書面または電磁的記録をもって作成しなければならないものと定めている。書面または電磁的記録をもって作成しなければならないとされているのは，株式会社は，株主総会の日から10年間，議事録を当該株式会社の本店に備え置かなければならないとされていることに鑑みて（法318条3項），ある程度の期間，保存が可能な確実な記録媒体を用いることを要求するものである。

本項でいう電磁的記録とは，電子的方式，磁気的方式その他人の知覚によっては認識することができない方式で作られる記録であって，電子計算機による情報処理の用に供されるものとして法務省令で定めるものをいい（法26条2項かっこ書），具体的には，磁気ディスクその他これに準ずる方法により一定の情報を確実に記録しておくことができる物をもって調製するファイルに情報を記録したものをいうものとされている（224条）。

磁気ディスクにはフロッピー・ディスクなどが含まれるが，「その他これに準ずる方法により一定の情報を確実に記録しておくことができる物」には，磁気テープ，磁気ドラムのように磁気的方法により情報を記録するための媒体，ICカードやUSBメモリなどのような電子的方法により情報を記録するための媒体，CD-ROM，DVD-ROMなどのような光学的方式により情報を記録するための媒体が含まれる。そのような記録媒体を用いて調製するファイルに情報を記録したものが，本項にいう電磁的記録にあたる（江原＝太田・商事法務1627号8頁）。

2 議事録の内容（3項）

平成17年改正前商法244条2項は，議事録に議事の経過の要領およびその結

果を記載または記録することを要求していたが，本項は，議事録の内容とすべき事項をより詳細に定めている。

　平成17年改正前商法の下では，「議事の経過の要領」とは，開会宣言から閉会宣言までの会議の経過の要約をいうと解され，「議事の経過の要領」には，標題，総会の会日，開催時刻および開催場所，取締役および監査役の出席状況，議長の開会宣言，議決権個数の報告，監査役の報告，報告事項の報告，質問状に対する一括回答，質疑応答，質問状の提出者が株主総会に欠席した場合，決議事項の上程および審議，決議事項に関する質疑応答，動議が出された場合，議長の閉会宣言と閉会時刻，作成担保文言および作成日付が含まれると解されていたが（今井＝成毛14頁以下），これは，本項で特に内容とすべき事項として掲げられたものを除けば，本項２号にいう「株主総会の議事の経過の要領」の解釈にもあてはまると考えられる。

　本条では，第１に，株主総会が開催された「場所に存しない取締役（監査等委員会設置会社にあっては，監査等委員である取締役又はそれ以外の取締役……），執行役，会計参与，監査役，会計監査人又は株主が株主総会に出席をした場合における当該出席の方法」を内容とすることを要求している点が特徴的である。株主総会が開催された「場所に存しない取締役（監査等委員会設置会社にあっては，監査等委員である取締役又はそれ以外の取締役……），執行役，会計参与，監査役，会計監査人又は株主が株主総会に出席をした場合における当該出席の方法」とは，株主総会を開催する際に，その場所に物理的に出席しなくとも，取締役会などと同様，オンライン会議，テレビ会議または電話会議のように，情報伝達の双方向性および即時性が確保されるような方式で株主等が株主総会に出席することができることを前提とした規定である［→101条２］。他方，「株主総会が開催された……場所」と規定されていることからは，物理的な株主総会の開催場所を観念できない完全にヴァーチャルな株主総会では，株主総会が開催されたとは会社法上評価できないと解するのが自然であろう（もっとも，たとえば，議長の所在する場所を株主総会が開催される場所として，株主総会を招集し，株主が所在する場所を通信回線でつないで，またはインターネットによって株主総会を開催することはできるのではないかと思われる）。なお，株主総会が開催された「場所に存しない取締役（監査等委員会設置会社にあっては，監査等委員である取締役又はそれ以外の取締役……），執行役，会計参与，監査役，会計監査人又は株主が株主総会に出席をした場合における当該出席の方法」という表現からみて，オンライン会議，テレビ会議や電話会議

で参加した株主等が所在する場所は「株主総会が開催された……場所」ではないと解すべきことになろう。

第2に，一定の類型的に重要な意見または発言が株主総会において述べられたときには，その意見または発言の内容の概要（3号）を議事録の内容とすることが要求されている。すなわち，①監査等委員である取締役の選任もしくは解任または辞任についての監査等委員である取締役の意見，②辞任した監査等委員である取締役による辞任した旨およびその理由の陳述，③監査等委員である取締役以外の取締役の選任もしくは解任または辞任についての監査等委員会の意見（法342条の2第1項・2項・4項），④会計参与・監査役・会計監査人の選任もしくは解任または辞任についての会計参与・監査役・会計監査人の意見（法345条1項・4項・5項），⑤辞任した会計参与・監査役・会計監査人による辞任した旨およびその理由の陳述（同条2項・4項・5項），⑥監査等委員である取締役の報酬等についての監査等委員である取締役の意見および監査等委員である取締役以外の取締役の報酬等についての監査等委員会の意見（法361条5項・6項），⑦計算関係書類の作成に関する事項について会計参与が取締役（指名委員会等設置会社では執行役）と意見を異にするときの，会計参与（会計参与が監査法人または税理士法人である場合には，その職務を行うべき社員）の意見（法377条1項），⑧会計参与の報酬等についての会計参与（会計参与が監査法人または税理士法人である場合には，その職務を行うべき社員）の意見（法379条3項），⑨取締役が株主総会に提出しようとする議案，書類その他法務省令で定めるもの［→106条］に法令もしくは定款に違反し，または著しく不当な事項があると監査役または監査等委員が認めるときの，その調査の結果の報告（法384条・399条の5），⑩監査役の報酬等についての監査役の意見（法387条3項），⑪取締役が株主総会に提出しようとする会計に関する議案，書類その他の法務省令で定めるもの［→108条］の調査の結果の監査役（監査の範囲を会計に関するものに限定されているもの）による報告（法389条3項），⑫計算関係書類が法令または定款に適合するかどうかについて会計監査人が監査役と意見を異にするときの，会計監査人（会計監査人が監査法人である場合には，その職務を行うべき社員）の意見（法398条1項），および，⑬定時株主総会において会計監査人の出席を求める決議があったときの，会計監査人の意見（同条2項）は，株主総会議事録の内容としなければならない。いずれも，株主の議決権行使にとって，重要な意見または発言であり，かつ，そのような意見や発言を述べる機会が会計参与，監査役または会計監査人に与えられたかどうかを後日確かめるた

めの記録を残しておくことが必要だからである（会計参与，監査役または会計監査人にとっては，善良な管理者としての注意義務を尽くして任務を果たしたことを立証するための証拠ともなりうる）。

　第3に，「株主総会に出席した取締役，執行役，会計参与，監査役又は会計監査人の氏名又は名称」を含めるべきこととされている（4号）。これは，株主総会の出席者は意見を述べる可能性があるとともに，意見を述べなくとも，事実上の影響力を及ぼす可能性があるため，株主総会の出席者を議事録に含めることを要求するものである。取締役会議事録［→101条2］と異なり，出席した取締役および監査役の氏名を株主総会議事録に含めることが要求されているのは，取締役会とは異なり，出席した取締役および監査役も株主総会議事録に署名あるいは記名押印等を行うことを要求されていないからである。

　「株主総会に出席した取締役，執行役，会計参与，監査役又は会計監査人」の氏名または名称を内容とすることが要求されているにすぎないので，たとえば，議事録の冒頭に，「出席した取締役の氏名」として記載する必要はなく，末尾に出席した取締役としての記名押印があれば，それで足りるものと解されている。また，たとえば，「取締役××××が議長となった」旨の記載や「監査役○○○○が監査報告をした」旨の記載などでもよいと考えられる。

　なお，「株主総会に出席した取締役，執行役，会計参与，監査役又は会計監査人」には，その株主総会において選任され，かつ，就任を承諾した取締役，執行役，会計参与，監査役または会計監査人が含まれることがある。たとえば，取締役に選任された者が即時就任することを承諾すると，その時点から取締役となり，したがって，「株主総会に出席した取締役」となる（松井信憲・商業登記ハンドブック［第4版］149頁）。典型的には，任期満了による退任者の後任でない場合，たとえば，追加選任または（会社法329条3項にいう補欠者ではなく）任期満了前に退任した者の補欠として選任される者が株主総会に出席した場合には，就任同意があれば，選任決議がなされた時に就任すると解され，出席取締役等として，その氏名または名称が議事録に記載されるべきことになる（中村直人・取締役・執行役ハンドブック［第3版］21頁参照）。

　第4に，「株主総会の議長が存するときは，議長の氏名」（5号）を議事録に含めるべきこととされているのは，議長は議事の進行に大きな影響力を与えるため，株主総会議事録を閲覧等する株主等にとって重要な情報でありうるからであろう。したがって，ここでいう「株主総会の議長」とは，その株主総会において議長を務めた者をいうと解される。議事の途中で，議長が交代した場合

には，すべての議長の氏名を，どの事項についての報告・審議の議長を務めたかを明らかにして，示すべきことになろう。

　第5に，「議事録の作成に係る職務を行った取締役の氏名」（6号）を議事録に含めるべきこととされているのは，議事録の作成についての責任者を明らかにするためである。したがって，「議事録の作成に係る職務を行った取締役」とは，議事録案の最終決裁者であると解される（下山・商事法務1767号48頁）。

　なお，平成17年改正前商法244条3項・4項（さらに同法33条ノ2第2項）によれば，議長および出席した取締役は，議事録が書面をもって作成された場合には議事録に署名し，電磁的記録をもって作成された場合にはその電磁的記録に記録された情報について署名に代わる措置であって法務省令に定めるもの（電子署名）をとらなければならなかった。

　しかし，会社法の下では，株主総会の議事録に対する出席取締役等の署名等には法的な意味がなく（取締役会，監査役会，監査等委員会，指名委員会等または清算人会の議事録に対する署名等の効果（法369条5項・393条4項・399条の10第5項・412条5項・490条5項）と対照），しかも，署名等を要求することによっては，偽造の防止や真正性の確保が実現するとは必ずしも考えられないことから，署名等は義務づけないこととされた（相澤＝郡谷・商事法務1759号15頁参照）。

　もっとも，商業登記規則61条6項1号は，株主総会または種類株主総会の決議によって代表取締役を定めた場合には，代表取締役または代表執行役の就任による変更の登記の申請書に，「議長及び出席した取締役が株主総会又は種類株主総会の議事録に押印した印鑑」（圏点―引用者）につき市町村長の作成した証明書を添付しなければならないと定めており，この場合には，議長および出席取締役は株主総会・種類株主総会の議事録に記名押印しなければならないことになる。

3　株主総会の決議または株主総会への報告があったものとみなされた場合の議事録の作成（4項）

　取締役または株主が株主総会の目的である事項について提案をした場合において，当該提案につき株主（当該事項について議決権を行使することができるものに限る）の全員が書面または電磁的記録により同意の意思表示をしたときは，当該提案を可決する旨の株主総会の決議があったものとみなされるが，その場合には，株式会社は，株主総会の決議があったものとみなされた日から10

年間，当該書面または電磁的記録を当該株式会社の本店に備え置かなければならないものとされている（法319条1項・2項）。また，取締役が株主の全員に対して株主総会に報告すべき事項を通知した場合において，当該事項を株主総会に報告することを要しないことにつき株主の全員が書面または電磁的記録により同意の意思表示をしたときは，当該事項の株主総会への報告があったものとみなされるが（法320条），この場合には，当該書面または電磁的記録の備置きや閲覧・謄写等に応じることは要求されていない。

しかし，株主以外の者にとっては，特定の決議や報告が，会議を開催して行われたのか，株主全員の同意によって行われたのかが明らかではないことから，株主総会の決議あるいは株主総会への報告に関する資料の保存等についての規律の首尾一貫性を確保するため，本条は，株主総会の決議または株主総会への報告があったものとみなされた場合にも議事録の作成を要求することとしたものである（相澤＝郡谷・商事法務1759号16頁）。議事録である以上，法318条により，備置き・閲覧・謄写等の対象となる。

もっとも，会議が開催された場合と異なり，株主総会が開催された日時および場所ならびに株主総会の議事の経過の要領およびその結果といったような記載・記録事項はないし，株主総会の議長が存するということはないから，議長の氏名は記載・記録事項ではない。すなわち，株主総会の決議があったものとみなされた事項（または株主総会への報告があったものとみなされた事項）の内容（株主総会の決議があったものとみなされた場合には，さらに，その事項の提案をした者の氏名または名称），株主総会の決議があったものとみなされた（株主総会への報告があったものとみなされた）日，および，議事録の作成に係る職務を行った取締役の氏名を内容としなければならないものとされるにとどまっている。

第2款　株主総会参考書類

第1目　通則

第73条　株主総会参考書類には，次に掲げる事項を記載しなければならない。
　一　議案
　二　提案の理由（議案が取締役の提出に係るものに限り，株主総会において

一定の事項を説明しなければならない議案の場合における当該説明すべき内容を含む。）

三　議案につき法第384条，第389条第３項又は第399条の５の規定により株主総会に報告をすべきときは，その報告の内容の概要

2　株主総会参考書類には，この節に定めるもののほか，株主の議決権の行使について参考となると認める事項を記載することができる。

3　同一の株主総会に関して株主に対して提供する株主総会参考書類に記載すべき事項のうち，他の書面に記載している事項又は電磁的方法により提供する事項がある場合には，これらの事項は，株主に対して提供する株主総会参考書類に記載することを要しない。この場合においては，他の書面に記載している事項又は電磁的方法により提供する事項があることを明らかにしなければならない。

4　同一の株主総会に関して株主に対して提供する招集通知又は法第437条の規定により株主に対して提供する事業報告の内容とすべき事項のうち，株主総会参考書類に記載している事項がある場合には，当該事項は，株主に対して提供する招集通知又は法第437条の規定により株主に対して提供する事業報告の内容とすることを要しない。

本条は，株主総会参考書類の一般的記載事項および記載の省略等を定めるものである。

1　一般的記載事項（１項）

本項は，参考書類の一般的記載事項を定める。一般的記載事項とは，取締役会が総会議案を提出する場合であるか，株主が提案権（法303条・305条）を行使して議題・議案の追加・提出を行う場合であるかを問わず，参考書類が作成されるときには記載しなければならない事項をいう。

(1)　議　案（１号）

株主総会に提出される予定の議案はすべて記載されなければならない。株主の提案権行使による議案も含まれる。

株主総会の招集通知には，会議の目的たる事項すなわち議題を記載すれば足り，その議題について会社が提出しようとする議案まで記載する必要はない（法299条４項・298条１項２号）。しかし，議案が明らかにされなければ，書面または電磁的方法により，議決権を行使することは不可能なので，株主総会参考

書類には議案の記載が必要とされる。

　なお，本号は，平成18年改正前商法施行規則12条1項かっこ書のように「会議の目的が議案となるものを含む」とはしていないが，「会社解散の件」，「取締役○○氏解任の件」などの議題は，そのまま記載すれば，本号の要求を満たすと解するべきであろう。

(2)　提案の理由（2号）

　平成18年改正前商法施行規則13条1項13号は，議案が取締役の提出に係るものであるときには，個別に記載事項が定められている議案以外の議案について，提案の理由（その決議に際して株主総会において一定の事項の開示を要する議案の場合には，その開示すべき事項を含む）を記載すべきこととしていたが，会社法施行規則ではその記載が要求されていなかった。これは，提案の理由の情報価値がそれほど高いとは考えられないという理由に基づいていた（相澤＝郡谷・商事法務1759号16頁）。

　しかし，平成21年法務省令第7号による改正により，「提案の理由」がふたたび，株主総会参考書類の記載事項とされた。これは，株主総会参考書類は，株主総会に出席しない株主が，株主総会における取締役等による説明を聴かなくても，議案に対する賛否を判断することができるようにするための情報を提供することを目的とするところ，提案の理由は議案に対する賛否の判断において重要な情報であると考えられる一方で，平成18年制定時の会社法施行規則の下でも，実務上，提案の理由等が記載されることが一般的であった（大野ほか・商事法務1862号19頁）ことによる。

　なお，議案が取締役の提出に係るものに限り記載が求められており，株主総会において一定の事項を説明しなければならない議案の場合については，説明すべき内容（たとえば，(a)募集株式に係る払込金額が募集株式の引受人に特に有利な金額である場合における，そのような払込金額でその者の募集をすることを必要とする理由（法199条3項・200条2項），(b)募集新株予約権と引換えに金銭の払込みを要しないこととすることが引受人に特に有利な条件である場合または払込金額が引受人に特に有利な金額である場合における，そのような条件または金額で募集新株予約権を引き受ける者の募集をすることを必要とする理由（法238条3項・239条2項），(c)取締役の報酬等の支給基準を定め，または改定する事項を相当とする理由（法361条4項），(d)他の会社の事業の全部の譲受けをする場合において，譲り受ける資産に当該株式会社の株式が含まれるときの当該株式に関する事項（法467条2項），

(e)帳簿上，債務超過である会社を吸収合併する場合などにおけるその旨（法795条2項），(f)吸収合併に際して承継する資産に当該株式会社の株式が含まれるときの当該株式に関する事項（同条3項））を含むものとされている。

(3) 監査役・監査等委員がすべき報告の内容の概要（3号）

　監査役は，取締役が株主総会に提出しようとする議案，書類その他法務省令で定めるもの（106条）を調査し，法令もしくは定款に違反し，または著しく不当な事項があると認めるときは，その調査の結果を株主総会に報告しなければならない（法384条）。監査の範囲が会計事項に限定されている監査役は，取締役が株主総会に提出しようとする会計に関する議案，書類その他の法務省令で定めるもの（108条）を調査し，同様の報告義務を負う（法389条3項）。調査義務を定める明文の規定はないが，監査等委員も同様の報告義務を負う（法399条の5）。これは，株主総会が監査役・監査等委員（以下，(3)において「監査役等」という）の報告を聴いて議案等に対する賛否を決することができるようにするためであるから，株主総会の前に議案に対する賛否を決しようとする株主にとっても，監査役等の報告内容は不可欠な情報であり，これも株主総会参考書類に記載しなければならない。

　また，この監査役等の報告義務は，たとえば，監査役等が法令・定款に違反する事項を発見し取締役会の場などを通じてその是正を求めたにもかかわらず，取締役会が監査役等の意見を容れずに総会に違法な議案・書類を提出した場合に生ずるものであり，株主の議決権行使の参考とするために定められているものであるから，このような監査役等の報告内容が株主総会参考書類に記載されるのは当然ともいえる。

　なお，株主総会参考書類自体は，取締役が株主総会に提出しようとする書類には該当しないが，このような趣旨に照らして，株主総会参考書類の記載に法令もしくは定款に違反しまたは著しく不当な事項があると監査役等が認める旨も参考書類に記載しなければならないと解されている（稲葉・昭和56改正151頁）。

　監査役等の報告内容をそのまま株主総会参考書類に記載するのが原則のはずであるが，本号は「概要」の記載で足りるとしている。これは，監査役等の報告内容が冗長であるときに会社の責任において要約する余地を認めるためであると推測される（稲葉・別冊商事法務59号56頁参照）。もっとも，実務上は，監査役等に対し，株主総会参考書類の記載にふさわしい概要の提出を求めるべきであり，それに監査役等が応じない場合に，その報告内容の趣旨を損わないよ

うに要約することになろう。

2 平成18年改正前商法施行規則で要求されていた記載事項のうち記載が要求されていない事項

　第1に，総株主の議決権の数（平成18年改正前商法施行規則12条1項）は記載すべき事項とはされていない。これは，議案ごとに総株主の議決権の数が変わる可能性があり，場合によっては，その確定が困難であるという理由に基づくものである（相澤＝郡谷・商事法務1759号16頁）。

　第2に，平成18年改正前商法施行規則13条5項および16条3項は，法令・定款違反の行為に関する取締役，監査役または執行役の会社に対する責任を，その取締役，監査役または執行役の報酬等を基準として，株主総会または取締役会の決議により免除した場合（平成17年改正前商法266条7項・12項・18項・280条1項，平成17年廃止前商法特例法21条の17第4項・5項）または社外取締役と会社との間にその取締役の法令・定款違反の行為に関する会社に対する責任の限度額をその取締役の報酬等を基準として定めた場合にその取締役がその限度額の範囲で責任を負ったときは（平成17年改正前商法266条19項，平成17年廃止前商法特例法21条の17第5項），その取締役，監査役または執行役に退職慰労金，使用人を兼ねる場合の使用人分退職手当のうち取締役を兼ねる期間の職務遂行の対価である部分およびこれらの性質を有する財産上の利益を与えることの承認の決議に関する議案についての株主総会参考書類には，取締役または監査役の報酬を総額をもって定めている場合または議案が一定の基準に従い退職慰労金の額を決定することを取締役，監査役その他第三者に一任するものであるときであっても，その取締役または監査役に与える退職慰労金もしくは退職手当の額または財産上の利益の内容を記載しなければならないものとしていたが，会社法施行規則はそのような記載を求めていない。立法論としては，当該取締役，監査役または執行役が責任の免除あるいは責任の制限を受けた者であることは退職慰労金もしくは退職手当の額または財産上の利益を定める上で重要な判断材料であるし，責任の免除あるいは責任の限定の限度額の算定基礎にはすでに支給された退職慰労金もしくは退職手当の額または財産上の利益の額が含まれていることとの均衡から，当該取締役，監査役または執行役に支給する退職慰労金もしくは退職手当の額または財産上の利益を株主には明らかにすべきであると考えられる一方で，これを記載事項としないことによる株主総会参考書類の分量の縮減や作成の手間の削減が期待できない以上，このような変更に

合理性があるのかどうかは疑わしい。

　第3に，平成18年改正前商法施行規則13条1項4号および16条2項は，「利益の処分又は損失の処理に関する議案の場合」については，議案作成の方針を記載することを要求していたが，会社法施行規則ではそのような記載は要求されていない。これも，なぜ，記載事項からはずされたのかは不明である（相澤＝郡谷・商事法務1759号17頁は，「剰余金の配当……に関する議案については，現行法と同様，特記事項は」ない（圏点―引用者）と説明しているが，事実誤認なのではないかと思われる）。会社提出の提案は株主総会において承認されるのが一般的であることを考慮すると，立法論としては，議案作成の方針を記載することを要求するほうが望ましいと思われる（126条10号参照）。

3　報告事項と参考書類

　株主総会参考書類は株主総会における議決権行使について参考となるべき事項を記載した書類であるから，ここにいう議決権の行使を，当該議案に関する議決権行使を意味すると解すれば，参考書類には報告事項に関する記載は原則としてなされないことになる。しかし，広く株主による質問や各種の共益権行使とともに他の議案に関する議決権行使まで含めて考えると，報告事項についても参考書類が必要であると解すべきことになるとの指摘がある（龍田・企業会計34巻6号59頁）。すなわち，事業報告の内容は報告事項であり（法438条3項），さらに，会計監査人設置会社である取締役会設置会社において取締役会の決議のみで計算書類が確定されたときは計算書類の内容が報告事項となるが（法439条），これらの書類は定時株主総会の招集通知に際して株主に提供されなければならない（法437条）。これらの書類は株主総会参考書類ではないが，実質的には株主総会参考書類の一部であり，会社法が他にその提供を定めていることから，あらためて株主総会参考書類の記載事項としなかっただけのことであるとして，一般に報告事項についても株主総会参考書類への記載が必要であると解すべきであるとの見解が有力であった（龍田・企業会計34巻6号59頁参照）。

　もっとも，株主総会決議によらない会計監査人の解任の場合に監査役等が報告すべき事項などが，会社法の下では，株主総会参考書類の記載事項（平成18年改正前商法施行規則20条）ではなく，事業報告の記載事項（121条7号・126条9号）とされたことに鑑みると，報告事項に関する参考類への記載は，任意的記載事項［→4］としての記載であると解することが自然である。

4 任意的記載事項（2項）

　第4章第1節に定めるもの（必要的記載事項）のほか，株主総会参考書類には，株主の議決権の行使について参考となると認める事項（任意的記載事項）を記載することができる。会社法施行規則が列挙するものが株主の議決権の行使について参考となるべき事項のすべてを網羅できていない可能性があるからである。もっとも，そのような事項であれば，記載を強制すべきであるとも考えられるが，限界が必ずしも明確でない上，その場合には記載を欠くと決議取消しの原因ともなるので，任意的な記載にとどめたとされている。取締役・会計参与・監査役・会計監査人の選任議案について，候補者に関する具体的な推薦理由，取締役の報酬議案についての使用人兼務取締役の数や使用人分給与，あるいは株主による会社役員の選任提案に関して74条から77条に規定する事項の通知がなかった場合に，これを補うことなどが例としてあげられよう（稲葉・別冊商事法務59号56頁参照）。

5 記載の省略（3項）

　同一の株主総会に関して株主に対して提供する株主総会参考書類に記載すべき事項のうち，他の書面に記載している事項または電磁的方法により提供する事項がある場合には，これらの事項は，株主に対して提供する株主総会参考書類に記載することを要しない。この場合においては，他の書面に記載している事項または電磁的方法により提供する事項があることを明らかにしなければならない。これは，同一の株主総会に関して同一の情報を重複して提供する無駄を省くためであり，上場株式の議決権の代理行使の勧誘に関する内閣府令1条2項と同趣旨の規定である［→**6**］。

　たとえば，会社役員や社外役員に関する事項は事業報告に記載されるものと重なることが多いと予想され（121条3号・124条1項1号～4号・125条・126条5号～7号参照），事業報告に記載された事項は株主総会参考書類には記載することを要しない。また，議案の内容に応じて，法437条により株主に提供される事業報告，計算書類および監査報告または会計監査報告の内容を参照することができる。

　当然のことであるが，参照が許される他の書面は，株主総会参考書類と物理的に分離している必要はないし，逆に，同一の株主総会に関するものである限り，別に送付された資料を参照することもできる。招集通知に同封されていなくとも，発送時期の要件を充足し，特に参照に不便を生じないのであれば，追

送などの形で補完することを否定する理由はないと考えられるからである。これに対し，以前の株主総会に関して株主に送付された書類や中間報告書など株主総会と無関係に送付された書類を引用することは許されない。これは，株主がそれらの書類を保管していることを期待すべきではないからであろう。会社に備え置いてある附属明細書などの書類を参照することも許されない。これは，株主総会参考書類により直接開示させようとする趣旨に反するからである（龍田・企業会計34巻6号60頁）。

6 株主総会参考書類に記載することによる，株主に対して提供する招集通知・事業報告への記載の省略（4項）

　同一の株主総会に関し，株主に対して提供する招集通知または株主に対して提供する事業報告の内容とすべき事項のうち，株主総会参考書類に記載している事項［→5］がある場合には，その事項は，株主に対して提供する招集通知または株主に対して提供する事業報告の内容とすることを要しないものとされている。これは，3項と同様の趣旨に基づくものであり，同一の株主総会に関して同一の情報を重複して株主に提供する無駄を省くためである。

　なお，「法第437条の規定により株主に対して提供する事業報告の内容とすることを要しない」と定められているにすぎないので，株主総会参考書類に記載されているからといって，事業報告の内容としないことができるわけではない。会社が作成し，本店および支店に備え置いて株主・会社債権者（場合によっては，親会社の社員・株主）の閲覧等に供する事業報告の内容であるが，定時株主総会の招集に際して事業報告を株主に提供する際には株主総会参考書類に記載している事項を省略できることを意味する。

第2目　役員の選任

―（取締役の選任に関する議案）――――

　第74条　取締役が取締役（株式会社が監査等委員会設置会社である場合にあっては，監査等委員である取締役を除く。次項第2号において同じ。）の選任に関する議案を提出する場合には，株主総会参考書類には，次に掲げる事項を記載しなければならない。

　　一　候補者の氏名，生年月日及び略歴
　　二　就任の承諾を得ていないときは，その旨
　　三　株式会社が監査等委員会設置会社である場合において，法第342条の2第

4項の規定による監査等委員会の意見があるときは，その意見の内容の概要
　四　候補者と当該株式会社との間で法第427条第１項の契約を締結しているとき又は当該契約を締結する予定があるときは，その契約の内容の概要
　五　候補者と当該株式会社との間で補償契約を締結しているとき又は補償契約を締結する予定があるときは，その補償契約の内容の概要
　六　候補者を被保険者とする役員等賠償責任保険契約を締結しているとき又は当該役員等賠償責任保険契約を締結する予定があるときは，その役員等賠償責任保険契約の内容の概要
2　前項に規定する場合において，株式会社が公開会社であるときは，株主総会参考書類には，次に掲げる事項を記載しなければならない。
　一　候補者の有する当該株式会社の株式の数（種類株式発行会社にあっては，株式の種類及び種類ごとの数）
　二　候補者が当該株式会社の取締役に就任した場合において第121条第８号に定める重要な兼職に該当する事実があることとなるときは，その事実
　三　候補者と株式会社との間に特別の利害関係があるときは，その事実の概要
　四　候補者が現に当該株式会社の取締役であるときは，当該株式会社における地位及び担当
3　第１項に規定する場合において，株式会社が公開会社であって，かつ，他の会社の子会社等であるときは，株主総会参考書類には，次に掲げる事項を記載しなければならない。
　一　候補者が現に当該他の者（自然人であるものに限る。）であるときは，その旨
　二　候補者が現に当該他の者（当該他の者の子会社（当該株式会社を除く。）を含む。以下この項において同じ。）の業務執行者であるときは，当該他の者における地位及び担当
　三　候補者が過去10年間に当該他の者の業務執行者であったことを当該株式会社が知っているときは，当該他の者における地位及び担当
4　第１項に規定する場合において，候補者が社外取締役候補者であるときは，株主総会参考書類には，次に掲げる事項（株式会社が公開会社でない場合にあっては，第４号から第８号までに掲げる事項を除く。）を記載しなければならない。
　一　当該候補者が社外取締役候補者である旨
　二　当該候補者を社外取締役候補者とした理由
　三　当該候補者が社外取締役（社外役員に限る。以下この項において同じ。）に選任された場合に果たすことが期待される役割の概要

四　当該候補者が現に当該株式会社の社外取締役である場合において，当該候補者が最後に選任された後在任中に当該株式会社において法令又は定款に違反する事実その他不当な業務の執行が行われた事実（重要でないものを除く。）があるときは，その事実並びに当該事実の発生の予防のために当該候補者が行った行為及び当該事実の発生後の対応として行った行為の概要

五　当該候補者が過去５年間に他の株式会社の取締役，執行役又は監査役に就任していた場合において，その在任中に当該他の株式会社において法令又は定款に違反する事実その他不当な業務の執行が行われた事実があることを当該株式会社が知っているときは，その事実（重要でないものを除き，当該候補者が当該他の株式会社における社外取締役又は監査役であったときは，当該事実の発生の予防のために当該候補者が行った行為及び当該事実の発生後の対応として行った行為の概要を含む。）

六　当該候補者が過去に社外取締役又は社外監査役（社外役員に限る。）となること以外の方法で会社（外国会社を含む。）の経営に関与していない者であるときは，当該経営に関与したことがない候補者であっても社外取締役としての職務を適切に遂行することができるものと当該株式会社が判断した理由

七　当該候補者が次のいずれかに該当することを当該株式会社が知っているときは，その旨

　　イ　過去に　当該株式会社又はその子会社の業務執行者又は役員（業務執行者であるものを除く。ハ及びホ(2)において同じ。）であったことがあること。

　　ロ　当該株式会社の親会社等（自然人であるものに限る。ロ及びホ(1)において同じ。）であり，又は過去10年間に当該株式会社の親会社等であったことがあること。

　　ハ　当該株式会社の特定関係事業者の業務執行者若しくは役員であり，又は過去10年間に当該株式会社の特定関係事業者（当該株式会社の子会社を除く。）の業務執行者若しくは役員であったことがあること。

　　ニ　当該株式会社又は当該株式会社の特定関係事業者から多額の金銭その他の財産（これらの者の取締役，会計参与，監査役，執行役その他これらに類する者としての報酬等を除く。）を受ける予定があり，又は過去２年間に受けていたこと。

　　ホ　次に掲げる者の配偶者，三親等以内の親族その他これに準ずる者であること（重要でないものを除く。）。

　　　(1)　当該株式会社の親会社等

　　　(2)　当該株式会社又は当該株式会社の特定関係事業者の業務執行者又は

役員
　ヘ　過去２年間に合併，吸収分割，新設分割又は事業の譲受け（ヘ，第74条の３第４項第７号ヘ及び第76条第４項第６号ヘにおいて「合併等」という。）により他の株式会社がその事業に関して有する権利義務を当該株式会社が承継又は譲受けをした場合において，当該合併等の直前に当該株式会社の社外取締役又は監査役でなく，かつ，当該他の株式会社の業務執行者であったこと。
　ト　当該候補者が現に当該株式会社の社外取締役又は監査役であるときは，これらの役員に就任してからの年数
　チ　前各号に掲げる事項に関する記載についての当該候補者の意見があるときは，その意見の内容

　本条は，「取締役が……議案を提出する場合」に，取締役の選任に関する議案に関連して株主総会参考書類に記載すべき事項を定めるものである。「取締役が……議案を提出する場合」と定められているが，取締役会設置会社においては，取締役会が議案を提出するものと解されている。「株式会社が監査等委員会設置会社である場合にあっては，監査等委員である取締役を除く」とされているのは，監査等委員会設置会社においては，監査等委員である取締役とそれ以外の取締役とを区別して選任しなければならないこととされていること（法329条２項）をうけて，監査等委員である取締役の選任に関する議案については74条の３が規定しているからである。

1　取締役候補者に関して記載すべき事項（１項）

　平成18年改正前商法施行規則13条１項１号を踏襲したものである。

(1)　候補者の氏名，生年月日および略歴（１号）

　氏名を明らかにするのは当然であるが，氏名だけでは候補者を必ずしも特定できないし，生年月日あるいは年齢は選任にあたっての重要な考慮事項であると考えられる。経歴も取締役としての適格性を判断する重要な情報であるが，株主総会参考書類の分量などを考慮すれば，選任の判断にとって参考となる略歴で足りる。最近の経歴には限定されず，実務上は，重要な前職，入社年次，歴任した重要な役職名とその就任年月が列挙されるのが一般的である。現在の主な職業は略歴に含まれ，特に社外取締役候補者については重要であろう。

(2) 就任の承諾を得ていないときは，その旨（2号）

候補者から就任の承諾を得ていないときは，その旨を記載しなければならない。また，期限付承諾あるいは条件付承諾であるときは，その旨をも明らかにしなければならないと解されている。

(3) 株式会社が監査等委員会設置会社である場合において，監査等委員会の意見があるときは，その意見の内容の概要（3号）

監査等委員会が選定する監査等委員は，株主総会において，監査等委員である取締役以外の取締役の選任について監査等委員会の意見を述べることができるとされ（法342条の2第4項），監査等委員会の意見は，株主の議決権行使にあたって重要な判断材料となるからである（意見を決定することは任務である。法399条の2第3項3号）。

(4) 候補者とその株式会社との間で責任限定契約（法427条1項）を締結しているときまたは責任限定契約を締結する予定があるときは，その契約の内容の概要（4号）

株式会社は，取締役（業務執行取締役等である者を除く）の任務懈怠に基づく損害賠償責任（法423条）について，取締役（業務執行取締役等である者を除く）が職務を行うにつき善意でかつ重大な過失がないときは，定款で定めた額の範囲内であらかじめ株式会社が定めた額と最低責任限度額とのいずれか高い額を限度とする旨の契約を取締役（業務執行取締役等である者を除く）と締結することができる旨を定款で定めることができる（法427条1項）。最低責任限度額が法定されており（法425条1項，施規113条・114条），また，この責任限定契約は当該取締役に軽過失があるにすぎない場合に限り有効なので，濫用のおそれは低いと期待されるが，「定款で定めた額の範囲内であらかじめ株式会社が定めた額」も1つの基準となるところ，その額は代表取締役・代表執行役あるいは取締役会において定められると考えられることから，その内容を記載させることに意義が認められる。また，責任限度額以外についても，会社法および会社法施行規則の定めの範囲内で，会社が責任限定契約の内容を定めることができるため，責任限度額以外の契約内容も株主にとっては重要な情報であると考えられる。内容の概要として何を記載すべきかは，会社における個別具体的な事情に応じて判断されるべき事項である。しかし，責任限定契約は，その内容によっては役員等の職務の執行の適正性に影響を与えるおそれがあることなどに

着目して，株主総会参考書類に責任限定契約の内容の概要を記載すべきこととされているという趣旨を踏まえて，株主がその責任限定契約の内容のうち重要な点を理解するにあたり，必要な事項を記載することが求められる（渡辺ほか・商事法務2250号9頁参照）。

(5) 候補者と当該株式会社との間で補償契約を締結しているときまたは補償契約を締結する予定があるときは，その補償契約の内容の概要（5号）

　これは，候補者と株式会社の間で当該株式会社に対する損害賠償責任につき責任限定契約を締結しているときまたは締結する予定があるとき（4号）とパラレルな規定である。株式会社は，役員等が，その職務の執行に関し，法令の規定に違反したことが疑われ，または責任の追及に係る請求を受けたことに対処するために支出する費用，および，その役員等が，その職務の執行に関し，第三者に生じた損害を賠償する責任を負う場合におけるその損害をその役員等が賠償することにより生ずる損失またはその損害の賠償に関する紛争について当事者間に和解が成立したときは，その役員等が当該和解に基づく金銭を支払うことにより生ずる損失の全部または一部を，その株式会社がその役員等に対して補償することを約する契約（補償契約）を締結することができる（法430条の2第1項）。補償契約は，役員等の注意を弛緩させるなど，役員等の職務の執行の適正性に影響を与えるおそれがあることから，株主が関心を有する重要な情報であると考えられる。また，補償契約は利益相反性が類型的に高く，しかも，すべて，またはほとんどすべての取締役について締結されるということになると，取締役会の決議による場合には十分なコントロールが働かないおそれがあるため，補償契約の内容を適切なものとするインセンティブを与えるという観点からも，その内容を記載させることに意義が認められる。内容の概要として何を記載すべきかは，会社における個別具体的な事情に応じて判断されるべき事項である。しかし，補償契約は，その内容によっては役員等の職務の執行の適正性に影響を与えるおそれがあることなどに着目して，株主総会参考書類に補償契約の内容の概要を記載すべきこととされているという趣旨を踏まえて，株主がその補償契約の内容のうち重要な点を理解するにあたり，必要な事項を記載することが求められる（渡辺ほか・商事法務2250号9頁）。

(6) 候補者を被保険者とする役員等賠償責任保険契約を締結しているときまたは当該役員等賠償責任保険契約を締結する予定があるときは，その役員等賠

償責任保険契約の内容の概要（6号）

　これは，⑤と同様，候補者と株式会社の間で当該株式会社に対する損害賠償責任につき責任限定契約を締結しているときまたは締結する予定があるとき（4号）とパラレルな規定である。株式会社は，その役員等がその職務の執行に関し責任を負うことまたはその責任の追及に係る請求を受けることによって生ずることのある損害を保険者が塡補することを約するものであって，役員等を被保険者とするもの（その保険契約を締結することにより被保険者である役員等の職務の執行の適正性が著しく損なわれるおそれがないものとして法務省令（115条の2）で定めるものを除く）（役員等賠償責任保険契約）を締結することができる（法430条の3第1項）。役員等賠償責任保険契約は，役員等の注意を弛緩させるなど，役員等の職務の執行の適正性に影響を与えるおそれがあることから，株主が関心を有する重要な情報であると考えられる。また，役員等賠償責任保険契約は利益相反性が類型的に高く，しかも，すべて，またはほとんどすべての取締役について締結されるということになると，取締役会の決議による場合には十分なコントロールが働かないおそれがあるため，役員等賠償責任保険契約の内容を適切なものとするインセンティブを与えるという観点からも，その内容を記載させることに意義が認められる。

　「締結しているとき」とは，その候補者がその株式会社の取締役に就任した場合にその候補者が被保険者に含められることとなる役員等賠償責任保険契約が株主総会参考書類の作成時において存在しているときをいう。したがって，取締役候補者が現任の取締役である場合であって，すでに当該取締役を被保険者とする役員等賠償責任保険契約を締結しているときのみならず，取締役候補者が現任の取締役でない場合であって，その株式会社の取締役に就任したときには，その候補者が被保険者に含まれることとなる内容の役員等賠償責任保険契約をすでに締結しているときも含まれる。

　他方，「締結する予定があるとき」とは，その候補者がその株式会社の取締役に就任した場合にその候補者が被保険者に含められることとなる役員等賠償責任保険契約が株主総会参考書類の作成時においては存在しないが，締結する予定があるときをいう。したがって，取締役候補者が現任の取締役である場合であって，その取締役を被保険者とする役員等賠償責任保険契約を締結する予定であるとき，および，取締役候補者が現任の取締役でない場合であって，その株式会社の取締役に就任したときには，その候補者が被保険者に含まれることとなる内容の役員等賠償責任保険契約を締結する予定であるときが含まれる

(意見募集の結果（令和2年11月）8～9頁）。

　内容の概要として何を記載すべきかは，会社における個別具体的な事情に応じて判断されるべき事項である。しかし，役員等賠償責任保険契約は，その内容によっては役員等の職務の執行の適正性に影響を与えるおそれがあることなどに着目して，株主総会参考書類に役員等賠償責任保険契約の内容の概要を記載すべきこととされているという趣旨を踏まえて，株主がその役員等賠償責任保険契約の内容のうち重要な点を理解するにあたり，必要な事項を記載することが求められる（渡辺ほか・商事法務2250号10頁）。

　なお，意見募集の結果（令和2年11月）では，任期途中に役員等賠償責任保険契約の「更新時期が到来する予定がある場合には，当該契約の『内容の概要』として，その旨を記載することが考えられる」とされていた（9頁）。そして，「役員等賠償責任保険契約を「締結しているとき」として，当該保険契約の内容の概要を株主総会参考書類に記載すべき場合において，当該候補者が選任された場合における任期途中に当該保険契約の更新時期が到来する予定があるときは，更新後の役員等賠償責任保険契約を「締結する予定があるとき」として更新後の役員等賠償責任保険契約の内容の概要を記載する必要はなく，株主総会参考書類の作成時において存在する当該保険契約の「内容の概要」として，更新の予定を記載することが考えられる」と指摘されている（渡辺ほか・商事法務2250号10頁注11）。

2　公開会社において取締役候補者に関して記載すべき事項（2項）

　平成18年改正前商法施行規則13条1項1号を踏襲したものである。公開会社である場合についてのみ記載が要求されているのは，公開会社は取締役会設置会社であるため，株主総会の権限が縮小されているなど，株主の保護の観点からコーポレート・ガバナンスの充実を図る必要性が高いと考えられるからである。他方，公開会社以外の会社では，書面または電磁的方法による議決権行使を認めないことが多く，その場合には株主総会参考書類は株主に提供されないし，また，書面または電磁的方法による議決権行使を認めても，株主総会に現実に出席する株主の割合が多いと推測され，株主総会参考書類に記載させなくとも，議場において説明を求めれば十分だからであろう。

(1)　候補者の有するその株式会社の株式の数（種類株式発行会社にあっては，株式の種類および種類ごとの数）（1号）

候補者の有するその株式会社の株式の数（種類株式発行会社にあっては，株式の種類および種類ごとの数）は，会社への関与の程度を明らかにする情報の1つであり，オーナー経営者かどうかを判断する材料にもなるので，候補者が実質的に所有する株式数を記載すべきであろう。

(2) 候補者がその株式会社の取締役に就任した場合において重要な兼職に該当する事実があることとなるときは，その事実（2号）

候補者がその株式会社の取締役に就任した場合において重要な兼職に該当する事実があることとなるときは，その事実を記載しなければならないのは，その候補者がどの程度会社の取締役として精力を集中できるかを判断する材料となるとともに，利益相反が生ずる可能性を判断できるようにするためであろう。なお，「当該株式会社の取締役に就任した場合」とされているが，これは，株主総会参考書類の作成時点において，候補者が当該株式会社の取締役に就任したと仮定した場合という意味である（意見募集の結果（平成27年2月）第3・2(7)①，大野ほか・商事法務1862号19頁）。これは，予定される将来の就任時における兼職状況を株主総会参考書類の作成時点で予想した上で開示を行うことが困難な場合があるからであると説明されている。なお，就任が予定されている時までにまたはその直後に当該兼職にあたる他の職から離れることが明らかな場合には，当該兼職は重要なものとはいえないとされている（大野ほか・商事法務1862号19～20頁）。

(3) 候補者と株式会社との間に特別の利害関係があるときは，その事実の概要（3号）

会社との間の特別利害関係の範囲は，上場株式の議決権の代理行使の勧誘に関する内閣府令における特別利害関係（上場株式の議決権の代理行使の勧誘に関する内閣府令2条1項9号参照）と同意義であると解されている。候補者が取締役に就任したときに，職務遂行に影響を及ぼすおそれのある重要事実を記載しなければならない。特別の利害関係は，たとえば，競業会社の役員であることや，会社との間に重要な取引関係・貸借関係・係争等があることなどである。また，候補者が子会社の代表取締役を兼務し，親会社との間に製品の取引関係がある場合や，親会社が子会社に資金の貸付け，債務保証を行っている事実等があれば，これも記載を要する。このような関係の存否は，いずれも候補者が取締役として適任か否かを判断する上で重要な情報であるから，そのような関

係があるにもかかわらず，記載せず，またはその記載が事実に反することは選任決議取消しの原因となる（鴻ほか・株主総会24頁以下，龍田・企業会計34巻6号61頁）。

(4) 候補者が現にその株式会社の取締役であるときは，その株式会社における地位および担当（4号）

　候補者が現にその株式会社の取締役であるときは，これまでの候補者の実績（候補者が取締役であった期間の会社の業績等を含む）を考慮に入れて，再任するかどうかを株主総会としては決定することになると考えられるからである。その株式会社における地位とは，会長，社長，副社長，専務，常務などを意味する。担当に関する記載としては，取締役または執行役につき，総務担当，技術担当等の担当があるときはその担当を記載すべきであるが，使用人兼務取締役または使用人兼務執行役として本部長や部長などを兼務しているときにはそれも記載すべきである（稲葉・昭和56改正305頁参照）。また，指名委員会等設置会社においては，どの委員会の委員であるかを示す必要がある。とりわけ，監査委員についてはその担当がありうるので，ある場合には記載することになろう。他方，非常勤の者については，その旨を記載すべきであり，とりわけ，社外役員である社外取締役についてはその旨を示すべきであろう。

3　公開会社であって他の会社の子会社等である会社において取締役候補者に関して記載すべき事項（3項）

　公開会社である場合についてのみ記載が要求されているのは，公開会社は取締役会設置会社であり，株主総会の権限が縮小されていることなどから，株主の保護の観点からコーポレート・ガバナンスの充実を図る必要性が高いと考えられるからである。他方，公開会社以外の会社では，書面または電磁的方法による議決権行使を認めないことが多く，その場合には株主総会参考書類は株主に提供されないし，また，書面または電磁的方法による議決権行使を認めても，株主総会に現実に出席する株主の割合が多いと推測され，株主総会参考書類に記載させなくとも，議場において説明を求めれば十分だからであろう。

　「他の会社の子会社等である」会社に一定の事実についての記載が要求されているのは，その親会社等の支配を受ける企業集団に属する会社の業務執行者である者または業務執行者であった者は，その株式会社の利益よりも，その親会社等またはその属する企業集団の利益を優先して，その株式会社における業

務執行を行うおそれがあるという懸念に基づくものであると推測される。自由民主党政務調査会法務部会商法に関する小委員会「会社法制の現代化に関する小委員会取りまとめ」(平成17年3月3日)の1においては,「社外取締役・社外監査役の要件について,経営者からの「独立性」に関する要件を加えること」につき引き続き検討を進め,速やかに結論を得ることとされていたところであるが,諸外国,とりわけ,アングロ・サクソン系の国々においては,大株主あるいは親会社の取締役等は独立取締役としての適格性を有するかについて議論があり,自由民主党「実効性ある内部統制システム等に関する提言」(平成17年10月13日)の2(2)では,「現行法の社外取締役及び社外監査役の「社外性」の要件においては,親会社の取締役等が子会社の社外取締役や社外監査役に……なることも禁じられていない。このような社外取締役及び社外監査役の「社外性」の要件について,諸外国の制度も勘案しつつ,……見直すべきである」とされ,短期的には「社外取締役及び社外監査役について,まずそれらの属性等につき法務省令に基づき開示するよう早急に検討すべきである」とされていたことも,本項が定めるような開示が求められるに至った背景にあると考えられる。

　本項において,「当該他の者の子会社(当該株式会社を除く。)」とは,いわゆる兄弟会社ならびにその子会社および当該株式会社の子会社を意味する。

(1)　候補者が現に当該他の者(自然人であるものに限る)であるときは,その旨(1号)
　親会社等(株式会社の経営を支配している者)が自然人である場合には,当該自然人自身が取締役候補者となることもありうること(法331条参照)に鑑みて,平成27年改正により,記載が求められることとなった。

(2)　候補者が現に当該他の者(当該他の者の子会社(当該株式会社を除く)を含む)の業務執行者であるときは,当該他の者における地位および担当(2号)
　業務執行者(2条3項6号)とは,本条の関係では,業務執行取締役,執行役その他の法人等の業務を執行する役員(法348条の2第1項および2項の規定による委託を受けた社外取締役を除く),業務を執行する社員,法人が業務を執行する社員である場合に,その業務を執行する社員の職務を行うべき者(法598条1項)その他これに相当する者および使用人をいう。

　親会社またはその子会社(当該株式会社を除く)における地位とは,業務執

行取締役や執行役の場合，会長，社長，副社長，専務，常務などを意味する。使用人については，本部長，部長，課長などを意味する。担当に関する記載としては，業務執行取締役，執行役または業務執行社員につき，総務担当，技術担当等の担当があるときはその担当を記載すべきであるが，使用人兼務取締役または使用人兼務執行役として本部長や部長などを兼務しているときにはそれも記載すべきである（稲葉・昭和56改正305頁参照）。使用人については，その部課を示すことになろう。また，業務執行取締役について，指名委員会等設置会社においては，どの委員会の委員であるかを示す必要があろう。

　3号と異なり，「当該株式会社が知っているときは」とされていないので，株式会社としては，候補者が現にその親会社等またはその子会社（当該株式会社を除く）の業務執行者であるかどうか，そうであるときはその親会社等またはその子会社（当該株式会社を除く）における地位および担当を株主総会参考書類に記載しないと，株主総会参考書類に記載漏れがあることになる。

(3)　候補者が過去10年間に当該他の者（当該他の者の子会社（当該株式会社を除く）を含む）の業務執行者であったことを当該株式会社が知っているときは，当該他の者における地位および担当（3号）

　現在は，株式会社の親会社等またはその子会社（当該株式会社を除く）の業務執行者でなくとも，過去10年間にそうであった者は親会社等の影響を受けている可能性があり，それが，候補者が取締役として選任された場合に，その株式会社における業務執行に影響を与える可能性があるため，記載が要求されている。

　令和2年改正により，10年間（改正前は5年間）とされた。これは，「近時，特に上場子会社を念頭に，親会社等が存在する株式会社における少数株主の保護の必要性が指摘されている」こと（たとえば，東京証券取引所「支配株主及び実質的な支配力を持つ株主を有する上場会社における少数株主保護の在り方等に関する中間整理」（2020年9月1日）参照）を背景として，「取締役等の候補者と親会社等や特定関係事業者との関係についての開示を充実させる」ものである（意見募集の結果（令和2年11月）13頁）。経済産業省「グループ・ガバナンス・システムに関する実務指針」（2019年6月28日）で，「上場子会社の独立社外取締役については，10年以内に親会社に所属していた者を選任しないこととすべきである」とされ（6.3.3上場子会社における独立社外取締役の独立性に関する考え方（上場子会社における独立性基準）），また，東京証券取引所「上場管理等

に関するガイドライン」では，その就任の前10年以内のいずれかの時において当該会社の親会社の業務執行者（業務執行者でない取締役を含み，社外監査役を独立役員として指定する場合には，監査役を含む）もしくは当該会社の兄弟会社の業務執行者に該当していた者またはこれらの者の近親者（重要でない者を除く）は独立役員の独立性基準を満たさない（Ⅲ，5，(3)の2，cの2・d(a)）とされていることが影響を与えたのではないかと推測される。

株式会社にとって，過去10年間の親会社等またはその子会社（当該株式会社を除く）における業務執行者を把握することには手間がかかる，あるいは困難である可能性があるため，「当該株式会社が知っているとき」に限って記載が要求されている。もっとも，「知っているとき」とは，このような記載事項があることを前提として株式会社が調査を行った結果「知っているとき」という意味であり，十分な調査を行わないで，「知らない」とすることを認めるものではないと指摘されている（相澤＝郡谷・商事法務1762号11頁，坂本ほか・商事法務2060号12頁，意見募集の結果（令和2年11月）14頁）。ただし，興信所等を用いて調査するようなことは要しないと考えられる。

なお，本号との関係では，株式会社の親会社等またはその子会社とは，株主総会参考書類作成時点の親会社等またはその子会社をいい，過去10年間に親会社等またはその子会社であったが，株主総会参考書類作成時点では親会社等またはその子会社ではなくなっているものは含まれない（石井裕介ほか・新しい事業報告・計算書類［全訂版］556頁）。

4　社外取締役候補者に関して記載すべき事項（4項）

公開会社以外の会社について，以下の(1)から(8)の事項を記載することを要しないとされているのは，公開会社以外の会社では，書面または電磁的方法による議決権行使を認めないことが多く，その場合には株主総会参考書類は株主に提供されないし，また，書面または電磁的方法による議決権行使を認めても，株主総会に現実に出席する株主の割合が多いと推測され，また，株主総会参考書類が膨大になることによるコストを負担させる合理性が認められない場合が少なくないからであろう。しかも，株主総会参考書類に記載させなくとも，議場において説明を求めれば十分であるし，そのような会社のコーポレート・ガバナンスにおいて，社外役員である社外取締役に期待される役割は必ずしも大きくないからであろう。

(1) その候補者が社外取締役候補者である旨（1号）

　社外取締役候補者は，単に法2条15号が定める社外取締役の要件を満たすのみならず，社外取締役として特別な法的意味が会社法上与えられる取締役として選任される候補者である。取締役候補者のうち，過去にその株式会社またはその子会社の業務執行取締役もしくは執行役または支配人その他の使用人となったことがなく，現にその株式会社またはその子会社の業務執行取締役もしくは執行役または支配人その他の使用人でなく，その候補者を就任後当該株式会社の業務を執行する取締役または執行役として選定する予定もその株式会社の使用人とする予定もないことに加え，その候補者を監査役会設置会社（公開会社かつ大会社であるもの）であって有価証券報告書提出会社に要求されている設置義務を満たすための社外取締役（法327条の2），監査等委員会設置会社における監査等委員である取締役の過半数を占めるべき社外取締役（法331条6項），特別取締役による取締役会の決議が認められるための要件としての社外取締役（法373条1項2号），監査等委員会設置会社において，重要な業務執行の決定を取締役に委任することができるための社外取締役の割合要件との関連での社外取締役（法399条の13第5項）もしくは指名委員会等設置会社の各委員会における社外取締役の割合要件との関連での社外取締役（法400条3項）とする予定がある場合，または，その候補者をその株式会社の社外取締役であるものとして計算関係書類，事業報告，株主総会参考書類その他株式会社が法令その他これに準ずるものの規定に基づき作成する資料に表示する予定がある場合の，その候補者をいう（2条3項7号）。

　このような重要な位置づけが与えられている候補者であることを知った上で，株主総会において選任することが必要であると考えられるので，「当該候補者が社外取締役候補者である旨」を株主総会参考書類に記載すべきものとしている。

(2) その候補者を社外取締役候補者とした理由（2号）

　その株式会社が，社外取締役にどのような機能を果たすことを期待しているのか，そのような機能を果たしうるためにどのような知識・経験などを候補者が有していることが望ましいと考えるのかなどを踏まえて，なぜ，その候補者が社外取締役候補者としてふさわしいと考えるのかを示すことになる。

(3) 当該候補者が社外取締役（社外役員に限る）に選任された場合に果たすこ

とが期待される役割の概要（3号）

　本号との関係では，社外役員（2条3項5号）である社外取締役とは，監査役会設置会社（公開会社であり，かつ，大会社であるものに限る）であって金融商品取引法24条1項の規定によりその発行する株式について有価証券報告書を内閣総理大臣に提出しなければならないものに設置が要求される社外取締役（法327条の2），特別取締役による取締役会の決議が認められる要件にいう社外取締役（法373条1項2号）もしくは指名委員会等設置会社の各委員会の委員に占める社外取締役の割合要件にいう社外取締役（法400条3項）にあたる場合，またはその者をその株式会社の社外取締役であるものとして計算関係書類，事業報告，株主総会参考書類その他その株式会社が法令その他これに準ずるものの規定に基づき作成する資料に表示している場合のその社外取締役をいう。

　令和元年会社法改正により，一部の監査役会設置会社についても社外取締役の設置が強制されるに至ったが，「社外取締役には，少数株主を含むすべての株主に共通する株主の共同の利益を代弁する立場にある者として業務執行者から独立した客観的な立場で会社経営の監督を行い，また，経営者あるいは支配株主と少数株主との利益相反の監督を行うという役割を果たすことが期待されている。」と指摘されている（竹林ほか・商事法務2226号6頁）。また，「コーポレートガバナンス・コード」（2021年6月11日）では，上場会社は，独立社外取締役には，特に(i)経営の方針や経営改善について，自らの知見に基づき，会社の持続的な成長を促し中長期的な企業価値の向上を図る，との観点からの助言を行うこと，(ii)経営陣幹部の選解任その他の取締役会の重要な意思決定を通じ，経営の監督を行うこと，(iii)会社と経営陣・支配株主等との間の利益相反を監督すること，および，(iv)経営陣・支配株主から独立した立場で，少数株主をはじめとするステークホルダーの意見を取締役会に適切に反映させることを果たすことが期待されることに留意しつつ，その有効な活用を図るべきであるとされている（原則4-7）。このように，社外取締役には，さまざまな役割が期待されているが，その役割との関係で適任者が選定されることが求められるため，株主総会参考書類に当該候補者が社外取締役（社外役員に限る）に選任された場合に果たすことが期待される役割の概要を記載させることとしている。すなわち，令和2年改正前会社法施行規則は，当該候補者を社外取締役候補者とした理由（74条4項2号・74条の3第4項2号）や会社の経営に関与したことがない候補者であっても社外取締役としての職務を適切に遂行することができるものと判断した理由（74条4項5号・74条の3第4項5号）を株主総会参考書

類の記載事項としていたが，「実務上，これらの規定に基づく記載によっては，社外役員に期待されている機能を果たし得るか否かの評価に資する情報が十分に株主に提供されていないという問題があると指摘されていた」。そこで，「我が国の資本市場が信頼される環境を整備し，上場会社等については社外取締役による監督が保証されているというメッセージを内外に発信するため」，「上場会社等に社外取締役の設置を義務付け」た改正法の趣旨に照らし，「社外取締役による監督の実効性を担保する」ことにあるという観点から，令和２年改正前「会社法施行規則の規定による記載に加え，株式会社が社外取締役候補者に対して，どのような視点からの取締役の職務の執行の監督を期待しているかなど，株式会社が当該社外取締役候補者にどのような役割を期待しているかをより具体的に記載することを要求する」のが本号である（意見募集の結果（令和２年11月）10〜11頁）。なお，事業報告において，「当該社外役員が果たすことが期待される役割に関して行った職務の概要」の開示は公開会社についてのみ要求されているが（124条４号ホ，119条２号），公開会社ではない会社にも求められている。これは，「社外取締役は，少数株主を含む全ての株主に共通する株主の共同の利益を代弁する立場にある者として，業務執行者から独立した客観的な立場で，会社経営の監督を行い，また，経営者あるいは支配株主と少数株主との利益相反の監督を行う等の役割を果たすことが期待されているところ，その重要性については，公開会社においても非公開会社においても違いはないこと」，「このような社外取締役の重要性に鑑みて，会社法施行規則第74条第４項第２号において，候補者を社外取締役候補者とした理由を株主総会参考書類に記載しなければならない株式会社を公開会社に限定していないこととの整合性」を図ることが適切であることなどによるとされている（意見募集の結果（令和２年11月）10頁）。

(4) その候補者が現にその株式会社の社外取締役（社外役員に限る）である場合において，その候補者が最後に選任された後在任中にその株式会社において法令または定款に違反する事実その他不当な業務の執行が行われた事実（重要でないものを除く）があるときは，その事実ならびにその事実の発生の予防のためにその候補者が行った行為およびその事実の発生後の対応として行った行為の概要（４号）

　社外役員［→２条３⑤］である社外取締役を置く（会社法が一定の場合に置くことを要求している）理由の１つは，社外役員は業務執行者からの独立性が高

いと考えられ，法令または定款に違反する業務執行その他不当な業務の執行が行われたことを知ったときには適切な対応をしやすい，適切に対応する可能性がより高いと期待されることにある。そこで，その候補者が，社外役員である社外取締役として，法令または定款に違反する事実その他不当な業務の執行が行われた事実があったときに，適切に対応したかどうか（対応として行った行為だけではなく，行われた不当な業務執行の事実がどのようなものであるかが示されなければ，適切に対応したかどうかを判断しようがない），あるいは，法令・定款違反その他不当な業務の執行の予防のために適切な措置を講じたかどうかを明らかにし，社外取締役候補者としての適格性を有するかどうかの判断材料を株主に与えようとするのが本号である。また，このような事項を開示させることによって，社外役員である社外取締役に，法令または定款に違反する事実その他不当な業務の執行が行われた事実があったときに，適切に対応し，あるいは，法令・定款違反その他不当な業務の執行の予防のために適切な措置を講ずるインセンティブを与えるという効果も期待される。

「当該候補者が最後に選任された後在任中」とされているのは，その社外取締役候補者を取締役として再任するかどうかを判断するにあたっては，最終の任期におけるその候補者の活動に関する情報があれば十分であると考えられるし，比較的長期にわたって取締役である場合に全在任期間についての記載をさせるのでは，株主総会参考書類の分量が多くなりすぎることもありうるからであろう。同様に，「重要でないものを除く」とされているのも，その候補者の活動を評価する上で重要性のないものを記載させる実益がない一方で，大規模な会社においてはささいな法令・定款違反の行為は少なからず発生するため，そのすべてを記載するのでは，株主総会参考書類の分量が多くなりすぎることもありうるからであろう。

なお，その候補者が最後に選任された後在任中にその株式会社において法令または定款に違反する事実その他不当な業務の執行が行われた事実（重要でないものを除く）がなければ，この事項を記載する必要がないことは当然である。

(5) その候補者が過去5年間に他の株式会社の取締役，執行役または監査役に就任していた場合において，その在任中に当該他の株式会社において法令または定款に違反する事実その他不当な業務の執行が行われた事実があることを当該株式会社が知っているときは，その事実（重要でないものを除き，その候補者が当該他の株式会社における社外取締役（社外役員に限る）または監査役

であったときは，その事実の発生の予防のためにその候補者が行った行為およびその事実の発生後の対応として行った行為の概要を含む）（5号）

　社外役員としての社外取締役としての適格性を判断するための情報としては，その株式会社以外の株式会社におけるその候補者の職務遂行がどのようなものであったかも重要である。すなわち，その社外取締役候補者が，法令または定款に違反する事実その他不当な業務の執行が行われた事実があったときに，適切に対応する能力と意思などを有する人物なのか，あるいは，法令・定款違反その他不当な業務の執行の予防のために適切な措置を講ずる能力と意思などを有する人物なのかを推測するためには，他の株式会社における社外取締役または社外監査役としての職務執行において，法令・定款違反あるいは不当な業務執行に対してどのような行為を行ったかを明らかにすることには意味がある。また，社外取締役候補者が他の株式会社において取締役，執行役または監査役に就任していた期間において，当該他の株式会社において法令または定款に違反する事実その他不当な業務の執行が行われた事実があったということは，その社外取締役候補者が適切な予防措置を講じることに失敗した可能性を示唆するものでありうる。

　「過去5年間」とされているのは，株式会社が調査する手間が過重になってはならないし，また，社外取締役候補者の適格性を判断する上では，過去5年間に関する情報で通常は十分であると考えられるからであろう。「当該株式会社が知っているとき」とされているのは，他の株式会社において法令または定款に違反する事実その他不当な業務の執行が行われた事実があったことを知ることは必ずしも容易ではないからである。もっとも，「知っているとき」とは，このような記載事項があることを前提として株式会社が調査を行った結果「知っているとき」という意味であり，十分な調査を行わないで，「知らない」とすることを認めるものではないと指摘されている（相澤＝郡谷・商事法務1762号11頁，坂本ほか・商事法務2060号12頁，意見募集の結果（令和2年11月）14頁）。もっとも，興信所等を用いて調査するようなことは要しないと考えられる。

　「重要でないものを除く」とされているのも，その候補者の活動を評価する上で重要性のないものを記載させる実益がない一方で，大規模な会社においてはささいな法令・定款違反の行為は少なからず発生するため，そのすべてを記載するのでは，株主総会参考書類の分量が多くなりすぎることもありうるからであろう。

　なお，他の株式会社において法令または定款に違反する事実その他不当な業

務の執行が行われた事実(重要でないものを除く)をその株式会社が知らないときには、この事項を記載する必要がないことは当然である。

(6) その候補者が過去に社外取締役(社外役員に限る)または社外監査役(社外役員に限る)となること以外の方法で会社(外国会社を含む)の経営に関与していない者であるときは、その経営に関与したことがない候補者であっても社外取締役としての職務を適切に遂行することができるものとその株式会社が判断した理由(6号)

会社法上、社外取締役には、業務執行者から独立した立場で業務執行者による職務執行を監督することが期待されているが、そのような監督を実効的に行うためには、会社の経営についての知識・経験を有することが通常は必要であると考えられる(相澤＝郡谷・商事法務1762号13頁)。そこで、その候補者が過去に社外取締役(社外役員に限る。本項3号かっこ書)または社外監査役(社外役員に限る)となること以外の方法で会社(外国会社を含む)の経営に関与していない者であるときは、当該経営に関与したことがない候補者であっても社外取締役としての職務を適切に遂行することができるものとその株式会社が判断した理由を記載させることにしている。これによって、取締役としては、社外取締役候補者として適任であると考えられるような者を株主総会に提案するインセンティブが与えられるし、株主に対する説明義務も果たされ、株主も示された理由をふまえて議決権を行使することができよう(そもそも、社外取締役候補者以外の取締役候補者についても推薦理由を示すことを要求することが立法論としては望ましいと思われる)。取締役が単なる自分の知人・友人などを社外取締役候補者とすることを抑止することができ、数合わせのために名目的な社外取締役を選任することをある程度防止することも期待できよう。

「社外役員に限る」とされているのは、会社法施行規則では、「社外役員」とは、社外取締役または社外監査役となる会社法上の要件に客観的に該当する者のすべてをいうものではなく、株式会社等がその取締役またはその監査役のうちある者を社外取締役または社外監査役として取り扱う場合におけるその社外取締役または社外監査役をいうものとされていること(2条3項5号)を背景とするものである。「社外役員に限る」とされていることから、たとえば、ある候補者が他の会社で監査役に就任していたことがあり、その候補者が当該他の会社において、社外監査役の要件を客観的には満たしていたにもかかわらず、開示書類等では社外監査役と表示されていなかったなど、当該他の会社に

おける「社外役員」ではなかった場合には，その監査役としての職歴に照らし，その候補者は，「過去に社外取締役または社外監査役となること以外の方法で会社の経営に関与」したことがあるということになる（坂本ほか・商事法務2060号11頁）。

(7) 株式会社が知っている社外取締役候補者の属性（7号）

　諸外国，とりわけ，アングロ・サクソン系の国々においては，取締役会の構成員に独立取締役を含めること，あるいは，取締役会の構成員の多数を独立取締役が占めることがコーポレートガバナンス・コードや証券取引所の上場規則によって要求されていることを踏まえて，自由民主党政務調査会法務部会商法に関する小委員会「会社法制の現代化に関する小委員会取りまとめ」（平成17年3月3日）の1においては，「社外取締役・社外監査役の要件について，経営者からの「独立性」に関する要件を加えること」につき引き続き検討を進め，速やかに結論を得ることとされていたところ，自由民主党「実効性ある内部統制システム等に関する提言」（平成17年10月13日）の2(2)では，「現行法の社外取締役及び社外監査役の「社外性」の要件においては，親会社の取締役等が子会社の社外取締役や社外監査役に，企業の取締役等がその重要な取引先の社外取締役や社外監査役に，また企業経営者の親族が当該企業経営者の経営する企業の社外取締役や社外監査役になることも禁じられていない。このような社外取締役及び社外監査役の「社外性」の要件について，諸外国の制度も勘案しつつ，……見直すべきである」とされ，短期的には「社外取締役及び社外監査役について，まずそれらの属性等につき法務省令に基づき開示するよう早急に検討すべきである」とされていたことが，本号が定めるような開示が求められるに至った背景にあると考えられる。すなわち，独立性の要件を厳格化したとしても，その要件を満たして社外取締役として就任した者が企業の経営に対し実効的なチェックや助言を行い，または業務執行者による不当な業務執行を予防し，または是正することができるという保証はないし（実際，独立性と情報の入手可能性あるいは影響力とはトレード・オフの関係にある場合が多いのではないかと推測される），独立性の要件としてどのようなものが適当であるかは，それぞれの株式会社の状況や就任する社外取締役の個性に応じて異なるものと考えられ，一律に客観的な基準を設定するのでは，過剰な規制あるいは過少な規制となるおそれがある（相澤＝郡谷・商事法務1762号10頁参照）。そこで，株主が社外役員である社外取締役を選任するにあたって，社外取締役候補者の独

立性に関する判断を行うために有用であると考えられる情報を株主総会参考書類に記載させ，同時に，そのような記載をさせることを通じて，精神的独立性を有するような外観を持つ社外取締役候補者を株主総会に提案するインセンティブを取締役（会）に与えようとしているのが，本号であると考えられる。

　平成26年会社法改正により，社外取締役の要件が改正されたため，それを踏まえて，本号は，ある社外取締役候補者について，社外取締役の要件と密接な関係を有する属性のうち，株式会社が知っているものの記載を要求している。すなわち，社外取締役の要件を満たすことを基礎づける事実に関する属性情報にとどまらず，社外取締役の要件を踏まえて株主に開示することが適切と考えられる，社外候補者の属性情報の記載を，「当該株式会社が知っているとき」には求めている。

　「当該株式会社が知っているとき」に限って記載が求められているのは，社外取締役候補者と特定関係事業者などとの関係はその株式会社との関係ではないので，その株式会社が知らないことがありうるし，とりわけ，社外取締役候補者が当該株式会社または当該株式会社の特定関係事業者の業務執行者または役員の配偶者，三親等以内の親族その他これに準ずるものであることは，その株式会社が当然に知っている事実とはいえないからである。「知っているとき」とは，当該事項が株主総会参考書類の記載事項となっていることを前提として行われた調査の結果，知っている場合を意味するものと解されており（相澤＝郡谷・商事法務1762号11頁），そのような調査をしても把握できなかった事項まで記載をすることを求めるものではない（坂本ほか・商事法務2060号12頁注16）。もっとも，十分な調査を行わないで，「知らない」とすることを認めるものではないと指摘されている（相澤＝郡谷・商事法務1762号11頁）。ただし，興信所等を用いて調査するようなことは要しないと考えられる。

　記載事項の内容としては，第1に，当該候補者が過去に当該株式会社またはその子会社の業務執行者（2条3項6号）または役員（同項3号。業務執行者であるものを除く）であったことがあることが挙げられている（本号イ）。たしかに，平成26年会社法改正により，社外取締役の要件のうち，当該株式会社またはその子会社の業務執行者であったことがないことを要する過去の期間は原則として取締役就任前10年間に限定されたものの（法2条15号イ），平成26年改正後会社法の下でも，過去に当該株式会社またはその子会社の業務執行者でない役員であったことが社外取締役の要件として考慮されていること（同号ロ）から，「過去10年間に」ではなく，過去に当該株式会社またはその子会社の業務

執行者または役員であったことが記載事項とされている（意見募集の結果（平成27年2月）第3・(7)③，坂本ほか・商事法務2060号12頁）。

　第2に，当該株式会社の親会社等（自然人であるものに限る）であり，または過去10年間に当該株式会社の親会社等であったことがあることが挙げられている（本号ロ）。これは，平成26年会社法改正により，社外取締役の要件に当該株式会社の親会社等でないことが加えられたこと（法2条15号ハ）を踏まえたものである。また，令和2年改正により，10年間（改正前は5年間）とされた（この趣旨については，本条に対するコメント3(3)参照）。なお，上述のように，株主総会参考書類の記載事項の判断の基準時は，条文上特段の限定がない限り，株主総会参考書類作成時であるものと解されており，この規定は「株主総会参考書類作成時点では親会社等であるが，株主総会で承認されるときまでに親会社等ではなくなり，社外取締役の要件を満たすような場合」を想定している（意見募集の結果（平成27年2月）第3・2(7)④）。

　第3に，その株式会社の特定関係事業者の業務執行者もしくは役員であり，または過去10年間に当該株式会社の特定関係事業者（当該株式会社の子会社を除く）の業務執行者もしくは役員であったことがあることが挙げられている（本号ハ）。ここで，「特定関係事業者」（2条3項19号）とは，その株式会社の主要な取引先である者（法人以外の団体を含む）のほか，当該株式会社に親会社等がある場合には当該親会社等ならびに当該親会社等の子会社等（当該株式会社を除く）および関連会社（当該親会社等が会社でない場合におけるその関連会社に相当するものを含む），当該株式会社に親会社等がない場合には当該株式会社の子会社および関連会社をいう。そして，「主要な」取引先とは，「主要な取引先」が親会社等，兄弟会社などと並列に規定されていることに照らすと，その株式会社の事業等の意思決定に対して，親会社等や兄弟会社あるいはその他の関係会社と同様の影響を与えることができる取引先をいうものと解するのが穏当であろう。たとえば，その取引先との取引による売上高等がその株式会社の売上高等の相当部分を占めている場合（量的重要性）や，その取引先からその株式会社がその事業活動に欠くことができない商品あるいは役務の提供を受けている場合（質的重要性）などのその取引先が，「主要な取引先」にあたると解される（相澤＝郡谷・商事法務1762号11頁）。なお，令和2年改正により，10年間（改正前は5年間）とされた（この趣旨については，本条に対するコメント3(3)参照）。また，本号との関係では，特定関係事業者とは，株主総会参考書類作成時点の特定関係事業者をいい，過去10年間に特定関係事業者であったが，株

主総会参考書類作成時点では特定関係事業者ではなくなっているものは含まれない（石井裕介ほか・新しい事業報告・計算書類［全訂版］562頁）。

　これが記載事項の1つとされているのは，そのような場合には，その社外取締役候補者が，その株式会社の利益よりも，その株式会社の親会社を頂点とする広い意味での企業集団に属する他の企業の利益やその株式会社の主要な取引先の利益を優先して，職務執行を行うおそれがあることによるものである。すなわち，その株式会社の株主一般の利益と相反する利益を重視する可能性があることに注目したものである。また，現在は，特定関係事業者の業務執行者でなくとも，過去10年間にそうであった者は親会社等や主要な取引先の影響を受ける可能性があり，社外取締役候補者が取締役として選任された場合の当該株式会社における職務執行に影響を与える可能性があるため，記載が要求されている。さらに，特定関係事業者の業務執行者でない役員であり，または過去5年間に当該役員であったことがあることについても記載が求められているのは，社外取締役の要件において，親会社等の業務執行者でない役員であることも考慮に入れられていること（法2条15号ハ）などを背景とするものである。

　なお，「過去10年間に当該株式会社の特定関係事業者（当該株式会社の子会社を除く。）」（圏点―引用者）と規定されているが，このかっこ書はイとの重複を避けるためである。

　第4に，その株式会社またはその株式会社の特定関係事業者から多額の金銭その他の財産（これらの者の取締役，会計参与，監査役，執行役その他これらに類する者としての報酬等を除く）を受ける予定があり，または過去2年間に受けていたこと（本号ニ）が記載事項の1つとされているのは，このような場合には，その社外取締役候補者がその株式会社またはその株式会社の特定関係事業者に経済的に依存し，その結果，財産を給付することを決定する権限を有するその株式会社またはその株式会社の特定関係事業者の業務執行者からの独立性が十分に確保されないおそれがあるからである。「取締役，会計参与，監査役，執行役その他これらに類する者としての報酬等を除く」とされているのは，取締役，会計参与，監査役または執行役としての報酬等は定款の定め，株主総会の決議または報酬委員会の決定によって定められ，業務執行者のみでは決定できないことが少なくないことをふまえたのではないかと思われる（もっとも，株式会社以外の法人等において「その他これらに類する者としての報酬等」を業務執行者が定めることができる場合には，このかっこ書には立法論として課題が残っているということになろう）。また，その株式会社から受けた取締役，会

計参与または監査役としての報酬等（社外取締役候補者なので，執行役としての報酬等はありえない）については，他の取締役，会計参与または監査役のそれとの合計額ではあるものの事業報告において開示されることも1つの理由として考えられる。なお，このかっこ書の書きぶりからは，あえて「会計監査人としての報酬等」は除かれており，会計監査人の報酬等として，その株式会社またはその株式会社の特定関係事業者から多額の金銭その他の財産を受ける予定があり，または過去2年間に受けていた場合には，その旨を株主総会参考書類に記載すべきこととなる。

　第5に，その株式会社の親会社等（自然人であるものに限る。ホに対するコメントにおいて同じ）またはその株式会社もしくはその株式会社の特定関係事業者の業務執行者もしくは役員の配偶者，三親等以内の親族その他これに準ずる者であること（重要でないものを除く）が記載事項とされている（本号ホ）。

　株式会社の親会社等の配偶者，三親等以内の親族その他これに準ずるものであることが記載事項とされているのは，当該株式会社の親会社等（自然人である者に限る）または取締役（業務執行者でないものを含む）等の近親者でないことが社外取締役の要件とされていること（法2条15号ホ）を背景とするものである。同様に，株式会社もしくはその株式会社の特定関係事業者の業務執行者もしくは役員の配偶者，三親等以内の親族その他これに準ずるものであることが要件とされているのは，当該株式会社の取締役（業務執行者でないものを含む）等の近親者でないことが社外取締役の要件とされていること（同号ホ）を背景とするものである。

　これらが記載事項の1つとされているのは，実質的には，その社外取締役候補者がその株式会社の親会社等，その株式会社またはその株式会社の特定関係事業者の業務執行者または役員の配偶者，三親等以内の親族その他これに準ずるものである場合には，そのような親族関係があるために，業務執行者の不当な業務執行を防止し，または是正することを躊躇する，あるいは防止または是正できるような力関係がないという事態が生ずるおそれがあるからである。また，自分（親会社等）自身または特定関係事業者の利益を図り，その株式会社の利益を損なうような業務執行を防止し，または是正することを期待しにくいという問題が生ずる可能性もあるからである。さらに，親族関係等のある業務執行者または役員，とりわけ，社外取締役候補者の配偶者など生計を一にする者が不適切な経済的利益をその株式会社から直接得て，または特定関係事業者がその株式会社から不適切な経済的利益を得たことによって社外取締役候補者

の親族等が経済的利益を受け，それが社外取締役候補者の経済的利益にもなるという事態すら想定できるからである。配偶者とは法律婚上の配偶者をいい，三親等以内の親族（血族および姻族の両方を含む）であるかどうかは民法726条の規定によって判断されるが，「その他これに準ずる者」には内縁の配偶者のほか，いわゆるシビルユニオンやいくつかのヨーロッパ諸国やアメリカ合衆国で認められているような同性婚におけるパートナーなどが含まれると解することになるのではないかと推測される。

　第6に，過去2年間に合併，吸収分割，新設分割または事業の譲受け（併せて，合併等）により他の株式会社がその事業に関して有する権利義務をその株式会社が承継または譲受けをした場合において，その合併等の直前にその株式会社の社外取締役または監査役でなく，かつ，当該他の株式会社の業務執行者であったこと（本号ヘ）が挙げられている。これは，吸収合併消滅会社，新設合併消滅会社，吸収分割会社，新設分割会社または事業の譲渡会社の業務執行者であった者も，それぞれ，吸収合併存続会社，新設合併設立会社，吸収分割承継会社，新設分割設立会社，事業の譲受会社の社外役員である社外取締役となりうることを前提とした規定である。しかし，社外取締役候補者となりうるとはいえ，吸収合併消滅会社，新設合併消滅会社，吸収分割会社，新設分割会社または事業の譲渡会社の他の業務執行者がそれぞれ，吸収合併存続会社，新設合併設立会社，吸収分割承継会社，新設分割設立会社，事業の譲受会社の業務執行者となることもあるし，実質的には，吸収合併消滅会社，新設合併消滅会社，吸収分割会社，新設分割会社または事業の譲渡会社が取得企業にあたることもあり，そのような場合には，業務執行者からの独立性に懸念が生ずるので，その旨を記載することが求められている。

(8) その候補者が現にその株式会社の社外取締役（社外役員に限る）または監査役であるときは，これらの役員に就任してからの年数（8号）

　社外役員である社外取締役に期待されていることの1つは，業務執行者から独立した立場で，業務執行者の職務執行を監督することであるが，一般に就任してから相当の年数が経過すると，社外取締役や監査役であっても，業務執行者と親密な関係が形成され，精神的な独立性を維持しにくくなるのではないかという懸念がある（同様の懸念に基づいて，たとえば，金融商品取引法上の大会社等の監査証明業務に係る公認会計士・関与社員の7年ごと，大規模監査法人による金融商品取引法上の上場有価証券発行者等の監査証明業務に係る筆頭業務執行社員

の5年ごとのローテーションが定められている。公認会計士法24条の3・34条の11の3・34条の11の4）。

なお，「株主総会等に関する法務省令案」（平成17年11月29日）12条4項6号ホでは，「過去5年以上当該株式会社の社外取締役又は監査役となっている」場合には，その旨を記載することを求めていたが，最終的には本号のような定めとなっている。これは，どの程度の期間継続して社外取締役または監査役を務めると精神的独立性に脅威が及ぶかは，それぞれの社外取締役・監査役の個人的属性に依存し，一律に閾値を決めることは適当ではないこと，また，監督の実効性は，情報の入手可能性などにも依存しており，長い期間，社外取締役または監査役であることが，その者による監督の実効性を低下させるとは限らず，かえって，実効性を高めることもありうることを考慮すると，開示の仕方としては，中立的に「就任してからの年数」を記載させることが適当であると考えられるからであろう。

(9) (1)から(8)に関する記載についてのその候補者の意見があるときは，その意見の内容（9号）

通常は考えにくいが，社外取締役候補者の認識とその株式会社の取締役（会）の認識とが異なっている場合には，株主総会参考書類は，株主に提供され，それがさらに第三者の手にわたることもありうることを考慮して，(1)から(8)に関する記載についてのその候補者の意見があるときは，その意見の内容を記載すべきこととしている。これは，その社外取締役候補者が自分の情報について，コメントをし，それを株主に知ってもらう機会を与えることが公平だと考えられるからであろう。

第74条の2　（令和2年法務省令第52号により削除）

（監査等委員である取締役の選任に関する議案）
第74条の3　取締役が監査等委員である取締役の選任に関する議案を提出する場合には，株主総会参考書類には，次に掲げる事項を記載しなければならない。
　一　候補者の氏名，生年月日及び略歴
　二　株式会社との間に特別の利害関係があるときは，その事実の概要

三　就任の承諾を得ていないときは，その旨
　　四　議案が法第344条の2第2項の規定による請求により提出されたものであるときは，その旨
　　五　法第342条の2第1項の規定による監査等委員である取締役の意見があるときは，その意見の内容の概要
　　六　候補者と当該株式会社との間で法第427条第1項の契約を締結しているとき又は当該契約を締結する予定があるときは，その契約の内容の概要
　　七　候補者と当該株式会社との間で補償契約を締結しているとき又は補償契約を締結する予定があるときは，その補償契約の内容の概要
　　八　候補者を被保険者とする役員等賠償責任保険契約を締結しているとき又は当該役員等賠償責任保険契約を締結する予定があるときは，その役員等賠償責任保険契約の内容の概要
2　前項に規定する場合において，株式会社が公開会社であるときは，株主総会参考書類には，次に掲げる事項を記載しなければならない。
　　一　候補者の有する当該株式会社の株式の数（種類株式発行会社にあっては，株式の種類及び種類ごとの数）
　　二　候補者が当該株式会社の監査等委員である取締役に就任した場合において第121条第8号に定める重要な兼職に該当する事実があることとなるときは，その事実
　　三　候補者が現に当該株式会社の監査等委員である取締役であるときは，当該株式会社における地位及び担当
3　第1項に規定する場合において，株式会社が公開会社であり，かつ，他の者の子会社等であるときは，株主総会参考書類には，次に掲げる事項を記載しなければならない。
　　一　候補者が現に当該他の者（自然人であるものに限る。）であるときは，その旨
　　二　候補者が現に当該他の者（当該他の者の子会社等（当該株式会社を除く。）を含む。以下この項において同じ。）の業務執行者であるときは，当該他の者における地位及び担当
　　三　候補者が過去10年間に当該他の者の業務執行者であったことを当該株式会社が知っているときは，当該他の者における地位及び担当
4　第1項に規定する場合において，候補者が社外取締役候補者であるときは，株主総会参考書類には，次に掲げる事項（株式会社が公開会社でない場合にあっては，第4号から第8号までに掲げる事項を除く。）を記載しなければならない。
　　一　当該候補者が社外取締役候補者である旨

二　当該候補者を社外取締役候補者とした理由
三　当該候補者が社外取締役（社外役員に限る。以下この項において同じ。）に選任された場合に果たすことが期待される役割の概要
四　当該候補者が現に当該株式会社の社外取締役である場合において，当該候補者が最後に選任された後在任中に当該株式会社において法令又は定款に違反する事実その他不当な業務の執行が行われた事実（重要でないものを除く。）があるときは，その事実並びに当該事実の発生の予防のために当該候補者が行った行為及び当該事実の発生後の対応として行った行為の概要
五　当該候補者が過去５年間に他の株式会社の取締役，執行役又は監査役に就任していた場合において，その在任中に当該他の株式会社において法令又は定款に違反する事実その他不当な業務の執行が行われた事実があることを当該株式会社が知っているときは，その事実（重要でないものを除き，当該候補者が当該他の株式会社における社外取締役又は監査役であったときは，当該事実の発生の予防のために当該候補者が行った行為及び当該事実の発生後の対応として行った行為の概要を含む。）
六　当該候補者が過去に社外取締役又は社外監査役（社外役員に限る。）となること以外の方法で会社（外国会社を含む。）の経営に関与していない者であるときは，当該経営に関与したことがない候補者であっても監査等委員である社外取締役としての職務を適切に遂行することができるものと当該株式会社が判断した理由
七　当該候補者が次のいずれかに該当することを当該株式会社が知っているときは，その旨
　　イ　過去に当該株式会社又はその子会社の業務執行者又は役員（業務執行者であるものを除く。ハ及びホ⑵において同じ。）であったことがあること。
　　ロ　当該株式会社の親会社等（自然人であるものに限る。ロ及びホ⑴において同じ。）であり，又は過去10年間に当該株式会社の親会社等であったことがあること。
　　ハ　当該株式会社の特定関係事業者の業務執行者若しくは役員であり，又は過去10年間に当該株式会社の特定関係事業者（当該株式会社の子会社を除く。）の業務執行者若しくは役員であったことがあること。
　　ニ　当該株式会社又は当該株式会社の特定関係事業者から多額の金銭その他の財産（これらの者の取締役，会計参与，監査役，執行役その他これらに類する者としての報酬等を除く。）を受ける予定があり，又は過去２年間に受けていたこと。
　　ホ　次に掲げる者の配偶者，三親等以内の親族その他これに準ずる者であ

ること（重要でないものを除く。）。
(1) 当該株式会社の親会社等
(2) 当該株式会社又は当該株式会社の特定関係事業者の業務執行者又は役員
ヘ　過去2年間に合併等により他の株式会社がその事業に関して有する権利義務を当該株式会社が承継又は譲受けをした場合において，当該合併等の直前に当該株式会社の社外取締役又は監査役でなく，かつ，当該他の株式会社の業務執行者であったこと。
八　当該候補者が現に当該株式会社の社外取締役又は監査等委員である取締役であるときは，これらの役員に就任してからの年数
九　前各号に掲げる事項に関する記載についての当該候補者の意見があるときは，その意見の内容

　本条は，「取締役が……議案を提出する場合」に，監査等委員である取締役の選任に関する議案に関連して株主総会参考書類に記載すべき事項を定めるものである。「取締役が……議案を提出する場合」と定められているが，取締役会設置会社においては，取締役会が議案を提出するものと解されている。

　本条は，監査役の選任に関する議案に関連して株主総会参考書類に記載すべき事項を定める76条とパラレルに規定されており，ほとんどの規定は，「監査役」を「監査等委員」に，「社外監査役」を「社外取締役」に，それぞれ置き替えている。ただし，会社法における対応する規定が異なることおよび監査等委員は取締役であることから，異なる点が若干存在する。

　第1に，1項5号は，「法第342条の2第1項の規定による監査等委員である取締役の意見があるときは」と定めているが，これは，法342条の2が「監査等委員である取締役は，株主総会において，監査等委員である取締役の選任若しくは解任又は辞任について意見を述べることができる」と定めていることに対応する規定である。

　第2に，2項3号は「当該株式会社における地位及び担当」と規定し，76条2項3号が「当該株式会社における地位」と規定しているのとは対照的である。これは，監査役は独任制であり，担当が観念できないのに対し，監査等委員については，監査等委員会は，独任制の機関である監査役と異なり，会議体として組織的な監査を行うため，その構成員である監査等委員には「担当」がありうることからである（意見募集の結果（平成27年2月）第3・2(7)⑩。坂本ほか・商事法務2061号15頁）。

第3に，4項4号および5号においては「不当な業務の執行」とされており，76条4項3号および4号が「不正な業務の執行」と規定しているのと対照的である。これは，監査等委員である取締役は，取締役の職務の執行を監督する取締役会の構成員としての立場も有することから，取締役の選任議案に係る74条4項3号および4号と同様に定めたものである。

第4に，76条4項6号ニかっこ書，同号ヘおよび7号とは異なり，本条4項7号ニかっこ書は「これらの者の取締役，会計参与，監査役，執行役その他これらに類する者としての報酬等を除く」と，同号ヘは「社外取締役又は監査役」と，同項8号は「社外取締役又は監査等委員である取締役」と規定している。74条4項7号ニかっこ書および同号ヘは本条4項7号ニかっこ書および同号ヘと同じ規定振りになっているが，本条4項8号は，監査等委員会設置会社であることから，監査役は置かれていないので，74条4項8号（社外取締役または監査役）とは異なる規定振りとなっている　［以上の点以外については，→76条・74条］。

―(会計参与の選任に関する議案)―――――――――
第75条　取締役が会計参与の選任に関する議案を提出する場合には，株主総会参考書類には，次に掲げる事項を記載しなければならない。
　一　次のイ又はロに掲げる場合の区分に応じ，当該イ又はロに定める事項
　　イ　候補者が公認会計士（公認会計士法（昭和23年法律第103号）第16条の2第5項に規定する外国公認会計士を含む。以下同じ。）又は税理士である場合　その氏名，事務所の所在場所，生年月日及び略歴
　　ロ　候補者が監査法人又は税理士法人である場合　その名称，主たる事務所の所在場所及び沿革
　二　就任の承諾を得ていないときは，その旨
　三　法第345条第1項の規定による会計参与の意見があるときは，その意見の内容の概要
　四　候補者と当該株式会社との間で法第427条第1項の契約を締結しているとき又は当該契約を締結する予定があるときは，その契約の内容の概要
　五　候補者と当該株式会社との間で補償契約を締結しているとき又は補償契約を締結する予定があるときは，その補償契約の内容の概要
　六　候補者を被保険者とする役員等賠償責任保険契約を締結しているとき又は当該役員等賠償責任保険契約を締結する予定があるときは，その役員等賠償責任保険契約の内容の概要

> 七　当該候補者が過去２年間に業務の停止の処分を受けた者である場合における当該処分に係る事項のうち，当該株式会社が株主総会参考書類に記載することが適切であるものと判断した事項

　本条は，「取締役が……議案を提出する場合」に，会計参与の選任に関する議案に関連して株主総会参考書類に記載すべき事項を定めるものである。「取締役が……議案を提出する場合」と定められているが，取締役会設置会社においては，取締役会が議案を提出するものと解されている。

1　会計参与候補者の氏名・名称等（1号）

　候補者が自然人である公認会計士または税理士であるときは，その氏名・事務所の所在場所・生年月日および略歴を，監査法人または税理士法人であるときは，その名称・主たる事務所の所在場所および沿革を，それぞれ参考書類に記載しなければならない。取締役または監査役の選任に関する議案と同様，候補者の経歴・沿革は会計参与としての適格性を判断する重要な情報であるが，株主総会参考書類の分量などを考慮すれば，選任の判断にとって参考となる略歴で足りる。したがって，最近の経歴には限定されない。

2　就任の承諾を得ていないときは，その旨（2号）

　候補者から就任の承諾を得ていないときは，その旨を記載しなければならない。また，期限付承諾あるいは条件付承諾であるときは，その旨をも明らかにしなければならないと解されている。

3　法345条1項の規定による会計参与の意見があるときは，その意見の内容の概要（3号）

　会社の経営者からの会計参与の独立性を確保するために，会計参与は，株主総会において，会計参与の選任について意見を述べることができるものとされており（法345条1項），そのような意見があるときには，その内容の概要を記載しなければならない。監査役の選任議案に関する76条1項5号とパラレルに定められている。

4　候補者と当該株式会社との間で責任限定契約（法427条1項）を締結しているときまたは当該契約を締結する予定があるときは，その契約の内容の概

要（4号）

　株式会社は，会計参与の任務懈怠に基づく損害賠償責任（法423条）について，その会計参与が職務を行うにつき善意でかつ重大な過失がないときは，定款で定めた額の範囲内であらかじめ株式会社が定めた額と最低責任限度額とのいずれか高い額を限度とする旨の契約を会計参与と締結することができる旨を定款で定めることができる。最低責任限度額が法定されており（法425条1項，施規113条・114条），また，この責任限定契約は会計参与に軽過失がある場合に限り有効なので，濫用のおそれは低いと期待されるが，「定款で定めた額の範囲内であらかじめ株式会社が定めた額」も1つの基準となるところ，その額は代表取締役，代表執行役または取締役会が定めると考えられることから，その内容を記載させることに意義が認められる。また，責任限度額以外についても，会社法および会社法施行規則の定めの範囲内で，会社が責任限定契約の内容を定めることができるため，責任限度額以外の契約内容も株主にとっては重要な情報であると考えられる。

5　候補者と当該株式会社との間で補償契約を締結しているときまたは補償契約を締結する予定があるときは，その補償契約の内容の概要（5号）

　これは，候補者と株式会社の間で当該株式会社に対する損害賠償責任につき責任限定契約を締結しているときまたは締結する予定があるとき（4号）とパラレルな規定である。株式会社は，役員等（会計参与はこれに含まれる）が，その職務の執行に関し，法令の規定に違反したことが疑われ，または責任の追及に係る請求を受けたことに対処するために支出する費用，および，その役員等が，その職務の執行に関し，第三者に生じた損害を賠償する責任を負う場合におけるその損害をその役員等が賠償することにより生ずる損失またはその損害の賠償に関する紛争について当事者間に和解が成立したときは，その役員等が当該和解に基づく金銭を支払うことにより生ずる損失の全部または一部を，その株式会社がその役員等に対して補償することを約する契約（補償契約）を締結することができる（法430条の2第1項）。補償契約は，会計参与の注意を弛緩させるなど，会計参与の職務の執行の適正性に影響を与えるおそれがあることから，株主が関心を有する重要な情報であると考えられる。また，補償契約の内容を適切なものとするインセンティブを与えるという観点からも，その内容を記載させることに意義が認められる。

6 候補者を被保険者とする役員等賠償責任保険契約を締結しているときまたは当該役員等賠償責任保険契約を締結する予定があるときは，その役員等賠償責任保険契約の内容の概要（6号）

　これは，⑤と同様，候補者と株式会社の間で当該株式会社に対する損害賠償責任につき責任限定契約を締結しているときまたは締結する予定があるとき（4号）とパラレルな規定である。株式会社は，その役員等（会計参与はこれに含まれる）がその職務の執行に関し責任を負うことまたはその責任の追及に係る請求を受けることによって生ずることのある損害を保険者が塡補することを約するものであって，役員等を被保険者とするもの（その保険契約を締結することにより被保険者である役員等の職務の執行の適正性が著しく損なわれるおそれがないものとして法務省令（115条の2）で定めるものを除く）（役員等賠償責任保険契約）を締結することができる（法430条の3第1項）。役員等賠償責任保険契約は，会計参与の注意を弛緩させるなど，会計参与の職務の執行の適正性に影響を与えるおそれがあることから，株主が関心を有する重要な情報であると考えられる。また，役員等賠償責任保険契約の内容を適切なものとするインセンティブを与えるという観点からも，その内容を記載させることに意義が認められる。

　「締結しているとき」および「締結する予定があるとき」の解釈については，74条に対するコメント参照。

7 その候補者が過去2年間に業務の停止の処分を受けた者である場合におけるその処分に係る事項のうち，その株式会社が株主総会参考書類に記載することが適切であるものと判断した事項（7号）

　「業務の停止の処分を受け，その停止の期間を経過しない者」は会計参与となることができないので（法333条3項2号），会計監査人の選任に関する議案との関連では記載すべき「当該候補者が現に業務の停止の処分を受け，その停止の期間を経過しない者であるときは，その処分に係る事項」（77条8号）に相当する事項の記載は要求されていない。

　しかし，業務停止処分の根拠となった事実次第では，その候補者が過去に業務停止処分を受けたという事実は，その候補者の会計参与としての適格性に疑問を投げかける根拠となりうるため，そのような事実は，株主の議決権行使のために重要な事項であると考えられる。そこで，その候補者が過去2年間に業務の停止の処分を受けた者である場合には，その処分に係る事項のうち，その

株式会社が株主総会参考書類に記載することが適切であるものと判断した事項を記載させることとしている。「株主総会参考書類に記載することが適切である」か否かの判断にあたっては、業務停止処分の根拠となった事実の重大性、業務停止期間終了後の期間の長短、その株式会社の会計参与としての候補者の適格性にその業務停止処分があったことが影響をどの程度与えるか、その業務停止処分の後の候補者における体制の整備・改善の状況はどのようなものか、株主総会による選任にあたって株主が知っておく必要性がどの程度あるか、などを考慮に入れることになろう。

　もちろん、2年以上前に業務停止期間が終了している場合についても、株主の議決権行使の参考となると認められる、その業務停止処分に係る事項を、株主総会参考書類に記載することは可能である（73条2項）。

―**(監査役の選任に関する議案)**―

　第76条　取締役が監査役の選任に関する議案を提出する場合には、株主総会参考書類には、次に掲げる事項を記載しなければならない。
　一　候補者の氏名、生年月日及び略歴
　二　株式会社との間に特別の利害関係があるときは、その事実の概要
　三　就任の承諾を得ていないときは、その旨
　四　議案が法第343条第2項の規定による請求により提出されたものであるときは、その旨
　五　法第345条第4項において準用する同条第1項の規定による監査役の意見があるときは、その意見の内容の概要
　六　候補者と当該株式会社との間で法第427条第1項の契約を締結しているとき又は当該契約を締結する予定があるときは、その契約の内容の概要
　七　候補者と当該株式会社との間で補償契約を締結しているとき又は補償契約を締結する予定があるときは、その補償契約の内容の概要
　八　候補者を被保険者とする役員等賠償責任保険契約を締結しているとき又は当該役員等賠償責任保険契約を締結する予定があるときは、その役員等賠償責任保険契約の内容の概要
　2　前項に規定する場合において、株式会社が公開会社であるときは、株主総会参考書類には、次に掲げる事項を記載しなければならない。
　一　候補者の有する当該株式会社の株式の数（種類株式発行会社にあっては、株式の種類及び種類ごとの数）
　二　候補者が当該株式会社の監査役に就任した場合において第121条第8号に定める重要な兼職に該当する事実があることとなるときは、その事実

三　候補者が現に当該株式会社の監査役であるときは，当該株式会社における地位
3　第1項に規定する場合において，株式会社が公開会社であり，かつ，他の会社の子会社等であるときは，株主総会参考書類には，次に掲げる事項を記載しなければならない。
　一　候補者が現に当該他の者（自然人であるものに限る。）であるときは，その旨
　二　候補者が現に当該他の者（当該他の者の子会社（当該株式会社を除く。）を含む。以下この項において同じ。）の業務執行者であるときは，当該他の者における地位及び担当
　三　候補者が過去10年間に当該他の者の業務執行者であったことを当該株式会社が知っているときは，当該他の者における地位及び担当
4　第1項に規定する場合において，候補者が社外監査役候補者であるときは，株主総会参考書類には，次に掲げる事項（株式会社が公開会社でない場合にあっては，第3号から第7号までに掲げる事項を除く。）を記載しなければならない。
　一　当該候補者が社外監査役候補者である旨
　二　当該候補者を社外監査役候補者とした理由
　三　当該候補者が現に当該株式会社の社外監査役（社外役員に限る。以下この項において同じ。）である場合において，当該候補者が最後に選任された後在任中に当該株式会社において法令又は定款に違反する事実その他不正な業務の執行が行われた事実（重要でないものを除く。）があるときは，その事実並びに当該事実の発生の予防のために当該候補者が行った行為及び当該事実の発生後の対応として行った行為の概要
　四　当該候補者が過去5年間に他の株式会社の取締役，執行役又は監査役に就任していた場合において，その在任中に当該他の株式会社において法令又は定款に違反する事実その他不正な業務の執行が行われた事実があることを当該株式会社が知っているときは，その事実（重要でないものを除き，当該候補者が当該他の株式会社における社外取締役（社外役員に限る。次号において同じ。）又は監査役であったときは，当該事実の発生の予防のために当該候補者が行った行為及び当該事実の発生後の対応として行った行為の概要を含む。）
　五　当該候補者が過去に社外取締役又は社外監査役となること以外の方法で会社（外国会社を含む。）の経営に関与していない者であるときは，当該経営に関与したことがない候補者であっても社外監査役としての職務を適切に遂行することができるものと当該株式会社が判断した理由

六　当該候補者が次のいずれかに該当することを当該株式会社が知っているときは，その旨
　イ　過去に当該株式会社又はその子会社の業務執行者又は役員（業務執行者であるものを除く。ハ及びホ(2)において同じ。）であったことがあること。
　ロ　当該株式会社の親会社等（自然人であるものに限る。ロ及びホ(1)において同じ。）であり，又は過去10年間に当該株式会社の親会社等であったことがあること。
　ハ　当該株式会社の特定関係事業者の業務執行者若しくは役員であり，又は過去10年間に当該株式会社の特定関係事業者（当該株式会社の子会社を除く。）の業務執行者若しくは役員であったことがあること。
　ニ　当該株式会社又は当該株式会社の特定関係事業者から多額の金銭その他の財産（これらの者の監査役としての報酬等を除く。）を受ける予定があり，又は過去2年間に受けていたこと。
　ホ　次に掲げる者の配偶者，三親等以内の親族その他これに準ずる者であること（重要でないものを除く。）。
　　(1)　当該株式会社の親会社等
　　(2)　当該株式会社又は当該株式会社の特定関係事業者の業務執行者又は役員
　ヘ　過去2年間に合併等により他の株式会社がその事業に関して有する権利義務を当該株式会社が承継又は譲受けをした場合において，当該合併等の直前に当該株式会社の社外監査役でなく，かつ，当該他の株式会社の業務執行者であったこと。
七　当該候補者が現に当該株式会社の監査役であるときは，監査役に就任してからの年数
八　前各号に掲げる事項に関する記載についての当該候補者の意見があるときは，その意見の内容

　本条は，「取締役が……議案を提出する場合」に，監査役の選任に関する議案に関連して株主総会参考書類に記載すべき事項を定めるものである。「取締役が……議案を提出する場合」と定められているが，取締役会設置会社においては，取締役会が議案を提出するものと解されている。本条は，取締役（監査等委員である取締役を除く）の選任に関する議案に関連して株主総会参考書類に記載すべき事項を定める74条とおおむねパラレルに定められており，ほとんどの規定は，「取締役」を「監査役」に，「社外取締役」を「社外監査役」に，そ

れぞれ置き替えている。ただし、監査役の独立性を担保するための手当てが会社法上なされていること、会社法における対応する規定が異なることおよび監査役と取締役とではその任務に違いがあることなどから、異なる点が若干存在する。

　第1に、取締役の選任議案の場合は、公開会社についてのみ記載が要求される（74条2項3号）のとは対照的に、すべての株式会社において、株式会社との間に特別の利害関係があるときは、その事実の概要を記載しなければならない（1項2号）。これは、監査役と株式会社との間に特別の利害関係があるときには、取締役の職務執行を適切に監督できないおそれがあるからである〔特別の利害関係の意義などについては、→74条**2**(3)〕。

　第2に、議案が法343条2項の規定による請求により提出されたものであるときは、その旨を記載しなければならない（1項4号）。監査役設置会社においては、監査役（監査役会設置会社では監査役会）は、取締役に対し、監査役の選任を株主総会の目的とすることまたは監査役の選任に関する議案を株主総会に提出することを請求することができるが（法343条2項）、そのようなことがなされることは例外的なので、株主の注意を喚起するという観点から、その旨を記載することが求められる。また、会社の経営者からの監査役の独立性を確保するために、監査役は、株主総会において、監査役の選任について意見を述べることができるものとされており（法345条4項・1項）、そのような意見があるときには、その内容の概要を記載しなければならない（1項5号）。逆に、監査等委員会設置会社における監査等委員会の意見のような記載事項（74条1項3号）はない。

　第3に、2項3号は「当該株式会社における地位」と規定し、74条2項4号が「当該株式会社における地位及び担当」と規定しているのとは対照的である。取締役には担当が観念でき、かつ、現実にも担当があるのが一般的であるのに対し、監査役は独任制であり、担当が観念できないからである。なお、監査役の場合、その株式会社における地位とは、常勤監査役などをいうと考えられる。また、非常勤の者については、その旨を記載すべきであり、とりわけ、社外役員である社外監査役についてはその旨を示すべきであろう。

　第4に、4項3号および4号においては、「不正な業務の執行」とされており、74条4項4号および5号が「不当な業務の執行」と規定しているのと対照的である。このような文言の相違は、監査役は、積極的な妥当性を判断せず、基本的には業務執行の適法性を監査するという通説的な見解（新注会(6)443～445頁〔竹内〕）を前提としたものではないかと推測される。

第5に，74条4項7号ニかっこ書は「これらの者の取締役，会計参与，監査役，執行役その他これらに類する者としての報酬等を除く」と，同号ヘには「社外取締役又は監査役」と，同項8号は「社外取締役又は監査役」と規定しているが，本条4項6号ニかっこ書は「これらの者の監査役としての報酬等を除く」と，同号ヘには「社外監査役」と，同項7号は「監査役」というように，異なる規定振りとなっている［以上の点以外については，→74条］。

───(会計監査人の選任に関する議案)───
　第77条　取締役が会計監査人の選任に関する議案を提出する場合には，株主総会参考書類には，次に掲げる事項を記載しなければならない。
　一　次のイ又はロに掲げる場合の区分に応じ，当該イ又はロに定める事項
　　イ　候補者が公認会計士である場合　その氏名，事務所の所在場所，生年月日及び略歴
　　ロ　候補者が監査法人である場合　その名称，主たる事務所の所在場所及び沿革
　二　就任の承諾を得ていないときは，その旨
　三　監査役（監査役会設置会社にあっては監査役会，監査等委員会設置会社にあっては監査等委員会，指名委員会等設置会社にあっては監査委員会）が当該候補者を会計監査人の候補者とした理由
　四　法第345条第5項において準用する同条第1項の規定による会計監査人の意見があるときは，その意見の内容の概要
　五　候補者と当該株式会社との間で法第427条第1項の契約を締結しているとき又は当該契約を締結する予定があるときは，その契約の内容の概要
　六　候補者と当該株式会社との間で補償契約を締結しているとき又は補償契約を締結する予定があるときは，その補償契約の内容の概要
　七　候補者を被保険者とする役員等賠償責任保険契約を締結しているとき又は当該役員等賠償責任保険契約を締結する予定があるときは，その役員等賠償責任保険契約の内容の概要
　八　当該候補者が現に業務の停止の処分を受け，その停止の期間を経過しない者であるときは，当該処分に係る事項
　九　当該候補者が過去2年間に業務の停止の処分を受けた者である場合における当該処分に係る事項のうち，当該株式会社が株主総会参考書類に記載することが適切であるものと判断した事項
　十　株式会社が公開会社である場合において，当該候補者が次のイ又はロに掲げる場合の区分に応じ，当該イ又はロに定めるものから多額の金銭その他

の財産上の利益（これらの者から受ける会計監査人（法以外の法令の規定によるこれに相当するものを含む。）としての報酬等及び公認会計士法第2条第1項に規定する業務の対価を除く。）を受ける予定があるとき又は過去2年間に受けていたときは，その内容
　　イ　当該株式会社に親会社等がある場合　当該株式会社，当該親会社等又は当該親会社等の子会社等（当該株式会社を除く。）若しくは関連会社（当該親会社等が会社でない場合におけるその関連会社に相当するものを含む。）
　　ロ　当該株式会社に親会社等がない場合　当該株式会社又は当該株式会社の子会社若しくは関連会社

　本条は，「取締役が……議案を提出する場合」に，会計監査人の選任に関する議案に関連して株主総会参考書類に記載すべき事項を定めるものである。「取締役が……議案を提出する場合」と定められているが，取締役会設置会社においては，取締役会が議案を提出するものと解されている。

1　会計監査人候補者の氏名・名称等（1号）

　候補者が自然人である公認会計士であるときは，その氏名・事務所の所在場所・生年月日および略歴を，監査法人であるときは，その名称・主たる事務所の所在場所および沿革を，それぞれ参考書類に記載しなければならない。取締役または監査役の選任に関する議案と同様，候補者の経歴・沿革は会計監査人としての適格性を判断する重要な情報であるが，株主総会参考書類の分量などを考慮すれば，選任の判断にとって参考となる略歴で足りる。したがって，最近の経歴には限定されない。

2　就任の承諾を得ていないときは，その旨（2号）

　候補者から就任の承諾を得ていないときは，その旨を記載しなければならない。また，期限付承諾あるいは条件付承諾であるときは，その旨をも明らかにしなければならないと解されている。

3　監査役（監査役会設置会社にあっては監査役会，監査等委員会設置会社にあっては監査等委員会，指名委員会等設置会社にあっては監査委員会）が当該候補者を会計監査人の候補者とした理由（3号）

株主総会に提出する会計監査人の選任および解任ならびに会計監査人を再任しないことに関する議案の内容は，監査役設置会社では監査役が，監査役会設置会社では監査役会が，監査等委員会設置会社では監査等委員会が，指名委員会等設置会社では監査委員会が，それぞれ決定するものとされている（法344条・399条の2第3項2号・404条2項2号）。そして，監査役等が有する会計監査人の選解任等に関する議案の内容の決定権の行使の実効性を高めるという観点から，ある候補者を会計監査人の候補者とした理由を記載させるというのが本号の趣旨である。株主等からみて説得的な理由を示そうとすれば，候補者選任のプロセスを丁寧に行うというインセンティブが生ずるであろうし，株主等としても監査役等が適切に権限を行使しているかを判断する材料を得ることができると考えられる。「監査法人や公認会計士が数多く存する中で，ある候補者を会計監査人の候補者とするのであるから，その理由が存しないとは考えられず，当該理由を株主に対し開示することを求めることが不適切であるとする理由もない」と考えられると指摘されており，「有資格者である」，「他社での実績がある」，「従来の会計監査人の就任期間が長期間にわたっているから」といった「理由」を超えるような「理由」でないとしても，そのような「理由」を株主に開示する意味があると考えられ，また，そのような「理由」のみに基づいて候補者を選んでいること自体が，株主が当該議案に賛成するかどうかを判断するにあたって一定の意義を有する開示となると考えられると法務省は考えている（意見募集の結果（平成27年2月）第3・2(7)⑫）。

　なお，コーポレートガバナンス・コード（2021年6月11日）では，監査役会は，少なくとも，外部会計監査人候補を適切に選定し外部会計監査人を適切に評価するための基準の策定および外部会計監査人に求められる独立性と専門性を有しているか否かについての確認を行うべきであるとされている（補充原則3-2①）。

　このような評価基準としては，たとえば，日本公認会計士協会監査基準委員会研究報告第4号「監査品質の枠組み」の付録である「インプット要因及びプロセス要因の具体的な項目」が有用であると考えられる。

4　法345条5項において準用する同条1項の規定による会計監査人の意見があるときは，その意見の内容の概要（4号）

　会社の経営者からの会計監査人の独立性を確保するために，会計監査人は，株主総会において，会計監査人の選任について意見を述べることができるもの

とされており（法345条5項・1項），そのような意見があるときには，その内容の概要を記載しなければならない。平成18年改正前商法施行規則14条2項を踏襲したものである。

5 候補者と当該株式会社との間で責任限定契約（法427条1項）を締結しているときまたは当該契約を締結する予定があるときは，その契約の内容の概要（5号）

　株式会社は，会計監査人の任務懈怠に基づく損害賠償責任（法423条）について，その会計監査人が職務を行うにつき善意でかつ重大な過失がないときは，定款で定めた額の範囲内であらかじめ株式会社が定めた額と最低責任限度額とのいずれか高い額を限度とする旨の契約を会計監査人と締結することができる旨を定款で定めることができる（法427条）。最低責任限度額が法定されており（法425条1項，施規113条・114条），また，この責任限定契約は会計監査人に軽過失がある場合に限り有効なので，濫用のおそれは低いと期待されるが，「定款で定めた額の範囲内であらかじめ株式会社が定めた額」（法427条）も1つの基準となるところ，その額は代表取締役・代表執行役あるいは取締役会において定められると考えられることから，その内容を記載させることに意義が認められる。また，責任限度額以外についても，会社法および会社法施行規則の定めの範囲内で，会社が責任限定契約の内容を定めることができるため，責任限度額以外の契約内容も株主にとっては重要な情報であると考えられる。

6 候補者と当該株式会社との間で補償契約を締結しているときまたは補償契約を締結する予定があるときは，その補償契約の内容の概要（6号）

　これは，候補者と株式会社の間で当該株式会社に対する損害賠償責任につき責任限定契約を締結しているときまたは締結する予定があるとき（5号）とパラレルな規定である。株式会社は，役員等（会計監査人はこれに含まれる）が，その職務の執行に関し，法令の規定に違反したことが疑われ，または責任の追及に係る請求を受けたことに対処するために支出する費用，および，その役員等が，その職務の執行に関し，第三者に生じた損害を賠償する責任を負う場合におけるその損害をその役員等が賠償することにより生ずる損失またはその損害の賠償に関する紛争について当事者間に和解が成立したときは，その役員等が当該和解に基づく金銭を支払うことにより生ずる損失の全部または一部を，その株式会社がその役員等に対して補償することを約する契約（補償契約）を

締結することができる（法430条の２第１項）。補償契約は，会計監査人の注意を弛緩させるなど，会計監査人の職務の執行の適正性に影響を与えるおそれがあることから，株主が関心を有する重要な情報であると考えられる。また，補償契約の内容を適切なものとするインセンティブを与えるという観点からも，その内容を記載させることに意義が認められる。

7 候補者を被保険者とする役員等賠償責任保険契約を締結しているときまたは当該役員等賠償責任保険契約を締結する予定があるときは，その役員等賠償責任保険契約の内容の概要（7号）

これは，⑥と同様，候補者と株式会社の間で当該株式会社に対する損害賠償責任につき責任限定契約を締結しているときまたは締結する予定があるとき（5号）とパラレルな規定である。株式会社は，その役員等（会計監査人はこれに含まれる）がその職務の執行に関し責任を負うことまたはその責任の追及に係る請求を受けることによって生ずることのある損害を保険者が塡補することを約するものであって，役員等を被保険者とするもの（その保険契約を締結することにより被保険者である役員等の職務の執行の適正性が著しく損なわれるおそれがないものとして法務省令（115条の２）で定めるものを除く）（役員等賠償責任保険契約）を締結することができる（法430条の３第１項）。役員等賠償責任保険契約は，会計監査人の注意を弛緩させるなど，会計監査人の職務の執行の適正性に影響を与えるおそれがあることから，株主が関心を有する重要な情報であると考えられる。また，役員等賠償責任保険契約の内容を適切なものとするインセンティブを与えるという観点からも，その内容を記載させることに意義が認められる。

「締結しているとき」および「締結する予定があるとき」の解釈については，74条に対するコメント参照。

8 その候補者が現に業務の停止の処分を受け，その停止の期間を経過しない者であるときは，その処分に係る事項（8号）

会社法の下では，公認会計士法の規定により，計算書類について監査をすることができない者は，会計監査人となることができないものとされているが（法337条３項１号），公認会計士法上は，業務停止については，「行為の態様や内部管理体制の状況等を考慮し，監査法人全体に対してだけでなく，一部分（部門，従たる事務所など）又は一部の業務に対してのみ業務停止を行うこと

ができる」(金融庁「公認会計士・監査法人に対する懲戒処分等の考え方(処分基準)について」(平成17年3月31日))と解されているため,業務停止処分を受け,その停止の期間を経過しない者であっても,ある株式会社の会計監査人となることができる場合がある。

しかし,業務停止処分の根拠となった事実次第では,その候補者が業務停止処分を受けたという事実は,その候補者の会計監査人としての適格性に疑問を投げかける根拠となりうるため,そのような事実は,株主の議決権行使のために重要な事項であると考えられる。そこで,その候補者が現に業務の停止の処分を受け,その停止の期間を経過しない者であるときは,その処分に係る事項を記載させることとしている。その「候補者が現に業務の停止の処分を受け,その停止の期間を経過しない者である」ことを知らず,または,その処分の根拠となった事実等を株主が知らずに,株主総会において,そのような候補者を会計監査人として選任するということになるのは適当ではないという考えに基づくものと推測される。

9 その候補者が過去2年間に業務の停止の処分を受けた者である場合におけるその処分に係る事項のうち,その株式会社が株主総会参考書類に記載することが適切であるものと判断した事項(9号)

業務停止処分の根拠となった事実次第では,その候補者が過去に業務停止処分を受けたという事実は,その候補者の会計監査人としての適格性に疑問を投げかける根拠となりうるため,そのような事実は,株主の議決権行使のために重要な事項であると考えられる。そこで,その候補者が過去2年間に業務の停止の処分を受けた者である場合には,その処分に係る事項のうち,その株式会社が株主総会参考書類に記載することが適切であるものと判断した事項を記載させることとしている。「株主総会参考書類に記載することが適切である」か否かの判断にあたっては,業務停止処分の根拠となった事実の重大性,業務停止期間終了後の期間の長短,その株式会社の会計監査人としての候補者の適格性にその業務停止処分があったことがどの程度影響を与えるか,その業務停止処分の後の候補者における体制の整備・改善の状況はどのようなものか,株主総会による選任にあたって株主が知っておく必要性がどの程度あるか,などを考慮に入れることになろう。

もちろん,2年以上前に業務停止期間が終了している場合についても,株主の議決権行使の参考となると認められる,その業務停止処分に係る事項を,株

主総会参考書類に記載することは可能である（73条2項）。

10　株式会社が公開会社である場合において，その候補者が①当該株式会社に親会社等がある場合には当該株式会社，当該親会社等または当該親会社等の子会社等（当該株式会社を除く）もしくは関連会社（当該親会社等が会社でない場合におけるその関連会社に相当するものを含む）または②当該株式会社に親会社等がない場合には当該株式会社または当該株式会社の子会社もしくは関連会社から多額の金銭その他の財産上の利益（これらの者から受ける会計監査人としての報酬等および公認会計士法2条1項に規定する業務の対価を除く）を受ける予定があるときまたは過去2年間に受けていたときは，その内容（10号）

会計監査人には，株式会社およびその業務執行者（取締役・執行役など）から独立した立場で（公認会計士法1条参照），会社の計算関係書類の監査を行うことが期待されている。すなわち，会計監査人は精神的な独立性をもって監査を行うのみならず，会社およびその業務執行者から独立しているという外観を有することが求められる。

そこで，公認会計士法24条の2は，公認会計士は，その公認会計士，その配偶者または当該公認会計士もしくはその配偶者が実質的に支配していると認められるものとして内閣府令で定める関係を有する法人その他の団体が，大会社等（会計監査人設置会社（資本金の額が100億円未満であり，かつ，最終事業年度に係る貸借対照表の負債の部に計上した額の合計額1,000億円未満のものを除く）を含む）から一定の業務（会計帳簿の記帳の代行その他の財務書類の調製に関する業務，財務または会計に係る情報システムの整備または管理に関する業務，現物出資財産その他これに準ずる財産の証明または鑑定評価に関する業務，保険数理に関する業務，内部監査の外部委託に関する業務，証券業，投資顧問業その他監査または証明をしようとする財務書類を自らが作成していると認められる業務または被監査会社等の経営判断に関与すると認められる業務。公認会計士法施行規則6条）により継続的な報酬を受けている場合には，その大会社等の財務書類について財務書類の監査証明を行ってはならないと，公認会計士法34条の11の2は，監査法人は，その当該監査法人または当該監査法人が実質的に支配していると認められるものとして内閣府令で定める関係を有する法人その他の団体が，大会社等から一定の業務により継続的な報酬を受けている場合には，その大会社等の財務書類について財務書類の監査証明を行ってはならないと，それぞれ，定めて

いる。

　そして，会計監査人が，株式会社のみならず，その株式会社が属する企業集団内の他の会社から監査証明以外の業務により，多額の報酬を受け取ることにも，精神的独立性の確保と独立性を保持している外観の維持という観点から問題がありうる。そこで，本号では，株式会社の特定関係事業者（主要な取引先である者を除く）から多額の金銭その他の財産上の利益（これらの者から受ける会計監査人（法以外の法令の規定によるこれに担当するものを含む）としての報酬等および公認会計士法2条1項に規定する業務の対価を除く）を受ける予定があるときまたは過去2年間に受けていたときは，その内容を開示させ，株主がその独立性に影響を与える可能性のある情報を知りつつ，会計監査人を選任することを可能にしようとしている。

　特定関係事業者のうち，主要な取引先（2条3項19号ロ）が含まれていないのは，株式会社の主要な取引先であるものから受ける予定のある，または過去2年間に受けた多額の金銭その他の財産上の利益の内容までは開示させる必要はない，あるいは，開示させると会社の負担が過重になりうるという価値判断に基づくものと推測される。なお，「親会社等の子会社等」には，いわゆる兄弟会社およびその子会社が含まれるほか，その株式会社の子会社も含まれる（3条1項・3項参照）。また，当該株式会社の経営を支配している者が会社等ではなく自然人である場合，当該自然人が経営を支配している子会社等や当該自然人の関連会社（2条3項20号，計規2条3項21号）に相当するものも本号では含まれる。これは，「子会社等」および「親会社等」という概念（法2条3号の2・4号の2）が会社法に導入されたこと，および，当該株式会社が属する企業集団から候補者が受ける多額の金銭等を記載させるという平成27年改正前会社法施行規則77条7号の趣旨は，当該企業集団の頂点にある者が会社等である「親会社」以外の者である場合にも妥当すると考えられることによる（坂本ほか・商事法務2061号16頁）。「当該株式会社を除く」とされているのは，当該株式会社およびその子会社が会計監査人に支払うべき財産上の利益の合計額は大会社の事業報告に含められる（126条8号イ）ことに鑑みたものと推測されるが，立法論として均衡がとれているかどうかについては疑問が残る。

　また，「当該親会社等が会社でない場合におけるその関連会社に相当するものを含む」とされている（2条3項19号イも参照）のは，親会社等は会社であるとは限らないところ，関連会社とは会社が他の会社等の財務および事業の方針の決定に対して重要な影響を与えることができる場合における当該他の会社

等（子会社を除く）をいうものとされているから（2条3項20号，計規2条3項21号），ある会社からみて連結計算書類の対象となる企業集団に含まれるすべての会社その他の事業体を対象とするためである（相澤＝郡谷・商事法務1759号10頁参照）。

「これらの者から受ける会計監査人（法以外の法令の規定によるこれに相当するものを含む。）としての報酬等及び公認会計士法第2条第1項に規定する業務の対価を除く」とされているのは，監査証明業務による報酬等であれば，独立性を損なうおそれは少ないと考えられる一方で，公認会計士法2条1項に規定する業務の対価は有価証券報告書において開示されるからであろう（開示府令第3号様式記載上の注意(37)・第2号様式記載上の注意(56)）。「これに相当するものを含む」とされているのは，特定関係事業者は株式会社であるとは限らないが，特定関係事業者が会社法以外の法令などに基づき監査を受けることを強制されている場合があることに鑑みたものであろう。逆に外国の法令に基づく監査報酬の内容は記載しなければならないことになる。

「株式会社が公開会社である場合」にのみ，株主総会参考書類に記載すべき事項とされているのは，公開会社である会社については，株主の保護の観点からコーポレート・ガバナンスの充実を図る必要性が高いと考えられるからである。他方，公開会社以外の会社では，書面または電磁的方法による議決権行使を認めないことが多く，その場合には株主総会参考書類は株主に提供されないし，また，書面または電磁的方法による議決権行使を認めても，株主総会に現実に出席する株主の割合が多いと推測され，株主総会参考書類に記載させなくとも，議場において説明を求めれば十分だからであろう。

「内容」とは，金額にとどまらず，金銭以外の財産上の利益を受けたあるいは受ける場合にはその具体的内容を意味すると考えられる。すなわち，法361条1項各号に掲げる事項（額が確定しているものについては，その額，額が確定していないものについては，その具体的な算定方法，金銭でないものについては，その具体的な内容）に相当する事項であると解してよいのではないかと思われる。

第3目　役員の解任等

─**（取締役の解任に関する議案）**─────────────────

第78条　取締役が取締役（株式会社が監査等委員会設置会社である場合にあっては，監査等委員である取締役を除く。第1号において同じ。）の解任に関する議案を提出する場合には，株主総会参考書類には，次に掲げる事項を記載し

なければならない。
　一　取締役の氏名
　二　解任の理由
　三　株式会社が監査等委員会設置会社である場合において，法第342条の2第4項の規定による監査等委員会の意見があるときは，その意見の内容の概要

　本条は，「取締役が……議案を提出する場合」に，取締役の解任に関する議案に関連して株主総会参考書類に記載すべき事項を定めるものである。「取締役が……議案を提出する場合」と定められているが，取締役会設置会社においては，取締役会が議案を提出するものと解されている。「株式会社が監査等委員会設置会社である場合にあっては，監査等委員である取締役を除く」とされているのは，監査等委員である取締役の解任とそれ以外の取締役の解任とでは，その要件や手続等が異なること（法342条の2・344条の2など）を踏まえて，監査等委員である取締役に関する議案に関連して株主総会参考書類に記載すべき事項は78条の2が規定しているからである。
　本条は，平成18年改正前商法施行規則13条1項2号を踏襲したものである。取締役をその任期中に解任することは異常な事態であるから，解任議案の場合については，解任の理由（2号）を記載しなければならない。これは株主が議決権行使にあたって重要な判断材料となるからである。正当な事由がなくとも，取締役を株主総会の決議でいつでも解任できることから（法339条1項），その理由は正当なものでなくともよいが，事実に反する記載がなされた場合には，解任決議取消事由となる。解任の対象となる取締役の氏名（1号）が示されなければ，株主として賛否を決することができないのが通常であるから，取締役の氏名を記載すべきであるともいえるが，株主総会参考書類に含められるべき議案（73条1項1号）に取締役の氏名は記載されているはずであるから，あえて，株主総会参考書類の記載事項とする必要はないとも考えられる。さらに，「株式会社が監査等委員会設置会社である場合において」，「法第342条の2第4項の規定による監査等委員会の意見があるときは，その意見の内容の概要」（3号）を記載すべきこととされているのは，監査等委員会が選定する監査等委員は，株主総会において，監査等委員である取締役以外の取締役の解任について監査等委員会の意見を述べることができるとされており（法342条の2第4項），監査等委員会の意見は，株主が議決権行使についての判断を行うにあたって重要な判断材料となるからである。

第79条（会計参与の解任に関する議案） 439

──（監査等委員である取締役の解任に関する議案）─────────
　第78条の2　取締役が監査等委員である取締役の解任に関する議案を提出する場合には，株主総会参考書類には，次に掲げる事項を記載しなければならない。
　一　監査等委員である取締役の氏名
　二　解任の理由
　三　法第342条の2第1項の規定による監査等委員である取締役の意見があるときは，その意見の内容の概要

　本条は，「取締役が……議案を提出する場合」に，監査等委員である取締役の解任に関する議案に関連して株主総会参考書類に記載すべき事項を定めるものである。「取締役が……議案を提出する場合」と定められているが，取締役会設置会社においては，取締役会が議案を提出するものと解されている。
　本条は，監査役の解任に関する議案に関連して株主総会参考書類に記載すべき事項を定める80条とパラレルな規定振りになっている。すなわち，監査等委員である取締役をその任期中に解任することは異常な事態であるから，解任議案の場合については，解任の理由を記載しなければならない。正当な事由がなくとも，監査等委員である取締役を株主総会の決議でいつでも解任できることから（法339条1項），その理由は正当なものでなくともよいが，事実に反する記載がなされた場合には，解任決議取消事由となる。解任の対象となる監査等委員である取締役の氏名が示されなければ，株主として賛否を決することができないのが通常であるから，監査役の氏名を記載すべきであるともいえるが，株主総会参考書類に含められるべき議案（73条1項1号）に監査役の氏名は記載されているはずであるから，あえて，株主総会参考書類の記載事項とする必要はないとも考えられる。
　なお，監査等委員である取締役の会社の経営者からの独立性を確保するために，監査等委員である取締役は，株主総会において，監査等委員である取締役の解任について意見を述べることができるものとされており（法342条の2第1項），そのような意見があるときには，その内容の概要を記載しなければならない（3号）。

──（会計参与の解任に関する議案）─────────
　第79条　取締役が会計参与の解任に関する議案を提出する場合には，株主総会

参考書類には，次に掲げる事項を記載しなければならない。
一　会計参与の氏名又は名称
二　解任の理由
三　法第345条第1項の規定による会計参与の意見があるときは，その意見の内容の概要

　本条は，「取締役が……議案を提出する場合」に，会計参与の解任に関する議案に関連して株主総会参考書類に記載すべき事項を定めるものである。「取締役が……議案を提出する場合」と定められているが，取締役会設置会社においては，取締役会が議案を提出するものと解されている。
　会計参与をその任期中に解任することは異常な事態であるから，解任議案の場合については，解任の理由を記載しなければならない。正当な事由がなくとも，会計参与を株主総会の決議でいつでも解任できることから（法339条1項），その理由は正当なものでなくともよいが，事実に反する記載がなされた場合には，解任決議取消事由となる。解任の対象となる会計参与の氏名または名称が示されなければ，株主として賛否を決することができないのが通常であるから，会計参与の氏名または名称を記載すべきであるともいえるが，株主総会参考書類に含められるべき議案（73条1項1号）に会計参与の氏名または名称は記載されているはずであるから，あえて，株主総会参考書類の記載事項とする必要はないとも考えられる。
　なお，会社の経営者からの会計参与の独立性を確保するために，会計参与は，株主総会において，会計参与の解任について意見を述べることができるものとされており（法345条1項），そのような意見があるときには，その内容の概要を記載しなければならない（3号）。監査役の解任議案に関する80条3号とパラレルに定められている。

（監査役の解任に関する議案）
第80条　取締役が監査役の解任に関する議案を提出する場合には，株主総会参考書類には，次に掲げる事項を記載しなければならない。
一　監査役の氏名
二　解任の理由
三　法第345条第4項において準用する同条第1項の規定による監査役の意見があるときは，その意見の内容の概要

本条は、「取締役が……議案を提出する場合」に、監査役の解任に関する議案に関連して株主総会参考書類に記載すべき事項を定めるものである。「取締役が……議案を提出する場合」と定められているが、取締役会設置会社においては、取締役会が議案を提出するものと解されている。

　本条は、平成18年改正前商法施行規則13条1項2号および2項1号を踏襲したものである。監査役をその任期中に解任することは異常な事態であるから、解任議案の場合については、解任の理由を記載しなければならない。正当な事由がなくとも、監査役を株主総会の決議でいつでも解任できることから（法339条1項）、その理由は正当なものでなくともよいが、事実に反する記載がなされた場合には、解任決議取消事由となる。解任の対象となる監査役の氏名が示されなければ、株主として賛否を決することができないのが通常であるから、監査役の氏名を記載すべきであるともいえるが、株主総会参考書類に含められるべき議案（73条1項1号）に監査役の氏名は記載されているはずであるから、あえて、株主総会参考書類の記載事項とする必要はないとも考えられる。

　なお、会社の経営者からの監査役の独立性を確保するために、監査役は、株主総会において、監査役の解任について意見を述べることができるものとされており（法345条4項・1項）、そのような意見があるときには、その内容の概要を記載しなければならない（3号）。

（会計監査人の解任又は不再任に関する議案）

第81条　取締役が会計監査人の解任又は不再任に関する議案を提出する場合には、株主総会参考書類には、次に掲げる事項を記載しなければならない。

一　会計監査人の氏名又は名称

二　監査役（監査役会設置会社にあっては監査役会、監査等委員会設置会社にあっては監査等委員会、指名委員会等設置会社にあっては監査委員会）が議案の内容を決定した理由

三　法第345条第5項において準用する同条第1項の規定による会計監査人の意見があるときは、その意見の内容の概要

　本条は、「取締役が……議案を提出する場合」に、会計監査人の解任または不再任に関する議案に関連して株主総会参考書類に記載すべき事項を定めるものである。「取締役が……議案を提出する場合」と定められているが、取締役

会設置会社においては，取締役会が議案を提出するものと解されている。

　会計監査人をその任期中に解任すること，または再任しないことは異常な事態であるから，解任または不再任議案の場合については，解任または不再任の理由を記載しなければならない。正当な事由がなくとも，会計監査人を株主総会の決議でいつでも解任できることから（法339条1項），その理由は正当なものでなくともよいが，事実に反する記載がなされた場合には，解任決議取消事由となる。解任または不再任の対象となる会計監査人の氏名または名称が示されなければ，株主として賛否を決することができないのが通常であるから，会計監査人の氏名または名称を記載すべきであるともいえるが，株主総会参考書類に含められるべき議案（73条1項1号）に会計監査人の氏名または名称は記載されているはずであるから，あえて，株主総会参考書類の記載事項とする必要はないとも考えられる。

　なお，会計監査人の独立性を確保するために，会計監査人は，株主総会において，会計監査人の解任または不再任について意見を述べることができるものとされており（法345条5項・1項），そのような意見があるときには，その内容の概要を記載しなければならない（3号）。平成18年改正前商法施行規則14条2項を踏襲したものである。

　また，株主総会に対して提出する会計監査人の解任および不再任の議案の内容を決定するのは，監査役設置会社においては監査役，監査役会設置会社においては監査役会，監査等委員会設置会社においては監査等委員会，指名委員会等設置会社においては監査委員会である（法344条・399条の2第3項2号・404条2項2号）。ところで，一方では，会計監査人の解任または不再任の議案が，恣意的に株主総会に提出されることになると，会計監査人の独立性を損なうおそれがある。そこで，理由を開示させることによって，会計監査人の解任または不再任の議案を提出することにつき慎重な検討をするインセンティブを与えるとともに，株主に議決権の行使にあたって重要な参考情報を与えるという観点から，解任または不再任を内容とする議案を決定した理由を記載させるものとしている（2号）。なお，公開会社の事業報告には会計監査人の解任または不再任の決定の方針が記載されていることから（126条4号），株主は監査役（監査役会設置会社においては監査役会，監査等委員会設置会社においては監査等委員会，指名委員会等設置会社においては監査委員会）が解任または不再任を内容とする議案を決定した理由が方針と首尾一貫しているかどうかを評価することができる。

第4目　役員の報酬等

（取締役の報酬等に関する議案）

第82条　取締役が取締役（株式会社が監査等委員会設置会社である場合にあっては，監査等委員である取締役を除く。以下この項及び第3項において同じ。）の報酬等に関する議案を提出する場合には，株主総会参考書類には，次に掲げる事項を記載しなければならない。
　一　法第361条第1項各号に掲げる事項の算定の基準
　二　議案が既に定められている法第361条第1項各号に掲げる事項を変更するものであるときは，変更の理由
　三　議案が二以上の取締役についての定めであるときは，当該定めに係る取締役の員数
　四　議案が退職慰労金に関するものであるときは，退職する各取締役の略歴
　五　株式会社が監査等委員会設置会社である場合において，法第361条第6項の規定による監査等委員会の意見があるときは，その意見の内容の概要
2　前項第4号に規定する場合において，議案が一定の基準に従い退職慰労金の額を決定することを取締役，監査役その他の第三者に一任するものであるときは，株主総会参考書類には，当該一定の基準の内容を記載しなければならない。ただし，各株主が当該基準を知ることができるようにするための適切な措置を講じている場合は，この限りでない。
3　第1項に規定する場合において，株式会社が公開会社であり，かつ，取締役の一部が社外取締役（監査等委員であるものを除き，社外役員に限る。以下この項において同じ。）であるときは，株主総会参考書類には，第1項第1号から第3号までに掲げる事項のうち社外取締役に関するものは，社外取締役以外の取締役と区別して記載しなければならない。

　本条は，「取締役が……議案を提出する場合」に，取締役の報酬等に関する議案に関連して株主総会参考書類に記載すべき事項を定めるものである。「取締役が……議案を提出する場合」と定められているが，取締役会設置会社においては，取締役会が議案を提出するものと解されている。「株式会社が監査等委員会設置会社である場合にあっては，監査等委員である取締役を除く」（1項柱書かっこ書）および「監査等委員であるものを除き」（3項かっこ書）とされているのは，「監査等委員会設置会社においては」，法361条1「項各号に掲げる事項は，監査等委員である取締役とそれ以外の取締役とを区別して定めなければならない」（法361条2項）とされていることをうけて，監査等委員であ

る取締役の報酬等に関する議案に関連して株主総会参考書類に記載すべき事項は82条の2が規定しているからである。

1 株主総会参考書類の記載事項（1項）

1号および2号は平成18年改正前商法施行規則13条1項5号を，3号は同条3項を，4号は同条1項6号を，それぞれ踏襲したものである。

(1) 取締役の報酬等に関する事項の算定の基準（1号）

指名委員会等設置会社以外の会社においては，取締役の報酬，賞与その他の職務執行の対価として株式会社から受ける財産上の利益（報酬等）について，報酬等のうち額が確定しているものについては，その額，報酬等のうち額が確定していないものについては，その具体的な算定方法，報酬等のうち金銭でないものについては，その具体的な内容を，定款にそれらの事項を定めていないときは，それぞれ，株主総会の決議によって定めなければならないものとされている（法361条1項）。そして，報酬等が金銭であるか否かを問わず，報酬等のうち額が確定していないものについては，その具体的な算定方法を記載すべきであることは当然であるが，「算定の基準」を記載すべきこととされているので，報酬等のうち額が確定しているものについても，株主総会参考書類には算定の基準を記載しなければならない。これは，算定の基準が示されることによって，株主が議案の合理性を判断できると期待されるからであろう。算定の基準としては，基本となる額，役職や勤続年数による加算の方法などを示すべきである。

ここで，取締役の「報酬等」とは，取締役としての「職務執行の対価として株式会社から受ける財産上の利益」をいうとされているので（法361条1項），狭義の取締役報酬や役員賞与のほか，職務執行の対価である限り，会社の株式や新株予約権（ストック・オプション）など（114条1号かっこ書参照）も含む（98条の2から98条の5までに対するコメントも参照）。なお，法361条の解釈として，報酬等の額を個別的に定めることを要しないと解されるため（指名委員会等設置会社の報酬委員会は「個人別の」報酬等の内容を決定しなければならないとされていること（法404条3項）と対照），株主総会では，取締役の全員に対する報酬等の総額または最高限度額を定めることができる。

(2) 議案がすでに定められている取締役の報酬等に関する事項（法361条1項各

号）を変更するものであるときは、変更の理由（2号）

　すでに取締役の報酬等の額、額が確定していない報酬等の額の具体的算定方法または金銭でない報酬等の具体的内容が定められている場合に、これらの事項の改定をするときは、その改定の理由を記載するが、これは、株主が改定議案に賛成するかどうかを判断するにあたって、改定の理由が重要な材料となると考えられるからである。改定の理由としては、当初決議後の経済情勢の変化、取締役の員数の増加、他社との比較、従業員上位者の給与との比較などが考えられる。

(3)　議案が二以上の取締役についての定めであるときは、その定めに係る取締役の員数（3号）

　株主総会では、取締役の全員に対する報酬等の総額または最高限度額を定めるのが通例であることから、議案が二以上の取締役についての定めであるときは、その定めに係る取締役の員数を記載しなければならないものとされている。これは、株主は、その定めに係る取締役の員数に照らして報酬等の総額あるいは最高限度額が適当な水準であるかを判断すると考えられるからである。なお、いわゆる使用人兼務取締役の員数およびそれに対する給与・賞与の支給実績も、取締役の報酬等の総額ないし限度額が適正か否かを判断する上で必要な事項であると考えられるが、経済界の強い反対もあり、株主総会参考書類の必要的記載事項とはされていない［なお、→121条7］。

(4)　議案が退職慰労金に関するものであるときは、退職する各取締役の略歴（4号）

　株主総会において、各取締役に支給する退職慰労金につき個別に具体的な金額を決議するときは、その経歴・功績に応じた適当な額を定めるため、退職慰労金を支給される取締役の略歴は重要な参考事項である。また、一任議案が前提とする基準は退職者の経歴・功績に応じて支給額を定めるものであるから、この場合にも、退職慰労金を支給される取締役の略歴は株主の議決権行使につき参考となる事項である。そこで、退職慰労金を支給される取締役の略歴を参考書類に記載すべきものとしているが、この略歴は、退職慰労金を支給される取締役のその会社における役員としての略歴で足りるものと解される。

(5)　監査等委員会設置会社における監査等委員会の意見の内容の概要（5号）

監査等委員である取締役以外の取締役の報酬等についての意見を決定することは監査等委員会の任務の1つであり（法399条の2第3項3号），監査等委員会が選定する監査等委員は，株主総会において，監査等委員である取締役以外の取締役の報酬等について監査等委員会の当該意見を述べることができる（法361条6項）。そこで，監査等委員である取締役以外の取締役の報酬等についての監査等委員会の意見があるときは，その意見の内容の概要を記載しなければならないものとされている。監査等委員会の意見は株主の議決権行使にあたって重要な参考情報となるからである。

2 退職慰労金に関する一任議案の場合（2項）

基本的には，平成18年改正前商法施行規則13条4項を踏襲したものである。

すなわち，実務上，取締役の退職慰労金（弔慰金）に関しては，具体的金額を定めることなく，金額・支給時期・方法等を取締役会に一任する旨の総会決議がなされるのが通例である。判例は，会社の業績・退職役員の勤続年数・担当業務・功績の軽重等など一定の基準により退職慰労金を決定する慣例が確立しており，この慣例に従って定めることを黙示して取締役会に決定を一任する決議は適法であるとしている（最判昭和39・12・11民集18巻10号2143頁）。そして，会社に一定の支給基準が現実に存在しており，かつ株主がこれを認識しまたは少なくとも認識しうる状況の下では，一任決議を有効にすることができるとされている（最判昭和44・10・28判時577号92頁，最判昭和48・11・26判時722号94頁）。

そこで，本項は，会社に存在する一定の支給基準を株主が認識しまたは少なくとも認識しうるようにするために，議案に退職慰労金の具体的金額を示さないで，一定の基準に従いその額の決定を取締役・監査役その他第三者に一任するものであるときは，株主総会参考書類にその基準の内容を記載しなければならないものとしている。株主総会参考書類に記載すべき基準の内容は，その取締役に適用される部分だけで足りる。ただし，「各株主が当該基準を知ることができるようにするための適切な措置を講じている場合」には株主総会参考書類に記載することを要しないとされており，「各株主が当該基準を知ることができるようにするための適切な措置」としては，平成18年改正前商法施行規則13条4項が定めていた，その基準を記載した書面を本店に備え置いて株主（議決権を有する株主）の閲覧に供すること，その基準を記録した電磁的記録を本店に備え置いて，その電磁的記録に記録された情報の内容を紙面または映像面

に表示する方法により表示したものを株主の閲覧に供すること（226条参照）のほか，少なくとも，ウェブ開示によるみなし提供（94条1項）をすることができる会社においては，会社のウェブサイトにアップロードし，株主が閲覧することができるようにすること（ウェブ開示によるみなし提供と同様の方法）などが考えられよう。

3　社外役員である社外取締役の報酬の区分記載（3項）

　株式会社が公開会社であり，かつ，取締役の一部が社外取締役（社外役員に限る）であるときは，株主総会参考書類には，取締役の報酬等に関する事項（法361条1項各号に掲げる事項）の算定の基準，議案がすでに定められている取締役の報酬等に関する事項（同号に掲げる事項）を変更するものであるときは，変更の理由，および，議案が二以上の取締役についての定めであるときは，その定めに係る取締役の員数のうち社外取締役に関するものは，社外取締役以外の取締役と区別して記載しなければならないものとされている。

　これは，社外役員である社外取締役には業務執行者である代表取締役，業務執行取締役あるいは（代表）執行役などの業務執行を監督することが期待されており，社外役員である社外取締役がそれらの業務執行者から精神的に独立していること，および，独立しているという外観を有することが求められることによる。すなわち，報酬等の額の算定の基準が適切でないと社外取締役の独立性が損なわれるおそれがある。報酬等の額が不当に少ない場合には，社外役員である社外取締役は単なる人数合わせの可能性があり，または，そのような社外取締役が十分な時間とエネルギーを割いて，会社の取締役としての任務を遂行することを期待しにくくなる可能性がある。他方で，報酬等の額が不当に高い場合には，取締役として再任されることを期待して，あるいは解任されることをおそれて，株主総会に提出される取締役候補者の決定に大きな影響力を有する業務執行者を適切に監督しないという問題が生じうる。また，たとえば，業績連動部分が多い，または株式報酬部分が多い場合には，報酬等の額の算定方法が社外役員である社外取締役のそれとして不適当であるとみられる場合もありえよう。そのような算定の基準によると，会社が過度のリスクをとることや粉飾等を抑止するインセンティブが失われるおそれがありうるからである。

　なお，株式会社が公開会社である場合についてのみ要求されているのは，公開会社である会社については，株主の保護の観点からコーポレート・ガバナンスの充実を図る必要性が高いと考えられるからである。他方，公開会社以外の

会社では，書面または電磁的方法による議決権行使を認めないことが多く，その場合には株主総会参考書類は株主に提供されないし，また，書面または電磁的方法による議決権行使を認めても，株主総会に現実に出席する株主の割合が多いと推測され，株主総会参考書類に記載させなくとも，議場において説明を求めれば十分だからであろう。

（監査等委員である取締役の報酬等に関する議案）

第82条の2 取締役が監査等委員である取締役の報酬等に関する議案を提出する場合には，株主総会参考書類には，次に掲げる事項を記載しなければならない。
一 法第361条第1項各号に掲げる事項の算定の基準
二 議案が既に定められている法第361条第1項各号に掲げる事項を変更するものであるときは，変更の理由
三 議案が二以上の監査等委員である取締役についての定めであるときは，当該定めに係る監査等委員である取締役の員数
四 議案が退職慰労金に関するものであるときは，退職する各監査等委員である取締役の略歴
五 法第361条第5項の規定による監査等委員である取締役の意見があるときは，その意見の内容の概要
2 前項第4号に規定する場合において，議案が一定の基準に従い退職慰労金の額を決定することを取締役その他の第三者に一任するものであるときは，株主総会参考書類には，当該一定の基準の内容を記載しなければならない。ただし，各株主が当該基準を知ることができるようにするための適切な措置を講じている場合は，この限りでない。

本条は，「取締役が……議案を提出する場合」に，監査等委員である取締役の報酬等に関する議案に関連して株主総会参考書類に記載すべき事項を定めるものである。「取締役が……議案を提出する場合」と定められているが，取締役会設置会社においては，取締役会が議案を提出するものと解されている。監査役である取締役の報酬等に関する議案に関連して株主総会参考書類に記載すべき事項を定める84条とパラレルに定められており，「監査役」を「監査等委員である取締役」に，「法第387条第1項」を「法第361条第1項」に，「法第387条第3項」を「法第361条第5項」に，それぞれ置き替えた規定となっている〔解釈については，→84条〕。

───(会計参与の報酬等に関する議案)──────────────────
第83条 取締役が会計参与の報酬等に関する議案を提出する場合には,株主総会参考書類には,次に掲げる事項を記載しなければならない。
　一　法第379条第1項に規定する事項の算定の基準
　二　議案が既に定められている法第379条第1項に規定する事項を変更するものであるときは,変更の理由
　三　議案が二以上の会計参与についての定めであるときは,当該定めに係る会計参与の員数
　四　議案が退職慰労金に関するものであるときは,退職する各会計参与の略歴
　五　法第379条第3項の規定による会計参与の意見があるときは,その意見の内容の概要
２　前項第4号に規定する場合において,議案が一定の基準に従い退職慰労金の額を決定することを取締役,監査役その他の第三者に一任するものであるときは,株主総会参考書類には,当該一定の基準の内容を記載しなければならない。ただし,各株主が当該基準を知ることができるようにするための適切な措置を講じている場合は,この限りでない。

　本条は,「取締役が……議案を提出する場合」に,会計参与の報酬等に関する議案に関連して株主総会参考書類に記載すべき事項を定めるものである。「取締役が……議案を提出する場合」と定められているが,取締役会設置会社においては,取締役会が議案を提出するものと解されている。

1　株主総会参考書類の記載事項（1項）

　監査役の報酬等に関する株主総会参考書類の記載事項を定める84条1項と,パラレルな規定である。

(1)　会計参与の報酬等に関する事項の算定の基準（1号）
　会計参与の報酬,賞与その他の職務執行の対価として株式会社から受ける財産上の利益（報酬等）は,定款にその額を定めていないときは,株主総会の決議によって定めなければならないものとされている（法379条1項）。そして,報酬等が金銭であるか否かを問わず,報酬等のうち額が確定していないものについては,その具体的な算定方法を記載すべきであることは当然であるが,「算定の基準」を記載すべきこととされているので,報酬等のうち額が確定し

ているものについても，株主総会参考書類には算定の基準を記載しなければならない。これは，算定の基準が示されることによって，株主が議案の合理性を判断できると期待されるからであろう。算定の基準としては，基本となる額，用いた補助者の数，職務執行に要した時間等による加算の方法などを示すべきである。

　ここで，会計参与の「報酬等」とは，会計参与としての「職務執行の対価として株式会社から受ける財産上の利益」をいうとされているので（法361条1項），狭義の会計参与報酬や役員賞与のほか，職務執行の対価である限り，会社の新株予約権（ストック・オプション）を含む（114条1号かっこ書参照。また，たとえば，相澤＝郡谷・商事法務1762号9頁）。なお，法379条の解釈として，報酬等の額を個別的に定めることを要しないと解されるため（同条2項は，「会計参与が2人以上ある場合において，各会計参与の報酬等について定款の定め又は株主総会の決議がないときは，当該報酬等は，前項の報酬等の範囲内において，会計参与の協議によって定める」と規定している），会計参与の全員に対する報酬等の総額または最高限度額を株主総会では定めることができる。

(2) 議案がすでに定められている会計参与の報酬等に関する事項を変更するものであるときは，変更の理由（2号）

　すでに会計参与の報酬等の額，額が確定していない報酬等の額の具体的算定方法または金銭でない報酬等の具体的内容が定められている場合に，これらの事項の改定をするときは，その改定の理由を記載するが，これは，株主が改定議案に賛成するかどうかを判断するにあたって，改定の理由が重要な材料となると考えられるからである。改定の理由としては，当初決議後の経済情勢の変化，会計参与の員数の増加，他社との比較，従業員上位者の給与との比較などが考えられる。

(3) 議案が二以上の会計参与についての定めであるときは，その定めに係る会計参与の員数（3号）

　会計参与が複数置かれている場合には，株主総会では，会計参与の全員に対する報酬等の総額または最高限度額を定める可能性があることから，議案が二以上の会計参与についての定めであるときは，その定めに係る会計参与の員数を記載しなければならないものとされている。これは，株主は，その定めに係る会計参与の員数に照らして報酬等の総額あるいは最高限度額が適当な水準で

あるかを判断すると考えられるからである。

(4) 議案が退職慰労金に関するものであるときは，退職する各会計参与の略歴（4号）

　株主総会において，各会計参与に支給する退職慰労金につき個別に具体的な金額を決議するときは，その経歴・功績に応じた適当な額を定めるため，退職慰労金を支給される会計参与の略歴は重要な参考事項である。また，一任議案が前提とする基準は退職者の経歴・功績に応じて支給額を定めるものであるから，この場合にも，退職慰労金を支給される会計参与の略歴は株主の議決権行使につき参考となる事項である。そこで，退職慰労金を支給される会計参与の略歴を参考書類に記載すべきものとしているが，この略歴は，退職慰労金を支給される会計参与のその会社における役員としての略歴で足りるものと解される。

(5) 会計参与の報酬等についての会計参与の意見の内容の概要（5号）

　会計参与は，会計参与の報酬等について株主総会で意見を述べることができ（法379条3項），その意見の概要は株主総会参考書類に記載しなければならないものとされている。この意見陳述権は会計参与の報酬等が低くなりすぎないようにするために認められたものであり，たとえば，物価水準の上昇にもかかわらず，改定の議案が提出されないという事態が想定できる以上，会計参与の報酬等に関する議題の審議の際に限られないと解するべきであろう（竹内・昭和56改正180頁参照）。したがって，取締役についての報酬等の改定の理由が会計参与にも共通するものであれば，会計参与は当然に意見を述べることができるので，その意見の要旨も記載されなければならない。

2　退職慰労金に関する一任議案の場合（2項）

　退職慰労金に関する一任議案の場合の，監査役の報酬等に関する株主総会参考書類の記載事項を定める84条2項とパラレルな規定である。

　すなわち，会計参与の退職慰労金（弔慰金）に関して，取締役や監査役の退職慰労金と同様，具体的金額を定めることなく，金額・支給時期・方法等を取締役会に一任する旨の総会決議がなされる可能性がある。

　そこで，本項は，会社に存在する一定の支給基準を株主が認識しまたは少なくとも認識しうるようにするために，議案に退職慰労金の具体的金額を示さな

いで，一定の基準に従いその額の決定を取締役・監査役その他第三者に一任するものであるときは，株主総会参考書類にその基準の内容を記載しなければならないものとしている。株主総会参考書類に記載すべき基準の内容は，その会計参与に適用される部分だけで足りる。ただし，「各株主が当該基準を知ることができるようにするための適切な措置を講じている場合」には株主総会参考書類に記載することを要しないとされており，「各株主が当該基準を知ることができるようにするための適切な措置」としては，平成18年改正前商法施行規則13条4項が定めていた，その基準を記載した書面を本店に備え置いて株主（議決権を有する株主）の閲覧に供すること，その基準を記録した電磁的記録を本店に備え置いて，その電磁的記録に記録された情報の内容を紙面または映像面に表示する方法により表示したものを株主の閲覧に供すること（226条参照）のほか，少なくとも，ウェブ開示によるみなし提供（94条1項）をすることができる会社においては，会社のウェブサイトにアップロードし，株主が閲覧することができるようにすること（ウェブ開示によるみなし提供と同様の方法）などが考えられよう。

---(監査役の報酬等に関する議案)---
第84条 取締役が監査役の報酬等に関する議案を提出する場合には，株主総会参考書類には，次に掲げる事項を記載しなければならない。
　一　法第387条第1項に規定する事項の算定の基準
　二　議案が既に定められている法第387条第1項に規定する事項を変更するものであるときは，変更の理由
　三　議案が二以上の監査役についての定めであるときは，当該定めに係る監査役の員数
　四　議案が退職慰労金に関するものであるときは，退職する各監査役の略歴
　五　法第387条第3項の規定による監査役の意見があるときは，その意見の内容の概要
2　前項第4号に規定する場合において，議案が一定の基準に従い退職慰労金の額を決定することを取締役，監査役その他の第三者に一任するものであるときは，株主総会参考書類には，当該一定の基準の内容を記載しなければならない。ただし，各株主が当該基準を知ることができるようにするための適切な措置を講じている場合は，この限りでない。

本条は，「取締役が……議案を提出する場合」に，監査役の報酬等に関する

議案に関連して株主総会参考書類に記載すべき事項を定めるものである。「取締役が……議案を提出する場合」と定められているが、取締役会設置会社においては、取締役会が議案を提出するものと解されている。

1　株主総会参考書類の記載事項（1項）

1号および2号は平成18年改正前商法施行規則13条1項5号を、3号は同条3項を、4号は同条1項6号を、5号は同条2項1号を、それぞれ踏襲したものである。

(1)　監査役の報酬等に関する事項の算定の基準（1号）

監査役の報酬、賞与その他の職務執行の対価として株式会社から受ける財産上の利益（報酬等）は、定款にその額を定めていないときは、株主総会の決議によって定めなければならないものとされている（法387条1項）。そして、報酬等が金銭であるか否かを問わず、報酬等のうち額が確定していないものについては、その具体的な算定方法を記載すべきであることは当然であるが、「算定の基準」を記載すべきこととされているので、報酬等のうち額が確定しているものについても、株主総会参考書類には算定の基準を記載しなければならない。これは、算定の基準が示されることによって、株主が議案の合理性を判断できると期待されるからであろう。算定の基準としては、基本となる額、役職や勤続年数による加算の方法などを示すべきである。

ここで、監査役の「報酬等」とは、監査役としての「職務執行の対価として株式会社から受ける財産上の利益」をいうとされているので（法361条1項）、狭義の監査役報酬や役員賞与のほか、職務執行の対価である限り、会社の新株予約権（ストック・オプション）を含む（114条1号かっこ書参照。また、たとえば、相澤＝郡谷・商事法務1762号9頁）。なお、法387条の解釈として、報酬等の額を個別的に定めることを要しないと解されるため（同条2項は、「監査役が2人以上ある場合において、各監査役の報酬等について定款の定め又は株主総会の決議がないときは、当該報酬等は、前項の報酬等の範囲内において、監査役の協議によって定める」と規定している）、監査役の全員に対する報酬の総額または最高限度額を株主総会では定めることができる。

(2)　議案がすでに定められている監査役の報酬等に関する事項を変更するものであるときは、変更の理由（2号）

すでに監査役の報酬等の額，額が確定していない報酬等の額の具体的算定方法または金銭でない報酬等の具体的内容が定められている場合に，これらの事項の改定をするときは，その改定の理由を記載するが，これは，株主が改定議案に賛成するかどうかを判断するにあたって，改定の理由が重要な材料となると考えられるからである。改定の理由としては，当初決議後の経済情勢の変化，監査役の員数の増加，他社との比較，従業員上位者の給与との比較などが考えられる。

(3) 議案が二以上の監査役についての定めであるときは，その定めに係る監査役の員数（3号）

監査役の全員に対する報酬等の総額または最高限度額を株主総会では定めるのが通例であることから，議案が二以上の監査役についての定めであるときは，その定めに係る監査役の員数を記載しなければならないものとされている。これは，株主は，その定めに係る監査役の員数に照らして報酬等の総額あるいは最高限度額が適当な水準であるかを判断すると考えられるからである。

(4) 議案が退職慰労金に関するものであるときは，退職する各監査役の略歴（4号）

株主総会において，各監査役に支給する退職慰労金につき個別に具体的な金額を決議するときは，その経歴・功績に応じた適当な額を定めるため，退職慰労金を支給される監査役の略歴は重要な参考事項である。また，一任議案が前提とする基準は退職者の経歴・功績に応じて支給額を定めるものであるから，この場合にも，退職慰労金を支給される監査役の略歴は株主の議決権行使につき参考となる事項である。そこで，退職慰労金を支給される監査役の略歴を参考書類に記載すべきものとしているが，この略歴は，退職慰労金を支給される監査役のその会社における役員としての略歴で足りるものと解される。

(5) 監査役の報酬等についての監査役の意見の内容の概要（5号）

監査役は，監査役の報酬等について株主総会で意見を述べることができ（法387条3項），その意見の概要は株主総会参考書類に記載しなければならないものとされている。この意見陳述権は監査役の報酬等が低くなり過ぎないようにするために認められたものであり，たとえば，物価水準の上昇にもかかわらず，改定の議案が提出されないという事態が想定できる以上，監査役の報酬等

に関する議題の審議の際に限られないと解されている（竹内・昭和56改正180頁）。したがって，取締役についての報酬等の改定の理由が監査役にも共通するものであれば，監査役は当然に意見を述べることができるので，その意見の要旨も記載されなければならない。

2 退職慰労金に関する一任議案の場合（2項）

　基本的には，平成18年改正前商法施行規則13条4項を踏襲したものである。
　すなわち，実務上，監査役の退職慰労金（弔慰金）に関しては，具体的金額を定めることなく，金額・支給時期・方法等を監査役の協議に一任する旨の総会決議がなされるのが通例である。判例は，会社の業績・退職役員の勤続年数・担当業務・功績の軽重等など一定の基準により退職慰労金を決定する慣例が確立しており，この慣例に従って定めることを黙示して取締役会に決定を一任する決議は適法であるとしている（最判昭和39・12・11民集18巻10号2143頁）。そして，会社に一定の支給基準が現実に存在しており，かつ株主がこれを認識しまたは少なくとも認識しうる状況の下では，一任決議を有効にすることができるとされている（最判昭和44・10・28判時577号92頁，最判昭和48・11・26判時722号94頁）。
　そこで，本項は，会社に存在する一定の支給基準を株主が認識しまたは少なくとも認識しうるようにするために，議案に退職慰労金の具体的金額を示さないで，一定の基準に従いその額の決定を取締役・監査役その他第三者に一任するものであるときは，株主総会参考書類にその基準の内容を記載しなければならないものとしている。株主総会参考書類に記載すべき基準の内容は，その監査役に適用される部分だけで足りる。ただし，「各株主が当該基準を知ることができるようにするための適切な措置を講じている場合」には株主総会参考書類に記載することを要しないとされており，「各株主が当該基準を知ることができるようにするための適切な措置」としては，平成18年改正前商法施行規則13条4項が定めていた，その基準を記載した書面を本店に備え置いて株主（議決権を有する株主）の閲覧に供すること，その基準を記録した電磁的記録を本店に備え置いて，その電磁的記録に記録された情報の内容を紙面または映像面に表示する方法により表示したものを株主の閲覧に供すること（226条参照）のほか，少なくとも，ウェブ開示によるみなし提供（94条1項）をすることができる会社においては，会社のウェブサイトにアップロードし，株主が閲覧することができるようにすること（ウェブ開示によるみなし提供と同様の方法）など

が考えられよう。

(責任免除を受けた役員等に対し退職慰労金等を与える議案等)

第84条の2 次の各号に掲げる場合において、取締役が法第425条第4項（法第426条第8項及び第427条第5項において準用する場合を含む。）に規定する承認の決議に関する議案を提出するときは、株主総会参考書類には、責任を免除し、又は責任を負わないとされた役員等が得る第114条各号に規定する額及び当該役員等に与える第115条各号に規定するものの内容を記載しなければならない。

一　法第425条第1項に規定する決議に基づき役員等の責任を免除した場合
二　法第426条第1項の規定による定款の定めに基づき役員等の責任を免除した場合
三　法第427条第1項の契約によって同項に規定する限度を超える部分について同項に規定する非業務執行取締役等が損害を賠償する責任を負わないとされた場合

本条は、責任免除を受けた役員等に対し退職慰労金等を与える議案等に関連して、株主総会参考書類に記載すべき事項を定めるものである。

株主総会の特別決議により役員等の責任を免除した場合（法425条1項）、定款の定めに基づき、取締役の決定もしくは取締役会の決議により責任を免除した場合（法426条1項）または責任限定契約（法427条1項）により限度額を超える部分について非業務執行取締役等が損害を賠償する責任を負わないとされた場合においては、株式会社が当該決議後、当該責任免除後または限度額を超える部分について損害を賠償する責任を負わないとされた後に当該役員等に対し退職慰労金その他の法務省令で定める財産上の利益を与えるときは、株主総会の承認を受けなければならないとされている（法425条4項・426条8項・427条5項）。当該役員等が無償または特に有利な条件で引き受けた新株予約権を当該決議後に行使し、または譲渡するときも、株主総会の承認を受けなければならないとされている（法425条4項・426条8項・427条5項）。そこで、このような承認の決議が株主総会においてなされるにあたって、株主総会に出席しない株主に判断材料を与え、株主総会の承認を要求している会社法の規律の実効性を確保するために、特に有利な条件で引き受けた職務執行の対価以外の新株予約権の額および責任の免除の決議後に受ける退職慰労金等の内容を記載することを求めている。なお、責任の免除の決議後に受ける退職慰労金等（115条各

号に規定するもの)の「内容」には,額が確定しているものについては,その額,額が確定していないもの(たとえば,終身の退職年金)については,その具体的な算定方法,金銭でないものについては,その具体的な内容が(法361条1項参照),少なくとも含まれると解されよう。

第5目　計算関係書類の承認

> **第85条**　取締役が計算関係書類の承認に関する議案を提出する場合において,次の各号に掲げるときは,株主総会参考書類には,当該各号に定める事項を記載しなければならない。
> 　一　法第398条第1項の規定による会計監査人の意見がある場合　その意見の内容
> 　二　株式会社が取締役会設置会社である場合において,取締役会の意見があるとき　その意見の内容の概要

　本条は,「取締役が……議案を提出する場合」に,計算関係書類の承認に関する議案に関連して株主総会参考書類に記載すべき事項を定めるものである。「取締役が……議案を提出する場合」と定められているが,取締役会設置会社においては,取締役会が議案を提出するものと解されている。

1　監査役,監査役会,監査等委員会または監査委員会の意見(意見の付記を含む)の記載が要求されていない根拠

　平成18年改正前商法施行規則13条1項3号は「取締役会及び監査役の意見の要旨」を記載することを要求し,同規則15条1項は「大株式会社及びみなし大株式会社にあっては,第13条第1項第3号に掲げる場合においては,株主総会参考書類には,同号に定める事項に代えて,取締役会及び会計監査人の意見並びに監査役会の意見(各監査役の意見の付記を含む。)の要旨を記載しなければならない」と,同規則16条1項は「特例会社にあっては,第13条第1項第3号に掲げる場合においては,株主総会参考書類には,同号に定める事項に代えて,取締役会及び会計監査人の意見並びに監査委員会の意見(各監査委員の意見の付記を含む。……)の要旨を記載しなければならない」と,それぞれ定めていた。

　しかし,本条では,73条1項3号により,議案について「法第384条,第389

条第3項又は第399条の5の規定により株主総会に報告をすべきときは、その報告の内容の概要」を株主総会参考書類に記載すべきものとされているため、監査役の意見の内容を記載することを要求していない。そもそも、監査役、監査役会、監査等委員会または監査委員会の監査報告（および、会計監査人設置会社では会計監査報告）にそれぞれの意見（監査役会、監査等委員会または監査委員会の監査報告については、監査役、監査等委員または監査委員の意見の付記を含む）が含められるので（計規122条1項2号・123条2項1号・127条2号・128条2項2号・128条の2第1項2号・129条1項2号）、73条1項3号に基づいて記載される報告の内容の概要に加えて、株主総会参考書類に監査役、監査役会、監査等委員会または監査委員会の意見（監査役会、監査等委員会または監査委員会の監査報告については、監査役、監査等委員または監査委員の意見の付記を含む）を重ねて記載させる必要はないという理由に基づくものである（相澤＝郡谷・商事法務1759号17頁）。

2　法398条1項の規定による会計監査人の意見がある場合（1号）

　会計監査人設置会社では会計監査報告にその意見は記載されるものの（計規126条1項2号）、計算関係書類が法令または定款に適合するかどうかについて会計監査人が監査役（監査役会設置会社では監査役会もしくは監査役、監査等委員会設置会社では監査等委員会もしくは監査等委員、指名委員会等設置会社では監査委員会もしくはその委員）と意見を異にするときは、会計監査人（会計監査人が監査法人である場合にあっては、その職務を行うべき社員）は、定時株主総会に出席して意見を述べることができることとされており（法398条1項）、この場合には本号により、その意見の内容を株主総会参考書類に記載しなければならないものとされている。

　取締役会設置会社であっても、会計監査人設置会社以外の会社では、計算書類および臨時計算書類につき株主総会による承認決議（法438条2項・441条4項本文）を経ることが必要であるが、会計監査人設置会社である取締役会設置会社では、計算関係書類について会計監査人の無限定適正意見（計規126条1項2号イ）が表明され、かつ、監査役、監査役会、監査等委員会または監査委員会の監査報告にその事項についての会計監査人の監査の方法または結果を相当でないと認めた旨の記載（各監査役、各監査等委員または各監査委員の意見の付記を含む）がないときは、取締役会限りで計算書類および臨時計算書類が確定する（計規135条）。このような場合には、株主総会においては計算書類または臨

時計算書類の内容を株主総会において報告すれば足りることとされている（法439条・441条4項ただし書）。

したがって，会計監査人設置会社である取締役会設置会社において計算書類または臨時計算書類の承認が株主総会の議案となるのは例外的な場合である。すなわち，取締役（指名委員会等設置会社においては執行役。会計参与設置会社においては，さらに会計参与）の作成した計算書類または臨時計算書類に対し，1人または複数の会計監査人が，その計算書類または臨時計算書類が法令および定款に従っておらず，または会社の財産および損益の状況を正しく示していない旨の意見を表明した場合か，監査役，監査役会，監査等委員会または監査委員会の監査報告に会計監査人の監査の方法またはその無限定適正意見を相当でないと認めた記載があり，もしくは1人または複数の監査役，監査等委員または監査委員が会計監査人の監査の方法またはその無限定適正意見を相当でないとする意見を付したか，あるいはその両方があった場合である。このような場合には，計算書類または臨時計算書類に関して，取締役会と会計監査人あるいは監査役，監査役会，監査等委員会または監査委員会との間で意見が異なるのであるから，それぞれの意見を知ることが，株主の議決権の適切な行使にとって必要と考えられる。そこで，会計監査人の意見の要旨を記載しなければならないものとされている。

会計監査人の意見はそれぞれの会計監査報告において表明されており，それらは株主総会招集通知の際に提供されるが，監査役，監査役会または監査委員会の意見の記載（監査役会，監査等委員会または監査委員会の監査報告については，監査役，監査等委員または監査委員の意見の付記を含む）を要求していないにもかかわらず，あえて，会計監査人の意見についてのみ本号で記載を要求している趣旨に照らすと，会計監査報告を参照するのみでは足りず，株主総会参考書類にも記載することが要求されると解すべきであろう（73条3項と対照）。

3　株式会社が取締役会設置会社である場合において，取締役会の意見があるとき（2号）

株式会社が取締役会設置会社である場合において，取締役会の意見があるときには，その意見の内容の概要を株主総会参考書類に記載しなければならないものとされている。これは，上述のように，平成18年改正前商法施行規則においては，つねに取締役会の意見を記載することを要求していたが，必ず意見を記載させる必要もないので，意見のあるときにのみ記載が要求されている（相

澤＝郡谷・商事法務1759号17頁)。なお，実際には，会計監査人および監査役(会)または監査委員(会)の意見に対する取締役会の主張・反論と会計監査人・監査役(会)，監査等委員(会)または監査委員(会)の意見を対比して株主総会参考書類に記載することは，株主の理解を深める上で有益である。

第5目の2　全部取得条項付種類株式の取得

> **第85条の2**　取締役が全部取得条項付種類株式の取得に関する議案を提出する場合には，株主総会参考書類には，次に掲げる事項を記載しなければならない。
> 一　当該全部取得条項付種類株式の取得を行う理由
> 二　法第171条第1項各号に掲げる事項の内容
> 三　法第298条第1項の決定をした日における第33条の2第1項各号（第4号を除く。)に掲げる事項があるときは，当該事項の内容の概要

　本条は，「取締役が……議案を提出する場合」に，全部取得条項付種類株式の取得に関する議案に関連して株主総会参考書類に記載すべき事項を定めるものである。「取締役が……議案を提出する場合」と定められているが，取締役会設置会社においては，取締役会が議案を提出するものと解されている。
　本条は，株式交換契約の承認に関する議案に関連して株主総会参考書類に記載すべき事項を定める88条などとパラレルに記載事項を定めている。
　まず，当該全部取得条項付種類株式の取得を行う理由を記載しなければならない（1号)。株主が賛否を決するためには当該全部取得条項付種類株式の取得の必要性または当否が重要な要素となるからである。理由は，必要な程度に具体的に記載される必要がある。したがって，当該全部取得条項付種類株式の取得を必要とする環境や会社の状況，その当該全部取得条項付種類株式の取得によりもたらされると予想される効果と問題点などを，具体的に記載しなければならない。
　また，取得対価の内容および数またはその数の算定方法，全部取得条項付種類株式の株主に対する取得対価の割当てに関する事項ならびに取得日を記載しなければならない（2号)。同様に，株主総会の招集の決定をした日における，取得対価の相当性に関する事項，取得対価について参考となるべき事項および計算書類等に関する事項（33条の2第1項1号～3号）に掲げる事項があるとき

は、当該事項の内容の「概要」も記載しなければならない（3号）。これは、本店等に備え置かれ閲覧・謄写等により開示される事前開示事項は、一般的に株主にとっても重要であり、株主総会参考書類の記載事項とすることによって、わざわざ、株式会社の本店等に赴かなくとも、それらの情報を入手できることが望ましいからである（書面または電磁的方法による議決権行使を認めることのメリットの1つは、株主にとってのコストや時間の節約にあると思われるから、株式会社の本店等に赴かないと重要な情報を入手できないということには問題があろう）。

　もっとも、「概要」とされ、本店等に備え置かれ閲覧・謄写等により開示される事前開示事項（法171条の2、施規33条の2）の全部を株主総会参考書類に記載することは要求されていない。これは、事前開示事項は、一般的に株主にとっても重要であり、事前開示事項と株主総会参考書類の記載事項をできるだけ一致させることが望ましいが、株主総会参考書類に記載することが困難な事項や株主総会参考書類に記載することを要求すると株主総会参考書類の分量が多くなりすぎるおそれのある事項が含まれているからである。また、事前開示事項をすべて株主総会参考書類に記載すべきこととすると、反対に、株式会社が事前開示事項の情報量を減少させるという行動にでるおそれもあることからである（相澤＝郡谷・商事法務1759号17頁）。なお、概要は株主が適切に議決権行使をするために必要な程度に詳細でなければならない。

第5目の3　株式の併合

> **第85条の3**　取締役が株式の併合（法第182条の2第1項に規定する株式の併合をいう。第93条第1項第5号ロにおいて同じ。）に関する議案を提出する場合には、株主総会参考書類には、次に掲げる事項を記載しなければならない。
> 一　当該株式の併合を行う理由
> 二　法第180条第2項各号に掲げる事項の内容
> 三　法第298条第1項の決定をした日における第33条の9第1号及び第2号に掲げる事項があるときは、当該事項の内容の概要

　本条は、「取締役が……議案を提出する場合」に、株式の併合（単元株式数（種類株式発行会社では、併合する種類の株式の単元株式数）を定款で定めている場合には、当該単元株式数に併合割合を乗じて得た数に1に満たない端数が生ずるものに限る。法182条の2第1項）に関する議案に関連して株主総会参考書類に記

載すべき事項を定めるものである。「取締役が……議案を提出する場合」と定められているが，取締役会設置会社においては，取締役会が議案を提出するものと解されている。

本条は，全部取得条項付種類株式の取得に関する議案に関連して株主総会参考書類に記載すべき事項を定める85条の2などとパラレルに記載事項を定めている。

まず，当該株式の併合を行う理由を記載しなければならない（1号）。株主が賛否を決するためには株式の併合の必要性または当否が重要な要素となるからである。理由は，必要な程度に具体的に記載される必要がある。したがって，株式の併合を必要とする環境や会社の状況，その株式の併合によりもたらされると予想される効果と問題点などを，具体的に記載しなければならない。

また，併合の割合，株式の併合の効力発生日，株式会社が種類株式発行会社である場合には，併合する株式の種類および効力発生日における発行可能株式総数を記載しなければならない（2号）。同様に，株主総会の招集の決定をした日における，株式の併合をする株式会社に親会社等がある場合には，当該株式会社の株主（当該親会社等を除く）の利益を害さないように留意した事項（当該事項がない場合には，その旨），法235条の規定により1株に満たない端数の処理をすることが見込まれる場合における当該処理の方法に関する事項，当該処理により株主に交付することが見込まれる金銭の額および当該額の相当性に関する事項その他の併合の割合，および株式会社が種類株式発行会社である場合において，併合する株式の種類についての定めの相当性に関する事項ならびに計算書類等に関する事項（33条の9第1号・2号）に掲げる事項があるときは，当該事項の内容の「概要」も記載しなければならない。これは，本店等に備え置かれ閲覧・謄写等により開示される事前開示事項は，一般的に株主にとっても重要であり，株主総会参考書類の記載事項とすることによって，わざわざ，株式会社の本店等に赴かなくとも，それらの情報を入手できることが望ましいからである（書面または電磁的方法による議決権行使を認めることのメリットの1つは，株主にとってのコストや時間の節約にあると思われるから，株式会社の本店等に赴かないと重要な情報を入手できないということには問題があろう）。

もっとも，「概要」とされ，本店等に備え置かれ閲覧・謄写等により開示される事前開示事項（法182条の2，施規33条の9）の全部を株主総会参考書類に記載することは要求されていない。これは，事前開示事項は，一般的に株主にとっても重要であり，事前開示事項と株主総会参考書類の記載事項をできるだ

け一致させることが望ましいが，株主総会参考書類に記載することが困難な事項や株主総会参考書類に記載することを要求すると株主総会参考書類の分量が多くなりすぎるおそれのある事項が含まれているからである。また，事前開示事項をすべて株主総会参考書類に記載すべきこととすると，反対に，株式会社が事前開示事項の情報量を減少させるという行動にでるおそれもあることからである（相澤＝郡谷・商事法務1759号17頁）。なお，概要は株主が適切に議決権行使をするために必要な程度に詳細でなければならない。

第6目　合併契約等の承認

（吸収合併契約の承認に関する議案）

第86条　取締役が吸収合併契約の承認に関する議案を提出する場合には，株主総会参考書類には，次に掲げる事項を記載しなければならない。
　一　当該吸収合併を行う理由
　二　吸収合併契約の内容の概要
　三　当該株式会社が吸収合併消滅株式会社である場合において，法第298条第1項の決定をした日における第182条各号（第5号及び第6号を除く。）に掲げる事項があるときは，当該事項の内容の概要
　四　当該株式会社が吸収合併存続株式会社である場合において，法第298条第1項の決定をした日における第191条各号（第6号及び第7号を除く。）に掲げる事項があるときは，当該事項の内容の概要

　本条は，「取締役が……議案を提出する場合」に，吸収合併契約の承認に関する議案に関連して株主総会参考書類に記載すべき事項を定めるものである。「取締役が……議案を提出する場合」と定められているが，取締役会設置会社においては，取締役会が議案を提出するものと解されている。平成18年改正前商法施行規則13条1項11号に相当する規定である。

　もっとも，平成18年改正前商法施行規則とは異なり，本店等に備え置かれ閲覧・謄写等により開示される事前開示事項（法782条1項・794条1項）の全部を株主総会参考書類に記載することは要求されていない。これは，事前開示事項は，一般的に株主にとっても重要であり，事前開示事項と株主総会参考書類の記載事項をできるだけ一致させることが望ましいが，事前開示事項には主として会社債権者の意思決定に資するための事項（債務の履行の見込みに関する事項）も含まれるし，株主総会参考書類に記載することが困難な事項や株主総会

参考書類に記載することを要求すると株主総会参考書類の分量が多くなりすぎるおそれのある事項が含まれているからである。また，事前開示事項をすべて株主総会参考書類に記載すべきこととすると，反対に，株式会社が事前開示事項の情報量を減少させるという行動にでるおそれもあることから（相澤＝郡谷・商事法務1759号17頁)，株主総会参考書類には，開示すべきとされる事前開示事項の内容の「概要」を記載すればよいこととされている。もっとも，概要は株主が適切に議決権行使をするために必要な程度に詳細でなければならないので，結局，平成18年改正前商法施行規則の下で株主総会参考書類に記載していた詳細さと会社法の下で株主総会参考書類に記載すべきであるとされる詳細さとの間には実質的な差異は生じないのではないかと推測される。

1 その吸収合併を行う理由（1号）

その吸収合併を行う理由を記載しなければならない。株主が賛否を決するために必要な程度に具体的に記載される必要がある。したがって，吸収合併を必要とする環境や会社の状況，吸収合併の目的，相手方として議案に示された会社を選択した理由，その吸収合併によりもたらされると予想される効果と問題点などを具体的に記載しなければならない。

2 吸収合併契約の内容の概要（2号）

吸収合併契約の内容の概要を記載しなければならない。これは，吸収合併契約は，その吸収合併の内容を示すものであり，議決権行使にあたって重要な判断材料を提供するからである。なお，平成18年改正前商法施行規則と異なり，吸収合併契約の全文を掲げることが要求されていないのは，全文を掲げることを要求すると，株式会社が株主総会参考書類の分量を減らすために，吸収合併契約自体を簡略なものにして，かえって，本店等における閲覧・謄写等を通じた事前開示事項の開示のレベルを引き下げるという本末転倒な行動にでるおそれがあるからである（相澤＝郡谷・商事法務1759号17頁)。

3 その株式会社が吸収合併消滅株式会社である場合において，吸収合併契約承認のための株主総会の招集の決定をした日において吸収合併に際して本店等における備置き・閲覧等を通じて開示すべき事前開示事項（一部の事項を除く）があるときは，その事項の内容の概要（3号）

これは，本店等に備え置かれ閲覧・謄写等により開示される事前開示事項

（法782条１項）は，一般的に株主にとっても重要であり，株主総会参考書類の記載事項とすることによって，わざわざ，株式会社の本店等に赴かなくとも，それらの情報を入手できることが望ましいからである（書面または電磁的方法による議決権行使を認めることのメリットの１つは，株主にとってのコストや時間の節約にあると思われるから，株式会社の本店等に赴かないと重要な情報を入手できないということには問題があろう）。

　しかし，債務の履行の見込みに関する事項（182条１項５号）は，主として，会社債権者の合理的な意思決定に必要な情報であると位置付けられるので，株主総会参考書類に記載することは要求されていない（相澤＝郡谷・商事法務1759号17頁）。また，事前開示事項に変更が生じた場合の変更後の事項（同項６号）については，事前開示事項の開示は，原則として，吸収合併契約の承認のための株主総会の日の２週間前からすればよいとされ（法794条２項１号），他方で，株主総会参考書類の発出も株主総会の日の２週間前までに行えばよいとされていることに鑑みると，株主総会参考書類に記載することは不可能であるということができ（相澤＝郡谷・商事法務1759号17頁参照），また，株主総会参考書類の発出後に変更が生じた場合に修正しなければならないとすることは，株式会社にとって多大な事務負担を生じさせることになることから，株主総会参考書類の記載事項とはされていない。

4　その株式会社が吸収合併存続株式会社である場合において，吸収合併契約承認のための株主総会の招集の決定をした日において吸収合併に際して本店等における備置き・閲覧等を通じて開示すべき事前開示事項（一部の事項を除く）があるときは，その事項の内容の概要（４号）

　これは，本店等に備え置かれ閲覧・謄写等により開示される事前開示事項（法794条１項）は，一般的に株主にとっても重要であり，株主総会参考書類の記載事項とすることによって，わざわざ，株式会社の本店等に赴かなくとも，それらの情報を入手できることが望ましいからである（書面または電磁的方法による議決権行使を認めることのメリットの１つは，株主にとってのコストや時間の節約にあると思われるから，株式会社の本店等に赴かないと重要な情報を入手できないということには問題があろう）。

　しかし，債務の履行の見込みに関する事項（191条６号）は，主として，会社債権者の合理的な意思決定に必要な情報であると位置付けられるので，株主総会参考書類に記載することは要求されていない（相澤＝郡谷・商事法務1759号17

頁)。また,事前開示事項に変更が生じた場合の変更後の事項(191条7号)については,事前開示事項の開示は,原則として,吸収合併契約の承認のための株主総会の日の2週間前からすればよいとされ(法794条2項1号),他方で,株主総会参考書類の発出も株主総会の日の2週間前までに行えばよいとされていることに鑑みると,株主総会参考書類に記載することは不可能であるということができ(相澤=郡谷・商事法務1759号17頁参照),また,株主総会参考書類の発出後に変更が生じた場合に修正しなければならないとすることは,株式会社にとって多大な事務負担を生じさせることになることから,株主総会参考書類の記載事項とはされていない。

―(吸収分割契約の承認に関する議案)――
第87条 取締役が吸収分割契約の承認に関する議案を提出する場合には,株主総会参考書類には,次に掲げる事項を記載しなければならない。
一 当該吸収分割を行う理由
二 吸収分割契約の内容の概要
三 当該株式会社が吸収分割株式会社である場合において,法第298条第1項の決定をした日における第183条各号(第2号,第6号及び第7号を除く。)に掲げる事項があるときは,当該事項の内容の概要
四 当該株式会社が吸収分割承継株式会社である場合において,法第298条第1項の決定をした日における第192条各号(第2号,第7号及び第8号を除く。)に掲げる事項があるときは,当該事項の内容の概要

　本条は,「取締役が……議案を提出する場合」に,吸収分割契約の承認に関する議案に関連して株主総会参考書類に記載すべき事項を定めるものである。「取締役が……議案を提出する場合」と定められているが,取締役会設置会社においては,取締役会が議案を提出するものと解されている。平成18年改正前商法施行規則13条1項10号に相当する規定である。
　もっとも,平成18年改正前商法施行規則とは異なり,本店等に備え置かれ閲覧・謄写等により開示される事前開示事項(法782条1項・794条1項)の全部を株主総会参考書類に記載することは要求されていない。これは,事前開示事項は,一般的に株主にとっても重要であり,事前開示事項と株主総会参考書類の記載事項をできるだけ一致させることが望ましいが,事前開示事項には主として会社債権者の意思決定に資するための事項(債務の履行の見込みに関する事

項）も含まれるし，株主総会参考書類に記載することが困難な事項や株主総会参考書類に記載することを要求すると株主総会参考書類の分量が多くなりすぎるおそれのある事項が含まれているからである。また，事前開示事項をすべて株主総会参考書類に記載すべきこととすると，反対に，株式会社が事前開示事項の情報量を減少させるという行動にでるおそれもあることから（相澤＝郡谷・商事法務1759号17頁），株主総会参考書類には，開示すべきとされる事前開示事項の内容の「概要」を記載すればよいこととされている。もっとも，概要は株主が適切に議決権行使をするために必要な程度に詳細でなければならないので，結局は，平成18年改正前商法施行規則の下で株主総会参考書類に記載していた詳細さと会社法の下で株主総会参考書類に記載すべきであるとされる詳細さとの間には実質的な差異は生じないのではないかと推測される。

1 その吸収分割を行う理由（1号）

その吸収分割を行う理由を記載しなければならない。株主が賛否を決するためには会社分割の必要性または当否が重要な要素となるからである。理由は，必要な程度に具体的に記載される必要がある。したがって，吸収分割を必要とする環境や会社の状況，分割の目的，相手方として議案に示された会社を選択した理由，その吸収分割によりもたらされると予想される効果と問題点などを具体的に記載しなければならない。

2 吸収分割契約の内容の概要（2号）

吸収分割契約の内容の概要を記載しなければならない。これは，吸収分割契約は，その吸収分割の内容を示すものであり，議決権行使にあたって重要な判断材料を提供するからである。なお，平成18年改正前商法施行規則と異なり，吸収分割契約の全文を掲げることが要求されていないのは，全文を掲げることを要求すると，株式会社が株主総会参考書類の分量を減らすために，吸収分割契約自体を簡略なものにして，かえって，本店等における閲覧・謄写等を通じた事前開示事項の開示のレベルを引き下げるという本末転倒な行動にでるおそれがあるからである（相澤＝郡谷・商事法務1759号17頁）。

3 その株式会社が吸収分割株式会社である場合において，吸収分割契約承認のための株主総会の招集の決定をした日において吸収分割に際して本店等における備置き・閲覧等を通じて開示すべき事前開示事項（一部の事項を除く）

があるときは，その事項の内容の概要（3号）

　これは，本店等に備え置かれ閲覧・謄写等により開示される事前開示事項（法782条1項）は，一般的に株主にとっても重要であり，株主総会参考書類の記載事項とすることによって，わざわざ，株式会社の本店等に赴かなくとも，それらの情報を入手できることが望ましいからである（書面または電磁的方法による議決権行使を認めることのメリットの1つは，株主にとってのコストや時間の節約にあると思われるから，株式会社の本店等に赴かないと重要な情報を入手できないということには問題があろう）。

　しかし，債務の履行の見込みに関する事項（183条6号）は，主として，会社債権者の合理的な意思決定に必要な情報であると位置付けられるので，株主総会参考書類に記載することは要求されていない（相澤＝郡谷・商事法務1759号17頁）。また，事前開示事項に変更が生じた場合の変更後の事項（183条7号）については，事前開示事項の開示は，原則として，吸収分割契約の承認のための株主総会の日の2週間前からすればよいとされ（法794条2項1号），他方で，株主総会参考書類の発出も株主総会の日の2週間前までに行えばよいとされていることに鑑みると，株主総会参考書類に記載することは不可能であるということができ（相澤＝郡谷・商事法務1759号17頁参照），また，株主総会参考書類の発出後に変更が生じた場合に修正しなければならないとすることは，株式会社にとって多大な事務負担を生じさせることになることから，株主総会参考書類の記載事項とはされていない。

　また，吸収分割契約には，吸収分割株式会社が効力発生日に（吸収分割承継株式会社の株式のみを取得対価とする）全部取得条項付種類株式の取得または（吸収分割承継株式会社の株式のみを配当財産とする）剰余金の配当をするときは，その旨（法758条8号）が記載されるのみならず，吸収分割株式会社が効力発生日に（吸収分割承継株式会社の株式のみを取得対価とする）全部取得条項付種類株式の取得または（吸収分割承継株式会社の株式のみを配当財産とする）剰余金の配当をする場合に全部取得条項付種類株式の取得または剰余金の配当につき株主総会の決議がされていることが，183条2号が要求する記載事項の前提となっている。そこで，本号では，その決議事項を株主総会参考書類の記載事項とは定めていない。

4　その株式会社が吸収分割承継株式会社である場合において，吸収分割契約承認のための株主総会の招集の決定をした日において吸収分割に際して本店

等における備置き・閲覧等を通じて開示すべき事前開示事項（一部の事項を除く）があるときは，その事項の内容の概要（4号）

　これは，本店等に備え置かれ閲覧・謄写等により開示される事前開示事項（法794条1項）は，一般的に株主にとっても重要であり，株主総会参考書類の記載事項とすることによって，わざわざ，株式会社の本店等に赴かなくとも，それらの情報を入手できることが望ましいからである（書面または電磁的方法による議決権行使を認めることのメリットの1つは，株主にとってのコストや時間の節約にあると思われるから，株式会社の本店等に赴かないと重要な情報を入手できないということには問題があろう）。

　しかし，債務の履行の見込みに関する事項（192条7号）は，主として，会社債権者の合理的な意思決定に必要な情報であると位置付けられるので，株主総会参考書類に記載することは要求されていない（相澤＝郡谷・商事法務1759号17頁）。また，事前開示事項に変更が生じた場合の変更後の事項（192条8号）については，事前開示事項の開示は，原則として，吸収分割契約の承認のための株主総会の日の2週間前からすればよいとされ（法794条2項1号），他方で，株主総会参考書類の発出も株主総会の日の2週間前までに行えばよい（法299条1項）とされていることに鑑みると，株主総会参考書類に記載することは不可能であるということができ（相澤＝郡谷・商事法務1759号17頁参照），また，株主総会参考書類の発出後に変更が生じた場合に修正しなければならないとすることは，株式会社にとって多大な事務負担を生じさせることになることから，株主総会参考書類の記載事項とはされていない。

　また，吸収分割契約には，吸収分割株式会社が効力発生日に（吸収分割承継株式会社の株式のみを取得対価とする）全部取得条項付種類株式の取得または（吸収分割承継株式会社の株式のみを配当財産とする）剰余金の配当をするときは，その旨（法758条8号）が記載されるのみならず，吸収分割株式会社が効力発生日に（吸収分割承継株式会社の株式のみを取得対価とする）全部取得条項付種類株式の取得または（吸収分割承継株式会社の株式のみを配当財産とする）剰余金の配当をする場合に全部取得条項付種類株式の取得または剰余金の配当につき株主総会の決議がされていることが，192条2号が要求する記載事項の前提となっている。そこで，本号では，その決議事項を株主総会参考書類の記載事項とは定めていない。

---(株式交換契約の承認に関する議案)---
第88条 取締役が株式交換契約の承認に関する議案を提出する場合には，株主総会参考書類には，次に掲げる事項を記載しなければならない。
一　当該株式交換を行う理由
二　株式交換契約の内容の概要
三　当該株式会社が株式交換完全子会社である場合において，法第298条第1項の決定をした日における第184条第1項各号（第5号及び第6号を除く。）に掲げる事項があるときは，当該事項の内容の概要
四　当該株式会社が株式交換完全親株式会社である場合において，法第298条第1項の決定をした日における第193条各号（第5号及び第6号を除く。）に掲げる事項があるときは，当該事項の内容の概要

　本条は，「取締役が……議案を提出する場合」に，株式交換契約の承認に関する議案に関連して株主総会参考書類に記載すべき事項を定めるものである。「取締役が……議案を提出する場合」と定められているが，取締役会設置会社においては，取締役会が議案を提出するものと解されている。平成18年改正前商法施行規則13条1項7号に相当する規定である。
　もっとも，平成18年改正前商法施行規則とは異なり，本店等に備え置かれ閲覧・謄写等により開示される事前開示事項（法782条1項・794条1項）の全部を株主総会参考書類に記載することは要求されていない。これは，事前開示事項は，一般的に株主にとっても重要であり，事前開示事項と株主総会参考書類の記載事項をできるだけ一致させることが望ましいが，事前開示事項には主として会社債権者の意思決定に資するための事項（債務の履行の見込みに関する事項）も含まれるし，株主総会参考書類に記載することが困難な事項や株主総会参考書類に記載することを要求すると株主総会参考書類の分量が多くなりすぎるおそれのある事項が含まれているからである。また，事前開示事項をすべて株主総会参考書類に記載すべきこととすると，反対に，株式会社が事前開示事項の情報量を減少させるという行動にでるおそれもあることから（相澤＝郡谷・商事法務1759号17頁），株主総会参考書類には，開示すべきとされる事前開示事項の内容の「概要」を記載すればよいこととされている。もっとも，概要は株主が適切に議決権行使をするために必要な程度に詳細でなければならないので，結局は，平成18年改正前商法施行規則の下で株主総会参考書類に記載していた詳細さと会社法の下で株主総会参考書類に記載すべきであるとされる詳細さとの間には実質的な差異は生じないのではないかと推測される。

1 その株式交換を行う理由（1号）

　株式交換を必要とする理由を記載しなければならない。株主が賛否を決するためには株式交換の必要性または当否が重要な要素となるからである。理由は，必要な程度に具体的に記載される必要がある。したがって，株式交換を必要とする環境や会社の状況，株式交換の目的，相手方として議案に示された会社を選択した理由，その株式交換によりもたらされると予想される効果と問題点などを具体的に記載しなければならない。

2　株式交換契約の内容の概要（2号）

　株式交換契約の内容の概要を記載しなければならない。これは，株式交換契約は，その株式交換の内容を示すものであり，議決権行使にあたって重要な判断材料を提供するからである。なお，平成18年改正前商法施行規則と異なり，株式交換契約の全文を掲げることが要求されていないのは，全文を掲げることを要求すると，株式会社が株主総会参考書類の分量を減らすために，株式交換契約自体を簡略なものにして，かえって，本店等における閲覧・謄写等を通じた事前開示事項の開示のレベルを引き下げるという本末転倒な行動にでるおそれがあるからである（相澤＝郡谷・商事法務1759号17頁）。

3　その株式会社が株式交換完全子会社である場合において，株式交換契約承認のための株主総会の招集の決定をした日において株式交換に際して本店等における備置き・閲覧等を通じて開示すべき事前開示事項（一部の事項を除く）があるときは，その事項の内容の概要（3号）

　これは，本店等に備え置かれ閲覧・謄写等により開示される事前開示事項（法782条1項）は，一般的に株主にとっても重要であり，株主総会参考書類の記載事項とすることによって，わざわざ，株式会社の本店等に赴かなくとも，それらの情報を入手できることが望ましいからである（書面または電磁的方法による議決権行使を認めることのメリットの1つは，株主にとってのコストや時間の節約にあると思われるから，株式会社の本店等に赴かないと重要な情報を入手できないということには問題があろう）。

　しかし，債務の履行の見込みに関する事項（184条1項5号）は，主として，会社債権者の合理的な意思決定に必要な情報であると位置付けられるので，株主総会参考書類に記載することは要求されていない（相澤＝郡谷・商事法務1759号17頁）。また，事前開示事項に変更が生じた場合の変更後の事項（同項6号）

については，事前開示事項の開示は，原則として，株式交換契約の承認のための株主総会の日の2週間前からすればよいとされ（法794条2項1号），他方で，株主総会参考書類の発出も株主総会の日の2週間前までに行えばよい（法299条1項）とされていることに鑑みると，株主総会参考書類に記載することは不可能であるということができ（相澤＝郡谷・商事法務1759号17頁参照），また，株主総会参考書類の発出後に変更が生じた場合に修正しなければならないとすることは，株式会社にとって多大な事務負担を生じさせることになることから，株主総会参考書類の記載事項とはされていない。

4　その株式会社が株式交換完全親株式会社である場合において，株式交換契約承認のための株主総会の招集の決定をした日において株式交換に際して本店等における備置き・閲覧等を通じて開示すべき事前開示事項（一部の事項を除く）があるときは，その事項の内容の概要（4号）

　これは，本店等に備え置かれ閲覧・謄写等により開示される事前開示事項（法794条1項）は，一般的に株主にとっても重要であり，株主総会参考書類の記載事項とすることによって，わざわざ，株式会社の本店等に赴かなくとも，それらの情報を入手できることが望ましいからである（書面または電磁的方法による議決権行使を認めることのメリットの1つは，株主にとってのコストや時間の節約にあると思われるから，株式会社の本店等に赴かないと重要な情報を入手できないということには問題があろう）。

　しかし，債務の履行の見込みに関する事項（193条5号）は，主として，会社債権者の合理的な意思決定に必要な情報であると位置づけられるので，株主総会参考書類に記載することは要求されていない（相澤＝郡谷・商事法務1759号17頁）。また，事前開示事項に変更が生じた場合の変更後の事項（193条6号）については，事前開示事項の開示は，原則として，株式交換契約の承認のための株主総会の日の2週間前からすればよいとされ（法794条2項1号），他方で，株主総会参考書類の発出も株主総会の日の2週間前までに行えばよい（法299条1項）とされていることに鑑みると，株主総会参考書類に記載することは不可能であるということができ（相澤＝郡谷・商事法務1759号17頁参照），また，株主総会参考書類の発出後に変更が生じた場合に修正しなければならないとすることは，株式会社にとって多大な事務負担を生じさせることになることから，株主総会参考書類の記載事項とはされていない。

―――（新設合併契約の承認に関する議案）――――――――――――――――
第89条 取締役が新設合併契約の承認に関する議案を提出する場合には，株主総会参考書類には，次に掲げる事項を記載しなければならない。
一 当該新設合併を行う理由
二 新設合併契約の内容の概要
三 当該株式会社が新設合併消滅株式会社である場合において，法第298条第1項の決定をした日における第204条各号（第6号及び第7号を除く。）に掲げる事項があるときは，当該事項の内容の概要
四 新設合併設立株式会社の取締役となる者（新設合併設立株式会社が監査等委員会設置会社である場合にあっては，当該新設合併設立株式会社の監査等委員である取締役となる者を除く。）についての第74条に規定する事項
五 新設合併設立株式会社が監査等委員会設置会社であるときは，当該新設合併設立株式会社の監査等委員である取締役となる者についての第74条の3に規定する事項
六 新設合併設立株式会社が会計参与設置会社であるときは，当該新設合併設立株式会社の会計参与となる者についての第75条に規定する事項
七 新設合併設立株式会社が監査役設置会社（監査役の監査の範囲を会計に関するものに限定する旨の定款の定めがある株式会社を含む。）であるときは，当該新設合併設立株式会社の監査役となる者についての第76条に規定する事項
八 新設合併設立株式会社が会計監査人設置会社であるときは，当該新設合併設立株式会社の会計監査人となる者についての第77条に規定する事項

　本条は，「取締役が……議案を提出する場合」に，新設合併契約の承認に関する議案に関連して株主総会参考書類に記載すべき事項を定めるものである。「取締役が……議案を提出する場合」と定められているが，取締役会設置会社においては，取締役会が議案を提出するものと解されている。平成18年改正前商法施行規則13条1項11号に相当する規定である。
　もっとも，平成18年改正前商法施行規則とは異なり，本店等に備え置かれ閲覧・謄写等により開示される事前開示事項（法803条1項）の全部を株主総会参考書類に記載することは要求されていない。これは，事前開示事項は，一般的に株主にとっても重要であり，事前開示事項と株主総会参考書類の記載事項をできるだけ一致させることが望ましいが，事前開示事項には主として会社債権者の意思決定に資するための事項（債務の履行の見込みに関する事項）も含まれ

るし，株主総会参考書類に記載することが困難な事項や株主総会参考書類に記載することを要求すると株主総会参考書類の分量が多くなりすぎるおそれのある事項が含まれているからである。また，事前開示事項をすべて株主総会参考書類に記載すべきこととすると，反対に，事前開示事項の情報量を減少させるという行動に株式会社がでるおそれもあることから（相澤＝郡谷・商事法務1759号17頁），株主総会参考書類には，開示すべきとされる事前開示事項の内容の「概要」を記載すればよいこととされている。もっとも，概要は株主が適切に議決権行使をするために必要な程度に詳細でなければならないので，結局は，平成18年改正前商法施行規則の下で株主総会参考書類に記載していた詳細さと会社法の下で株主総会参考書類に記載すべきであるとされる詳細さとの間には実質的な差異は生じないのではないかと推測される。

1　その新設合併を行う理由（1号）

その新設合併を行う理由を記載しなければならない。株主が賛否を決するために必要な程度に具体的に記載される必要がある。したがって，新設合併を必要とする環境や会社の状況，新設合併の目的，相手方として議案に示された会社を選択した理由，その新設合併によりもたらされると予想される効果と問題点などを具体的に記載しなければならない。

2　新設合併契約の内容の概要（2号）

新設合併契約の内容の概要を記載しなければならない。これは，新設合併契約は，その新設合併の内容を示すものであり，議決権行使にあたって重要な判断材料を提供するからである。なお，平成18年改正前商法施行規則と異なり，新設合併契約の全文を掲げることが要求されていないのは，全文を掲げることを要求すると，株式会社が，株主総会参考書類の分量を減らすために，新設合併契約自体を簡略なものにして，かえって，本店等における閲覧謄写等を通じた事前開示事項の開示のレベルを引き下げるという本末転倒な行動にでるおそれがあるからである（相澤＝郡谷・商事法務1759号17頁）。

3　その株式会社が新設合併消滅株式会社である場合に，新設合併契約承認のための株主総会の招集の決定をした日において新設合併に際して本店等における備置き・閲覧等を通じて開示すべき事前開示事項（一部の事項を除く）があるときは，その事項の内容の概要（3号）

これは，本店等に備え置かれ閲覧・謄写等により開示される事前開示事項（法803条1項）は，一般的に株主にとっても重要であり，株主総会参考書類の記載事項とすることによって，わざわざ，株式会社の本店等に赴かなくとも，それらの情報を入手できることが望ましいからである（書面または電磁的方法による議決権行使を認めることのメリットの1つは，株主にとってのコストや時間の節約にあると思われるから，株式会社の本店等に赴かないと重要な情報を入手できないということには問題があろう）。

しかし，債務の履行の見込みに関する事項（204条6号）は，主として，会社債権者の合理的な意思決定に必要な情報であると位置付けられるので，株主総会参考書類に記載することは要求されていない（相澤＝郡谷・商事法務1759号17頁）。また，事前開示事項に変更が生じた場合の変更後の事項（204条7号）については，事前開示事項の開示は，原則として，新設合併契約の承認のための株主総会の日の2週間前からすればよいとされ（法803条2項1号），他方で，株主総会参考書類の発出も株主総会の日の2週間前までに行えばよい（法299条1項）とされていることに鑑みると，株主総会参考書類に記載することは不可能であるということができ（相澤＝郡谷・商事法務1759号17頁参照），また，株主総会参考書類の発出後に変更が生じた場合に修正しなければならないとすることは，株式会社にとって多大な事務負担を生じさせることになることから，株主総会参考書類の記載事項とはされていない。

4 新設合併設立株式会社の取締役（新設合併設立株式会社が監査等委員会設置会社である場合には，当該新設合併設立株式会社の監査等委員である取締役となる者を除く）となる者についての74条に規定する事項（4号）

このような事項の記載が要求されているのは，株式会社が新設合併設立会社となる新設合併契約には，新設合併設立株式会社の取締役となる者の氏名が含められているので（法753条1項4号），新設合併契約の承認により，新設合併設立株式会社の取締役となる者が選任されることになるからである。議案が設立時取締役の選任に関する議案であるときに創立総会参考書類に記載すべき事項を定める10条1項2号とパラレルな規定である。

これは株主総会において取締役を選任する場合と新設合併設立会社の取締役となる者の選任を含む新設合併契約を承認する場合とでは，必要な情報に差がないと考えられるからである。もっとも，新設合併設立株式会社の取締役となる者と取締役との間には相違があることにより，若干の差異は生ずるし，読替

えが必要となる。

　第1に，新設合併設立株式会社が公開会社であるときであっても，取締役の選任議案について株主総会参考書類に記載すべきものとされている74条2項4号に掲げる事項（候補者が現に当該株式会社の取締役であるときは，当該株式会社における地位および担当）は，新設合併設立株式会社が成立していない以上，株主総会参考書類に記載することは考えられない。

　第2に，74条4項4号（当該候補者が現に当該株式会社の社外取締役（社外役員に限る）である場合において，当該候補者が最後に選任された後在任中に当該株式会社において法令または定款に違反する事実その他不当な業務の執行が行われた事実（重要でないものを除く）があるときは，その事実ならびに当該事実の発生の予防のために当該候補者が行った行為および当該事実の発生後の対応として行った行為の概要），同項7号ヘ（過去2年間に合併，吸収分割，新設分割または事業の譲受けにより他の株式会社がその事業に関して有する権利義務を当該株式会社が承継または譲受けをした場合において，当該合併等の直前に当該株式会社の社外取締役（社外役員に限る）または監査役でなく，かつ，当該他の株式会社の業務執行者であったこと），および同項8号（当該候補者が現に当該株式会社の社外取締役（社外役員に限る）または監査役であるときは，これらの役員に就任してからの年数）に相当する記載は，会社が成立していない以上，そのような事実があるとは考えられないので，株主総会参考書類には含められない［これら以外の点については→74条］。

5　新設合併設立株式会社が監査等委員会設置会社であるときは，その新設合併設立株式会社の監査等委員である取締役となる者についての74条の3に規定する事項（5号）

　このような事項の記載が要求されているのは，株式会社が新設合併設立会社となる新設合併契約には，新設合併設立株式会社の取締役となる者の氏名が含められているので（法753条1項4号），新設合併契約の承認により，新設合併設立株式会社の取締役となる者が選任されることになるからである。議案が設立時監査等委員である設立時取締役の選任に関する議案であるときに創立総会参考書類に記載すべき事項を定める10条1項3号とパラレルな規定である。

　これは株主総会において監査等委員である取締役を選任する場合と新設合併設立会社の監査等委員である取締役となる者の選任を含む新設合併契約を承認する場合とでは，必要な情報に差がないと考えられるからである。もっとも，

第89条（新設合併契約の承認に関する議案） 477

新設合併設立株式会社の監査等委員である取締役となる者と監査等委員である取締役との間には相違があることにより，若干の差異は生ずるし，読替えが必要となる。

　第1に，新設合併設立株式会社が公開会社であるときであっても，取締役の選任議案について株主総会参考書類に記載すべきものとされている74条の3第2項3号に掲げる事項（候補者が現に当該株式会社の監査等委員である取締役であるときは，当該株式会社における地位および担当）は，新設合併設立株式会社が成立していない以上，株主総会参考書類に記載することは考えられない。

　第2に，74条の3第4項4号（当該候補者が現に当該株式会社の社外取締役（社外役員に限る）である場合において，当該候補者が最後に選任された後在任中に当該株式会社において法令または定款に違反する事実その他不当な業務の執行が行われた事実（重要でないものを除く）があるときは，その事実ならびに当該事実の発生の予防のために当該候補者が行った行為および当該事実の発生後の対応として行った行為の概要），同項7号ヘ（過去2年間に合併，吸収分割，新設分割または事業の譲受けにより他の株式会社がその事業に関して有する権利義務を当該株式会社が承継または譲受けをした場合において，当該合併等の直前に当該株式会社の社外取締役（社外役員に限る）または監査役でなく，かつ，当該他の株式会社の業務執行者であったこと），および同項8号（当該候補者が現に当該株式会社の社外取締役（社外役員に限る）または監査等委員である取締役であるときは，これらの役員に就任してからの年数）に相当する記載は，会社が成立していない以上，そのような事実があるとは考えられないので，株主総会参考書類には含められない［これら以外の点については→74条の3］。

6　新設合併設立株式会社が会計参与設置会社であるときは，その新設合併設立株式会社の会計参与となる者についての75条に規定する事項（6号）

　このような事項の記載が要求されているのは，新設合併設立会社が株式会社であり，会計参与設置会社である新設合併契約には，新設合併設立株式会社の会計参与となる者の氏名が含められているので（法753条1項5号イ），新設合併契約の承認により，新設合併設立株式会社の会計参与となる者が選任されることになるからである。議案が設立時会計参与の選任に関する議案であるときに創立総会参考書類に記載すべき事項を定める10条1項4号とパラレルな規定である。

　新設合併設立株式会社の会計参与となる者についての75条に規定する事項を

記載すべきものとされている。株主総会において新設合併設立株式会社の会計参与となる者の選任を含む新設合併契約を承認する場合と株主総会において会計参与を選任する場合とでは，必要な情報に差がないと考えられるからである。もっとも，新設合併設立株式会社の会計参与となる者には，その立場においては，株主総会において選任に関して意見を述べる権利は法定されていないので，75条3号に相当する事項を記載する余地はない。また，たとえば，「会計参与」を「新設合併設立株式会社の会計参与となる者」と，読み替える必要がある［これら以外の点については→75条］。

7 新設合併設立株式会社が監査役設置会社（監査役の監査の範囲を会計に関するものに限定する旨の定款の定めがある株式会社を含む）であるときは，その新設合併設立株式会社の監査役となる者についての76条に規定する事項（7号）

このような事項の記載が要求されているのは，新設合併設立会社が株式会社であり，監査役設置会社（監査役の監査の範囲を会計に関するものに限定する旨の定款の定めがある株式会社を含む）である新設合併契約には，新設合併設立株式会社の監査役となる者の氏名が含められているので（法753条1項5号ロ），新設合併契約の承認により，新設合併設立株式会社の監査役となる者が選任されることになるからである。議案が設立時監査役の選任に関する議案であるときに創立総会参考書類に記載すべき事項を定める10条1項5号とパラレルな規定である。

これは株主総会において監査役を選任する場合と新設合併設立株式会社の監査役となる者の選任を含む新設合併契約を承認する場合とでは，必要な情報に差がないと考えられるからである。もっとも，新設合併設立株式会社の監査役となる者と監査役との間には相違があることにより，若干の差異は生ずるし，読替えが必要となる。また，新設合併設立株式会社の監査役となる者は，その立場においては，新設合併契約に含まれる監査役となる者の選任について意見を述べる権利を有しないので，76条1項4号および5号に相当する事項は株主総会参考書類には記載されない。

76条との差異として，第1に，監査役の選任議案について株主総会参考書類に記載すべきものとされている76条2項3号に掲げる事項（候補者が現に当該株式会社の監査役であるときは，当該株式会社における地位）は，新設合併設立株式会社が成立していない以上，株主総会参考書類に記載することは考えられない。

第89条（新設合併契約の承認に関する議案） 479

　第2に，新設合併設立株式会社が公開会社であっても，76条4項3号（当該候補者が現に当該株式会社の社外監査役（社外役員に限る）である場合において，当該候補者が最後に選任された後在任中に当該株式会社において法令または定款に違反する事実その他不正な業務の執行が行われた事実（重要でないものを除く）があるときは，その事実ならびに当該事実の発生の予防のために当該候補者が行った行為および当該事実の発生後の対応として行った行為の概要），同項6号ヘ（過去2年間に合併，吸収分割，新設分割または事業の譲受けにより他の株式会社がその事業に関して有する権利義務を当該株式会社が承継または譲受けをした場合において，当該合併等の直前に当該株式会社の社外監査役（社外役員に限る）でなく，かつ，当該他の株式会社の業務執行者であったこと），および同項7号（当該候補者が現に当該株式会社の監査役であるときは，監査役に就任してからの年数）に相当する記載は，新設合併設立会社が成立していない以上，そのような事実があるとは考えられないので，株主総会参考書類には含められない［これら以外の点については→76条］。

8　新設合併設立株式会社が会計監査人設置会社であるときは，その新設合併設立株式会社の会計監査人となる者についての77条に規定する事項（8号）

　このような事項の記載が要求されているのは，新設合併設立会社が株式会社であり，会計監査人設置会社である新設合併契約には，新設合併設立株式会社の会計監査人となる者の氏名または名称が含められているので（法753条1項5号ハ），新設合併契約の承認により，新設合併設立株式会社の会計監査人となる者が選任されることになるからである。議案が設立時会計監査人の選任に関する議案であるときに創立総会参考書類に記載すべき事項を定める10条1項6号とパラレルな規定である。
　すなわち，株主総会において会計監査人を選任する場合と新設合併設立株式会社の会計監査人となる者の選任を含む新設合併契約を承認する場合とでは，必要な情報に差がないと考えられるからである。もっとも，新設合併設立株式会社の会計監査人となる者には，その立場において，株主総会で選任に関して意見を述べる権利は法定されていないし，新設合併設立株式会社の監査役となる者には新設合併設立株式会社の会計監査人となる者の選任に関する議案を株主総会に提出することを請求する権利は認められていないので，77条3号および4号に相当する事項を記載する余地はない。また，たとえば，「会計監査人」を「新設合併設立株式会社の会計監査人となる者」と読み替える必要があ

る［これら以外の点については→77条］。

―(新設分割計画の承認に関する議案)――――――――――――
第90条 取締役が新設分割計画の承認に関する議案を提出する場合には，株主総会参考書類には，次に掲げる事項を記載しなければならない。
　一　当該新設分割を行う理由
　二　新設分割計画の内容の概要
　三　当該株式会社が新設分割株式会社である場合において，法第298条第1項の決定をした日における第205条各号（第7号及び第8号を除く。）に掲げる事項があるときは，当該事項の内容の概要

　本条は，「取締役が……議案を提出する場合」に，新設分割計画の承認に関する議案に関連して株主総会参考書類に記載すべき事項を定めるものである。「取締役が……議案を提出する場合」と定められているが，取締役会設置会社においては，取締役会が議案を提出するものと解されている。平成18年改正前商法施行規則13条1項9号に相当する規定である。
　もっとも，平成18年改正前商法施行規則とは異なり，本店等に備え置かれ閲覧・謄写等により開示される事前開示事項（法803条1項）の全部を株主総会参考書類に記載することは要求されていない。これは，事前開示事項は，一般的に株主にとっても重要であり，事前開示事項と株主総会参考書類の記載事項をできるだけ一致させることが望ましいが，事前開示事項には主として会社債権者の意思決定に資するための事項（債務の履行の見込みに関する事項）も含まれるし，株主総会参考書類に記載することが困難な事項や株主総会参考書類に記載することを要求すると株主総会参考書類の分量が多くなりすぎるおそれのある事項が含まれているからである。また，事前開示事項をすべて株主総会参考書類に記載すべきこととすると，反対に，事前開示事項の情報量を減少させるという行動に株式会社がでるおそれもあることから（相澤＝郡谷・商事法務1759号17頁），株主総会参考書類には，開示すべきとされる事前開示事項の内容の「概要」を記載すればよいこととされている。もっとも，概要は株主が適切に議決権行使をするために必要な程度に詳細でなければならないので，結局は，平成18年改正前商法施行規則の下で株主総会参考書類に記載していた詳細さと会社法の下で株主総会参考書類に記載すべきであるとされる詳細さとの間には実質的な差異は生じないのではないかと推測される。

第90条（新設分割計画の承認に関する議案） 481

1 その新設分割を行う理由（1号）

　新設分割を必要とする理由を記載しなければならない。株主が賛否を決するためには新設分割の必要性または当否が重要な要素となるからである。理由は，必要な程度に具体的に記載される必要がある。したがって，新設分割を必要とする環境や会社の状況，新設分割の目的，その新設分割によりもたらされると予想される効果と問題点などを具体的に記載しなければならない。また，他の会社と共同して新設分割を行う場合には，相手方として議案に示された会社を選択した理由を記載しなければならない。

2 新設分割計画の内容の概要（2号）

　新設分割計画の内容の概要を記載しなければならない。これは，新設分割計画は，その新設分割の内容を示すものであり，議決権行使にあたって重要な判断材料を提供するからである。なお，平成18年改正前商法施行規則と異なり，新設分割計画の全文を掲げることが要求されていないのは，全文を掲げることを要求すると，株式会社が株主総会参考書類の分量を減らすために，新設分割計画自体を簡略なものにして，かえって，本店等における閲覧謄写等を通じた事前開示事項の開示のレベルを引き下げるという本末転倒な行動にでるおそれがあるからである（相澤＝郡谷・商事法務1759号17頁）。

3 その株式会社が新設分割株式会社である場合において，新設分割計画承認のための株主総会の招集の決定をした日において新設分割に際して本店等における備置き・閲覧等を通じて開示すべき事前開示事項（一部の事項を除く）があるときは，その事項の内容の概要（3号）

　これは，本店等に備え置かれ閲覧・謄写等により開示される事前開示事項（法803条1項）は，一般的に株主にとっても重要であり，株主総会参考書類の記載事項とすることによって，わざわざ，株式会社の本店等に赴かなくとも，それらの情報を入手できることが望ましいからである（書面または電磁的方法による議決権行使を認めることのメリットの1つは，株主にとってのコストや時間の節約にあると思われるから，株式会社の本店等に赴かないと重要な情報を入手できないということには問題があろう）。

　しかし，債務の履行の見込みに関する事項（205条7号）は，主として，会社債権者の合理的な意思決定に必要な情報であると位置付けられるので，株主総会参考書類に記載することは要求されていない（相澤＝郡谷・商事法務1759号17

頁)。また，事前開示事項に変更が生じた場合の変更後の事項（同条8号）については，事前開示事項の開示は，原則として，新設分割計画の承認のための株主総会の日の2週間前からすればよいとされ（法803条2項1号），他方で，株主総会参考書類の発出も株主総会の日の2週間前までに行えばよい（法299条1項）とされていることに鑑みると，株主総会参考書類に記載することは不可能であるということができ（相澤＝郡谷・商事法務1759号17頁参照），また，株主総会参考書類の発出後に変更が生じた場合に修正しなければならないとすることは，株式会社にとって多大な事務負担を生じさせることになることから，株主総会参考書類の記載事項とはされていない。

なお，吸収分割の場合と異なり，新設分割株式会社が効力発生日に（新設分割設立株式会社の株式のみを取得対価とする）全部取得条項付種類株式の取得または（新設分割設立株式会社の株式のみを配当財産とする）剰余金の配当をする場合に全部取得条項付種類株式の取得または剰余金の配当につき株主総会の決議がされているときには，その決議事項（205条2号）も，本号では，株主総会参考書類の記載事項から除外していない（吸収分割の場合と異なる取扱いとされている理由は不明である）。

―（株式移転計画の承認に関する議案）――
第91条　取締役が株式移転計画の承認に関する議案を提出する場合には，株主総会参考書類には，次に掲げる事項を記載しなければならない。
一　当該株式移転を行う理由
二　株式移転計画の内容の概要
三　当該株式会社が株式移転完全子会社である場合において，法第298条第1項の決定をした日における第206条各号（第5号及び第6号を除く。）に掲げる事項があるときは，当該事項の内容の概要
四　株式移転設立完全親会社の取締役となる者（株式移転設立完全親会社が監査等委員会設置会社である場合にあっては，当該株式移転設立完全親会社の監査等委員である取締役となる者を除く。）についての第74条に規定する事項
五　株式移転設立完全親会社が監査等委員会設置会社であるときは，当該株式移転設立完全親会社の監査等委員である取締役となる者についての第74条の3に規定する事項
六　株式移転設立完全親会社が会計参与設置会社であるときは，当該株式移転設立完全親会社の会計参与となる者についての第75条に規定する事項

七　株式移転設立完全親会社が監査役設置会社（監査役の監査の範囲を会計に関するものに限定する旨の定款の定めがある株式会社を含む。）であるときは，当該株式移転設立完全親会社の監査役となる者についての第76条に規定する事項
　八　株式移転設立完全親会社が会計監査人設置会社であるときは，当該株式移転設立完全親会社の会計監査人となる者についての第77条に規定する事項

　本条は，「取締役が……議案を提出する場合」に，株式移転計画の承認に関する議案に関連して株主総会参考書類に記載すべき事項を定めるものである。「取締役が……議案を提出する場合」と定められているが，取締役会設置会社においては，取締役会が議案を提出するものと解されている。平成18年改正前商法施行規則13条1項8号に相当する規定である。
　もっとも，平成18年改正前商法施行規則とは異なり，本店等に備え置かれ閲覧・謄写等により開示される事前開示事項（法803条1項）の全部を株主総会参考書類に記載することは要求されていない。これは，事前開示事項は，一般的に株主にとっても重要であり，事前開示事項と株主総会参考書類の記載事項をできるだけ一致させることが望ましいが，事前開示事項には主として会社債権者の意思決定に資するための事項（債務の履行の見込みに関する事項）も含まれるし，株主総会参考書類に記載することが困難な事項や株主総会参考書類に記載することを要求すると株主総会参考書類の分量が多くなりすぎるおそれのある事項が含まれているからである。また，事前開示事項をすべて株主総会参考書類に記載すべきこととすると，反対に，株式会社が事前開示事項の情報量を減少させるという行動にでるおそれもあることから（相澤＝郡谷・商事法務1759号17頁），株主総会参考書類には，開示すべきとされる事前開示事項の内容の「概要」を記載すればよいこととされている。もっとも，概要は株主が適切に議決権行使をするために必要な程度に詳細でなければならないので，結局は，平成18年改正前商法施行規則の下で株主総会参考書類に記載していた詳細さと会社法の下で株主総会参考書類に記載すべきであるとされる詳細さとの間には実質的な差異は生じないのではないかと推測される。

1　その株式移転を行う理由（1号）

　株式移転を必要とする理由を記載しなければならない。株主が賛否を決するためには株式移転の必要性または当否が重要な要素となるからである。理由

は，必要な程度に具体的に記載される必要がある。したがって，株式移転を必要とする環境や会社の状況，株式移転の目的，その株式移転によりもたらされると予想される効果と問題点などを具体的に記載しなければならない。また，他の株式会社と共同して株式移転を行う場合には，相手方として議案に示された会社を選択した理由を記載しなければならない。

2　株式移転計画の内容の概要（2号）

　株式移転計画の内容の概要を記載しなければならない。これは，株式移転計画は，その株式移転の内容を示すものであり，議決権行使にあたって重要な判断材料を提供するからである。なお，平成18年改正前商法施行規則と同様（株式移転の承認のための株主総会における株式移転議案の要領を記載すれば足りるものとされていた），株式移転計画の全文を掲げることが要求されていないのは，全文を掲げることを要求すると，株式会社が株主総会参考書類の分量を減らすために，株式移転計画自体を簡略なものにして，かえって，本店等における閲覧・謄写等を通じた事前開示事項の開示のレベルを引き下げるという本末転倒な行動にでるおそれがあるからである（相澤＝郡谷・商事法務1759号17頁）。

3　その株式会社が株式移転完全子会社である場合において，株式移転計画承認のための株主総会の招集の決定をした日において株式移転に際して本店等における備置き・閲覧等を通じて開示すべき事前開示事項（一部の事項を除く）があるときは，その事項の内容の概要（3号）

　これは，本店等に備え置かれ閲覧・謄写等により開示される事前開示事項（法803条1項）は，一般的に株主にとっても重要であり，株主総会参考書類の記載事項とすることによって，わざわざ，株式会社の本店等に赴かなくとも，それらの情報を入手できることが望ましいからである（書面または電磁的方法による議決権行使を認めることのメリットの1つは，株主にとってのコストや時間の節約にあると思われるから，株式会社の本店等に赴かないと重要な情報を入手できないということには問題があろう）。

　しかし，債務の履行の見込みに関する事項（206条5号）は，主として，会社債権者の合理的な意思決定に必要な情報であると位置付けられるので，株主総会参考書類に記載することは要求されていない（相澤＝郡谷・商事法務1759号17頁）。また，事前開示事項に変更が生じた場合の変更後の事項（同条6号）については，事前開示事項の開示は，原則として，株式移転計画の承認のための株

主総会の日の２週間前からすればよいとされ（法803条２項１号），他方で，株主総会参考書類の発出も株主総会の日の２週間前までに行えばよい（法299条１項）とされていることに鑑みると，株主総会参考書類に記載することは不可能であるということができ（相澤＝郡谷・商事法務1759号17頁参照），また，株主総会参考書類の発出後に変更が生じた場合に修正しなければならないとすることは，株式会社にとって多大な事務負担を生じさせることになることから，株主総会参考書類の記載事項とはされていない。

4 株式移転設立完全親会社の取締役（株式移転設立完全親会社が監査等委員会設置会社である場合には，当該株式移転設立完全親会社の監査等委員である取締役となる者を除く）となる者についての74条に規定する事項（4号）

　このような事項の記載が要求されているのは，株式移転計画には，株式移転設立完全親会社の取締役となる者の氏名が含められているので（法773条１項３号），株式移転計画の承認により，株式移転設立完全親会社の取締役となる者が選任されることになるからである。議案が設立時取締役の選任に関する議案であるときに創立総会参考書類に記載すべき事項を定める10条１項２号とパラレルな規定である。

　これは株主総会において取締役を選任する場合と株式移転設立完全親会社の取締役となる者の選任を含む株式移転計画を承認する場合とでは，必要な情報に差がないと考えられるからである。もっとも，株式移転設立完全親会社の取締役となる者と取締役との間には相違があることにより，若干の差異は生ずるし，読替えが必要となる。

　74条との差異として，第１に，取締役の選任議案について株主総会参考書類に記載すべきものとされている74条２項４号に掲げる事項（候補者が現に当該株式会社の取締役であるときは，当該株式会社における地位および担当）は，株式移転設立完全親会社が成立していない以上，株主総会参考書類に記載することは考えられない。

　第２に，株式移転設立完全親会社が公開会社であっても，74条４項４号（当該候補者が現に当該株式会社の社外取締役（社外役員に限る）である場合において，当該候補者が最後に選任された後在任中に当該株式会社において法令または定款に違反する事実その他不当な業務の執行が行われた事実（重要でないものを除く）があるときは，その事実ならびに当該事実の発生の予防のために当該候補者が行った行為および当該事実の発生後の対応として行った行為の概要），同項７号ヘ（過去

2年間に合併，吸収分割，新設分割または事業の譲受けにより他の株式会社がその事業に関して有する権利義務を当該株式会社が承継または譲受けをした場合において，当該合併等の直前に当該株式会社の社外取締役（社外役員に限る）または監査役でなく，かつ，当該他の株式会社の業務執行者であったこと），および同項8号（当該候補者が現に当該株式会社の社外取締役（社外役員に限る）または監査役であるときは，これらの役員に就任してからの年数）に相当する記載は，会社が成立していない以上，そのような事実があるとは考えられないので，株主総会参考書類には含められない［これら以外の点については，→74条］。

5 株式移転設立完全親会社が監査等委員会設置会社であるときは，当該株式移転設立完全親会社の監査等委員である取締役となる者についての74条の3に規定する事項（5号）

このような事項の記載が要求されているのは，株式移転計画には，株式移転設立完全親会社の取締役となる者の氏名が含められているので（法773条1項3号），株式移転計画の承認により，株式移転設立完全親会社の取締役となる者が選任されることになるからである。議案が設立時監査等委員である設立時取締役の選任に関する議案であるときに創立総会参考書類に記載すべき事項を定める10条1項3号とパラレルな規定である。

これは株主総会において監査等委員である取締役を選任する場合と株式移転設立完全親会社の設立時監査等委員である取締役となる者の選任を含む株式移転計画を承認する場合とでは，必要な情報に差がないと考えられるからである。もっとも，株式移転設立完全親会社の設立時監査等委員である取締役となる者と監査等委員である取締役との間には相違があることにより，若干の差異は生ずるし，読替えが必要となる。

74条の3との差異として，第1に，新設合併設立株式会社が公開会社であるときであっても，取締役の選任議案について株主総会参考書類に記載すべきものとされている74条の3第2項3号に掲げる事項（候補者が現に当該株式会社の監査等委員である取締役であるときは，当該株式会社における地位および担当）は，新設合併設立株式会社が成立していない以上，株主総会参考書類に記載することは考えられない。

第2に，74条の3第4項4号（当該候補者が現に当該株式会社の社外取締役（社外役員に限る）である場合において，当該候補者が最後に選任された後在任中に当該株式会社において法令または定款に違反する事実その他不当な業務の執行が行わ

れた事実(重要でないものを除く)があるときは,その事実ならびに当該事実の発生の予防のために当該候補者が行った行為および当該事実の発生後の対応として行った行為の概要),同項7号ヘ(過去2年間に合併,吸収分割,新設分割または事業の譲受けにより他の株式会社がその事業に関して有する権利義務を当該株式会社が承継または譲受けをした場合において,当該合併等の直前に当該株式会社の社外取締役(社外役員に限る)または監査役でなく,かつ,当該他の株式会社の業務執行者であったこと),および同項8号(当該候補者が現に当該株式会社の社外取締役(社外役員に限る)または監査等委員である取締役であるときは,これらの役員に就任してからの年数)に相当する記載は,会社が成立していない以上,そのような事実があるとは考えられないので,株主総会参考書類には含められない[これら以外の点については→74条の3]。

6 株式移転設立完全親会社が会計参与設置会社であるときは,その株式移転設立完全親会社の会計参与となる者についての75条に規定する事項(6号)

このような事項の記載が要求されているのは,株式移転設立完全親会社が会計参与設置会社である株式移転計画には,株式移転設立完全親会社の会計参与となる者の氏名が含められているので(法773条1項4号イ),株式移転計画の承認により,株式移転設立完全親会社の会計参与となる者が選任されることになるからである。議案が設立時会計参与の選任に関する議案であるときに創立総会参考書類に記載すべき事項を定める10条1項4号とパラレルな規定である。

株式移転設立完全親会社の会計参与となる者についての75条に規定する事項を記載すべきものとされている。株主総会において株式移転設立完全親会社の会計参与となる者の選任を含む株式移転契約を承認する場合と株主総会において会計参与を選任する場合とでは,必要な情報に差がないと考えられるからである。もっとも,株式移転設立完全親会社の会計参与となる者には,その立場においては,株主総会において選任に関して意見を述べる権利は法定されていないので,75条3号に相当する事項を記載する余地はない。また,たとえば,「会計参与」を「株式移転設立完全親会社の会計参与となる者」と,読み替える必要がある[これら以外の点については,→75条]。

7 株式移転設立完全親会社が監査役設置会社(監査役の監査の範囲を会計に関するものに限定する旨の定款の定めがある株式会社を含む)であるときは,その

株式移転設立完全親会社の監査役となる者についての76条に規定する事項（7号）

このような事項の記載が要求されているのは，株式移転設立完全親会社が監査役設置会社（監査役の監査の範囲を会計に関するものに限定する旨の定款の定めがある株式会社を含む）である株式移転計画には，株式移転設立完全親会社の監査役となる者の氏名が含められているので（法773条1項4号ロ），株式移転計画の承認により，株式移転設立完全親会社の監査役となる者が選任されることになるからである。議案が設立時監査役の選任に関する議案であるときに創立総会参考書類に記載すべき事項を定める10条1項5号とパラレルな規定である。

これは株主総会において監査役を選任する場合と株式移転設立完全親会社の監査役となる者の選任を含む株式移転計画を承認する場合とでは，必要な情報に差がないと考えられるからである。もっとも，株式移転設立完全親会社の監査役となる者と監査役との間には相違があることにより，若干の差異は生ずるし，読替えが必要となる。また，株式移転設立完全親会社の監査役となる者は，その立場においては，株式移転計画に含まれる監査役となる者の選任について意見を述べる権利を有しないので，76条1項4号および5号に相当する事項は株主総会参考書類には記載されない。

76条との差異として，第1に，監査役の選任議案について株主総会参考書類に記載すべきものとされている76条2項3号に掲げる事項（候補者が現に当該株式会社の監査役であるときは，当該株式会社における地位）は，株式移転設立完全親会社が成立していない以上，株主総会参考書類に記載することは考えられない。

第2に，株式移転設立完全親会社が公開会社であっても，76条4項3号（当該候補者が現に当該株式会社の社外監査役（社外役員に限る）である場合において，当該候補者が最後に選任された後在任中に当該株式会社において法令または定款に違反する事実その他不正な業務の執行が行われた事実（重要でないものを除く）があるときは，その事実ならびに当該事実の発生の予防のために当該候補者が行った行為および当該事実の発生後の対応として行った行為の概要），同項6号ヘ（過去2年間に合併，吸収分割，新設分割または事業の譲受けにより他の株式会社がその事業に関して有する権利義務を当該株式会社が承継または譲受けをした場合において，当該合併等の直前に当該株式会社の社外監査役（社外役員に限る）でなく，かつ，当該他の株式会社の業務執行者であったこと），および同項7号（当該候補者

が現に当該株式会社の監査役であるときは，監査役に就任してからの年数）に相当する記載は，新設合併設立会社が成立していない以上，そのような事実があるとは考えられないので，株主総会参考書類には含められない［これら以外の点については，→76条］。

8 株式移転設立完全親会社が会計監査人設置会社であるときは，その株式移転設立完全親会社の会計監査人となる者についての77条に規定する事項（8号）

このような事項の記載が要求されているのは，株式移転設立完全親会社が会計監査人設置会社である株式移転計画には，株式移転設立完全親会社の設立時会計監査人の氏名または名称が含められているので（法773条1項4号ハ），株式移転計画の承認により，株式移転設立完全親会社の設立時会計監査人が選任されることになるからである。議案が設立時会計監査人の選任に関する議案であるときに創立総会参考書類に記載すべき事項を定める10条1項6号とパラレルな規定である。

すなわち，株主総会において会計監査人を選任する場合と株式移転設立完全親会社の会計監査人となる者の選任を含む株式移転計画を承認する場合とでは，必要な情報に差がないと考えられるからである。もっとも，株式移転設立完全親会社の会計監査人となる者には，その立場において，株主総会で選任に関して意見を述べる権利は法定されていないし，株式移転設立完全親会社の監査役となる者には株式移転設立完全親会社の会計監査人となる者の選任に関する議案を株主総会に提出することを請求する権利は認められていないので，77条3号および4号に相当する事項を記載する余地はない。また，たとえば，「会計監査人」を「株式移転設立完全親会社の会計監査人となる者」と読み替える必要がある［→77条］。

（株式交付計画の承認に関する議案）

第91条の2 取締役が株式交付計画の承認に関する議案を提出する場合には，株主総会参考書類には，次に掲げる事項を記載しなければならない。
　一　当該株式交付を行う理由
　二　株式交付計画の内容の概要
　三　当該株式会社が株式交付親会社である場合において，法第298条第1項の決定をした日における第213条の2各号（第6号及び第7号を除く。）に掲げ

る事項があるときは，当該事項の内容の概要

　本条は，「取締役が……議案を提出する場合」に，株式交換契約の承認に関する議案に関連して株主総会参考書類に記載すべき事項を定めるものである。「取締役が……議案を提出する場合」と定められているが，取締役会設置会社においては，取締役会が議案を提出するものと解されている。

　本店等に備え置かれ閲覧・謄写等により開示される事前開示事項（法816条の2第1項）の全部を株主総会参考書類に記載することは要求されていない。これは，事前開示事項は，一般的に株主にとっても重要であり，事前開示事項と株主総会参考書類の記載事項をできるだけ一致させることが望ましいが，事前開示事項には主として会社債権者の意思決定に資するための事項（債務の履行の見込みに関する事項）も含まれるし，株主総会参考書類に記載することが困難な事項や株主総会参考書類に記載することを要求すると株主総会参考書類の分量が多くなりすぎるおそれのある事項が含まれているからである。また，事前開示事項をすべて株主総会参考書類に記載すべきこととすると，反対に，事前開示事項の情報量を減少させるという行動に株式会社がでるおそれもあることから（相澤＝郡谷・商事法務1759号17頁参照），株主総会参考書類には，事前開示事項（一部を除く）の「概要」（2号）を記載すればよいこととされている。もっとも，概要は株主が適切に議決権行使をするために必要な程度に詳細でなければならない。

1　その株式交付を行う理由（1号）

　株式交付を必要とする理由を記載しなければならない。株主が賛否を決するためには株式交付の必要性または当否が重要な要素となるからである。理由は，必要な程度に具体的に記載される必要がある。したがって，株式交付を必要とする環境や会社の状況，株式交付の目的，議案に示された株式交付子会社を選択した理由，その株式交付によりもたらされると予想される効果と問題点などを具体的に記載しなければならない。

2　株式交付計画の内容の概要（2号）

　株式交付計画の内容の概要を記載しなければならない。これは，株式交付計画は，その株式交付の内容を示すものであり，議決権行使にあたって重要な判

断材料を提供するからである。株式交付計画の全文を掲げることが要求されていないのは，全文を掲げることを要求すると，株主総会参考書類の分量を減らすために，株式交付計画自体を簡略なものにして，かえって，本店等における閲覧・謄写等を通じた事前開示事項の開示のレベルを引き下げるという本末転倒な行動に株式会社がでるおそれがあるからである（相澤＝郡谷・商事法務1759号17頁参照）。

3 株式交付計画承認のための株主総会の招集の決定をした日において株式交付に際して本店等における備置き・閲覧等を通じて開示すべき事前開示事項（一部の事項を除く）があるときは，その事項の内容の概要（3号）

　これは，本店等に備え置かれ閲覧・謄写等により開示される事前開示事項（法816条の2第1項）は，一般的に株主にとっても重要であり，株主総会参考書類の記載事項とすることによって，わざわざ，株式会社の本店等に赴かなくとも，それらの情報を入手できることが望ましいからである（書面または電磁的方法による議決権行使を認めることのメリットの一つは，株主にとってのコストや時間の節約にあると思われるから，株式会社の本店等に赴かないと重要な情報を入手できないということには問題があろう）。

　しかし，債務の履行の見込みに関する事項（213条の2第5号）は，主として，会社債権者の合理的な意思決定に必要な情報であると位置づけられるので，株主総会参考書類に記載することは要求されていない（相澤＝郡谷・商事法務1759号17頁参照）。また，事前開示事項に変更が生じた場合の変更後の事項（213条の2第7号）については，事前開示事項の開示は，原則として，株式交付計画の承認のための株主総会の日の2週間前からすればよいとされ（法816条の2第2項1号），他方で，株主総会参考書類の発出も株主総会の日の2週間前までに行えばよいとされていることに鑑みると，株主総会参考書類に記載することは不可能であるということができ（相澤＝郡谷・商事法務1759号17頁参照），また，株主総会参考書類の発出後に変更が生じた場合に修正しなければならないとすることは，株式会社にとって多大な事務負担を生じさせることになることから，株主総会参考書類の記載事項とはされていない。

　なお，株式交付契約の承認がなされるのは株式交付親会社においてであるので，「当該株式会社が株式交付親会社である場合において，」という文言は不要であると考えられる。

---(事業譲渡等に係る契約の承認に関する議案)---
第92条 取締役が事業譲渡等に係る契約の承認に関する議案を提出する場合には、株主総会参考書類には、次に掲げる事項を記載しなければならない。
　一　当該事業譲渡等を行う理由
　二　当該事業譲渡等に係る契約の内容の概要
　三　当該契約に基づき当該株式会社が受け取る対価又は契約の相手方に交付する対価の算定の相当性に関する事項の概要

　本条は、「取締役が……議案を提出する場合」に、事業譲渡等に係る契約の承認に関する議案に関連して株主総会参考書類に記載すべき事項を定めるものである。「取締役が……議案を提出する場合」と定められているが、取締役会設置会社においては、取締役会が議案を提出するものと解されている。

　事業譲渡等とは、法468条1項に規定する事業譲渡等をいい（2条2項72号（令和2年改正未施行部分の施行後は73号））、事業の全部の譲渡、事業の重要な一部の譲渡（その譲渡により譲り渡す資産の帳簿価額が当該株式会社の総資産額として法務省令（134条）で定める方法により算定される額の5分の1（これを下回る割合を定款で定めた場合には、その割合）を超えないものを除く）、その子会社の株式または持分の全部または一部の譲渡（当該譲渡により譲り渡す株式または持分の帳簿価額が当該株式会社の総資産額として法務省令（134条）で定める方法により算定される額の5分の1（これを下回る割合を定款で定めた場合には、その割合）を超え、かつ、当該株式会社が、効力発生日において当該子会社の議決権の総数の過半数の議決権を有しないこととなるものに限る）、他の会社（外国会社その他の法人を含む）の事業の全部の譲受け、および、事業の全部の賃貸、事業の全部の経営の委任、他人と事業上の損益の全部を共通にする契約その他これらに準ずる契約の締結、変更または解約をいう。このような行為は、吸収合併などの組織再編行為の場合と同様、会社の将来および株主の利益に重要な影響を与えるので、組織再編行為と類似した開示が必要とされる。平成18年改正前商法施行規則13条1項12号に相当する規定である。

1　その事業譲渡等を行う理由（1号）

　その事業譲渡等を行う理由を記載しなければならない。株主が賛否を決するために必要な程度に具体的に記載される必要がある。したがって、その事業譲渡等を必要とする環境や会社の状況、その事業譲渡等の目的、相手方として議

案に示されたものを選択した理由，その事業譲渡等により会社にもたらされると予想される効果と問題点などを具体的に記載しなければならない。

2 その事業譲渡等に係る契約の内容の概要（2号）

その事業譲渡等に係る契約の内容の概要を記載しなければならない。これは，その事業譲渡等に係る契約は，その事業譲渡等に係る契約の内容を示すものであり，議決権行使にあたって重要な判断材料を提供するからである。なお，平成18年改正前商法施行規則とは異なり，その事業譲渡等に係る契約の全文を掲げることが要求されていないのは，合併，会社分割，株式交換および株式移転の場合（86条2号・87条2号・88条2号・89条2号・90条2号・91条2号）との首尾一貫性を図ったものと推測される。しかし，合併等については，その契約または計画の全文を掲げることを要求すると，株主総会参考書類の分量を減らすために，その組織再編行為に係る契約または計画自体を簡略なものにして，かえって，本店等における閲覧謄写等を通じた事前開示事項の開示のレベルを引き下げるという本末転倒な行動に株式会社がでるおそれがあるという問題があるが（相澤＝郡谷・商事法務1759号17頁），事業譲渡等については，本店等における閲覧謄写等を通じた事前開示は要求されていないのであるから，そのような根拠に基づいて，その事業譲渡等に係る契約の内容の「概要」を記載すれば足りると説明することはできない（もっとも，企業秘密やノウハウに係る事項を事業譲渡等に係る契約に含めることができるようにするという趣旨であれば，説得力があるといえよう）。

いずれにせよ，概要は株主が適切に議決権行使をするために必要な程度に詳細でなければならないので，結局は，平成18年改正前商法施行規則の下で株主総会参考書類に記載していた詳細さと会社法の下で株主総会参考書類に記載すべきであるとされる詳細さとの間には実質的な差異は生じないのではないかと推測される。

3 その契約に基づき当該株式会社が受け取る対価または契約の相手方に交付する対価の算定の相当性に関する事項の概要（3号）

平成18年改正前商法施行規則では，最近営業年度の損益の状況を記載すべきこととされていたが，株主の意思決定に最も重要な情報は，その契約に基づきその株式会社が受け取る対価または契約の相手方に交付する対価の算定の相当性に関する事項なので，本条では，これを記載すべきものと定めている。

すなわち，事業の譲渡と譲受けの場合には，それを必要とする理由と対価の相当性を判断する上で，それぞれその対象となる事業についての損益の状況が株主の議決権行使にとって重要である。したがって，事業全部の譲渡については，譲渡会社の貸借対照表および損益計算書によって財産および損益の状況を示すべきことになろう。また，事業の重要な一部の譲渡の場合には，当該事業部門に係る財産および損益に関する情報を記載すべきであろう。

また，他の会社の事業全部の譲受けの場合は，当該他の会社の財産および損益の状況が問題となるので，当該他の会社の貸借対照表および損益計算書に含まれる情報を記載するのが原則となろう。とりわけ，事業の譲渡・譲受けにおいて対価の相当性を判断するためには，対象となる事業に属する資産・負債の額も明らかにしなければならない。

以上に加え，のれん相当額の算定についての説明も多くの場合必要とされるのではないかと思われる。

同様に，子会社の株式または持分の全部または一部の譲渡の場合には，その子会社の過去数年間の計算関係書類の概要およびその子会社が有する資産・負債に係る重要な未認識の評価差額等，ならびに，DCF法など合理的な算定方法によるその子会社株式の評価額などが想定される。

他方，事業全部の賃貸借・経営委任の場合には，事業を賃貸または経営委任する会社の損益状況をその会社の損益計算書で示すのが一般的であると解される。経営管理契約の場合も委託会社の損益計算書の内容を記載することになる。他方，損益共通契約は，各当事会社に合併に近い経済的効果をもたらすので，すべての当事会社の損益計算書の内容が記載されるべきであろう。なお，契約の変更・解約に際しては，損益の状況も，その適否を判断するのに必要な限りで要点を記載すればよい（龍田・企業会計34巻6号64頁・66頁）。

第7目　株主提案の場合における記載事項

> **第93条**　議案が株主の提出に係るものである場合には，株主総会参考書類には，次に掲げる事項（第3号から第5号までに掲げる事項が株主総会参考書類にその全部を記載することが適切でない程度の多数の文字，記号その他のものをもって構成されている場合（株式会社がその全部を記載することが適切であるものとして定めた分量を超える場合を含む。）にあっては，当該事項の概要）を記載しなければならない。

一　議案が株主の提出に係るものである旨
　二　議案に対する取締役（取締役会設置会社である場合にあっては，取締役会）の意見があるときは，その意見の内容
　三　株主が法第305条第１項の規定による請求に際して提案の理由（当該提案の理由が明らかに虚偽である場合又は専ら人の名誉を侵害し，若しくは侮辱する目的によるものと認められる場合における当該提案の理由を除く。）を株式会社に対して通知したときは，その理由
　四　議案が次のイからホまでに掲げる者の選任に関するものである場合において，株主が法第305条第１項の規定による請求に際して当該イからホまでに定める事項（当該事項が明らかに虚偽である場合における当該事項を除く。）を株式会社に対して通知したときは，その内容
　　イ　取締役（株式会社が監査等委員会設置会社である場合にあっては，監査等委員である取締役を除く。）　第74条に規定する事項
　　ロ　監査等委員である取締役　第74条の３に規定する事項
　　ハ　会計参与　第75条に規定する事項
　　ニ　監査役　第76条に規定する事項
　　ホ　会計監査人　第77条に規定する事項
　五　議案が次のイ又はロに掲げる事項に関するものである場合において，株主が法第305条第１項の規定による請求に際して当該イ又はロに定める事項（当該事項が明らかに虚偽である場合における当該事項を除く。）を株式会社に対して通知したときは，その内容
　　イ　全部取得条項付種類株式の取得　第85条の２に規定する事項
　　ロ　株式の併合　第85条の３に規定する事項
２　二以上の株主から同一の趣旨の議案が提出されている場合には，株主総会参考書類には，その議案及びこれに対する取締役（取締役会設置会社である場合にあっては，取締役会）の意見の内容は，別に記載することを要しない。ただし，二以上の株主から同一の趣旨の提案があった旨を記載しなければならない。
３　二以上の株主から同一の趣旨の提案の理由が提出されている場合には，株主総会参考書類には，その提案の理由は，別に記載することを要しない。

　本条は，議案が株主の提出に係るものである場合に，株主総会参考書類に記載すべき事項を定めるものである。平成18年改正前商法施行規則17条に相当する規定である。

1　株主提案があった場合の株主総会参考書類の記載事項（1項）

(1) 議案が株主の提出に係るものである旨（1号）

　取締役の提出した議案であるか，株主提出の議案であるかは，株主にとって賛否を決する上で重要な情報の1つでありうるので，「議案が株主の提出に係るものである旨」の記載がなされる。平成18年改正前商法施行規則17条1項柱書と異なり，提出株主の議決権の数の記載は要求されていない。情報としての価値が必ずしも高くないという判断に基づくものと推測される。

　なお，株主の議決権行使に際しては，誰が提案株主であるかは重要な情報であるが，提案株主の氏名または名称を記載することは要求されていない。「法務省令制定に関する問題点」（昭和56年10月9日）では，提案株主が誰であるかは株主の意思決定の参考となること，および提案者の責任の所在を明らかにするために有用であることから，提案株主の氏名または名称を記載させることを提案していたが，売名行為に利用される弊害を防止するという観点から，記載を要求しないこととされた。もっとも，会社が任意に記載することはできる。

(2) 議案に対する取締役（取締役会設置会社である場合には，取締役会）の意見があるときは，その意見の内容（2号）

　株主の提出の議案に対する取締役（取締役会設置会社である場合には，取締役会）の意見があるときは，その意見の内容を記載しなければならない。これは，会社の経営を委託されているものとして株主提案に対する態度を表明するものである。経営の専門家である取締役または経営の専門家から成る取締役会が株主提案議案をどのように評価し，どのような問題点があると考えているかということは，提案者以外の株主が株主提案に賛成するかどうか意思決定をする上で必要な情報といえるからである。したがって，本号の文言からは意見がなければ記載しないことができるように思われるが，取締役は善良な管理者として，通常，意見を有するはずであるし，そうであれば，その内容を記載すべきことになろう。

　取締役会設置会社において，取締役会の中で意見が統一されていない場合には，多数決で決定された意見を記載すればよい。なぜなら，株主提案に対する意見表明も業務執行の一環としてなされるから，原則として，その意見は一本化された形で表明されるべきだからである。もっとも，取締役会決議で認めた場合に，少数意見を付記することは禁止されない（龍田・企業会計34巻6号67頁）。

なお，株主提出の議案および提案理由についてとは異なり，取締役（取締役会設置会社である場合には，取締役会）の意見の記載については1項柱書かっこ書のような制約は加えられていない。株主に取締役（会）の立場を理解させる必要性がある上，善良な管理者として，取締役は，その意見を株主総会参考書類にその全部を記載することが適切である程度にまとめるべきだからである。

(3)　株主が議案の要領の株主に対する通知（招集通知への記載・記録）請求に際して提案の理由を株式会社に対して通知したときは，その理由（3号）

　株主が株主総会の目的である事項につき当該株主が提出しようとする議案の要領を株主に通知すること（書面または電磁的方法により通知をする場合には，その通知に記載・記録すること）を会社に対して請求する際に，提案の理由を株式会社に対して通知したときは，その理由も記載しなければならない。「提案の理由……を株式会社に対して通知したときは」とされているのは，通知を受けない限り，会社としては提案の理由を知ることができないからである。また，「請求に際して」とされているのは，株主総会の招集通知の発出のスケジュールとの関係では，議案の要領を株主に通知すること（書面または電磁的方法により通知をする場合には，その通知に記載・記録すること）を会社に対して請求できる期限までに提案の理由も通知させるべきであるし，議案の要領を株主に通知すること（書面または電磁的方法により通知をする場合には，その通知に記載・記録すること）と別な機会に提案の理由の通知がなされると，会社の事務処理が煩瑣になると考えられるからであろう。

　「当該提案の理由が明らかに虚偽である場合又は専ら人の名誉を侵害し，若しくは侮辱する目的によるものと認められる場合」にはその提案の理由を株主総会参考書類に記載することを要しないとされるのは，明らかに虚偽である場合にはかえって株主の適切な議決権行使の妨げとなるし，もっぱら人の名誉を侵害しもしくは人を侮辱する目的によるものと認められるときは正当な権利の行使とはいえないからである。もっとも，たとえば，取締役の解任議案については，提案理由が当該取締役の名誉を侵害する内容を含むことがありうるが，「専ら」人の名誉を侵害する目的によるものといえない限り，この除外事由にはあたらないと考えられる。この例外事由にあたることの立証責任は会社側にあるので，明らかに虚偽であることが証明できない場合には株主総会参考書類に記載しなければならない。記載した後に虚偽であることが判明したときであっても，株主総会参考書類上の虚偽の記載に起因する過料の制裁を取締役等が

受けることはない（稲葉・昭和56改正159頁）。

　1項柱書かっこ書では，「株主総会参考書類にその全部を記載することが適切でない程度の多数の文字，記号その他のものをもって構成されている場合（株式会社がその全部を記載することが適切であるものとして定めた分量を超える場合を含む。）」には，「当該事項の概要」を記載すれば足りるものとされており，平成18年改正前商法施行規則17条1項1号と異なり，400字以内という字数制限は課されていない。これは，議案の内容によっては，400字以内という字数制限が適切でない場合もあるからであろう。たしかに，「株主総会参考書類にその全部を記載することが適切でない程度の多数の文字，記号その他のものをもって構成されている場合」といえるかどうかの判断には困難が伴うと予想されるが，「株式会社がその全部を記載することが適切であるものとして定めた分量を超える場合を含む」とされているため，会社が任意に字数制限をすることができそうである。もっとも，400字より相当少ない字数を会社が定めて，提案理由の概要のみを株主総会参考書類に記載した場合には，株主総会の招集の手続が「著しく不公正なとき」（法831条1項1号）にあたるとして，株主総会決議取消しの訴えが提起される可能性がまったくないとはいえないであろう。

　なお，「株主総会参考書類にその全部を記載することが適切でない程度の多数の文字，記号その他のものをもって構成されている場合」には提案理由の概要を記載すればよいとしても，その概要を誰が作成するのかという問題もあろう。実務上は，提案株主にその作成を求めるのが賢明であるが，提案株主が概要を提供しないときは，会社において，概要を作成し，株主総会参考書類に記載すべきことになろう。本条の文言上は，株主が通知した提案理由が「株主総会参考書類にその全部を記載することが適切でない程度の多数の文字，記号その他のものをもって構成されている場合」には，会社としては，当該事項の概要を記載すれば足りるとされているにすぎないから，株主としては，概要ではなく，提案理由を通知すれば足りると解されるからである。

(4)　議案が取締役，会計参与，監査役または会計監査人の選任に関するものである場合において，株主が候補者に関する事項を株式会社に対して通知したときは，その内容（4号）

　株主の提案が，取締役（監査等委員会設置会社では監査等委員である取締役およびそれ以外の取締役），会計参与，監査役または会計監査人の選任に関するもの

である場合には，特定の候補者を示すのが通常であると考えられるので，それらの候補者についても，会社提案の場合と同様に，候補者の氏名・生年月日・略歴，他の法人等の代表者であるときはその事実，会社との間に特別の利害関係があるときはその要旨および就任の承諾を得ていないときはその旨など〔→74条～77条〕を株主総会参考書類に記載して，他の株主の議決権行使の参考とさせる必要がある。しかし，これらの情報を会社が有していることは例外的であろうから，提案株主が候補者に関する情報を会社に通知したときに限り，提案理由のほか，候補者に関する情報を会社は株主総会参考書類に記載しなければならないものとされている。

　平成18年改正前商法施行規則と異なり，候補者に関する情報についても，提案理由と同様，「株主総会参考書類にその全部を記載することが適切でない程度の多数の文字，記号その他のものをもって構成されている場合（株式会社がその全部を記載することが適切であるものとして定めた分量を超える場合を含む。）」には，「当該事項の概要」を記載すれば足りるものとされている（1項柱書かっこ書）。これは，候補者に関する情報であるとはいえ，冗長な記載をすることは適当ではないし，株主総会参考書類の他の記載事項とのバランスもある上，会社にとっての印刷や発送のためのコストは無視できないからであろう。もっとも，「株主総会参考書類にその全部を記載することが適切でない程度の多数の文字，記号その他のものをもって構成されている場合」にあたるかどうかの判断にあたっては，会社提案の候補者に関する記載の分量が参考となるであろうし，「株式会社がその全部を記載することが適切であるものとして定めた分量」は，会社提案の候補者に関する記載の分量と均衡を保つ必要があるのではないかと思われる。

(5) 全部取得条項付種類株式の取得および株式の併合に関する議案について，株主が通知した一定の事項（5号）

　株主提案の要領の通知請求に際して，議案が全部取得条項付種類株式の取得に関する場合において85条の2に規定する事項を，株式の併合（単元株式数（種類株式発行会社では，併合する種類の株式の単元株式数）を定款で定めている場合には，当該単元株式数に併合割合を乗じて得た数に1に満たない端数が生ずるものに限る。法182条の2第1項）に関する場合において85条の3に規定する事項を，その株主が株式会社に対して通知したときは，その内容も株主総会参考書類に記載しなければならない（5号）。これらの事項は，他の株主の議決権行

使の参考となると考えられるからである。なお，「株主総会参考書類にその全部を記載することが適切でない程度の多数の文字，記号その他のものをもって構成されている場合（株式会社がその全部を記載することが適切であるものとして定めた分量を超える場合を含む。）」には，「当該事項の概要」を記載すれば足りるものとされている（1項柱書かっこ書）。しかし，「株主総会参考書類にその全部を記載することが適切でない程度の多数の文字，記号その他のものをもって構成されている場合」にあたるかどうかの判断にあたっては，会社提案に関する記載の分量が参考となるであろうし，「株式会社がその全部を記載することが適切であるものとして定めた分量」は，会社提案に関する記載の分量と均衡を保つ必要があるのではないかと思われる。

なお，4号かっこ書および5号かっこ書は「当該事項が明らかに虚偽である場合における当該事項を除く」と定めているので，通知された内容の全部が明らかに虚偽であるときは記載する必要はないが，虚偽である部分が一部にとどまることが明らかな場合には，その部分のみ記載を拒否すべきであろう。

2 二以上の株主から同一の趣旨の議案が提出されている場合（2項・3項）

複数の株主から提出された議案や提案理由が同一趣旨のものであるときは，それらをすべて各別に株主総会参考書類に記載する必要はない。株主総会参考書類が膨大になりすぎることは避けるべきであるし，同一趣旨の提案および提案理由を各別に記載しても，株主の議決権行使に必要な情報をより多く提供することにはならないからである。同様の趣旨から，株主提案に対する取締役（取締役会設置会社では取締役会）の意見も各別に記載する必要はない。

しかし，同一趣旨の議案であっても，提案理由が異なれば，提案理由は各別に記載しなければならないのは当然のことである。また，複数の株主から同一趣旨の提案があった旨を記載しなければならない。これは提案の重みを明らかにするためである。

第8目　株主総会参考書類の記載の特則

第94条　株主総会参考書類に記載すべき事項（次に掲げるものを除く。）に係る情報を，当該株主総会に係る招集通知を発出する時から当該株主総会の日から3箇月が経過する日までの間，継続して電磁的方法により株主が提供を受けることができる状態に置く措置（第222条第1項第1号ロに掲げる方法のうち，

インターネットに接続された自動公衆送信装置（公衆の用に供する電気通信回線に接続することにより，その記録媒体のうち自動公衆送信の用に供する部分に記録され，又は当該装置に入力される情報を自動公衆送信する機能を有する装置をいう。以下同じ。）を使用する方法によって行われるものに限る。第3項において同じ。）をとる場合には，当該事項は，当該事項を記載した株主総会参考書類を株主に対して提供したものとみなす。ただし，この項の措置をとる旨の定款の定めがある場合に限る。
　一　議案
　二　第133条第3項第1号に掲げる事項を株主総会参考書類に記載することとしている場合における当該事項
　三　次項の規定により株主総会参考書類に記載すべき事項
　四　株主総会参考書類に記載すべき事項（前各号に掲げるものを除く。）につきこの項の措置をとることについて監査役，監査等委員会又は監査委員会が異議を述べている場合における当該事項
2　前項の場合には，株主に対して提供する株主総会参考書類に，同項の措置をとるために使用する自動公衆送信装置のうち当該措置をとるための用に供する部分をインターネットにおいて識別するための文字，記号その他の符号又はこれらの結合であって，情報の提供を受ける者がその使用に係る電子計算機に入力することによって当該情報の内容を閲覧し，当該電子計算機に備えられたファイルに当該情報を記録することができるものを記載しなければならない。
3　第1項の規定は，同項各号に掲げる事項に係る情報についても，電磁的方法により株主が提供を受けることができる状態に置く措置をとることを妨げるものではない。

　会社法施行規則および会社計算規則は，株主総会参考書類および事業報告に含めるべき事項の一部のほか，個別注記表および連結計算書類に含めるべき事項をインターネット上のウェブサイトに掲載し，かつ，そのウェブサイトのURLを株主に通知すれば，当該事項に係る情報が株主に提供されたものとみなすものとして，書面等による提供を省略すること（ウェブ開示によるみなし提供）を認めている。これは，定時株主総会の招集通知に際して，株主に対して，書面等により提供すべき情報が多くなると，印刷代や郵送料などの費用が著しく増大するという経済界の懸念に応える一方で，書面等による提供を強制すると，会社が費用を抑えるために株主に提供する情報の量を削減する可能性があることに鑑み，そのようなインセンティブを減少させようとするものである（相澤＝郡谷・商事法務1759号7頁）。

デジタル・デバイドの問題もあるため，電子公告制度の採用の場合とのバランス上，ウェブ開示によるみなし提供が認められるためには，その旨の定款の定めが必要とされている。また，ウェブ開示によるみなし提供が認められない事項が定められている。第1に，議案（1項1号）は，株主が書面または電磁的方法により議決権行使するためには論理的に不可欠な記載事項なので，ウェブ開示の対象とはできず，必ず，株主総会の招集通知に際して書面または電磁的方法で提供しなければならない。第2に，事業報告の内容とすべき事項のうちウェブ開示によるみなし提供が認められない事項（1項2号）を株主総会参考書類に記載することとしている場合にも，ウェブ開示によるみなし提供は認められず，必ず，株主総会の招集通知に際して書面または電磁的方法で提供しなければならない。これは，事業報告に記載する場合に省略できない以上，株主総会参考書類の記載事項とすることによって，ウェブ開示によるみなし提供が認められ，株主総会の招集通知に際して書面または電磁的方法で提供することを要しないとすると，事業報告についての規律が潜脱されることになるからである。第3に，ウェブ開示を行うウェブサイトのURL等（1項3号）自体は株主総会の招集通知に際して書面または電磁的方法で提供することを要する。これは，ウェブ開示を行うウェブサイトのURLがわからなければ，株主はウェブ開示されている情報にアクセスできないし，ウェブ開示を行うウェブサイトのURLの記載が要求されても，株主総会参考書類の分量が大きく増加するわけではないからである。以上に加えて，株主総会参考書類に記載すべき事項をウェブ開示の対象とし，株主総会の招集通知に際して書面または電磁的方法で提供しないことについて監査役，監査等委員会または監査委員会が異議を述べている場合には，その事項についてはウェブ開示によるみなし提供は認められない（1項4号）。これは，株主総会参考書類に含めるべき事項の中には，株主の議決権行使にとってきわめて重要な情報が含まれている可能性があり，監査役，監査等委員会または監査委員会が，株主の議決権行使にとって重要性が高く，それは，インターネット環境を有しない，あるいは，インターネットによるアクセスを好まない株主にも必ず提供すべきであると判断する場合には，株主総会の招集通知に際して書面または電磁的方法で提供しなければならないとすることが適当だからである。

ウェブ開示は，定時株主総会の招集に際して提供すべき情報を開示するものであるから，招集通知を発する時から「株主総会の日から3箇月が経過する日」まで，その情報を，継続して電磁的方法により株主が提供を受けることが

できる状態に置かなければならないものとされている。ここで，「継続して」行ったか否かは開示すべき期間全体を観察して実質的に判断され，電子公告の場合（法940条3項）と異なり，開示の中断についての制約が定められていないことから，短時間のアクセス不能時間があったことのみをもって，「継続して」行っていないと評価されるわけではない（相澤＝郡谷・商事法務1759号8頁）。もっとも，定時株主総会の会日までの間については，電磁的方法により株主が提供を受けることができる状態が確保される必要性がとりわけ高いと考えられ，会日後の開示の中断に比べて厳格な規準が適用されると解するのが穏当であろう。

「株主が提供を受けることができる状態」（圏点─引用者）とされているのは，定時株主総会の招集に際して提供するものだからである。したがって，「不特定多数の者が提供を受けることができる状態」に置くべき電子公告（法2条34号）や電磁的方法による貸借対照表等の公開（法440条3項）の場合と異なり，会社の株主のみがアクセス可能となるような設定（たとえば，パスワードの入力等を要求）をすることができる。

2項にいう1項「の措置をとるために使用する自動公衆送信装置のうち当該措置をとるための用に供する部分をインターネットにおいて識別するための文字，記号その他の符号又はこれらの結合であって，情報の提供を受ける者がその使用に係る電子計算機に入力することによって当該情報の内容を閲覧し，当該電子計算機に備えられたファイルに当該情報を記録することができるもの」（圏点─引用者）とはウェブサイトのURLを意味するが，パスワード等の入力を要求する場合には，パスワード等を株主に通知しなければならないと解すべきである。

平成27年会社法施行規則改正により，ウェブ開示によるみなし提供が認められていない事項に係る情報も──ウェブ上で開示してもみなし提供の効果は生ぜず，書面等での株主に対する提供が依然として求められるものの──インターネットを通じて開示することは妨げられず，その場合には，当該情報をウェブ開示によるみなし提供が認められる事項と一体として（単一のファイルとしてウェブサイトにアップロードして）インターネットを通じて開示することも可能であることを確認的に定めるものとして，3項が創設された。これは，情報の提供を受ける株主としては，ウェブ開示によるみなし提供が認められていない事項もウェブ開示によるみなし提供が認められている事項も株主総会参考書類の内容を成しており，全体像を把握するためには，たとえば，ウェブサ

イト上に単一のファイルとしてアップロードされ，あるページを見れば，すべての株主総会参考書類記載事項に係る情報を入手することができれば便宜であるという認識を背景とする。

第3款　種類株主総会

第95条　次の各号に掲げる規定は，当該各号に定めるものについて準用する。
　一　第63条（第1号を除く。）　法第325条において準用する法第298条第1項第5号に規定する法務省令で定める事項
　二　第64条　法第325条において準用する法第298条第2項に規定する法務省令で定めるもの
　三　第65条及び前款　種類株主総会の株主総会参考書類
　四　第66条　種類株主総会の議決権行使書面
　五　第67条　法第325条において準用する法第308条第1項に規定する法務省令で定める株主
　六　第69条　法第325条において準用する法第311条第1項に規定する法務省令で定める時
　七　第70条　法第325条において準用する法第312条第1項に規定する法務省令で定める時
　八　第71条　法第325条において準用する法第314条に規定する法務省令で定める場合
　九　第72条　法第325条において準用する法第318条第1項の規定による議事録の作成

　本条は，種類株主総会について，株主総会に関する会社施行規則の規定を準用する旨を定めるものである。すなわち，法325条第1文は，法第2編第4章第1節第1款「(第295条第1項及び第2項，第296条第1項及び第2項並びに第309条を除く。)の規定は，種類株主総会について準用する」ものと定めており，準用される規定において，法務省令に委任している事項がある場合には，種類株主総会との関係でも法務省令に定めを置く必要があるところ，種類株主総会の招集の決定にあたって定めるべき事項，種類株主総会における書面による議決権の行使を認めなくともよい会社，種類株主総会参考書類，種類株主総会の議決権行使書面，株式会社が種類株主の経営を実質的に支配することが可

第95条の3（電子提供措置をとる場合における招集通知の記載事項）* 505

能になる関係，種類株主総会における書面または電磁的方法による議決権行使の期限，種類株主総会において取締役等が説明することを要しない場合，および，種類株主総会の議事録について，株主総会と異なる規律を定める必要がないと考えられるため，本条では，種類株主総会について準用される創立総会に関する会社法施行規則の規定を定めている。

＊　　　　＊　　　　＊

〔施行　会社法の一部を改正する法律（令和元年法律第70号）附則第1条ただし書に規定する規定の施行の日〕［第4款を加える］

第4款　電子提供措置

（電子提供措置）
第95条の2　法第325条の2に規定する法務省令で定めるものは，第222条第1項第1号ロに掲げる方法のうち，インターネットに接続された自動公衆送信装置を使用するものによる措置とする。

　本条は，法325条の2にいう電子提供措置を，送信者の使用に係る電子計算機に備えられたファイルに記録された情報の内容を電気通信回線を通じて情報の提供を受ける者の閲覧に供し，当該情報の提供を受ける者の使用に係る電子計算機に備えられたファイルに当該情報を記録する方法のうち，インターネットに接続された自動公衆送信装置を使用するものにより株主（種類株主総会を招集する場合には，ある種類の株主に限る）が情報の提供を受けることができる状態に置く措置とするものである。
　なお，222条2項は，受信者がファイルへの記録を出力することにより書面を作成することができるものでなければならないと定めているため，電子提供措置事項については，出力することにより書面を作成することができる方法でウェブサイトに掲載される必要があることとなる。

〔施行　会社法の一部を改正する法律（令和元年法律第70号）附則第1条ただし書に規定する規定の施行の日〕［第95条の3を加える］

506　第2編　株式会社

（電子提供措置をとる場合における招集通知の記載事項）
第95条の3　法第325条の4第2項第3号に規定する法務省令で定める事項は，次に掲げる事項とする。
　一　電子提供措置をとっているときは，電子提供措置をとるために使用する自動公衆送信装置のうち当該電子提供措置をとるための用に供する部分をインターネットにおいて識別するための文字，記号その他の符号又はこれらの結合であって，情報の提供を受ける者がその使用に係る電子計算機に入力することによって当該情報の内容を閲覧し，当該電子計算機に備えられたファイルに当該情報を記録することができるものその他の当該者が当該情報の内容を閲覧し，当該電子計算機に備えられたファイルに当該情報を記録するために必要な事項
　二　法第325条の3第3項に規定する場合には，同項の手続であって，金融商品取引法施行令（昭和40年政令第321号）第14条の12の規定によりインターネットを利用して公衆の縦覧に供されるものをインターネットにおいて識別するための文字，記号その他の符号又はこれらの結合であって，情報の提供を受ける者がその使用に係る電子計算機に入力することによって当該情報の内容を閲覧することができるものその他の当該者が当該情報の内容を閲覧するために必要な事項
2　法第325条の7において読み替えて準用する法第325条の4第2項第3号に規定する法務省令で定める事項は，前項第1号に掲げる事項とする。

　法325条の4第2項（法325条の7において，種類株主総会に準用）は，電子提供措置をとる場合には，株主総会の招集通知には，法務省令（63条）で定める事項を記載し，または記録することを要しないが，①電子提供措置をとっているときは，その旨，②有価証券報告書を内閣総理大臣に提出する手続を開示用電子情報処理組織を使用して行ったときは，その旨，および，③①②のほか法務省令で定める事項を記載し，または記録しなければならないと定めている。本条は，この委任をうけて，法務省令で定める事項を定めるものである。

1　株主総会の場合（1項）

　定時株主総会の場合には1号または2号が，それ以外の株主総会の場合には1号が適用される。
　「電子提供措置をとるために使用する自動公衆送信装置のうち当該電子提供措置をとるための用に供する部分をインターネットにおいて識別するための文字，記号その他の符号又はこれらの結合であって，情報の提供を受ける者がそ

第95条の3（電子提供措置をとる場合における招集通知の記載事項）＊　507

の使用に係る電子計算機に入力することによって当該情報の内容を閲覧し，当該電子計算機に備えられたファイルに当該情報を記録することができるもの」（圏点—引用者）（1号）とは，電子提供措置をとるためのウェブサイトの URL を意味する。意見募集の結果（令和2年11月）では「電子提供措置をとっているウェブページの URL を記載する方法に限られず，例えば，会社のウェブサイトのトップページ等の URL を記載し，当該トップページから目的のウェブページに到達するための方法を併記することなどもできる」との解釈が示されている（54頁）。この解釈は，電子公告との関係で登記すべき事項との関係での解釈（220条に対するコメント参照）とパラレルに解するもののようである（立案担当者は，「株主総会の招集通知に電子提供措置をとっているウェブサイトの URL を記載する場合において，どのような URL を記載することができるかという点についても，同様に考えることができる」としている。渡辺ほか・商事法務2254号17頁注92）。しかし，電子提供措置をとっている情報が掲載されるページの URL を招集通知に記載することは容易であるし，それによってコストが増加するとは考えられないという点で，登記事項の場合とはかなり異なる。なお，「複数のウェブサイトにおいて電子提供措置をとっている場合には，それぞれのウェブサイトについて，当該記載をすることとなる」（55頁）とされている。

　ところで，株主総会の招集の手続を行うときに電子提供措置がとられる以上，情報は株主に提供されれば十分であり（法325条の2前段），「不特定多数の者が……提供を受けることができる状態」に置くべき電子公告（会社法2条34号）や電磁的方法による貸借対照表等の公開（会社法440条3項）の場合と異なり，当該株主総会において議決権を行使することができる株主のみがアクセス可能となるような設定（たとえば，ID やパスワードの入力等を要求）をすることができる。そこで，ID やパスワード等の入力を要求する場合には，ID やパスワード等を招集通知をうける株主に通知させる必要があるため，「その他の当該者〔情報の提供を受ける者〕が当該情報の内容を閲覧し，当該電子計算機に備えられたファイルに当該情報を記録するために必要な事項」（1号）を記載することが求められている。すなわち，情報を閲覧し，かつ，自己が使用する電子計算機に情報を記録するために必要な ID やパスワード等は「その他の当該者〔情報の提供を受ける者〕が当該情報の内容を閲覧し，当該電子計算機に備えられたファイルに当該情報を記録するために必要な事項」に含まれる。

　他方，株式会社が会社法に基づく事業報告および計算書類による開示と金融商品取引法に基づく有価証券報告書による開示を実務上一体的に行い，かつ，

株主総会の前に有価証券報告書を開示する取組みを促進する観点から（竹林ほか・商事法務2222号8頁），法325条の3第3項は，「金融商品取引法第24条第1項の規定によりその発行する株式について有価証券報告書を内閣総理大臣に提出しなければならない株式会社が，電子提供措置開始日までに第1項各号に掲げる事項（定時株主総会に係るものに限り，議決権行使書面に記載すべき事項を除く。）を記載した有価証券報告書（添付書類及びこれらの訂正報告書を含む。）の提出の手続を同法第27条の30の2に規定する開示用電子情報処理組織（以下この款において単に「開示用電子情報処理組織」という。）を使用して行う場合には，当該事項に係る情報については，同項の規定により電子提供措置をとることを要しない。」と定めている。ここで，開示用電子情報処理組織とはいわゆるEDINETをいうが，行政サービスの一環として，EDINETを使用して提出された有価証券報告書（添付書類およびこれらの訂正報告書を含む）は，インターネット上のEDINETのウェブサイトにおいて閲覧し，その情報をダウンロードすることができる。そこで，1項2号は，EDINETを用いて有価証券報告書が提出され，電子提供措置がとられない場合に，EDINETにアクセスするための情報を招集通知に記載することを求めている。「公衆の縦覧に供されるものをインターネットにおいて識別するための文字，記号その他の符号又はこれらの結合であって，情報の提供を受ける者がその使用に係る電子計算機に入力することによって当該情報の内容を閲覧することができるもの」とは，EDINETのウェブサイトにおいて当該会社の有価証券報告書が掲載されているページのURLをいうはずであるが，EDINETにおいては，個別の添付書類のファイルにはアドレスが付されていない。もっとも，EDINETにおける具体的な検索方法を記載すれば，実務的な支障はないのではないかと指摘されている（法制審議会会社法制（企業統治等関係）部会第8回会議（平成29年12月6日）議事録（pdf版）11頁〔田原幹事発言〕参照）。また，EDINETのウェブサイトでの閲覧にはIDやパスワード等は必要とされないため，これ以外に，「当該者が当該情報の内容を閲覧するために必要な事項」は，現実にはないのではないかと推測される。

2　種類株主総会の場合（2項）

　電子提供措置をとる場合において，種類株主総会の招集通知には，電子提供措置をとっている旨その他法務省令に定める事項を記載または記録しなければならないが（法325条の7・325条の4第2項），2項は，法務省令で定める事項

第95条の4（電子提供措置事項記載書面に記載することを要しない事項）* 509

として、「電子提供措置をとるために使用する自動公衆送信装置のうち当該電子提供措置をとるための用に供する部分をインターネットにおいて識別するための文字、記号その他の符号又はこれらの結合であって、情報の提供を受ける者がその使用に係る電子計算機に入力することによって当該情報の内容を閲覧し、当該電子計算機に備えられたファイルに当該情報を記録することができるもの」、すなわち、ウェブサイトのURLを定めているが、1で述べたように、IDやパスワード等の入力を要求する場合には、「その他の当該者が当該情報の内容を閲覧し、当該電子計算機に備えられたファイルに当該情報を記録するために必要な事項」として、閲覧およびダウンロードに必要なIDやパスワード等を当該種類株主総会において議決権を行使することができる株主（すなわち、招集通知を受ける株主）に通知しなければならない。

　1項と異なり、1項2号の事項が定められていないのは、法325条の3第3項は、有価証券報告書の提出の手続を金融商品取引法27条の30の2に規定する開示用電子情報処理組織を使用して行う場合には、定時株主総会に係る電子提供措置をとることを要しないとする規定であり、──「臨時株主総会や種類株主総会に係る電子提供措置事項は、有価証券報告書において開示が求められている情報とは関連性が乏しいため、定時株主総会に係る電子提供措置事項に限ることとしている」（竹林ほか・商事法務2222号8頁（注6））と説明されているものの、法325条の3第1項各号に掲げる事項が記載されていることが要件とされる限り、立法論としては、少なくとも、定時株主総会と同時に開催される種類株主総会については認めても弊害なく、また、認めることに意義がある場合があるのではないかもと考えられ、必ずしも合理的とは言い切れないが──種類株主総会は対象とされていないためである。

〔施行　会社法の一部を改正する法律（令和元年法律第70号）附則第1条ただし書に規定する規定の施行の日〕［第95条の4を加える］
（電子提供措置事項記載書面に記載することを要しない事項）
　第95条の4　法第325条の5第3項に規定する法務省令で定めるものは、次に掲げるものとする。
　　一　株主総会参考書類に記載すべき事項（次に掲げるものを除く。）
　　　イ　議案
　　　ロ　株主総会参考書類に記載すべき事項（イに掲げるものを除く。）につき電子提供措置事項記載書面に記載しないことについて監査役、監査等委員

会又は監査委員会が異議を述べている場合における当該事項
　二　事業報告に記載され，又は記録された事項（次に掲げるものを除く。）
　　イ　第120条第1項第4号，第5号，第7号及び第8号，第121条第1号から第6号の3まで，第121条の2，第125条並びに第126条第7号から第7号の4までに掲げる事項
　　ロ　事業報告に記載され，又は記録された事項（イに掲げるものを除く。）につき電子提供措置事項記載書面に記載しないことについて監査役，監査等委員会又は監査委員会が異議を述べている場合における当該事項
　三　計算書類に記載され，又は記録された事項（株主資本等変動計算書又は個別注記表に係るものに限る。）
　四　連結計算書類に記載され，又は記録された事項（会社計算規則第61条第1号ハの連結株主資本等変動計算書若しくは同号ニの連結注記表に係るもの又はこれらに相当するものに限る。）
2　次の各号に掲げる事項の全部又は一部を電子提供措置事項記載書面に記載しないときは，取締役は，当該各号に定める事項を株主（電子提供措置事項記載書面の交付を受ける株主に限る。以下この項において同じ。）に対して通知しなければならない。
　一　前項第2号に掲げる事項　監査役，監査等委員会又は監査委員会が，電子提供措置事項記載書面に記載された事項（事業報告に記載され，又は記録された事項に限る。）が監査報告を作成するに際して監査をした事業報告に記載され，又は記録された事項の一部である旨を株主に対して通知すべきことを取締役に請求したときは，その旨
　二　前項第3号に掲げる事項　監査役，会計監査人，監査等委員会又は監査委員会が，電子提供措置事項記載書面に記載された事項（計算書類に記載され，又は記録された事項に限る。）が監査報告又は会計監査報告を作成するに際して監査をした計算書類に記載され，又は記録された事項の一部である旨を株主に対して通知すべきことを取締役に請求したときは，その旨
　三　前項第4号に掲げる事項　監査役，会計監査人，監査等委員会又は監査委員会が，電子提供措置事項記載書面に記載された事項（連結計算書類に記載され，又は記録された事項に限る。）が監査報告又は会計監査報告を作成するに際して監査をした連結計算書類に記載され，又は記録された事項の一部である旨を株主に対して通知すべきことを取締役に請求したときは，その旨

　電子提供措置をとる旨の定款の定めがある株式会社の株主（自己に対する招集通知を電磁的方法により発することにつき承諾をした株主を除く）は，株式会社

第95条の4（電子提供措置事項記載書面に記載することを要しない事項）* 511

に対し、①株主総会または種類株主総会を招集する場合に定めるべき事項（法298条1項各号・325条）、②書面による議決権行使を認める場合には、株主総会参考書類および議決権行使書面に記載すべき事項、③電磁的方法による議決権行使を認める場合には、株主総会参考書類に記載すべき事項、④議案要領通知（記載・記録）請求があった場合には、その議案の要領、⑤株式会社が取締役会設置会社である場合において、取締役が定時株主総会を招集するときは、計算書類および事業報告に記載され、または記録された事項、⑥株式会社が会計監査人設置会社（取締役会設置会社に限る）である場合において、取締役が定時株主総会を招集するときは、連結計算書類に記載され、または記録された事項、ならびに、⑦ ①から⑥の事項を修正したときは、その旨および修正前の事項（電子提供措置事項）を記載した書面の交付を請求することができるが（法325条の5第1項）、株式会社は、電子提供措置事項のうち法務省令で定めるものの全部または一部については、交付する書面に記載することを要しない旨を定款で定めることができる（法325条の5第3項）。本条は、この委任をうけて、電子提供措置事項記載書面に記載することを要しない旨を株式会社が定めることができる電子提供措置事項を定めるものである。

1　電子提供措置事項記載書面に必ず記載することを要する事項（1項）

　まず、書面または電磁的方法による議決権行使を行うにあたっては、議案を知っていることが前提となるので、議案は電子提供措置事項記載書面に記載されなければならず、電子提供措置事項記載書面に記載することを要しない旨を株式会社が定めることができないものとされている。

　また、事業報告に記載または記録された事項のうち、電子提供措置事項記載書面の交付を受ける株主の議決権行使にとって特に重要であると考えられる一定の事項については、電子提供措置事項記載書面に記載することを要しない旨を株式会社が定めることができないものとされている。すなわち、株式会社の現況に関する事項のうち、当該事業年度における事業の経過およびその成果、重要な資金調達・設備投資・組織再編等についての状況、重要な親会社および子会社の状況および対処すべき課題、株式会社の会社役員に関する事項のうち、会社役員の氏名、会社役員の地位および担当、責任限定契約に関する事項、補償契約に関する事項および会社役員の報酬等に関する事項、役員等賠償責任保険契約に関する事項、会計参与との責任限定契約に関する事項および補償契約に関する事項、ならびに、会計監査人との責任限定契約に関する事項お

よび補償契約に関する事項は，電子提供措置事項記載書面に記載することを要しない旨を株式会社が定めることができないものとされている（1項2号イ）。

さらに，貸借対照表および損益計算書は基本的な計算書類であることに鑑み，計算書類に記録または記載された事項については，ウェブ開示によるみなし提供が認められる情報とパラレルに，株主資本等計算書および個別注記表に係るものについてのみ電子提供措置事項記載書面に記載することを要しない旨を会社が定めることが認められている（1項3号）。個別注記表に含めるべき事項は多いため，個別注記表について認める必要性が高いともいえよう。連結計算書類に記載または記録された事項についても，計算書類とパラレルに，連結株主資本等計算書および連結注記表（またはこれに相当するもの）に係るものについてのみ電子提供措置事項記載書面に記載することを要しない旨を会社が定めることが認められている（1項4号）。1項4号かっこ書において，「又はこれらに相当するもの」とされているのは，連結計算書類は国際会計基準，修正国際基準または米国基準で作成することができる場合があり（計規120条～120条の3），それらの場合には，作成すべき連結計算書類の種類が連結株主資本等計算書および連結注記表という名称でないからである。

また，株主総会参考書類または事業報告に記載または記録された，ある事項を電子提供措置事項記載書面に記載しないことについて監査役，監査等委員会または監査委員会が異議を述べている場合にはその事項については電子提供措置事項記載書面に記載しないことは認められないものとされている。これは，その株式会社が置かれている環境などに照らすと，株主が議決権を適切に行使し，または，取締役等に対して適切なコントロールを及ぼすことを可能にするために，株主に対して電子提供措置事項記載書面により提供することが必要な株主総会参考書類または事業報告に記載または記録すべき事項がありうるからである。株主総会参考書類または事業報告に記載または記録すべき事項の一部を電子提供措置事項記載書面に記載しないことが，株主の議決権行使に必要な情報を提供しないことにつながらないかどうかを監査役，監査等委員会または監査委員会が検討する必要があることを1項1号ロおよび2号ロは前提としている。

なお，現行法（令和2年改正前会社法施行規則および会社計算規則）上のみなし提供制度の対象となる事項（会社法施行規則133条3項，会社計算規則133条4項・134条4項）と同様の事項を法務省令において定めることを予定している（竹林ほか・商事法務2222号11頁）とされていたが，上述のように，取締役，執

第95条の4 (電子提供措置事項記載書面に記載することを要しない事項)* 513

行役,監査役,会計参与および会計監査人との責任限定契約に関する事項,および,連結貸借対照表および連結損益計算書に係る事項については,ウェブ開示によるみなし提供が認められているにもかかわらず,電子提供措置事項記載書面に記載することを要しない旨を株式会社が定めることはできないものとされた。連結貸借対照表および連結損益計算書に係る事項を電子提供措置事項記載書面に記載することを要しないとすることができないとされたことについては,「グループとして経営をしており連結計算書類を作成している株式会社について,株主がその業績等を十分に把握するためには,単体の計算書類だけでなく,連結計算書類を参照することが重要であると考えられる。また,電子提供制度の下であえて書面交付請求をする株主に対しては,書面により十分な情報提供がされる必要があると考えられる。」と説明されている(意見募集の結果(令和2年11月)55頁)。また,責任限定契約に関する事項,補償契約に関する事項および役員等賠償責任保険契約に関する事項については,電子提供措置事項記載書面に記載することを要しないとすることができないとされた理由として,「責任限定契約に関する事項,補償契約に関する事項及び役員等賠償責任保険契約に関する事項は,これらの契約がいずれも会社役員に適切なインセンティブを付与するという意義を有することから,株主にとって重要な情報である。また,電子提供制度の下においてあえて書面交付請求をする株主に対しては,書面により十分な情報提供がされる必要があると考えられる。したがって,これらの事項について電子提供措置事項記載書面に記載することを要しないこととすることは適切ではな」いと説明されている(意見募集の結果(令和2年11月)57頁)。

しかし,この理由づけでは説得力は必ずしも十分ではないように思われる。なぜなら,ウェブ開示によるみなし提供の場合は,株主にはそもそも書面による情報を提供する権利が与えられていないのであるから,「あえて書面交付請求をする株主に対しては,書面により十分な情報提供がされる必要がある」ということでは,ウェブ開示によるみなし提供が認められる事項との違いを合理的に説明したとはいえないからである。

もっとも,連結貸借対照表および連結損益計算書は株主にとって重要な情報であり,また,責任限定契約に関する事項も株主に提供されるべき重要な情報(しかも,記載すべき分量も少なく,記載内容の確定にも時間や手間を要しないと考えられる)である。そうであれば,ウェブ開示によるみなし提供の対象としないことがもはや不適切であると考えられるに至ったとしても,現時点でいきな

り，ウェブ開示によるみなし提供の対象から除外することには抵抗感があるから，そちらは当面手を付けず，電子提供措置との関係では，あるべき姿として，電子提供措置事項記載書面に記載することを求めたということなのではないかと推測される。また，電子提供措置による会社の負担の軽減に加え，株主総会参考書類に記載・記録される事項の相当部分を電子提供措置事項記載書面に記載することを要しないとすることが認められることにより，現行のウェブ開示によるみなし提供に比べると，会社の負担が軽減されることから，ウェブ開示によるみなし提供が認められる事項であるにもかかわらず電子提供措置事項記載書面に記載することを要する事項が若干定められたとしても，全体としてみれば，電子提供措置をとる会社の負担は軽減されることになると考えられることも指摘できる（上場会社以外の会社にとっては，電子提供措置をとるかどうかは自由であり，かりに，ウェブ開示によるみなし提供の方が負担が軽いというのであれば，電子提供措置をとるという選択をしなければよいだけのことである）。さらに，電子提供措置をとることが要求されるのは上場会社であるところ，上場会社の株主にとっては連結計算書類や会社役員等の責任限定契約に関する事項は重要性の高い情報であり，しかも，上場会社であればそのような事項を電子提供措置事項記載書面に記載することが求められることに対応することができる資源を有しているとも考えられる。

2　電子提供措置事項記載書面の交付を受ける株主に通知すべき場合（2項）

　事業報告に記載され，または記録された事項の全部または一部を電子提供措置事項記載書面に記載しない場合において，監査役，監査等委員会または監査委員会が，電子提供措置事項記載書面に記載された事項が監査報告を作成するに際して監査をした事業報告に記載され，または記録された事項の一部である旨を電子提供措置事項記載書面の交付を受ける株主に対して通知すべきことを取締役に請求したときは，その旨を（1号），計算書類または連結計算書類に記載され，または記録された事項の全部または一部を電子提供措置事項記載書面に記載しない場合において，監査役，会計監査人，監査等委員会または監査委員会が，電子提供措置事項記載書面に記載された事項が監査報告または会計監査報告を作成するに際して監査をした計算書類または連結計算書類に記載され，または記録された事項の一部である旨を電子提供措置事項記載書面の交付を受ける株主に対して通知すべきことを取締役に請求したときは，それぞれ，その旨を（2号・3号），取締役は電子提供措置事項記載書面の交付を受ける株

主に対して通知しなければならない。

これは，監査報告は電子提供措置事項記載書面によっては株主に提供されていない部分を含んだ事業報告全体について行われているため，その旨を明らかにして，電子提供措置事項記載書面の交付を受ける株主の誤解を避けることが必要な場合があるからである。同様に，監査報告または会計監査報告は電子提供措置事項記載書面によっては株主に提供されていない部分を含んだ計算書類または連結計算書類全体について行われているため，その旨を明らかにして，電子提供措置事項記載書面の交付を受ける株主の誤解を避けることが必要な場合があるからである。

第2節　会社役員の選任

──（補欠の会社役員の選任）────

第96条　法第329条第3項の規定による補欠の会社役員（執行役を除き，監査等委員会設置会社にあっては，監査等委員である取締役若しくはそれ以外の取締役又は会計参与。以下この条において同じ。）の選任については，この条の定めるところによる。

2　法第329条第3項に規定する決議により補欠の会社役員を選任する場合には，次に掲げる事項も併せて決定しなければならない。

　一　当該候補者が補欠の会社役員である旨
　二　当該候補者を補欠の社外取締役として選任するときは，その旨
　三　当該候補者を補欠の社外監査役として選任するときは，その旨
　四　当該候補者を1人又は2人以上の特定の会社役員の補欠の会社役員として選任するときは，その旨及び当該特定の会社役員の氏名（会計参与である場合にあっては，氏名又は名称）
　五　同一の会社役員（二以上の会社役員の補欠として選任した場合にあっては，当該二以上の会社役員）につき2人以上の補欠の会社役員を選任するときは，当該補欠の会社役員相互間の優先順位
　六　補欠の会社役員について，就任前にその選任の取消しを行う場合があるときは，その旨及び取消しを行うための手続

3　補欠の会社役員の選任に係る決議が効力を有する期間は，定款に別段の定めがある場合を除き，当該決議後最初に開催する定時株主総会の開始の時まで

とする。ただし，株主総会（当該補欠の会社役員を法第108条第1項第9号に掲げる事項についての定めに従い種類株主総会の決議によって選任する場合にあっては，当該種類株主総会）の決議によってその期間を短縮することを妨げない。

　本条は，取締役（監査等委員会設置会社では，監査等委員である取締役またはそれ以外の取締役），監査役または会計参与の補欠の選任に関して定めるものである。すなわち，法329条3項が，取締役，監査役または会計参与の選任の決議をする場合には，「法務省令で定めるところにより，役員……が欠けた場合又はこの法律若しくは定款で定めた役員の員数を欠くこととなるときに備えて補欠の役員を選任することができる」と定めていることをうけて，定められているものである。

　1項において，「会社役員（執行役を除き……。以下この条において同じ。）」と定められているのは，2条3項3号においては，「役員」という語を法329条1項とは異なる概念として用いることとされているため，役員の補欠という表現を用いることができない一方で，2条3項4号においては，当該株式会社の取締役，会計参与，監査役および執行役を「会社役員」と呼ぶこととされているが，法329条3項は，執行役について補欠を選任することを認めていないためである。「監査等委員会設置会社にあっては，監査等委員である取締役若しくはそれ以外の取締役又は会計参与」とされているのは，監査等委員会設置会社においては，取締役の選任は，監査等委員である取締役とそれ以外の取締役とを区別してしなければならないとされており（法329条2項），かつ，監査役を置いてはならない（法327条4項）ためである。

　平成17年改正前商法の下でも，補欠として選任された監査役の任期は，退任した監査役の任期の満了すべき時までとするとし，かつ，定款で定める監査役の員数を欠くに至った場合に備えて，定時株主総会において監査役の補欠者をあらかじめ選任することができ，この予選は次期定時総会が開催されるまでの間，その効力を有するとの内容の定款の定めを有する株式会社については，定時株主総会において，社外監査役が退任した場合の補欠者を予選することも，合理的な範囲内の条件を付した決議として，次期定時総会の開催までの間は有効であり，次期定時総会までの間にある社外監査役が退任した場合には，当該予選された補欠者が社外監査役に就任することも有効であり，合理的な範囲で株主総会決議に条件または期限を付すことは可能である旨の照会回答を，法務

省は示していたが(「定時株主総会における社外監査役補欠者の予選の可否について(通知)」民商第1078号民事局商事課長回答(平成15年4月9日)),会社法においては,取締役,会計参与および監査役について補欠の選任を明文で認めた。

1 補欠の会社役員を選任する場合,決定しなければならない事項(2項)
(1) その候補者が補欠の会社役員である旨(1号)
　選任決議における,株主の議決権行使にあたっては,候補者が補欠者であるかどうかが重要なので,取締役,会計参与または監査役の候補者ではなく,補欠の取締役,会計参与または監査役の候補者である旨を明らかにする必要があるからである。

(2) その候補者を補欠の社外取締役として選任するときは,その旨(2号)
　監査等委員会設置会社における監査等委員の過半数(法331条6項)および指名委員会等設置会社における指名委員会等の委員の過半数(法400条3項)は社外取締役でなければならず,特別取締役による議決が許容される要件として取締役のうち1人以上が社外取締役であることが求められ(法373条1項2号),また,監査役会設置会社(公開会社であり,大会社であるものに限る)であって有価証券報告書提出会社であるものは社外取締役を置かなければならない(法327条の2)とされていることに照らすならば,株主総会における選任決議における,株主の議決権行使にあたっては,候補者が社外取締役(法2条15号)の補欠者であるかどうかが重要なので,そのような特殊な類型の会社役員の補欠である旨を明らかにする必要があるからである。

(3) その候補者を補欠の社外監査役として選任するときは,その旨(3号)
　公開会社であって大会社であるもののうち,監査等委員会設置会社でも指名委員会等設置会社でもないものは監査役会を設置しなければならないが(法328条1項),監査役会設置会社においては,監査役の半数以上は,社外監査役でなければならない(法335条3項)とされていることに照らすならば,株主総会における選任決議における,株主の議決権行使にあたっては,候補者が社外監査役(法2条16号)の補欠者であるかどうかが重要なので,そのような特殊な類型の会社役員の補欠である旨を明らかにする必要があるからである。

(4) その候補者を1人または2人以上の特定の会社役員の補欠の会社役員とし

て選任するときは，その旨およびその特定の会社役員の氏名（会計参与である場合にあっては，氏名または名称（4号）

　すべての取締役，すべての会計参与，またはすべての監査役を被補欠者として，ある候補者を補欠の会社役員に選任することができることが本号の前提である。また，すべての社外取締役またはすべての社外監査役を被補欠者として，または非常勤監査役を被補欠者として，ある候補者を補欠の会社役員に選任することもできると解されている（相澤＝石井・商事法務1761号12頁）。これらを前提としつつ，本号では，特定の会社役員の補欠として選任する場合には，その旨および被補欠者の氏名（会計参与の場合は，氏名または名称）を決定しなければならないものとしている。

(5)　同一の会社役員（二以上の会社役員の補欠として選任した場合にあっては，その二以上の会社役員）につき2人以上の補欠の会社役員を選任するときは，その補欠の会社役員相互間の優先順位（5号）

　特定の会社役員や特定の役職（取締役，会計参与，監査役）について，複数の補欠者を選任するときは，本号は，その補欠の会社役員相互間の優先順位を補欠の会社役員を選任する株主総会の決議によって決定しなければならないものと定めている。すなわち，補欠の会社役員間の優先順位を取締役等が決定することはできないことが前提となっている（相澤＝石井・商事法務1761号12頁）。

(6)　補欠の会社役員について，就任前にその選任の取消しを行う場合があるときは，その旨および取消しを行うための手続（6号）

　補欠の会社役員も，就任の条件が成就すれば，被補欠者に代わって会社役員に就任するので，その選任については，正規の役員の選任に関する会社法および会社法施行規則の規定が適用される。しかし，会社役員に就任するまでは，補欠の会社役員は正規の会社役員ではないので，会社役員に就任する前の補欠の会社役員の解任については，必ずしも，正規の会社役員の解任と同じ手続を経る必要はないという価値判断を本号は前提とする。すなわち，本号は，会社役員の解任手続よりも簡易な手続を会社役員に就任する前の補欠の会社役員の選任の取消しの手続として，補欠の会社役員の選任決議の際にあらかじめ定めておくことができることを前提とした規定である。とりわけ，社外取締役または社外監査役の補欠者として選任された者については，その者が社外性を喪失した場合など「就任前にその選任の取消しを行う場合」が想定できる。

2 補欠の会社役員の選任に係る決議が効力を有する期間（3項）

　原則として，補欠の会社役員の選任に係る決議が効力を有する期間は，その決議後最初に開催する定時株主総会の開始の時までとするとされているのは，「定時株主総会における社外監査役補欠者の予選の可否について（通知）」（平成15年4月9日付法務省民商第1079号）を踏襲したものである。補欠の取締役，会計参与または監査役の選任決議は条件付決議の一種であるところ，条件付決議は，決議の内容を将来の一定の条件に係わらせるものであるため，これを無制限に認めると，多数者間の法律関係の画一的確定を妨げ，しかも，将来の株主の議決権を実質的に制限することになるからである。すなわち，株主総会の決議には，決議時点の株主の意思をできる限り忠実に反映させることが必要で，不確定な状態は最低限度にとどめるのが望ましいと解されるので，条件付決議について，定時株主総会ごとに，株主の意思を再確認する機会を設けるのが妥当であるという考え方に基づくものと推測される（日本監査役協会事務局・補欠監査役選任制度に関するQ＆A集8頁参照）。

　しかし，補欠者の効力は次期定時株主総会の開催までの間に限られるものと解されていたのは，上述のように，株主の意思を可能な限り問うことが適当であるとの考えに基づくものであるが，補欠者ではない監査役はその任期が満了するまではその間の株主の意思を問うことなく在任することができるのに対し，補欠者に限って定時総会ごとに株主の意思を問わなければならないとするまでの必然性はないこと，合理的な範囲で株主総会決議に条件または期限を付すことが可能であるとすれば，定款の定めによって，補欠者の選任の効力を有する時期を伸長することが許されてもよいし，株主の意思を問うことが適切であるというのであれば，短縮することは認められると考えられる（要綱試案補足説明59頁参照）。そこで，「定款に別段の定めがある場合を除き」と定められている。

　また，株主の意思をできるだけ反映させるという観点からは，定款の定めにかかわらず，株主総会（その補欠の会社役員を，ある種類株主総会の決議によって選任する旨の定款の定め（法108条1項9号）に従い，ある種類株主総会の決議によって選任する場合には，その種類株主総会）の決議によって，その期間を短縮することができるものとされている。

　なお，選任決議に際して，被補欠者として特定の者を定めていた場合（2項4号）には，選任決議の有効期間内であっても，その被補欠者の任期が満了した時に，補欠者の選任決議の効力は失われる。これは，補欠者の就任のための

条件（被補欠者の任期満了前の辞任・退任等）が成就する余地がなくなるからである。

他方，補欠の対象となる役職について会社法に定められた任期（定款の定めにより伸長・短縮できる場合に，定款の定めをしたときは，その定款に定められた任期）の満了により，補欠者としての選任の効力が失われるので，補欠者が取締役，会計参与または監査役に就任した場合には，その者の任期は，補欠者としての選任時が起算点となる（相澤＝石井・商事法務1761号13頁）。

（累積投票による取締役の選任）

第97条 法第342条第5項の規定により法務省令で定めるべき事項は，この条の定めるところによる。

2 法第342条第1項の規定による請求があった場合には，取締役（株主総会の議長が存する場合にあっては議長，取締役及び議長が存しない場合にあっては当該請求をした株主）は，同項の株主総会における取締役（監査等委員会設置会社にあっては，監査等委員である取締役又はそれ以外の取締役。以下この条において同じ。）の選任の決議に先立ち，法第342条第3項から第5項までに規定するところにより取締役を選任することを明らかにしなければならない。

3 法第342条第4項の場合において，投票の同数を得た者が2人以上存することにより同条第1項の株主総会において選任する取締役の数の取締役について投票の最多数を得た者から順次取締役に選任されたものとすることができないときは，当該株主総会において選任する取締役の数以下の数であって投票の最多数を得た者から順次取締役に選任されたものとすることができる数の範囲内で，投票の最多数を得た者から順次取締役に選任されたものとする。

4 前項に規定する場合において，法第342条第1項の株主総会において選任する取締役の数から前項の規定により取締役に選任されたものとされた者の数を減じて得た数の取締役は，同条第3項及び第4項に規定するところによらないで，株主総会の決議により選任する。

本条は，株主総会における累積投票による取締役の選任について定めるものである。すなわち，定款に別段の定めがあるときを除き，株主は累積投票の請求をすることができるが（法342条1項），法342条3項は，累積投票の「請求があった場合には，取締役の選任の決議については，株主は，その有する株式1株（単元株式数を定款で定めている場合にあっては，1単元の株式）につき，当該株主総会において選任する取締役の数と同数の議決権を有する。この場合

においては，株主は，1人のみに投票し，又は2人以上に投票して，その議決権を行使することができる」と定め，同条4項は，その「場合には，投票の最多数を得た者から順次取締役に選任されたものとする」と定め，同条5項は，「前2項に定めるもののほか，第1項の規定による請求があった場合における取締役の選任に関し必要な事項は，法務省令で定める」ものとしているため，これをうけて本条が定められている。本条3項は平成17年改正前商法256条ノ3第5項を踏襲するものであり，創立総会における累積投票による設立時取締役の選任について定める18条とパラレルな規定である。

1　累積投票による旨の議長等による宣言（2項）

　累積投票の請求があった場合には，株主総会の議長が存する場合には議長，議長が存しない場合には取締役，取締役も議長も存しない場合にはその累積投票の請求をした株主は，株主総会における取締役の選任の決議に先立ち，法342条3項から5項までに規定するところ（累積投票）により取締役を選任することを明らかにしなければならないものとされている。これは，累積投票は，通常の方法（法308条1項）による議決権行使の例外なので，累積投票により取締役の選任が行われることについて，株主の注意を喚起するためである。議長，取締役または累積投票の請求をした株主が累積投票による取締役を選任する旨を明らかにしなかった場合には，累積投票の方法によることが出席株主（代理人を含む）全員に周知されていたときを除き，決議取消しの原因（法831条1項1号）があると解すべきであるというのが通説である（新注会(6)49頁［上柳］，大隅＝今井・中152頁）。

　なお，法342条2項は，累積投票の請求は，株主総会の日の5日前までにしなければならないと定めており，通説は，株主総会の招集通知が発せられた後でなければ請求できないと解しているので（新注会(6)47頁［上柳］，大隅＝今井・中152頁），株主総会参考書類に累積投票による旨を示したり，議決権行使書面を累積投票に合致した様式にしておくことができないことになる。同様に，上場株式の議決権の代理行使の勧誘に関する内閣府令に基づく委任状勧誘を行う場合についても，委任状の用紙を累積投票による場合に対応したものとすることは要求されていない。すなわち，会社法においては，書面または電磁的方法による議決権行使を認める会社や金融商品取引法上の委任状勧誘を行う会社には，累積投票を認めているものがないという前提が暗黙のうちにとられているのかもしれないが，書面または電磁的方法による議決権行使を認める会社や金

融商品取引法上の委任状勧誘を行う会社においても，累積投票が排除されているという保証はないし，定款変更により，認める可能性もないわけではない。したがって，累積投票が排除されていない会社において，株主による累積投票の請求があった場合には，書面または電磁的方法により行使された議決権をどのように扱うべきかが難問となろう（新注会(6)52頁[上柳]）。それと同時に，本条2項の趣旨に照らせば，書面または電磁的方法により議決権行使をする株主あるいは金融商品取引法上の委任状勧誘に応ずる株主に対して，累積投票により取締役が選任される旨が周知されないことには立法論として重大な欠陥があるということになるのではないかと思われる。

　したがって，立法論としては，累積投票の請求は株主総会の招集通知の発出前にもなしうることを明確にし，かつ，（たとえば，株主提案権の行使の場合と同様に）株主総会の会日の一定期間前までに請求があったときには，株主総会参考書類あるいは金融商品取引法上の委任状勧誘参考書類に累積投票の請求があったことを明示し，かつ，累積投票と整合するような議決権行使書面または委任状の用紙を株主に対して送付することを要求すべきではないかと思われる。もっとも，平成17年改正前商法および平成18年改正前商法施行規則の解釈として，定款の定めにより累積投票を全面的に排除していない場合において，累積投票の請求の可能性があるときは，参考書類上もそのことを明らかにし，それに対応する議決権行使書面の様式を採用しなければならないという見解も示されていた（稲葉・別冊商事法務59号58頁）。

　なお，「監査等委員会設置会社にあっては，監査等委員である取締役又はそれ以外の取締役」とされているのは，監査等委員会設置会社においては，取締役の選任は，監査等委員である取締役とそれ以外の取締役とを区別してしなければならないとされていること（法329条2項）に対応したものである。

2　投票の同数を得た者が2人以上存することにより投票の最多数を得た者から順次取締役として選任された者とすることができない場合（3項・4項）

　3項および4項は，たとえば，5人の取締役を選任する株主総会において，第5位の得票者が複数存在した場合などについての取扱いを定めるものである。平成17年改正前商法には特に定めはなく，得票数が同じ者があったときは，定款または株主総会の決議による別段の定め（たとえば，年齢順による，抽選によるというようなもの）があれば，それによるべきであり，そうでなければ，決選投票をすべきであるが，決選投票で2人以上選ぶときは累積投票によ

らなければならないと解するのが通説的見解であった（新注会(6)50頁［上柳］，大隅＝今井・中153頁）。

　しかし，明確なルールを定めておくことが，法的安定性の観点からも適当であるため，3項は，まず，その「株主総会において選任する取締役の数以下の数であって投票の最多数を得た者から順次取締役に選任されたものとすることができる数の範囲内で，投票の最多数を得た者から順次取締役に選任されたものとする」と定めている。すなわち，たとえば，5人の取締役を選任する株主総会において，A1,000票，B700票，C700票，D・E・Fはいずれも500票の得票を得た場合には，A，BおよびCは取締役に選任されたものとするとしている。

　その上で，4項は，その株主総会において選任すべき取締役の数から3項により取締役に選任されたものとされた数を減じて得た数の取締役は，通常の方法により（原則として1株（単元株式数を定めている会社では1単元）1議決権），株主総会において選任するものと定めている。たとえば，5人の取締役を選任する株主総会において，A1,000票，B700票，C700票，D・E・Fはいずれも500票の得票を得た場合には，A，BおよびCは取締役に選任されたものとされるので，2人を，法308条1項に従って株主総会で選任すべきことになる。これは，従来の通説的見解が「決選投票で2人以上選ぶときは累積投票によらなければならない」と解していたこととは対照的であるが，累積投票は例外的な制度であるから，累積投票は1回だけ行えばよいという価値判断に基づくものであると推測される。法308条1項に従って選任決議を行う場合の手間に比べると累積投票による場合には手間がかなりかかると考えられるからである。

　もっとも，3項および4項は，「投票の同数を得た者が2人以上存することにより」と定めており，たとえば，5人選任すべきところ，得票者4人以下であった場合については適用がなく，従来と同様，このような場合については解釈に委ねられている。従来の多数説は，不足の員数についてのみ再投票をすべきであり，不足の員数が2人以上の場合には累積投票によるべきであると解しており（新注会(6)50頁［上柳］，大隅＝今井・中153頁），基本的には，それでよいのではないかと思われる。なぜなら，選任すべき取締役の全部について累積投票が行われた以上，選任決議全部をやり直すべき理由はなく，第1回目の得票者は取締役として選任されたとすることが3項とも整合的だからである。また，不足の員数が2人以上の場合に累積投票によるべきであると解すること

は，4項とは異なるが，3項があえて「投票の同数を得た者が2人以上存することにより」と限定していることからは，再投票において累積投票をすることを禁止する理由はないからである（もっとも，定款の定めにより，再投票については法308条1項に従うものと定めることも有効であろう）。

第3節　取　締　役

（業務の適正を確保するための体制）

第98条　法第348条第3項第4号に規定する法務省令で定める体制は，当該株式会社における次に掲げる体制とする。
　一　当該株式会社の取締役の職務の執行に係る情報の保存及び管理に関する体制
　二　当該株式会社の損失の危険の管理に関する規程その他の体制
　三　当該株式会社の取締役の職務の執行が効率的に行われることを確保するための体制
　四　当該株式会社の使用人の職務の執行が法令及び定款に適合することを確保するための体制
　五　次に掲げる体制その他の当該株式会社並びにその親会社及び子会社から成る企業集団における業務の適正を確保するための体制
　　イ　当該株式会社の子会社の取締役，執行役，業務を執行する社員，法第598条第1項の職務を行うべき者その他これらの者に相当する者（ハ及びニにおいて「取締役等」という。）の職務の執行に係る事項の当該株式会社への報告に関する体制
　　ロ　当該株式会社の子会社の損失の危険の管理に関する規程その他の体制
　　ハ　当該株式会社の子会社の取締役等の職務の執行が効率的に行われることを確保するための体制
　　ニ　当該株式会社の子会社の取締役等及び使用人の職務の執行が法令及び定款に適合することを確保するための体制
2　取締役が2人以上ある株式会社である場合には，前項に規定する体制には，業務の決定が適正に行われることを確保するための体制を含むものとする。
3　監査役設置会社以外の株式会社である場合には，第1項に規定する体制には，取締役が株主に報告すべき事項の報告をするための体制を含むものとする。

4　監査役設置会社（監査役の監査の範囲を会計に関するものに限定する旨の定款の定めがある株式会社を含む。）である場合には，第１項に規定する体制には，次に掲げる体制を含むものとする。
　一　当該監査役設置会社の監査役がその職務を補助すべき使用人を置くことを求めた場合における当該使用人に関する事項
　二　前号の使用人の当該監査役設置会社の取締役からの独立性に関する事項
　三　当該監査役設置会社の監査役の第１号の使用人に対する指示の実効性の確保に関する事項
　四　次に掲げる体制その他の当該監査役設置会社の監査役への報告に関する体制
　　イ　当該監査役設置会社の取締役及び会計参与並びに使用人が当該監査役設置会社の監査役に報告をするための体制
　　ロ　当該監査役設置会社の子会社の取締役，会計参与，監査役，執行役，業務を執行する社員，法第598条第１項の職務を行うべき者その他これらの者に相当する者及び使用人又はこれらの者から報告を受けた者が当該監査役設置会社の監査役に報告をするための体制
　五　前号の報告をした者が当該報告をしたことを理由として不利な取扱いを受けないことを確保するための体制
　六　当該監査役設置会社の監査役の職務の執行について生ずる費用の前払又は償還の手続その他の当該職務の執行について生ずる費用又は債務の処理に係る方針に関する事項
　七　その他当該監査役設置会社の監査役の監査が実効的に行われることを確保するための体制

　本条は，取締役会設置会社以外の会社における「株式会社の業務並びに当該株式会社及びその子会社から成る企業集団の業務の適正を確保するために必要なものとして法務省令で定める体制」を定めるものである。すなわち，法348条３項４号は，取締役会設置会社以外の会社においては，取締役は，取締役の職務の執行が法令および定款に適合することを確保するための体制その他株式会社の業務ならびに当該株式会社およびその子会社から成る企業集団の業務の適正を確保するために必要なものとして法務省令で定める体制の整備の決定を各取締役に委任することができないものと定め，同条４項は，取締役会設置会社でない会社であっても大会社では，取締役は，取締役の職務の執行が法令および定款に適合することを確保するための体制その他株式会社の業務ならびに当該株式会社およびその子会社から成る企業集団の業務の適正を確保するため

に必要なものとして法務省令で定める体制の整備を決定しなければならないものとしている。これをうけて，本条は，「株式会社の業務並びに当該株式会社及びその子会社から成る企業集団の業務の適正を確保するために必要なものとして法務省令で定める体制」を定めるものである。

　本条は，取締役会設置会社（指名委員会等設置会社および監査等委員会設置会社を除く）の「株式会社の業務並びに当該株式会社及びその子会社から成る企業集団の業務の適正を確保するために必要なものとして法務省令で定める体制」を定める100条とパラレルに規定している。すなわち，1項は100条1項と，3項は100条2項と，4項は100条3項と，それぞれ対応する規定振りとなっているが，機関設計の差異に着目し，2項が定められている。

　なお，株式会社の業務の適正を確保するために必要なものとして法務省令で定める体制の整備に関する事項を決定するに際しては，「株式会社の業務の適正を確保する体制に関する法務省令案」（商事法務1750号70頁）の3条3号が「株式会社の業務及び効率性の適正の確保に向けた株主又は会社の機関相互の適切な役割分担と連携を促すものであること」に，同4号が「株式会社の規模，事業の性質，機関の設計その他当該株式会社の個性及び特質を踏まえた必要，かつ，最適なものであること」に，それぞれ，留意するよう努めるものとすると定めることを提案していたことは，本条の解釈にあたって参考になるものと考えられる。

1　すべての株式会社（取締役会設置会社を除く）にとっての「株式会社の業務の適正を確保するために必要なものとして法務省令で定める体制」（1項）

［→100条1］

2　株式会社（取締役会設置会社を除く）のうち，取締役が2人以上あるものにとっての「株式会社の業務の適正を確保するために必要なものとして法務省令で定める体制」（2項）

　取締役が2人以上ある株式会社である場合には，「株式会社の業務の適正を確保するために必要なものとして法務省令で定める体制」には，業務の決定が適正に行われることを確保するための体制を含むものとするとされているのは，法348条2項は「取締役が2人以上ある場合には，株式会社の業務は，定款に別段の定めがある場合を除き，取締役の過半数をもって決定する」と定めるにとどまっており，会社法の明文上は，持回り決議などによることも可能で

あるが，それぞれの会社において，業務の決定にあたって十分に検討が尽くされるように配慮することは望ましいことであり，あらかじめ，決定の方法を定めることが適当であるという考えに基づくものである（相澤＝石井・商事法務1761号16頁）。

3 **株式会社（取締役会設置会社および監査役設置会社を除く）にとっての，追加的な「株式会社の業務の適正を確保するために必要なものとして法務省令で定める体制」**（3項）
 ［→100条2］

4 **株式会社（取締役会設置会社を除く）のうち，監査役設置会社であるものにとっての，追加的な「株式会社の業務の適正を確保するために必要なものとして法務省令で定める体制」**（4項）
 ［→100条3］

（取締役の報酬等のうち株式会社の募集株式について定めるべき事項）
第98条の2 法第361条第1項第3号に規定する法務省令で定める事項は，同号の募集株式に係る次に掲げる事項とする。
 一 一定の事由が生ずるまで当該募集株式を他人に譲り渡さないことを取締役に約させることとするときは，その旨及び当該一定の事由の概要
 二 一定の事由が生じたことを条件として当該募集株式を当該株式会社に無償で譲り渡すことを取締役に約させることとするときは，その旨及び当該一定の事由の概要
 三 前2号に掲げる事項のほか，取締役に対して当該募集株式を割り当てる条件を定めるときは，その条件の概要

法361条1項3号は，取締役の報酬等のうちその株式会社の募集株式につき，その募集株式の数（種類株式発行会社では，募集株式の種類および種類ごとの数）の上限その他法務省令で定める事項を定款に定めていないときは，株主総会の決議によって定めるものとしており，本条はこの委任をうけて，「法務省令で定める事項」を定めている。

とりわけ，その株式会社の募集株式を取締役の報酬等とする場合には，「取締役に対して職務を適切に執行するインセンティブを付与するための手段」で

あることが意図されている。そうであるとすれば，株主総会において定める場合には，その報酬等の内容が取締役に対し適切なインセンティブを付与するものとなるように付与等の条件が定められることが重要となる。また，その株式会社の株式を報酬等とする場合には，既存の株主に持株比率の低下が生ずるだけでなく，希釈化による経済的損失が生ずる可能性が生ずることから，その株式会社の株式については，その「具体的な内容」をより明確にすることが望ましいと考えられる（中間試案補足説明24～25頁）。

　企業価値および業績の向上，とりわけ中長期的な企業価値および業績の向上を念頭に置いて，職務を適切に執行するインセンティブを取締役に与えるためには，一定の事由が生ずるまでその募集株式を他人に譲り渡さないことを取締役に約させること，または，一定の事由が生じたことを条件としてその募集株式をその株式会社に無償で譲り渡すことを取締役に約させることが考えられる。典型的には，特定の目標業績あるいは株価を実現するまではその募集株式を他人に譲り渡さないことまたは特定の目標業績あるいは株価を実現できなかったときは募集株式をその株式会社に無償で譲り渡すことを取締役に約させることが想定される。また，ある一定の期間，特定の者に取締役に就任してもらいたいということもあろうが，その場合には，その期間経過まではその募集株式を他人に譲り渡さないことまたはその期間経過前に退任したときは募集株式をその株式会社に無償で譲り渡すことを取締役に約させることが考えられる。

　「当該募集株式を他人に譲り渡さないことを取締役に約させることとするとき」（1号）とは，取締役と株式会社との間で締結される契約等において，取締役が当該募集株式を他人に譲渡しないことを定める場合（したがって，取締役に報酬等として付与する募集株式を譲渡制限株式とすることによって，1号に該当することになるものではない。渡辺ほか・商事法務2251号119頁注25）を，「当該募集株式を当該株式会社に無償で譲り渡すことを取締役に約させることとするとき」（2号）とは，取締役と株式会社との間で締結される契約等において，取締役が当該募集株式を株式会社に対して無償で譲り渡すことを定める場合を，それぞれ想定しているとされている（渡辺ほか・商事法務2251号118頁）。3号にいう「割り当てる条件」には「取締役に報酬等として募集株式を付与する前提として何らかの事項を約させる場合における当該事項のほか，一定の条件が満たされたときに報酬等として募集株式を割り当てることとする場合における当該条件も含まれる」（渡辺ほか・商事法務2251号118頁）。

　なお，一定の事由が生じたことを条件としてその募集株式をその株式会社に

第98条の3（取締役の報酬等のうち株式会社の募集新株予約権について定めるべき事項） 529

無償で譲り渡すことを取締役に約させること（2号）の実効性を確保するためには，一定の事由が生ずるまでその募集株式を他人に譲り渡さないことを取締役に約させること（1号）が一般的には賢明であると考えられよう。

　本条各号のように取締役に約させることとする場合には，その旨および当該一定の事由の概要を株主総会の決議で定めなければならないとすることによって，株主総会に提出される議案において，議案の提出者は，たとえば，本条1号または2号のような方策を講じない場合であっても，その株式会社の募集株式を報酬等とすることに意義がある，取締役に適切な職務執行を行うインセンティブを与えることができることを説明しなければならなくなる可能性があり，取締役に適切な職務執行を行うインセンティブを与えるような報酬等を提案するよう仕向けられることになる。本条3号が「前2号に掲げる事項のほか，取締役に対して当該募集株式を割り当てる条件を定めるときは，その条件の概要」と定めているのは，取締役に適切な職務執行を行うインセンティブを与えることができると考えられる割当ての条件は，本条1号および2号に掲げる事項に限られないからである。

　事由の「概要」（1号・2号）とされているのは，「その細目は，取締役に報酬等として募集株式を割り当てる時点の状況等を踏まえて決定することが必要となる場合もあると考えられるため，定款又は株主総会の決議においてこれらの事由の内容までを決定しなければならないこととすることは適切でない」（意見募集の結果（令和2年11月）15～16頁）という価値判断に基づくものであり，条件の「概要」（3号）とされているのも同趣旨であると推測される。各号がこれらの記載を求めている趣旨は，株主が希釈化等の影響や募集株式を報酬等として付与する必要性を判断することができるようにすることにあるから，募集株式を付与することが取締役に適切なインセンティブを付与するものであるかどうかを株主が判断するために必要と考えられる事項が「概要」にあたる。

（取締役の報酬等のうち株式会社の募集新株予約権について定めるべき事項）
第98条の3　法第361条第1項第4号に規定する法務省令で定める事項は，同号の募集新株予約権に係る次に掲げる事項とする。
　一　法第236条第1項第1号から第4号までに掲げる事項（同条第3項の場合には，同条第1項第1号，第3号及び第4号に掲げる事項並びに同条第3項各号に掲げる事項）

二　一定の資格を有する者が当該募集新株予約権を行使することができることとするときは、その旨及び当該一定の資格の内容の概要
三　前2号に掲げる事項のほか、当該募集新株予約権の行使の条件を定めるときは、その条件の概要
四　法第236条第1項第6号に掲げる事項
五　法第236条第1項第7号に掲げる事項の内容の概要
六　取締役に対して当該募集新株予約権を割り当てる条件を定めるときは、その条件の概要

　法361条1項4号は、取締役の報酬等のうちその株式会社の募集新株予約権につき、その募集新株予約権の数の上限その他法務省令で定める事項を、定款に定めていないときは、株主総会の決議によって定めるものとしており、本条はこの委任をうけて、「法務省令で定める事項」を定めている。
　とりわけ、その株式会社の募集新株予約権を取締役の報酬等とする場合には、「取締役に対して職務を適切に執行するインセンティブを付与するための手段」であることが意図されている。そうであるとすれば、株主総会において定める場合には、その報酬等の内容が取締役に対し適切なインセンティブを付与するものとなるように付与等の条件が定められることが重要となる。また、株式会社の新株予約権を報酬等とする場合には、既存の株主に持株比率の低下が生ずるだけでなく、希釈化による経済的損失が生ずる可能性が生ずることから、その株式会社の新株予約権については、その「具体的な内容」をより明確にすることが望ましいと考えられる（中間試案補足説明24～25頁）。
　内容の「概要」（2号・5号）または条件の「概要」（3号・6号）とされているのは、その細目は、取締役に報酬等として募集新株予約権を割り当てる時点の状況等を踏まえて決定することが必要となる場合もあると考えられるため、「定款又は株主総会の決議においてこれらの事由の内容までを決定しなければならないこととすることは適切でない」（意見募集の結果（令和2年11月）15～16頁参照）という価値判断に基づくものである。各号がこれらの記載を求めている趣旨は、株主が希釈化等の影響や募集新株予約権を報酬等として付与する必要性を判断することができるようにすることにあるから、募集新株予約権を付与することが取締役に適切なインセンティブを付与するものであるかどうかを株主が判断するために必要と考えられる事項が「概要」にあたる。

第98条の3（取締役の報酬等のうち株式会社の募集新株予約権について定めるべき事項） 531

1 法236条1項1号から4号までに掲げる事項（1号）

　その新株予約権の目的である株式の数（種類株式発行会社では，株式の種類および種類ごとの数）またはその数の算定方法，その新株予約権の行使に際して出資される財産の価額またはその算定方法，金銭以外の財産をその新株予約権の行使に際してする出資の目的とするときは，その旨，当該財産の内容および価額，ならびに，新株予約権を行使することができる期間を定めることが求められている。これは，新株予約権が行使された場合には既存株主の持分比率が低下し，さらに，保有する株式の経済的価値が希釈化されるが，法236条1号から4号に掲げる事項は既存株主の持分比率の低下および株式のありうべき経済的価値の希釈化を予想する際の判断材料となるものである。したがって，本条1号は，「これらの事項を定款または株主総会の決議によって定めなければならないこととし，その概要を定めることで足りることとはしていない」（渡辺ほか・商事法務2251号120頁）。

　もっとも，本号および「98条の4第2項第1号の規定により定款又は株主総会の決議によって定めなければならないこととなる事項は，株主が希釈化等の影響や募集新株予約権を報酬等として付与する必要性を判断するために必要な事項であると考えられ，そのような観点から十分事項が定められるのであれば，必ずしも実際に新株予約権を発行する際に……法第236条第1項第1号から第4号までの規定に基づいて定められる新株予約権の内容と同じ程度に具体的な内容を定めることが求められるものではないと考えられる」とされている（意見募集の結果（令和2年11月）16頁）。また，法「361条1項4号の定款の定めまたは株主総会の決議は，それに基づいて募集新株予約権が複数回発行されることも想定され」，「そのような場合には，定款の定めまたは株主総会の決議における募集新株予約権の内容についての定め（施行規則98条の3第1号）を複数回の発行に対応するために必要な範囲で一定程度抽象的な内容とすることもできると考えられる」との解釈が示されている（渡辺ほか・商事法務2251号121頁注32）。

　なお，かっこ書で「同条第3項の場合には，同条第1項第1号，第3号及び第4号に掲げる事項並びに同条第3項各号に掲げる事項」とされているのは，会社法236条3項の定め（同条1項2号に掲げる事項を定めることは要さず，同条3項に掲げる事項を代わりに定めることが求められている）に従ったものである。

2 一定の資格を有する者がその募集新株予約権を行使することができること

とするときは，その旨および当該一定の資格の内容の概要（2号）

一定の資格とは，募集新株予約権の行使時にその株式会社の取締役に在任していることなどをいうが，その株式会社における取締役以外の役職や同じ企業グループ内の他の会社の役職などを一定の資格として定めることもできる（渡辺ほか・商事法務2251号120頁）。

3　1および2のほか，その募集新株予約権の行使の条件を定めるときは，その条件の概要（3号）

一定の資格を有する者がその募集新株予約権を行使することができることとする以外にも，職務を適切に執行するインセンティブを取締役に与えることができるような募集新株予約権の行使の条件や既存株主の利益を保護できるような募集新株予約権の行使の条件がありうる。

すなわち，企業価値および業績の向上，とりわけ中長期的な企業価値および業績の向上を念頭に置いて，職務を適切に執行するインセンティブを取締役に与えるためには，たとえば，特定の目標業績または株価を実現した場合，あるいは，一定の期間経過後には，その取締役が新株予約権の全部または（たとえば，期間の経過に応じた割合で）一部を行使することができるとすることが想定される。また，たとえば，そのような条件を満たした場合に，取締役またはその相続人のみが新株予約権を行使することができると定めることもあろう。もちろん，一定の条件が満たされた場合には，一定の資格を有する者に限らず，新株予約権を行使できるとすることも考えられる。

4　法236条1項6号に掲げる事項（4号）

譲渡によって，新株予約権を付与された取締役と新株予約権者とが異なると職務執行を適切に執行するインセンティブを取締役に与えることができなくなるおそれがあり，この観点から譲渡によるその新株予約権の取得についてその株式会社の承認を要することとすることが考えられる。もっとも，②一定の資格を有する者（たとえば，付与された取締役およびその相続人）がその募集新株予約権を行使することができることとすることによって，新株予約権が譲渡されても，譲受人は新株予約権を行使できないようにすることが可能であるように思われる。

5　法236条1項7号に掲げる事項の内容の概要（5号）

　企業価値および業績の向上，とりわけ中長期的な企業価値および業績の向上を念頭に置いて，職務を適切に執行するインセンティブを取締役に与えるためには，一定の事由が生じたことを条件としてその募集新株予約権をその株式会社がたとえば無償で取得する旨を定めることが考えられる。典型的には，特定の目標業績あるいは株価を実現できなかったときや任期経過前に退任したときはその募集新株予約権をその株式会社がたとえば無償で取得する旨を定めることなどが想定できる。

　なお，一定の事由が生じたことを条件としてその募集新株予約権をその株式会社がたとえば無償で取得することの実効性を確保するためには，併せて，④譲渡によるその新株予約権の取得についてその株式会社の承認を要することとする（236条1項6号）のが一般的ではないかと思われる。

6　取締役に対してその募集新株予約権を割り当てる条件を定めるときは，その条件の概要（6号）

　「一定の条件が満たされたときに報酬等として募集新株予約権を割り当てることとする場合における当該条件や当該募集新株予約権の割当てに際して取締役に一定の事項を約させることとする場合におけるその内容が含まれる」（渡辺ほか・商事法務2251号120頁）。このように定めているのは，取締役に対する募集新株予約権割当ての条件を適切に定めることによって，取締役に適切な職務執行を行うインセンティブを与えることができると考えられるからである。

（取締役の報酬等のうち株式等と引換えにする払込みに充てるための金銭について定めるべき事項）

第98条の4　法第361条第1項第5号イに規定する法務省令で定める事項は，同号イの募集株式に係る次に掲げる事項とする。

一　一定の事由が生ずるまで当該募集株式を他人に譲り渡さないことを取締役に約させることとするときは，その旨及び当該一定の事由の概要

二　一定の事由が生じたことを条件として当該募集株式を当該株式会社に無償で譲り渡すことを取締役に約させることとするときは，その旨及び当該一定の事由の概要

三　前2号に掲げる事項のほか，取締役に対して当該募集株式と引換えにする払込みに充てるための金銭を交付する条件又は取締役に対して当該募集株式を割り当てる条件を定めるときは，その条件の概要

2 法第361条第1項第5号ロに規定する法務省令で定める事項は，同号ロの募集新株予約権に係る次に掲げる事項とする。
　一　法第236条第1項第1号から第4号までに掲げる事項（同条第3項の場合には，同条第1項第1号，第3号及び第4号に掲げる事項並びに同条第3項各号に掲げる事項）
　二　一定の資格を有する者が当該募集新株予約権を行使することができることとするときは，その旨及び当該一定の資格の内容の概要
　三　前2号に掲げる事項のほか，当該募集新株予約権の行使の条件を定めるときは，その条件の概要
　四　法第236条第1項第6号に掲げる事項
　五　法第236条第1項第7号に掲げる事項の内容の概要
　六　取締役に対して当該募集新株予約権と引換えにする払込みに充てるための金銭を交付する条件又は取締役に対して当該募集新株予約権を割り当てる条件を定めるときは，その条件の概要

　法361条1項5号は，取締役の報酬等のうちその株式会社の募集株式と引換えにする払込みに充てるための金銭につき，取締役が引き受けるその募集株式の数（種類株式発行会社では，募集株式の種類および種類ごとの数）の上限その他法務省令で定める事項を，取締役の報酬等のうちその株式会社の募集新株予約権と引換えにする払込みに充てるための金銭につき，取締役が引き受けるその募集新株予約権の数の上限その他法務省令で定める事項を，それぞれ，定款に定めていないときは，株主総会の決議によって定めるものとしており，本条はこの委任をうけて，「法務省令で定める事項」を定めている。
　とりわけ，募集株式または募集新株予約権と引換えにする払込みに充てるための金銭を取締役の報酬等とする場合には，「取締役に対して職務を適切に執行するインセンティブを付与するための手段」であることが意図されている。そうであるとすれば，株主総会において定める場合には，その報酬等の内容が取締役に対し適切なインセンティブを付与するものとなるように付与等の条件が定められることが重要となる。また，実質的に，株式会社の株式または新株予約権を報酬等とする場合には，既存の株主に持株比率の低下が生ずるだけでなく，希釈化による経済的損失が生ずる可能性が生ずることから，その株式会社の株式または新株予約権については，その「具体的な内容」をより明確にすることが望ましいと考えられる（中間試案補足説明24〜25頁）。そして，募集株式または募集新株予約権と引換えにする払込みに充てるための金銭が報酬等と

第98条の5（取締役の個人別の報酬等の内容についての決定に関する方針）　535

される場合は実質的には募集株式または募集新株予約権を報酬等としていると考えられるから、同じ要請が働く。

　募集株式と引換えにする払込みに充てるための金銭を取締役の報酬等とすることは募集株式を取締役の報酬等とすることと実質的に差がないことから、本条1項は、98条の2とパラレルな規定であるが、払込みに充てるための金銭を取締役の報酬等とするものであるため、本条1項3号は、「取締役に対して当該募集株式と引換えにする払込みに充てるための金銭を交付する条件又は取締役に対して当該募集株式を割り当てる条件を定めるときは、その条件の概要」と規定している。

　募集新株予約権と引換えにする払込みに充てるための金銭を取締役の報酬等とすることは募集新株予約権を取締役の報酬等とすることと実質的に差がないことから、本条2項は、98条の3とパラレルな規定であるが、払込みに充てるための金銭を取締役の報酬等とするものであるため、本条2項6号は、「取締役に対して当該募集新株予約権と引換えにする払込みに充てるための金銭を交付する条件又は取締役に対して当該募集新株予約権を割り当てる条件を定めるときは、その条件の概要」と規定している。

　なお、取締役の報酬等として募集株式または募集新株予約権と引換えにする払込みに充てるための金銭を付与する場合としては、①当該金銭を交付する条件を定める場合と②当該金銭と引換えに募集株式等を割り当てる条件を定める場合とが考えられることから、本条1項3号および2項6号では、①および②のいずれの条件についてもその概要を定めなければならないこととされている（渡辺ほか・商事法務2251号121頁注33）。

　98条の2および98条の3に対するコメント参照。

―（取締役の個人別の報酬等の内容についての決定に関する方針）―
　第98条の5　法第361条第7項に規定する法務省令で定める事項は、次に掲げる事項とする。
　　一　取締役（監査等委員である取締役を除く。以下この条において同じ。）の個人別の報酬等（次号に規定する業績連動報酬等及び第3号に規定する非金銭報酬等のいずれでもないものに限る。）の額又はその算定方法の決定に関する方針
　　二　取締役の個人別の報酬等のうち、利益の状況を示す指標、株式の市場価格の状況を示す指標その他の当該株式会社又はその関係会社（会社計算規則

第2条第3項第25号に規定する関係会社をいう。）の業績を示す指標（以下この号及び第121条第5号の2において「業績指標」という。）を基礎としてその額又は数が算定される報酬等（以下この条並びに第121条第4号及び第5号の2において「業績連動報酬等」という。）がある場合には，当該業績連動報酬等に係る業績指標の内容及び当該業績連動報酬等の額又は数の算定方法の決定に関する方針

　三　取締役の個人別の報酬等のうち，金銭でないもの（募集株式又は募集新株予約権と引換えにする払込みに充てるための金銭を取締役の報酬等とする場合における当該募集株式又は募集新株予約権を含む。以下この条並びに第121条第4号及び第5号の3において「非金銭報酬等」という。）がある場合には，当該非金銭報酬等の内容及び当該非金銭報酬等の額若しくは数又はその算定方法の決定に関する方針

　四　第1号の報酬等の額，業績連動報酬等の額又は非金銭報酬等の額の取締役の個人別の報酬等の額に対する割合の決定に関する方針

　五　取締役に対し報酬等を与える時期又は条件の決定に関する方針

　六　取締役の個人別の報酬等の内容についての決定の全部又は一部を取締役その他の第三者に委任することとするときは，次に掲げる事項

　　イ　当該委任を受ける者の氏名又は当該株式会社における地位及び担当

　　ロ　イの者に委任する権限の内容

　　ハ　イの者によりロの権限が適切に行使されるようにするための措置を講ずることとするときは，その内容

　七　取締役の個人別の報酬等の内容についての決定の方法（前号に掲げる事項を除く。）

　八　前各号に掲げる事項のほか，取締役の個人別の報酬等の内容についての決定に関する重要な事項

　監査役会設置会社（公開会社であり，かつ，大会社であるものに限る）であって，その発行する株式について有価証券報告書を内閣総理大臣に提出しなければならないものまたは監査等委員会設置会社の取締役会は，取締役の個人別の報酬等の内容が定款または株主総会の決議により定められているときを除き，取締役（監査等委員である取締役を除く）の報酬等の内容として定款または株主総会の決議による法361条1項各号に掲げる事項についての定めがある場合には，その定めに基づく取締役の個人別の報酬等の内容についての決定に関する方針として法務省令で定める事項を決定しなければならないとされている（法361条7項）。本条は，この委任に基づき「取締役の個人別の報酬等の内容につ

第98条の5（取締役の個人別の報酬等の内容についての決定に関する方針）　537

いての決定に関する方針として法務省令で定める事項」を定めるものである。すなわち，「取締役の報酬等を取締役に対して職務を適切に執行するインセンティブを付与するための手段として考える場合には，取締役に対し，どのような内容の報酬等を支払い，どのようなインセンティブを付与するかといった方針が重要なものとな」り（中間試案補足説明24頁），また，「株主が，取締役の報酬等の内容が取締役に対し適切なインセンティブを付与するものとなっているかどうかを確認するためには，取締役の報酬等に係る決定に関する方針が株主に対して説明される必要がある」（中間試案補足説明28頁）。そこで，事業報告に，法361条7項の方針を定めているときは，その方針の決定の方法，その方針の内容の概要，および，その事業年度に係る取締役（監査等委員である取締役を除く）の個人別の報酬等の内容がその方針に沿うものであると取締役会が判断した理由が記載されること（121条6号）の前提として，決定方針として定めるべき事項を定めている。

　「監査等委員である取締役を除く」（1号）とされているのは，「監査等委員である各取締役の報酬等について定款の定め又は株主総会の決議がないときは，当該報酬等は，〔法361条〕第1項の報酬等の範囲内において，監査等委員である取締役の協議によって定める。」（法361条3項）とされているためである。

1　取締役の個人別の報酬等（業績連動報酬等および非金銭報酬等のいずれでもないものに限る）の額またはその算定方法の決定に関する方針（1号）

　「業績連動報酬等及び……非金銭報酬等のいずれでもないものに限る。」とされているのは，それらについてはより詳細な方針を定めることが2号および3号で要求されているからである。「取締役……の個人別の報酬等……の額又はその算定方法の決定に関する方針」には，固定報酬と（業績目標の達成等に応じた）変動報酬から成る報酬体系に係る方針が含まれ，また，たとえば，役位に応じた報酬等の額または算定方法が含まれる。報酬水準についての方針，たとえば，ベンチマーク企業群の動向を参考にして決定するというのもこれにあたる。1号は業績連動報酬等でも非金銭報酬等でもない取締役の個人別の報酬等の決定方針を定めなければならないという規定ぶりであるが（本条2号および3号が，取締役の個人別の報酬等のうち，業績連動報酬等または非金銭報酬等が「ある場合」にそれらに関する報酬等の決定方針を決定しなければならないこととしていることと対照），「これは，現在の取締役の報酬等に関する実務において，業績連動報酬等または非金銭報酬等のいずれでもない報酬等を付与しない場合

は多くないと考えられることなどを踏まえてこのような規定ぶりとしたものであり，取締役の報酬等として業績指標に連動しない金銭報酬を必ず付与しなければならないことを意味するものではない」と指摘されている（渡辺ほか・商事法務2251号123頁注35）。

2 取締役の個人別の報酬等のうち，利益の状況を示す指標，株式の市場価格の状況を示す指標その他のその株式会社またはその関係会社の業績を示す指標（業績指標）を基礎としてその額または数が算定される報酬等（業績連動報酬等）がある場合には，その業績連動報酬等に係る業績指標の内容およびその業績連動報酬等の額または数の算定方法の決定に関する方針（2号）

業績連動報酬等を付与する場合には，その内容がどのように取締役へのインセンティブの付与として機能するか，また，意図した業績の達成状況とそれに伴い付与される具体的な報酬等の内容との対応関係を株主が知ることができるようにするという観点から定めることが求められている。利益の状況を示す指標としては，営業利益，経常利益もしくは当期純利益または営業利益率，ROA，ROEもしくはEPAなどがある。株式の市場価格の状況を示す指標としては株価もしくは株価成長率などがある。その他のその株式会社またはその関係会社の業績を示す指標としては，経済付加価値（Economic Value Added：EVA），売上収益，営業キャッシュ・フローなどがある。「当該株式会社又はその関係会社の業績を示す指標」とされていることから，業績指標には連結業績を示す指標が含まれ，また，「非財務指標に基づいて額又は数が算定される取締役の報酬等が業績連動報酬等に該当する場合もある」（意見募集の結果（令和2年11月）19頁）。

なお，「業績指標の内容の決定に関する方針として，必ずしも個別の業績指標の詳細を定めることが求められるものではない」とされている（意見募集の結果（令和2年11月）20頁）。

そして，「業績連動報酬等の額又は数の算定方法の決定に関する方針」とは，たとえば，業績連動報酬等の上限額または上限数，業績指標と業績連動報酬等の額または数の算定方法との対応関係に関する方針である。「額又は数」とされているのは，募集株式，募集新株予約権その他金銭以外の財産が想定されているため，「数」を定めることが適切な場合があるからである。

なお，2号の業績連動報酬等のうち，株式・新株予約権のように金銭でないものについては，2号および3号の両方が適用される（意見募集の結果（令和

第98条の5（取締役の個人別の報酬等の内容についての決定に関する方針）　539

2年11月）21頁）。

3　取締役の個人別の報酬等のうち，金銭でないもの（非金銭報酬等。募集株式または募集新株予約権と引換えにする払込みに充てるための金銭を取締役の報酬等とする場合における当該募集株式または募集新株予約権を含む）がある場合には，その非金銭報酬等の内容および当該非金銭報酬等の額もしくは数またはその算定方法の決定に関する方針（3号）

　非金銭報酬等，とりわけ，株主との利害の共有を促すという観点から，募集株式もしくは募集新株予約権を取締役の報酬等とする場合または募集株式もしくは募集新株予約権と引換えにする払込みに充てるための金銭を取締役の報酬等とする場合には，その内容がどのように取締役へのインセンティブの付与として機能するかを株主が知ることができるようにするという観点から定めることが求められている。「額若しくは数」とされているのは，募集株式，募集新株予約権その他金銭以外の財産が想定されているため，「数」を定めることが適切な場合があるからである。

　なお，2号の業績連動報酬等のうち，株式・新株予約権のように金銭でないものについては，2号および3号の両方が適用される（意見募集の結果（令和2年11月）21頁）。

4　1の報酬等の額，業績連動報酬等の額または非金銭報酬等の額の取締役の個人別の報酬等の額に対する割合の決定に関する方針（4号）

　取締役の報酬等が取締役への適切なインセンティブの付与となるように，中長期の業業績連動報酬等または非金銭報酬等の占める割合と金銭である報酬等（とりわけ，固定報酬等）の占める割合とが適切に設定されることの重要性に鑑み，株主が，取締役の報酬等が職務を執行するインセンティブを取締役に対して付与するための手段として適切に機能しているかどうかを把握することができるようにするため，決定が要求されている。割合自体の決定ではなく，割合の決定に関する方針の決定が求められており，「当該方針としてどの程度具体的に割合を定めるかは，報酬等の決定方針を定める取締役会において判断されることとなる。特に業績連動報酬等を支給する場合等には，実際に報酬等を支給する時点までは割合が確定しないことが通常であると考えられるから，たとえば，各種類の報酬等の比率が一定の範囲内となるようにすることを……方針として定めることなども考えられる」と指摘されている（渡辺ほか・商事法務

2251号122頁)。

　たとえば，経営の監督機能を担う取締役会長および社外取締役ならびに監査を担う監査役については，その独立性を確保する必要があることから，固定の月額報酬のみを支給し，業績により変動する報酬は支給しないという方針も想定できる。

5　取締役に対し報酬等を与える時期または条件の決定に関する方針（5号）

　報酬等を与える時期に関する方針としては，たとえば，毎月，半年，1年に1回定期的に支払うというもののほか，退職慰労金または年金として退任後に支払うかについての方針が想定できる。

　また，中長期インセンティブ報酬の場合にはたとえば中期計画期間（たとえば3年）終了時または退任時というようなものもあろう。また，報酬等を与える条件の決定に関する方針としては，たとえば，一定の目標を達成した場合というものが典型的であると考えられる。条件の決定に関する方針としては，たとえば，1事業年度（または複数年度）の連結当期純利益のうち会社の所有者に帰属するもの（の平均値）が株主資本コストの平均値を上回る場合には，中長期の業績に連動して支給額を変動させ，他方で株主資本コストの平均値を下回る場合には支給しないという方針も想定できる。

　他方，たとえば，株式や新株予約権を「報酬等として交付する場合において，それをいわゆる事前交付型とするか事後交付型とするかは，非金銭報酬等の内容（……第3号）の一部であるとも考えられる」（意見募集の結果（令和2年11月）22頁）。また，業績連動報酬等の条件の決定に関する方針は，「業績連動報酬等の額又は数の算定方法の決定に関する方針」（2号）と重なり合うことが想定できる。そこで，「第5号の方針に相当する内容が……第1号から第3号までに掲げる方針に含まれるものとして定められている場合には，……第5号の方針として重ねて定める必要はない」（意見募集の結果（令和2年11月）22頁）。

6　取締役の個人別の報酬等の内容についての決定の全部または一部を取締役その他の第三者に委任することとするときは，その委任を受ける者の氏名またはその株式会社における地位もしくは担当，委任する権限の内容および委任した権限が適切に行使されるようにするための措置を講ずることとするときは，その内容（6号）

第98条の5（取締役の個人別の報酬等の内容についての決定に関する方針）　541

　取締役の個人別の報酬等の額が明らかとなることを避けるなどの理由により，取締役の個人別の報酬等の内容に係る決定を委任された取締役会がその決定を代表取締役に再一任することが実務上行われてきたが，「会社法制（企業統治等関係）の見直しに関する中間試案」は，「公開会社において，取締役の個人別の報酬等の内容に係る決定を取締役に再一任するためには，株主総会の決議を要するものとする」案をA案として掲げていた（第2部第1の1(3)）。しかし，再一任にも一定の合理性がありうるという観点から，再一任に対する実体的規制は加えられないこととなり，開示を通じた規律を働かせるという観点から，本号のような方針を定めることが要求されている。透明性を高めることによって，取締役の個人別の報酬等の内容についての決定の全部または一部を取締役その他の第三者に委任することとすることの合理性が説明できるときにのみ委任するというようなインセンティブを与えることができるし，その委任を受ける者の氏名またはその株式会社における地位もしくは担当を記載させることによって適切な者に委任するというインセンティブを与えることができ，委任する権限の内容を含めさせることによって，合理的な範囲での委任を行うというインセンティブが与えられる。とりわけ，委任した権限が適切に行使されるようにするための措置を講ずることとするときは，その内容を記載させることによって，――記載しないと措置を講じていないことを自認するものであるから――適切な措置を講ずるよう取締役会が仕向けられると期待される。受任者の「権限が適切に行使されるようにするための措置」としては，任意の委員会に委任する場合の委員会構成や決議プロセスの透明性の工夫，たとえば，取締役社長に一任した場合の取締役社長による決定に対する任意の委員会による事前および事後のチェックなどが考えられる（意見募集の結果（令和2年11月）25頁）。

　任意の報酬諮問委員会等を設置していても，これらの委員会に対して報酬等に係る意見を諮問するにとどまり，報酬等に関する決定権限を委任しない場合には，本号の「取締役の個人別の報酬等の内容についての決定の全部又は一部を取締役その他の第三者に委任すること」には該当しない（意見募集の結果（令和2年11月）24頁）。また，任意に設置された報酬諮問委員会等に取締役の個人別の報酬等の決定の全部または一部を委任する場合には，その報酬諮問委員会等を構成する各取締役等に対してその委任をするものとみられる（意見募集の結果（令和2年11月）23頁）。

　なお，取締役の個人別の報酬等の内容についての決定に関する方針の決定は

代表取締役等に委任することはできず（監査等委員会設置会社について法399条の13第5項7号・361条7項が明示的に定めており，監査役設置会社においても法362条4項柱書の「重要な業務執行の決定」にあたると解される），取締役会が決定した方針に従って，取締役の個人別の報酬等の内容についての決定の全部または一部を取締役その他の第三者に委任することができることを本号は前提としている。

7　取締役の個人別の報酬等の内容についての決定の方法（6を除く）（7号）

　たとえば，取締役の個人別の報酬等の内容を社外コンサルタントの助言を受けて決定したり，社外取締役等で構成される別の会議体（任意の報酬委員会など）に諮問をした上で決定するというものがこれにあたる（中間試案補足説明29頁）。また，職位別の報酬テーブルを外部機関が提供する報酬データを用いて設定するとか，業績連動報酬等に係る目標の設定および達成度評価は，各役員と代表取締役社長との面談を経て，行うというものもこれにあたる。

8　1から7のほか，取締役の個人別の報酬等の内容についての決定に関する重要な事項（8号）

　たとえば，「取締役の個人別の報酬等の内容の決定の背景となる基本的な考え方や理念等を定める場合におけるそれらの内容」がこれにあたる（渡辺ほか・商事法務2251号123頁）。また，株式報酬について，役員等の職務に関し，会社と役員等との間の委任契約等に反する重大な違反があった者および在任期間中に自己都合により退任した者については付与済みの株式交付ポイントの没収もしくは交付等済みの株式等相当額の返還を請求できることとする（マルス・クローバック）こと，役員の在任期間中に取得した会社の株式は，原則として，退任時まで継続保有すること（株式保有ガイドライン）を条件として付与するというようなことの決定に関する方針が考えられる（意見募集の結果（令和2年11月）26頁参照）。また，実務上は，重大な事故，品質問題，不祥事などが発生した場合や天災地変や著しい業績の悪化があった場合には，報酬等を減額しまたは不支給とするという方針も本号にあたる。さらに，海外駐在役員や外国人役員に対して，特別な手当を支給している例がみられるが，このような手当を支給する場合には，それについても方針において定めておく必要がある。

第4節　取締役会

──（社債を引き受ける者の募集に際して取締役会が定めるべき事項）──
第99条　法第362条第4項第5号に規定する法務省令で定める事項は，次に掲げる事項とする。
　一　二以上の募集（法第676条の募集をいう。以下この条において同じ。）に係る法第676条各号に掲げる事項の決定を委任するときは，その旨
　二　募集社債の総額の上限（前号に規定する場合にあっては，各募集に係る募集社債の総額の上限の合計額）
　三　募集社債の利率の上限その他の利率に関する事項の要綱
　四　募集社債の払込金額（法第676条第9号に規定する払込金額をいう。以下この号において同じ。）の総額の最低金額その他の払込金額に関する事項の要綱
2　前項の規定にかかわらず，信託社債（当該信託社債について信託財産に属する財産のみをもってその履行の責任を負うものに限る。）の募集に係る法第676条各号に掲げる事項の決定を委任する場合には，法第362条第4項第5号に規定する法務省令で定める事項は，当該決定を委任する旨とする。

　本条は，社債を引き受ける者の募集に際して取締役会が定めるべき事項を定めるものである。すなわち，取締役会は，法676条1号に掲げる事項（募集社債の総額）その他の社債を引き受ける者の募集に関する重要な事項として法務省令で定める事項の決定を取締役に委任することができないものとされており（法362条4項5号），本条は，この委任をうけて，法「第676条第1号に掲げる事項その他の社債を引き受ける者の募集に関する重要な事項として法務省令で定める事項」（圏点一引用者）を定めている。

1　二以上の募集に係る法676条各号に掲げる事項の決定を委任するときは，その旨（1項1号）

　法362条4項5号は，法「第676条第1号に掲げる事項その他の社債を引き受ける者の募集に関する重要な事項として法務省令で定める事項」の決定を特定

の取締役に委任することはできないと定めているが，本号は，二以上の募集に係る法676条各号に掲げる事項の決定を特定の取締役に委任することができることを前提としている。これは，募集社債の募集は，資金調達の一手段であり，時機をみて，臨機応変に，その時の経済環境や資金市場の動向に合わせて，条件を変更することができるようにすることが望ましいという価値判断によるものであると思われるが，立案担当者は通常の借入金と募集社債の募集とで大きく規制を異ならせる合理的な理由はないと考えていたのではないかとも推測される。また，形式的には，法「第676条第1号に掲げる事項その他の社債を引き受ける者の募集に関する重要な事項として法務省令で定める事項」（圏点—引用者）と定められており，法676条1号に掲げる事項は「社債を引き受ける者の募集に関する重要な事項として法務省令で定める事項」の一部であるという位置付けが与えられているので，法務省令で定められない限り，法676条1号に掲げる事項であっても，その決定を取締役に委任できると解する余地があると説明するのであろう。

2　募集社債の総額の上限（二以上の募集に係る法676条各号に掲げる事項の決定を委任する場合には，各募集に係る募集社債の総額の上限の合計額）（1項2号）

　募集社債の総額は，ある時点で，会社が負担する社債の元本債務の上限を画するものであり，会社にとっては，負債総額は重要性を有するという観点から取締役会において決定しなければならないものとされている。本号は，法362条4項2号が，「多額の借財」については取締役にその決定を委任することができないと定めており，多額の借財についての取締役会の決議においては，借入額（の上限）を定める必要があると解されていることとも首尾一貫すると考えられる。「〔二以上の募集に係る，法676条各号に掲げる事項の決定を委任する〕場合にあっては，各募集に係る募集社債の総額の上限の合計額」とされているのも，それぞれの募集ごとに募集社債の総額の上限を定めなくとも，全体として，会社が，ある一時点において，社債債務（元本債務）をどれだけ負う可能性があるかを取締役会にコントロールさせれば十分であると考えられるからである。

　そして，「〔二以上の募集に係る，法676条各号に掲げる事項の決定を委任する〕場合にあっては，各募集に係る募集社債の総額の上限の合計額」とされており，かつ，「募集社債の総額」はこれからどのような募集を行い，どの程度の社債を割り当てるかについての枠を定めるものであり，募集社債の発行後にそ

第99条（社債を引き受ける者の募集に際して取締役会が定めるべき事項）　545

の募集に係る社債の全部または一部が償還された場合には，以後発行できる募集社債の総額がそれだけ増加するという定め方も可能であるとされている（相澤＝郡谷・商事法務1760号14頁注2）。また，複数の種類の社債について，発行と償還を繰り返す場合であっても，ある種類の社債が償還された場合に，その償還相当額を他の種類の募集社債の総額の枠に組み入れるものとすること（プログラム・アマウント）も可能である。このようにすることによって，枠の範囲内であれば，取締役会の決議を経ずに，社債を随時発行することが可能になる。

3　募集社債の利率の上限その他の利率に関する事項の要綱（1項3号）および募集社債の払込金額の総額の最低金額その他の払込金額に関する事項の要綱（1項4号）

　募集社債の利率および払込金額はその募集社債の実質利回りを規定するものであり，市場における金利水準などを考慮に入れた上で，決定することが合理的である。そこで，社債の商品性を魅力的なものとし，会社の資金調達を円滑かつ有利に行うためには，上限を定めることによって委任の範囲を画すより，利率や払込金額の決定に関する要綱をもって委任の範囲を画するほうが適当な場合がありうるという理由に基づき（相澤＝郡谷・商事法務1760号14頁），要綱のみを定めることでもよいものとされている。剰余金の配当などについて内容の異なる株式について定款に定めるべき事項との関係では，法108条3項が「剰余金の配当について内容の異なる種類の種類株主が配当を受けることができる額……の全部又は一部については，当該種類の株式を初めて発行する時までに，株主総会（取締役会設置会社にあっては株主総会又は取締役会，清算人会設置会社にあっては株主総会又は清算人会）の決議によって定める旨を定款で定めることができる。この場合においては，その内容の要綱を定款で定めなければならない」と定めていること［→20条1］との整合性を図ったものとみることもできよう。

　要綱とされている以上，取締役に対する白紙委任あるいはそれと同視できるようなものであってはならず，利率や払込金額としてどのような条件が定められるかが（たとえば，プライム・レートやTIBORなどを基準とするなど）取締役会にとって予測可能な程度には特定していなければならないことはいうまでもない。

4 信託社債の募集事項の委任（2項）

　信託社債（当該信託社債について信託財産に属する財産のみをもってその履行の責任を負うものに限る）の募集事項の決定を委任する場合には，当該決定を委任する旨を取締役会決議によって決定すれば足りるとされている。信託社債とは，信託の受託者が発行する社債であって，信託財産のために発行するものをいうとされており（2条3項17号），そのうち，当該信託社債について信託財産に属する財産のみをもってその履行の責任を負うものについては，当該信託財産に属する財産以外の財産は履行の引当てとならない。したがって，株式会社のリスクは限定されており，募集事項の細目を取締役会の決議によって定める必要はないと考えられるためである（会社法コンメ(8)227頁［落合］）。

（業務の適正を確保するための体制）

第100条　法第362条第4項第6号に規定する法務省令で定める体制は，当該株式会社における次に掲げる体制とする。

一　当該株式会社の取締役の職務の執行に係る情報の保存及び管理に関する体制

二　当該株式会社の損失の危険の管理に関する規程その他の体制

三　当該株式会社の取締役の職務の執行が効率的に行われることを確保するための体制

四　当該株式会社の使用人の職務の執行が法令及び定款に適合することを確保するための体制

五　次に掲げる体制その他の当該株式会社並びにその親会社及び子会社から成る企業集団における業務の適正を確保するための体制

　イ　当該株式会社の子会社の取締役，執行役，業務を執行する社員，法第598条第1項の職務を行うべき者その他これらの者に相当する者（ハ及びニにおいて「取締役等」という。）の職務の執行に係る事項の当該株式会社への報告に関する体制

　ロ　当該株式会社の子会社の損失の危険の管理に関する規程その他の体制

　ハ　当該株式会社の子会社の取締役等の職務の執行が効率的に行われることを確保するための体制

　ニ　当該株式会社の子会社の取締役等及び使用人の職務の執行が法令及び定款に適合することを確保するための体制

2　監査役設置会社以外の株式会社である場合には，前項に規定する体制には，取締役が株主に報告すべき事項の報告をするための体制を含むものとする。

3　監査役設置会社（監査役の監査の範囲を会計に関するものに限定する旨の

第100条（業務の適正を確保するための体制） 547

定款の定めがある株式会社を含む。）である場合には，第１項に規定する体制には，次に掲げる体制を含むものとする。
一　当該監査役設置会社の監査役がその職務を補助すべき使用人を置くことを求めた場合における当該使用人に関する事項
二　前号の使用人の当該監査役設置会社の取締役からの独立性に関する事項
三　当該監査役設置会社の監査役の第１号の使用人に対する指示の実効性の確保に関する事項
四　次に掲げる体制その他の当該監査役設置会社の監査役への報告に関する体制
　イ　当該監査役設置会社の取締役及び会計参与並びに使用人が当該監査役設置会社の監査役に報告をするための体制
　ロ　当該監査役設置会社の子会社の取締役，会計参与，監査役，執行役，業務を執行する社員，法第598条第１項の職務を行うべき者その他これらの者に相当する者及び使用人又はこれらの者から報告を受けた者が当該監査役設置会社の監査役に報告をするための体制
五　前号の報告をした者が当該報告をしたことを理由として不利な取扱いを受けないことを確保するための体制
六　当該監査役設置会社の監査役の職務の執行について生ずる費用の前払又は償還の手続その他の当該職務の執行について生ずる費用又は債務の処理に係る方針に関する事項
七　その他当該監査役設置会社の監査役の監査が実効的に行われることを確保するための体制

　本条は，取締役会設置会社（監査等委員会設置会社および指名委員会等設置会社を除く）における「株式会社の業務並びに当該株式会社及びその子会社から成る企業集団の業務の適正を確保するために必要なものとして法務省令で定める体制」を定めるものである。すなわち，法362条４項６号は，取締役会設置会社（監査等委員会設置会社および指名委員会等設置会社を除く）においては，取締役会は，取締役の職務の執行が法令および定款に適合することを確保するための体制その他株式会社の業務の適正を確保するために必要なものとして法務省令で定める体制の整備の決定を取締役に委任することができないものと定め，同条５項は，大会社である取締役会設置会社においては，取締役会は，取締役の職務の執行が法令および定款に適合することを確保するための体制その他株式会社の業務の適正を確保するために必要なものとして法務省令で定める

体制の整備を決定しなければならないものとしている。これをうけて，本条は，「株式会社の業務並びに当該株式会社及びその子会社から成る企業集団の業務の適正を確保するために必要なものとして法務省令で定める体制」を定めるものである。

　平成17年改正前商法の下でも，大阪地判平成12・9・20判時1721号3頁は，「会社経営の根幹に係わるリスク管理体制の大綱については，取締役会で決定することを要し，業務執行を担当する代表取締役及び業務担当取締役は，大綱を踏まえ，担当する部門におけるリスク管理体制を具体的に決定するべき職務を負う。この意味において，取締役は，取締役会の構成員として，また，代表取締役又は業務担当取締役として，リスク管理体制を構築すべき義務を負い，さらに，代表取締役及び業務担当取締役がリスク管理体制を構築すべき義務を履行しているか否かを監視する義務を負う」と判示しており，また，平成17年廃止前商法特例法21条の7第1項2号およびこれを受けて定められた平成18年改正前商法施行規則193条は，監査委員会の職務の遂行のために必要なものとして，監査委員会の職務を補助すべき使用人に関する事項，その使用人の執行役からの独立性の確保に関する事項，執行役および使用人が監査委員会に報告すべき事項その他の監査委員会に対する報告に関する事項，執行役の職務の執行に係る情報の保存および管理に関する事項，損失の危険の管理に関する規程その他の体制に関する事項，および，執行役の職務の執行が法令および定款に適合し，かつ，効率的に行われることを確保するための体制に関するその他の事項を取締役会は定めなければならないものとしていた。

　なお，株式会社の業務の適正を確保するために必要なものとして法務省令で定める体制の整備に関する事項を決定するに際しては，「株式会社の業務の適正を確保する体制に関する法務省令案」（商事法務1750号70頁）の3条3号が「株式会社の業務及び効率性の適正の確保に向けた株主又は会社の機関相互の適切な役割分担と連携を促すものであること」に，同4号が「株式会社の規模，事業の性質，機関の設計その他当該株式会社の個性及び特質を踏まえた必要，かつ，最適なものであること」に，それぞれ，留意するよう努めるものとすると定めることを提案していたことは，本条の解釈にあたって参考になるものと考えられる。

1 すべての取締役会設置会社（監査等委員会および指名委員会等設置会社を除く）にとっての「株式会社の業務の適正を確保するために必要なものとして法務省令で定める体制」（1項）

(1) 取締役の職務の執行に係る情報の保存および管理に関する体制（1号）

　取締役の職務の執行に係る情報の保存および管理に関する体制を定めなければならないものとされているのは，監査役が取締役の職務執行を監査するためには，取締役の職務執行に係る情報が適切に保存され，改ざん等がなされない状態におかれ，かつ，監査役がその情報に容易にアクセスできるような状況が確保される必要があるからである。具体的には，取締役が意思決定やそれに基づく業務執行行為を行った場合および取締役の指揮命令下にある使用人が職務執行を行った場合に，それらに係る記録のために作成すべき文書（電磁的記録を含む）の内容・作成すべき者など，そのような文書の保存（保存期間，保存方法，保存場所等），管理（管理部署または責任者の指定等）および廃棄（廃棄方法等），それらの文書の監査委員および内部監査部門による閲覧および謄写の確保に関する事項を定めた文書管理方針および文書管理規程を定めることが考えられる。

　なお，ここでいう「取締役の職務」には，代表取締役・業務担当取締役としての職務に加えて，監督機関としての取締役会の構成員としての職務も含まれる（相澤＝石井・商事法務1761号14頁）。

(2) 損失の危険の管理に関する規程その他の体制（2号）

　会社はさまざまなリスクにさらされており，そのようなリスク管理体制の大綱を決定するのは取締役会であり，それを具体化するのは代表取締役・業務執行取締役の役割であるが，監査役設置会社においては監査役が，そのようなリスク管理体制が適切に構築され，運用されているかを，監査することが求められている。より具体的には，取締役会は，各種のリスクの特性・実態を理解し，どの程度のリスクをとるかについての方針を定め，適切な資源配分を行い，会社を取り巻く環境に対応し会社内部の状況を機動的に管理することができる体制を構築する必要がある。すなわち，リスクの所在および種類を把握して，各種のリスクの測定・モニタリング・管理の方針を定め，定期的に，また状況の変化に応じて随時，見直すことが求められる。また，さまざまな部門について発生するリスクを統合的に管理できるリスク管理のための部門の整備，リスクの発見・特定・報告体制の明確化，リスク管理手法や組織の有効性の検

証と見直しなどが取締役会の任務の1つである。また，監査役設置会社においては，それが適切になされているかどうかを監査することは監査役の職務の1つである。そこで，損失の危険の管理に関する規程その他の体制に関する事項を取締役会で定めるべきものとされている。

リスク管理方針およびリスク管理規程においては，具体的なリスクをあげた上で，各リスクへの対処の優先順位を示し，各リスクの現実化を未然に防止するための対処方法および組織・体制を明らかにするとともに，リスクが現実化した場合の対処方法・手順および是正手段を定めることになろう。また，新たにリスクが認識された場合の対応をも含めるべきであろう（詳細については，たとえば，新会社法実務相談161～162頁［佐藤＝中島］参照）。

(3) 取締役の職務の執行が効率的に行われることを確保するための体制（3号）

本項においては，「取締役の職務の執行が効率的に行われることを確保するための体制」も「株式会社の業務の適正を確保するために必要なものとして法務省令で定める体制」の1つと位置付けられているのは，通常の株式会社は，利益をあげることを目的とするものであり，株式会社の業務が適正に執行されているというためには，業務が法令および定款に従って行われているのみならず，業務が効率的に行われていることも必要とされるからである。具体的には，取締役が職務執行を行うにあたって必要な決裁体制等（相澤＝石井・商事法務1761号14頁参照），情報管理・情報伝達などにおける電子化の取組みや補助者，とりわけ，専門的な経験と知識を有する補助者の教育・研修・採用・配属についての体制や外部の専門家等の助言を受けるための体制などが考えられる（詳細については，たとえば，新会社法実務相談162～163頁［佐藤＝中島］参照）。

(4) 使用人の職務の執行が法令および定款に適合することを確保するための体制（4号）

会社の業務が適正に行われていると評価されるためには，代表取締役・業務執行取締役のみならず，取締役の指揮命令の下で会社の業務を行う使用人の職務の執行が法令および定款に適合することが必要である。現代の企業においては，内部統制システムが整備され，コンプライアンスの仕組みが有効に機能することが重要な課題となっており，これらの大綱を定めるのは取締役会の任務であると考えられる。そこで，使用人の職務の執行が法令および定款に適合し，かつ，効率的に行われることを確保するための体制を取締役会で決議すべ

き事項としている。伝統的には，たとえば，内部統制システムとして，資産管理，会計管理，業務管理などに関して，実効的な内部牽制とその検証のための内部監査の仕組みを確保することが必要であると指摘されてきた。取締役会はリスクの種類や重大さあるいは損害をもたらす蓋然性の大きさに応じた実効的な内部統制システムおよび内部監査体制を構築するための規程を定め，内部監査部門（あるいはそれに相当する職能を果たす部門。以下同じ）の被監査部門などからの独立性，内部監査部門の情報収集のための権限と能力の確保，適切な人材の配置による実効性の確保，内部牽制および内部監査の有効性の検証，必要に応じた外部の専門家の利用，取締役会または監査役（会）に対する報告系統の確立などについて，十分な方策を講じなければならない。このような取締役会決議に沿って代表取締役などによって具体的に構築され，運用されている内部統制システム等を前提としなければ，会計監査人や監査役（会）の監査の実効性は確保できないからである。

そこで，上述したほかに，「使用人の職務の執行が法令及び定款に適合することを確保するための体制」としては，株式会社の事業活動に適用のある法令および想定される具体的な法令違反行為を想定し，コンプライアンス・マニュアルや倫理規定の策定・配布，コンプライアンスに関する教育・研修体制の整備，法令違反行為によって得られた業績に対する人事評価の排除を含む法令違反行為の予防措置を定めるとともに，法令違反行為が発見された場合における対処方法および是正手段（内部者通報制度の構築による通常の業務報告ルートとは異なる報告経路（ヘルプライン）の構築など）を内容とするコンプライアンス方針またはコンプライアンス規程を定め，それに沿った体制を構築すること（かつ，内部通報認証制度により実効性を高めること）が考えられる。コンプライアンス・オフィサーを任命し，あるいはコンプライアンス部門を設けることも考えられる。

(5) その株式会社ならびにその親会社および子会社から成る企業集団における業務の適正を確保するための体制（5号）

その株式会社が他の会社等の親会社である場合には，子会社の業務の適正を確保するための議決権行使の方針，その株式会社に対する通知等を要する子会社の経営上の重要事項の規定，その株式会社に対して定期的な報告を要求する子会社の業務執行状況および財務情報，その株式会社の内部監査部門などによる子会社に対する監査，親会社の取締役・監査役などと子会社の監査役，監査

委員あるいは内部監査部門などとの連絡・情報交換の体制などを定めることになろう。

他方，その株式会社が他の会社等の子会社である場合には，粉飾への加担やその株式会社にとって不利益をもたらすような取引の強要など親会社からの不当な圧力に対する予防・対応策，その会社の役員が親会社をはじめとする企業集団内の他の会社の役員などを兼ねる場合の利益相反・忠実義務違反を予防するための体制（適切なガイドライン等の作成），その会社の取締役・監査役と親会社の監査役，監査委員あるいは内部監査部門などとの連絡・情報交換の体制などを定めることになろう（相澤＝石井・商事法務1761号15頁参照）。

平成26年会社法改正により，「当該株式会社及びその子会社から成る企業集団の業務の適正を確保するために必要な」体制の整備が会社法で明示的に規定されたこと（法362条4項6号）を背景として，「当該株式会社並びにその親会社及び子会社から成る企業集団における業務の適正を確保するための体制」として，(a)当該株式会社の子会社の取締役，執行役，業務を執行する社員，法598条1項の職務を行うべき者その他これらの者に相当する者（取締役等）の職務の執行に係る事項の当該株式会社への報告に関する体制，(b)当該株式会社の子会社の損失の危険の管理に関する規程その他の体制，(c)当該株式会社の子会社の取締役等の職務の執行が効率的に行われることを確保するための体制，および，(d)当該株式会社の子会社の取締役等および使用人の職務の執行が法令および定款に適合することを確保するための体制が例示された（5号は，「次に掲げる体制その他の当該株式会社並びにその親会社及び子会社から成る企業集団における業務の適正を確保するための体制」（圏点―引用者）と規定している）。企業集団全体の内部統制についての当該株式会社における体制であって，当該株式会社の子会社自体の体制ではないことを示すために，1項柱書は，「当該株式会社における次に掲げる体制」（圏点―引用者）と定めている。すなわち，企業集団を構成する子会社の業種，規模，重要性等を踏まえて，企業集団全体の内部統制についての当該株式会社における方針を定めることが想定されている。

5号イからニは当該株式会社の業務の適正を確保するための体制として例示されている1号から4号の規定に対応した文言となっているが，当該株式会社の個々の子会社につき，当該株式会社単体の体制と同様の体制を当該株式会社が決定することを求めるものではない（坂本ほか・商事法務2060号6頁）。

2　取締役会設置会社のうち，監査役設置会社でないものにとっての，追加的な「株式会社の業務の適正を確保するために必要なものとして法務省令で定める体制」（2項）

　監査役設置会社以外の株式会社では，「株式会社の業務の適正を確保するために必要なものとして法務省令で定める体制」には，取締役が株主に報告すべき事項の報告をするための体制も含まれるものとされている。これは，監査役設置会社でも監査等委員会設置会社でも指名委員会等設置会社でもない会社の取締役は，株式会社に著しい損害を及ぼすおそれのある事実があることを発見したときは，ただちに，その事実を株主に報告しなければならないとされていること（法357条1項）をうけたものであって，監査役設置会社について定める3項4号とパラレルな規定である。このような体制を整備しなければ，株主に対する情報の流れが確保されず，株主としては，違法行為差止請求権（法360条1項）や取締役会招集請求権・招集権（法367条）などを適切に行使することができず，その結果，株式会社の業務の執行の適正を確保できないおそれがあるからである。

3　取締役会設置会社のうち，監査役設置会社であるものにとっての，追加的な「株式会社の業務の適正を確保するために必要なものとして法務省令で定める体制」（3項）

　監査役設置会社である取締役会設置会社では，「株式会社の業務の適正を確保」することにつき，監査役が十分に実効的な職務執行を行える体制が重要である。そして，見直し要綱において，「株式会社の業務の適正を確保するために必要な体制について，監査を支える体制や監査役による使用人からの情報収集に関する体制に係る規定の充実・具体化を図る」とされたこと（第1部第1（第1の後注））を踏まえた平成27年会社法施行規則改正により，例示されている体制が拡大された。

　なお，「監査役の監査の範囲を会計に関するものに限定する旨の定款の定めがある株式会社を含む」とされているのは，そのような会社においても，監査役の監査の実効性を確保することによって，株式会社の業務の適正を確保する必要があるからである。

　まず，監査役の職務を補助すべき使用人に関する事項（1号），その使用人の取締役からの独立性に関する事項（2号）および監査役の職務を補助すべき使用人に対する監査役の指示の実効性の確保に関する事項（3号）を定めるこ

とが求められているのは，監査役による監査の実効性を確保するためである。すなわち，株式会社の規模や事業所・工場などの地理的な広がり次第では，監査役のみで十分な監査を行うことは事実上不可能でありうるし，また，監査役のこれまでの経験や知識では，会計事項を含む，取締役の職務執行を監査するためには不十分である場合も想定できる。したがって，監査役の職務を補助する使用人（スタッフ）がいなければ，十分な監査はできないことが少なくないと予想されるからである。そして，監査役の職務を補助するのに十分な能力と経験を有していることのみならず，スタッフが監査の対象である取締役から独立していなければ，監査役は，株式会社もしくはその子会社の取締役もしくは支配人その他の使用人または当該子会社の会計参与（会計参与が法人であるときは，その職務を行うべき社員）もしくは執行役を兼ねることができないとされ（法335条2項），しかも，監査役会設置会社においては監査役の半数以上は社外監査役（株式会社の監査役であって，過去にその株式会社またはその子会社の取締役，会計参与（会計参与が法人であるときは，その職務を行うべき社員）もしくは執行役または支配人その他の使用人となったことがないもの。法2条16号）でなければならないとして（法335条3項），監査役の独立性を確保しようとした趣旨が没却されるおそれがあるからである。この観点から，監査役の職務を補助すべき使用人，たとえば，内部監査担当者などが執行役から不当な干渉や圧力を受けることや不利益な扱いを受けることを防止するための方策を定める必要がある。

　他方，監査役の職務を補助すべき使用人が置かれても，たとえば，その使用人が代表取締役等の業務執行を行う取締役の指示を受ける使用人としての立場を有しているような場合には，監査役が指示を与えてもそれに従う余裕がなく，監査役を十分に補助できない可能性や，監査役の指示と取締役の指示とが矛盾抵触するような場合には監査役の指示に従わない可能性もある。この点で，監査役の職務を補助すべき使用人に対する監査役による指示の実効性に関する事項は，当該使用人の取締役からの独立性に関する事項と明確に分けることはできない（監査役の職務を補助すべき使用人の取締役からの独立性が高ければ，当該使用人に対する監査役による指示の実効性という面はあるものの，監査役による監査を支える体制に係る規定の具体化を図るという観点から，平成27年改正により，「監査役の第1号の使用人に対する指示の実効性の確保に関する事項」が明文化された。坂本ほか・商事法務2060号6頁）。具体的には，監査役の職務を補助すべき使用人を監査役の専任のスタッフとするのか，他の業務を兼任させるの

か，取締役（とりわけ業務執行権を有する取締役）の当該使用人に対する指揮命令権の有無，当該使用人の異動についての監査役の同意等の要否，当該使用人の懲戒等についての監査役の同意等の要否などを定めることが想定されている。

「監査役がその職務を補助すべき使用人を置くことを求めた場合における」とされているのは，監査役の監査体制は監査役の主導によって定められるべきものであり，補助する使用人の要否は監査役が判断するものとすべきだからであると説明されている（相澤＝石井・商事法務1761号15頁）。また，監査役会設置会社では，少なくとも1人以上の常勤監査役が存在すること，監査役設置会社においては，第1次的には監査役が監査を行うものとされていること，監査役設置会社の中には比較的小規模な会社が含まれうることなどから，監査役設置会社においては，監査役の職務を補助すべき使用人をおく必要があるとは必ずしもいえないことも，3号のような規定振りの背景にはあるのではないかと推測される。

また，(a)当該監査役設置会社の取締役および会計参与ならびに使用人が当該監査役設置会社の監査役に報告をするための体制および(b)当該監査役設置会社の子会社の取締役，会計参与，監査役，執行役，業務を執行する社員，法598条1項の職務を行うべき者その他これらの者に相当する者および使用人またはこれらの者から報告を受けた者が当該監査役設置会社の監査役に報告をするための体制その他の当該監査役設置会社の監査役への報告に関する体制（4号）を定めなければならないとされているのは，監査役に対する情報の流れが確保されなければ，監査役の権限を適切に行使することができず，その結果，株式会社の業務の執行の適正を確保できないおそれがあるからである。

たしかに，法381条2項は，監査役は，いつでも，取締役および会計参与ならびに支配人その他の使用人に対して事業の報告を求め，または監査役設置会社の業務および財産の状況の調査をすることができるとし（監査役の監査の範囲を会計に関するものに限定する旨の定款の定めがある株式会社の監査役も取締役および会計参与ならびに支配人その他の使用人に対して会計に関する報告を求めることができるものとされている。法389条4項），法357条1項および2項は，取締役は，株式会社に著しい損害を及ぼすおそれのある事実があることを発見したときは，ただちにその事実を，監査役設置会社では監査役に，監査役会設置会社では監査役会に，それぞれ報告しなければならないとし，法375条1項および2項は，会計参与は，その職務を行うに際して取締役の職務の執行に関し不

正の行為または法令もしくは定款に違反する重大な事実があることを発見したときは，遅滞なくこれを，監査役設置会社では監査役に，監査役会設置会社では監査役会に，それぞれ報告しなければならないと定めている。しかし，それ以外の事項であっても一定の重要な事項については，いちいち報告を求められなくとも，取締役および使用人側から監査役に報告すべきものとあらかじめ定めておく必要があるため，(a)のような体制が例示されている。重要な情報が握りつぶされてしまうようなことを防止すると同時に，裏づけのある重要な情報が監査役に伝達されるよう，どのような報告体制を構築するかを取締役会としては定めることになろう。とくに，いわゆる内部者通報制度との関連でも，使用人から直接に監査役に報告する仕組みを作るのかという問題がある。また，4号の体制は，当該監査役設置会社またはその子会社の役職員から当該監査役設置会社の監査役への自発的な報告に関する体制に限られるものではなく，より積極的に，たとえば，当該監査役が役職員からヒアリングを行うための体制や，当該監査役設置会社の内部監査部門がその調査により役職員からヒアリングした内容を当該監査役に報告するための体制を，4号の体制として決定することも考えられると立案担当者は指摘している（坂本ほか・商事法務2060号7頁注7）。

(b)のような体制が例示されているのは，「当該株式会社及びその子会社から成る企業集団の業務の適正を確保するために必要な」体制の整備が会社法で明示的に規定されたこと（法362条4項6号）および1項5号イからニのような体制が例示されたことを背景として，監査役がその職務執行にあたり，子会社から報告等を受ける体制を確認的に規定するものである。監査役は，その職務を行うため必要があるときは，監査役設置会社の子会社に対して事業の報告を求め，またはその子会社の業務および財産の状況の調査をすることができるとされており（法381条3項），子会社の取締役または使用人に対して報告を求めることはできるものと解される。しかし，子会社の監査役との情報共有はもちろんのこと，子会社の取締役や使用人以外の役職員からの情報を得られることが，監査役設置会社の監査役の職務執行にとっては有益と考えられるため，当該監査役設置会社の子会社の会計参与，監査役等も例示されている。

なお，4号にいう「報告」は監査役に対する直接の報告に限定されるものではなく，適当なチャネルを通じて間接的になされる監査役への報告も含まれると解されるところ，当該監査役設置会社の子会社の役職員からの報告については，たとえば，子会社の監査役や当該監査役設置会社のグループ内部統制部門

等が子会社の役職員から報告される情報を取りまとめて当該監査役設置会社の監査役に報告することも想定される。そこで、子会社の役職員から「報告を受けた者」が間接的に当該監査役設置会社の監査役に報告をするための体制も、(b)に含まれる旨が注意的に明らかにされている（坂本ほか・商事法務2060号7頁）。

そして、重要な情報が監査役に適時かつ適切に報告されることを確保するという観点から、監査役への「報告をした者が当該報告をしたことを理由として不利な取扱いを受けないことを確保するための体制」（5号）も列挙されている。監査役に報告をした者が当該報告をしたことを理由として不利な取扱いを受けることになるおそれがあるのでは、4号が定める監査役への報告体制の実効性が損なわれるからである。具体的には、監査役への報告を理由とする解雇等不利益な処分を禁止することのほか、当該監査役設置会社またはその子会社の役職員から当該監査役設置会社の監査役への報告が、直接に、または、当該役職員の人事権を有していない者を介して、当該監査役に対してなされるような体制が想定できる。この体制は、公益通報者保護法（平成16年法律第122号）上の公益通報者保護制度に関する会社の体制と重なり合う部分もあるが、5号に例示されている体制は公益通報に限定されていないから、後者と一致するわけではない（坂本ほか・商事法務2060号8頁注8）。

さらに、監査役の職務の執行について生ずる費用の前払または償還の手続その他の当該職務の執行について生ずる費用または債務の処理に係る方針に関する事項（6号）が例示されている。法388条は、監査役がその職務の執行について会社に対して費用の前払の請求、支出した費用および支出の日以後におけるその利息の償還の請求または負担した債務の債権者に対する弁済（当該債務が弁済期にない場合には、相当の担保の提供）の請求をしたときは、会社は、当該請求に係る費用または債務が当該監査役の職務の執行に必要でないことを証明した場合を除き、これを拒むことができないと定め、清算株式会社の監査役にもこの規定が準用されている（法491条）。しかし、清算人が監査役に対し、監査費用の前払もしくは償還または監査役の職務の執行について生ずる債務の引受けに難色を示す可能性がないとはいえず（たとえば、東京地決平成21・9・25公刊物未登載（平成21年(ヨ)第20069号）参照）、このことは、監査役による職務執行が費用などの制約のために十分になされないことにつながりかねない。6号が規定するような方針が定められれば、監査役にとっての予測可能性が高まり、ひいては実効的な職務執行が期待できると考えられるため（坂本ほか・商

事法務2060号8頁），平成27年改正により明文で例示することとされた。

　以上に加えて，本条では，その他監査役の監査が実効的に行われることを確保するための体制（7号）を取締役会は定めなければならないものとしている。これは，1号から3号に掲げる事項を定めるのみでは，監査役の監査が実効的に行われることを確保するためには不十分でありうるからである。「その他……監査役の監査が実効的に行われることを確保するための体制」としては，たとえば，内部監査部門等との連携に関する体制などが考えられる。日本監査役協会「監査役監査基準」37条1項は，「監査役は，会社の業務及び財産の状況の調査その他の監査職務の執行に当たり……内部監査部門等……と緊密な連携を保ち，組織的かつ効率的な監査を実施するよう努める」としており，監査役としては，内部監査部門等との連係体制の整備について取締役会に適切な決定を求めることが必要な場合が多いと予想される。そして，内部監査部門との連携が監査役の監査の実効性を高めるためには不可欠であり，監査役としては，内部監査部門の実態を評価し，監査役の監査環境の観点から不足であると認められる点については，取締役会に対し，その整備を求めることが適切である。

（取締役会の議事録）
第101条　法第369条第3項の規定による取締役会の議事録の作成については，この条の定めるところによる。
2　取締役会の議事録は，書面又は電磁的記録をもって作成しなければならない。
3　取締役会の議事録は，次に掲げる事項を内容とするものでなければならない。
　一　取締役会が開催された日時及び場所（当該場所に存しない取締役（監査等委員会設置会社にあっては，監査等委員である取締役又はそれ以外の取締役），執行役，会計参与，監査役，会計監査人又は株主が取締役会に出席をした場合における当該出席の方法を含む。）
　二　取締役会が法第373条第2項の取締役会であるときは，その旨
　三　取締役会が次に掲げるいずれかのものに該当するときは，その旨
　　イ　法第366条第2項の規定による取締役の請求を受けて招集されたもの
　　ロ　法第366条第3項の規定により取締役が招集したもの
　　ハ　法第367条第1項の規定による株主の請求を受けて招集されたもの
　　ニ　法第367条第3項において準用する法第366条第3項の規定により株主

が招集したもの
　ホ　法第383条第２項の規定による監査役の請求を受けて招集されたもの
　ヘ　法第383条第３項の規定により監査役が招集したもの
　ト　法第399条の14の規定により監査等委員会が選定した監査等委員が招集したもの
　チ　法第417条第１項の規定により指名委員会等の委員の中から選定された者が招集したもの
　リ　法第417条第２項前段の規定による執行役の請求を受けて招集されたもの
　ヌ　法第417条第２項後段の規定により執行役が招集したもの
四　取締役会の議事の経過の要領及びその結果
五　決議を要する事項について特別の利害関係を有する取締役があるときは，当該取締役の氏名
六　次に掲げる規定により取締役会において述べられた意見又は発言があるときは，その意見又は発言の内容の概要
　イ　法第365条第２項（法第419条第２項において準用する場合を含む。）
　ロ　法第367条第４項
　ハ　法第376条第１項
　ニ　法第382条
　ホ　法第383条第１項
　ヘ　法第399条の４
　ト　法第406条
　チ　法第430条の２第４項
七　取締役会に出席した執行役，会計参与，会計監査人又は株主の氏名又は名称
八　取締役会の議長が存するときは，議長の氏名
4　次の各号に掲げる場合には，取締役会の議事録は，当該各号に定める事項を内容とするものとする。
　一　法第370条の規定により取締役会の決議があったものとみなされた場合　次に掲げる事項
　　イ　取締役会の決議があったものとみなされた事項の内容
　　ロ　イの事項の提案をした取締役の氏名
　　ハ　取締役会の決議があったものとみなされた日
　　ニ　議事録の作成に係る職務を行った取締役の氏名
　二　法第372条第１項（同条第３項の規定により読み替えて適用する場合を含む。）の規定により取締役会への報告を要しないものとされた場合　次に掲

げる事項
イ　取締役会への報告を要しないものとされた事項の内容
ロ　取締役会への報告を要しないものとされた日
ハ　議事録の作成に係る職務を行った取締役の氏名

　本条は，取締役会の議事録の作成について定めるものである。すなわち，法369条3項は，取締役会の議事については，法務省令で定めるところにより，議事録を作成しなければならないと規定しており，この委任をうけて本条が定められている（他方，厳密には，本条4項が，会社法の委任に基づくものと評価できるかどうかについては，疑義がまったくないわけではない）。

1　書面または電磁的記録（2項）

　会社法は，取締役会の議事録をどのような媒体で作成しなければならないかについて直接には規律していないが，法369条3項および4項は，取締役会の議事録が書面または電磁的記録をもって作成されることを前提とした規定である。そこで，本条2項は，取締役会の議事録は，書面または電磁的記録をもって作成しなければならないものと定めている。書面または電磁的記録をもって作成しなければならないとされているのは，株式会社は，取締役会の日から10年間，当該株式会社の本店に備え置かなければならないとされていること（法371条1項）に鑑みて，ある程度の期間，保存が可能で確実な記録媒体を用いることを要求するものである。

　本項でいう電磁的記録とは，電子的方式，磁気的方式その他人の知覚によっては認識することができない方式で作られる記録であって，電子計算機による情報処理の用に供されるものとして法務省令で定めるものをいい（法26条2項かっこ書），具体的には，磁気ディスクその他これに準ずる方法により一定の情報を確実に記録しておくことができる物をもって調製するファイルに情報を記録したものをいうものとされている（224条）。

　磁気ディスクにはフロッピー・ディスクなどが含まれるが，「その他これに準ずる方法により一定の情報を確実に記録しておくことができる物」には，磁気テープ，磁気ドラムのように磁気的方法により情報を記録するための媒体，ICカードやUSBメモリなどのような電子的方法により情報を記録するための媒体，CD-ROM，DVD-ROMなどのような光学的方式により情報を記録するための媒体が含まれる。そのような記録媒体を用いて調製するファイルに情報

を記録したものが，本項にいう電磁的記録にあたる（江原＝太田・商事法務1627号8頁）。

2　議事録の内容（3項）

　本項では，第1に，取締役会が開催された「場所に存しない取締役……，執行役，会計参与，監査役，会計監査人又は株主が取締役会に出席をした場合における当該出席の方法」を内容とすることを要求している点（1号かっこ書）が特徴的である。取締役会が開催された「場所に存しない取締役……，執行役，会計参与，監査役，会計監査人又は株主が取締役会に出席をした場合における当該出席の方法」とは，取締役会を開催する際に，その場所に物理的に出席しなくとも，オンライン会議，テレビ会議および電話会議のように，情報伝達の双方向性および即時性が確保されるような方式で取締役等が取締役会に出席することができることを前提とした規定である。たとえば，法務省民事局参事官室「規制緩和等に関する意見・要望のうち，現行制度・運用を維持するものの理由等の公表について」（平成8年4月19日）では「取締役間の協議と意見の交換が自由にでき，相手方の反応がよく分かるようになっている場合，すなわち，各取締役の音声と画像が即時に他の取締役に伝わり，適時的確な意見表明が互いにできる仕組みになっていれば，テレビを利用して取締役会議を開くことも可能である」と指摘されていたし，「電話会議の方法による取締役会の議事録を添付した登記の申請について」（平成14年12月18日民商3044号民事局商事課長回答）では，「出席取締役が一堂に会するのと同等の相互に充分な議論を行うことができる」のであれば，電話会議によっても適法に取締役会を開催できるとする見解が示されていた。また，情報伝達の双方向性および即時性が確保される等の一定の要件を満たす限り，インターネットによるチャット等の方式によることもできるとする見解がある（論点解説362〜363頁）。

　他方，「取締役会が開催された……場所」と規定されていることからは，物理的な取締役会の開催場所を観念できない完全にヴァーチャルな取締役会では取締役会が開催されたとは会社法上評価できないと解するのが自然であろう（もっとも，たとえば，議長の所在する場所を取締役会が開催される場所として，取締役会を招集し，取締役等が所在する場所を通信回線でつないで，またはインターネットによって，取締役会を開催することはできると思われる）。そして，平成17年改正前商法の下では，テレビ会議や電話会議で参加した取締役が所在する場所も取締役会が開催された場所として議事録に記載することが適切であるとい

う見方がありえたが（牧野・商事法務1426号8頁以下参照），1号の下では，取締役会が開催された「場所に存しない取締役……，執行役，会計参与，監査役，会計監査人又は株主が取締役会に出席をした場合における当該出席の方法」という表現からみて，オンライン会議，テレビ会議や電話会議で参加した取締役等が所在する場所は「取締役会が開催された……場所」ではないと解すべきことになろう。

　なお，たとえば，電話会議によって取締役会に参加した取締役がある場合には，「電話会議システムにより，出席者の音声が即時に他の出席者に伝わり，出席者が一堂に会するのと同等に適時的確な意見表明が互いにできる状態となっていることが確認されて，議案の審議に入った。……本日の電話会議システムを用いた取締役会は，終始異状なく議題の審議を終了した」というような内容を議事録に含めることになろう（前掲「電話会議の方法による取締役会の議事録を添付した登記の申請について」参照）。

　第2に，「取締役会が法第373条第2項の取締役会であるときは，その旨」（2号）を内容としなければならないものとされているのは，会社法においては，特別取締役による取締役会の決議は取締役会の決議要件の特例として位置付けられているため，その事実を，議事録を閲覧等する利害関係人が知りうるようにするためであると推測される。

　第3に，取締役会の招集が通例的でない場合には，そのような取締役会の会議であることを議事録の内容としなければならないものとされている（3号）。すなわち，招集権者以外の取締役の招集請求に応じて招集された取締役会，招集権者以外の取締役が招集した取締役会，株主の招集請求を受けて招集された取締役会，株主が招集した取締役会，監査役の招集請求を受けて招集された取締役会，監査役が招集した取締役会，監査等委員会が選定した監査等委員が招集した取締役会，指名委員会等の委員の中から選定された者が招集した取締役会，執行役の招集請求を受けて招集された取締役会および執行役が招集した取締役会については，その旨を議事録の内容とすることが要求されている。これは，取締役会の招集が通例的でない場合には，何らかの問題あるいは重要な事象が会社に発生した場合が多いため，その事実を明らかにすることが，議事録を閲覧等する利害関係人に有用な情報を提供するという観点から重要でありうるからであろう。

　第4に，平成17年改正前商法260条ノ4第2項にいう「議事ノ経過ノ要領」とは，開会宣言から閉会宣言までの会議の経過の要約をいうと解され，「議事

ノ経過ノ要領」には，標題，開催の日時および場所，取締役および監査役の出席状況と定足数，議長と開会宣言，決議事項，意見表明，報告事項，議長の閉会宣言と閉会時刻，作成日時が含まれると解されていたが（今井＝成毛185頁以下），これは，本項で特に内容とすべき事項として掲げられたものを除けば，4号にいう「取締役会の議事の経過の要領」の解釈にもあてはまると考えられる。

第5に，「決議を要する事項について特別の利害関係を有する取締役があるときは，当該取締役の氏名」（5号）を議事録の内容としているのは，特別の利害関係を有する取締役は議決に加わることができないとされており（法369条2項），そのような取締役が議決に加わっていないことを明らかにするためであると考えられるとともに，下級審裁判例（東京地判平成2・4・20判時1350号138頁（上告審である最判平成4・9・10資料版商事法務102号143頁も支持），東京高判平成8・2・8資料版商事法務151号143頁など。もっとも，反対説も有力である。大隅＝今井・中196頁，森本・商事法務1110号39頁）によれば，そのような取締役は当該事項の審議にあたって議長となることもできないとされていることから，議長の氏名（8号）とあいまって，特別な利害関係を有する取締役が議長とはなっていないという事実が議事録上明らかになるようにするためであると推測される。

なお，「特別の利害関係」とは，取締役の忠実義務違反をもたらすおそれのある，会社の利益と衝突する取締役の個人的利害関係をいい，「特別の利害関係を有する取締役」には，具体的には取締役の競業取引の承認決議における競業取引を行う取締役や利益相反取引の承認決議における会社と利益が相反する取締役のほか，判例によると，代表取締役の解職決議の対象となる代表取締役（最判昭和44・3・28民集23巻3号645頁）が含まれる（ただし，特別利害関係人にはあたらないとする見解が学説上は有力である。鈴木＝竹内280頁注10，龍田＝前田123頁。また，江頭435頁注15）。

第6に，①利益相反取引または競業取引をした取締役・執行役による当該取引についての重要な事実の報告（法365条2項・419条2項），②株主が取締役会の招集を請求し，または取締役会を招集した場合にその株主が述べた意見（法367条4項），③計算書類等の承認のための取締役会において会計参与が述べた意見（法376条1項），④監査役による，取締役が不正の行為をし，もしくは当該行為をするおそれがあると認める旨の報告，または法令もしくは定款に違反する事実もしくは著しく不当な事実の報告（法382条），⑤監査役の意見（法383

条1項)，⑥監査等委員による，取締役が不正の行為をし，もしくは当該行為をするおそれがあると認める旨の報告，または法令もしくは定款に違反する事実もしくは著しく不当な事実の報告（法399条の4)，⑦監査委員による，執行役または取締役が不正の行為をし，もしくは当該行為をするおそれがあると認める旨の報告，または法令もしくは定款に違反する事実もしくは著しく不当な事実の報告（法406条)，または，⑧補償契約に基づく補償をした取締役および補償を受けた取締役による，その補償についての重要な事実の報告があるときは，その意見または発言の内容の概要（6号）を議事録の内容としなければならないものとされている。

　①は，取締役等が報告義務を適切に履行したかどうかについての証拠を残すとともに，適切な報告の履行を動機づけるためであると考えられる。②は，取締役会設置会社（監査役設置会社，監査等委員会設置会社および指名委員会等設置会社を除く）の株主が取締役会の招集を請求し，または招集することができるのは，取締役が取締役会設置会社の目的の範囲外の行為その他法令もしくは定款に違反する行為をし，またはこれらの行為をするおそれがあると認めるときに限られているため，株主が当該取締役会で述べた意見の情報的価値が高い可能性があるからであろう。③は，会計参与が計算書類等の承認のための取締役会において意見を述べるのは，「必要があると認めるとき」が多いと考えられ，そうであれば，その意見は取締役会議事録を閲覧等する株主等にとって重要な情報でありうるし，会計参与も適切に意見を述べたことが議事録に含められることによって任務懈怠がなかったことを後日証明しやすくなると期待できるからである。④は，取締役が不正の行為をし，もしくは当該行為をするおそれがあること，あるいは法令もしくは定款に違反する事実もしくは著しく不当な事実は取締役会議事録を閲覧等する株主等にとって重要な情報でありうるし，議事録に含められることによって，監査役も遅滞なく，なすべき報告をしたことを後日証明しやすくなると期待できるからである。また，議事録に含めるべきこととされることは，そのような報告をするインセンティブを監査役に与えることにもなろう。⑤は，監査役が取締役会において意見を述べるのは，「必要があると認めるとき」が多いと考えられ，そうであれば，その意見は取締役会議事録を閲覧等する株主等にとって重要な情報でありうるし，監査役も適切に意見を述べたことが議事録に含められることによって任務懈怠がなかったことを後日証明しやすくなると期待できるからである。⑥および⑦は④と，⑧は①と，それぞれ，同じ趣旨であると考えられる。

第7に,「取締役会に出席した執行役,会計参与,会計監査人又は株主の氏名又は名称」を含めるべきこととされている(7号)。これは,取締役会の出席者は意見を述べる可能性があるとともに,意見を述べなくとも,事実上の影響力を及ぼす可能性があるため,取締役会の出席者を議事録に含めることを要求するものである。取締役会に出席した取締役および監査役の氏名を含めることが要求されていないのは,出席した取締役および監査役は,議事録が書面をもって作成されているときは,これに署名し,または記名押印しなければならず,議事録が電磁的記録をもって作成されているときは,当該電磁的記録に記録された事項については,法務省令で定める署名または記名押印に代わる措置をとらなければならないため(法369条3項・4項),それによって,出席した取締役および監査役の氏名が明らかになるからである。

　第8に,「取締役会の議長が存するときは,議長の氏名」(8号)を議事録に含めるべきこととされているのは,議長は議事の進行に大きな影響を与えるため,取締役会議事録を閲覧等する株主等にとって重要な情報でありうるからであろう。したがって,ここでいう「取締役会の議長」とは,取締役会の当該会議において議長を務めた者をいうと解される。議事の途中で,議長が交代した場合には,すべての議長の氏名を,どの事項についての報告・審議について議長を務めたかを明らかにして,示すべきことになろう。

3　取締役会の決議または取締役会への報告があったものとみなされた場合の議事録の作成 (4項)

　取締役会設置会社は,取締役が取締役会の決議の目的である事項について提案をした場合において,当該提案につき取締役(その事項について議決に加わることができるものに限る)の全員が書面または電磁的記録により同意の意思表示をしたとき(監査役設置会社にあっては,監査役が当該提案について異議を述べたときを除く)は,その提案を可決する旨の取締役会の決議があったものとみなす旨を定款で定めることができ(法370条),そのような定款の定めに基づき,取締役会の決議があったものとみなされた場合には,株式会社は,取締役会の決議があったものとみなされた日から10年間,当該書面または電磁的記録を当該株式会社の本店に備え置かなければならないものとされている(法371条1項)。また,取締役,会計参与,監査役または会計監査人(指名委員会等設置会社では取締役,会計参与,会計監査人または執行役)が取締役(監査役設置会社では,取締役および監査役)の全員に対して取締役会に報告すべき事項を通知

したときは，その事項を取締役会へ報告することを要しないが（法372条1項・3項），この場合には，当該書面または電磁的記録の備置きや閲覧・謄写等に応じることは要求されていない。

　しかし，特定の決議や報告が，会議を開催して行われたのか，取締役全員の同意によって行われたのかが明らかではないことから，取締役会の決議あるいは取締役会への報告に関する資料の保存等についての規律の首尾一貫性を確保するため，本条は，取締役会の決議または取締役会への報告があったものとみなされた場合にも議事録の作成を要求することとしたものである（相澤＝郡谷・商事法務1759号16頁参照）。議事録である以上，法371条により，備置き・閲覧・謄写等の対象となる。

　もっとも，会議が開催された場合と異なり，取締役会が開催された日時および場所ならびに取締役会の議事の経過の要領およびその結果といったような記載・記録事項はないし，取締役会の議長が存するということはないから，議長の氏名は記載・記録事項ではない。すなわち，取締役会の決議があったものとみなされた事項（または取締役会への報告を要しないものとされた事項）の内容（取締役会の決議があったものとみなされた場合には，さらに，その事項の提案をした取締役の氏名），取締役会の決議があったものとみなされた（取締役会への報告を要しないものとされた）日，および，議事録の作成に係る職務を行った取締役の氏名を内容としなければならないものとされるにとどまっている。

第5節　会　計　参　与

――（会計参与報告の内容）――
第102条　法第374条第１項の規定により作成すべき会計参与報告は，次に掲げる事項を内容とするものでなければならない。
　一　会計参与が職務を行うにつき会計参与設置会社と合意した事項のうち主なもの
　二　計算関係書類のうち，取締役又は執行役と会計参与が共同して作成したものの種類
　三　会計方針（会社計算規則第２条第３項第62号に規定する会計方針をいう。）に関する次に掲げる事項（重要性の乏しいものを除く。）

イ　資産の評価基準及び評価方法
　　　ロ　固定資産の減価償却の方法
　　　ハ　引当金の計上基準
　　　ニ　収益及び費用の計上基準
　　　ホ　その他計算関係書類の作成のための基本となる重要な事項
　　四　計算関係書類の作成に用いた資料の種類その他計算関係書類の作成の過程及び方法
　　五　前号に規定する資料が次に掲げる事由に該当するときは，その旨及びその理由
　　　イ　当該資料が著しく遅滞して作成されたとき。
　　　ロ　当該資料の重要な事項について虚偽の記載がされていたとき。
　　六　計算関係書類の作成に必要な資料が作成されていなかったとき又は適切に保存されていなかったときは，その旨及びその理由
　　七　会計参与が計算関係書類の作成のために行った報告の徴収及び調査の結果
　　八　会計参与が計算関係書類の作成に際して取締役又は執行役と協議した主な事項

　本条は，会計参与報告の内容を定めるものである。すなわち，法374条1項が，会計参与が取締役と共同して，計算書類およびその附属明細書，臨時計算書類ならびに連結計算書類（以上をまとめて「計算関係書類」という）を作成した場合には，「会計参与は，法務省令で定めるところにより，会計参与報告を作成しなければならない」と定めていることをうけて，本条は定められている。会計参与報告は，会計参与による計算関係書類の作成の過程を明らかにし，株式会社の株主および債権者に対する情報提供を目的とする資料である。

1　会計参与が職務を行うにつき会計参与設置会社と合意した事項のうち主なもの（1号）

　会計参与の主たる職務は，計算関係書類を会計参与設置会社の取締役（指名委員会等設置会社の場合は，執行役）と共同して作成し（法374条1項），各事業年度に係る計算書類およびその附属明細書および会計参与報告ならびに臨時計算書類および会計参与報告を備え置いて，株式会社の株主および債権者の閲覧請求等に応じることである（法378条）。したがって，会計参与設置会社の協力なしには，会計参与はその職務を十分に果たすことができないので，会計参与

はその職務を行うにつき会計参与設置会社とさまざまな合意をするものと推測される（日本公認会計士協会＝日本税理士会連合会『会計参与の行動指針』「会計参与契約書」参照）。そこで、本号では、「会計参与が職務を行うにつき会計参与設置会社と合意した事項のうち主なもの」を記載しなければならないものとしている。

「会計参与が職務を行うにつき会計参与設置会社と合意した事項のうち主なもの」（圏点—引用者）としては、会計参与に対し会計参与設置会社の株主・債権者（であると称する者）からの閲覧等の請求があった場合に、その請求者が会計参与設置会社の株主・債権者であるか否かを会計参与が確認する手続および会計参与が閲覧等に応じた場合にその請求が会計参与設置会社の株主・債権者でなかった場合の免責の約定がまず考えられる（親会社社員・株主の場合には、裁判所の許可が必要なので、あまり問題とはならないであろう）。すなわち、計算関係書類および会計参与報告の閲覧・謄本もしくは抄本の交付の請求があった場合には、その請求者が会計参与設置会社の株主または債権者であるかどうかについて速やかに会計参与設置会社は会計参与に回答すること、速やかに回答がない場合に、会計参与が閲覧等に応じたことによって会計参与設置会社に損害が生じた場合にも会計参与設置会社は会計参与に対しその賠償を求めないこと、その請求者は会計参与設置会社の株主または債権者ではないと会計参与設置会社が会計参与に回答したが、真実は、株主または債権者であったときには、そのために会計参与が被った損害を会計参与設置会社は賠償することなどを約定することが考えられる。

また、会計参与設置会社が会計参与に対し計算関係書類作成のための情報を適時提供すること、会計参与設置会社は申述書（取締役（執行役）が法規を遵守し、会社の組織体制を維持確立する責任を有していること、取締役（執行役）が採用した会計方針、計算関係書類の作成に必要な資料を遅滞なくすべて提示したこと、それらはすべて真実であり資料に不正はないことを明記した文書）を会計参与に提出すること、会計参与が業務上知りえた会社およびその関係者の秘密を他に漏らし、または盗用してはならないことも主な事項といえる場合があろう。

以上に加えて、会計参与設置会社は、定款の定めに基づいて、定款で定めた額の範囲内であらかじめ会社が定めた額と最低責任限度額とのいずれか高い額を責任の限度とする旨の契約を会計参与と締結することができるが（法427条1項）、そのような契約に関する合意事項も「主な事項」にあたると考えられる（相澤＝石井・商事法務1761号17頁）。

第102条（会計参与報告の内容） 569

2 計算関係書類のうち，取締役または執行役と会計参与が共同して作成したものの種類（2号）

　会計参与は，会社成立時の貸借対照表，各事業年度に係る計算書類およびその附属明細書，臨時計算書類ならびに連結計算書類を会計参与設置会社の取締役（指名委員会等設置会社では執行役）と共同して作成するが，共同して作成した計算関係書類ごとに会計参与報告を作成する必要があるので，どの計算関係書類の作成に係る会計参与報告なのかを明らかにするために記載が要求される。計算関係書類の種類としては，「会社成立時の貸借対照表」，「各事業年度に係る計算書類及びその附属明細書」，「臨時計算書類」ならびに「連結計算書類」の4種類のうちのどれであるかを示せば足りると解される。なお，会社成立時の貸借対照表または連結計算書類の作成についても，会計参与報告を作成しなければならないが，会社成立時の貸借対照表および連結計算書類については（会計参与設置）会社も備置義務や閲覧等の請求に応ずる義務を負っておらず，会計参与もそのような義務を負わないため，会社成立時の貸借対照表または連結計算書類の作成に係る会計参与報告は，備置義務や閲覧等の請求に応ずる義務の対象とはなっていない。

3 資産の評価基準および評価方法，固定資産の減価償却の方法，引当金の計上基準，収益および費用の計上基準その他計算関係書類の作成のための基本となる重要な事項（3号）

　これは，各事業年度に係る計算書類およびその附属明細書については，会計方針に係る事項に関する注記（計規101条）に，連結計算書類については連結計算書類の作成のための基本となる重要な事項に関する注記（計規102条1項3号）に相当する事項である。

　個別注記表または連結注記表の内容とすべき事項なので，会計参与報告に記載しなければならないとすると，二重に記載することになるが，会計参与がどのような会計方針を採用したのかを明らかにすることには意義があるという価値判断に基づいて記載が要求されているものと推測される。

　すなわち，貸借対照表および損益計算書が示す会社の財産および損益の状態を理解するために，その数値がどのような前提に基づいて作成されているかを知ることが必要である。ところが，会社計算規則および「一般に公正妥当と認められる企業会計の基準その他の企業会計の慣行」（計規3条）においては，たとえば，資産の評価の方法，固定資産の減価償却の方法あるいは引当金の計

上の方法として複数の方法が認められており，会社によって採用している会計方針が異なる可能性があるため，注記が要求されている。しかし，「一般に公正妥当と認められる企業会計の基準その他の企業会計の慣行」をしん酌して，代替的な会計処理方法が認められていない場合には，その会計方針を記載する必要はないと解される（「企業会計原則注解」（注1-2））。また，「重要性の乏しいものを除く」とされているので，原則的な会計処理方法を採用している場合には注記を要しないと解する余地があろう。たとえば，収益の認識基準として販売基準によっている場合には記載を要しないが，割賦基準によっている場合には記載を要すると考えられる。

　代替的な会計処理方法が認められており，原則的な会計処理方法が明らかでない場合には，たとえば，取得価額を付したのか，時価を付したのか，適正な価格を付したのかなどを記載しなければならない。また，棚卸資産や有価証券の評価方法（原価の配分方法）についても，先入先出法，総平均法，移動平均法などがあるが，これらも記載しなければならない。さらに，固定資産の減価償却の方法としても，定率法，定額法，級数法，生産高比例法などがあり，これらも記載しなければならない。同様に，引当金の計上の方法についても，統計的にあるいは保険数理計算によって算定する方法，個別的に見積もる方法その他合理的な簡便法による方法などがありえるので，記載が必要となる。

　「その他計算書類の作成のための基本となる重要な事項」としては，たとえば，繰延資産の計上および償却に関する事項やのれんの償却に関する事項がある。また，土地の原則的な評価方法は取得原価によるものであるから（計規5条1項），土地の再評価に関する法律に基づいて再評価を行っている場合には，当該再評価はその採用が原則とされている会計方針ではない。したがって，再評価の方法（土地の再評価に関する法律3条4項，土地の再評価に関する法律施行令2条）は記載しなければならない（土地の再評価に関する法律3条3項は再評価の方法を貸借対照表に注記することを要求している）。

　なお，個別注記表や連結注記表に記載されていることとの重複を避けるため，包括的に，「中小企業の会計に関する指針」に従ったという記載や金融商品取引法上「一般に公正妥当と認められる企業会計の基準」に従ったという記載をもって代えることができる場合もありえよう（相澤＝石井・商事法務1761号18頁）。

4　計算関係書類の作成に用いた資料の種類その他計算関係書類の作成の過程

第102条（会計参与報告の内容） 571

および方法（4号）

　計算関係書類の作成に用いた資料の種類としては、仕訳帳、総勘定元帳および重要な勘定科目に関する補助簿（売上帳、仕入帳、現金出納帳、得意先元帳、仕入先元帳など）および基礎資料などをその名称を示しつつ具体的に記載する。

　また、計算関係書類の作成の過程および方法としては、一般的には（特に計算関係書類の作成に用いた資料の作成・保存に問題がなければ）、取締役（執行役）が作成した会計帳簿等に基づき、会計参与は、たとえば、「会計参与の行動指針」に沿って共同作成したことを記載することになろう。計算関係書類の作成は、おそらく、総勘定元帳に基づく残高試算表の作成、決算整理仕訳といった過程を経て行うと推測される。また、過程としては、計算関係書類の作成に用いた資料の提供を受けた時期、計算関係書類の原案作成者および作成時期、取締役（執行役）と会計参与との協議が整った時期なども示すことになろう。「計算関係書類の作成の……方法」としては、補助者の利用やソフトウェアの利用といったことが考えられる。

5　計算関係書類の作成に用いた資料が著しく遅滞して作成されたときまたはその資料の重要な事項について虚偽の記載がされていたときは、その旨およびその理由（5号）

　会計参与は、本来、計算関係書類を取締役（指名委員会等設置会社では、執行役）と共同して作成することが任務であり、計算関係書類の作成に用いる資料の作成・保存は、会計参与としての任務ではない。すなわち、総勘定元帳をはじめとする計算関係書類の作成に用いる資料が適法・適正に作成されていることを前提として、会計参与の職務は定められていると解するのが穏当である。

　しかし、計算関係書類の作成に用いた資料の重要な事項について虚偽の記載がされていたときには、その前提が成り立たないため、会計参与としては、計算関係書類の作成に用いる資料自体についてもチェックを加えた上で計算関係書類を作成する必要があり、それは、「計算関係書類の作成に用いた資料の種類その他計算関係書類の作成の過程及び方法」に大きな影響を与えると考えられるので、記載が要求されているものと推測される。また、計算関係書類の利用者に対して、そのような問題があったという事実を示して、注意を喚起するとともに、このような事実が会計参与報告書に記載されることは会計参与設置会社の取締役（執行役）にとっては好ましいことではないので、計算関係書類の作成に用いる資料に重要な虚偽記載が生じないように（法432条1項は、株式

会社は，法務省令で定めるところにより，適時に，正確な会計帳簿を作成しなければならないと定めている），それらの資料を作成するインセンティブを会計参与設置会社の取締役（執行役）に与えることも期待されていると思われる。

　同様に，計算関係書類の作成に用いた資料が著しく遅滞して作成されたときには，一般的に，その資料の信頼性に疑念が生じるため，「計算関係書類の作成に用いた資料の種類その他計算関係書類の作成の過程及び方法」に影響を与える可能性がある。また，計算関係書類の利用者に対して，そのような問題があったという事実を示して，注意を喚起するとともに，このような事実が会計参与報告書に記載されることは会計参与設置会社の取締役（執行役）にとっては好ましいことではないので，計算関係書類の作成に用いる資料を適時に作成する（法432条1項は，株式会社は，法務省令で定めるところにより，適時に，正確な会計帳簿を作成しなければならないと定めている）インセンティブを会計参与設置会社の取締役（執行役）に与えることも期待されていると思われる。

　なお，計算関係書類の作成に用いた資料が「著しく遅滞して」作成されたか，またはその資料の「重要な事項」について虚偽の記載がされていたかは，会計参与の判断に任されている事柄である（相澤＝石井・商事法務1761号18頁）。

　また，会計参与報告は計算書類作成の過程を明らかにするものであるから，計算関係書類の作成に用いた資料の重要な事項について虚偽の記載がされていた場合には，その記載が後に修正されても，会計参与報告には記載しなければならない。もちろん，修正されたという事実を「計算関係書類の作成に用いた資料の種類その他計算関係書類の作成の過程及び方法」において記載することができることはいうまでもない。

6　計算関係書類の作成に必要な資料が作成されていなかったときまたは適切に保存されていなかったときは，その旨およびその理由（6号）

　計算関係書類の作成に必要な資料が作成されていなかったときまたは適切に保存されていなかったときには，会計参与としても，計算関係書類の作成に必要な資料の作成を指示し，または自らその作成に関与しなければ，計算関係書類を作成することができないという事態が生じうる。そこで，このような場合には，「計算関係書類の作成に用いた資料の種類その他計算関係書類の作成の過程及び方法」に大きな影響を与えると考えられる。また，計算関係書類の利用者に対して，そのような問題があったという事実を示して，注意を喚起するとともに，このような事実が会計参与報告書に記載されることは会計参与設置

会社の取締役（執行役）にとっては好ましいことではないので，計算関係書類の作成に用いる資料を適切に作成し，保存するインセンティブを会計参与設置会社の取締役（執行役）に与えることも，本号による記載が定められた背景には存在すると思われる。

7 会計参与が計算関係書類の作成のために行った報告の徴収および調査の結果（7号）

　会計参与は，いつでも，取締役（指名委員会等設置会社では執行役）および支配人その他の使用人に対して会計に関する報告を求めることができ（法374条2項），その職務を行うため必要があるときは，会計参与設置会社の子会社に対して会計に関する報告を求め，または会計参与設置会社もしくはその子会社の業務および財産の状況の調査をすることができるものとされている（同3項）。本号は，そのような権限を適切に行使したかどうか，そして，その結果はどのようなものであったのか明らかにするための記載事項である。

8 会計参与が計算関係書類の作成に際して取締役または執行役と協議した主な事項（8号）

　会計参与は取締役（指名委員会等設置会社では，執行役）と共同して計算関係書類を作成するので，最終的には，協議が整わなければ，計算関係書類は作成できないが，その過程で，どのような点で取締役または執行役の見解と会計参与の見解に相違があったのかは，株主や会社債権者にとっては重要な情報であると推測されるからであろう。なお，取締役等の会計知識が不十分であったためケアレス・ミスが生じたが，それが訂正されたような場合には，通常，「主な」事項にはあたらないという指摘がある（相澤＝石井・商事法務1761号18頁）。

（計算書類等の備置き）

第103条　法第378条第1項の規定により会計参与が同項各号に掲げるものを備え置く場所（以下この条において「会計参与報告等備置場所」という。）を定める場合には，この条の定めるところによる。

2　会計参与は，当該会計参与である公認会計士若しくは監査法人又は税理士若しくは税理士法人の事務所（会計参与が税理士法（昭和26年法律第237号）第2条第3項の規定により税理士又は税理士法人の補助者として当該税理士の税理士事務所に勤務し，又は当該税理士法人に所属し，同項に規定する業務に

従事する者であるときは，その勤務する税理士事務所又は当該税理士法人の事務所）の場所の中から会計参与報告等備置場所を定めなければならない。
3　会計参与は，会計参与報告等備置場所として会計参与設置会社の本店又は支店と異なる場所を定めなければならない。
4　会計参与は，会計参与報告等備置場所を定めた場合には，遅滞なく，会計参与設置会社に対して，会計参与報告等備置場所を通知しなければならない。

　本条は，計算関係書類（連結計算書類および会社成立時の貸借対照表を除く。以下，本条に対するコメントにおいて同じ）および会計参与報告を会計参与が備え置き，閲覧等の請求に応じるべき場所を定めるものである。すなわち，会計参与は，各事業年度に係る計算書類およびその附属明細書ならびに会計参与報告（臨時計算書類を作成したときは，さらに臨時計算書類および会計参与報告）を，法務省令で定めるところにより，その会計参与が定めた場所に備え置かなければならず（法378条1項），会計参与設置会社の株主および債権者は，会計参与設置会社の営業時間内（会計参与が請求に応ずることが困難な場合として法務省令で定める場合（104条）を除く）は，いつでも，会計参与に対し，計算関係書類および会計参与報告が書面をもって作成されているときは，その書面の閲覧の請求またはその謄本もしくは抄本の交付の請求，それらが電磁的記録をもって作成されているときは，その電磁的記録に記録された事項を法務省令で定める方法（226条）により表示したものの閲覧の請求またはその電磁的記録に記録された事項を電磁的方法であって会計参与の定めたものにより提供することの請求もしくはその事項を記載した書面の交付の請求をすることができるものとされている（法378条2項）。また，会計参与設置会社の親会社社員も，その権利を行使するため必要があるときは，裁判所の許可を得て，同様の請求をすることができるとされている（同条3項）。本条は，この委任をうけて，会計参与が計算関係書類および会計参与報告の備置場所として定めることができる場所を定めるものである。

　第1に，会計参与は，その会計参与である公認会計士もしくは監査法人または税理士もしくは税理士法人の事務所（会計参与が補助税理士（税理士法2条3項））であるときは，その勤務する税理士事務所または所属税理士法人の事務所）の場所の中から会計参与報告等備置場所を定めなければならないとされているのは（2項），会計参与は，会計参与としての職務とは別に，公認会計士，

監査法人，税理士または税理士法人として，業務に従事しているのが一般的であると考えられ，そうであるとすれば，会計参与である公認会計士，監査法人，税理士または税理士法人の通常の活動拠点である事務所を備置場所とし，そこで，閲覧等の請求に応ずるものとすることが適当であると考えられるからである（相澤＝石井・商事法務1761号18頁）。

　第2に，会計参与は，会計参与報告等備置場所として会計参与設置会社の本店または支店と異なる場所を定めなければならないとされているのは（3項），会計参与設置会社の影響力が容易に及ぶ場所を除外するためである。すなわち，会計参与が会計参与設置会社とは別に会計参与設置会社の各事業年度に係る計算書類およびその附属明細書ならびに臨時計算書類を備え置き，閲覧等の請求に応じるべきものと会社法が定めているのは，これによって，会計参与設置会社による計算書類等の事後的な改ざんを防止し，または発見できるようにするためであるから，そのような趣旨を実現するためには，会社から独立した場所で備置き等がなされる必要があるからである（相澤＝石井・商事法務1761号19頁）。

　第3に，会計参与は，会計参与報告等備置場所を定めた場合には，遅滞なく，会計参与設置会社に対して，会計参与報告等備置場所を通知しなければならないものとされているのは（4項），会計参与報告は会計参与設置会社の本店等には備え置かれず，会計参与報告等備置場所でのみ閲覧等が可能であり，会計参与設置会社に対して，その株主または債権者が会計参与報告の閲覧等を希望する旨を申し出た場合に，速やかに，会計参与報告等備置場所を教示することができるようにするためであると推測される。また，このような通知義務を課すことによって，会計参与に，会計参与報告等備置場所を定めるインセンティブを与えることができる。さらに，会計参与としては，会計参与設置会社に対して，請求者が会計参与設置会社の株主・債権者であるかを確認することが一般的であると予想されるが，その際に，会計参与設置会社から連絡する先は，会計参与報告等備置場所であるということができよう。

---(計算書類の閲覧)---
　第104条　法第378条第2項に規定する法務省令で定める場合とは，会計参与である公認会計士若しくは監査法人又は税理士若しくは税理士法人の業務時間外である場合とする。

本条は，会計参与が，会計参与設置会社の営業時間内であるにもかかわらず，計算関係書類（連結計算書類および会社成立時の貸借対照表を除く。以下，本条に対するコメントにおいて同じ）および会計参与報告の閲覧等の請求に応じなくともよい場合を定めるものである。すなわち，会計参与は，各事業年度に係る計算書類およびその附属明細書ならびに会計参与報告（臨時計算書類を作成したときは，さらに臨時計算書類および会計参与報告）を，法務省令（103条）で定めるところにより，その会計参与が定めた場所に備え置かなければならず（法378条1項），会計参与設置会社の株主および債権者は，会計参与設置会社の営業時間内（会計参与が請求に応ずることが困難な場合として法務省令で定める場合を除く）は，いつでも，会計参与に対し，計算関係書類および会計参与報告が書面をもって作成されているときは，その書面の閲覧の請求またはその謄本もしくは抄本の交付の請求，それらが電磁的記録をもって作成されているときは，その電磁的記録に記録された事項を法務省令で定める方法（226条）により表示したものの閲覧の請求またはその電磁的記録に記録された事項を電磁的方法であって会計参与の定めたものにより提供することの請求もしくはその事項を記載した書面の交付の請求をすることができるものとされている（法378条2項）。また，会計参与設置会社の親会社社員も，その権利を行使するため必要があるときは，裁判所の許可を得て，同様の請求をすることができるとされている（同条3項）。本条は，この委任をうけて，「会計参与が請求に応ずることが困難な場合として法務省令で定める場合」を定めるものである。

たしかに，会計参与が計算関係書類および会計参与報告を備え置き，その閲覧等の請求に応じるのは会計参与設置会社の役員としてなすのであるから，会計参与設置会社の営業時間内でなければ，その請求に応じる必要がないとする法378条2項は当然の規定である。しかし，会計参与は，通常，会計参与としての職務以外に公認会計士，税理士，監査法人または税理士法人として業務に従事していると考えられるので，本条では，会計参与である公認会計士もしくは監査法人または税理士もしくは税理士法人の業務時間外には，閲覧等の請求に応じることを要しないものと定めている（相澤＝石井・商事法務1761号19頁）。したがって，会計参与に対して閲覧等の請求をすることができるのは，会計参与設置会社の営業時間と会計参与の業務時間とが重なる時間帯に限られることになる（もっとも，その時間外であっても，会計参与が閲覧等の請求に応じることは自由であることはいうまでもない）。

もっとも，会社の「営業時間」がいつなのかが，必ずしも明確ではないとい

う問題はあろう。すなわち，複数の事務所・事業所（店舗・工場等）を有する会社の場合，どの事務所・事業所における営業時間なのかは，必ずしも株主や会社債権者にとっては明らかではない（とりわけ，世界中に事務所・事業所を有している場合には問題が大きいかもしれない）。

第6節　監　査　役

(監査報告の作成)

第105条　法第381条第1項の規定により法務省令で定める事項については，この条の定めるところによる。

2　監査役は，その職務を適切に遂行するため，次に掲げる者との意思疎通を図り，情報の収集及び監査の環境の整備に努めなければならない。この場合において，取締役又は取締役会は，監査役の職務の執行のための必要な体制の整備に留意しなければならない。

一　当該株式会社の取締役，会計参与及び使用人

二　当該株式会社の子会社の取締役，会計参与，執行役，業務を執行する社員，法第598条第1項の職務を行うべき者その他これらの者に相当する者及び使用人

三　その他監査役が適切に職務を遂行するに当たり意思疎通を図るべき者

3　前項の規定は，監査役が公正不偏の態度及び独立の立場を保持することができなくなるおそれのある関係の創設及び維持を認めるものと解してはならない。

4　監査役は，その職務の遂行に当たり，必要に応じ，当該株式会社の他の監査役，当該株式会社の親会社及び子会社の監査役その他これらに相当する者との意思疎通及び情報の交換を図るよう努めなければならない。

　本条は，監査役が監査報告を作成する際に前提となる事項について定めるものである。すなわち，監査役は，取締役（会計参与設置会社では，取締役および会計参与）の職務の執行を監査するが，この場合には，監査役は，法務省令で定めるところにより，監査報告を作成しなければならないものとされている（法381条1項）。本条は，この委任をうけて，定められている。

監査の実効性を確保するためには，監査対象から独立していることが必要である一方で，十分な情報を適切に収集することができなければならない。監査役は，会社法上は業務執行者である代表取締役や業務執行取締役から独立し，また，計算書類を作成する会計参与からも独立している機関として位置づけられているので，十分な情報を適時に入手できないおそれも生ずる。そこで，本条では，会社や会社が属する企業集団内の者との意思疎通や情報の収集を図るよう努めることを監査役に対して求めている。

　監査役は，いつでも，その株式会社の取締役および会計参与ならびに支配人その他の使用人に対して事業の報告を求めることができ（法381条2項），その職務を行うため必要があるときは，その株式会社の子会社に対して事業の報告を求めることができることとされているが（同条3項），2項1文では，監査役は，その職務を適切に遂行するため，その株式会社の取締役，会計参与および使用人，その株式会社の子会社の取締役，会計参与，執行役，業務を執行する社員，持分会社の業務執行社員が法人である場合の職務執行者その他これらの者に相当する者および使用人，その他監査役が適切に職務を遂行するにあたり意思疎通を図るべき者との意思疎通を図り，情報の収集および監査の環境の整備に努めなければならないものとされている。2項は，単に，報告を求めるのみならず，監査役がどのような観点から監査を実施し，どのような情報を必要としているかをそれらの者に知らせ，また，それらの者からの自発的な情報提供を受けることができるような環境を整えることが，監査役の監査の実効性を高めるために必要であるという認識に基づくものであると推測される。

　2項2文では，「取締役又は取締役会は，監査役の職務の執行のための必要な体制の整備に留意しなければならない」とされている。これは，監査役がその職務を補助すべき使用人を置くことを求めた場合におけるその使用人に関する事項，その使用人の取締役からの独立性に関する事項，取締役および使用人が監査役に報告をするための体制その他の監査役への報告に関する体制その他監査役の監査が実効的に行われることを確保するための体制の整備について，大会社は決定しなければならず，株式会社がこの事項について決定するときには各取締役に決定させてはならず，また，取締役会設置会社においては取締役会が決定しなければならないとする98条4項および100条3項と重複している。2項2文では，「この場合において」と規定されており，監査役の職務の執行のための必要な体制の整備にあたっては，監査役が主導権を有し，それを前提として取締役または取締役会が監査役の職務の執行のための必要な体制の

整備についての決定を行うべきであることが示されている（相澤＝石井・商事法務1761号20頁）。とりわけ，内部監査部門等との連携を図るため，あるいは，子会社の取締役，会計参与，執行役，業務を執行する社員，持分会社の業務執行社員が法人である場合の職務執行者その他これらの者に相当する者および使用人との意思疎通を図るためには，親会社である株式会社の業務執行者の協力を得ることが必要であると推測される。なお，「子会社の……その他これらの者に相当する者」と規定しているのは，子会社は，株式会社が他の会社等の財務および事業の方針の決定を支配している場合における当該他の会社等をいい，会社等には会社（外国会社を含む），組合（外国における組合に相当するものを含む）その他これらに準ずる事業体が含まれるので［→2条3②］，子会社の業務執行者の呼称にはさまざまなものがありうると考えられるからである。

このように，監査役がその職務を適切に遂行するためには，株式会社の業務執行者等やその指揮命令の下にある内部監査部門などの協力を得ることが必要であるが，他方で，株式会社またはその子会社の業務執行者等および会計参与は監査役の監査の対象であるか，監査の対象となる書類等を作成する者であるため，監査役には，そのような者から精神的に独立した状態でその職務を遂行することが求められる。そこで，3項では，2「項の規定は，監査役が公正不偏の態度及び独立の立場を保持することができなくなるおそれのある関係の創設及び維持を認めるものと解してはならない」と定めている。これは，「株式会社の監査に関する法務省令案」（商事法務1750号105頁）5条1項が「監査人は，常に公正不偏の態度及び独立の立場を保持して，その職務を遂行しなければならない」とし，同6条2項が「前項の規定は，監査人と同項各号に掲げる者との不適切な関係（前条第1項の規定に違反し，又は違反するおそれのある関係その他これに類する関係をいう……）の創設及び維持を認めるものと解してはならない」と定めることを提案していたものを実質的に維持したものと推測される。

ここで，「公正不偏の態度」とされているのは，監査対象からの精神的独立性を意味し，企業会計審議会「監査基準」第二の2が「監査人は，監査を行うに当たって，常に公正不偏の態度を保持し」なければならないとしていることに倣ったものと推測される。監査役が公正な監査報告を行い，監査役監査に対する利害関係人の信頼を確保するためには，監査役としての判断をゆがめるおそれのある諸要因から，監査役が影響を受けない精神状態が必要とされ，誠実性をもって行動し，客観性を確保し，監査対象である業務執行者など特定の者

に有利な判断をすることなく，中立的な立場から，監査を行う必要があるからである。

　また，「独立の立場」とは，外観的独立性を意味し，「監査基準」第二の2は，「監査人は……独立の立場を損なう利害や独立の立場に疑いを招く外観を有してはならない」と定めている。ここで，外観的独立性とは，第三者の目からみて，誠実性，客観性，公正性，不偏性を欠くと合理的に推測されるような環境に監査役がなく，誠実性，客観性，公正性，不偏性を欠くと合理的に推測されるような関係を監査対象との間で監査役が有しないことをいう。これは，監査役が精神的な独立性を維持していたとしても，もし，監査報告の読者が，監査役の精神的独立性に疑いを持ったとしたら，監査報告を信頼できず，監査制度の存在意義が失われるからである。

　4項は，「監査役は，その職務の遂行に当たり，必要に応じ，当該株式会社の他の監査役……との意思疎通及び情報の交換を図るよう努めなければならない」と定めるが，これは，監査役会設置会社においてはもちろんのこと，それ以外の会社においても，他の監査役と意思疎通および情報の交換を図ることによって，監査の効率が高まり，また，実効性も高まると考えられるからである。たしかに，監査役については独任制がとられているが，不必要に重複して監査手続を実施することは非効率的であるから，監査役間で監査重点について分担することが考えられるし，分担を行わなくとも，情報交換により，むだな活動を省き，必要な部分に資源を投入することが可能になるからである。また，「監査役は，その職務の遂行に当たり，必要に応じ，……当該株式会社の親会社及び子会社の監査役その他これらに相当する者との意思疎通及び情報の交換を図るよう努めなければならない」とされているのは，監査役の監査の対象には，事業報告（会社によっては連結計算書類）が含まれ，そこには企業集団レベルの実態についての情報が示されているし，また，単体の計算書類上の関係会社株式・売上債権・仕入債務などの金額または，売上高・仕入高などの金額の適正さを確かめるためには，子会社または親会社についての情報を把握しておく必要があるからである。しかも，株式会社の業務の適正を確保するための体制の整備について取締役または取締役会が決定を行っている場合には，それは事業報告の記載事項の1つとなるところ，株式会社の業務の適正を確保するための体制には，「当該株式会社並びにその親会社及び子会社から成る企業集団における業務の適正を確保するための体制」が含まれ（98条1項5号・100条1項5号），その相当性は監査役の監査の対象とされているからである（129

条1項5号・130条2項2号）。「意思疎通及び情報の交換」を行う方法としては，企業集団内の監査役連絡会を開催するというようなことが考えられるが，親会社監査役と子会社監査役との連絡会を個別に開催することも考えられよう。これによって，たとえば，監査計画の調整，監査方針・重点監査項目の統一あるいは必要な対応についての協議，必要な人材・資源の融通などが可能になると期待される。「子会社の監査役その他これらに相当する者」（圏点―引用者）とされているのは，子会社が監査等委員会設置会社であれば監査役ではなく監査等委員と，指名委員会等設置会社であれば監査委員と，それぞれ意思疎通および情報の交換を図るべきであるし，子会社は，株式会社が他の会社等の財務および事業の方針の決定を支配している場合における当該他の会社等をいい，会社等には会社（外国会社を含む），組合（外国における組合に相当するものを含む）その他これらに準ずる事業体が含まれるので［→2条3②］，子会社に設置されている監査機関の呼称にはさまざまなものがありうると考えられるからである。

　なお，指名委員会等設置会社の「監査委員は取締役であり，一般的指揮命令系統に従い，会社の使用人等の監査部門に指示を与えることができる立場にあることから」，本条のような規定は設けられていないと説明されているが（相澤＝石井・商事法務1761号20頁），4項のような規定を設ける必要がないとする根拠としては説得力がないようも思われる（監査委員会の監査報告については，法381条1項のような規定が設けられていない（法務省令に委任されていない）ことが，4項のような規定を設けなかった理由なのではないかとも思われる）。

（監査役の調査の対象）
第106条　法第384条に規定する法務省令で定めるものは，電磁的記録その他の資料とする。

　法384条は，監査役は，取締役が株主総会に提出しようとする議案，書類その他法務省令で定めるものを調査しなければならないと定めているが，この委任をうけて，本条は，「法務省令で定めるもの」を規定している。法384条は，平成17年改正前商法275条が「監査役ハ取締役ガ株主総会ニ提出セントスル議案其ノ他ノモノヲ調査」すると定めていたことをうけたもので，株主総会に提出または提供されるものは紙媒体のものに限られないので（たとえば，計算書

類等。法438条・435条3項)，本条では電磁的記録その他の資料を追加的に定めている。

　電磁的記録とは，電子的方式，磁気的方式その他人の知覚によっては認識することができない方式で作られる記録であって，電子計算機による情報処理の用に供されるものとして法務省令で定めるものをいい（法26条2項)，224条は，磁気ディスクその他これに準ずる方法により一定の情報を確実に記録しておくことができる物をもって調製するファイルに情報を記録したものを定めている。磁気ディスクにはフロッピー・ディスクなどが含まれるが，「その他これに準ずる方法により一定の情報を確実に記録しておくことができる物」には，磁気テープ，磁気ドラムのように磁気的方法により情報を記録するための媒体，ICカードやUSBメモリなどのような電子的方法により情報を記録するための媒体，CD-ROM，DVD-ROMなどのような光学的方式により情報を記録するための媒体が含まれる。そのような記録媒体を用いて調製するファイルに情報を記録したものが，本条にいう電磁的記録にあたる（江原＝太田・商事法務1627号8頁)。

（監査報告の作成）

第107条　法第389条第2項の規定により法務省令で定める事項については，この条の定めるところによる。

2　監査役は，その職務を適切に遂行するため，次に掲げる者との意思疎通を図り，情報の収集及び監査の環境の整備に努めなければならない。この場合において，取締役又は取締役会は，監査役の職務の執行のための必要な体制の整備に留意しなければならない。
　一　当該株式会社の取締役，会計参与及び使用人
　二　当該株式会社の子会社の取締役，会計参与，執行役，業務を執行する社員，法第598条第1項の職務を行うべき者その他これらの者に相当する者及び使用人
　三　その他監査役が適切に職務を遂行するに当たり意思疎通を図るべき者

3　前項の規定は，監査役が公正不偏の態度及び独立の立場を保持することができなくなるおそれのある関係の創設及び維持を認めるものと解してはならない。

4　監査役は，その職務の遂行に当たり，必要に応じ，当該株式会社の他の監査役，当該株式会社の親会社及び子会社の監査役その他これらに相当する者との意思疎通及び情報の交換を図るよう努めなければならない。

本条は，監査役の監査の範囲を会計に関するものに限定する旨の定款の定めのある株式会社の監査役が監査報告を作成する際に前提となる事項について定めるものである。すなわち，監査役は，取締役（会計参与設置会社では，取締役および会計参与）の職務の執行を監査するが，この場合には，監査役は，法務省令で定めるところにより，監査報告を作成しなければならないものとされている（法389条2項）。本条は，この委任をうけて，定められている。

　監査の実効性を確保するためには，監査対象から独立していることが必要である一方で，十分な情報を適切に収集することができなければならない。監査役は，業務執行者である代表取締役や業務執行取締役から独立し，また，計算書類を作成する会計参与からも独立している機関として，会社法上は位置付けられているので，十分な情報を適時に入手できないおそれも生ずる。そこで，本条では，会社や会社が属する企業集団内の者との意思疎通や情報の収集を図るよう努めることを監査役に対して求めている。

　監査役は，取締役および会計参与ならびに支配人その他の使用人に対して会計に関する報告を求めることができ（法389条4項），その職務を行うため必要があるときは，株式会社の子会社に対して会計に関する報告を求めることができることとされているが（同条5項），2項1文では，監査役は，その職務を適切に遂行するため，その株式会社の取締役，会計参与および使用人，その株式会社の子会社の取締役，会計参与，執行役，業務を執行する社員，持分会社の業務執行社員が法人である場合の職務執行者その他これらの者に相当する者および使用人，その他監査役が適切に職務を遂行するにあたり意思疎通を図るべき者との意思疎通を図り，情報の収集および監査の環境の整備に努めなければならないものとされている。2項は，単に，報告を求めるのみならず，監査役がどのような観点から監査を実施し，どのような情報を必要としているかをそれらの者に知らせ，また，それらの者からの自発的な情報提供を受けることができるような環境を整えることが，監査役の監査の実効性を高めるために必要であるという認識に基づくものであると推測される。

　2項2文では，「取締役又は取締役会は，監査役の職務の執行のための必要な体制の整備に留意しなければならない」とされており，これは，監査役がその職務を補助すべき使用人を置くことを求めた場合におけるその使用人に関する事項，その使用人の取締役からの独立性に関する事項，取締役および使用人が監査役に報告をするための体制その他の監査役への報告に関する体制その他監査役の監査が実効的に行われることを確保するための体制の整備について決

定するときには各取締役に決定させてはならず,また,取締役会設置会社においては取締役会が決定しなければならないとする98条4項および100条3項と重複している。2項2文では,「この場合において」と規定されており,監査役の職務の執行のための必要な体制の整備にあたっては,監査役が主導権を有し,それを前提として取締役または取締役会が監査役の職務の執行のための必要な体制の整備についての決定を行うべきであることが示されている(相澤＝石井・商事法務1761号20頁)。とりわけ,内部監査部門等との連携を図るため,あるいは,子会社の取締役,会計参与,執行役,業務を執行する社員,持分会社の業務執行社員が法人である場合の職務執行者その他これらの者に相当する者および使用人との意思疎通を図るためには,親会社である株式会社の業務執行者の協力を得ることが必要であると推測される。なお,「子会社の……その他これらの者に相当する者」と規定しているのは,子会社とは,株式会社が他の会社等の財務および事業の方針の決定を支配している場合における当該他の会社等をいい,会社等には会社(外国会社を含む),組合(外国における組合に相当するものを含む)その他これらに準ずる事業体が含まれるので[→2条3②],子会社の業務執行者の呼称にはさまざまなものがありうると考えられるからである。

　このように,監査役がその職務を適切に遂行するためには,株式会社の業務執行者等やその指揮命令の下にある内部監査部門などの協力を得ることが必要であるが,他方で,株式会社またはその子会社の業務執行者等および会計参与は監査役の監査の対象であるか,監査の対象となる書類等を作成する者であるため,監査役には,そのような者から精神的に独立した状態でその職務を遂行することが求められる。そこで,3項では,2「項の規定は,監査役が公正不偏の態度及び独立の立場を保持することができなくなるおそれのある関係の創設及び維持を認めるものと解してはならない」と定めている。これは,「株式会社の監査に関する法務省令案」(商事法務1750号105頁)5条1項が「監査人は,常に公正不偏の態度及び独立の立場を保持して,その職務を遂行しなければならない」とし,同6条2項が「前項の規定は,監査人と同項各号に掲げる者との不適切な関係(前条第1項の規定に違反し,又は違反するおそれのある関係その他これに類する関係をいう……)の創設及び維持を認めるものと解してはならない。」と定めることを提案していたものを実質的に維持したものと推測される。

　ここで,「公正不偏の態度」とされているのは,監査対象からの精神的独立

性を意味し，企業会計審議会「監査基準」第二の２が「監査人は，監査を行うに当たって，常に公正不偏の態度を保持し」なければならないとしていることに倣ったものと推測される。監査役が公正な監査報告を行い，監査役監査に対する利害関係人の信頼を確保するためには，監査役としての判断をゆがめるおそれのある諸要因から，監査役が影響を受けない精神状態が必要とされ，誠実性をもって行動し，客観性を確保し，監査対象である業務執行者等など特定の者に有利な判断をすることなく，中立的な立場から，監査を行う必要があるからである。

　また，「独立の立場」とは，外観的独立性を意味し，「監査基準」第二の２は，「監査人は……独立の立場を損なう利害や独立の立場に疑いを招く外観を有してはならない」と定めている。ここで，外観的独立性とは，第三者の目からみて，誠実性，客観性，公正性，不偏性を欠くと合理的に推測されるような環境に監査役がなく，誠実性，客観性，公正性，不偏性を欠くと合理的に推測されるような関係を監査対象との間で監査役が有しないことをいう。これは，監査役が精神的な独立性を維持していたとしても，もし，監査報告の読者が，監査役の精神的独立性に疑いを持ったとしたら，監査報告を信頼できず，監査制度の存在意義が失われるからである。

　４項は，「監査役は，その職務の遂行に当たり，必要に応じ，当該株式会社の他の監査役……との意思疎通及び情報の交換を図るよう努めなければならない」と定めるが，これは，監査役会設置会社においてはもちろんのこと，それ以外の会社においても，他の監査役と意思疎通および情報の交換を図ることによって，監査の効率が高まり，また，実効性も高まると考えられるからである。たしかに，監査役については独任制がとられているが，不必要に重複して監査手続を実施することは非効率的であるから，監査役間で監査重点について分担することが考えられるし，分担を行わなくとも，情報交換により，むだな活動を省き，必要な部分に資源を投入することが可能になるからである。また，「監査役は，その職務の遂行に当たり，必要に応じ，……当該株式会社の親会社及び子会社の監査役その他これらに相当する者との意思疎通及び情報の交換を図るよう努めなければならない」とされているのは，単体の計算書類上の関係会社株式・売上債権・仕入債務などの金額または，売上高・仕入高などの金額の適正さを確かめるためには，子会社または親会社についての情報を把握しておく必要があるからである。「意思疎通及び情報の交換」を行う方法としては，企業集団内の監査役連絡会を開催するというようなことが考えられる

が，親会社監査役と子会社監査役との連絡会を個別に開催することも考えられよう。これによって，たとえば，監査計画の調整，監査方針・重点監査項目の統一あるいは必要な対応についての協議，必要な人材・資源の融通などが可能になると期待される。「子会社の監査役その他これらに相当する者」（圏点―引用者）とされているのは，子会社が指名委員会等設置会社であれば監査役ではなく監査委員と，監査等委員会設置会社であれば監査等委員と，それぞれ意思疎通および情報の交換を図るべきであるし，子会社とは，株式会社が他の会社等の財務および事業の方針の決定を支配している場合における当該他の会社等をいい，会社等には会社（外国会社を含む），組合（外国における組合に相当するものを含む）その他これらに準ずる事業体が含まれるので［→2条3②］，子会社に設置されている監査機関の呼称にはさまざまなものがありうると考えられるからである。

（監査の範囲が限定されている監査役の調査の対象）

第108条 法第389条第3項に規定する法務省令で定めるものは，次に掲げるものとする。

一 計算関係書類

二 次に掲げる議案が株主総会に提出される場合における当該議案

 イ 当該株式会社の株式の取得に関する議案（当該取得に際して交付する金銭等の合計額に係る部分に限る。）

 ロ 剰余金の配当に関する議案（剰余金の配当に際して交付する金銭等の合計額に係る部分に限る。）

 ハ 法第447条第1項の資本金の額の減少に関する議案

 ニ 法第448条第1項の準備金の額の減少に関する議案

 ホ 法第450条第1項の資本金の額の増加に関する議案

 ヘ 法第451条第1項の準備金の額の増加に関する議案

 ト 法第452条に規定する剰余金の処分に関する議案

三 次に掲げる事項を含む議案が株主総会に提出される場合における当該事項

 イ 法第199条第1項第5号の増加する資本金及び資本準備金に関する事項

 ロ 法第236条第1項第5号の増加する資本金及び資本準備金に関する事項

 ハ 法第749条第1項第2号イの資本金及び準備金の額に関する事項

 ニ 法第753条第1項第6号の資本金及び準備金の額に関する事項

 ホ 法第758条第4号イの資本金及び準備金の額に関する事項

 ヘ 法第763条第1項第6号の資本金及び準備金の額に関する事項

第108条（監査の範囲が限定されている監査役の調査の対象） 587

> ト 法第768条第1項第2号イの資本金及び準備金の額に関する事項
> チ 法第773条第1項第5号の資本金及び準備金の額に関する事項
> リ 法第774条の3第1項第3号の資本金及び準備金の額に関する事項
> ヌ 法第774条の3第1項第8号イの資本金及び準備金の額に関する事項
> 四 前3号に掲げるもののほか，これらに準ずるもの

　本条は，監査役の監査の範囲を会計に関するものに限定する旨の定款の定めがある株式会社の監査役が調査し，その調査の結果を株主総会に報告すべきものを定めるものである。すなわち，監査役の監査の範囲を会計に関するものに限定する旨の定款の定めがある株式会社においても，監査役は，取締役が株主総会に提出しようとする会計に関する議案，書類その他の法務省令で定めるものを調査し，その調査の結果を株主総会に報告しなければならないとされており（法389条3項），この委任をうけて本条が定められている。

　平成17年廃止前商法特例法の下では，小会社の監査役の職務権限は会計監査に限定され，同法22条1項は，小会社の監査役は，取締役が株主総会に提出しようとする会計に関する議案その他のものを調査し，株主総会にその意見を報告しなければならないものと定めていたことを踏襲したのが，法389条3項であるが，平成17年廃止前商法特例法の下では「会計に関する議案その他のもの」が具体的には明らかでなかったため，本条では，法的安定性を確保するという観点から，監査役の監査の範囲を会計に関するものに限定する旨の定款の定めがある株式会社の監査役が調査すべきものを例示列挙している（相澤＝石井・商事法務1761号20頁）。

　監査役の監査の範囲を会計に関するものに限定する旨の定款の定めがある株式会社においても，監査役は，株式会社の会計に関しては，取締役の職務の執行が，法令・定款または株主総会の決議を遵守して忠実に行われているか否かを監査する職務を有するところ，取締役が，法令・定款に違反する議案，書類その他の資料を株主総会に提出し，または提供することは取締役の義務違反となるので，そのような場合には，監査役がその旨の意見を株主総会に報告し，株主総会が法令・定款に違反し，または不当な決議をすることを予防しようとするのが法389条3項の趣旨であると考えられる（新注会(6)461頁参照［谷川］）。

　そこで，第1に，計算関係書類（1号），すなわち，成立の日における貸借対照表，各事業年度に係る計算書類およびその附属明細書，臨時計算書類および連結計算書類（2条3項11号）が調査の対象となるのは当然である。なぜな

らば，各事業年度に係る計算書類およびその附属明細書，臨時計算書類および連結計算書類は監査役の監査報告の対象とされているし，成立の日における貸借対照表も会計に関する書類であることには疑義はないからである。

　第2に，2号イ・ロで，①自己株式の取得に関する議案については，その取得に際して交付する金銭等の合計額に係る部分に限って（2号イ），②剰余金の配当に関する議案については，剰余金の配当に際して交付する金銭等の合計額に係る部分に限って（2号ロ），それぞれ，監査役の調査の対象とすることとされているが，これは，財源規制に係る部分についてのみ，調査の対象とするものである。なぜなら，取得方法規制に係る部分などは，会社の業務一般の問題であり，会計の問題ではないからである。平成17年廃止前商法特例法22条の解釈としても，利益処分または損失の処理に関する議案が計算書類の1つであったことから，②は調査の対象に含まれると解されていたが，①についても，自己株式の取得は剰余金の配当と同様の性質を有するという会社法の整理を前提として，本条では，調査の対象として定められている。

　第3に，2号ハからトまででは，資本金の額の減少に関する議案（法447条1項），準備金の額の減少に関する議案（法448条1項），資本金の額の増加に関する議案（法450条1項），準備金の額の増加に関する議案（法451条1項）および剰余金の処分に関する議案（法452条）が調査の対象とされているのは，資本金の額，準備金の額および剰余金の額は会計上の数値であるということができ，資本金，準備金または剰余金の額の増減は，資本金，準備金または剰余金の額に影響を与えるもの，あるいは，資本金，準備金または剰余金の額を前提とするものであって，会計に関する議案ということができるからである。これは，平成17年廃止前商法特例法22条の解釈としても小会社の監査役の調査対象に含まれるものと解されていた（新注会(6)648頁［平出］）。

　第4に，募集株式の発行等において株式を発行するときは，①増加する資本金および資本準備金に関する事項（法199条1項5号），②新株予約権の行使により株式を発行する場合に増加する資本金および資本準備金に関する事項（法236条1項5号），③吸収合併存続株式会社が吸収合併に際して吸収合併消滅株式会社の株主または吸収合併消滅持分会社の社員に対してその株式または持分に代わる吸収合併存続株式会社の株式を交付するときのその吸収合併存続株式会社の資本金および準備金の額に関する事項（法749条1項2号イ），④新設合併設立株式会社が新設合併に際して新設合併消滅株式会社の株主または新設合併消滅持分会社の社員に対してその株式または持分に代わるその新設合併設立

第108条（監査の範囲が限定されている監査役の調査の対象）

株式会社の株式を交付するときのその新設合併設立株式会社の資本金および準備金の額に関する事項（法753条1項6号），⑤吸収分割承継株式会社が吸収分割に際して吸収分割会社に対してその事業に関する権利義務の全部または一部に代わる吸収分割承継株式会社の株式を交付するときのその吸収分割承継株式会社の資本金および準備金の額に関する事項（法758条4号イ），⑥新設分割設立株式会社が新設分割に際して新設分割会社に対してその事業に関する権利義務の全部または一部に代わるその新設分割設立株式会社の株式を交付するときのその新設分割設立株式会社の資本金および準備金の額に関する事項（法763条1項6号），⑦株式交換完全親株式会社が株式交換に際して株式交換完全子会社の株主に対してその株式に代わる株式交換完全親株式会社の株式を交付するときのその株式交換完全親株式会社の資本金および準備金の額に関する事項（法768条1項2号イ），⑧株式移転設立完全親会社が株式移転に際して株式移転完全子会社の株主に対してその株式に代わるその株式移転設立完全親会社の株式を交付するときのその株式移転設立完全親会社の資本金および準備金の額に関する事項（法773条1項5号），⑨株式交付親会社が株式交付に際して株式交付子会社の株式の譲渡人に対して株式交付親会社の株式を交付するときのその株式交付親会社の資本金および準備金の額に関する事項（法774条の3第1項3号），および，⑩株式交付親会社が株式交付に際して株式交付子会社の新株予約権等の譲渡人に対して株式交付親会社の株式を交付するときのその株式交付親会社の資本金および準備金の額に関する事項（法774条の3第1項8号イ）も調査の対象とされている（3号）。これも，会計上の数値に変動を生じさせる点では，募集株式の発行等や新株予約権の行使による資本金および準備金の額の変動と差がなく，監査役の調査の対象とすることが首尾一貫する。

第5に，「前3号に掲げるもののほか，これらに準ずるもの」も調査の対象とされているが（4号），1号に掲げるものに準ずるものとしては，たとえば，清算株式会社において作成される財産目録および貸借対照表（法492条1項），貸借対照表および事務報告ならびにこれらの附属明細書（法494条1項）および決算報告（法507条1項）などは，監査役の調査の対象となると考えられる。

また，3号に掲げるものに準ずるものとしては，会社法以外の法令により，株式会社が会社以外のものとの間で吸収合併，吸収分割，新設分割，株式交換または株式移転（またはそれに相当する行為）を行う場合の資本金および準備金に関する事項が含まれる議案も監査役の調査の対象となると考えられる。

さらに，組織再編行為にあたっては，事前開示事項および株主総会参考書類

の記載事項の１つとして，重要な後発事象（最終事業年度の末日後に重要な財産の処分，重大な債務の負担その他の会社財産の状況に重要な影響を与える事象が生じたときは，その内容）の記載が求められているところ，計規114条では重要な後発事象は個別注記表または連結注記表の記載事項の１つと位置付けられていることに鑑みると，そのような後発事象は調査の対象となると解する余地がある。

第7節　監査役会

> **第109条**　法第393条第２項の規定による監査役会の議事録の作成については，この条の定めるところによる。
> 2　監査役会の議事録は，書面又は電磁的記録をもって作成しなければならない。
> 3　監査役会の議事録は，次に掲げる事項を内容とするものでなければならない。
>   一　監査役会が開催された日時及び場所（当該場所に存しない監査役，取締役，会計参与又は会計監査人が監査役会に出席をした場合における当該出席の方法を含む。）
>   二　監査役会の議事の経過の要領及びその結果
>   三　次に掲げる規定により監査役会において述べられた意見又は発言があるときは，その意見又は発言の内容の概要
>   イ　法第357条第２項の規定により読み替えて適用する同条第１項（法第482条第４項において準用する場合を含む。）
>   ロ　法第375条第２項の規定により読み替えて適用する同条第１項
>   ハ　法第397条第３項の規定により読み替えて適用する同条第１項
>   四　監査役会に出席した取締役，会計参与又は会計監査人の氏名又は名称
>   五　監査役会の議長が存するときは，議長の氏名
> 4　法第395条の規定により監査役会への報告を要しないものとされた場合には，監査役会の議事録は，次の各号に掲げる事項を内容とするものとする。
>   一　監査役会への報告を要しないものとされた事項の内容
>   二　監査役会への報告を要しないものとされた日
>   三　議事録の作成に係る職務を行った監査役の氏名

本条は，監査役会の議事録の作成について定めるものである。すなわち，法393条2項は，監査役会の議事については，法務省令で定めるところにより，議事録を作成しなければならないと規定しており，この委任をうけて本条が定められている（他方，厳密には，本条4項が，会社法の委任に基づくものと評価できるかどうかについては，疑義がまったくないわけではない）。

1 書面または電磁的記録（2項）

会社法は監査役会の議事録をどのような媒体で作成しなければならないかについて直接には規律していないが，法393条2項および3項は，監査役会の議事録が書面または電磁的記録をもって作成されることを前提とした規定である。そこで，本項は，監査役会の議事録は，書面または電磁的記録をもって作成しなければならないものと定めている。書面または電磁的記録をもって作成しなければならないとされているのは，株式会社は，監査役会の日から10年間，当該株式会社の本店に備え置かなければならないとされていること（法394条1項）に鑑みて，ある程度の期間，保存が可能な確実な記録媒体を用いることを要求するものである。

本項でいう電磁的記録とは，電子的方式，磁気的方式その他人の知覚によっては認識することができない方式で作られる記録であって，電子計算機による情報処理の用に供されるものとして法務省令で定めるものをいい（法26条2項かっこ書），具体的には，磁気ディスクその他これに準ずる方法により一定の情報を確実に記録しておくことができる物をもって調製するファイルに情報を記録したものをいうものとされている（224条）。

磁気ディスクにはフロッピー・ディスクなどが含まれるが，「その他これに準ずる方法により一定の情報を確実に記録しておくことができる物」には，磁気テープ，磁気ドラムのように磁気的方法により情報を記録するための媒体，ICカードやUSBメモリなどのような電子的方法により情報を記録するための媒体，CD-ROM，DVD-ROMなどのような光学的方式により情報を記録するための媒体が含まれる。そのような記録媒体を用いて調製するファイルに情報を記録したものが，本項にいう電磁的記録にあたる（江原＝太田・商事法務1627号8頁）。

2 議事録の内容（3項）

本条では，第1に，監査役会が開催された「場所に存しない監査役，取締

役，会計参与又は会計監査人が監査役会に出席をした場合における当該出席の方法」を内容とすることを要求している点（1号かっこ書）が特徴的である。監査役会が開催された「場所に存しない監査役，取締役，会計参与又は会計監査人が監査役会に出席をした場合における当該出席の方法」とは，監査役会を開催する際に，その場所に物理的に出席しなくとも，オンライン会議，テレビ会議または電話会議のように，情報伝達の双方向性および即時性が確保されるような方式で監査役等が監査役会に出席することができることを前提とした規定である［→101条2］。

他方，「監査役会が開催された……場所」と規定されていることからは，物理的な監査役会の開催場所を観念できない完全にヴァーチャルな監査役会では監査役会が開催されたと会社法上は，評価できないと解するのが自然であろう（もっとも，議長の所在する場所を監査役会が開催される場所として，監査役会を招集し，監査役等が所在する場所を通信回線でつないで，監査役会を開催することはできると思われる）。そして，1号の下では，監査役会が開催された「場所に存しない監査役，取締役，会計参与又は会計監査人が監査役会に出席をした場合における当該出席の方法」という表現からみて，オンライン会議，テレビ会議または電話会議で参加した監査役等が所在する場所は「監査役会が開催された……場所」ではないと解すべきことになろう。

なお，たとえば，電話会議によって監査役会に参加した監査役がある場合には，「電話会議システムにより，出席者の音声が即時に他の出席者に伝わり，出席者が一堂に会するのと同等に適時的確な意見表明が互いにできる状態となっていることが確認されて，議案の審議に入った。……本日の電話会議システムを用いた監査役会は，終始異状なく議題の審議を終了した」というような内容を議事録に含めることになろう（「電話会議の方法による取締役会の議事録を添付した登記の申請について」(平成14年12月18日民商3044号民事局商事課長回答) 参照)。

第2に，①株式会社に著しい損害を及ぼすおそれのある事実の取締役（清算株式会社においては清算人）による監査役会への報告（法357条1項・2項・482条4項)，②会計参与がその職務を行うに際して発見した取締役の職務の執行に関する不正の行為または法令もしくは定款に違反する重大な事実の会計参与による監査役会への報告（法375条1項・2項)，および，③会計監査人がその職務を行うに際して発見した取締役の職務の執行に関する不正の行為または法令もしくは定款に違反する重大な事実の会計監査人による監査役会への報告（法397条1項・3項）があるときは，その意見または発言の内容の概要（3号）を

議事録の内容としなければならないものとされている。①は，取締役等が報告義務を適切に履行したかどうかについての証拠を残すとともに，適切な報告の履行を動機づける一方で，監査役会に適切な対応をとるインセンティブを与えるためであると考えられる。②および③は，取締役が不正の行為をし，もしくは当該行為をするおそれがあること，あるいは法令もしくは定款に違反する事実もしくは著しく不当な事実は，監査役会議事録を閲覧等する株主等にとって重要な情報でありうるし，議事録に含められることによって，監査役会も遅滞なく，なすべき対処をしたことを後日証明しやすくなると期待できるからである。また，議事録に含めるべきこととされることは，そのような報告をするインセンティブを会計参与または会計監査人に与えることにもなろう。

　第3に，平成17年改正前商法の下では，「議事ノ経過ノ要領」とは，開会宣言から閉会宣言までの会議の経過の要約をいうと解され，「議事ノ経過ノ要領」には，標題，開催の日時および場所，監査役の出席状況と定足数，議長と開会宣言，決議事項，意見表明，報告事項，議長の閉会宣言と閉会時刻，作成日時が含まれると解されていたが（今井＝成毛185頁以下），これは，本項で特に内容とすべき事項として掲げられたものを除けば，本項2号にいう「監査役会の議事の経過の要領」の解釈にもあてはまると考えられる。

　第4に，「監査役会に出席した取締役，会計参与又は会計監査人の氏名又は名称」を含めるべきこととされている（4号）。これは，監査役会の出席者は意見を述べる可能性があるとともに，意見を述べなくとも，事実上の影響力を及ぼす可能性があるため，監査役会の出席者を議事録に含めることを要求するものである。監査役会に出席した監査役の氏名を含めることが要求されていないのは，出席した監査役は，議事録が書面をもって作成されているときは，これに署名し，または記名押印しなければならず，議事録が電磁的記録をもって作成されているときは，当該電磁的記録に記録された事項については，法務省令で定める署名または記名押印に代わる措置（225条）をとらなければならないため（法393条2項・3項），それによって，出席した監査役の氏名が明らかになるからである。

　第5に，「監査役会の議長が存するときは，議長の氏名」（5号）を議事録に含めるべきこととされているのは，議長は議事の進行に大きな影響力を与えるため，監査役会議事録を閲覧等する株主等にとって重要な情報でありうるからであろう。したがって，ここでいう「監査役会の議長」とは，監査役会の当該会議において議長を務めた者をいうと解される。議事の途中で，議長が交代し

た場合には，すべての議長の氏名を，どの事項についての報告・審議について議長を務めたかを明らかにして，示すべきことになろう。

3　監査役会への報告を要しないものとされた場合の議事録の作成（4項）

　取締役，会計参与，監査役または会計監査人が監査役の全員に対して監査役会に報告すべき事項を通知したときは，その事項を監査役会へ報告することを要しないものとされている（法395条）。

　しかし，特定の報告が，会議を開催して行われたのか否かが明らかではない上，監査役会の議事録を閲覧等しても，監査役に報告された事項が明らかにならないと，監査役会議事録を備置き・閲覧請求等の対象とした意義が没却されることに鑑み，監査役会への報告に関する資料の保存等についての規律の首尾一貫性を確保するため，本項は，監査役会への報告を要しないものとされる場合にも議事録の作成を要求することとしたものである（相澤＝郡谷・商事法務1759号16頁参照）。議事録である以上，法394条により，備置き・閲覧・謄写等の対象となる。

　もっとも，会議が開催された場合と異なり，監査役会が開催された日時および場所ならびに監査役会の議事の経過の要領およびその結果といったような記載・記録事項はないし，監査役会の議長が存するということはないから，議長の氏名は記載・記録事項ではない。すなわち，監査役会への報告を要しないものとされた事項の内容，監査役会への報告を要しないものとされた日，および，議事録の作成に係る職務を行った監査役の氏名を内容としなければならないものとされるにとどまっている。

第8節　会計監査人

第110条　法第396条第1項後段の規定により法務省令で定める事項については，この条の定めるところによる。
2　会計監査人は，その職務を適切に遂行するため，次に掲げる者との意思疎通を図り，情報の収集及び監査の環境の整備に努めなければならない。ただし，会計監査人が公正不偏の態度及び独立の立場を保持することができなくな

るおそれのある関係の創設及び維持を認めるものと解してはならない。
　一　当該株式会社の取締役，会計参与及び使用人
　二　当該株式会社の子会社の取締役，会計参与，執行役，業務を執行する社員，法第598条第1項の職務を行うべき者その他これらの者に相当する者及び使用人
　三　その他会計監査人が適切に職務を遂行するに当たり意思疎通を図るべき者

　本条は，会計監査人が監査報告を作成する際に前提となる事項について定めるものである。すなわち，会計監査人は，株式会社の計算書類およびその附属明細書，臨時計算書類ならびに連結計算書類を監査するが，この場合には，会計監査人は，法務省令で定めるところにより，会計監査報告を作成しなければならないとされていること（法396条1項）をうけて，本条が定められている。
　監査の実効性を確保するためには，監査対象から独立していることが必要である一方で，十分な情報を適切に収集することができなければならない。会計監査人は，計算関係書類の作成者である代表取締役・業務執行取締役，執行役および会計参与からも独立しているものとして，会社法上は位置づけられているので，十分な情報を適時に入手できないおそれも生ずる。そこで，本条では，会社や会社が属する企業集団内の者との意思疎通や情報の収集を図るよう努めることを会計監査人に対して求めている。
　会計監査人は，取締役および会計参与ならびに支配人その他の使用人に対し，会計に関する報告を求めることができる（法396条2項），その職務を行うため必要があるときは，会計監査人設置会社の子会社に対して会計に関する報告を求めることができることとされているが（同条3項），本条2項本文では，会計監査人は，その職務を適切に遂行するため，その株式会社の取締役，会計参与および使用人，その株式会社の子会社の取締役，会計参与，執行役，業務を執行する社員，持分会社の業務執行社員が法人である場合の職務執行者その他これらの者に相当する者および使用人，その他会計監査人が適切に職務を遂行するにあたり意思疎通を図るべき者との意思疎通を図り，情報の収集および監査の環境の整備に努めなければならないものとされている。これは，単に，報告を求めるのみならず，会計監査人がどのような観点から監査を実施し，どのような情報を必要としているかをそれらの者に知らせ，また，それらの者か

らの自発的な情報提供を受けることができるような環境を整えることが，会計監査人の監査の実効性を高めるために必要であるという認識に基づくものであると推測される。

　なお，「子会社の……その他これらの者に相当する者」と規定しているのは，子会社とは，株式会社が他の会社等の財務および事業の方針の決定を支配している場合における当該他の会社等をいい，会社等には会社（外国会社を含む），組合（外国における組合に相当するものを含む）その他これらに準ずる事業体が含まれるので［→2条3②］，子会社の業務執行者の呼称にはさまざまなものがありうると考えられるからである。

　このように，会計監査人がその職務を適切に遂行するためには，株式会社の業務執行者等やその指揮命令の下にある内部監査部門などから情報を得ることが必要であるが，他方で，株式会社またはその子会社の業務執行者等および会計参与は会計監査の対象となる計算関係書類を作成する者であるため，会計監査人には，そのような者から精神的に独立した状態でその職務を遂行することが求められる。そこで，2項ただし書では，「会計監査人が公正不偏の態度及び独立の立場を保持することができなくなるおそれのある関係の創設及び維持を認めるものと解してはならない」と定めている。これは，「株式会社の監査に関する法務省令案」（商事法務1750号105頁）5条1項が「監査人は，常に公正不偏の態度及び独立の立場を保持して，その職務を遂行しなければならない」とし，同6条2項が「前項の規定は，監査人と同項各号に掲げる者との不適切な関係（前条第1項の規定に違反し，又は違反するおそれのある関係その他これに類する関係をいう……）の創設及び維持を認めるものと解してはならない。」と定めることを提案していたものを実質的に維持したものと推測される。

　ここで，「公正不偏の態度」とされているのは，監査対象からの精神的独立性を意味し，企業会計審議会「監査基準」第二の2が「監査人は，監査を行うに当たって，常に公正不偏の態度を保持し」なければならないとしていることに倣ったものと推測される。なお，日本公認会計士協会「倫理規則」によると，精神的独立性とは，職業的専門家としての判断を危うくする影響を受けることなく，結論を表明できる精神状態を保持し，誠実に行動し，公正性と職業的専門家としての懐疑心を堅持できることをいう（注解11一）。

　また，「独立の立場」とは，外観的独立性を意味し，「監査基準」第二の2は，「監査人は……独立の立場を損なう利害や独立の立場に疑いを招く外観を有してはならない」と定めている。ここで，外観的独立性とは，事情に精通

し，合理的な判断を行うことができる第三者が，すべての具体的な事実と状況を勘案し，会計事務所等または監査業務チームや保証業務チームの構成員の精神的独立性が堅持されていないと判断する状況にはないことをいう（日本公認会計士協会「倫理規則」注解11二）。これは，会計監査人が精神的な独立性を維持していたとしても，もし，会計監査報告の読者が，会計監査人の精神的独立性に疑いを持ったとしたら，会計監査報告を信頼できず，会計監査人監査制度の存在意義が失われるからである。すなわち，会計監査人が精神的独立性を保持していることに対して利害関係者が疑念を抱くことを予防し，会計監査人監査制度に対する社会的信頼性を確保するために，会計監査人には外観的独立性の保持が求められる。

第8節の2　監査等委員会

―（監査等委員の報告の対象）――――――――――――――――――
　第110条の2　法第399条の5に規定する法務省令で定めるものは，電磁的記録その他の資料とする。

　法399条の5は，監査等委員は，取締役が株主総会に提出しようとする議案，書類その他法務省令で定めるものについて法令もしくは定款に違反し，または著しく不当な事項があると認めるときは，その旨を株主総会に報告しなければならないと定めているが，この委任をうけて，本条は，「法務省令で定めるもの」を規定している。株主総会に提出または提供されるものは紙媒体のものに限られないので（たとえば，計算書類等。法438条・435条3項），本条では電磁的記録その他の資料を追加的に定めている。
　監査役の調査の対象（法384条）について定める106条とパラレルな規定とされている［→106条］。

―（監査等委員会の議事録）――――――――――――――――――
　第110条の3　法第399条の10第3項の規定による監査等委員会の議事録の作成については，この条の定めるところによる。

2 監査等委員会の議事録は，書面又は電磁的記録をもって作成しなければならない。
3 監査等委員会の議事録は，次に掲げる事項を内容とするものでなければならない。
　一　監査等委員会が開催された日時及び場所（当該場所に存しない監査等委員，取締役（監査等委員であるものを除く。），会計参与又は会計監査人が監査等委員会に出席をした場合における当該出席の方法を含む。）
　二　監査等委員会の議事の経過の要領及びその結果
　三　決議を要する事項について特別の利害関係を有する監査等委員があるときは，その氏名
　四　次に掲げる規定により監査等委員会において述べられた意見又は発言があるときは，その意見又は発言の内容の概要
　　イ　法第357条第3項の規定により読み替えて適用する同条第1項
　　ロ　法第375条第3項の規定により読み替えて適用する同条第1項
　　ハ　法第397条第4項の規定により読み替えて適用する同条第1項
　五　監査等委員会に出席した取締役（監査等委員であるものを除く。），会計参与又は会計監査人の氏名又は名称
　六　監査等委員会の議長が存するときは，議長の氏名
4 法第399条の12の規定により監査等委員会への報告を要しないものとされた場合には，監査等委員会の議事録は，次の各号に掲げる事項を内容とするものとする。
　一　監査等委員会への報告を要しないものとされた事項の内容
　二　監査等委員会への報告を要しないものとされた日
　三　議事録の作成に係る職務を行った監査等委員の氏名

　本条は，監査等委員会の議事録の作成について定めるものである。すなわち，法399条の10第3項は，監査等委員会の議事については，法務省令で定めるところにより，議事録を作成しなければならないと規定しており，この委任をうけて本条が定められている（他方，監査等委員会への報告がなされていない以上，監査等委員会には上程されていないのであり，監査等委員会における議事にはあたらないから，厳密には，本条4項が，会社法の委任に基づくものと評価できるかどうかについては，疑義がまったくないわけではない）。

　指名委員会等の議事録について定める111条の4とパラレルに規定が設けられており，指名委員会等または監査委員会を監査等委員会と置き換え，条文番

号を置き替えるなどすれば，まったく同趣旨の定めである［→111条の4］。

---(業務の適正を確保するための体制)---

第110条の4 法第399条の13第1項第1号ロに規定する法務省令で定めるものは，次に掲げるものとする。
一　当該株式会社の監査等委員会の職務を補助すべき取締役及び使用人に関する事項
二　前号の取締役及び使用人の当該株式会社の他の取締役（監査等委員である取締役を除く。）からの独立性に関する事項
三　当該株式会社の監査等委員会の第1号の取締役及び使用人に対する指示の実効性の確保に関する事項
四　次に掲げる体制その他の当該株式会社の監査等委員会への報告に関する体制
　　イ　当該株式会社の取締役（監査等委員である取締役を除く。）及び会計参与並びに使用人が当該株式会社の監査等委員会に報告をするための体制
　　ロ　当該株式会社の子会社の取締役，会計参与，監査役，執行役，業務を執行する社員，法第598条第1項の職務を行うべき者その他これらの者に相当する者及び使用人又はこれらの者から報告を受けた者が当該株式会社の監査等委員会に報告をするための体制
五　前号の報告をした者が当該報告をしたことを理由として不利な取扱いを受けないことを確保するための体制
六　当該株式会社の監査等委員の職務の執行（監査等委員会の職務の執行に関するものに限る。）について生ずる費用の前払又は償還の手続その他の当該職務の執行について生ずる費用又は債務の処理に係る方針に関する事項
七　その他当該株式会社の監査等委員会の監査が実効的に行われることを確保するための体制

2　法第399条の13第1項第1号ハに規定する法務省令で定める体制は，当該株式会社における次に掲げる体制とする。
一　当該株式会社の取締役の職務の執行に係る情報の保存及び管理に関する体制
二　当該株式会社の損失の危険の管理に関する規程その他の体制
三　当該株式会社の取締役の職務の執行が効率的に行われることを確保するための体制
四　当該株式会社の使用人の職務の執行が法令及び定款に適合することを確保するための体制
五　次に掲げる体制その他の当該株式会社並びにその親会社及び子会社から

成る企業集団における業務の適正を確保するための体制
　イ　当該株式会社の子会社の取締役，執行役，業務を執行する社員，法第598条第1項の職務を行うべき者その他これらの者に相当する者（ハ及びニにおいて「取締役等」という。）の職務の執行に係る事項の当該株式会社への報告に関する体制
　ロ　当該株式会社の子会社の損失の危険の管理に関する規程その他の体制
　ハ　当該株式会社の子会社の取締役等の職務の執行が効率的に行われることを確保するための体制
　ニ　当該株式会社の子会社の取締役等及び使用人の職務の執行が法令及び定款に適合することを確保するための体制

　本条は，監査等委員会設置会社における「株式会社の業務並びに当該株式会社及びその子会社から成る企業集団の業務の適正を確保するために必要なものとして法務省令で定める体制」および「監査等委員会の職務の執行のため必要なものとして法務省令で定める事項」を定めるものである。監査等委員会設置会社においては，取締役会は，取締役の職務の執行が法令および定款に適合することを確保するための体制その他株式会社の業務の適正を確保するために必要なものとして法務省令で定める体制の整備，および，監査等委員会の職務の執行のため必要なものとして法務省令で定める事項を決定しなければならないものとされていること（法399条の13第1項1号ハ・ロ）をうけたものである。
　取締役会設置会社（指名委員会等設置会社および監査等委員会設置会社を除く）の「株式会社の業務並びに当該株式会社及びその子会社から成る企業集団の業務の適正を確保するために必要なものとして法務省令で定める体制」を定める100条および指名委員会等設置会社における業務の適正を確保するための体制について定める112条とパラレルに規定が設けられている。監査等委員会設置会社においては，内部統制システム等の整備や監査等委員会の職務を補助すべき使用人等を活用して監査等委員会が監査を行うことも想定されているため，当該株式会社の監査等委員会の職務を補助すべき取締役および使用人に関する事項が規定されているのに対し，監査役設置会社である取締役会設置会社については「監査役がその職務を補助すべき使用人を置くことを求めた場合における」当該使用人に関する事項が規定されているという点を除けば，本条1項は100条3項に，本条2項は100条1項に対応する規定となっており，監査役を監査等委員会または監査等委員と読み替えれば，100条についての解釈があては

第110条の5（社債を引き受ける者の募集に際して取締役会が定めるべき事項）　601

まる［→100条］。

（社債を引き受ける者の募集に際して取締役会が定めるべき事項）
第110条の5　法第399条の13第4項第5号に規定する法務省令で定める事項は，次に掲げる事項とする。
　一　二以上の募集（法第676条の募集をいう。以下この条において同じ。）に係る法第676条各号に掲げる事項の決定を委任するときは，その旨
　二　募集社債の総額の上限（前号に規定する場合にあっては，各募集に係る募集社債の総額の上限の合計額）
　三　募集社債の利率の上限その他の利率に関する事項の要綱
　四　募集社債の払込金額（法第676条第9号に規定する払込金額をいう。以下この号において同じ。）の総額の最低金額その他の払込金額に関する事項の要綱
2　前項の規定にかかわらず，信託社債（当該信託社債について信託財産に属する財産のみをもってその履行の責任を負うものに限る。）の募集に係る法第676条各号に掲げる事項の決定を委任する場合には，法第399条の13第4項第5号に規定する法務省令で定める事項は，当該決定を委任する旨とする。

　法399条の13第4項5号は，監査等委員会設置会社の取締役会は，法676条1号に掲げる事項その他の社債を引き受ける者の募集に関する重要な事項として法務省令で定める事項の決定を取締役に委任することができないと定めており，本条はこの委任に基づき，その決定を取締役に委任することができない「社債を引き受ける者の募集に関する重要な事項として法務省令で定める事項」を定めている。

　本条は，取締役会設置会社（監査等委員会設置会社および指名委員会等設置会社を除く）の取締役会がその決定を取締役に委任することができない「社債を引き受ける者の募集に関する重要な事項として法務省令で定める事項」（法362条4項5号）を定める99条とパラレルに定められている［→99条］。

第9節　指名委員会等及び執行役

---(執行役等の報酬等のうち株式会社の募集株式について定めるべき事項)---
第111条　法第409条第3項第3号に規定する法務省令で定める事項は，同号の募集株式に係る次に掲げる事項とする。
　一　一定の事由が生ずるまで当該募集株式を他人に譲り渡さないことを執行役等に約させることとするときは，その旨及び当該一定の事由
　二　一定の事由が生じたことを条件として当該募集株式を当該株式会社に無償で譲り渡すことを執行役等に約させることとするときは，その旨及び当該一定の事由
　三　前2号に掲げる事項のほか，執行役等に対して当該募集株式を割り当てる条件を定めるときは，その条件

指名委員会等設置会社において，報酬委員会は，その株式会社の募集株式を執行役等（執行役および取締役（会計参与設置会社では，執行役，取締役および会計参与）（2条2項64号（令和2年改正未施行部分の施行後は65号），法404条2項1号））の個人別の報酬等とする場合には，その内容として，その募集株式の数（種類株式発行会社では，募集株式の種類および種類ごとの数）その他法務省令で定める事項について決定しなければならないとされており（法409条3項3号），本条はこの委任をうけて，「法務省令で定める事項」を定めている。本条は，指名委員会等設置会社以外の株式会社における取締役の報酬等に関する98条の2とパラレルな規定である。ただし，98条の2と異なり，指名委員会等設置会社においては，報酬委員会が執行役等の個人別の報酬等の内容を決定することとされていることから（法404条3項），「事由の概要」や「条件の概要」ではなく，事由や条件を定めることを要求している。

　募集株式を執行役等の報酬等とする場合には，執行役等に対して「職務を適切に執行するインセンティブを付与するための手段」であることが意図されている。そうであるとすれば，その報酬等の内容が執行役等に対し適切なインセンティブを付与するものとなるように付与等の条件が定められることが重要となる。また，その株式会社の株式を報酬等とする場合には，既存の株主に持株

比率の低下が生ずるだけでなく，希釈化による経済的損失が生ずる可能性が生ずることから，その株式会社の株式については，その「具体的な内容」をより明確にすることが望ましいと考えられる（中間試案補足説明24〜25頁参照）。98条の2に対するコメント参照。

（執行役等の報酬等のうち株式会社の募集新株予約権について定めるべき事項）

第111条の2 法第409条第3項第4号に規定する法務省令で定める事項は，同号の募集新株予約権に係る次に掲げる事項とする。

一 法第236条第1項第1号から第4号までに掲げる事項（同条第3項（同条第4項の規定により読み替えて適用する場合に限る。以下この号において同じ。）の場合には，同条第1項第1号，第3号及び第4号に掲げる事項並びに同条第3項各号に掲げる事項）

二 一定の資格を有する者が当該募集新株予約権を行使することができることとするときは，その旨及び当該一定の資格の内容

三 前2号に掲げる事項のほか，当該募集新株予約権の行使の条件を定めるときは，その条件

四 法第236条第1項第6号に掲げる事項

五 法第236条第1項第7号に掲げる事項の内容

六 執行役等に対して当該募集新株予約権を割り当てる条件を定めるときは，その条件

指名委員会等設置会社において，報酬委員会は，その株式会社の募集新株予約権を執行役等の個人別の報酬等とする場合には，その内容として，その募集新株予約権の数その他法務省令で定める事項について決定しなければならないとされており（法409条3項4号），本条はこの委任をうけて，「法務省令で定める事項」を定めている。本条は，指名委員会等設置会社以外の株式会社における取締役の報酬等に関する98条の3とパラレルな規定である。

募集新株予約権を執行役等の報酬等とする場合には，執行役等に対して「職務を適切に執行するインセンティブを付与するための手段」であることが意図されている。そうであるとすれば，その報酬等の内容が執行役等に対し適切なインセンティブを付与するものとなるように付与等の条件が定められることが重要となる。また，その株式会社の新株予約権を報酬等とする場合には，既存の株主に持株比率の低下が生ずるだけでなく，希釈化による経済的損失が生ずる可能性が生ずることから，その株式会社の新株予約権については，その「具

体的な内容」をより明確にすることが望ましいと考えられる（中間試案補足説明24〜25頁参照）。98条の3に対するコメント参照。

（執行役等の報酬等のうち株式等と引換えにする払込みに充てるための金銭について定めるべき事項）

第111条の3　法第409条第3項第5号イに規定する法務省令で定める事項は，同号イの募集株式に係る次に掲げる事項とする。

一　一定の事由が生ずるまで当該募集株式を他人に譲り渡さないことを執行役等に約させることとするときは，その旨及び当該一定の事由

二　一定の事由が生じたことを条件として当該募集株式を当該株式会社に無償で譲り渡すことを執行役等に約させることとするときは，その旨及び当該一定の事由

三　前2号に掲げる事項のほか，執行役等に対して当該募集株式と引換えにする払込みに充てるための金銭を交付する条件又は執行役等に対して当該募集株式を割り当てる条件を定めるときは，その条件

2　法第409条第3項第5号ロに規定する法務省令で定める事項は，同号ロの募集新株予約権に係る次に掲げる事項とする。

一　法第236条第1項第1号から第4号までに掲げる事項（同条第3項（同条第4項の規定により読み替えて適用する場合に限る。以下この号において同じ。）の場合には，同条第1項第1号，第3号及び第4号に掲げる事項並びに同条第3項各号に掲げる事項）

二　一定の資格を有する者が当該募集新株予約権を行使することができることとするときは，その旨及び当該一定の資格の内容

三　前2号に掲げる事項のほか，当該募集新株予約権の行使の条件を定めるときは，その条件

四　法第236条第1項第6号に掲げる事項

五　法第236条第1項第7号に掲げる事項の内容

六　執行役等に対して当該募集新株予約権と引換えにする払込みに充てるための金銭を交付する条件又は執行役等に対して当該募集新株予約権を割り当てる条件を定めるときは，その条件

指名委員会等設置会社において，報酬委員会は，その株式会社の募集株式または募集新株予約権と引換えにする払込みに充てるための金銭を執行役等の個別の報酬等とする場合には，その内容として，執行役等が引き受ける当該募集株式の数（種類株式発行会社では，募集株式の種類および種類ごとの数）その他

法務省令で定める事項または執行役等が引き受ける当該募集新株予約権の数その他法務省令で定める事項について決定しなければならないとされており（法409条3項5号），本条はこの委任をうけて，「法務省令で定める事項」を定めている。本条は，指名委員会等設置会社以外の株式会社における取締役の報酬等に関する98条の4とパラレルな規定である。ただし，98条の4と異なり，指名委員会等設置会社においては，報酬委員会が執行役等の個人別の報酬等の内容を決定することとされていることから（法404条3項），「概要」ではなく，事由，条件および内容を定めることを要求している。

　募集株式または募集新株予約権を執行役等の報酬等とする場合には，執行役等に対して「職務を適切に執行するインセンティブを付与するための手段」であることが意図されている。そうであるとすれば，その報酬等の内容が執行役等に対し適切なインセンティブを付与するものとなるように付与等の条件が定められることが重要となる。また，その株式会社の株式または新株予約権を報酬等とする場合には，既存の株主に持株比率の低下が生ずるだけでなく，希釈化による経済的損失が生ずる可能性が生ずることから，その株式会社の株式または新株予約権については，その「具体的な内容」をより明確にすることが望ましいと考えられる（中間試案補足説明24～25頁参照）。そして，募集株式または募集新株予約権と引換えにする払込みに充てるための金銭が報酬等とされる場合は実質的には募集株式または募集新株予約権を報酬等としていると考えられるから，同じ要請が働く。

　募集株式と引換えにする払込みに充てるための金銭を執行役等の報酬等とすることは募集株式を執行役等の報酬等とすることと実質的に差がないことから，本条1項は，111条とパラレルな規定であるが，払込みに充てるための金銭を執行役等の報酬等とするものであるため，本条1項3号は，「執行役等に対して当該募集株式と引換えにする払込みに充てるための金銭を交付する条件又は執行役等に対して当該募集株式を割り当てる条件を定めるときは，その条件」と規定している。

　募集新株予約権と引換えにする払込みに充てるための金銭を執行役等の報酬等とすることは募集新株予約権を執行役等の報酬等とすることと実質的に差がないことから，本条2項は，111条の2とパラレルな規定であるが，払込みに充てるための金銭を執行役等の報酬等とするものであるため，本条2項6号は，「執行役等に対して当該募集新株予約権と引換えにする払込みに充てるための金銭を交付する条件又は執行役等に対して当該募集新株予約権を割り当て

る条件を定めるときは,その条件」と規定している。

(指名委員会等の議事録)

第111条の4 法第412条第3項の規定による指名委員会等の議事録の作成については,この条の定めるところによる。
2 指名委員会等の議事録は,書面又は電磁的記録をもって作成しなければならない。
3 指名委員会等の議事録は,次に掲げる事項を内容とするものでなければならない。
 一 指名委員会等が開催された日時及び場所(当該場所に存しない取締役,執行役,会計参与又は会計監査人が指名委員会等に出席をした場合における当該出席の方法を含む。)
 二 指名委員会等の議事の経過の要領及びその結果
 三 決議を要する事項について特別の利害関係を有する委員があるときは,その氏名
 四 指名委員会等が監査委員会である場合において,次に掲げる意見又は発言があるときは,その意見又は発言の内容の概要
  イ 法第375条第4項の規定により読み替えて適用する同条第1項の規定により監査委員会において述べられた意見又は発言
  ロ 法第397条第5項の規定により読み替えて適用する同条第1項の規定により監査委員会において述べられた意見又は発言
  ハ 法第419条第1項の規定により行うべき監査委員に対する報告が監査委員会において行われた場合における当該報告に係る意見又は発言
 五 指名委員会等に出席した取締役(当該指名委員会等の委員であるものを除く。),執行役,会計参与又は会計監査人の氏名又は名称
 六 指名委員会等の議長が存するときは,議長の氏名
4 法第414条の規定により指名委員会等への報告を要しないものとされた場合には,指名委員会等の議事録は,次の各号に掲げる事項を内容とするものとする。
 一 指名委員会等への報告を要しないものとされた事項の内容
 二 指名委員会等への報告を要しないものとされた日
 三 議事録の作成に係る職務を行った委員の氏名

　本条は,指名委員会等の議事録の作成について定めるものである。すなわち,法412条3項は,指名委員会等の議事については,法務省令で定めるとこ

ろにより，議事録を作成しなければならないと規定しており，この委任をうけて本条が定められている（他方，指名委員会等への報告がなされていない以上，指名委員会等には上程されていないのであり，指名委員会等における議事にはあたらないから，厳密には，本条4項が，会社法の委任に基づくものと評価できるかどうかについては，疑義がまったくないわけではない）。

1 書面または電磁的記録（2項）

　会社法は指名委員会等の議事録をどのような媒体で作成しなければならないかについて直接には規律していないが，法412条3項および4項は，指名委員会等の議事録が書面または電磁的記録をもって作成されることを前提とした規定である。そこで，本条2項は，指名委員会等の議事録は，書面または電磁的記録をもって作成しなければならないものと定めている。書面または電磁的記録をもって作成しなければならないとされているのは，株式会社は，指名委員会等の日から10年間，当該株式会社の本店に備え置かなければならないとされていること（法413条1項）に鑑みて，ある程度の期間，保存が可能で確実な記録媒体を用いることを要求するものである。

　本項でいう電磁的記録とは，電子的方式，磁気的方式その他人の知覚によっては認識することができない方式で作られる記録であって，電子計算機による情報処理の用に供されるものとして法務省令で定めるものをいい（法26条2項かっこ書），具体的には，磁気ディスクその他これに準ずる方法により一定の情報を確実に記録しておくことができる物をもって調製するファイルに情報を記録したものをいうものとされている（224条）。

　磁気ディスクにはフロッピー・ディスクなどが含まれるが，「その他これに準ずる方法により一定の情報を確実に記録しておくことができる物」には，磁気テープ，磁気ドラムのように磁気的方法により情報を記録するための媒体，ICカードやUSBメモリなどのような電子的方法により情報を記録するための媒体，CD-ROM，DVD-ROMなどのような光学的方式により情報を記録するための媒体が含まれる。そのような記録媒体を用いて調製するファイルに情報を記録したものが，本項にいう電磁的記録にあたる（江原＝太田・商事法務1627号8頁）。

2 議事録の内容（3項）

　本項では，第1に，指名委員会等が開催された「場所に存しない取締役，執

行役，会計参与又は会計監査人が指名委員会等に出席をした場合における当該出席の方法を含む」を内容とすることを要求している点（1号かっこ書）が特徴的である。指名委員会等が開催された「場所に存しない取締役，執行役，会計参与又は会計監査人が指名委員会等に出席をした場合における当該出席の方法」とは，指名委員会等を開催する際に，その場所に物理的に出席しなくとも，オンライン会議，テレビ会議および電話会議のように，情報伝達の双方向性および即時性が確保されるような方式で委員等が指名委員会等に出席することができることを前提とした規定である［→101条2］。

他方，「指名委員会等が開催された……場所」と規定されていることからは，物理的な指名委員会等の開催場所を観念できない完全にヴァーチャルな指名委員会等では委員会が開催されたとは会社法上評価できないと解するのが自然であろう（もっとも，たとえば，議長の所在する場所を指名委員会等が開催される場所として，指名委員会等を招集し，委員等が所在する場所を通信回線でつないで，指名委員会等を開催することはできると思われる）。そして，1号の下では，指名委員会等が開催された「場所に存しない取締役，執行役，会計参与又は会計監査人が指名委員会等に出席をした場合における当該出席の方法」という表現からみて，オンライン会議，テレビ会議または電話会議で参加した委員等が所在する場所は「指名委員会等が開催された……場所」ではないと解すべきことになろう。

なお，たとえば，電話会議によって指名委員会等に参加した委員が所在する場合には，「電話会議システムにより，出席者の音声が即時に他の出席者に伝わり，出席者が一堂に会するのと同等に適時的確な意見表明が互いにできる状態となっていることが確認されて，議案の審議に入った。……本日の電話会議システムを用いた指名委員会等は，終始異状なく議題の審議を終了した」というような内容を議事録に含めることになろう（「電話会議の方法による取締役会の議事録を添付した登記の申請について」（平成14年12月18日民商3044号民事局商事課長回答）参照）。

第2に，平成17年改正前商法の下では，取締役会の「議事ノ経過ノ要領」とは，開会宣言から閉会宣言までの会議の経過の要約をいうと解され，「議事ノ経過ノ要領」には，標題，開催の日時および場所，取締役および監査役の出席状況と定足数，議長と開会宣言，決議事項，意見表明，報告事項，議長の閉会宣言と閉会時刻，作成日時が含まれると解されていたが（今井＝成毛185頁以下），これは，「取締役及び監査役」を「委員」と読み替え，本項で特に内容と

すべき事項として掲げられたものを除けば，本項2号にいう「指名委員会等の議事の経過の要領」の解釈にもあてはまると考えられる。

　第3に，「決議を要する事項について特別の利害関係を有する委員があるときは，その氏名」（3号）を議事録の内容としているのは，特別の利害関係を有する委員は議決に加わることができないとされており（法412条2項），そのような委員が議決に加わっていないことを明らかにするためであると考えられるとともに，取締役会について，下級審裁判例（東京地判平成2・4・20判時1350号138頁（上告審である最判平成4・9・10資料版商事法務102号143頁も支持），東京高判平成8・2・8資料版商事法務151号143頁など。もっとも，反対説も有力である。大隅＝今井・中196頁，森本・商事法務1110号39頁）によれば，そのような取締役はその事項の審議にあたって議長となることもできないとされていることから，議長の氏名（6号）とあいまって，特別な利害関係を有する委員が議長とはなっていないという事実が議事録上明らかになるようにするためであると推測される。

　なお，「特別の利害関係」とは，委員の忠実義務違反をもたらすおそれのある，会社の利益と衝突する委員の個人的利害関係をいい，「特別の利害関係を有する委員」としては，たとえば，報酬委員会において個人別の報酬を定める場合のその報酬を受けるべき委員などが考えられよう。

　第4に，①会計参与がその職務を行うに際して発見した執行役または取締役の職務の執行に関する不正の行為または法令もしくは定款に違反する重大な事実の会計参与による監査委員会への報告（法375条1項・3項・4項），②会計監査人がその職務を行うに際して発見した執行役または取締役の職務の執行に関する不正の行為または法令もしくは定款に違反する重大な事実の会計監査人による監査委員会への報告（法397条1項・4項・5項），および，③執行役が発見した指名委員会等設置会社に著しい損害を及ぼすおそれのある事実の監査委員会における監査委員への報告（法419条1項）があるときは，その意見または発言の内容の概要（4号）を議事録の内容としなければならないものとされている。①および②は，執行役または取締役が不正の行為をし，もしくは当該行為をするおそれがあること，あるいは法令もしくは定款に違反する事実もしくは著しく不当な事実は監査委員会の議事録を閲覧等する株主等にとって重要な情報でありうるし，議事録に含められることによって，監査委員会も遅滞なく，なすべき対処をしたことを後日証明しやすくなると期待できるからである。また，議事録に含めるべきこととされることは，そのような報告をするインセン

ティブを会計参与または会計監査人に与えることにもなろう。③は，執行役が報告義務を適切に履行したかどうかについての証拠を残すとともに，適切な報告の履行を動機づける一方で，監査委員会に適切な対応をとるインセンティブを与えるためであると考えられる。

　第5に，「指名委員会等委員会に出席した取締役（当該指名委員会等の委員であるものを除く。），執行役，会計参与又は会計監査人の氏名又は名称」を含めるべきこととされている（5号）。これは，指名委員会等の出席者は意見を述べる可能性があるとともに，意見を述べなくとも，事実上の影響力を及ぼす可能性があるため，指名委員会等の出席者を議事録に含めることを要求するものである。指名委員会等に出席した当該指名委員会等の委員の氏名を含めることが要求されていないのは，出席した当該指名委員会等の委員は，議事録が書面をもって作成されているときは，これに署名し，または記名押印しなければならず，議事録が電磁的記録をもって作成されているときは，当該電磁的記録に記録された事項については，法務省令で定める署名または記名押印に代わる措置をとらなければならないため（法412条3項・4項），それによって，出席した当該指名委員会等の委員の氏名が明らかになるからである。なお，平成27年改正により，出席した「取締役（当該指名委員会等の委員であるものを除く。）」の氏名を含めることが求められることとされたが，これは，当該指名委員会等の委員ではない取締役も指名委員会等に出席することがありうることに着目したものである（法411条3項参照。また，監査等委員会の議事録の記載事項を定める110条の3第3項5号とも平仄がとれている）。

　第6に，「指名委員会等の議長が存するときは，議長の氏名」（6号）を議事録に含めるべきこととされているのは，議長は議事の進行に大きな影響を与えるため，指名委員会等の議事録を閲覧等する株主等にとって重要な情報でありうるからであろう。したがって，ここでいう「指名委員会等の議長」とは，指名委員会等の当該会議において議長を務めた者をいうと解される。議事の途中で，議長が交代した場合には，すべての議長の氏名を，どの事項についての報告・審議について議長を務めたかを明らかにして，示すべきことになろう。

3　指名委員会等への報告を要しないものとされた場合の議事録の作成（4項）

　執行役，取締役，会計参与または会計監査人が委員の全員に対して指名委員会等に報告すべき事項を通知したときは，その事項を指名委員会等へ報告することを要しないものとされている（法414条）。

しかし，特定の報告が，会議を開催して行われたのか否かが明らかではない上，指名委員会等の議事録を閲覧等しても，指名委員会等に報告された事項が明らかにならないと，指名委員会等の議事録を備置き・閲覧請求等の対象とした意義が没却されることに鑑み，指名委員会等への報告に関する資料の保存等についての規律の首尾一貫性を確保するため，本条は，指名委員会等への報告を要しないものとされる場合にも議事録の作成を要求することとしたものである（相澤＝郡谷・商事法務1759号16頁参照）。議事録である以上，法413条により，備置き・閲覧・謄写等の対象となる。

もっとも，会議が開催された場合と異なり，指名委員会等が開催された日時および場所ならびに指名委員会等の議事の経過の要領およびその結果といったような記載・記録事項はないし，指名委員会等の議長が存するということはないから，議長の氏名は記載・記録事項ではない。すなわち，指名委員会等への報告を要しないものとされた事項の内容，指名委員会等への報告を要しないものとされた日，および，議事録の作成に係る職務を行った委員の氏名を内容としなければならないものとされるにとどまっている。

（業務の適正を確保するための体制）

第112条 法第416条第１項第１号ロに規定する法務省令で定めるものは，次に掲げるものとする。

一 当該株式会社の監査委員会の職務を補助すべき取締役及び使用人に関する事項

二 前号の取締役及び使用人の当該株式会社の執行役からの独立性に関する事項

三 当該株式会社の監査委員会の第１号の取締役及び使用人に対する指示の実効性の確保に関する事項

四 次に掲げる体制その他の当該株式会社の監査委員会への報告に関する体制

　イ 当該株式会社の取締役（監査委員である取締役を除く。），執行役及び会計参与並びに使用人が当該株式会社の監査委員会に報告をするための体制

　ロ 当該株式会社の子会社の取締役，会計参与，監査役，執行役，業務を執行する社員，法第598条第１項の職務を行うべき者その他これらの者に相当する者及び使用人又はこれらの者から報告を受けた者が当該株式会社の監査委員会に報告をするための体制

五　前号の報告をした者が当該報告をしたことを理由として不利な取扱いを受けないことを確保するための体制
　　六　当該株式会社の監査委員の職務の執行（監査委員会の職務の執行に関するものに限る。）について生ずる費用の前払又は償還の手続その他の当該職務の執行について生ずる費用又は債務の処理に係る方針に関する事項
　　七　その他当該株式会社の監査委員会の監査が実効的に行われることを確保するための体制
　2　法第416条第1項第1号ホに規定する法務省令で定める体制は，当該株式会社における次に掲げる体制とする。
　　一　当該株式会社の執行役の職務の執行に係る情報の保存及び管理に関する体制
　　二　当該株式会社の損失の危険の管理に関する規程その他の体制
　　三　当該株式会社の執行役の職務の執行が効率的に行われることを確保するための体制
　　四　当該株式会社の使用人の職務の執行が法令及び定款に適合することを確保するための体制
　　五　次に掲げる体制その他の当該株式会社並びにその親会社及び子会社から成る企業集団における業務の適正を確保するための体制
　　　イ　当該株式会社の子会社の取締役，執行役，業務を執行する社員，法第598条第1項の職務を行うべき者その他これらの者に相当する者（ハ及びニにおいて「取締役等」という。）の職務の執行に係る事項の当該株式会社への報告に関する体制
　　　ロ　当該株式会社の子会社の損失の危険の管理に関する規程その他の体制
　　　ハ　当該株式会社の子会社の取締役等の職務の執行が効率的に行われることを確保するための体制
　　　ニ　当該株式会社の子会社の取締役等及び使用人の職務の執行が法令及び定款に適合することを確保するための体制

　本条は，指名委員会等設置会社における「株式会社の業務並びに当該株式会社及びその子会社から成る企業集団の業務の適正を確保するために必要なものとして法務省令で定める体制」および「監査委員会の職務の執行のため必要なものとして法務省令で定める事項」を定めるものである。指名委員会等設置会社においては，取締役会は，執行役の職務の執行が法令および定款に適合することを確保するための体制その他株式会社の業務の適正を確保するために必要なものとして法務省令で定める体制の整備，および，監査委員会の職務の執行

のため必要なものとして法務省令で定める事項を決定しなければならないものとされていること（法416条2項・1項1号ホ・ロ）をうけたものである。

平成17年廃止前商法特例法21条の7およびこれを受けて定められた平成18年改正前商法施行規則193条が，監査委員会の職務の遂行のために必要なものとして，監査委員会の職務を補助すべき使用人に関する事項，その使用人の執行役からの独立性の確保に関する事項，執行役および使用人が監査委員会に報告すべき事項その他の監査委員会に対する報告に関する事項，執行役の職務の執行に係る情報の保存および管理に関する事項，損失の危険の管理に関する規程その他の体制に関する事項，および，執行役の職務の執行が法令および定款に適合し，かつ，効率的に行われることを確保するための体制に関するその他の事項を取締役会は定めなければならないものとしていたことを踏襲したものである。

本条は，取締役会設置会社（指名委員会等設置会社および監査等委員会設置会社を除く）の「株式会社の業務並びに当該株式会社及びその子会社から成る企業集団の業務の適正を確保するために必要なものとして法務省令で定める体制」を定める100条とパラレルに規定している。すなわち，本条1項は100条3項と対応し，本条2項は100条1項と対応する規定振りとなっているが，機関設計の差異に応じた最小限の調整が加えられている。

第1に，指名委員会等設置会社においては，内部統制システム等の整備や監査委員会の職務を補助すべき使用人等を活用して監査等委員会が監査を行うことも想定されているため，当該株式会社の監査委員会の職務を補助すべき取締役および使用人に関する事項が規定されているのに対し，監査役設置会社である取締役会設置会社については「監査役がその職務を補助すべき使用人を置くことを求めた場合における」当該使用人に関する事項が規定されている。第2に，指名委員会等設置会社の業務は取締役ではなく執行役が執行することから，監査役の職務を補助すべき使用人の取締役からの独立性に関する事項ではなく，監査委員会の職務を補助すべき取締役および使用人の執行役からの独立性に関する事項が規定されている。第3に，監査役の職務を補助すべき使用人に対する監査役の指示の実効性の確保に関する事項ではなく，取締役および使用人に対する指示の実効性の確保に関する事項が規定されている。第4に，監査役への報告の体制ではなく，監査委員会への報告に関する体制が規定されている。第5に，監査役ではなく，監査委員会が監査を行うことを前提とした規定となっている。第6に，監査役設置会社である取締役会設置会社において

は，取締役が業務を執行するため，取締役の職務の執行に係る情報の保存および管理に関する体制ならびに取締役の職務の執行が効率的に行われることを確保するための体制が規定されているのに対し，指名委員会等設置会社においては，執行役が会社の業務を執行することから，執行役の職務の執行に係る情報の保存および管理に関する体制ならびに執行役の職務の執行が効率的に行われることを確保するための体制が規定されている［詳細については，→100条］。

なお，株式会社の業務の適正を確保するために必要なものとして法務省令で定める体制の整備に関する事項を決定するに際しては，「株式会社の業務の適正を確保する体制に関する法務省令案」（商事法務1750号70頁）3条3号が「株式会社の業務及び効率性の適正の確保に向けた株主又は会社の機関相互の適切な役割分担と連携を促すものであること」に，同4号が「株式会社の規模，事業の性質，機関の設計その他当該株式会社の個性及び特質を踏まえた必要，かつ，最適なものであること」に，それぞれ，留意するよう努めるものとすると定めることを提案していたことは，本条の解釈にあたって参考になるものと考えられる。

第10節　役員等の損害賠償責任

─（報酬等の額の算定方法）─
第113条　法第425条第1項第1号に規定する法務省令で定める方法により算定される額は，次に掲げる額の合計額とする。
　一　役員等がその在職中に報酬，賞与その他の職務執行の対価（当該役員等が当該株式会社の取締役，執行役又は支配人その他の使用人を兼ねている場合における当該取締役，執行役又は支配人その他の使用人の報酬，賞与その他の職務執行の対価を含む。）として株式会社から受け，又は受けるべき財産上の利益（次号に定めるものを除く。）の額の事業年度（次のイからハまでに掲げる場合の区分に応じ，当該イからハまでに定める日を含む事業年度及びその前の各事業年度に限る。）ごとの合計額（当該事業年度の期間が1年でない場合にあっては，当該合計額を1年当たりの額に換算した額）のうち最も高い額
　　イ　法第425条第1項の株主総会の決議を行った場合　当該株主総会（株式会社に最終完全親会社等がある場合において，同項の規定により免除しよ

うとする責任が特定責任であるときにあっては，当該株式会社の株主総会）の決議の日
　　ロ　法第426条第1項の規定による定款の定めに基づいて責任を免除する旨の同意（取締役会設置会社にあっては，取締役会の決議。ロにおいて同じ。）を行った場合　当該同意のあった日
　　ハ　法第427条第1項の契約を締結した場合　責任の原因となる事実が生じた日（二以上の日がある場合にあっては，最も遅い日）
　二　イに掲げる額をロに掲げる数で除して得た額
　　イ　次に掲げる額の合計額
　　　(1)　当該役員等が当該株式会社から受けた退職慰労金の額
　　　(2)　当該役員等が当該株式会社の取締役，執行役又は支配人その他の使用人を兼ねていた場合における当該取締役若しくは執行役としての退職慰労金又は支配人その他の使用人としての退職手当のうち当該役員等を兼ねていた期間の職務執行の対価である部分の額
　　　(3)　(1)又は(2)に掲げるものの性質を有する財産上の利益の額
　　ロ　当該役員等がその職に就いていた年数（当該役員等が次に掲げるものに該当する場合における次に定める数が当該年数を超えている場合にあっては，当該数）
　　　(1)　代表取締役又は代表執行役　6
　　　(2)　代表取締役以外の取締役（業務執行取締役等であるものに限る。）又は代表執行役以外の執行役　4
　　　(3)　取締役（(1)及び(2)に掲げるものを除く。），会計参与，監査役又は会計監査人　2

　本条は，株式会社の取締役，執行役，会計参与，監査役または会計監査人の任務懈怠に基づく会社に対する損害賠償責任の一部免除の限度額および責任限定契約による限定が可能な額を画する最低責任限度額の算定との関係で，株式会社の取締役，執行役，会計参与，監査役または会計監査人がその在職中に会社から職務執行の対価として受け，または受けるべき財産上の利益の1年間あたりの額に相当する額として法務省令で定める方法により算定される額を定めるものである。
　株式会社の取締役，執行役，会計参与，監査役または会計監査人の任務懈怠に基づく会社に対する損害賠償責任（会社と自己のために直接取引をした取締役・執行役以外の利益相反取引に係る責任を含む）については，その取締役・執行役・会計参与・監査役・会計監査人（以下，本条に対するコメントにおいて

「役員等」という）が職務を行うにつき善意でかつ重大な過失がないときは，賠償責任額からその役員等がその在職中に会社から職務執行の対価として受け，または受けるべき財産上の利益の1年間あたりの額に相当する額として法務省令で定める方法により算定される額に，代表取締役・代表執行役については6を，業務執行取締役等（代表取締役である者を除く）または代表執行役以外の執行役については4を，取締役（業務執行取締役等である者を除く）・会計参与・監査役・会計監査人については2を，それぞれ，乗じて得た額と，その役員等がその会社の新株予約権を引き受けた場合（金銭の払込みをしないことがその者にとって特に有利な条件である場合または払込金額が特に有利な金額である場合）におけるその新株予約権に関する財産上の利益に相当する額として法務省令で定める方法により算定される額（114条）との合計額（最低責任限度額）を控除して得た額を限度として，株主総会の特別決議によって免除することができる（法425条1項・309条2項8号）。

また，監査役（監査の範囲が会計に関する事項に限定されている者を除く）を置いている会社（取締役が2人以上ある場合に限る），監査等委員会設置会社または指名委員会等設置会社は，任務懈怠に基づく会社に対する損害賠償責任について，その役員等が職務を行うにつき善意でかつ重大な過失がない場合において，責任の原因となった事実の内容，その役員等の職務の執行の状況その他の事情を勘案して特に必要と認めるときは，最低責任限度額を限度として取締役（その責任を負う取締役を除く）の過半数の同意（取締役会設置会社では，取締役会の決議）によって免除することができる旨を，定款で定めることができる（法426条1項）。

さらに，取締役（業務執行取締役等である者を除く）・監査役・会計参与・会計監査人（以下，本条に対するコメントにおいて「非業務執行取締役等」という）の確保を容易にするため，会社は，社外取締役等の任務懈怠に基づく会社に対する損害賠償責任について，その非業務執行取締役等が職務を行うにつき善意でかつ重大な過失がないときは，定款で定めた額の範囲内であらかじめ会社が定めた額と最低責任限度額とのいずれか高い額を限度とする旨の契約を非業務執行取締役等と締結することができる旨を定款で定めることができる（法427条1項）。

本条では，最低責任限度額の算定の基礎となる株式会社の取締役，執行役，会計参与，監査役または会計監査人がその「在職中に株式会社から職務執行の対価として受け，又は受けるべき財産上の利益の1年間当たりの額に相当する

額として法務省令で定める方法により算定される額」を，役員等がその在職中に報酬，賞与その他の職務執行の対価として株式会社から受け，または受けるべき財産上の利益（退職慰労金または退職手当の性質を有するものを除く）の額（1号）と退職慰労金または退職手当の性質を有する財産上の利益の額（2号）との合計額であると定めている。

1 役員等がその在職中に報酬，賞与その他の職務執行の対価として株式会社から受け，または受けるべき財産上の利益（退職慰労金または退職手当の性質を有するものを除く）（1号）

本号は，平成17年改正前商法266条7項1号・12項1号および19項1号ならびに平成17年廃止前商法特例法21条の17第4項から6項までを踏襲したものであるが，会社法の下では，いわゆるストック・オプションも「役員等がその在職中に……職務執行の対価として株式会社から受け，または受けるべき財産上の利益」にあたると解されていることから（役員等に対して，金銭の払込みを要しないものとして新株予約権を割り当てる場合には，特に有利な条件による発行とみる余地もあるが，このようなストック・オプションも職務執行の対価であるから，「報酬等」に含まれる。相澤＝石井・商事法務1744号102頁），本号でカバーされる範囲のほうが広くなっている。したがって，「役員等がその在職中に……職務執行の対価として株式会社から受け，又は受けるべき財産上の利益」の額には，ストック・オプションの付与時の公正価値（ストック・オプション等に関する会計基準と異なり，未公開会社においても，その時間的価値を含めて考えるのが理論的である［→114条］）が含まれることになる。

すなわち，「役員等がその在職中に……職務執行の対価として株式会社から受け，又は受けるべき財産上の利益」は，法361条にいう「報酬等」と同意義であると解される。したがって，名目や支給形態あるいは金銭であるか否かを問わない。具体的には，いわゆる報酬や役員賞与（利益処分によって与えられる，いわゆる「役員賞与」が平成17年改正前商法269条にいう「報酬」にあたるかどうかについては学説が分かれていたが，会社法は，指名委員会等設置会社以外の会社においては，「賞与」その他の職務執行の対価として取締役が会社から受ける財産上の利益は株主総会の決議により定めるものとした。法361条）のほか，退職慰労金などが含まれるが，「次号に定めるものを除く」と定めて，退職慰労金の性質を有するものについては異なる取扱いをするものとしている。

「役員等がその在職中に……職務執行の対価として株式会社から受け，又は

受けるべき財産上の利益」とは，役員等が役員等としての職務執行の対価として株式会社から受け，または受けるべき財産上の利益であるので，その役員等がその株式会社の取締役，執行役または支配人その他の使用人を兼ねている場合における当該取締役，執行役または支配人その他の使用人としての報酬，賞与その他の職務執行の対価は含まれないことになるため，かっこ書において，「当該役員等が当該株式会社の取締役，執行役又は支配人その他の使用人を兼ねている場合における当該取締役，執行役又は支配人その他の使用人の報酬，賞与その他の職務執行の対価を含む」ものと定められている。これは，役員等がその株式会社の取締役，執行役または支配人その他の使用人を兼ねている場合には，役員等の報酬等は，当該取締役，執行役または支配人その他の使用人としての報酬，賞与その他の職務執行の対価を考慮に入れて決定されると考えられるところ，当該取締役，執行役または支配人その他の使用人としての報酬，賞与その他の職務執行の対価を最低責任限度額の算定にあたり算入しないこととすると，その役員等が株式会社から受ける財産上の利益の額が同じであっても，使用人としての報酬，賞与その他の職務執行の対価を多く定めることによって，最低責任限度額を引き下げることができることになり不都合だからである。また，役員等がその株式会社の取締役，執行役または支配人その他の使用人を兼ねている場合に，役員等としての職務執行と兼ねている取締役，執行役または支配人その他の使用人としての職務執行とを峻別することは必ずしも容易ではないということも根拠となろう。この結果，使用人等としての職務執行の対価としてストック・オプションの付与を受けた場合には，その付与時の公正価値（「ストック・オプション等に関する会計基準」と異なり，未公開会社においても，その時間的価値を含めて考えるのが理論的である［→114条］）が含まれることになる。

他方，「当該役員等が当該株式会社の取締役，執行役又は支配人その他の使用人を兼ねている場合」とされているので，役員等が株式会社に対して，独立の第三者の立場でサービスを提供し，その対価として役員等が株式会社から受けた財産上の利益は含まれない。たとえば，会計監査人である監査法人が株式会社に対して非監査サービスを提供した場合の報酬や会計参与である税理士が株式会社から受ける税務顧問としての報酬などは，「当該取締役，執行役又は支配人その他の使用人の報酬，賞与その他の職務執行の対価」にはあたらない。

「役員等がその在職中に報酬，賞与その他の職務執行の対価……として株式

第113条（報酬等の額の算定方法） 619

会社から受け，又は受けるべき財産上の利益……の額の事業年度……ごとの合計額……のうち最も高い額」（圏点―引用者）とされているのは，平成17年改正前商法および平成17年廃止前商法特例法の定めを踏襲したものであるが，このように定めないと，最低責任限度額が低くなるように，ある事業年度について「職務執行の対価……として株式会社から受け，又は受けるべき財産上の利益」を定めるという操作をすることができるからであろう。ただ，「役員等がその在職中」の「事業年度……ごとの合計額……のうち最も高い額」とされているが，たとえば，代表取締役が退任後，監査役に就任し，監査役としての任務懈怠により，会社に損害を与えた場合には，代表取締役であった時に「報酬，賞与その他の職務執行の対価……として株式会社から受け」た「財産上の利益……の額の事業年度……ごとの合計額……のうち最も高い額」が株式会社の取締役，執行役，会計参与，監査役又は会計監査人が「その在職中に株式会社から職務執行の対価として受け，又は受けるべき財産上の利益の1年間当たりの額に相当する額として法務省令で定める方法により算定される額」の算定の基礎となるのか，それとも，監査役として「報酬，賞与その他の職務執行の対価……として株式会社から受け」た「財産上の利益……の額の事業年度……ごとの合計額……のうち最も高い額」が株式会社の取締役，執行役，会計参与，監査役又は会計監査人が「その在職中に株式会社から職務執行の対価として受け，又は受けるべき財産上の利益の1年間当たりの額に相当する額として法務省令で定める方法により算定される額」の算定の基礎となるのかという問題があると思われる。「役員等がその在職中に」（圏点―引用者）とされていることからは，複数の役職に就任した場合であっても，役員等であった期間全部をみて「財産上の利益……の額の事業年度……ごとの合計額……のうち最も高い額」が算定基礎となると解するのが最も素直な解釈であろう。そして，株式会社の役員等を連続して勤めなかった場合であっても，役員等であった期間全部をみて「最も高い額」を算定基礎とするものと考えられる。

なお，「当該事業年度の期間が1年でない場合にあっては，当該合計額を1年当たりの額に換算した額」とされているのは，事業年度の期間は1年6カ月を超えることはできないものの，1暦年とは限らないためであり（計規59条2項参照），本条は，株式会社の取締役，執行役，会計参与，監査役または会計監査人がその「在職中に株式会社から職務執行の対価として受け，又は受けるべき財産上の利益の1年間当たりの額に相当する額として法務省令で定める方法により算定される額」（圏点―引用者）を定めるものであるからである。

また，責任の一部を免除する株主総会の決議を行った場合には株主総会（株式会社に最終完全親会社等がある場合において，免除しようとする責任が特定責任であるときには，当該株式会社の株主総会）の決議の日，定款の定めに基づいて責任を免除する旨の取締役の過半数の同意（取締役会設置会社では，取締役会の決議）を行った場合には同意（取締役会設置会社では，取締役会の決議）のあった日，責任制限契約を締結した場合には責任の原因となる事実が生じた日（二以上の日がある場合にあっては，最も遅い日）を含む事業年度およびその前の各事業年度における「役員等がその在職中に報酬，賞与その他の職務執行の対価……として株式会社から受け，又は受けるべき財産上の利益……の額の事業年度ごとの合計額……のうち最も高い額」（圏点—引用者）が算定基礎とされるのは，それより後の事業年度において「役員等がその在職中に報酬，賞与その他の職務執行の対価……として株式会社から受け，又は受けるべき財産上の利益……の額」は決議等の段階では判明しない以上，当然のことであろう。

2　退職慰労金または退職手当の性質を有する財産上の利益（2号）

退職慰労金の性質を有するものは，役員等の在職中の職務行為の対価，つまり報酬の後払い的性質を有するものであり，その役員等の在任期間全体に対応する職務執行の対価としての財産上の利益であって，支給された時期に注目して，最低責任限度額の算定に反映することは適切でないため，1号とは異なる取扱いを本号では定めている。本号も平成17年改正前商法266条7項2号・12項2号および19項2号ならびに平成17年廃止前商法特例法21条の17第4項から6項までを実質的には踏襲したものである。

「当該役員等が当該株式会社の取締役，執行役又は支配人その他の使用人を兼ねていた場合における当該取締役若しくは執行役としての退職慰労金又は支配人その他の使用人としての退職手当のうち当該役員等を兼ねていた期間の職務執行の対価である部分の額」を算定基礎に含めるものとされているのは，1号かっこ書と同様，役員等がその株式会社の取締役，執行役または支配人その他の使用人を兼ねている場合には，役員等の退職慰労金は，当該取締役，執行役または支配人その他の使用人としての退職慰労金・退職手当を考慮に入れて決定されると考えられるところ，役員等を兼ねていた期間に対応する当該取締役，執行役または支配人その他の使用人としての退職慰労金・退職手当を最低責任限度額の算定にあたり算入しないこととすると，その役員等が株式会社から受ける財産上の利益の額が同じであっても，使用人としての退職手当を多く

定めることによって，最低責任限度額を引き下げることができることになり不都合だからである。また，役員等がその株式会社の取締役，執行役または支配人その他の使用人を兼ねている場合に，役員等としての職務執行と兼ねている取締役，執行役または支配人その他の使用人としての職務執行とを峻別することは必ずしも容易ではないということも根拠となろう。

　本号イ(3)が「当該役員等が当該株式会社から受けた退職慰労金の額」または「当該役員等が当該株式会社の取締役，執行役又は支配人その他の使用人を兼ねていた場合における当該取締役若しくは執行役としての退職慰労金又は支配人その他の使用人としての退職手当のうち当該役員等を兼ねていた期間の職務執行の対価である部分の額」に掲げるものの性質を有する財産上の利益の額も役員等としての退職慰労金や使用人としての退職給付と同じ取扱いに服する旨を定めるのは，名目のいかんにかかわらず，職務執行の対価として会社から受ける財産上の利益がある単一の事業年度の職務執行に対応するものではなく，複数の事業年度の職務執行に対応するものであるときは，職務執行の対価として会社から受けた財産上の利益全額を「1年間当たりの額に相当する額」（圏点一引用者）とすることは適当ではないことによる。したがって，「(1)又は(2)に掲げるものの性質を有する財産上の利益」とは，複数の事業年度の職務執行に対応する財産上の利益をいうものと考えられる。

　退職慰労金や退職給付の額を当該役員等がその職に就いていた年数で除することとされているのは，「1年間当たりの額に相当する額」（圏点一引用者）を求めるためである。退職慰労金あるいは退職手当の額は当該役員がその職に就いていた年数に対応して決定されていると考えられるので，その職に就いていた年数で除して求めることが「1年間当たりの額に相当する額」（圏点一引用者）を求めるためには適切だからである。そして，本号の規定振りからは，「その職」とは，代表取締役，代表執行役，代表取締役以外の取締役（社外取締役を除く），代表執行役以外の執行役，社外取締役，会計参与，監査役または会計監査人を指すものと思われるが，退職慰労金が複数の役職に就いていた期間に対応するものである場合には算定上若干の問題がありえよう。おそらく，現実に受けた退職金の額と前の職から離れた時点で退職慰労金を受けたと仮定した場合の額との差額をその職に対応する退職金の額とみて算定するのが合理的であろう。同様に，役員等がその株式会社の取締役，執行役または支配人その他の使用人を兼ねていた場合における，その取締役もしくは執行役としての退職慰労金または支配人その他の使用人としての退職手当のうち「当該役

員等を兼ねていた期間の職務執行の対価である部分の額」も，その取締役もしくは執行役としての退職慰労金または支配人その他の使用人としての退職手当の額と当該役員等を兼ねることになった時に受けることができたであろう退職慰労金または退職手当の額との差額という形で把握することが穏当であろう。

なお，「当該役員等が次に掲げるものに該当する場合における次に定める数が」当該役員等がその職に就いていた年数を「超えている場合にあっては，当該数」とされているのは，たとえば，その役員等が代表取締役または代表執行役である場合に，その職に就いていた期間が2年であるとすると，退職慰労金の額を2で除して，それに6を乗じて（法425条1項1号イ），最低責任限度額を算定することになるが，これでは，退職慰労金として受けた額の3倍が最低責任限度額に含まれることになり，その役員等にとって酷だからである。

3 平成17年改正前商法280条ノ21第1項の決議に基づき発行を受けた新株予約権の取扱い

取締役または監査役が平成17年改正前商法280条ノ21第1項の決議に基づき発行を受けた新株予約権がある場合には，その取締役または監査役が職務執行の対価として株式会社から受けたものであっても，その新株予約権は114条1号に規定する新株予約権とみなされる（附則7条）。これは，平成17年改正前商法の規定に基づき付与された新株予約権については，その職務執行の対価性の有無にかかわらず，その権利行使等によって受けた利益を責任限度額算定の基礎とするという同法266条7項3号による取扱いを実質的に維持するものである（相澤＝石井・商事法務1761号22頁）。

―（特に有利な条件で引き受けた職務執行の対価以外の新株予約権）――
第114条 法第425条第1項第2号に規定する法務省令で定める方法により算定される額は，次の各号に掲げる場合の区分に応じ，当該各号に定める額とする。
　一　当該役員等が就任後に新株予約権（当該役員等が職務執行の対価として株式会社から受けたものを除く。以下この条において同じ。）を行使した場合　イに掲げる額からロに掲げる額を減じて得た額（零未満である場合にあっては，零）に当該新株予約権の行使により当該役員等が交付を受けた当該株式会社の株式の数を乗じて得た額
　　イ　当該新株予約権の行使時における当該株式の1株当たりの時価

第114条（特に有利な条件で引き受けた職務執行の対価以外の新株予約権） 623

　　　ロ　当該新株予約権についての法第236条第１項第２号の価額及び法第238条第１項第３号の払込金額の合計額の当該新株予約権の目的である株式１株当たりの額
　　二　当該役員等が就任後に新株予約権を譲渡した場合　当該新株予約権の譲渡価額から法第238条第１項第３号の払込金額を減じて得た額に当該新株予約権の数を乗じた額

　本条は，最低責任限度額算定の関係での，職務執行の対価としてではない新株予約権の取扱いを定めるものである。すなわち，法425条１項２号にいう「当該役員等が当該株式会社の新株予約権を引き受けた場合（第238条第３項各号に掲げる場合に限る。）における当該新株予約権に関する財産上の利益に相当する額として法務省令で定める方法により算定される額」を，その委任に基づき定めるものであるが，法425条１項２号の文言とは若干異なる内容を定めているとみる余地がないわけではない。
　本条は，平成17年改正前商法266条７項３号・12項２号および19項３号ならびに平成17年廃止前商法特例法21条の17第４項から６項までを実質的には踏襲したものである。
　「当該役員等が職務執行の対価として株式会社から受けたものを除く」とされているのは，113条１号との重複を回避するためであり，また，職務執行の対価である部分は特に有利な条件または払込金額で発行されたとは評価できないからである（過大な部分は，特に有利な条件または払込金額で発行されたとは評価されることは当然である）。条文上は明らかではないが，同号との関係からは，「当該役員等が当該株式会社の取締役，執行役又は支配人その他の使用人を兼ねている場合」において「当該取締役，執行役又は支配人その他の使用人」としての「職務執行の対価」として交付された新株予約権も，「当該役員等が職務執行の対価として株式会社から受けたもの」には含まれると解すべきであろう。他方，株式会社の役員等あるいは使用人としてではなく，たとえば，役員等が子会社などの役員等として，募集新株予約権を無償で（特に有利な条件にあたる場合に限る），あるいは特に有利な払込金額で引き受けた場合（法425条１項２号かっこ書参照）には，本条の適用がある。その者に対する募集新株予約権の有利発行等が役員等への就任前に行われた場合であっても，本条の適用はある。また，募集新株予約権を無償で（特に有利な条件にあたる場合に

限る)，あるいは特に有利な払込金額で引き受けた場合であれば，その募集新株予約権の発行等について株主総会の特別決議を経ているかどうかも問わない。

まず，1号は，役員等が就任後に新株予約権（その役員等が職務執行の対価として株式会社から受けたものを除く）を行使した場合には，それによって得られた経済的利益は，最低責任限度額算定に反映させるべきであるという価値判断に基づくものである。これは，新株予約権が役員等に対して無償またはその公正価値を下回る払込金額で発行される場合にはそれが役員等の職務執行の対価性を有するかどうかを厳密には判断できないことに加え，少なくとも，役員等がその新株予約権の行使によって利益をあげた場合には，それを役員等が留保しつつ，会社に対する損害賠償責任の一部免除を受けることは必ずしも公正ではないという価値判断によるものと推測される。したがって，|その新株予約権の行使時におけるその新株予約権の目的である株式の1株当たりの時価－（募集新株予約権1個と引換えに払い込む金銭の額＋その新株予約権の行使に際して出資される財産の価額）÷その新株予約権の目的である株式数|×（その新株予約権の行使により当該役員等が交付を受けたその株式会社の株式の数）が，最低責任限度額算定の基礎に含められることになる。

2号は，役員等が就任後に新株予約権を譲渡したときについて，（その新株予約権の譲渡価額－募集新株予約権1個と引換えに払い込む金銭の額）×（その新株予約権の数）を最低責任限度額算定の基礎に含めるべきものとしている。これは，新株予約権の有利発行によって，利益を得ている以上，新株予約権を行使した場合でなくとも，役員等の最低責任限度額算定の基礎に含めることが首尾一貫するからである。

なお，取締役または監査役が平成17年改正前商法280条ノ21第1項の決議に基づき発行を受けた新株予約権がある場合には，その取締役または監査役が職務執行の対価として株式会社から受けたものであっても，その新株予約権は114条1号に規定する新株予約権とみなされる（附則7条）。これは，平成17年改正前商法の規定に基づき付与された新株予約権については，その職務執行の対価性の有無にかかわらず，その権利行使等によって受けた利益を責任限度額算定の基礎とするという同法266条7項3号による取扱いを実質的に維持するものである（相澤＝石井・商事法務1761号22頁）。

――(責任の免除の決議後に受ける退職慰労金等)――
第115条　法第425条第4項(法第426条第8項及び第427条第5項において準用する場合を含む。)に規定する法務省令で定める財産上の利益とは，次に掲げるものとする。
　一　退職慰労金
　二　当該役員等が当該株式会社の取締役又は執行役を兼ねていたときは，当該取締役又は執行役としての退職慰労金
　三　当該役員等が当該株式会社の支配人その他の使用人を兼ねていたときは，当該支配人その他の使用人としての退職手当のうち当該役員等を兼ねていた期間の職務執行の対価である部分
　四　前3号に掲げるものの性質を有する財産上の利益

　役員等の会社に対する損害賠償責任の一部を免除する株主総会決議があった場合において，株式会社がその決議後にその役員等に対し退職慰労金その他の法務省令で定める財産上の利益を与えるときは，株主総会の承認を受けなければならない(法425条4項1文)。これは，取締役の過半数による決定あるいは取締役会決議によって，役員等の会社に対する損害賠償責任の一部を免除する株主総会決議があった場合または社外取締役等が責任限定契約によって責任限度を超える部分について損害を賠償する責任を負わないとされた場合においても同様である(法426条8項・427条5項)。本条は，この委任をうけて，「退職慰労金その他の法務省令で定める財産上の利益」を定めるものである。
　本条は，平成17年改正前商法266条10項・16項および23項ならびに平成17年廃止前商法特例法21条の17第4項から6項までを実質的には踏襲したものである。
　このような規定が置かれているのは，最低責任限度額は，その役員等がその株式会社から受けた退職慰労金の額，役員等がその株式会社の取締役，執行役または支配人その他の使用人を兼ねていた場合におけるその取締役もしくは執行役としての退職慰労金または支配人その他の使用人としての退職手当のうちその役員等を兼ねていた期間の職務執行の対価である部分の額，その他これらの性質を有する財産上の利益の額を算定基礎に含めて算定されるので(113条2号)，責任の一部免除の決議や責任限定契約に基づいて責任限度を超える部分について損害を賠償する責任を負わないとされた後に，退職慰労金等を支給することによって，最低責任限度額を減少させることが可能だからである。す

なわち，退職慰労金の支給の決定時期などを動かすことによって，113条の定めの実効性を損なうことが可能なので，責任の一部免除の決議や責任限定契約に基づいて責任限度を超える部分について損害を賠償する責任を負わないとされた後に，退職慰労金等を支給する場合には，株主総会の決議を要求し，株主のチェックを働かせようとしている。役員等に対する退職慰労金の支給は，多くの場合，指名委員会等設置会社以外の会社では，株主総会の議案として提出されるが，本条の定めにより，指名委員会等設置会社においても取締役としての退職慰労金，執行役としての退職慰労金，その役員等がその株式会社の支配人その他の使用人を兼ねていたときは，その支配人その他の使用人としての退職手当のうち当該役員等を兼ねていた期間の職務執行の対価である部分，および，これらと同様の性質を有する財産上の利益の支給についても，株主総会の決議を要するものとされる。

上述のように，本条は，最低責任限度額の定め方（113条）と連動しているため，113条2号イに掲げられている項目とパラレルに「退職慰労金その他の法務省令で定める財産上の利益」を定めている。

第11節　役員等のために締結される保険契約

第115条の2　法第430条の3第1項に規定する法務省令で定めるものは，次に掲げるものとする。
一　被保険者に保険者との間で保険契約を締結する株式会社を含む保険契約であって，当該株式会社がその業務に関連し第三者に生じた損害を賠償する責任を負うこと又は当該責任の追及に係る請求を受けることによって当該株式会社に生ずることのある損害を保険者が塡補することを主たる目的として締結されるもの
二　役員等が第三者に生じた損害を賠償する責任を負うこと又は当該責任の追及に係る請求を受けることによって当該役員等に生ずることのある損害（役員等がその職務上の義務に違反し若しくは職務を怠ったことによって第三者に生じた損害を賠償する責任を負うこと又は当該責任の追及に係る請求を受けることによって当該役員等に生ずることのある損害を除く。）を保険者が塡補することを目的として締結されるもの

株式会社が，保険者との間で締結する保険契約のうち役員等がその職務の執行に関し責任を負うことまたはその責任の追及に係る請求を受けることによって生ずることのある損害を保険者が塡補することを約するものであって，役員等を被保険者とするものの内容の決定をするには，株主総会（取締役会設置会社では，取締役会）の決議によらなければならないことが原則であるが，「当該保険契約を締結することにより被保険者である役員等の職務の執行の適正性が著しく損なわれるおそれがないものとして法務省令で定めるもの」については株主総会（取締役会設置会社では，取締役会）の決議によることを要しない（ただし，法362条4項の重要な業務執行にあたる場合には取締役会の決議によることを要する）ものとされている（法430条の3第1項）。本条は，この委任をうけて，「当該保険契約を締結することにより被保険者である役員等の職務の執行の適正性が著しく損なわれるおそれがないものとして法務省令で定めるもの」を定めるものである。本条は限定列挙である（意見募集の結果（令和2年11月）26頁）。

1号は，株式会社の損害を塡補することを主たる目的とする保険ではあるが，役員等も被保険者となっているものであり，いわゆる生産物賠償責任保険（PL保険），企業総合賠償責任保険（CGL保険）などである。株式会社が第三者に対して損害賠償責任を負う場合であっても，役員等は株式会社とともに被告とされることが多いため，これらの保険では付随的に役員等が被保険者に追加されている場合が多い。そして，役員等が被保険者に追加されている場合には，「株式会社が，保険者との間で締結する保険契約のうち役員等がその職務の執行に関し責任を負うこと又は当該責任の追及に係る請求を受けることによって生ずることのある損害を保険者が塡補することを約するものであって，役員等を被保険者とするもの」（役員等のために締結される保険契約）という定義を満たす。しかし，これらの保険は，役員等自身の責任に起因する損害を塡補することを主たる目的とする，いわゆるD&O保険に比べて利益相反性が類型的に低いと考えられる。他方，販売されている保険の種類や数が膨大であり，その内容の決定につき株主総会（取締役会設置会社では，取締役会）の決議によることとすると，実務上，甚大な影響が想定されるという指摘等がある。そこで，これらの保険に係る保険契約については，役員等が被保険者に追加されている場合であっても，役員等賠償責任保険契約には該当しないこととされている（竹林ほか・商事法務2225号9～10頁）。

「主契約と特約が一体のものとして役員等賠償責任保険契約を構成する場合

には」，本「号の『主たる目的』は，主契約と特約を合わせた契約全体について判断されることとなる。また，被保険者に役員と会社の両方を含む役員等賠償責任保険契約についても，それぞれを被保険者とする部分を別の保険契約であると整理することが適切でない場合には，契約全体について『主たる目的』が判断されることとなる。その判断は，主契約か特約かなどの外形的な事情だけでなく，経済的な機能等にも着目し，個別具体的にされることとなると考えられる。」とされている（意見募集の結果（令和2年11月）26～27頁）。

2号は，役員等自身に生ずることのある損害を填補することを目的として，役員等自身を被保険者とする保険であるにもかかわらず，役員等賠償責任保険契約には該当しないこととされるものである。たとえば，自動車賠償責任保険や海外旅行保険などは，役員等のために締結される保険契約の定義を満たすものの，これらは自動車の運転中や旅行行程中に生じた偶然の事故など，役員等としての職務上の義務違反や職務の懈怠にはあたらない行為等によって第三者に損害を与え，その結果，その第三者に対して損害賠償責任を負うことによって役員等に損害が生ずるような場合を想定して加入する保険であると位置づけられる。したがって，これらの保険に加入することによって被保険者である役員等の職務の執行の適正性が損なわれるおそれは大きくないと考えられる。他方，販売されている保険の種類や数が膨大であり，その内容の決定につき株主総会（取締役会設置会社では，取締役会）の決議によることとすると，実務上，甚大な影響が想定されるという指摘等がある。そこで，これらの保険に係る保険契約については，役員等賠償責任保険契約には該当しないこととされている（竹林ほか・商事法務2225号9～10頁）。

なお，本「号に掲げるものに具体的にどのような保険契約が含まれるかについては，保険契約の内容や当該保険契約を締結する会社の状況に応じて様々であることから，……個別具体的な事情を踏まえ解釈されることとなる」とされている（意見募集の結果（令和2年11月）27頁）。

第5章

計 算 等

第1節　計算関係書類

> 第116条　次に掲げる規定に規定する法務省令で定めるべき事項（事業報告及びその附属明細書に係るものを除く。）は，会社計算規則の定めるところによる。
> 　一　法第432条第1項
> 　二　法第435条第1項及び第2項
> 　三　法第436条第1項及び第2項
> 　四　法第437条
> 　五　法第439条
> 　六　法第440条第1項及び第3項
> 　七　法第441条第1項，第2項及び第4項
> 　八　法第444条第1項，第4項及び第6項
> 　九　法第445条第4項から第6項まで
> 　十　法第446条第1号ホ及び第7号
> 　十一　法第452条
> 　十二　法第459条第2項
> 　十三　法第460条第2項
> 　十四　法第461条第2項第2号イ，第5号及び第6号
> 　十五　法第462条第1項

　本条は，会社法が法務省令に委任した事項のうち，会社計算規則が定めるものを規定するものである。

会社法	委任事項	会社計算規則
432条1項	会計帳簿の作成（株式会社）	4条から56条
435条1項	成立の日における貸借対照表の作成（株式会社）	57条，58条，72条から86条，118条，119条
435条2項	各事業年度に係る計算書類および附属明細書（株式会社）	57条，59条，72条から119条
436条1項	計算書類および附属明細書の監査（監査役設置会社。監査役の監査の範囲を会計に関するものに限定する旨の定款の定めがある株式会社を含む，会計監査人設置会社を除く）	121条から124条
436条2項	計算書類および附属明細書の監査(会計監査人設置会社)	121条，125条から132条
437条	定時株主総会の招集の通知に際して，株主に対してする計算書類（監査報告または会計監査報告を含む）の提供（取締役会設置会社）	133条
439条	計算書類が法令および定款に従い株式会社の財産および損益の状況を正しく表示しているものとして法務省令で定める要件	135条
440条1項	貸借対照表（・損益計算書）の公告	136条1項・2項，148条
440条3項	貸借対照表（・損益計算書）の内容である情報の電磁的方法による公開	136条1項・3項，147条，148条
441条1項	臨時計算書類の作成	57条，60条，72条から94条，118条，119条
441条2項	臨時計算書類の監査	121条から132条
441条4項	臨時計算書類が法令および定款に従い株式会社の財産および損益の状況を正しく表示しているものとして法務省令で定める要件	135条
444条1項	各事業年度に係る連結計算書類の作成	57条，61条から69条，72条から116条，118条から120条の3
444条4項	連結計算書類の監査	121条，125条から132条
444条6項	定時株主総会の招集の通知に際して，株主に対してする連結計算書類の提供（取締役会設置会社）	134条
445条4項	剰余金の配当をする場合の準備金の計上	22条
445条5項	合併，吸収分割，新設分割，株式交換，株式移転または株式交付に際して資本金または準備金として計上すべき額	35条から42条，45条から52条
445条6項	取締役・執行役の報酬のうち募集株式・募集新株予約権または募集新株予約権の払込みに充てるための金銭の決定に基づく株式の発行により資本金または準備金として計上すべき額	42条の2，42条の3
446条1号ホ	剰余金の額の算定上減算される，最終事業年度の末日において法務省令で定める各勘定科目に計上した額	149条
446条7号	剰余金の額の算定上減算される，法務省令で定める各勘定科目に計上した額の合計額	150条
452条	株式会社が剰余金の処分をする場合に定めるべき，法務省令で定める事項	153条
459条2項 460条2項	最終事業年度に係る計算書類が法令および定款に従い株式会社の財産および損益の状況を正しく表示しているものとして法務省令で定める要件	155条

461条2項2号イ	臨時会計年度の利益の額として法務省令で定める各勘定科目に計上した額	156条
461条2項5号	臨時会計年度の損失の額として法務省令で定める各勘定科目に計上した額	157条
461条2項6号	分配可能額算定上減算される，法務省令で定める各勘定科目に計上した額	158条
462条1項	剰余金の配当等に関する責任を負う，業務執行取締役の行う業務の執行に職務上関与した者として法務省令で定めるもの／総会議案提案取締役／取締役会議案提案取締役	159条から161条

第2節　事業報告

第1款　通　則

第117条　次の各号に掲げる規定に規定する法務省令で定めるべき事項（事業報告及びその附属明細書に係るものに限る。）は，当該各号に定める規定の定めるところによる。ただし，他の法令に別段の定めがある場合は，この限りでない。
一　法第435条第2項　次款
二　法第436条第1項及び第2項　第3款
三　法第437条　第4款

　法435条2項は，「株式会社は，法務省令で定めるところにより，各事業年度に係る……事業報告並びにこれらの附属明細書を作成しなければならない」と定めている。また，法436条1項は，「監査役設置会社（監査役の監査の範囲を会計に関するものに限定する旨の定款の定めがある株式会社を含み，会計監査人設置会社を除く。）においては，……事業報告並びにこれらの附属明細書は，法務省令で定めるところにより，監査役の監査を受けなければならない」と，同条2項2号は「事業報告及びその附属明細書」は，法務省令で定めると

ころにより，「監査等委員会設置会社にあっては監査等委員会，指名委員会等設置会社にあっては監査委員会」の「監査を受けなければならない」と定めている。さらに，法437条は，「取締役会設置会社においては，取締役は，定時株主総会の招集の通知に際して，法務省令で定めるところにより，株主に対し，前条第3項の承認を受けた……事業報告（同条第1項又は第2項の規定の適用がある場合にあっては，監査報告又は会計監査報告を含む。）を提供しなければならない」と定める。これをうけて，本節の規定が会社法施行規則に設けられている。

「ただし，他の法令に別段の定めがある場合は，この限りでない」とされているのは，別記事業を営む会社の計算関係書類についての特例を定める計規118条と同じ趣旨に基づくものである。平成18年改正前商法施行規則114条が，別記事業を営む計算書類作成会社が当該別記事業の所管官庁に提出する財務諸表の用語，様式および作成方法について，特に法令の定めがある場合または当該別記事業の所管官庁が商法施行規則に準じて財務諸表準則を制定した場合には，当該別記事業を営む計算書類作成会社が作成すべき計算書類等（貸借対照表，損益計算書，営業報告書および附属明細書）の用語，様式および作成方法については，その法令または準則の定めによることを原則としていたことを実質的に踏襲したのが本条である。「別段の定めがある場合」とされているので，本節が定める事業報告の記載事項に対応する記載事項が法令または準則が定める事業報告の記載事項として定められていない場合には，本節の規定に従って記載することを要する。もっとも，法令または準則が定める記載事項が，当該別記事業の特性に起因して若干異なっていても，法令または準則に定めがあると考えられ，完全に一致する記載事項でなくとも，実質的に対応する記載事項が法令または準則に定められていれば，「別段の定めがある場合」にあたると解するべきであろう。

第2款　事業報告等の内容

第1目　通　　則

第118条　事業報告は，次に掲げる事項をその内容としなければならない。
　一　当該株式会社の状況に関する重要な事項（計算書類及びその附属明細書

並びに連結計算書類の内容となる事項を除く。）
二　法第348条第３項第４号，第362条第４項第６号，第399条の13第１項第１号ロ及びハ並びに第416条第１項第１号ロ及びホに規定する体制の整備についての決定又は決議があるときは，その決定又は決議の内容の概要及び当該体制の運用状況の概要
三　株式会社が当該株式会社の財務及び事業の方針の決定を支配する者の在り方に関する基本方針（以下この号において「基本方針」という。）を定めているときは，次に掲げる事項
　　イ　基本方針の内容の概要
　　ロ　次に掲げる取組みの具体的な内容の概要
　　　(1)　当該株式会社の財産の有効な活用，適切な企業集団の形成その他の基本方針の実現に資する特別な取組み
　　　(2)　基本方針に照らして不適切な者によって当該株式会社の財務及び事業の方針の決定が支配されることを防止するための取組み
　　ハ　ロの取組みの次に掲げる要件への該当性に関する当該株式会社の取締役（取締役会設置会社にあっては，取締役会）の判断及びその理由（当該理由が社外役員の存否に関する事項のみである場合における当該事項を除く。）
　　　(1)　当該取組みが基本方針に沿うものであること。
　　　(2)　当該取組みが当該株式会社の株主の共同の利益を損なうものではないこと。
　　　(3)　当該取組みが当該株式会社の会社役員の地位の維持を目的とするものではないこと。
四　当該株式会社（当該事業年度の末日において，その完全親会社等があるものを除く。）に特定完全子会社（当該事業年度の末日において，当該株式会社及びその完全子会社等（法第847条の３第３項の規定により当該完全子会社等とみなされるものを含む。以下この号において同じ。）における当該株式会社のある完全子会社等（株式会社に限る。）の株式の帳簿価額が当該株式会社の当該事業年度に係る貸借対照表の資産の部に計上した額の合計額の５分の１（法第847条の３第４項の規定により５分の１を下回る割合を定款で定めた場合にあっては，その割合）を超える場合における当該ある完全子会社等をいう。以下この号において同じ。）がある場合には，次に掲げる事項
　　イ　当該特定完全子会社の名称及び住所
　　ロ　当該株式会社及びその完全子会社等における当該特定完全子会社の株式の当該事業年度の末日における帳簿価額の合計額

ハ　当該株式会社の当該事業年度に係る貸借対照表の資産の部に計上した額の合計額
　五　当該株式会社とその親会社等との間の取引（当該株式会社と第三者との間の取引で当該株式会社とその親会社等との間の利益が相反するものを含む。）であって，当該株式会社の当該事業年度に係る個別注記表において会社計算規則第112条第1項に規定する注記を要するもの（同項ただし書の規定により同項第4号から第6号まで及び第8号に掲げる事項を省略するものを除く。）があるときは，当該取引に係る次に掲げる事項
　　イ　当該取引をするに当たり当該株式会社の利益を害さないように留意した事項（当該事項がない場合にあっては，その旨）
　　ロ　当該取引が当該株式会社の利益を害さないかどうかについての当該株式会社の取締役（取締役会設置会社にあっては，取締役会。ハにおいて同じ。）の判断及びその理由
　　ハ　社外取締役を置く株式会社において，ロの取締役の判断が社外取締役の意見と異なる場合には，その意見

　本条は，すべての株式会社において事業報告の内容としなければならない事項を定めるものである（もっとも，5号は，個別注記表に関連当事者との間の取引の注記が要求されることが前提となっているので，会計監査人設置会社または公開会社にのみ要求される記載事項である）。これに対して，119条から124条まではその事業年度の末日において公開会社である株式会社が，125条はその事業年度の末日において会計参与設置会社である株式会社が，126条はその事業年度の末日において会計監査人設置会社である株式会社が，それぞれ，追加的に事業報告の内容としなければならない事項を定めている。
　「その事業年度の末日において」一定の類型の会社であるかによって規律を異ならせているのは，事業報告は，ある事業年度の株式会社の状況に関する重要な事項を内容とするものであるので（1号参照），その事業年度に属する日を基準として判定するのが自然である一方で，事業報告は事業年度の終了後に作成され，定時株主総会において報告されるものであるから，できる限り，判定時は報告される定時株主総会の日に近いことが望ましいと考えられるからである（相澤＝郡谷・商事法務1762号5頁）。

1　当該株式会社の状況に関する重要な事項（計算書類およびその附属明細書な

らびに連結計算書類の内容となる事項を除く）（1号）

「当該株式会社の状況に関する重要な事項」にどのような事項が含まれるかは，その株式会社の状況に関する「重要な」事項であるといえるかどうかによって判断されるが，たとえば，公開会社の場合には，119条から126条に掲げられている事項のほか，その企業のリスク等に関する事項が含まれると解される余地があろう（なお，相澤＝和久・商事法務1766号74頁は，「売上高または経常利益その他の利益もしくは損失が著しく増減したとき」における「その原因」は本条1号によって開示が要求されると指摘している）。すなわち，開示府令では，有価証券報告書の記載事項として，事業等のリスクをあげており，財政状態，経営成績およびキャッシュ・フローの状況の異常な変動，特定の取引先・製品・技術等への依存，特有の法的規制・取引慣行・経営方針，重要な訴訟事件等の発生，役員・大株主・関係会社等に関する重要事項等，投資者の判断に重要な影響を及ぼす可能性のある事項について具体的に記載すべきものとしている（開示府令第3号様式記載上の注意(11)・第2号様式記載上の注意(31)）。

なお，「計算書類及びその附属明細書並びに連結計算書類の内容となる事項を除く」とされているのは，事業報告を会計監査人の監査の対象からはずすため（相澤＝岩崎・商事法務1746号29頁参照），事業報告には会計に関する事項は含まれないという整理をしたことによる［ただ，このような整理をしたことの副作用としての問題点について，→129条1(2)・130条2］。

2 内部統制システム等の整備についての取締役の決定または取締役会の決議があるときは，その決定または決議の内容の概要および当該体制の運用状況の概要（2号）

大会社においては，「取締役の職務の執行が法令及び定款に適合することを確保するための体制その他株式会社の業務並びに当該株式会社及びその子会社から成る企業集団の業務の適正を確保するために必要なものとして法務省令で定める体制の整備」を取締役（取締役会設置会社では取締役会）が決定しなければならない（法348条4項・362条5項）。指名委員会等設置会社では，監査委員会の職務の執行のため必要なものとして法務省令で定める事項および執行役の職務の執行が法令および定款に適合することを確保するための体制その他株式会社の業務ならびに当該株式会社およびその子会社からなる企業集団の業務の適正を確保するために必要なものとして法務省令で定める体制の整備を取締役会が決定しなければならないものとされている（法416条2項）。また，監査等

委員会設置会社では，監査等委員会の職務の執行のため必要なものとして法務省令で定める事項および取締役の職務の執行が法令および定款に適合することを確保するための体制その他株式会社の業務ならびに当該株式会社およびその子会社からなる企業集団の業務の適正を確保するために必要なものとして法務省令で定める体制の整備を取締役会が決定しなければならないものとされている（法399条の13第1項）。さらに，それ以外の会社においても，「取締役の職務の執行が法令及び定款に適合することを確保するための体制その他株式会社の業務並びに当該株式会社及びその子会社から成る企業集団の業務の適正を確保するために必要なものとして法務省令で定める体制の整備」の決定を，各取締役に委任することはできないものとされている（法348条3項4号・362条4項6号）。そこで，98条は，取締役会設置会社以外の会社について「その他株式会社の業務並びに当該株式会社及びその子会社から成る企業集団の業務の適正を確保するために必要なものとして法務省令で定める体制」を，100条は，取締役会設置会社（監査等委員会設置会社および指名委員会等設置会社を除く）について「その他株式会社の業務並びに当該株式会社及びその子会社から成る企業集団の業務の適正を確保するために必要なものとして法務省令で定める体制」を，110条の4は，監査等委員会設置会社について「監査等委員会の職務の執行のため必要なものとして法務省令で定める事項」および「その他株式会社の業務並びに当該株式会社及びその子会社から成る企業集団の業務の適正を確保するために必要なものとして法務省令で定める体制」を，112条は，指名委員会等設置会社について「監査委員会の職務の執行のため必要なものとして法務省令で定める事項」および「その他株式会社の業務並びに当該株式会社及びその子会社から成る企業集団の業務の適正を確保するために必要なものとして法務省令で定める体制」を，それぞれ定めている。

　なお，監査等委員または監査委員である社外取締役が法348条の2第1項または2項の規定により委託を受けた業務を執行する場合におけるその監査等委員または監査委員による監査の職務遂行の適正性が損なわれることのないようにするための措置を会社が講じている場合には，その措置の内容は本号により事業報告に含めるべき事項となりうる（意見募集の結果（令和2年11月）46頁）。

　本号は，そのような事項について取締役が決定し，または取締役会が決議した場合には，その株式会社が大会社であるか否か，指名委員会等設置会社であるか否かを問わず，その決定または決議の内容の概要を事業報告に記載することを要求するものである。なお，ここでいう「決定又は決議の内容」は，当該

事業年度中に存在した決定または決議の内容をいう（小松＝渋谷・商事法務1863号12頁）ため，内部統制システム等の基本方針の見直しが当該事業年度中にされた場合には，当該見直しの内容も，「決定又は決議の内容」に含まれることとなる。「その決定又は決議の内容の概要」（圏点―引用者）とされているので，取締役の決定または取締役会の決議の内容の全部を記載する必要はなく，事業報告には，その概要を記載すれば足りる。これは，一方で，すべて記載すべきこととすると，取締役の決定や取締役会の決議においては大綱的なことのみを定めるというインセンティブが働く可能性があり，それは必ずしも望ましくないと考えられ，他方では，事業報告の分量が多くなり，会社にとってのコストが多くなりすぎることを回避するためであると推測される（もっとも，ウェブ開示の対象とすることができ，ウェブ開示の対象とする場合には，郵送や印刷のコストが桎梏になることはないと考えられることには留意すべきであろう。133条3項参照）。

　見直し要綱において，「株式会社の業務の適正を確保するために必要な体制について，……その運用状況の概要を事業報告の内容に追加するものとする」とされたこと（第1部第1（第1の後注））を踏まえた会社法施行規則の平成27年改正により，内部統制システム等の運用状況の概要を記載することが求められることとなったが，これは，各社の状況に応じて，内部統制システムの客観的な運用状況を記載することを求めるものであって，――運用状況の評価を記載することは妨げられないが――運用状況の評価の記載を求めるものではないとされている（意見募集の結果（平成27年2月）第3・2⑾③，坂本ほか・商事法務2061号21頁）。すなわち，内部統制システム等の基本方針が取締役の決定または取締役会の決議（法362条4項6号など）によって定められると，代表取締役もしくは業務執行取締役または（代表）執行役がこの基本方針に基づいて，具体的な内部統制システム等を具体的に構築することになる。内部統制・内部監査部門の設置，社内規程の整備等，具体的に構築された内部統制システム等の日々の運用状況の概要を記載することを求めるのが，本号である。したがって，内部統制に関する委員会等の開催状況や社内研修の実施状況，内部統制部門や内部監査部門の活動状況等を記載することが想定できる。

　もっとも，これを記載する前提として，代表取締役等が構築した具体的な内部統制システム等の概要について，必然的に記載することになるのではないかと考えられる。また，立案担当者は，運用の状況を踏まえた内部統制システム等の基本方針または具体的な内部統制システムの見直しを併せて記載すること

も考えられるとする（坂本ほか・商事法務2061号21頁）。

3　会社の財務および事業の方針の決定を支配する者のあり方に関する基本方針を定めているときは，当該基本方針の内容の概要およびそれに基づく取組みの具体的な内容の概要（3号）

　本号は，平成21年法務省令第7号による改正前会社法施行規則127条に相当する規定であり，その株式会社の財務および事業の方針の決定を支配する者のあり方に関する基本方針を定めている会社が，事業報告の内容としなければならない事項を定めるものである。すなわち，株式会社が，その株式会社の財務および事業の方針の決定を支配する者のあり方に関する基本方針を定めている場合には，基本方針の内容の概要，ならびに，その株式会社の財産の有効な活用，適切な企業集団の形成その他の基本方針の実現に資する特別な取組みまたは基本方針に照らして不適切な者によってその株式会社の財務および事業の方針の決定が支配されることを防止するための取組みの具体的な内容の概要を事業報告の内容としなければならないものとすると同時に，そのような取組みが基本方針に沿うものであること，その株式会社の株主の共同の利益を損なうものではないこと，および，その株式会社の会社役員の地位の維持を目的とするものではないことに関して，その株式会社の取締役（取締役会設置会社では，取締役会）の判断およびその判断に係る理由を事業報告に含めるべきものとしている。

　このような記載事項が定められているのは，株式会社が定める「株式会社の財務及び事業の方針の決定を支配する者の在り方に関する基本方針」ならびに「株式会社の財産の有効な活用，適切な企業集団の形成その他の基本方針の実現に資する特別な取組み」または「基本方針に照らして不適切な者によって当該株式会社の財務及び事業の方針の決定が支配されることを防止するための取組み」の中には，株主にとって利益になるものも不利益になるものもありうると予想されるところ，取締役（会）が善良な管理者としての注意義務を払って，会社の利益ひいては株主の利益となるような基本方針および具体的取組みの内容を定めるインセンティブを与えようとするものであると考えられる。すなわち，どのような具体的取組みが会社法上，違法または不当なものであると評価されるのかはさておき，開示を通じて市場原理が働き，また，株主の反応を予測して取締役（会）が決定を行うことによって，適法，かつ，より適切な具体的取組みが選択されることを期待していると推測される。また，「株式会

社の財務及び事業の方針の決定を支配する者の在り方に関する基本方針」の内容を開示させるのは，「株式会社の財産の有効な活用，適切な企業集団の形成その他の基本方針の実現に資する特別な取組み」または「基本方針に照らして不適切な者によって当該株式会社の財務及び事業の方針の決定が支配されることを防止するための取組み」を，取締役（会）が場あたり的あるいは恣意的に決定しないように，動機づけるためである。

　たしかに，株式会社の支配に関する基本方針およびそれに基づく具体的取組みを自ら定めた，その株式会社の取締役（取締役会設置会社では，取締役会）の判断は，いわば一方的なものであり，そのような判断が適切であるか，その判断に係る理由が説得的か，裏づけのあるものであるかについては必ずしも明らかではないが，このような判断を記載しなければならないとすれば，具体的取組みが基本方針に沿うようにする，具体的取組みがその株式会社の株主の共同の利益を損なうものでないようにする，および，具体的取組みの内容がその株式会社の会社役員の地位の維持を目的とするものではないと説明できるようなものにするというインセンティブが与えられると期待される。

　「株式会社の財務及び事業の方針の決定を支配する者の在り方に関する基本方針」としては，いわゆる買収防衛策に関する事項や安定株主工作というような株主や株式の分布に関する方針のみならず，株式を上場していることの意義，どのようなステークホルダーを想定し，それらのステークホルダーの利益をどのように調整するのかということに関する方針，中長期的な視点を踏まえた会社の経営方針などが考えられる（相澤＝郡谷・商事法務1763号16頁）。また，「株式会社の財産の有効な活用，適切な企業集団の形成その他の基本方針の実現に資する特別な取組み」としては，遊休資産であるかどうかの判断基準，遊休資産と判定したものの処分・活用に関する事項，多額の市場性のある有価証券・現預金などを保有している場合の内部留保と株主に対する分配（自己株式の取得を含む）の方針，子会社・関連会社その他企業集団を形成し，発展させ，あるいは解消することについての考え方などが想定される。「基本方針に照らして不適切な者によって当該株式会社の財務及び事業の方針の決定が支配されることを防止するための取組み」は，いわゆる買収防衛策であり，どのような手法を用いた買収防衛策を採用しているのか，どのような新株予約権（たとえば，取得条項付新株予約権）や種類株式などを用いたものなのか，事前警告型，信託型などさまざまなスキームの中のどのような方策を採用しているのかなどを開示すべきことになる。ここでは，株主がその買収防衛策の全貌を理解

し，自らが有している株式等の価値がどのような場合に，どのような影響を受けるかを判断できる程度の開示が要求される。

「株式会社の財務及び事業の方針の決定を支配する者の在り方に関する基本方針」ならびに「株式会社の財産の有効な活用，適切な企業集団の形成その他の基本方針の実現に資する特別な取組み」または「基本方針に照らして不適切な者によって当該株式会社の財務及び事業の方針の決定が支配されることを防止するための取組み」が基本方針に沿うものであるか否かについての取締役（取締役会設置会社では取締役会）の判断およびその理由を記載するにあたっては，目的（基本方針）と手段（具体的取組み）との整合性を明らかにする必要性がある。また，具体的取組みがその株式会社の株主の共同の利益を損なうものではないか否かについての取締役（取締役会設置会社では取締役会）の判断およびその理由を記載するにあたっては，たとえば，具体的取組みがどのような点で株主の利益を改善し，維持するものであるといえるのか，そして，具体的取組みが有しうる副作用（買収者および買収者以外の株主の経済的利益を損なうこと）がいかに受容可能なレベルに抑えられているのかを説明する必要があろう。さらに，具体的取組みが株式会社の会社役員の地位の維持を目的とするものではないか否かについての取締役（取締役会設置会社では取締役会）の判断およびその理由を記載するにあたっては，買収防衛策は，公開買付けや市場取引によって株式を取得し支配権を獲得しようとする者による株式や議決権の取得を妨害しようとするものであり，従来の株主・株式の分布を維持しようとするものであるから，客観的には，株式会社の会社役員の地位の維持につながるという事実を踏まえて，その具体的取組みの目的は株式会社の会社役員の地位の維持にはなく，単に，結果的に，株式会社の会社役員の地位が維持されるにすぎないといえる理由を説明しなければならないであろう。少なくとも，株式会社の会社役員の地位の維持を主たる目的とするものではないことについて説得力のある理由を示すべきである。典型的には，株主共同の利益の向上または確保を図る目的があることが理由となろう（たしかに，株主共同の利益を保護する目的がなくても，取締役が経営支配権の維持・確保を主要な目的とすることなく会社法上与えられた権限を行使する場合（たとえば，資金調達目的をもって第三者割当増資を行う場合，正当な資本政策の一環として自社株買いを行う場合あるいは支配権について争いが生じる前から決定されていた通常の事業活動の一環として行われる場合など）には，結果的に株主構成に変動が生じることとなるとしても，それは株式会社の会社役員の地位の維持を目的とするものではないとされるが，買収防

衛策との関連では，株主共同の利益の向上または確保を図る目的がある場合を除き，株式会社の会社役員の地位の維持を目的とするという事実上の推定が働くのではないかと思われる）。

「当該理由が社外役員の存否に関する事項のみである場合における当該事項を除く」とされているのは，形式的に社外役員が存在するというだけでは，ある具体的取組みが基本方針に沿うものであること，その取組みがその株式会社の株主の共同の利益を損なうものではないこと，その取組みが当該株式会社の会社役員の地位の維持を目的とするものではないことをただちに導くものではないことは明らかであると考えられるからである（相澤＝郡谷・商事法務1763号17頁）。また，経済産業省＝法務省「企業価値・株主共同の利益の確保または向上のための買収防衛策に関する指針」（平成17年5月27日）は要件該当性の判断にあたって参考となる可能性はあるものの，この指針には法的拘束力はないし，この指針で想定されている状況は限定されているため，この指針に対応していれば，自動的に，その取組みが3つの要件に該当しているということはできない（相澤＝郡谷・商事法務1763号18頁）。

この指針では，株式を買い占め，その株式について会社側に対して高値で買取りを要求する行為，会社を一時的に支配して，会社の重要な資産等を廉価に取得するなど会社の犠牲の下に買収者の利益を実現する経営を行うような行為，会社の資産を買収者やそのグループ会社等の債務の担保や弁済原資として流用する行為，会社経営を一時的に支配して会社の事業に当面関係していない高額資産等を処分させ，その処分利益をもって一時的な高配当をさせるか，一時的高配当による株価の急上昇の機会をねらって高値で売り抜ける行為により株主共同の利益に対する明白な侵害をもたらすような買収を防止する目的，強圧的二段階買収（最初の買付けで全株式の買付けを勧誘することなく，二段階目の買付条件を不利に設定し，あるいは明確にしないで，公開買付け等の株式買付けを行うこと）など株主に株式の売却を事実上強要するおそれがある買収を防止する目的，株主共同の利益を損なうおそれがある買収の提案であるにもかかわらず，株主が株式を買収者に譲渡するか，保持し続けるかを判断するために十分な情報がないなど株主が当該提案を判断することが困難な場合に買収者に情報を提供させたり，あるいは，会社が買収者の提示した条件よりも有利な条件をもたらしたりするため，必要な時間と交渉力を確保する目的などが，株主共同の利益の向上または確保を図る目的にあたるとしている。

また，株主共同の利益を損なうものではないことという要件との関連では，

買収防衛策における株主間の異なる取扱いは、株主平等の原則や財産権に対する重大な脅威になりかねず、また、買収防衛策が株主共同の利益のためではなく経営者の保身のために濫用されるおそれもあることに鑑み、買収防衛策は、株主平等の原則、財産権の保護、経営者の保身のための濫用防止等に配慮し、必要かつ相当な方法によるべきであると指針は述べている。たとえば、買収が開始されていないにもかかわらず、新株予約権等の発行と同時に、株主に過度の財産上の損害を生じさせるような場合には、そのような新株予約権等の発行は、株主共同の利益を損なうものと評価されることになろう。

そして、取締役会の裁量の範囲が広いために、取締役会の有する経営方針が株主共同の利益に鑑み買収者による提案よりも劣っているにもかかわらず、買収防衛策として発行された新株予約権等を消却することができず、取締役会が自己保身のために濫用できるような設計がされている場合には、そのような買収防衛策は、「当該取組みが当該株式会社の会社役員の地位の維持を目的とするものではないこと」という要件に該当しないと判断される場合が多くなろう。

4　特定完全子会社についての開示（4号）

特定責任追及の訴え（法847条の3）の創設を背景として、株式会社の株主が特定責任追及の訴えに係る提訴請求等をすることができる完全子会社が存在するかどうか、そのような完全子会社はどれかを判断する手がかりとなる情報を事業報告の内容とすることにより、特定責任追及の訴えの活用の便宜を図るとともに、その完全子会社の取締役等の責任が特定責任にはあたらないような完全子会社に対し提訴請求等がされることにより生ずる株式会社またはその完全子会社の事務負担の軽減を図るため、事業報告を作成する株式会社が、ある企業集団における最終完全親会社等（法847条の3第1項）である場合には、当該事業年度の末日における一定の重要な完全子会社（特定完全子会社）の名称等を、事業報告の内容とすることが求められる（本号）。

ここで、特定完全子会社とは、事業報告を作成する株式会社が直接または間接にすべての株式または持分を有する株式会社（完全子会社等。法847条の3第2項2号。同条3項の規定により当該完全子会社等とみなされるものを含む。本号）であって、かつ、事業報告を作成する会社の当該事業報告が対象とする事業年度の末日時点において、事業報告を作成する会社およびその完全子会社等におけるその会社（特定完全子会社となる会社）の株式の帳簿価額（貸借対照表の資

産の部に計上した額とされておらず，帳簿価額とされているのは，事業報告を作成する会社の事業年度の末日とその完全子会社等の事業年度の末日とが異なる場合がありうるためと推測される。帳簿価額と規定すれば，事業年度の末日が異なることは問題とならない）を合計した額が，事業報告を作成する株式会社の当該事業年度に係る貸借対照表の資産の部に計上した額の合計額の5分の1（特定責任追及の訴えに係る提訴請求につき5分の1を下回る割合を定款で定めている場合はその割合。本号柱書）を超えているものをいう。これは，特定責任追及の訴えは，取締役等の株式会社に対する責任の原因となった事実が生じた日において，最終完全親会社等および当該最終完全親会社等の完全子会社等における当該株式会社の株式の帳簿価額が当該最終完全親会社等の総資産額の5分の1（特定責任追及の訴えに係る提訴請求につき5分の1を下回る割合を定款で定めている場合は，その割合）を超える場合における当該取締役等の責任（特定責任）を追及するものだからである（法847条の3第1項・4項）。

　たしかに，「取締役等の責任の原因となった事実が生じた日」において要件を満たすときに特定責任にあたることになり，「取締役等の責任の原因となった事実が生じた日」における最終完全親会社等の「総資産額」は，218条の6に規定する方法により算定される。そして，同条に規定する方法により算定される「取締役等の責任の原因となった事実が生じた日」における最終完全親会社等の「総資産額」と事業報告を作成する株式会社のある事業年度に係る貸借対照表の資産の部に計上した額の合計額と一致するとは限らない。したがって，「特定完全子会社」の取締役等の責任につき，特定責任追及の訴えに係る提訴請求等をすることがつねにできるというわけではない。しかし，「特定完全子会社」にあたるかどうかは事業報告を作成する株式会社にとって比較的容易に把握することができる一方で，「特定責任」の要件に近似していることから，当該株式会社の株主にとっても有用な情報となる（当該株式会社の株主は，事業年度末時点での当該株式会社の完全子会社等における会社（特定完全子会社となる会社）の株式の帳簿価額を必ずしも知ることができない）と期待されるため，特定完全子会社についての一定の事項の記載が要求されることとされた。

　すなわち，①特定完全子会社の名称および住所（本号イ），②事業報告を作成する株式会社およびその完全子会社等における当該特定完全子会社の株式の当該事業年度の末日における帳簿価額の合計額（本号ロ），および，③事業報告を作成する会社の当該事業年度に係る貸借対照表の資産の部に計上した額の合計額（本号ハ）を開示することが要求されている。①は，特定完全子会社を

特定するための情報であり，②および③は，ある会社が特定完全子会社の要件にあたることを基礎づける情報であることから，開示が求められている。なお，特定完全子会社が複数存する場合には，①および②は，それぞれの特定完全子会社ごとに区分して開示しなければならない。

5　個別注記表で開示されている親会社等との取引に関する一定の事項（5号）

　本号は，見直し要綱において，「子会社少数株主の保護の観点から，個別注記表等に表示された親会社等との利益相反取引に関し，株式会社の利益を害さないように留意した事項，当該取引が株式会社の利益を害さないかどうかについての取締役（会）の判断及びその理由等を事業報告の内容とし，これらについての意見を監査役（会）等の監査報告の内容とする」こととされたこと（第2部第1の後注）を踏まえて，平成27年会社法施行規則改正により追加された事項である。要綱では，事業報告の内容とすることとされていたが，平成27年改正では，事業報告またはその附属明細書の内容とされ，当該事項についての監査役等の意見は監査報告の内容とされている（129条1項6号・130条2項2号・130条の2第1項2号・131条1項2号）。

　株式会社とその親会社等との間の取引や株式会社と第三者との間の取引であって株式会社とその親会社等との間の利益が相反するもの（間接取引）は，株式会社に不利益を及ぼすおそれが類型的に存在する（親会社等との間でなければそのような取引がなされない，または，そのような取引条件では取引がなされないような非通例的な取引がなされるおそれがある）。そこで，平成27年改正前から，会社計算規則においては，計算書類の内容を的確に理解するための情報を提供するという観点もさることながら，取引条件等の適正を確保し，株式会社の利益を保護する（開示されることを前提として取引に関する意思決定がなされれば適正な取引条件等を設定するというインセンティブが生じる，また，注記されれば，監査役等による監査および取締役会における監督において意識され，注意が払われやすくなる）という観点から，このような取引を含む関連当事者との取引のうち重要なものについて，取引の内容等を個別注記表（会計監査人設置会社以外の会社では一部を計算書類の附属明細書に記載することで足りる。計規112条1項ただし書）に注記すべきこととされている（計規112条1項［→計規コンメ112条］）。

　会社法施行規則の平成27年改正により，関連当事者との取引のうち，事業報告を作成する会社とその親会社等（法2条4号の2，施規3条の2）との間の取引（当該株式会社と第三者との間の取引で当該株式会社とその親会社等との間の利

益が相反するものを含む）であって，当該株式会社の当該事業年度に係る個別注記表または附属明細書において関連当事者との取引に関する注記を要するものについて，一定の事項を，事業報告の内容とすることを求めることとしたのが本号である。

「当該株式会社の当該事業年度に係る個別注記表において会社計算規則第112条第1項に規定する注記を要するもの……があるときは」とされているところ，計規112条1項により，個別注記表において関連当事者との取引に関する注記をすることが求められているのは会計監査人設置会社または公開会社であるから，本号に基づき事業報告における記載が求められるのは，会計監査人設置会社または公開会社に限られることになる。公開会社でもなく会計監査人設置会社でもない会社であっても，貸借対照表，損益計算書および株主資本等変動計算書により会社の財産または損益の状態を正確に判断するために必要な事項であるとして，計規116条にいう「その他の注記」として関連当事者との間の取引についての注記をしなければならないと解される場合がないわけではないが，その場合は，同条に規定する注記なので，本号に基づく記載を事業報告においてしなければならないというわけではない（もっとも，1号にいう「当該株式会社の状況に関する重要な事項」として，事業報告に，親会社等との取引についての記載をすることが求められることはありうる）。

また，会社計算規則において，公開会社であっても会計監査人設置会社でないものには，関連当事者との取引に関する注記事項のうち，取引の内容，取引の種類別の取引金額，取引条件および取引条件の決定方針，ならびに，取引条件の変更があったときはその旨等を，個別注記表に記載するのではなく，計算書類の附属明細書に記載することが認められている。そこで，本号では，「会社計算規則第112条第1項……ただし書の規定により同項第4号から第6号まで及び第8号に掲げる事項を省略するものを除く」と規定し，これらの事項を計算書類の附属明細書に記載した場合には，本号が定める事項に相当する記載は事業報告ではなく，事業報告の附属明細書に記載すべきものとしている（128条3項）。これは，本号が定める開示事項は，親会社等との取引の詳細を前提とするものであるという捉え方に基づくものである（意見募集の結果（平成27年2月）第3・2⑾⒁，坂本ほか・商事法務2062号38頁）。立案担当者は，計算書類および事業報告については，会社に備え置かれて株主の閲覧等に供されるほか（法442条），定時株主総会に提出または提供され（法438条1項），取締役会設置会社においてはさらに定時株主総会の招集の通知に際して株主に対して提供さ

れるのに対し（法437条），それらの附属明細書は，会社に備え置かれて株主の閲覧等に供されるが，株主に対する提供等はされないという相違があり，平成27年改正後会社法施行規則が定める規律によれば，株主に対して提供等がされる情報と，会社に備え置かれて株主の閲覧等に供される情報との区分のバランスがとれることになるとする（坂本ほか・商事法務2062号40頁注45）。

なお，本号にいう「親会社等」には，完全親会社等も含まれる。これは，本号または128条3項に基づく事業報告またはその附属明細書における開示は，個別注記表または計算書類の附属明細書における関連当事者との取引に関する注記または記載を前提とするものであるが，会社計算規則における関連当事者との取引に関する注記にいう関連当事者からは完全親会社なども除外されておらず，完全親会社等との取引についても関連当事者との取引に関する注記等が求められていること，親会社等との取引の取引条件等の適正を確保し，株式会社の利益を保護するという観点から開示を要求する本号または128条3項の趣旨は，完全親会社等との取引についても妥当すると考えられることなどによる（意見募集の結果（平成27年2月）第3・2(11)⑩）。親会社等との取引が適正な条件で行われることは，株式会社の株主のみならず，会社債権者の保護という観点からも重要だからである（坂本ほか・商事法務2062号40頁注46）。

本号は，(a)当該取引をするにあたり株式会社の利益を害さないように留意した事項（当該事項がない場合には，その旨），(b)当該取引が株式会社の利益を害さないかどうかについての当該株式会社の取締役（取締役会設置会社では，取締役会）の判断およびその理由，(c)社外取締役を置く株式会社において，社外取締役の意見が(b)の取締役（取締役会設置会社では，取締役会）の判断と異なる場合には，その意見を記載すべきものとしている。(b)および(c)は，支配株主の異動を伴う募集株式の発行等にあたって，通知または公告すべき事項（42条の2）とパラレルに定められている（監査役等の意見が挙げられていないのは，本号が対象とする親会社等の取引との関連では，監査役等の意見は監査報告の内容とされるため）。(a)は，全部取得条項付種類株式の取得の場合の事前開示事項（33条の2第2項3号），特別支配株主による株式売渡請求を承認した場合の事前開示事項（33条の7第1号ロ），端数が生ずる株式の併合の場合の事前開示事項（33条の9第1号ロ）などとパラレルな事項である。

(a)としては，事業報告を作成する株式会社の状況，当該株式会社と親会社等との関係，取引の性質・内容等を踏まえた内容を記載することが求められる。たとえば，事業報告を作成する株式会社が当該取引と類似する取引を親会社等

以外の独立した第三者との間でも行っている場合には，当該第三者との間の取引と同等の取引条件等によるものであることを確認した旨を記載することなどが考えられる。他方，当該株式会社自体は，独立した第三者との間では当該取引と類似した取引を行っていないというような場合には，他の企業間の取引条件等を参照し，独立した第三者間の類似の取引と同等の取引条件等によるものであることを確認した旨を記載すること，または専門性を有する独立した第三者機関から取引条件等が適正であることの確認を得た旨を記載すること等も考えられる。

　「当該事項がない場合にあっては，その旨」を記載させることによって，取締役または取締役会に，親会社等との取引をするにあたり株式会社の利益を害さないように留意するというインセンティブを与えようとしていると考えられる。なぜなら，親会社等との取引をするにあたり株式会社の利益を害さないように留意した事項はなかったと記載すると，少数株主その他の利害関係人からその理由を株主総会の場などで質問され，回答する必要が生じてくると予想されるからである。

　(b)当該取引が株式会社の利益を害さないかどうかについての当該株式会社の取締役会の判断およびその理由（たとえば，株式会社に完全親会社等が存在し（少数株主が存在せず），かつ，当該株式会社の財務状態にもまったく問題がないためその債権者の利益に配慮する必要もない等の事情から，親会社等との取引により株式会社の利益を害することはないと判断したというような記載がありうる（坂本ほか・商事法務2062号40頁注47））が記載事項とされているのは，当該株式会社の取締役会における審議の透明性を高め，同時に，十分な審議を尽くすインセンティブを与えるためであると考えられる。すなわち，ここでいう取締役会の「判断」とは，取締役会の決議による判断を意味し，判断の「理由」は，当該取締役会がそのような決議を行った理由を意味するから，理由の開示が求められる場合には，一応合理的な理由を示したいというインセンティブが生ずると期待されるため，取締役会における審議が十分に行われるという効果も期待できる。このような観点から，判断の「理由」は，当該決議に至る審議の過程に即した内容とすることが求められる。そして，取締役会の判断の理由として複数の理由を記載することが適当である場合には，当該複数の理由を記載する必要がある（坂本ほか・商事法務2062号39頁）。なお，この取締役会または取締役の判断およびその理由については，開示の対象となる取引について，個別にまたは取引の時点で判断をすることまで常に求められるものではなく，取引の類型

ごとに包括的に判断し，また，当該判断の内容が記載された事業報告またはその附属明細書の承認をもって取締役会または取締役の判断とすることも許容される場合もある（意見募集の結果（平成27年2月）第3・2(11)⑨，坂本ほか・商事法務2062号39頁などは，一見，つねに包括的または事後的に判断することも認められるという趣旨にも読めるが，開示の対象となる取引の性質等に照らして，包括的または事後的に判断することが認められる場合があるという趣旨であろう。なぜなら，親会社等との取引については利益相反が生じ，株式会社の利益が害されるおそれが類型的にある以上，計規112条2項各号にあたるような場合を除き，重要な業務執行（法362条4項柱書など）に該当すると考えられ，また，反復的・継続的な取引ではなく，単発的な取引あるいは親会社等との取引としても非通例的取引について包括的に判断するということは不適切であると評価せざるをえないからである）。

(c)社外取締役を置く株式会社において，社外取締役の意見が②の取締役（取締役会設置会社では，取締役会）の判断と異なる場合には，その意見を記載すべきものとされているのは，社外取締役には，株式会社とその親会社等との間の利益相反を監督する機能も期待されているためである（法2条15号ハ参照）。すなわち，株式会社と親会社等との間の利益相反が存在することがありうるため，親会社等から独立した立場で株式会社と親会社等との間の利益相反を監督する機能が期待されている社外取締役の意見が取締役会の判断と異なる場合には，その意見も，株主等利害関係人にとって重要な情報になると考えられる一方で，取締役会の判断と異なる社外取締役の意見が通知されるという場合には，取締役会の審議において社外取締役の意見を等閑視することなく，社外取締役の意見とは異なる判断を取締役会が行う場合には十分な検討を行い，一応合理的な理由に基づくというインセンティブが働くと期待できるからである。社外取締役の意見には，その理由も含むと解すべきである。なぜなら，社外取締役が取締役会の判断に賛成しない場合には，その理由も含めて意見を述べることが一般的であると考えられるからである。なお，社外取締役の意見が(b)の取締役（取締役会設置会社では，取締役会）の判断と異なる場合に記載すれば足り，異ならない場合には，社外取締役の意見を記載する必要はない。

第2目　公開会社における事業報告の内容

―（公開会社の特則）―
第119条　株式会社が当該事業年度の末日において公開会社である場合には，次に掲げる事項を事業報告の内容に含めなければならない。
　一　株式会社の現況に関する事項
　二　株式会社の会社役員に関する事項
　二の二　株式会社の役員等賠償責任保険契約に関する事項
　三　株式会社の株式に関する事項
　四　株式会社の新株予約権等に関する事項

　本条は，その事業年度の末日において公開会社である株式会社が事業報告の内容としなければならない事項を定めるものであり，具体的には，120条から124条が事業報告の内容としなければならない事項を定めている。平成17年改正前商法および平成18年改正前商法施行規則の下での営業報告書に関する規律と異なり，会社の規模に着目するのではなく，公開会社であるか否かによって，事業報告の記載事項を異ならせているのは，資本金額を基準として記載事項を異ならせることには「さほど合理性がない」という価値判断に基づくものである（相澤＝郡谷・商事法務1762号4頁）。

　「株式会社の現況に関する事項」として記載すべき具体的事項は120条において，「株式会社の会社役員に関する事項」として記載すべき具体的事項は121条および124条において，「株式会社の役員等賠償責任保険契約に関する事項」として記載すべき具体的事項は121条の2において，「株式会社の株式に関する事項」として記載すべき具体的事項は122条において，「株式会社の新株予約権等に関する事項」として記載すべき具体的事項は123条において，それぞれ定められている。

　なお，会社役員とは，その株式会社の取締役，会計参与，監査役および執行役をいう（2条3項4号）。

―（株式会社の現況に関する事項）―
第120条　前条第1号に規定する「株式会社の現況に関する事項」とは，次に掲げる事項（当該株式会社の事業が二以上の部門に分かれている場合にあって

は，部門別に区別することが困難である場合を除き，その部門別に区別された事項）とする。
　一　当該事業年度の末日における主要な事業内容
　二　当該事業年度の末日における主要な営業所及び工場並びに使用人の状況
　三　当該事業年度の末日において主要な借入先があるときは，その借入先及び借入額
　四　当該事業年度における事業の経過及びその成果
　五　当該事業年度における次に掲げる事項についての状況（重要なものに限る。）
　　イ　資金調達
　　ロ　設備投資
　　ハ　事業の譲渡，吸収分割又は新設分割
　　ニ　他の会社（外国会社を含む。）の事業の譲受け
　　ホ　吸収合併（会社以外の者との合併（当該合併後当該株式会社が存続するものに限る。）を含む。）又は吸収分割による他の法人等の事業に関する権利義務の承継
　　ヘ　他の会社（外国会社を含む。）の株式その他の持分又は新株予約権等の取得又は処分
　六　直前３事業年度（当該事業年度の末日において３事業年度が終了していない株式会社にあっては，成立後の各事業年度）の財産及び損益の状況
　七　重要な親会社及び子会社の状況（当該親会社と当該株式会社との間に当該株式会社の重要な財務及び事業の方針に関する契約等が存在する場合には，その内容の概要を含む。）
　八　対処すべき課題
　九　前各号に掲げるもののほか，当該株式会社の現況に関する重要な事項
２　株式会社が当該事業年度に係る連結計算書類を作成している場合には，前項各号に掲げる事項については，当該株式会社及びその子会社から成る企業集団の現況に関する事項とすることができる。この場合において，当該事項に相当する事項が連結計算書類の内容となっているときは，当該事項を事業報告の内容としないことができる。
３　第１項第６号に掲げる事項については，当該事業年度における過年度事項（当該事業年度より前の事業年度に係る貸借対照表，損益計算書又は株主資本等変動計算書に表示すべき事項をいう。）が会計方針の変更その他の正当な理由により当該事業年度より前の事業年度に係る定時株主総会において承認又は報告をしたものと異なっているときは，修正後の過年度事項を反映した事項とすることを妨げない。

1項および2項は，その事業年度の末日において公開会社である株式会社が，追加的に，事業報告の内容としなければならない「株式会社の現況に関する事項」を具体的に定め，3項は「直前3事業年度（当該事業年度の末日において3事業年度が終了していない株式会社にあっては，成立後の各事業年度）の財産及び損益の状況」について，過年度事項の修正がある場合について定めるものである。

1 公開会社が事業報告の内容としなければならない「株式会社の現況に関する事項」（1項）

1項柱書かっこ書が「当該株式会社の事業が二以上の部門に分かれている場合にあっては，部門別に区別することが困難である場合を除き，その部門別に区別された事項」を公開会社の事業報告の内容としなければならないとしているのは，平成18年改正前商法施行規則103条3項を踏襲したものであるが，同項と異なり，「その営業年度における営業の経過及び成果（資金調達の状況及び設備投資の状況を含む。）」には限定せず，1項1号から9号の事項すべてについて，部門別に区別することが困難である場合を除き，「その部門別に区別された事項」を記載することが要求されている。これは，いわゆるセグメント情報の開示を求めるものであり，同一会社の各事業部門における事業活動の推移とその成果を明らかにするために要求される（竹内・昭和56改正198頁）。この場合の事業部門とは，実質的に事業内容が異なっている部門をいい，単に会社内の名称によるものではないとされている（元木・昭和56改正426頁参照）。すなわち，事業部・部門等組織上の区分，製品・商品の種類の区分を踏まえて実質的に判断する。部門別に当期の売上高および前期比での増減を，表などを用いて記載することが多い。設備投資の状況については当該設備が属する部門を明示する。

なお，「部門別に区別することが困難である場合」には，そのような情報を分離して把握することが実際上困難である場合やその把握に過大なコストを要する場合のみならず，会社の競争上の地位の確保を含めた合理的な企業秘密の保持の観点から記載が困難な場合を含むと考える余地がある。平成18年改正前商法施行規則の解釈としても，「記載が困難な事項」には部門別損益などが含まれると指摘されていた（稲葉・昭和56改正302頁）。

(1) その事業年度の末日における主要な事業内容（1号）

平成18年改正前商法施行規則103条1項1号を踏襲したものである。

会社の定款上の事業目的ではなく，現に行っている事業の内容を記載する。「主要な」とは必ずしも「重要な」という意味ではなく，会社の事業の性格を示すものをいう（元木・昭和56改正425頁）。平成18年改正前商法施行規則の下では，事業部門別の記載は要求されていなかったが，事業の部門が分かれている場合には，それぞれの部門ごとに事業の内容を記載することが望ましいと指摘されていた（新注会(9)415頁［神田］）。他方，本項の下では，部門別に区別することが困難である場合を除き，会社の事業の内容が明確に示されるようにグルーピングして，主要な事業部門または製品等を記載する必要がある。

(2) その事業年度の末日における主要な営業所および工場ならびに使用人の状況（2号）

平成18年改正前商法施行規則103条1項1号を踏襲したものである。

主要な営業所および工場の状況を記載させるのは，会社が事業を行うための物的施設の状況を明らかにするためである（稲葉・昭和56改正301頁）。主要な営業所および工場の名称およびその所在地（都道府県名あるいは市町村名まで）を記載するほか，その規模（営業網や販売網など），事業の種目，生産品目，生産能力等を記載することが考えられる（稲葉・昭和56改正301頁）。ここでいう「工場」には研究所等を含むと解すべきであろう。

使用人の状況は，物的施設と並んで企業活動を支えるいわば人的施設の状況を明らかにするための記載事項である（稲葉・昭和56改正301頁）。従業員の人数のほか，男女別，平均年齢，平均勤続年数の記載を要すると考えられるが（元木・昭和56改正426頁），さらに，年齢構成，総人件費，平均給与などを記載することが考えられる（稲葉・昭和56改正301頁）。なお，定年制など労働組合との関係も特記すべき事項があれば記載しなければならないという指摘もある（稲葉・昭和56改正301頁）。また，前期比で従業員数などの大幅な変動があった場合にはその旨を注記すべきであろう。

(3) その事業年度の末日において主要な借入先があるときは，その借入先および借入額（3号）

平成18年改正前商法施行規則103条1項8号を踏襲したものであるが，「当該借入先が有する計算書類作成会社の株式の数」の記載は要求されていない。これは，借入先が実質的に保有している株式会社の株式の数でなければ情報価値

がさほど大きくないと考えられるところ，さまざまなファンドや信託を通じて保有している場合や株券振替制度を利用している場合が考えられ，このような場合には借入先が実質的に保有している株式会社の株式数を把握することは容易ではないからであろう（株主名簿の記載・記録に基づいて把握されている株式数の情報価値は必ずしも高いとはいえない）。もっとも，「当該借入先が有する計算書類作成会社の株式の数」が「当該株式会社の現況に関する重要な事項」（本項9号）にあたる場合には，記載が必要とされることはいうまでもない。借入先が保有する持株数は資金の貸与を通じた企業結合の状況を知るためには重要な情報でありうるからである（稲葉・昭和56改正306頁）。

　本号は，いわゆるメインバンク情報を開示させるものである。わが国の会社の多くがその資金を金融機関からの借入れに依存してきたことに鑑み，貸付金による資金提供者のうち主要なものについての情報が重要であるという価値判断に基づく（稲葉・昭和56改正306頁）。「主要な」とは重要なもののうち主なものを意味し，その意味での主要な資金提供者としての実質を有している者の記載を要すると説明されている（稲葉・昭和56改正306頁）。借入れとの関連でメインバンクといえるものがない場合であっても，ある借入先からの借入金の絶対額が大きい場合には，その借入先は「主要な借入先」と解するべきであろう。

(4)　その事業年度における事業の経過およびその成果（4号）
　平成18年改正前商法施行規則103条1項2号を踏襲したものである。
　「事業の経過及びその成果」は，その事業年度における会社の事業の概括的情報であり，取締役または執行役の職務執行状況に関する報告の中核をなすものであって，会社の経営上または組織上の重要事項を意味する。具体的には，その事業年度における生産，受注，仕入，販売等の経過および実績を記載しなければならない（稲葉・昭和56改正301頁）。また，研究開発活動，公害などの発生および講じた対応策，消費者などとの関連で生じた重大な問題，物価変動による影響など，その事業年度に生じた重要な経営上の事象・取引・契約も，その重要性に応じて記載しなければならないと考えられている。さらに，重要な寄付など社会的貢献に関する事項も，事業の経過に属すると解されている（稲葉・昭和56改正301～302頁）。

(5)　その事業年度における資金調達，設備投資，事業の譲渡，吸収分割または

新設分割，他の会社（外国会社を含む）の事業の譲受け，吸収合併（会社以外の者との合併（その合併後，その株式会社が存続するものに限る）を含む）または吸収分割による他の法人等の事業に関する権利義務の承継についての状況（重要なものに限る），他の会社（外国会社を含む）の株式その他の持分または新株予約権等の取得または処分（5号）

平成18年改正前商法施行規則103条1項2号および3号を踏襲したものである。

資金調達および設備投資の状況の記載が求められているのは，その株式会社の将来の業績や存続可能性を予測するために重要な情報であると考えられるためである。資金調達の状況には，募集株式の発行等や募集社債の発行，多額の借財などの状況が含まれ，設備投資の状況にはその事業年度に稼働に至らなかったものや重要な設備投資計画を含む，設備の新設，重要な拡充，改修，処分および除却が含まれる（稲葉・昭和56改正302頁）。

また，他の会社（外国会社を含む）の株式その他の持分または新株予約権等の取得または処分，事業の譲渡・譲受けや組織再編行為の記載が要求されているのは，現代では，企業活動が企業集団の形で行われることが多いことに鑑みると，企業結合に関する情報は会社の実態を知る上で，きわめて重要であるためである（稲葉・昭和56改正302頁参照）。

「重要なものに限る」とされているのは，事業報告の分量が多くなりすぎないようにするためであると推測される。

なお，その事業年度における事業の経過およびその成果（4号）またはその株式会社の現況に関する重要な事項（9号）として記載が要求されると解される場合はありうるものの，立法論としては，法467条1項各号の行為のうち——事後設立（同項5号）が挙げられていないのは，成立後2年を経過すれば該当しないものであるから理解できるものの——同項4号の行為（事業の全部の賃貸，事業の全部の経営の委任，他人と事業上の損益の全部を共通にする契約その他これらに準ずる契約の締結，変更または解約）が列挙されていない理由はみあたらないように思われる（平成26年会社法改正で追加された，一定の要件を満たす「子会社の株式又は持分の全部又は一部の譲渡」（法467条1項2号の2）は，本号へにいう「他の会社（外国会社を含む。）の株式その他の持分……の……処分」にあたる）。

(6) 直前3事業年度（その事業年度の末日において3事業年度が終了していない株式会社にあっては，成立後の各事業年度）の財産および損益の状況（6号）

第120条（株式会社の現況に関する事項） 655

　会社の財産および損益の状態は1事業年度だけで評価することはできず，その的確な判断のために時系列的な分析が必要であり，また，前事業年度以前の財産および損益の状況と当該事業年度のそれらとを比較することも重要であるという考え方に基づく（稲葉・昭和56改正303頁）。「直前3事業年度」とされているので，その事業年度の財産および損益の状況（これらは計算書類および附属明細書や本条4号に基づく事業報告の記載により知ることができる）は含まない。

　なお，損益の状況としては，売上高，売上総利益（売上総損失），営業利益（営業損失），経常利益（経常損失），当期純利益（当期純損失）の額が，財産の状況としては総資産額や純資産額が，それぞれあたるが（稲葉・昭56改正304頁），1株当たり当期純損益額や1株当たり純資産額も記載することが考えられる。

　財産および損益の状況の記載としては，過去3事業年度の貸借対照表や損益計算書を並べることも許容されると考えざるをえないが，主要な財務データを利用して，わかりやすく記載することが期待されている（稲葉・昭和56改正303頁）。

　本号は，平成18年改正前商法施行規則103条1項4号を踏襲したものであるが，「過去3年間以上の営業成績及び財産の状況の推移……についての説明」（圏点―引用者）の記載は要求されていない。このように文言が変更されている理由は必ずしも明らかではないが（相澤＝郡谷・商事法務1762号6頁では理由は示されていない），「財産及び損益の状況」という表現であっても，状況についての経営者による説明を含むものと解することができるからなのではないかとも推測される。また，「3年間以上」（圏点―引用者）ではなく，「3事業年度」とされているが，4事業年度以上の財産および損益の状況を示すことは当然許される（平成18年改正前商法施行規則の解釈として，「3年間以上」とされているのは，3年間分を記載することを最小限とし，会社が自発的にこれ以上の記載をすることを歓迎することを明らかにする趣旨であるといわれていた。稲葉・昭和56改正304頁）。なお，「3事業年度」（圏点―引用者）とされており，1事業年度が1暦年より短い会社の場合，平成18年商法施行規則改正前よりも情報量が減少することになるという問題がある。それにもかかわらず，このような規定としたのは，事業報告の分量が多くなることを回避するためであると推測される（もっとも，ほとんどの会社が1暦年を1事業年度としているという事実認識を背景として，事業年度と定めようが，年と定めようが情報提供の観点からは大きな差はないと考えたのかもしれない）。以上に加えて，「当該事業年度の末日において3

事業年度が終了していない株式会社にあっては，成立後の各事業年度」とされているのは（平成18年改正前商法施行規則の解釈としても，同様に解さざるをえなかったはずである），そのような会社については3事業年度の財産および損益の状況を記載することは不可能なので，それを明確化したものであるということができる。

(7) 重要な親会社および子会社の状況（7号）

　平成18年改正前商法施行規則103条1項3号を踏襲したものである。
　現代では，企業活動が企業集団の形で行われることが多いことに鑑みると，企業結合に関する情報は会社の実態を知る上で，きわめて重要であるため，記載が求められている（稲葉・昭和56改正302頁）。
　他の会社等の子会社である株式会社は「重要な親会社の状況」を記載しなければならないが（親会社であるにもかかわらず重要でないということがあるのかは疑問であり「親会社及び重要な子会社の状況」について記載させるのが適当であるという印象はぬぐえない。それとも，本号は，「親会社及び子会社の重要な状況」を記載させるという趣旨なのであろうか），そうでない会社は記載を要しないことは当然である。親会社との関係を開示し，その株式会社の企業集団内における位置付けを明らかにするための記載であるから，親会社の持株比率（122条1号の大株主情報と重複する），親会社との取引の状況その他の事業上の関係等を記載すべきである（稲葉・昭和56改正302頁，元木・昭和56改正427頁）。
　とりわけ，かっこ書で「当該親会社と当該株式会社との間に当該株式会社の重要な財務及び事業の方針に関する契約等が存在する場合には，その内容の概要を含む」とされている。これは，上場子会社における少数株主保護の議論等を通じて，親会社との関係について株主に情報を開示する必要性は広く認識されているという認識に基づいて要求されたものである（意見募集の結果（令和2年11月）49頁）。たとえば，東京証券取引所「支配株主及び実質的な支配力を持つ株主を有する上場会社における少数株主保護の在り方等に関する中間整理」（2020年9月1日）では，「支配的な株主を有する上場会社において，支配的な株主との間で当該上場会社の取締役会の構成や株式の売渡等に関する合意をしていたことが，支配的な株主との争いを契機に事後的に明らかになる事例が生じており，取締役の選任等に関する株主との間の合意は投資判断上重要であるにもかかわらず，これらの情報開示が十分に行われていないとの指摘」などがあったとされ（4頁），「少数株主や投資者の予測可能性を高め，十分な情

報に基づいた投資判断をできるようにするため，上場会社のガバナンスに関する合意や，利益相反やその監督・コントロールの考え方・方針等を含め，情報開示の充実を図ることが考えられる。具体的には，取締役の指名権や支配株主・支配的な株主による持株比率維持や株式買増し，支配株主・支配的な株主の保有する当該上場会社株式の売渡しに関する事項等に関して支配株主・支配的な株主と上場会社との間で合意している内容や，支配株主・支配的な株主が上場会社をどのように運営する考えや方針であるかについて，情報開示を充実させることが考えられる」とされた（7頁）。そして，「親会社（非上場会社を含みます。）を有する場合においては，少数株主保護の観点から必要な当該親会社からの独立性確保に関する考え方・施策等について記載してください。また，当該親会社におけるグループ経営に関する考え方及び方針や，それらに関連した契約を締結している場合はその内容を，併せて記載することが望まれます」とされている（東京証券取引所『コーポレート・ガバナンスに関する報告書記載要領（2020年11月改訂版）』Ⅰ　コーポレート・ガバナンスに関する基本的な考え方及び資本構成，企業属性その他の基本情報，5．その他コーポレート・ガバナンスに重要な影響を与えうる特別な事情）。

　なお，本号かっこ書が要求する開示が求められることによって，親会社と株式会社との間で不適切な内容の「当該株式会社の重要な財務及び事業の方針に関する契約等」が締結され，または形成されることが抑制されることも期待できる。

　また，会社の重要な財務および事業の方針に関する契約等が存在することによって，会社の財務および事業の方針が左右され，その結果，会社の現在および将来の業績・持続可能性・発展・成長に大きな影響が及ぶ可能性があることから，会社の非支配株主にとって，その内容の概要は重要な情報となりうるからである。

　さらに，他の会社等の議決権の過半数を自己の計算において有していない場合においても，「自己が他の会社等の重要な財務及び事業の方針の決定を支配する契約等が存在すること」は当該他の会社等の親会社とされるための要件の1つともなっており（3条3項2号ハ・3号），そのような場合には，なおさら，親会社と株式会社との間の「当該株式会社の重要な財務及び事業の方針に関する契約等……の内容の概要」は重要な情報である。

　本号かっこ書にいう「契約等」は，「当該親会社と子会社との間で合意されたものを意味し，契約という形態でされたものに限られない。また，同号は，

当該株式会社の重要な財務および事業の方針の決定を支配する内容のものに限らず，当該方針に影響を及ぼす重要な契約等についての記載を求めるものであることから，「重要な財務及び事業の方針に関する契約等」としているものである。例えば，当該株式会社において，親会社が当該株式会社の重要な財務及び事業の方針に及ぼす影響を踏まえ，少数株主保護のための措置を講ずることを親会社との間で合意等をしている場合には，その内容の概要等を記載することが考えられる」とされている（意見募集の結果（令和2年11月）49頁）。そして，本号かっこ書の趣旨に照らせば，明示の合意がなくとも黙示の合意（たとえば，親会社が策定した企業集団全体の方針に基づいて，当該株式会社における会社役員の選任・解任が行われている場合など）があればそれを記載することが必要であると考えられる。

　他方，「親会社との間の契約において，株式会社が，親会社に対してその財務および事業の方針についての報告をする旨の合意がされている場合であっても，それが両会社間の情報の共有にとどまるものであれば，「重要な財務及び事業の方針に関する契約等」には該当しない」（渡辺ほか・商事法務2252号15頁注50）。また，株式会社とその親会社との間の契約において，当該株式会社の取締役その他の役職員の指名に関する事項を合意している場合であっても，「当該合意の対象となる取締役等の人数や当該株式会社の取締役会における意思決定の実態等の個別の事情を踏まえ，当該株式会社の重要な財務および事業の方針を拘束するものとまでは評価されない場合には，事業報告に記載することを要しないと考えられる」という見解が示されているが（渡辺ほか・商事法務2252号15頁注51），本「号の契約等に該当する合意が存在すれば，当該合意によって実際に当該株式会社の重要な財務および事業の方針が変更されたかどうかなどは問わず，当該合意の内容の概要の記載が求められる」と解されていること（渡辺ほか・商事法務2252号16頁注52）および親会社とは「株式会社を子会社とする会社その他の当該株式会社の経営を支配している法人として法務省令で定めるものをいう」（法2条4号）とされていることからすれば，「株式会社の重要な財務および事業の方針を拘束するものとまでは評価されない場合」があったとしても，きわめて例外的な場合であると解すべきであろう。

　なお，「重要な親会社及び子会社の状況」（本号）は，当該事業年度の初日から末日までの状況を記載させるものであると解されているが，「当該親会社と当該株式会社との間に当該株式会社の重要な財務及び事業の方針に関する契約等が存在する場合には，その内容の概要を含む」（かっこ書）との関係では，

事業報告作成時の契約等の内容も株主にとっては重要な情報であることから，事業年度の末日以降に，親会社との間で当該株式会社の重要な財務及び事業の方針に関する契約等が存在するに至った場合または親会社が変動し，その親会社との間で当該株式会社の重要な財務および事業の方針に関する契約等が存在するに至った場合には，重要な後発事象として，「株式会社の現況に関する重要な事項」（120条1項9号）として，開示が求められると解される。

　他方，他の会社等の親会社である株式会社は「重要な子会社の状況」を記載しなければならない。子会社の主要な事業内容，資本金，その株式会社の持株比率・議決権比率，事業の概況の記載が要求される。そのほか重要な子会社の状況としては，その財産状態および経営成績などがあると考えられ，連結計算書類を作成していない会社については必要な情報を事業報告において開示するという意味もある（稲葉・昭和56改正302頁）。なお，子会社のうち重要でないものについては記載を要求されない。この重要性の判断にあたっては，連結計算書類を作成している会社の場合は連結対象かどうか，あるいは持分法適用対象かどうかを，それ以外の会社の場合は，子会社との関係，子会社の規模などを考慮に入れるべきであろう（稲葉・昭和56改正303頁参照）。

　なお，公開会社の場合，個別注記表（計規112条）に関連当事者との間の取引の注記がなされる（もっとも，会計監査人設置会社でない会社の場合は一部の事項は計算書類の附属明細書に記載することもできる）ので，この注記との兼ね合いが問題となりうるが，計規118条1号かっこ書の趣旨からすれば，本号により，事業報告に記載すべき事項は個別注記表には含められていない事項である。少なくとも，個別注記表を参照することはできると解する余地もないわけではないのかもしれない（ただし，本条2項2文のような規定がないことは，このような解釈について否定的に働く）。

　他方，立法論としては，平成26年会社法改正により，親会社等および子会社等という概念を導入したこととの首尾一貫性という観点からは，重要な親会社および子会社の状況ではなく，重要な親会社等および子会社等の状況を記載させることが適当であるとも考えられる。

(8) 対処すべき課題（8号）

　平成18年改正前商法施行規則103条1項5号を踏襲したものである。

　その株式会社がおかれている環境（わが国の経済環境，業界の状況など）の中で，会社の当期の業績などを踏まえて，会社の事業を維持・発展させるために

対処すべき主要な課題を示すとともに，原則として対処の方針を記載する。

　会社の将来についての経営者の見通しは株主にとって最も関心のある情報であるが，このような情報の開示には，企業秘密の観点などから，困難が伴うと指摘され，「対処すべき課題」に限定して事業報告での開示が求められている（稲葉・昭和56改正304頁）。

　対処すべき課題には，構造不況，貿易摩擦，為替相場変動，景気の動向，原材料の安定的供給の確保，販売力や技術開発力の強化の必要，公害問題，技術革新等さまざまなものが考えられ，また，その株式会社に固有のもののほか業界全体のものも含まれると説明されている（稲葉・昭和56改正304頁）。対処すべき課題がまったくないということは考えられないので，対処すべき課題がないとして本号の記載をしないことは許されない（元木・昭和56改正427頁）。

　課題のみを記載すればよいか，課題についての対処方針あるいは計画等の記載もしなければならないかについては見解が分かれているが（稲葉・昭和56改正305頁参照），企業秘密の保持のため正当であると認められる場合には課題についての対処方針あるいは計画等の記載は要しないものと考えられる（稲葉・昭和56改正305頁参照）。対処すべき課題あるいはそれに対する対処方針については，株主が理解できるような程度の記載をする必要がある（稲葉・昭和56改正304〜305頁）。

(9)　(1)から(8)のほか，その株式会社の現況に関する重要な事項（9号）

　平成18年改正前商法施行規則103条1項1号を踏襲したものである。(1)から(8)に該当しない事項でも会社の現況を示す重要なものがあれば記載しなければならない。他の会社とはかなり異なった経営体制をとっているような場合が例としてあげられている（元木・昭和56改正426頁）。

　また，平成18年改正前商法施行規則の下では営業報告書への記載が要求されていた事項であって，本項では事業報告の具体的記載事項としては例示されていない事項のうち，その株式会社の具体的状況に照らして，重要性の高い事項はこれにあたるといえよう。

　さらに，「決算期後に生じた計算書類作成会社の状況に関する重要な事実」（平成18年改正前商法施行規則103条1項11号）のうち，「当該株式会社の事業年度の末日後，当該株式会社の翌事業年度以降の財産又は損益に重要な影響を及ぼす事象が発生した場合における当該事象」は個別注記表の，「当該株式会社の事業年度の末日後，連結会社並びに持分法が適用される非連結子会社及び関連

会社の翌事業年度以降の財産又は損益に重要な影響を及ぼす事象が発生した場合における当該事象……。ただし，当該株式会社の事業年度の末日と異なる日をその事業年度の末日とする子会社及び関連会社については，当該子会社及び関連会社の事業年度の末日後に発生した場合における当該事象」は連結注記表の，それぞれ記載事項とされているが（計規114条・98条1項17号），その株式会社（本条2項が適用される場合には，連結会社ならびに持分法が適用される非連結子会社および関連会社）の翌事業年度以降の財産または損益に重要な影響を及ぼさないものの，その株式会社の事業年度の末日後に，株式会社（本条2項が適用される場合には，連結会社ならびに持分法が適用される非連結子会社および関連会社）の状況に関する重要な事象が生じた場合にはその事象を事業報告に記載する必要がある（相澤＝郡谷・商事法務1762号6頁）。

2　連結計算書類を作成している場合（2項）

　2項1文は，平成18年改正前商法施行規則105条2項を実質的に踏襲したものである。すなわち，株式会社がその事業年度に係る連結計算書類を作成している場合には，その株式会社およびその子会社からなる企業集団について，(a)その事業年度の末日における主要な事業内容，(b)その事業年度の末日における主要な営業所および工場ならびに使用人の状況，(c)その事業年度の末日において主要な借入先があるときは，その借入先および借入額，(d)その事業年度における事業の経過およびその成果，(e)その事業年度における資金調達，設備投資および企業結合についての状況，(f)直前3事業年度（その事業年度の末日において3事業年度が終了していない株式会社にあっては，成立後の各事業年度）の財産および損益の状況，(g)重要な親会社および子会社の状況，(h)対処すべき課題を記載し，(i)そのほか，その企業集団の現況に関する重要な事項を記載するものとすることができると定めている。これは，有価証券報告書の記載事項と調和させたという面があるが，より積極的には，連結計算書類を作成する以上，それらは株主等にとって有用な情報であるし，また，連結計算書類を的確に理解し，また連結計算書類を作成している株式会社が企業集団として経済活動を行っている実態を把握するために必要な情報だからである。企業集団として活動を行っている以上，連結計算書類を作成している株式会社のみに関する情報よりも有用性があると予想される。対処すべき課題も連結ベースで記載したほうが株主などの理解に資するとも考えられるからである。

　なお，株主などが会社の状況を正しく判断することができるようにするた

め、企業集団の中に、事業別のセグメント（事業の部門）がある場合には、そのセグメント別にも記載しなければならない。これは企業集団内の事業別のセグメントにおける事業活動の推移とその成果を明らかにするために要求される（1項柱書かっこ書）。このセグメントは連結ベースを前提として判断するため、単体ベースのセグメントとは異なることがありうる。

　2項2文は、株式会社およびその子会社からなる企業集団の現況に関する事項を事業報告に記載した場合において、その事項に相当する事項が連結計算書類の内容となっているときは、その事項を事業報告の内容としないことができるものとしている。これは、定時株主総会の招集に際しては、連結計算書類も事業報告も株主に提供されるので（法437条・444条6項）、いずれか一方に記載されていれば十分だからである。なお、「株主に対して提供する事業報告の内容とすることを要しない」（圏点—引用者）とする73条4項と異なり、本項は「事業報告の内容としない」と定めているが、連結計算書類は備置義務や閲覧等の請求に応ずる義務の対象ではないので、事業報告に含めておかないと、事業報告を閲覧等する者は、EDINETなどを通じて連結財務諸表を入手しなければ十分な情報を得ることができないし、何よりも、連結計算書類作成会社の中には、金融商品取引法に基づく有価証券報告書の提出義務を負っていないものが含まれているので、立法論としては、73条4項と同様、「株主に対して提供する事業報告の内容とすることを要しない」と定めるべきであったと考えられる。

3　過年度事項の修正がある場合（3項）

　本項は、直前3事業年度（その事業年度の末日において3事業年度が終了していない株式会社にあっては、成立後の各事業年度）の財産および損益の状況の記載（1項6号）との関連で、その事業年度より前の事業年度に係る貸借対照表、損益計算書または株主資本等変動計算書に表示すべき事項（過年度事項）が会計方針の変更その他の正当な理由によりその事業年度より前の事業年度に係る定時株主総会において承認または報告をしたものと異なっているときは、「修正後の過年度事項を反映した事項」を提供することを妨げないと定めている。これは、事業報告において、直前3事業年度（当該事業年度の末日において3事業年度が終了していない株式会社にあっては、成立後の各事業年度）の財産および損益の状況の記載が求められているのは、情報提供のためであるから、「修正後の過年度事項」を提供することを禁止する理由はないからである。し

かも，直前３事業年度（当該事業年度の末日において３事業年度が終了していない株式会社にあっては，成立後の各事業年度）の財産および損益の状況の記載を求めているのは期間比較を可能にするためであると考えられるところ，期間比較を可能にするという観点からは，修正後の過年度事項を提供するほうが望ましい。

なお，企業会計基準委員会・企業会計基準第24号「会計方針の開示，会計上の変更及び誤謬の訂正に関する会計基準」（平成21年（2009年）12月４日，改正2020年３月31日）は，会計方針を変更した場合には，原則として，変更後の会計処理方法を過去の財務諸表に遡って適用していたかのように会計処理すること（遡及適用）を求めている。また，過去の計算関係書類に誤謬があったときには遡及的に反映させること（修正再表示）が原則として求められている（もっとも，過去の誤謬について修正再表示という遡及処理が行われたり，会計方針の変更があったときに遡及適用しても，確定済みの過年度の計算関係書類自体が修正されたり，手続または内容の誤りのために未確定となっている過年度の計算関係書類が確定するという効果はない。最判令和２・７・２民集74巻４号1030頁も参照）。どの企業にとって，企業会計基準第24号が唯一の一般に公正妥当と認められる企業会計の慣行にあたるのかという問題はあるが，企業会計基準第24号に従って，遡及適用または修正再表示を行ったことが会社法に違反すると評価されることはないであろう。

―（株式会社の会社役員に関する事項）――――――――――――――――

第121条 第119条第２号に規定する「株式会社の会社役員に関する事項」とは，次に掲げる事項とする。ただし，当該事業年度の末日において監査役会設置会社（公開会社であり，かつ，大会社であるものに限る。）であって金融商品取引法第24条第１項の規定によりその発行する株式について有価証券報告書を内閣総理大臣に提出しなければならないもの，監査等委員会設置会社又は指名委員会等設置会社でない株式会社にあっては，第６号の２に掲げる事項を省略することができる。

一 会社役員（直前の定時株主総会の終結の日の翌日以降に在任していた者に限る。次号から第３号の２まで，第８号及び第９号並びに第128条第２項において同じ。）の氏名（会計参与にあっては，氏名又は名称）

二 会社役員の地位及び担当

三 会社役員（取締役又は監査役に限る。以下この号において同じ。）と当該株式会社との間で法第427条第１項の契約を締結しているときは，当該契約の内容の概要（当該契約によって当該会社役員の職務の執行の適正性が損な

われないようにするための措置を講じている場合にあっては，その内容を含む。）

三の二　会社役員（取締役，監査役又は執行役に限る。以下この号において同じ。）と当該株式会社との間で補償契約を締結しているときは，次に掲げる事項

　イ　当該会社役員の氏名

　ロ　当該補償契約の内容の概要（当該補償契約によって当該会社役員の職務の執行の適正性が損なわれないようにするための措置を講じている場合にあっては，その内容を含む。）

三の三　当該株式会社が会社役員（取締役，監査役又は執行役に限り，当該事業年度の前事業年度の末日までに退任した者を含む。以下この号及び次号において同じ。）に対して補償契約に基づき法第430条の2第1項第1号に掲げる費用を補償した場合において，当該株式会社が，当該事業年度において，当該会社役員が同号の職務の執行に関し法令の規定に違反したこと又は責任を負うことを知ったときは，その旨

三の四　当該株式会社が会社役員に対して補償契約に基づき法第430条の2第1項第2号に掲げる損失を補償したときは，その旨及び補償した金額

四　当該事業年度に係る会社役員の報酬等について，次のイからハまでに掲げる場合の区分に応じ，当該イからハまでに定める事項

　イ　会社役員の全部につき取締役（監査等委員会設置会社にあっては，監査等委員である取締役又はそれ以外の取締役。イ及びハにおいて同じ。），会計参与，監査役又は執行役ごとの報酬等の総額（当該報酬等が業績連動報酬等又は非金銭報酬等を含む場合には，業績連動報酬等の総額，非金銭報酬等の総額及びそれら以外の報酬等の総額。イ及びハ並びに第124条第5号イ及びハにおいて同じ。）を掲げることとする場合　取締役，会計参与，監査役又は執行役ごとの報酬等の総額及び員数

　ロ　会社役員の全部につき当該会社役員ごとの報酬等の額（当該報酬等が業績連動報酬等又は非金銭報酬等を含む場合には，業績連動報酬等の額，非金銭報酬等の額及びそれら以外の報酬等の額。ロ及びハ並びに第124条第5号ロ及びハにおいて同じ。）を掲げることとする場合　当該会社役員ごとの報酬等の額

　ハ　会社役員の一部につき当該会社役員ごとの報酬等の額を掲げることとする場合　当該会社役員ごとの報酬等の額並びにその他の会社役員についての取締役，会計参与，監査役又は執行役ごとの　報酬等の総額及び員数

五　当該事業年度において受け，又は受ける見込みの額が明らかとなった会

社役員の報酬等（前号の規定により当該事業年度に係る事業報告の内容とする報酬等及び当該事業年度前の事業年度に係る事業報告の内容とした報酬等を除く。）について，同号イからハまでに掲げる場合の区分に応じ，当該イからハまでに定める事項
五の二　前2号の会社役員の報酬等の全部又は一部が業績連動報酬等である場合には，次に掲げる事項
　イ　当該業績連動報酬等の額又は数の算定の基礎として選定した業績指標の内容及び当該業績指標を選定した理由
　ロ　当該業績連動報酬等の額又は数の算定方法
　ハ　当該業績連動報酬等の額又は数の算定に用いたイの業績指標に関する実績
五の三　第4号及び第5号の会社役員の報酬等の全部又は一部が非金銭報酬等である場合には，当該非金銭報酬等の内容
五の四　会社役員の報酬等についての定款の定め又は株主総会の決議による定めに関する次に掲げる事項
　イ　当該定款の定めを設けた日又は当該株主総会の決議の日
　ロ　当該定めの内容の概要
　ハ　当該定めに係る会社役員の員数
六　法第361条第7項の方針又は法第409条第1項の方針を定めているときは，次に掲げる事項
　イ　当該方針の決定の方法
　ロ　当該方針の内容の概要
　ハ　当該事業年度に係る取締役（監査等委員である取締役を除き，指名委員会等設置会社にあっては，執行役等）の個人別の報酬等の内容が当該方針に沿うものであると取締役会（指名委員会等設置会社にあっては，報酬委員会）が判断した理由
六の二　各会社役員の報酬等の額又はその算定方法に係る決定に関する方針（前号の方針を除く。）を定めているときは，当該方針の決定の方法及びその方針の内容の概要
六の三　株式会社が当該事業年度の末日において取締役会設置会社（指名委員会等設置会社を除く。）である場合において，取締役会から委任を受けた取締役その他の第三者が当該事業年度に係る取締役（監査等委員である取締役を除く。）の個人別の報酬等の内容の全部又は一部を決定したときは，その旨及び次に掲げる事項
　イ　当該委任を受けた者の氏名並びに当該内容を決定した日における当該株式会社における地位及び担当

　　　　ロ　イの者に委任された権限の内容
　　　　ハ　イの者にロの権限を委任した理由
　　　　ニ　イの者によりロの権限が適切に行使されるようにするための措置を講
　　　　　じた場合にあっては，その内容
　　七　辞任した会社役員又は解任された会社役員（株主総会又は種類株主総会
　　　の決議によって解任されたものを除く。）があるときは，次に掲げる事項
　　　（当該事業年度前の事業年度に係る事業報告の内容としたものを除く。）
　　　　イ　当該会社役員の氏名（会計参与にあっては，氏名又は名称）
　　　　ロ　法第342条の2第1項若しくは第4項又は第345条第1項（同条第4項
　　　　　において読み替えて準用する場合を含む。）の意見があるときは，その意
　　　　　見の内容
　　　　ハ　法第第342条の2第2項又は第345条第2項（同条第4項において読み
　　　　　替えて準用する場合を含む。）の理由があるときは，その理由
　　八　当該事業年度に係る当該株式会社の会社役員（会計参与を除く。）の重要
　　　な兼職の状況
　　九　会社役員のうち監査役，監査等委員又は監査委員が財務及び会計に関す
　　　る相当程度の知見を有しているものであるときは，その事実
　　十　次のイ又はロに掲げる場合の区分に応じ，当該イ又はロに定める事項
　　　　イ　株式会社が当該事業年度の末日において監査等委員会設置会社である
　　　　　場合　常勤の監査等委員の選定の有無及びその理由
　　　　ロ　株式会社が当該事業年度の末日において指名委員会等設置会社である
　　　　　場合　常勤の監査委員の選定の有無及びその理由
　　十一　前各号に掲げるもののほか，株式会社の会社役員に関する重要な事項

　本条は，その事業年度の末日において公開会社である株式会社が，追加的に，事業報告の内容としなければならない「株式会社の会社役員に関する事項」を具体的に定めるものである。なお，一定の株式会社は，124条が定める社外役員等に関する事項も事業報告の内容としなければならない。なお，会社役員とは，その株式会社の取締役，会計参与，監査役および執行役をいう（2条3項4号）。

　会社法施行規則では，公開会社の事業報告における「株式会社の会社役員に関する事項」についての記載の充実が図られているが，これは，公開会社には少なからぬ上場会社などが含まれていること，公開会社は取締役会設置会社なので，会計監査人が選任されていると，一定の要件の下で，計算書類が取締役

会の決議によって確定され（法439条），また，監査等委員会設置会社，指名委員会等設置会社あるいは一定の要件を満たす監査役会設置会社については，定款の定めによって剰余金の配当等を取締役会が決定できるものとすることが可能なため（法459条・460条），株主総会における主要な決議事項は会社役員（執行役を除く）の選任であり，株主総会は会社役員が報告をする場という位置付けが強くなるという事態が生ずることに鑑みたものである（相澤＝郡谷・商事法務1762号7頁）。

1　会社役員の氏名（会計参与にあっては，氏名または名称）（1号）

　その事業年度における経営および責任の所在を明らかにするため，取締役，執行役，会計参与および監査役全員に関する情報を開示させようとするものである（稲葉・昭和56改正305頁参照）。平成18年改正前商法施行規則103条1項6号を踏襲したものであるが，会計参与についての開示が追加されている。監査法人あるいは税理士法人も会計参与となることができるため，会計参与については，「氏名又は名称」（圏点—引用者）とされている。「直前の定時株主総会の終結の日の翌日以降に在任していた者に限る」とされているのは，「直前の定時株主総会の終結の日の翌日以降に在任していた者」と「直前の定時株主総会の終結の日に退任した者」とを並べて開示することは煩瑣である一方，直前の定時株主総会の終結に伴い，もはや会社役員でなくなった者の氏名等を開示することの意義は乏しい（直前の定時株主総会の終結の日に退任した者が会社の業務執行等を行った期間は短いのが一般的であるため）と考えられたためであろう。

2　会社役員の地位および担当（2号）

　その事業年度における経営および責任の所在を明らかにするため，取締役，執行役，会計参与および監査役全員に関する情報を開示させようとするものである（稲葉・昭和56改正305頁参照）。会社における地位とは，会長，社長，副社長，専務，常務などを意味する。担当に関する記載としては，取締役または執行役につき，総務担当，技術担当等の担当があるときはその担当を記載すべきであるが，使用人兼務取締役または使用人兼務執行役として本部長や部長などを兼務しているときにはそれを記載すべきである（稲葉・昭和56改正305頁参照）。なお，社外役員（2条3項5号）である社外監査役および社外取締役については，その旨を記載すべきであろう。

　本号は，平成18年改正前商法施行規則103条1項6号を踏襲したものである

が，会計参与についての開示が追加されている。

「直前の定時株主総会の終結の日の翌日以降に在任していた者に限る」（1号第1かっこ書）とされているのは，直前の定時株主総会の終結に伴い，もはや会社役員でなくなった者の氏名等を開示することの意義は乏しいと考えられたためである。また，1号による開示が求められていないこととも首尾一貫する。

3 責任限定契約の概要等（3号）

取締役または監査役と当該株式会社との間で責任限定契約（法427条1項）を締結しているときは，当該契約の内容の概要および当該契約によって当該会社役員の職務の執行の適正性が損なわれないようにするための措置を講じている場合にはその内容を，記載することが求められている。平成27年会社法施行規則改正前は，社外役員を設けている株式会社の開示事項であったが（改正前124条5号），平成26年会社法改正により，社外役員ではない取締役および監査役についても責任限定契約を締結できることとされたことをうけて，本号に定めが置かれている。

株式会社は，取締役（業務執行取締役等を除く。以下，本号において同じ）または監査役の任務懈怠に基づく損害賠償責任（法423条）について，その取締役または監査役が職務を行うにつき善意でかつ重大な過失がないときは，定款で定めた額の範囲内であらかじめ株式会社が定めた額と最低責任限度額とのいずれか高い額を限度とする旨の契約を取締役または監査役と締結することができる旨を，定款で定めることができる（法427条）。最低責任限度額が法定されており（法425条1項，施規113条・114条），また，この責任限定契約は取締役または監査役に軽過失がある場合に限り有効なので，濫用のおそれは低いと期待されるが，「定款で定めた額の範囲内であらかじめ株式会社が定めた額」（法427条1項）も1つの基準となるところ，その額は代表取締役・代表執行役あるいは取締役会において定められると考えられることから，その内容を記載させることに意義が認められる。また，責任限度額以外についても，会社法および会社法施行規則の定めの範囲内で，会社が責任限定契約の内容を定めることができるため，責任限度額以外の契約内容も株主にとっては重要な情報であると考えられる。

責任限定「契約によって当該会社役員の職務の執行の適正性が損なわれないようにするための措置」としては，責任限度額を適切に定めること，取締役または監査役の解任・不再任について適切な方針を定めることや取締役または監

査役が職務遂行を適正に行うことができるような環境を整備すること（取締役または監査役に応対するスタッフの独立性の確保，取締役または監査役に対する必要な情報の適時提供。98条4項・100条3項・110条の4第1項・112条1項参照）などが考えられる。

　なお，「直前の定時株主総会の終結の日の翌日以降に在任していた者に限る」（1号第1かっこ書）とされているのは，直前の定時株主総会の終結に伴い，もはや会社役員でなくなった者については，責任限定契約の対象となる対会社責任が新たに生ずることはないと解されるので，その氏名等を開示することの意義は乏しいと考えられたためである。

4　補償契約を締結している場合（3号の2）

　補償契約とは，法430条の2第1項に規定する補償契約をいい（2条2項66号（令和2年改正未施行部分の施行後は67号）），役員等（同項65号（令和2年改正未施行部分の施行後は66号））が，その職務の執行に関し，法令の規定に違反したことが疑われ，または責任の追及に係る請求を受けたことに対処するために支出する費用ならびに役員等が，その職務の執行に関し，第三者に生じた損害を賠償する責任を負う場合におけるその損害をその役員等が賠償することにより生ずる損失およびその損害の賠償に関する紛争について当事者間に和解が成立したときは，その役員等がその和解に基づく金銭を支払うことにより生ずる損失の全部または一部を株式会社がその役員等に対して補償することを約する契約をいう。

　補償契約は，役員等の職務の適正性に影響を与えるおそれがあり，また，補償契約には，利益相反性が類型的に高いものもあることから，その内容は株主にとって重要な情報であると考えられるため，補償契約の相手方である会社役員の氏名および補償契約の内容の概要を事業報告に含めるべきものとしている（中間試案補足説明36頁）。

　会社補償の趣旨からすれば，適切な会社補償の条件は，株式会社の状況やその役員の職務内容等により異なってくると考えられ，株式会社が役員等との間で締結する契約によって補償の条件を個別に定めることができることとすることが相当であると考えられるため，役員等が受けた損害を無制限に株式会社が補償することができることを内容とする補償契約の締結を認めると，役員等の職務の適正性が損なわれたり，役員等の責任や刑罰等を定める規定の趣旨が損なわれたりするおそれがあることから法430条の2第1項および2項の制約は

設けているものの，それ以外の制約なしに，会社法は，株式会社が役員等との間で補償契約を締結することができるものとし，株式会社は，補償契約に基づき会社補償をすることができるものとしている（中間試案補足説明32頁）。

たとえば，補償契約に関して，役員等が法430条の2第1項1号の費用（防御費用）または2号の損害賠償等（損害賠償等）を支払うべき事情が生じた場合において，株式会社が当該役員等に代わり立替払をすることをその内容とすること，一定の事由が生じた場合に防御費用または損害賠償等を補償しなければならない義務を株式会社が負うことをその内容とすること，防御費用または損害賠償等を補償するかどうかは，株式会社がその都度判断するものとすることをその内容とすることはいずれも認められるとの解釈が示されている（中間試案補足説明32頁）。このように補償契約の内容が多様であり，しかも，取締役会設置会社においては，取締役会の決議によって定められる以上，補償契約の内容の概要を事業報告に含めないと株主は補償契約の内容を知ることができず，適切なコントロールを及ぼすことができないことになる。

補償契約の内容の概要の記載としては，①補償される防御費用および損害賠償等の範囲，②補償額の上限，③上述のように，一定の事由が生ずれば会社は補償義務を負うとするのか，その都度補償をするかどうかを会社が判断することができるとするのか，④会社が立替払するのか，いったん役員が支払ったものを償還するのか，および，⑤一定の事由が生じても会社が補償義務を負わない場合などの記載が考えられる。⑤との関係では，たとえば，株式会社が，補償契約において，役員等に悪意もしくは重大な過失がある場合またはその他役員等の行為の態様等が悪質である場合等には，役員等に補償をした金銭の返還を請求することができる旨を定めること，または，株式会社による責任の追及の場合には，補償をしない旨を定めることなどが想定できる（中間試案補足説明33頁）。

「当該会社役員の氏名」としては補償契約の相手方となっている会社役員の氏名をすべて列挙することになり，「当該補償契約の内容の概要」は，補償契約の相手方の会社役員によって（たとえば，社外役員とそれ以外の役員，監査等委員である取締役とそれ以外の取締役），補償契約の内容が異なる場合には，「会社役員の氏名」と「補償契約の内容の概要」とを対応付けて記載することが求められる。

「当該補償契約によって当該会社役員の職務の執行の適正性が損なわれないようにするための措置を講じている場合にあっては，その内容を含む」とされ

ているのは，このような記載を求めることによって，その補償契約によって補償契約の相手方である役員等の職務の執行の適正性が損なわれないようにするための措置を講じるインセンティブを与えようとするものである。そして，株式会社が補償する額について限度額を設けること，補償契約において役員等に悪意もしくは重大な過失がある場合またはその他役員等の行為の態様等が悪質である場合等には，役員等に補償をした金銭の返還を請求することができる旨を規定すること，補償契約において株式会社が責任を追及する場合を補償の対象から除外することなどが考えられると指摘されているが（中間試案補足説明36頁，竹林俊憲編著『一問一答 令和元年改正会社法』125～126頁），補償額の限度額を設けること（意見募集の結果（令和2年11月）27頁），一定金額以下の防御費用または損害賠償等は補償の対象としない，防御費用または損害賠償等の一定割合（たとえば，90％）のみを補償の対象とすることも考えられる。

「取締役，監査役又は執行役に限る」とされているのは，会計参与については125条2号で，会計監査人については126条7号の2で，それぞれ，本号とパラレルな開示が求められているからである。

なお，「直前の定時株主総会の終結の日の翌日以降に在任していた者に限る」（1号第1かっこ書）とされているのは，直前の定時株主総会の終結に伴い，もはや会社役員でなくなった者については，補償契約の対象となる職務執行を行わないと考えられるので，その氏名等を開示することの意義は乏しいと考えられたためである。

5 補償契約に基づき費用を補償した場合（3号の3）

このような開示が求められているのは，株式会社が補償契約に基づき法430条の2第1項第1号に掲げる費用を適切に補償しているかどうかにつき，株主が株主総会において説明を求める端緒を与え，株式会社に補償を適切に行うインセンティブを与えるためであると推測される。すなわち，ある事業年度において補償契約に基づき株式会社が費用等を補償した場合におけるその相手方および額については，法制審議会会社法制（企業統治等関係）部会において，そのすべてを事業報告の内容に含めなければならないものとする必要はないのではないかという指摘や，広範に開示を求められることとなれば補償契約を締結することを躊躇することとなるという指摘がされたこと（中間試案補足説明36頁）および「会社役員に責任が認められなかった場合についてまで，株式会社が補償をした事実を開示する必要はないとも考えられること」（渡辺ほか・商事法務

2252号19頁注53）を背景として，会社法施行規則は明示的には法430条の2第1項第1号に掲げる費用の補償の相手方および額を記載することを要求していないため，株主としては，防御費用の補償を行ったかどうかを知ることができず，株主総会を通じた取締役等に対するコントロールを行うことができない（また，事業報告に記載されないとなると，補償を行う決定を取締役会決議で行うとしている場合は格別，補償がなされたことやその内容について，すべての取締役が知りうるということが期待できず，取締役会によるコントロールも働かないおそれがある）。しかし，補償を受けた会社役員が430条の2第1項1号の職務の執行に関し法令の規定に違反し，または責任を負うような場合には取締役会や株主によるコントロールを働かせる必要性が大きい（事業報告に記載させれば，事業報告は取締役会の承認の対象となっているため（法436条3項），取締役会によるコントロールも期待できる）。

　また，法430条の2第3項は，「補償契約に基づき第1項第1号に掲げる費用を補償した株式会社が，当該役員等が自己若しくは第三者の不正な利益を図り，又は当該株式会社に損害を加える目的で同号の職務を執行したことを知ったときは，当該役員等に対し，補償した金額に相当する金銭を返還することを請求することができる。」と定めているところ，補償を受けた会社役員が法430条の2第1項1号の職務の執行に関し法令の規定に違反し，または責任を負う場合には，その役員が「自己若しくは第三者の不正な利益を図り，又は当該株式会社に損害を加える目的で同号〔法430条の2第1項1号〕の職務を執行した」場合にあたることもあるため，このような開示を求めることによって，法430条の2第3項に従って，返還を求めるように株式会社を仕向ける効果が期待できる。さらに，補償契約において，補償を受けた会社役員が法430条の2第1項1号の職務の執行に関し法令の規定に違反し，または責任を負う場合には，補償を受けた金額に相当する金銭を株式会社に返還しなければならないと定めているような場合には，その定めに従って，返還を求めるように株式会社を仕向けることになる。

　このような趣旨に照らして，「株式会社が，当該事業年度において，当該会社役員が会社法430条の2第1項1号の職務の執行に関し「法令の規定に違反したこと」または「責任を負うこと」のいずれを知ったのかを明らかにして記載することが相当であると考えられる」と指摘されている（渡辺ほか・商事法務2252号16頁）。

　「取締役，監査役又は執行役に限り」とされているのは，会計参与について

第121条（株式会社の会社役員に関する事項） 673

は125条3号で，会計監査人については126条7号の3で，それぞれ，本号とパラレルな開示が求められているからである。

「費用を補償した」事業年度は当該事業年度に限らず，当該事業年度の前事業年度以前の事業年度であっても対象となる（渡辺ほか・商事法務2252号19頁注55）。なぜなら，「当該事業年度において費用を補償した」とは規定されていないし（「知った」ことについては，「その事業年度において」とされている），実質的にも「当該株式会社が，……当該会社役員が同号〔法430条の2第1項1号〕の職務の執行に関し法令の規定に違反したこと又は責任を負うことを知る」事業年度は「費用を補償した」事業年度より後であることが多いことは経験則上明らかであるから，「当該事業年度において費用を補償した」場合にのみ開示の対象となるとすると，本号が定める事項を記載することの要求は少なからず空振りということになり，不都合だからである。

上述したように，この開示は株式会社が補償を適切に行ったかどうかを株主（場合によると，さらに取締役）が検討する契機としての意義を有することから，「当該事業年度の前事業年度の末日までに退任した者を含む」とされている。また，「当該株式会社が，……当該会社役員が法430条の2第1項1号の職務の執行に関し法令の規定に違反したことまたは責任を負うことを知る」事業年度は「費用を補償した」事業年度より後であることが多いことは経験則上明らかであるから，「当該事業年度の前事業年度の末日までに退任した者を含む」としないと，本号が定める事項を記載することの要求は少なからず空振りということになり，不都合だからである。

法務省は，「費用の補償を受けた会社役員の氏名を事業報告に記載する必要はない。もっとも，当該事業年度において，当該会社役員が会社法第430条の2第1項第1号の職務の執行に関し「法令の規定に違反したこと」又は「責任を負うこと」のいずれを知ったのかを明らかにして記載することが相当であると考える」という解釈を示しており（意見募集の結果（令和2年11月）28頁），このような記載を求めることの意義は，株主総会において株主がさらに詳細な説明を求めることの契機にとどまることになりそうである。会計参与または会計監査人との関連では，事実上，個別開示するに等しいことになるにもかかわらず，本号とパラレルな開示を求めていることからすると，会社役員の氏名を記載する必要がないという扱いを説得的に説明することは難しいように思われる。

なお，119条以下は公開会社の事業報告に含めるべき内容の最低限を定めて

いるのであるから，本号とは別に，補償額および補償の相手方が118条1号にいう「当該株式会社の状況に関する重要な事項」にあたると解される場合には，事業報告に含めることが求められることになる。また，本号は，法430条の2第1項にいう補償契約に基づき費用を補償した場合の開示事項であり，会社法330条および民法650条に基づき補償した場合（竹林・前掲書107頁注2）については開示を要求する具体的な規定は設けられていない。しかし，そのような補償を行ったことまたは補償を行った後に，その会社役員が職務の執行に関し法令の規定に違反したことまたは責任を負うことを知ったことが「株式会社の会社役員に関する重要な事項」（121条11号）に該当し，事業報告に記載しなければならないことはありうる（神田ほか・商事法務2230号27頁［竹林発言］）。

6 補償契約に基づき損失を補償した場合（3号の4）

このような開示が求められているのは，株式会社が補償契約に基づき法430条の2第1項2号に掲げる損失を適切に補償しているかどうかにつき，株主が株主総会において説明を求める端緒を与え，株式会社に補償を適切に行うインセンティブを与えるためであると推測される。また，補償を行う決定を取締役会決議で行うとしている場合でなければ，補償について取締役会のコントロールが及ばない可能性があるが，事業報告に記載させれば，事業報告は取締役会の承認の対象となっているため（法436条3項），取締役会によるコントロールも期待できる。さらに，法430条の2第2項は，その株式会社が損害を賠償するとすればその役員等がその株式会社に対して法423条1項の責任を負う場合には，法430条の2第1項2号に掲げる損失のうちその責任に係る部分および役員等がその職務を行うにつき悪意または重大な過失があったことにより法430条の2第1項2号の責任を負う場合には，同号に掲げる損失の全部を補償することができないとされており，その実効性を担保するという点からもこの開示は意義を有する。

「取締役，監査役又は執行役に限り」（3号の3第1かっこ書）とされているのは，会計参与については125条4号で，会計監査人については126条7号の4で，それぞれ，本号とパラレルな開示が求められているからである。

本号による開示は，いつ補償したものを対象とするのかについて明示的な規定は置かれていないが，事業報告の性質上，当該事業年度において補償したものが対象とされると考えられる（渡辺ほか・商事法務2252号19頁注56）。すなわち，法435条2項は「各事業年度に係る……事業報告……を作成しなければな

らない」と規定しており，その事業年度における事業の経過および成果を株主に対して報告するという事業報告の性質に照らすと，事業報告は，原則として，その事業報告が対象とする事業年度の初日から末日までに発生または変動した事象を内容とすることとなるからである（小松＝澁谷・商事法務1863号10頁）。意見募集の結果（令和2年11月）においても，「当該事業年度において補償したときに限って，同号に定める事項の記載を求めるものである」とされている（29頁）。

なお，「当該事業年度の前事業年度の末日までに退任した者を含む」（3号の3第1かっこ書）とされているのは，補償契約において，退任後も補償をする旨が定められている場合があり，退任後の会社役員に対して補償する場合でもそれが適切に行われることを確保するために，開示の対象とすることが適切だからである。

法制審議会会社法制（企業統治等関係）部会における審議経過（神田・商事法務2194号9～10頁）をふまえて，同一の事由に関して複数の会社役員に対して補償契約に基づき法430条の2第1項2号に掲げる損失を補償したときは，「当該会社役員らに対して補償した旨及び補償した金額の合計額をまとめて記載すれば足りる」，また，「損失の補償を受けた会社役員の氏名や損失の具体的な内容等を事業報告に記載する必要はないが，法「430条の2第1項第2号イ又はロに掲げる損失のいずれを補償したかを明らかにして記載することが相当である」と指摘されている（意見募集の結果（令和2年11月）28頁）。このような解釈によると，このような記載を求めることの意義は，株主総会において株主がさらに詳細な説明を求めることの契機にとどまることになりそうである。会計参与または会計監査人との関連では，事実上，個別開示するに等しいことになるにもかかわらず，本号とパラレルな開示を求めていることからすると，会社役員の氏名を記載する必要がないという扱いを説得的に説明することは難しいように思われる。

もっとも，株式会社と関連当事者との間に取引（当該株式会社と第三者との間の取引で当該株式会社と当該関連当事者との間の利益が相反するものを含む）がある場合には，会計監査人設置会社または公開会社については，「関連当事者との取引に関する注記」（計規98条1項15号・2項）が要求されている。ここで，関連当事者には，株式会社の役員およびその近親者が含まれ（計規112条4項7号），役員とは取締役，会計参与，監査役または執行役をいい（同条2項2号），近親者とは2親等内の親族をいうとされている（同条4項6号柱書第2かっこ

書)。そして，この注記には，当該関連当事者が個人であるときは，その氏名(同条1項2号イ)，取引の内容および取引の種類別の取引金額(同項4号・5号)などを含めなければならない。したがって，会計監査人設置会社および公開会社は，補償を行った場合には，重要であるかぎり，補償の相手方および額を個別注記表(またはその附属明細書)に含めなければならない。なお，企業会計基準適用指針第13号「関連当事者の開示に関する会計基準の適用指針」では，関連当事者が個人グループ(第13項(4))(取締役，監査役および執行役はこれにあたる)である場合には，関連当事者との取引が，連結損益計算書項目および連結貸借対照表項目等のいずれに係る取引についても，1,000万円を超える取引について，すべて開示対象とするとされている(16項)。

　なお，119条以下は公開会社の事業報告に含めるべき内容の最低限を定めているのであるから，本号とは別に，補償の相手方や金額が118条1号にいう「当該株式会社の状況に関する重要な事項」にあたると解される場合には，事業報告に含めることが求められることになる。また，本号は，法430条の2第1項にいう補償契約に基づき損失を補償した場合の開示事項であり，会社法330条および民法650条に基づき補償した場合については開示を要求する具体的な規定は設けられていない。しかし，そのような補償を行ったことが「株式会社の会社役員に関する重要な事項」(121条11号)に該当し，事業報告に記載しなければならないことはありうる(神田ほか・商事法務2230号27頁[竹林発言]参照)。

7　当該事業年度に係る会社役員の報酬等（4号）

　指名委員会等設置会社以外の会社においては，取締役，会計参与および監査役の報酬等は，定款または株主総会の決議によって定められるが(法361条・379条・387条)，通常は，取締役(監査等委員会設置会社では監査等委員である取締役とそれ以外の取締役)，会計参与または監査役の全員に対する報酬等の額の最高限度額あるいは総額が定められ，その範囲内で，個々の取締役(監査等委員である取締役を除く)の報酬は取締役会の決議あるいは取締役間の協議で，個々の監査等委員である取締役，監査役または会計参与の報酬等の額は監査等委員である取締役，監査役または会計参与の協議で定められる。

　したがって，本号のような開示が要求されるのは，第1に，取締役会の決議または監査等委員である取締役，監査役もしくは会計参与の協議で定められ実際に支払われた具体的な金額を開示させ，その職務執行の対価として適当であ

るかどうかを検討する機会を株主に与えるためである。第2に，株主総会の決議によるほか，定款の定めにより，取締役，執行役，会計参与または監査役の法令・定款違反行為に基づく会社に対する責任の一部を取締役の決定または取締役会の決議で免除することができ，また，取締役（業務執行取締役等を除く）・監査役との間でその取締役・監査役が会社に対して負担する可能性のある任務懈怠に基づく責任の額を限定することができるが（法425条～427条），その際の限度額は取締役等の報酬等の額および使用人を兼ねる場合の使用人分退職手当のうち取締役等を兼ねた期間の職務遂行の対価である部分の額ならびにこれらの性質を有する財産上の利益の額の合計額，有利な条件で発行された新株予約権を就任後に行使した場合の利益または譲渡した場合の利益の額を基準として算定されるため，責任免除の限度額を知るという観点から，株主などの利害関係者にとっては，取締役等の報酬等の額は重要な情報であるからである。そこで，本条は取締役，執行役，会計参与または監査役の報酬等の総額を事業報告に記載させることにしている。

　原則として，「報酬等」の総額を記載すべきことを要求しており，法361条1項6号は，「報酬等のうち金銭でないもの」と定めており，現物給付あるいは用役の給付の場合も報酬にあたる場合がある。たとえば，会社が借り上げた建物等あるいは会社保有の建物等を無料または低廉な賃料で取締役，執行役，会計参与または監査役に使用させている場合には，公正な賃料と実際の賃料との差額は「報酬等」にあたると解する余地がある。また，その事業年度に交付し，または交付することが確定された募集株式や募集新株予約権も「報酬等」の総額に含まれる。

　他方，平成18年改正前商法施行規則103条1項10号と異なり，取締役や執行役が使用人を兼ねる場合の使用人としての報酬・賞与などは，本号にいう「報酬等」にはあたらない。これは，指名委員会等設置会社以外の会社においては，取締役，会計参与または監査役の報酬等は定款の定めまたは株主総会の決議によって決定しなければならないので，株主総会の決議等の「対象とされていた取締役としての報酬等が実際にどのように給付されたかということが正しく開示されるべきであり，株主総会の決議の対象とはされていない使用人の給与等と合算することにより，報酬等そのものが明らかにはならなくなるような開示の仕方は，必ずしも適切なものであるとはいいがたい」という理由に基づくものであると説明されている（相澤＝郡谷・商事法務1762号8頁）。もっとも，使用人分の給与・賞与に関する事項が「株式会社の会社役員に関する重要な事

項」(11号)にあたる場合には,事業報告に記載しなければならない。取締役または執行役の報酬等として開示された内容だけでは,その株式会社の取締役または執行役に対する職務執行の対価として与えられている財産上の利益の額を適切に判断できない場合には,重要性があると判断されることになろう。たとえば,使用人分の給与・賞与等の額が絶対額において,あるいは取締役または執行役の報酬等との比較において相対的に多額な場合には,重要性があるということになろう。また,使用人としての給与体系が確立していないか,使用人兼務取締役あるいは使用人兼務執行役については通常の使用人としての給与体系が適用されていない場合には,関連当事者との取引の注記(計規112条)の対象となる可能性もある(同条2項2号にいう「取締役,会計参与,監査役又は執行役……に対する報酬等」にあたらないからである)。

なお,本号では,「当該事業年度に係る」と規定されており,その事業年度中に支払ったかどうかにかかわりなく,職務執行の対価として取締役等が受け取るべき財産上の利益は,職務執行がなされた事業年度の事業報告に記載すべきであると考えられる。したがって,業績連動型の報酬やいわゆる賞与は,支給された事業年度ではなく,ある事業年度の職務執行に対応する額は,職務執行がなされた事業年度の事業報告に記載することになる(相澤=郡谷・商事法務1762号8〜9頁)。また,退職慰労金(弔慰金)についても,ある事業年度の職務執行に対応する部分については──役員退職慰労金引当金を認識するかどうかはともかく──その事業年度の事業報告に記載すべきであると解することが整合的である。これらは,近年,退任役員に対する年金の支給や退職慰労金の分割払いがみられ,また,指名委員会等設置会社への移行やいわゆる執行役員制度の導入の際に,取締役が退任し,執行役員や指名委員会等設置会社の執行役となる場合に,取締役の退職慰労金支給決議が株主総会でなされたにもかかわらず,取締役会では,執行役員あるいは執行役を退任する際に一括して退職慰労金を支払う旨を決議することがあることに鑑みると適切であると思われる。このような場合には,遅くとも法的債務として確定した時点ではその金額を負債として認識し(法的債務として確定する前であっても,一般に公正妥当と認められる企業会計の基準その他の企業会計の慣行をしん酌して引当金を計上することができる),かつ,損益計算書において費用として認識する必要があるからである。

諸外国においては,会社役員の報酬の個別開示が要求される傾向にあるが(英米独仏では要求されていることについて,伊藤・経営者の報酬の法的規律160頁

第121条（株式会社の会社役員に関する事項） 679

以下，205頁以下，317頁以下，弥永・企業会計56巻11号81〜88頁など参照），本号イでは，「会社役員の全部につき取締役（監査等委員会設置会社にあっては，監査等委員である取締役又はそれ以外の取締役……），会計参与，監査役又は執行役ごとの報酬等の総額……を掲げることとする場合」には，取締役（監査等委員会設置会社では，監査等委員である取締役またはそれ以外の取締役），会計参与，監査役または執行役ごとの報酬等の総額……および員数を開示すれば足りるものとしている。これは，プライバシーの保護や他の会社との比較を避けたいという経済界の要望に配慮したものであると説明されている（第162回国会参議院法務委員会会議録第26号（平成17年6月28日）5頁〔寺田政府参考人〕）。ここで，「取締役，会計参与，監査役又は執行役ごとの報酬等の総額及び員数」とされているのは，会社法は，少なくとも，取締役の報酬等の総額もしくは最高限度額，会計参与の報酬等の総額もしくは最高限度額，監査役の報酬等の総額もしくは最高限度額を，それぞれ，定款に定めるか株主総会の決議によって定めることを要求していると解されるためである（執行役については報酬委員会が個人別に定めるため執行役全員の報酬等の総額を記載することを要求する必然性はないが，取締役と横並びで定めていると推測される。もっとも，取締役と執行役を兼任する者が存在する場合に，どのように開示するのかという問題がある）。また，「監査等委員会設置会社にあっては，監査等委員である取締役又はそれ以外の取締役」ごとの報酬等の総額とされているのは，監査等委員会設置会社においては，監査等委員である取締役の報酬等とそれ以外の取締役の報酬等とを区別して定めなければならないとされている（法361条2項）ことを背景とする。員数を記載させるのは，1号により氏名が開示される会社役員と本号により報酬等の額が開示の対象となる会社役員となる者が一致しない（本号では，直前の定時株主総会の終結の日の翌日以降に在任していた者に限られない）こと（松本＝小松・商事法務1828号6頁），および株主が報酬等の額の多寡を判断する上で当該総額に対応する員数は重要な情報だからである。この観点から，無報酬の役員の数は「員数」に含まれないと解するのが適当である（松本＝小松・商事法務1828号6頁）。

　もっとも，立法論としては，責任の一部免除あるいは限定の限度を明らかにするという観点からは個人別に報酬等の額を記載することが望ましい（平成18年改正前商法施行規則の解釈として，個人別に記載することが求められると解する余地があるとしていたものとして，森本・取締役の法務98号20頁注24，北村・民商法雑誌126巻4・5号576頁など参照）。

なお，本号ロは，「会社役員の全部につき当該会社役員ごとの報酬等の額……を掲げることとする場合」には当該会社役員ごとの報酬等の額を，本号ハは，「会社役員の一部につき当該会社役員ごとの報酬等の額を掲げることとする場合」には当該会社役員ごとの報酬等の額ならびにその他の会社役員についての取締役，会計参与，監査役または執行役ごとの報酬等の総額および員数を，それぞれ記載すべきこととしている。これは，参議院法務委員会における会社法案の審議の際に，当時の法務省民事局長である寺田参考人が「報酬開示を強化するという観点から，……任意の個別報酬開示にも対応した規定を整備してまいりたいと……思っております」と回答したこと（第162回国会参議院法務委員会会議録第26号（平成17年6月28日）6頁）が背景にあると推測される。このような規定を置くことの意味は必ずしも大きいとは思われないが，このような規定が設けられたことによって，株主が株主総会において，取締役等に対し，会社役員の全部または一部につき当該会社役員ごとの報酬等の額を事業報告に掲げない理由について説明を求める可能性が高まる効果はありうる。

さらに，令和2年改正により，報酬等の総額を記載する場合に当該報酬等の全部または一部が業績連動報酬等（98条の5第2号）または非金銭報酬等（98条の5第3号）であるときには，業績連動報酬等の総額，非金銭報酬等の総額およびそれら以外の報酬等の総額を，会社役員ごとの報酬等の額を記載する場合には当該報酬等の全部または一部が業績連動報酬等または非金銭報酬等であるときには，業績連動報酬等の額，非金銭報酬等の額およびそれら以外の報酬等の額を，それぞれ，開示することが求められることとなった。これは，取締役の報酬等が取締役への適切なインセンティブの付与となるように，中長期の業績に連動する報酬等の占める割合や，金銭である報酬等の占める割合が適切に設定されることの重要性が指摘されているが，株主が，取締役の報酬等が取締役に対して職務を執行するインセンティブを付与するための手段として適切に機能しているかどうかを把握するためには，報酬等の種類の内訳は，重要な情報であると考えられるからである（中間試案補足説明30～31頁）。

8 　当該事業年度において受け，または受ける見込みの額が明らかとなった会社役員の報酬等（4号の規定により当該事業年度に係る事業報告の内容とする報酬等および当該事業年度前の事業年度に係る事業報告の内容とした報酬等を除く）
（5号）
　役員の退職慰労金あるいは退職年金などについては，ある事業年度の職務執

行の対価である報酬等であっても，その事業年度においては当該報酬等の額が判明しない場合あるいは不確定な場合がありうる。このような場合には，7に基づく記載ができないので，その後の事業年度に額が確定したときに，その事業年度に係る事業報告において，「当該事業年度において受け，又は受ける見込みの額が明らかとなった会社役員の報酬等」として開示することが求められている。7に基づく開示との重複を避けるため，4「号の規定により当該事業年度に係る事業報告の内容とする報酬等及び当該事業年度前の事業年度に係る事業報告の内容とした報酬等を除く」とされている。なお，ある事業年度に係る事業報告において，4号に基づいて会社役員の報酬等として開示された額または本号に基づいて受ける見込みの額が明らかとなった報酬等の額として開示された額を超える額を，その後の事業年度において支払うこととなった場合には，「当該事業年度前の事業年度に係る事業報告の内容」となっていないので，実際に支払った事業年度の事業報告において，その差額を開示することになる（松本＝小松・商事法務1828号6頁）。

本号に基づく開示についても，4号による開示と同様に区分して開示することが求められている。

9　7および8の会社役員の報酬等の全部または一部が業績連動報酬等である場合（5号の2）

会社役員の報酬等の全部または一部が業績連動報酬等である場合には，(a)当該業績連動報酬等の額または数の算定の基礎として選定した業績指標の内容および当該業績指標を選定した理由，(b)当該業績連動報酬等の額または数の算定方法，および，(c)当該業績連動報酬等の額または数の算定に用いた(a)の業績指標に関する実績を含めなければならないとされている。

業績連動報酬等とは，取締役の個人別の報酬等のうち，利益の状況を示す指標，株式の市場価格の状況を示す指標その他の当該株式会社またはその関係会社の業績を示す指標（業績指標）を基礎としてその額または数が算定される報酬等（98条の5第2号）をいう。

本号が求める開示は，業績連動報酬等を付与するのは，取締役（指名委員会等設置会社においては執行役等）に適切な職務執行を行うインセンティブを与えることを目的とすると考えられるところ，業績連動報酬等の内容がどのように取締役へのインセンティブの付与として機能するのか，また，意図した業績の達成状況とそれに伴い付与される具体的な報酬等の内容が株主に分かるように

情報開示を充実させるべきであるという指摘がされていたことに対応したものである（中間試案補足説明30頁）。(a)は，業績連動報酬等の内容がどのように取締役へのインセンティブの付与として機能するのかについての情報であり，(b)および(c)は意図した業績の達成状況とそれに伴い付与される具体的な報酬等の内容が株主に分かるようにするための情報である。

(a)「算定の基礎として選定した業績指標の内容」については，業績連動報酬等の決定方法を十分に説明することができる場合には，当該業績連動報酬等の算定の基礎として選定された全ての業績指標を網羅的に記載することまで求めるものではない（意見募集の結果（令和2年11月）29～30頁参照）。

(b)「業績連動報酬等の額又は数の算定方法」については，「株主が開示された業績指標に関する実績等から業績連動報酬等の具体的な額又は数を導くことができるような記載が必ずしも求められるものではない」，また，「計算式を記載することに限られるものではない」と指摘されている（意見募集の結果（令和2年11月）31頁）。定量的な目標の達成度だけではなく，個人別の定性的な目標達成度など裁量性のある内容を含めて業績連動報酬を設計している場合には，計算式を示しても，必ずしも，株主の理解に資するとはいえないことから，このように解すべきであろう。

なお，意見募集手続に付された省令案では，(c)当該業績連動報酬等の額または数の算定に用いた業績指標の数値とされていたが，開示府令が業績連動報酬について「当該業績連動報酬に係る指標の目標及び実績」（第2号様式記載上の注意(57) b，第3号様式記載上の注意(38)）の記載を求めていることとの平仄をとることなどの観点から「業績指標に関する実績」とされた。

10　7および8の会社役員の報酬等の全部または一部が非金銭報酬等である場合（5号の3）

会社役員の報酬等の全部または一部が非金銭報酬等である場合にはその非金銭報酬等の内容を含めなければならないとされている。ここで，非金銭報酬等とは，取締役の個人別の報酬等のうち，金銭でないもの（募集株式または募集新株予約権と引換えにする払込みに充てるための金銭を取締役の報酬等とする場合における当該募集株式または募集新株予約権を含む）をいう（98条の5第3号）。非金銭報酬等によって会社役員に対して適切なインセンティブが付与されているかを株主が判断するために必要な程度の記載が「当該非金銭報酬等の内容」として求められる。たとえば，「当該非金銭報酬等に株式が含まれる場合には，

当該株式の種類，数や当該株式を割り当てた際に付された条件の概要等を記載することが考えられる」（意見募集の結果（令和2年11月）32頁）。

このような開示は，指名委員会等設置会社以外の株式会社においては，株主総会の決議によって定められたように（法361条1項3号から6号）交付されたかどうか，および，定められている場合には「取締役の個人別の報酬等の内容に係る決定に関する方針」に従って適切に個人別の報酬等の内容が決定されたかどうかを確かめる判断材料となり，かつ，株主総会の決議の範囲で（，かつ該当する場合には，「取締役の個人別の報酬等の内容に係る決定に関する方針」に従って）適切に報酬等が決定されるように仕向けるという意義を有する。また，指名委員会等設置会社においては，報酬委員会が「執行役等の個人別の報酬等の内容に係る決定に関する方針」を適切に定め，かつ，その方針に基づいて個人別の報酬等を決定しているかを株主が判断するための材料となる。非金銭報酬等の場合には，その貨幣的評価額のみならず，株主が，その必要性や合理性を判断することができるようにするという観点から，その内容も重要な情報であるということができる。すなわち，非金銭報酬等はその価値評価が難しく，評価額が一意的に定まらないことからすると，評価額を示されただけでは適切な報酬等であるかどうかの判断が困難だからである。また，とりわけ，非金銭報酬等には株式会社の募集株式および募集新株予約権ならびに募集株式または募集新株予約権と引換えにする払込みに充てるための金銭を取締役の報酬等とする場合における当該募集株式または募集新株予約権が含まれることからも，非金銭報酬等を付与する場合には取締役（指名委員会等設置会社では執行役等）が適切に職務執行を行うインセンティブとして与えられることが一般的であることから，その内容が取締役へのインセンティブの付与として機能するのかが問題となる。しかも，募集株式および募集新株予約権の発行は少なくとも株主の議決権の希釈化につながるため，そのような報酬等を付与することの合理性について株主が判断する必要がありうる。

11 会社役員の報酬等についての定款の定めまたは株主総会の決議による定めに関する事項（5号の4）

定款の定めを設けた日または株主総会の決議の日，その定めの内容の概要，および，その定めに係る会社役員の員数を含めなければならない。

この開示は，実務上，株主総会の決議によって定められた取締役の報酬の総額の最高限度を長期間にわたり変更せず，たとえば，取締役の員数が半数以下

になっていても最高限度額を変更していない株式会社があるという問題意識に基づくものである（中間試案補足説明29頁）。取締役への適切なインセンティブ付与の観点からは，取締役会への委任の有無およびその範囲は重要な情報であると考えられるのみならず，事情の変更があっても最高限度額を変更しなければ新たな株主総会の決議を要しないということはお手盛り防止の趣旨からしても問題があり得るからである。そこで，現時点でも，過去に定められた定款または株主総会の決議による取締役会への委任の範囲が適切であるかどうかについて株主が判断することができるように（中間試案補足説明29頁），会社役員の報酬等についての定款の定めを設けた日または株主総会の決議の日，その定めの内容の概要，および，その定めに係る会社役員の員数を含めなければならないものとされている。会社役員の報酬等についての定款の定めを設けた日または株主総会の決議の日が記載されることによって，事情の変更が生じている可能性の多寡を知ることができるし，適時に見直すインセンティブを与えることになる。また，その定めの概要は，株主にとって定めを変更する必要性があるかどうかについての判断材料となる。さらに，その定めに係る会社役員の員数を前提として，その定めは設けられているはずであるから，その定めに係る会社役員の員数は，定時株主総会時点における会社役員の現在数との比較において，会社役員の報酬等についての定款の定めまたは株主総会の決議による定めの内容の合理性を判断するための材料の1つとなる。

　このような趣旨に照らして，会社役員の報酬等に関する定款の定めまたは株主総会の決議による定めのうち，その定めに基づいて会社役員に報酬等を付与することが今後見込まれないものについては記載を要しない（渡辺ほか・商事法務2252号18頁）。もっとも，「一定の期間を対象として会社役員の報酬等についての枠組みを設ける内容の定款の定めまたは株主総会の決議による定めについては，当該期間が経過し，当該枠組みによる報酬等が付与されるまでは，事業報告に記載することが必要となる」（渡辺ほか・商事法務2252号19頁注59）。

12　法361条7項の方針または法409条1項の方針を定めている場合（6号）

　その方針の決定の方法，その方針の内容の概要，および，その事業年度に係る取締役（監査等委員である取締役を除き，指名委員会等設置会社では，執行役等）の個人別の報酬等の内容がその方針に沿うものであると取締役会（指名委員会等設置会社では，報酬委員会）が判断した理由を含めなければならない。なお，法361条7項の方針または法409条1項の方針を定めることを要しない会社

（すなわち，監査等委員会設置会社でも指名委員会等設置会社でも，その発行する株式について有価証券報告書を内閣総理大臣に提出しなければならない監査役会設置会社（公開会社であり，かつ，大会社であるものに限る）でもない会社）が，取締役の個人別の報酬等の内容についての決定に関する方針を任意に定めた場合であっても，本号にいう「法第361条第7項の方針又は法第409条第1項の方針を定めているとき」には該当しない。取締役の個人別の報酬等の内容についての決定に関する方針の概要については，その記載の順序等は定められていないので，98条の5各号に掲げる事項ごとに記載しなければならないというわけではない（意見募集の結果（令和2年11月）33～34頁）。

「監査等委員である取締役を除き」とされているのは，「監査等委員である各取締役の報酬等について定款の定め又は株主総会の決議がないときは，当該報酬等は，〔法361条〕第1項の報酬等の範囲内において，監査等委員である取締役の協議によって定める。」（法361条3項）とされているためである。

このような記載が求められるのは，株主が，取締役の報酬等の内容が取締役に対し適切なインセンティブを付与するものとなっているかどうかを確認するためには，取締役の報酬等に係る決定に関する方針が株主に対して説明される必要があると考えられるためである（中間試案補足説明28頁）。また，事業報告に含めることが求められることにより，株主の目にさらされることから，取締役会または報酬委員会は，法361条7項または法409条1項に従って方針を決定するよう仕向けられ，また，株主に納得してもらえるような内容の方針を決定するインセンティブが生ずることになる。

「当該方針の決定の方法」としては，たとえば，そのような方針を社外コンサルタントの助言を受けて取締役会決議で決定しているとか，社外取締役等で構成される別の会議体（たとえば，任意の報酬委員会）に諮問をした上で取締役会で定めているというような手続を記載することが想定されている（中間試案補足説明29頁，意見募集の結果（令和2年11月）37頁）。また，「当該方針の内容の概要」は，法361条7項（施規98条の5）の「取締役の報酬等の内容に係る決定に関する方針」または法409条1項の「執行役等の個人別の報酬等の内容に係る決定に関する方針」の内容の概要をいう。98条の5各号に掲げる事項ごとに開示することが求められているわけではなく，会社が定めた方針の中に同条各号に掲げる方針が含まれていれば，いわゆる報酬プログラムまたは報酬方針としてまとめて開示することが許容される（意見募集の結果（令和2年11月）33～34頁参照）。

他方,「当該事業年度に係る取締役……の個人別の報酬等の内容が当該方針に沿うものであると取締役会（指名委員会等設置会社にあっては,報酬委員会）が判断した理由」とは,98条の5とは異なり,株主総会に提出する議案の内容についてではなく,その事業年度に係る取締役の報酬等の内容が当該方針に沿うものであると取締役会（指名委員会等設置会社では,報酬委員会）が判断した理由である（中間試案補足説明29頁）。「当該事業年度に係る取締役……の個人別の報酬等の内容が当該方針に沿うものであると取締役会（指名委員会等設置会社にあっては,報酬委員会）が判断した理由」を記載させることによって,法361条7項（施規98条の5）の「取締役の報酬等の内容に係る決定に関する方針」または法409条1項の「執行役等の個人別の報酬等の内容に係る決定に関する方針」に従って,個人別の報酬等が決定されるように仕向けようとしている一方で,株主が「取締役の報酬等の内容に係る決定に関する方針」または「執行役等の個人別の報酬等の内容に係る決定に関する方針」と取締役または執行役等の個人別の報酬等との対応関係について理解できることが期待されている。当該事業年度における業績連動報酬等以外の報酬の具体額の算定根拠,業績連動報酬等に係る業績指標の目標と達成度,固定報酬と業績連動報酬等との支給割合などをふまえて,方針に沿ったものであるかどうかを説明することになろう。

　事業報告に記載すべき事項についての一般的な解釈の仕方（小松＝澁谷・商事法務1863号12頁参照）からは,事業報告作成時の方針を記載することが求められているということになりそうであるが,「当該事業年度に係る取締役……の個人別の報酬等の内容が当該方針に沿うものであると取締役会（指名委員会等設置会社にあっては,報酬委員会）が判断した理由」の記載を求めていることからすると,記載すべき方針は,当該事業年度末の方針であると解することがより自然である。そして,事業年度末日以降に方針の変更があったときは,それは重要な後発事象であるから重要な事項（120条1項9号）として記載するのが穏当であるように思われる（小松＝澁谷・商事法務1863号24頁（注8））。

　もっとも,意見募集の結果（令和2年11月）では,「どの時点において存在する方針について記載すべきかについては,事業報告の作成時又は当該事業年度末日のいずれの考え方もあり得ると考えられる。ただし,いずれの考え方による場合であっても,……121条第6号ハが当該事業年度に係る取締役又は執行役の個人別の報酬等の内容が当該方針に沿うものであると取締役会が判断した理由を記載することを求めていることも踏まえ,事業年度中又は事業年度末日

後に当該方針について変更があった場合には，変更前の当該方針についても当該理由の説明のために必要な記載をすることが考えられる」とされている（35〜36頁）。

13　各会社役員の報酬等の額またはその算定方法に係る決定に関する方針（法361条7項の方針または法409条1項の方針を除く）を定めているときは，当該方針の決定の方法およびその方針の内容の概要（6号の2）

　これは，12のほかに，会社役員が受ける個人別の報酬等の額またはその算定方法に係る決定に関する方針を事業報告に記載させることによって，指名委員会等設置会社以外の会社においては取締役等が明確で株主の納得を得られるような方針に基づいて個人別の報酬等の内容を定めるインセンティブを与え，同時に，取締役等が恣意的あるいは場あたり的に個人別の報酬等の内容を決めるものではないことを明らかにして，株主からの信頼を確保するためであると推測される。意見募集の結果（令和2年11月）では，「会社役員の報酬等の額又はその算定方法に係る決定に関する方針が任意に定められている場合における当該方針も，会社役員に適切にインセンティブが付与されているかを株主が判断するために重要な情報であることから，……第6号の2は，そのような方針についても事業報告に記載することを求めている」と説明している（37頁）。

　すなわち，監査役会設置会社（公開会社であり，かつ，大会社であるものに限る）であってその発行する株式について有価証券報告書を内閣総理大臣に提出しなければならないもの，監査等委員会設置会社および指名委員会等設置会社のいずれでもない株式会社において，任意に，取締役，監査役または会計参与の個人別の報酬等の額またはその算定方法に係る決定に関する方針を定めている場合や監査役会設置会社（公開会社であり，かつ，大会社であるものに限る）であってその発行する株式について有価証券報告書を内閣総理大臣に提出しなければならないものが監査役または会計参与の個人別の報酬等の額またはその算定方法に係る決定に関する方針を定めている場合に，その方針を事業報告に含めることになる。

　もっとも，本条柱書のただし書では，当該事業年度の末日において監査役会設置会社（公開会社であり，かつ，大会社であるものに限る）であってその発行する株式について有価証券報告書を内閣総理大臣に提出しなければならないもの，監査等委員会設置会社または指名委員会等設置会社でない株式会社にあっては，この記載を省略することができるものとされているため，監査役会設置

会社（公開会社であり，かつ，大会社であるものに限る）であってその発行する株式について有価証券報告書を内閣総理大臣に提出しなければならないものが監査役または会計参与の個人別の報酬等の額またはその算定方法に係る決定に関する方針を定めている場合に限って，その方針を事業報告に含めることが求められるにとどまるように思われる。なお，指名委員会等設置会社においては，報酬委員会が執行役等の個人別の報酬等の内容に係る決定に関する方針を定めることとされ（法409条1項），執行役等以外の会社役員は存在しないため，本号による開示は考えられないように思われる。

14 取締役会から委任を受けた者が取締役の個人別の報酬等の内容を決定した場合（6号の3）

　事業年度の末日において取締役会設置会社（指名委員会等設置会社を除く）である株式会社において，取締役会から委任を受けた取締役その他の第三者がその事業年度に係る取締役（監査等委員である取締役を除く）の個人別の報酬等の内容の全部または一部を決定したときは，その旨ならびにその委任を受けた者の氏名およびその内容を決定した日におけるその株式会社における地位および担当，その者に委任された権限の内容およびその者にそのような権限を委任した理由，ならびに，委任された権限がその者により適切に行使されるようにするための措置を講じた場合には，その内容を含めなければならない。

　このような開示が求められているのは，定款の定めまたは株主総会の決議によって報酬総額の上限が定められているような場合には，取締役会にその配分を委任しているのが一般的であるにもかかわらず，実務上は，代表取締役社長などに再委任していることが多いといわれているところ，報酬等の決定において，いわゆるお手盛りを防止することさえできればよいというのであれば，このような実務に深刻な問題はないといえるかもしれないが，取締役に適切な職務執行を行うインセンティブを与えるという機能を取締役の報酬等に期待することとなると，再委任についての透明性を高め，再委任が適切に行われるよう仕向けることが必要になると考えられるからである（98条の5第6号に対するコメントも参照）。とりわけ，権限が適切に行使されるようにするための措置を講じないで再委任すると，再委任をうけた，たとえば，代表取締役社長は自己の報酬額を自ら決定することになり，取締役会による監督が機能しないという点でガバナンス上の問題がありうる。

　そこで，法361条7項をうけて定められた98条の5第6号は，監査役会設置

会社（公開会社であり，かつ，大会社であるものに限る）であって，その発行する株式について有価証券報告書を内閣総理大臣に提出しなければならないものまたは監査等委員会設置会社において定めなければならない「取締役の個人別の報酬等の内容についての決定に関する方針」に含めるべきものの1つとして，取締役の個人別の報酬等の内容についての決定の全部または一部を取締役その他の第三者に委任することとするときは，その委任を受ける者の氏名またはその株式会社における地位もしくは担当，委任する権限の内容および委任した権限が適切に行使されるようにするための措置を講ずることとするときは，その内容を規定している。

　委任した「権限が適切に行使されるようにするための措置を講ずることとするときは，その内容」の記載は，「取締役会が取締役の個人別の報酬等の内容についての決定の全部又は一部を取締役その他の第三者に委任する場合において，その権限が適切に行使されるようにするための措置を講ずるかどうか，どのような措置を講ずるかは各社の判断に委ねられている。したがって，何らかの措置を講じなければならないことを前提とした規律とすることは，適切でない。」という価値判断に基づくものである（意見募集の結果（令和2年11月）39頁）。受任者の「権限が適切に行使されるようにするための措置」としては，任意の委員会に委任する場合の委員会構成や決議プロセスの透明性の工夫，たとえば，取締役社長に一任した場合の取締役社長による決定に対する任意の委員会による事前および事後のチェックなどが考えられる（意見募集の結果（令和2年11月）25頁）。

　そして，「取締役の個人別の報酬等の内容についての決定に関する方針」を株主に開示するために，本号では事業報告に含めることを要求しているが，方針に加えて，その者にそのような「権限を委任した理由」を含めることを求めている。委任した理由は，そのような委任が必要であったかどうかや委任の内容が適切であったかどうかなどを株主が検討するに際して有益な情報であると考えられるからである（意見募集の結果（令和2年11月）38頁）。そこで，その委任が法361条7項の取締役の個人別の報酬等の内容についての決定に関する方針に従ったものであったとしても（98条の5第6号参照），法361条7項の取締役の個人別の報酬等の内容についての決定に関する方針に従ったものである「旨のみを記載するのではなく，実質的な理由を記載することが相当であると考えられる」とされている（渡辺ほか・商事法務2252号19頁）。

　事業報告に含めることによって株主に開示されることによって，必要な場合

に限って，適切な範囲で，かつ，弊害を防止する措置を講じて，再委任を行うというインセンティブが与えられると期待されている。

　なお，取締役の個人別の報酬等の内容についての決定に関する方針において，委任された権限がその者により適切に行使されるようにするための「措置に関する事項を定めていない場合であっても，当該措置がとられたときには，当該措置に関する事項を事業報告に記載することを求めることが適切である」とされている（意見募集の結果（令和2年11月）39頁）。

　「指名委員会等設置会社を除く」とされているのは，指名委員会等設置会社では，報酬委員会が執行役等（執行役および取締役。会計参与設置会社では執行役，会計参与および取締役）の個人別の報酬等の内容を決定するからである（法404条3項）。

　「監査等委員である取締役を除く」とされているのは，「監査等委員である各取締役の報酬等について定款の定め又は株主総会の決議がないときは，当該報酬等は，〔法361条〕第1項の報酬等の範囲内において，監査等委員である取締役の協議によって定める。」（法361条3項）とされているためである。

15　辞任した会社役員または解任された会社役員（株主総会または種類株主総会の決議によって解任されたものを除く）があるときは，一定の事項（当該事業年度前の事業年度に係る事業報告の内容としたものを除く）（7号）

　これは，会社役員が任期中に辞任し，または解任されるということは例外的なこと，異常なことであるので，辞任または解任の事実と，監査役または会計参与がその解任について意見を述べたときにはその意見，その辞任について理由を述べたときはその理由を事業報告に記載させることによって，株主等の注意を喚起しようとするものである。

　平成18年改正前商法施行規則の下では株主参考書類の記載事項とされていたが，書面または電磁的方法による議決権行使を認めない会社では株主総会参考書類は株主に提供されないし，辞任または解任された会社役員に関する事項は「会社役員に関する事項」なので，会社法の下では事業報告の記載事項とされた（相澤＝郡谷・商事法務1762号7頁）。

　「当該会社役員の氏名（会計参与にあっては，氏名又は名称）」の記載が要求されるのは，誰が辞任し，または解任されたかは重要な情報だからである。また，辞任または解任の事実と，監査役または会計参与がその解任について意見を述べたときにはその意見，その辞任について理由を述べたときはその理由を

記載すべきものとされているのは，解任された者はその解任が正当なものであるととらえているのか，辞任した理由はどのようなものなのかが，株主や会社債権者にとって重要な情報となりうるからである。「意見があるとき」または「理由があるとき」とされているのは，当該意見または理由が当該事業年度中の株主総会において述べられた場合と次の株主総会において述べられる予定であることが当該年度中に判明した場合の両方を含むことを明らかにするためである（大野ほか・商事法務1862号21頁）。

そして，ある事業年度に係る事業報告に，次の株主総会において述べられる予定である意見または理由が記載され，かつ，その後に開催された株主総会において現に述べられた意見または理由が，当該株主総会の事業報告に提出された，または提供された事業報告に記載されていた意見または理由と同一のものであったときには，同じ内容を翌事業年度に係る事業報告に再び記載する必要はないから，「当該事業年度前の事業年度に係る事業報告の内容としたものを除く」とされている。

なお，「株主総会又は種類株主総会の決議によって解任されたものを除く」とされているのは，これらの者は，株主総会または種類株主総会において意見を述べることができたはずであるし（法342条の2第1項・2項・345条1項・2項・4項），株主総会参考書類または種類株主総会参考書類にはその意見が記載されたはずなので（78条の2第3号・79条3号・80条3号），重複して情報を提供する必要がないからである。

16 その事業年度に係るその株式会社の会社役員（会計参与を除く）の重要な兼職の状況（8号）

会社役員が兼職をしている場合には精力を集中する上で問題が生ずる場合や利益相反が生ずる場合などがあるため，その事業年度に係るその株式会社の会社役員（会計参与を除く）の重要な兼職の状況が記載事項とされている。したがって，重要な兼職にあたるかどうかは，兼職にどれだけの時間と精力を注ぐ必要があるか，株式会社と利益相反するおそれがどの程度あるかなどを考慮して判断されることになる。「会計参与を除く」とされているのは，会計参与は，公認会計士，監査法人，税理士または税理士法人であり，兼職を行っていることが当然の前提となっているからであると推測される。

なお，社外役員（直前の定時株主総会の終結の日の翌日以降に在任していた者に限る）が他の法人等の業務執行者であることが重要な兼職に該当する場合に

は，当該株式会社と当該他の法人等との関係，社外役員が他の法人等の社外役員その他これに類する者を兼任していることが重要な兼職に該当する場合は，当該株式会社と当該他の法人等との関係も事業報告に記載することが求められている（124条1号・2号）。また，株式会社が当該事業年度の末日において公開会社であるときは，他の法人等の業務執行取締役，執行役，業務を執行する社員または法598条1項の職務を行うべき者その他これに類する者を兼ねることが重要な兼職に該当する会社役員（会計参与を除く）についての当該兼職の状況の明細（重要でないものを除く。当該他の法人等の事業が当該株式会社の事業と同一の部類のものであるときは，その旨を付記）が事業報告の附属明細書に記載される（128条2項）。

「直前の定時株主総会の終結の日の翌日以降に在任していた者に限る」とされているのは，直前の定時株主総会の終結に伴い，もはや会社役員でなくなった者の兼職の状況を開示することに意義は認められないし，会社としても把握するために不要な手間を要することになるからである。また，1号による開示が求められていないこととも首尾一貫する。

17　監査役，監査等委員または監査委員が財務および会計に関する相当程度の知見を有しているものであるときは，その事実（9号）

これは，株式会社の計算書類をめぐる不正行為への対応策の1つである。すなわち，会計監査人設置会社以外の会社の監査役はみずから会計監査を行わなければならないし，会計監査人設置会社の監査役，監査等委員会あるいは監査委員会も会計監査人の監査の方法および結果の相当性について意見を形成しなければならない。したがって，監査役，監査等委員または監査委員が財務および会計に関する相当程度の知見を有していることが，監査の実効性を確保するためには望ましい。しかし，監査役，監査等委員や監査委員となる資格を制限することは必ずしも現実的ではなく，それぞれの会社の状況に応じた対応が望まれる。そこで，株主や会社債権者が監査役，監査役会，監査等委員会または監査委員会の監査報告を適切に評価し，また，会計監査を行う能力を有する者を監査役，監査等委員である取締役または指名委員会等設置会社における取締役として会社が選任するインセンティブを与えることを目的として，本号が定められていると推測される。

また，自由民主党政務調査会法務部会商法に関する小委員会「会社法制の現代化に関する小委員会取りまとめ」（平成17年3月3日）の1．の1．で，「監

査役・監査委員会取締役について，会計に関する専門的な知識を有する者の選任を義務づけるとともに，これらの者の選任決議において，当該候補者が会計に関する専門的な知見を有する者である旨及びその内容等を開示することを義務づけること」につき引き続き検討を進め，速やかに結論を得ることが求められていたことをうけたものでもあると推測される。これはアメリカ合衆国の企業会計改革法（サーベインス・オックスレー法）に着想を得たものと推測されるが，企業会計改革法407条は，証券取引委員会が，発行企業に対し，監査委員会の委員に少なくとも1人の財務専門家が含まれているか（含まれていない場合にはその理由）について開示することを義務づける規則を制定することを求め，証券取引委員会の規則（17 CFR 229）では年次報告書でこの開示が求められている（§229.407 (Item 407), (d)(5)）。この規則では，財務専門家とは，一般に認められた会計原則と財務諸表を理解し，見積もり，発生，および引当てに一般に認められた会計原則を適用する能力を有し，財務諸表の作成，監査，分析または評価などの経験を有し，財務報告のための内部統制を理解し，監査委員会の機能を理解しているものをいうとされている。そして，そのような属性は，主任財務役員，主任会計役員，公共会計士または監査人などとしての教育と経験，そのような者を能動的に監督する経験，財務諸表の作成，監査または評価に関連して，会社または公共会計士の職務執行を監視または評価した経験その他同様の経験によって得られるものとしている。

　本号においては，「財務及び会計に関する相当程度の知見を有している」者とされているので，アメリカ合衆国の企業会計改革法にいう財務専門家ほどの経験と能力は要しないものと考えられ，そのような知見を，経験，教育などによって得た者であれば足り，必ずしも，何らかの資格（たとえば，公認会計士，税理士）を有していることを意味するものではないと解すべきであろう。

　なお，「直前の定時株主総会の終結の日の翌日以降に在任していた者に限る」とされているのは，直前の定時株主総会の終結に伴い，もはや会社役員でなくなった者が財務および会計に関する相当程度の知見を有していたとしても，ほとんど意味がないからである。

18　常勤の監査等委員または監査委員の選定の有無およびその理由（10号）

　株式会社が監査等委員会設置会社または指名委員会等設置会社である場合には，常勤の監査等委員または監査委員の選定の有無およびその理由を事業報告に記載しなければならない。監査役会設置会社において常勤の監査役を1人以

上選定することが求められている（法390条3項）のとは対照的に，会社法では，監査等委員会設置会社または指名委員会等設置会社に，常勤の監査等委員または監査委員の選定を義務づけていない。しかし，監査等委員会設置会社制度の創設に関する法制審議会会社法制部会における議論の過程で，監査を行う機関による社内の情報の把握につき常勤者が重要な役割を果たしているとの指摘がされたことに対応して，監査等委員会設置会社につき，常勤の監査等委員の選定の有無およびその理由を事業報告において開示することを求めることが適切であるとされた。そうであれば，監査等委員会と同様，内部統制システム等が適切に構築・運営されているかを監視し，必要に応じて内部統制部門に対して具体的指示を行うという方法で監査を行うことが想定される指名委員会等設置会社における監査委員会についても，同様の開示を求めるのが首尾一貫している。そのため，本号の開示事項が定められた（坂本ほか・商事法務2062号41頁）。なお，常勤の監査等委員または監査委員を選定していない場合のみならず，選定している場合にも，その旨およびその理由の開示が求められている。

19 1から18のほか，株式会社の会社役員に関する重要な事項（11号）

事業報告は，ある事業年度における株式会社の状況に関する重要な事項を記載するものであるところ，個々の会社に特有な重要な事項あるいは当該事業年度に特有の重要な事項がありうることから，本号のバスケット条項が設けられている。なお，事業報告が作成されるのは，その事業年度の末日後であり，その事業年度の末日後に就任した会社役員に関する重要な事項を事業報告に記載することが可能な場合がある一方で，補欠役員が就任する場合などを想定すると，その事業年度の末日後に就任した会社役員に関する重要な事項を事業報告に記載すべきであると考えられる場合もある。

（株式会社の役員等賠償責任保険契約に関する事項）

第121条の2 第119条第2号の2に規定する「株式会社の役員等賠償責任保険契約に関する事項」とは，当該株式会社が保険者との間で役員等賠償責任保険契約を締結しているときにおける次に掲げる事項とする。

一 当該役員等賠償責任保険契約の被保険者の範囲

二 当該役員等賠償責任保険契約の内容の概要（被保険者が実質的に保険料を負担している場合にあってはその負担割合，塡補の対象とされる保険事故の概要及び当該役員等賠償責任保険契約によって被保険者である役員等（当

該株式会社の役員等に限る。）の職務の執行の適正性が損なわれないようにするための措置を講じている場合にあってはその内容を含む。）

「役員等賠償責任保険契約」とは，株式会社が，保険者との間で締結する保険契約のうち役員等がその職務の執行に関し責任を負うことまたは当該責任の追及に係る請求を受けることによって生ずることのある損害を保険者が塡補することを約するものであって，役員等を被保険者とするもの（当該保険契約を締結することにより被保険者である役員等の職務の執行の適正性が著しく損なわれるおそれがないものとして115条の2で定めるものを除く）をいう（2条2項67号（令和2年改正未施行部分の施行後は68号），法430条の3第1項）。

実務上，取締役の全員がD＆O保険の被保険者となることが多いことを踏まえると，たとえば，役員等賠償責任保険契約のうち，取締役の損害賠償の責任に係るものについて，利益相反性があるという問題を取締役会の決議を要するものとすることのみによって解決することは難しいと考えられるため，株主に対し，当該契約に関する情報を開示する必要性が高いと考えられること，株式会社が抱えているリスクを投資家が評価する際に保険料等の保険契約の内容等がその指標として機能することから，株式会社が締結している役員等賠償責任保険契約の内容等は株主にとっても重要な情報となり得ること，および，役員等賠償責任保険契約の内容等の開示が進むことにより，資産規模，売上高，事業展開をしている国等の状況を考慮した適切な支払限度額の設定が容易になるという効果も期待されることなどから，役員等賠償責任保険契約に関する事項を事業報告に含めることが求められている（中間試案補足説明39頁）。なお，法制審議会会社法制（企業統治等関係）部会においては，「役員等賠償責任保険契約に関する事項を事業報告により開示することに対しては，これにより濫訴や訴額又は和解額のつり上げが惹起される懸念があり，実務上の弊害が生ずるおそれがある」という指摘があったが，上場会社の9割以上がいわゆるD＆O保険に加入しているという現状に照らすと，役員等賠償保険契約を締結している事実等について開示することにより，直ちにそのような弊害が生ずるとは考えられないのではないかという指摘もされ（中間試案補足説明39～40頁），本条が定める事項を事業報告に含めることが要求されるに至っている。

会社が締結している役員等賠償責任保険契約の内容がどのようなものであるかについての情報としては，保険者，被保険者，保険金額，保険料，保険期間，塡補の対象とされる保険事故の概要，および，免責金額・免責事由などが

考えられ，また，株主として関心を有するであろう事項としては，会社が保険料の全額を負担しているのかどうかやその役員等賠償責任保険契約によって被保険者である役員等の職務の執行の適正性が損なわれるのではないかということが挙げられる。

　そこで，本条では，その役員等賠償責任保険契約の被保険者の範囲（1号）のほか，その役員等賠償責任保険契約の内容の概要（被保険者が実質的に保険料を負担している場合にあってはその負担割合，塡補の対象とされる保険事故の概要および当該役員等賠償責任保険契約によって被保険者である役員等（その株式会社の役員等に限る）の職務の執行の適正性が損なわれないようにするための措置を講じている場合にあってはその内容を含む）（2号）を含めることを要求している。

　なお，意見募集手続に付された案では，「その保険者の氏名又は名称」を含めることを要求することが提案されていたが，「個別の取引の守秘性等との比較衡量において，開示による不利益が開示の意義を上回るなどという理由から，保険者の氏名又は名称の開示を求めることに強く反対する……意見が比較的多く寄せられたこと等を踏まえ」（意見募集の結果（令和2年11月）42頁），その開示は要求されないこととされた。ただ，会社法においても，金融商品取引法においても，関連当事者との取引の注記（計規98条1項15号・112条，財務諸表等規則8条の10，連結財務諸表規則15条の4の2）が要求されているのであり，個別の取引の守秘性というのは説得的な根拠とはいえず，むしろ，会社と被保険者である会社役員などとの間の利益相反に着目すると，役員等賠償責任保険契約はその内容を開示すべき取引の典型的なものの1つであるようにも思われる。もっとも，事業報告を作成する公開会社と保険者との間に親子会社関係のような一定の密接な関係がないのであれば，本条が役員等賠償責任保険契約に関する事項の開示を要求する趣旨との関係では，保険者の氏名または名称は重要な意義を有しない（関連当事者との取引の注記としても重要でないとして記載することを要しないと解する余地がある）一方，法制審議会会社法制（企業統治等関係）部会で指摘されたような弊害が生ずる可能性があるから，事業報告では開示を求めないという説明であれば，納得感がある。

　役員等賠償責任保険契約の被保険者の範囲（1号）との関連では，その株式会社のすべての取締役・監査役・執行役が被保険者とされていることが多いのではないかと推測されるが，法430条の3の役員等賠償責任保険契約における「役員等」は取締役，会計参与，監査役，執行役または会計監査人をいい（法423条1項かっこ書），会計参与や会計監査人を被保険者に含めることもあろ

し、本条2号かっこ書が「当該株式会社の役員等に限る」と定めていることからは、役員等賠償責任保険契約の被保険者に、当該株式会社の（会社法上の役員等にあたらない）執行役員・重要な管理職従業員等や子会社・関連会社その他の関係会社の役員等が含められることがありうることを本条は前提としている。「被保険者の範囲」とされているため、具体的な被保険者の氏名を示さずに特定できる限り、被保険者の氏名を事業報告に含める必要はない（意見募集の結果（令和2年11月）43頁）。なお、「被保険者」には、被保険者にその役員等賠償責任保険契約の保険契約者である株式会社の役員等でない者が含まれている場合には、当該役員等でない者も含まれる（意見募集の結果（令和2年11月）42頁）。2号と異なり、1号については、「当該株式会社の役員等に限る」というかっこ書が付されていないことから、文言解釈として、このように解することが適切である。

「役員等賠償責任保険契約の内容の概要」（2号）には、保険金額、保険料、保険期間、塡補の対象とされる保険事故の概要、および、免責金額・免責事由が含まれるものと考えられる（契約の内容という以上、保険契約者および被保険者が含まれるが、被保険者の範囲については1号で要求され、保険者については、省令制定の経緯に照らして記載は求められないと解することになる）。とりわけ、役員等の株式会社に対する責任を負う場合を塡補の対象としている場合にはその記載が求められると解される（中間試案補足説明39頁）。なお、別段の定めがない限り、事業報告の記載は、事業報告の対象とする事業年度の初日から末日までに発生または変動した事象を内容とするものと解されており（小松＝澁谷・商事法務1863号10頁）、別段の定めが設けられていない以上、役員等賠償責任保険契約の記載についても、事業報告の対象とする事業年度の初日から末日までに有効であったすべての役員等賠償責任保険契約に関する記載が要求される（意見募集の結果（令和2年11月）43頁）。

なお、2号かっこ書は例示列挙であり（意見募集の結果（令和2年11月）43頁）、「役員等賠償責任保険契約の内容は、各株式会社における個別具体的な事情に応じて決定されるところ、会社法施行規則第121条の2第2項括弧書き……に列挙した事項以外にその内容の概要として何を記載することが求められるかは、これらの事情に応じて各株式会社において判断されるべき事項であるが」、記載が求められている趣旨を踏まえて、「当該役員等賠償責任保険契約の内容の重要な点（特約がある場合には、主契約と特約を合わせた契約全体の重要な点）を理解するに当たり必要な事項を記載することが求められる」とされ

ている（意見募集の結果（令和2年11月）44頁）。

　中間試案では、「保険金額、保険料又は当該契約に基づいて行われた保険給付の金額を事業報告の内容に含めるものとするどうかについては、それによる弊害が生ずる懸念の大きさなども踏まえ、検討することが相当であると考えられることから、……なお検討するものとしている。」とされ（中間試案補足説明40頁）、法制審議会会社法制（企業統治等関係）部会における審議過程では保険料の金額や保険金額の開示を見送るという方針となったといわれている（神田・商事法務2194号14頁）。なお、立案担当者は「開示すべき事項の範囲が広範となれば、役員等賠償責任保険契約を締結することに萎縮することや保険契約の内容の設計の柔軟性が失われてしまうことも懸念され、また、これらの事項を開示することにより、濫訴を誘発する懸念や請求額または和解額のつり上げなどを誘発する懸念があることは否定することができないと指摘されたことなどを踏まえ、改正省令においては、これらの事項については、規律を設けないこととしている」としている（渡辺ほか・商事法務2252号20頁注62）。

　しかし、2号では保険金額および保険料の金額の記載を要しないとは規定されておらず、保険金額および保険料は、役員等賠償責任保険契約の重要な要素である以上、「役員等賠償責任保険契約の内容の概要」に常に含まれないという解釈にはやや無理があるように思われる。もっとも、関連当事者との間の取引の注記（計規98条1項15号・112条）を要求されないほど、保険料の額が少額であるというのであれば、（被保険者である会社役員と会社との利益相反性という観点から）保険料は重要性が乏しく、したがって、概要に含めることを要しないという解釈の余地はある。他方、役員等賠償責任保険契約によって被保険者である役員等の職務の執行の適正性が損なわれるおそれに鑑みると、保険金額が「内容の概要」に含まれないと解釈することには不自然さが残る。もっとも、保険金額を含めることによって、会社（および会社役員）を被告とする訴訟を誘発するおそれがあり、それによって株主共同の利益が害されるというのであれば、とりわけ、保険料が少額である場合には、保険金額を含めることを要しないという解釈もあり得ないわけではなかろう。また、事業報告の記載の主たる意義は株主が株主総会において説明を求める契機であるというのであれば、事業報告に記載しなくとも、株主総会で説明を求めれば足りるという考え方もあろう。

　他方、その役員等賠償責任保険契約に基づいて行われた保険給付の金額は役員等賠償責任保険契約の内容とはいえないので、2号かっこ書で明示的に「含

む」と規定されなかった以上，本条に基づいて事業報告に含めることは求められないものと解される。意見募集の結果（令和２年11月）では，「役員等賠償責任保険契約に基づいて保険給付がされた場合であっても，当該保険給付の金額等を事業報告に記載することを求めることとはしていない」とされている（45頁）。もっとも，121条11号にいう「株式会社の会社役員に関する重要な事項」に該当すると解される場合または118条１号にいう「当該株式会社の状況に関する重要な事項」にあたる（119条以下は公開会社の事業報告に含めるべき内容の最低限を定めているものであり，それ以外に118条１号に該当する事項がないということを含意しているわけではないはずである）と解される場合には，事業報告に含めることが求められることになる。立案担当者も，保険金額や保険給付の額が「施行規則121条11号に規定する「株式会社の会社役員に関する重要な事項」に該当するときは，同号に基づいて事業報告に記載することとなると考えられる」との解釈を示している（渡辺ほか・商事法務2252号20頁注62）。

　２号かっこ書では，「塡補の対象とされる保険事故の概要」とされているため，保険約款または保険契約に定められている保険事故を詳細に記載する必要はないが，会社に対する任務懈怠に基づく会社法および民法に基づく被保険者の損害賠償責任の発生，被保険者に対する損害賠償請求に関する訴訟や仲裁等の争訟の提起という程度の記載は必要であろう。とりわけ，特約（訴訟対応費用担保特約条項，初期対応費用担保特約条項，会社費用担保特約条項，身体障害・財物損壊担保特約条項，雇用関連賠償責任追加担保特約条項，情報開示危険担保特約条項，被保険者間訴訟一部担保特約条項，会社訴訟一部担保特約条項など）により対象とされる保険事故については概要の記載の必要性は高いものと考えられる。

　また，被保険者が実質的に保険料を負担している場合には，その限りにおいて，会社との利益相反が緩和されることから，「負担割合」の記載には意義が認められる。なお，役員等賠償責任保険契約の被保険者に保険契約者である株式会社の役員等でない者が含まれている場合であって，当該役員等でない者が実質的に保険料を負担しているときは，当該役員等でない者の実質的負担額も含めた負担割合を記載しなければならない（渡辺ほか・商事法務2252号20頁）。

　「当該役員等賠償責任保険契約によって被保険者である役員等……の職務の執行の適正性が損なわれないようにするための措置を講じている場合にあってはその内容を含む」とされているのは，このような記載を求めることによって，その役員等賠償責任保険契約によって被保険者である役員等の職務の執行

の適正性が損なわれないようにするための措置を講じるインセンティブを与えようとするものである。そして，その役員等賠償責任保険契約によって被保険者である役員等の職務の執行の適正性が損なわれないようにするための措置としては，一定額に至らない損害については塡補の対象としないこと（免責金額）（中間試案補足説明39頁および40頁），損害の一定割合（たとえば，90％）のみを塡補の対象とすること（縮小支払割合）のほか，免責事由（重過失による場合は補塡しないなど）が考えられる。

（株式会社の株式に関する事項）
第122条　第119条第３号に規定する「株式会社の株式に関する事項」とは，次に掲げる事項とする。
　一　当該事業年度の末日において発行済株式（自己株式を除く。次項において同じ。）の総数に対するその有する株式の数の割合が高いことにおいて上位となる10名の株主の氏名又は名称，当該株主の有する株式の数（種類株式発行会社にあっては，株式の種類及び種類ごとの数）及び当該株主の有する株式に係る当該割合
　二　当該事業年度中に当該株式会社の会社役員（会社役員であった者を含む。）に対して当該株式会社が交付した当該株式会社の株式（職務執行の対価として交付したものに限り，当該株式会社が会社役員に対して職務執行の対価として募集株式と引換えにする払込みに充てるための金銭を交付した場合において，当該金銭の払込みと引換えに当該株式会社の株式を交付したときにおける当該株式を含む。以下この号において同じ。）があるときは，次に掲げる者（次に掲げる者であった者を含む。）の区分ごとの株式の数（種類株式発行会社にあっては，株式の種類及び種類ごとの数）及び株式の交付を受けた者の人数
　　イ　当該株式会社の取締役（監査等委員である取締役及び社外役員を除き，執行役を含む。）
　　ロ　当該株式会社の社外取締役（監査等委員である取締役を除き，社外役員に限る。）
　　ハ　当該株式会社の監査等委員である取締役
　　ニ　当該株式会社の取締役（執行役を含む。）以外の会社役員
　三　前２号に掲げるもののほか，株式会社の株式に関する重要な事項
２　当該事業年度に関する定時株主総会において議決権を行使することができる者を定めるための法第124条第１項に規定する基準日を定めた場合において，当該基準日が当該事業年度の末日後の日であるときは，前項第１号に掲げ

る事項については，当該基準日において発行済株式の総数に対するその有する株式の数の割合が高いことにおいて上位となる10名の株主の氏名又は名称，当該株主の有する株式の数（種類株式発行会社にあっては，株式の種類及び種類ごとの数を含む。）及び当該株主の有する株式に係る当該割合とすることができる。この場合においては，当該基準日を明らかにしなければならない。

　本条は，その事業年度の末日において公開会社である株式会社が，追加的に，事業報告の内容としなければならない「株式会社の株式に関する事項」を具体的に定めるものである。

1　株式会社の株式に関する事項（1項）

(1)　上位10名の大株主についての情報（1号）

　平成18年改正前商法施行規則103条1項7号では，「上位7名以上の大株主及びその持株数の数並びに当該大株主への出資の状況（出資の比率を含む。）」の記載が要求されていたが，上位7名という基準に特に合理性がないことに加え，実務上，誰が上位7名にあたるのかを把握することは必ずしも容易ではないことから（相澤＝郡谷・商事法務1763号14頁），会社法施行規則では「当該事業年度の末日において発行済株式（自己株式を除く。）の総数の10分の1以上の数の株式を有する株主の氏名又は名称及び当該株主の有する当該株式会社の株式の数（種類株式発行会社にあっては，株式の種類及び種類ごとの数）」を求めることとしたと説明されていた。立法論としては，10％以上保有する株主は上場会社の場合は少なく，上場会社における株式分布を考慮に入れ，かつ，会社法上の少数株主権の行使要件を踏まえれば，3％以上というあたりが合理的であったのではないかと思われた。なお，「当該大株主に対する出資の状況」は株式会社にとって容易に把握でき，そのような記載にはスペースも要しないので，その開示を要求しないこととした理由は不明であった（相澤＝郡谷・商事法務1763号14頁でも理由は示されていなかった）。

　このような批判を踏まえて，平成21年法務省令第7号による改正により，現在のような開示事項とされた。これは，平成18年改正前商法施行規則103条1項7号と同様，会社に重要な影響を与える可能性のある大株主がどのような者であるかを知ることは，他の株主にとって重要であるという考え方に基づくものである。なお，上位10名の者にあたるかどうかは，株主名簿上における保有株式数を基準として形式的に判断される。また，明文の規定はないが，保有割

合が上位10位に含まれる者が10名を超える場合（たとえば，上位から9位の者が3名以上存在するような場合）にはそれらすべての者について記載が要求されるものと考えるべきであろう。

(2) 会社役員に職務執行の対価として交付し，会社役員が保有している株式についての情報（2号）

株式会社の募集株式を取締役または執行役等の報酬等とする場合には，取締役または執行役等に対して職務を適切に執行するインセンティブを付与するための手段であることが意図されている。そうであるとすれば，株主総会または報酬委員会においてそのように定める場合には，その報酬等の内容が取締役に対し適切なインセンティブを付与するものとなることが重要となる。そのような株主総会または報酬委員会のねらいが実現しているかどうかを事後的に判断するための材料として，会社役員に職務執行の対価として交付し，会社役員が保有している株式についての情報は重要である。

また，交付した株式について一定の事由が生ずるまでは他人に譲り渡さないことを取締役（指名委員会等設置会社では執行役等）に約させた場合（98条の2第1号・111条1号・98条の4第1項1号・111条の3第1項1号）に，それが遵守されているかを確かめるための情報となり，また，遵守することのインセンティブを与えることになる。

そこで，令和元年会社法改正により，その株式会社の株式を報酬等とすることが明示的に認められたこともあり，令和2年改正により，――令和2年改正前から職務執行の対価として交付し，会社役員が保有している新株予約権についての情報を事業報告に記載することが要求されていたこと（123条1号）との平仄をとって――会社役員（その株式会社の取締役，会計参与，監査役および執行役。2条3項4号）に職務執行の対価として交付し，会社役員が保有している株式についての情報を記載することが求められることとなった。

立法論としては個別開示を求めることも考えられようが，その株式会社の株式を報酬等とする場合を含め報酬等について個別開示を要求していないこと（121条4号・5号）とのバランスから，役員区分ごとの開示が要求されているものと考えられる。新株予約権についての123条1号についての規律に倣って，その株式会社の取締役（監査等委員である取締役および社外役員を除き，執行役を含む），その株式会社の社外取締役（監査等委員である取締役を除き，社外役員に限る），その株式会社の監査等委員である取締役，当該株式会社の取締

役（執行役を含む）以外の会社役員という区分ごとの株式の数（種類株式発行会社にあっては，株式の種類および種類ごとの数）および株式を有する者の人数を開示させるのは，それぞれの区分に属する会社役員に期待される役割がおおざっぱにいえば類型的に異なり，その株式会社の株式を保有していることが適切な職務執行を行うインセンティブを与えると期待される態様や程度が異なるからであろう（また，監査等委員会設置会社においては，監査等委員である取締役の報酬等と監査等委員である取締役以外の取締役の報酬等を分けること要求していることも，このような区分がなされている根拠の１つである）。

　「職務執行の対価として交付したものに限り」とされているのは報酬等として交付されたもののみを開示の対象とするためである。「当該株式会社が会社役員に対して職務執行の対価として募集株式と引換えにする払込みに充てるための金銭を交付した場合において，当該金銭の払込みと引換えに当該株式会社の株式を交付したときにおける当該株式を含む」とされているのは，「当該株式会社が会社役員に対して職務執行の対価として募集株式と引換えにする払込みに充てるための金銭を交付した場合において，当該金銭の払込みと引換えに当該株式会社の株式を交付した」場合には，実質的には，その株式会社の株式を報酬等として交付したことに等しく，会社法の規定および会社法施行規則の他の規定では，そのような行為について，その株式会社の株式を報酬等として交付した場合と同様に規律しているので，開示の対象に含めるためである。

　また，柱書において，「会社役員であった者を含む。」（第１かっこ書），「次に掲げる者であった者を含む。」（第３かっこ書）とされているのは，たとえば，信託を用いた株式報酬制度（株式交付信託）を導入している場合には，役員在任期間中はもっぱらポイントが加算されるだけで，株式や金銭は支給されず，退任（または退任から一定期間経過した）後に，累積ポイント相当の株式の交付を受けることができることとされている場合があることに対応するものである（意見募集の結果（令和２年11月）40頁）。なお，「次に掲げる者であった者を含む。」（第３かっこ書）との関係では，会社役員であった者の中にはイからニの複数に該当する者が存在することが想定され，退任直前の区分に分類すべきなのか，それとも，それ以外の分類（たとえば，イに該当する時期があれば，イに分類し，なければ，ロに該当する時期があるかどうかに着目し，該当する時期があればロに分類し，イおよびロに該当する時期がない者についてはハに該当する時期があればハに，なければニに分類する）方が穏当なのかという問題はありそうである。

なお，1号および2号に列挙された事項のほかにも株主の判断のために重要な事項がありうるため，バスケット条項として3号が定められている。

2 議決権行使の基準日を定めた場合（2項）

「金融審議会ディスクロージャーワーキング・グループ報告——建設的な対話の促進に向けて——」（2016年4月18日）では，株主が議案の十分な検討期間を確保することができるように，必要があれば，定時株主総会の開催日を7月に遅らせるべきであるなどの指摘があるとされた。そして，定時株主総会を7月に開催することについて支障があれば，適切な手当てを行うことが考えられるとされ，たとえば，事業報告における株式の保有割合が上位10名の株主に関する事項の記載および有価証券報告書における大株主の状況の記載につき，事業年度の末日ではなく，議決権行使基準日を，その記載の基準時点とすることができるようにすることが望ましいとされた。

そこで，平成30年内閣府令第3号による改正で，有価証券報告書における「大株主の状況」については，「提出会社の株主総会又は種類株主総会における議決権行使の基準日現在の「大株主の状況」について記載すること。ただし，これにより難い場合にあっては，当事業年度末現在の「大株主の状況」について記載すること。」とされた（現在は，開示府令第3号様式記載上の注意（25）a）。

これらをうけて，公開会社が，事業年度の末日に代えて，株式会社が定時株主総会における議決権を行使することができる者について定めた一定の日（議決権行使の基準日）において株式の保有割合が上位10名の株主に関する事項を事業報告の内容に含めることを許容するため（「会社法施行規則及び会社計算規則の一部を改正する省令案」に関する意見募集（2017年12月14日），会社法施行規則及び会社計算規則の一部を改正する省令案に関する概要説明　第1「会社法施行規則の改正」1「会社法施行規則の改正の趣旨」），平成30年法務省令第5号により，2項が追加された。

このような改正の実質的な根拠としては，株式会社が定めることができる法124条1項の基準日は，株主が当該基準日から3か月以内に行使することができる権利に関するものに限るとされており（同条2項），たとえば，事業年度の末日が3月末日である株式会社が7月に定時株主総会を開催する場合には，議決権行使基準日は事業年度の末日である3月末日より遅い日となる。ところが，そのような議決権行使基準日を定めた場合においても，「事業年度の末日

において」株式の保有割合が上位10名の株主に関する所定の事項を事業報告の内容に含めなければならないものとすると，株式会社は，定時株主総会で議決権を行使することができる議決権行使基準日における株主の確定とは別に，事業報告の内容に含めるべき事業年度の末日における株主情報を確定しなければならず，全体として企業の事務負担が増加するおそれがある（振替株式の場合，議決権行使基準日が事業年度の末日後の日である場合には，議決権行使基準日における株主についての総株主通知に加えて，事業報告の内容に含めるべき事業年度の末日における株主情報を確定するために，別途の総株主通知を受ける必要が生ずる）と指摘されていた一方で，「株式の保有割合が上位10名の株主に関する事項を事業報告の内容に含めなければならないとされているのは，株主の権利行使を適切に行わせるために，定時株主総会での株式会社の意思決定に重要な影響を及ぼし得る者を開示させているものと考えることもでき，議決権行使基準日において株式の保有割合が上位10名の株主に関する事項を事業報告の内容に含めれば足りるとすることにも合理性があると考えられる」ことが挙げられている（福永ほか・商事法務2164号5頁）。

（株式会社の新株予約権等に関する事項）

第123条 第119条第4号に規定する「株式会社の新株予約権等に関する事項」とは，次に掲げる事項とする。

一 当該事業年度の末日において当該株式会社の会社役員（当該事業年度の末日において在任している者に限る。以下この条において同じ。）が当該株式会社の新株予約権等（職務執行の対価として当該株式会社が交付したものに限り，当該株式会社が会社役員に対して職務執行の対価として募集新株予約権と引換えにする払込みに充てるための金銭を交付した場合において，当該金銭の払込みと引換えに当該株式会社の新株予約権を交付したときにおける当該新株予約権を含む。以下この号及び次号において同じ。）を有しているときは，次に掲げる者の区分ごとの当該新株予約権等の内容の概要及び新株予約権等を有する者の人数

　イ 当該株式会社の取締役（監査等委員であるもの及び社外役員を除き，執行役を含む。）

　ロ 当該株式会社の社外取締役（監査等委員であるものを除き，社外役員に限る。）

　ハ 当該株式会社の監査等委員である取締役

　ニ 当該株式会社の取締役（執行役を含む。）以外の会社役員

二　当該事業年度中に次に掲げる者に対して当該株式会社が交付した新株予約権等があるときは，次に掲げる者の区分ごとの当該新株予約権等の内容の概要及び交付した者の人数
　　イ　当該株式会社の使用人（当該株式会社の会社役員を兼ねている者を除く。）
　　ロ　当該株式会社の子会社の役員及び使用人（当該株式会社の会社役員又はイに掲げる者を兼ねている者を除く。）
三　前２号に掲げるもののほか，当該株式会社の新株予約権等に関する重要な事項

　本条は，その事業年度の末日において公開会社である株式会社が，追加的に，事業報告の内容としなければならない「株式会社の新株予約権等に関する事項」を具体的に定めるものである。
　平成18年改正前商法施行規則103条２項と比較すると，開示の対象となる権利の範囲を除くと，相当程度，記載が簡略化され，情報量が減少している。
　第１に，平成18年改正前商法施行規則103条２項１号は，現に発行している新株予約権について，営業報告書に含めるべき事項として，その新株予約権の数，目的となる株式の種類および数ならびに発行価額の開示を要求していたが，計規105条５号は「当該事業年度の末日における当該株式会社が発行している新株予約権（法第236条第１項第４号の期間の初日が到来していないものを除く。）の目的となる当該株式会社の株式の数（種類株式発行会社にあっては，種類及び種類ごとの数）」の記載のみを要求している。新株予約権の数や新株予約権の発行価額の情報としての価値は必ずしも高いとはいえず，むしろ，立法論としては，その新株予約権の行使に際して出資される財産の価額またはその算定方法（法236条１項２号）ならびに金銭以外の財産を当該新株予約権の行使に際してする出資の目的とするときは，その旨およびその財産の内容および価額（同項３号）を開示させるほうが情報としての価値は高いものと思われる（本条３号にいう「当該株式会社の新株予約権等に関する重要な事項」として，事業報告に記載が要求されると解する余地がないわけではないであろう）。しかし，「法第236条第１項第４号の期間の初日が到来していない」新株予約権について個別注記表に記載することを要求していないことについては合理的な理由はみあたらないように思われる。すなわち，事業年度の末日において，新株予約権の行使期間が到来していなくとも，未行使の新株予約権に関する情報は，

重要な資本関連の情報だからである。新株予約権が行使され，新株予約権の行使に際して出資されるべき財産が出資されると，株式の発行の効果が自動的に生じ，会社の自己資本および株主の持分割合に変動をきたすからである。したがって，「法第236条第1項第4号の期間の初日が到来していない」新株予約権に重要性がある場合には，「当該株式会社の新株予約権等に関する重要な事項」（3号）として，事業報告に記載が要求されると解するのが穏当であろう。

　第2に，平成18年改正前商法施行規則103条2項2号から4号までは，特に有利な条件で，その事業年度に発行された新株予約権についての事項の開示を要求していたが，本条では，職務執行の対価としてその株式会社が交付したものであって，会社役員（その株式会社の取締役，会社参与，監査役および執行役。2条3項4号）が有している新株予約権等およびその株式会社の使用人ならびにその株式会社の子会社の役員および使用人にその事業年度中に職務執行の対価としてその株式会社が交付した新株予約権等に関する事項の記載を要求している。ここで，新株予約権等とは，新株予約権その他当該法人等に対して行使することにより当該法人等の株式その他の持分の交付を受けることができる権利（株式引受権を除く）をいうものとされている（2条3項14号）。これは，会社法の下では，ストック・オプションは報酬等の一種であって，ストック・オプションの交付が必ずしも有利発行にはあたらないこと，および，ストック・オプションとして付与される権利は必ずしも新株予約権に限定されるものではないことに鑑みたものであると説明されている（相澤＝郡谷・商事法務1763号14頁）。令和2年改正により，株式会社が会社役員に対して職務執行の対価として募集新株予約権と引換えにする払込みに充てるための金銭を交付した場合において，その金銭の払込みと引換えにその株式会社の新株予約権を交付したときにおけるその新株予約権に関する事項の開示も求められることになった。これは，職務執行の対価として募集新株予約権を交付することと職務執行の対価として募集新株予約権と引換えにする払込みに充てるための金銭を交付した場合において，その金銭の払込みと引換えにその株式会社の新株予約権を交付することとの間には実質的な差異はないと考えられるからである。1号および2号イについては「職務執行の対価としてその株式会社が交付したもの」という限定を付すことに合理性があるが（もし，会社役員に「職務執行の対価」としてではなく，交付したとすれば，それは計規112条により，関連当事者との取引に関する注記の対象となろう），2号ロについて「職務執行の対価としてその株式会社が交付したもの」という限定を付すことの合理性については若干の疑義が残る

ところである。なぜならば、その株式会社の子会社の役員および使用人に、その株式会社の「職務執行の対価」として新株予約権等を交付したといえる場合がまれであるとすれば、このような限定を付すことによって、その株式会社の子会社の役員および使用人に交付された新株予約権等についての開示は実際上要求されないことが多いということになるからである。すなわち、株式会社の子会社の役員および使用人は当該子会社において、当該子会社のために職務執行をするのであるから、(当該子会社が親会社である株式会社の完全子会社であれば、経済的には、そのように評価できる場合があるかもしれないが)親会社である株式会社のために職務執行をしていると法的に評価することには無理がある。したがって、単なる有利発行にすぎないという評価がなされ、その結果、2号ロによる開示は要求されないのが一般的であることになりそうである。また、親会社である株式会社がいわば子会社の債務を引き受けて新株予約権等を交付していると法律構成するとすれば、これは、その株式会社の「職務執行の対価」として新株予約権等を交付したとはいえず、やはり、2号ロによる開示は要求されないということになるからである(もっとも、このような構成による場合には、親会社と子会社との間の取引として、計規112条により、関連当事者との取引に関する注記の対象としなければならない)。結局、立法論としては、株式会社の子会社の役員および使用人に新株予約権等を交付する場合については、「職務執行の対価としてその株式会社が交付したもの」という限定を付さずに、新株予約権等に関する事項を開示させるべきであろう。個別開示を要求しないというのであれば、それが、株式会社にとって、過重な負担となることはないと思われる。

　第3に、平成18年改正前商法施行規則103条2項2号および3号と異なり、個別開示を要求せず、区分別の開示を要求することとしている。報酬等の全体については個別開示を要求していない以上、報酬等の一種であるストック・オプションに関する事項のみを個別開示させることには「あまり合理性がな」いという根拠に基づくものであると説明されているが(相澤＝郡谷・商事法務1763号14頁)、そもそも、会社役員の報酬等の個別開示を要求することが必要なのではないかという国会における議論(第162回国会参議院法務委員会会議録第26号(平成17年6月28日)5～6頁)や多くの先進国における動向を踏まえるならば、個別開示にそろえることも可能であったのだから、このような説明には十分な説得力がないのではないかとも思われる。これは、株式会社の使用人や子会社の役員・使用人に対する新株予約権の交付との関連で、個別開示を要求しないこととした理由としてあげられていることにも妥当する。すなわち、「新株予

約権の目的となる株式の数の多少だけに着目して個別開示の範囲を決めるということには合理性が乏しい」ことを根拠として指摘しているが（相澤＝郡谷・商事法務1763号15頁），なぜ，それが，個別開示を要求すべきではなく，区分開示でよいとする理由となるのかはまったく理解できない。個別開示に一本化することも可能であるし，より適切なメルクマールを探求すべきであったのではないかという反論も可能であろう。

　もっとも，ストック・オプションに関する事項を他の報酬等以上に個別開示させる必要があるといえるのかという観点からは，特に差を設ける合理的理由はないということなのかもしれない。そして，監査等委員会設置会社においては，監査等委員である取締役の報酬等とそれ以外の取締役の報酬等とを区別して定めなければならないこととされていること（法361条2項）に対応して，会社役員が有する職務執行の対価として交付された新株予約権等（いわゆるストック・オプション）につき，監査等委員である取締役の保有分とそれ以外の取締役の保有分とを区分して開示することを求めている。

　なお，「当該新株予約権等の内容の概要」としては，法236条1項に掲げられた事項を記載すべきことになろう。すなわち，(a)その新株予約権の目的である株式の数（種類株式発行会社にあっては，株式の種類および種類ごとの数）またはその数の算定方法（同項1号），(b)その新株予約権の行使に際して出資される財産の価額またはその算定方法（同項2号），(c)金銭以外の財産をその新株予約権の行使に際してする出資の目的とするときは，その旨ならびにその財産の内容および価額（同項3号），(d)その新株予約権を行使することができる期間（同項4号），(e)その新株予約権の行使により株式を発行する場合における増加する資本金および資本準備金に関する事項（同項5号），(f)譲渡によるその新株予約権の取得についてその株式会社の承認を要することとするときは，その旨（同項6号），(g)新株予約権について，その株式会社が一定の事由が生じたことを条件としてこれを取得することができることとするときは，(i)一定の事由が生じた日にその株式会社がその新株予約権を取得する旨およびその事由，(ii)その株式会社が別に定める日が到来することをもって取得事由とするときは，その旨，(iii)取得の事由が生じた日に新株予約権の一部を取得することとするときは，その旨および取得する新株予約権の一部の決定の方法，(iv)その新株予約権を取得するのと引換えにその新株予約権の新株予約権者に対してその株式会社の株式を交付するときは，その株式の数（種類株式発行会社にあっては，株式の種類および種類ごとの数）またはその算定方法，(v)その新株予約権を取得

するのと引換えにその新株予約権の新株予約権者に対して当該株式会社の社債（新株予約権付社債についてのものを除く）を交付するときは，その社債の種類および種類ごとの各社債の金額の合計額またはその算定方法，(vi)その新株予約権を取得するのと引換えにその新株予約権の新株予約権者に対してその株式会社の他の新株予約権（新株予約権付社債に付されたものを除く）を交付するときは，当該他の新株予約権の内容および数またはその算定方法，(vii)その新株予約権を取得するのと引換えにその新株予約権の新株予約権者に対してその株式会社の新株予約権付社債を交付するときは，その新株予約権付社債についてその社債の種類および種類ごとの各社債の金額の合計額またはその算定方法およびその新株予約権付社債に付された新株予約権について当該他の新株予約権の内容および数またはその算定方法，(viii)その新株予約権を取得するのと引換えに当該新株予約権の新株予約権者に対してその株式会社の株式等以外の財産を交付するときは，その財産の内容および数もしくは額またはこれらの算定方法（以上，同項7号），(h)株式会社が合併，吸収分割，新設分割，株式交換または株式移転をする場合において，その新株予約権の新株予約権者に吸収合併存続株式会社，新設合併設立株式会社，吸収分割承継株式会社，新設分割設立株式会社，株式交換完全親株式会社または株式移転設立完全親会社の新株予約権を交付することとするときは，その旨およびその条件（同項8号），(i)新株予約権を行使した新株予約権者に交付する株式の数に1株に満たない端数がある場合において，これを切り捨てるものとするときは，その旨（同項9号），(j)新株予約権（新株予約権付社債に付されたものを除く）に係る新株予約権証券を発行することとするときは，その旨および(k)(j)の新株予約権者が記名式と無記名式との間の転換請求の全部または一部をすることができないこととするときは，その旨（同項10号・11号）が「当該新株予約権等の内容」にあたると解される（法238条にいう募集事項は，新株予約権の内容ではなく，会社役員に対して発行された場合には，当該新株予約権の公正価値は，会社役員に対する報酬等の開示に反映されると解される）。

「概要」とされているが，法236条1項に掲げられた事項は，新株予約権の内容を特定するために必要な事項なので，とりわけ，同項1号から4号まで（**1～4**）および6号から8号まで（**6～8**）に掲げられた事項については省略できる部分はないと解するのが穏当ではないかと思われる。

なお，会社役員が保有する新株予約権についての開示との関係では「当該事業年度の末日において在任している者に限る」（本条1号柱書）とされている

が，これは，会社役員が保有する新株予約権についての開示は当該会社役員が会社との関係でどの程度密接な利害を有しているのか，また，潜在的な議決権をどの程度有しているのかについての情報を提供することを目的とするものであるから，「当該事業年度の末日において在任している者」についての開示で足りるという理解に基づくものと推測される（なお，大野ほか・商事法務1862号21頁では，規定の整理および明確化のための所要の形式的改正と説明されている）。

―（社外役員等に関する特則）――

第124条 会社役員のうち社外役員である者が存する場合には，株式会社の会社役員に関する事項には，第121条に規定する事項のほか，次に掲げる事項を含むものとする。
　一　社外役員（直前の定時株主総会の終結の日の翌日以降に在任していた者に限る。次号から第４号までにおいて同じ。）が他の法人等の業務執行者であることが第121条第８号に定める重要な兼職に該当する場合は，当該株式会社と当該他の法人等との関係
　二　社外役員が他の法人等の社外役員その他これに類する者を兼任していることが第121条第８号に定める重要な兼職に該当する場合は，当該株式会社と当該他の法人等との関係
　三　社外役員が次に掲げる者の配偶者，三親等以内の親族その他これに準ずる者であることを当該株式会社が知っているときは，その事実（重要でないものを除く。）
　　イ　当該株式会社の親会社等（自然人であるものに限る。）
　　ロ　当該株式会社又は当該株式会社の特定関係事業者の業務執行者又は役員（業務執行者であるものを除く。）
　四　各社外役員の当該事業年度における主な活動状況（次に掲げる事項を含む。）
　　イ　取締役会（当該社外役員が次に掲げる者である場合にあっては，次に定めるものを含む。ロにおいて同じ。）への出席の状況
　　　(1)　監査役会設置会社の社外監査役　監査役会
　　　(2)　監査等委員会設置会社の監査等委員　監査等委員会
　　　(3)　指名委員会等設置会社の監査委員　監査委員会
　　ロ　取締役会における発言の状況
　　ハ　当該社外役員の意見により当該株式会社の事業の方針又は事業その他の事項に係る決定が変更されたときは，その内容（重要でないものを除く。）

ニ　当該事業年度中に当該株式会社において法令又は定款に違反する事実その他不当な業務の執行（当該社外役員が社外監査役である場合にあっては，不正な業務の執行）が行われた事実（重要でないものを除く。）があるときは，各社外役員が当該事実の発生の予防のために行った行為及び当該事実の発生後の対応として行った行為の概要
　　　ホ　当該社外役員が社外取締役であるときは，当該社外役員が果たすことが期待される役割に関して行った職務の概要（イからニまでに掲げる事項を除く。）
　　五　当該事業年度に係る社外役員の報酬等について，次のイからハまでに掲げる場合の区分に応じ，当該イからハまでに定める事項
　　　イ　社外役員の全部につき報酬等の総額を掲げることとする場合　社外役員の報酬等の総額及び員数
　　　ロ　社外役員の全部につき当該社外役員ごとの報酬等の額を掲げることとする場合　当該社外役員ごとの報酬等の額
　　　ハ　社外役員の一部につき当該社外役員ごとの報酬等の額を掲げることとする場合　当該社外役員ごとの報酬等の額並びにその他の社外役員についての報酬等の総額及び員数
　　六　当該事業年度において受け，又は受ける見込みの額が明らかとなった社外役員の報酬等（前号の規定により当該事業年度に係る事業報告の内容とする報酬等及び当該事業年度前の事業年度に係る事業報告の内容とした報酬等を除く。）について，同号イからハまでに掲げる場合の区分に応じ，当該イからハまでに定める事項
　　七　社外役員が次のイ又はロに掲げる場合の区分に応じ，当該イ又はロに定めるものから当該事業年度において役員としての報酬等を受けているときは，当該報酬等の総額（社外役員であった期間に受けたものに限る。）
　　　イ　当該株式会社に親会社等がある場合　当該親会社等又は当該親会社等の子会社等（当該株式会社を除く。）
　　　ロ　当該株式会社に親会社等がない場合　当該株式会社の子会社
　　八　社外役員についての前各号に掲げる事項の内容に対して当該社外役員の意見があるときは，その意見の内容

　本条は，その事業年度の末日において公開会社である株式会社のうち，会社役員のうちに社外役員（2条3項5号）である者が存するものが，追加的に，事業報告の内容としなければならない「株式会社の会社役員に関する事項」を具体的に定めるものである。会社法施行規則では，公開会社の事業報告におけ

る「株式会社の会社役員に関する事項」についての記載の充実が図られているが、これは、公開会社には少なからぬ上場会社などが含まれていること、公開会社は取締役会設置会社なので、会計監査人が選任されていると、一定の要件の下で、計算書類が取締役会の決議によって確定され（法439条）、また、監査等委員会設置会社、指名委員会等設置会社あるいは一定の要件を満たす監査役会設置会社については、定款の定めによって剰余金の配当等を取締役会が決定できるものとすることが可能なため（法459条・460条）、株主総会における主要な決議事項は会社役員（執行役を除く）の選任であり、株主総会は会社役員が報告をする場という位置づけが強くなるという事態が生ずることに鑑みたものである（相澤＝郡谷・商事法務1762号7頁）。

1　社外役員が他の法人等の業務執行者であることが重要な兼職に該当する場合は、当該株式会社と当該他の法人等との関係（1号）

　社外役員が他の法人等の業務執行者であることが重要な兼職（121条8号）に該当する場合は、当該株式会社と当該他の法人等との関係を記載すべきものとされている。これは、社外役員が他の法人等の業務執行者である場合には、精力が分散して、社外役員として時間を割くことができず、単なる名義だけのものとなるおそれがあること、当該他の法人等の利益を図り、その株式会社の利益を図らないおそれがあること、その株式会社と当該他の法人等との関係次第では、その株式会社の取締役等に対して独立性をもって社外取締役または社外監査役としての職務を遂行できない可能性があるからである。そこで、単に、他の法人等の業務執行者であるという事実だけではなく、その株式会社と当該他の法人等との関係の記載が要求されている。

　ここで、業務執行者とは、業務執行取締役、執行役その他の法人等の業務を執行する役員、業務を執行する社員、法598条1項の職務を行うべき者その他これに相当する者および使用人（2条3項6号）をいい、しかも、法人等とは法人その他の団体をいい（同項1号）、会社等（会社（外国会社を含む）、組合（外国における組合に相当するものを含む）その他これらに準ずる事業体をいう。同項2号）よりも広い概念であることから、重要な兼職（121条8号）に該当する場合に限定して注記を要求することによって、事業報告の分量が多くなりすぎたり、事業報告作成の手間がかかりすぎることを避けようとしていると推測される。重要な兼職にあたるかどうかは、その株式会社と当該他の法人等との間の資本関係、人的関係や取引関係などが重要かどうか、とりわけ、利益相反の関

係がないかどうか，さらに，社外役員についてはその独立性が重要視されるので独立性に影響を及ぼすような関係がないかどうかが1つの規準となりそうである（たとえば，会社法の下では，関連会社の取締役等であっても，社外取締役または社外監査役となりうるが，類型的には独立性に懸念が残る）。他方で，その社外役員が社外役員として十分な資源・時間を割くことができなくなるような兼職かどうかも重要な判断規準である。

　「直前の定時株主総会の終結の日の翌日以降に在任していた者に限る」とされているのは，121条8号と同様，直前の定時株主総会の終結に伴い，もはや会社役員でなくなった者の兼職の状況を開示することに意義は認められないし，会社としても把握するために不要な手間を要することになるからである。

2　社外役員が他の法人等の社外役員その他これに類する者を兼任していることが重要な兼職に該当する場合は，当該株式会社と当該他の法人等との関係（2号）

　社外役員が他の法人等の業務執行者を兼ねている場合に比べれば，弊害が生ずるおそれは少ないと思われるが，他の法人等の社外役員その他これに類する者を兼任している場合であっても，その株式会社の社外役員として割くことができる資源・時間に影響を与えるし，また，利益相反の問題や独立性の問題も生じうるので，記載が要求されている。「他の法人等の社外役員その他これに類する者」とは，たとえば，公益財団法人や学校法人の評議員，公益社団法人，公益財団法人または学校法人などの理事や監事，信用金庫の員外監事などはこれに該当するものと考えられる。このように，「他の法人等の社外役員その他これに類する者」の範囲が広いので，重要な兼職（121条8号）に該当する場合に限定して注記を要求することによって，事業報告の分量が多くなりすぎたり，事業報告作成の手間がかかりすぎることを避けようとしていると推測される。

　「直前の定時株主総会の終結の日の翌日以降に在任していた者に限る」（1号）とされているのは，121条8号と同様，直前の定時株主総会の終結に伴い，もはや会社役員でなくなった者の兼職の状況を開示することに意義は認められないし，会社としても把握するために不要な手間を要することになるからである。

3　社外役員がその株式会社の親会社等（自然人であるものに限る）またはその

株式会社もしくはその株式会社の特定関係事業者の業務執行者もしくは役員（業務執行者であるものを除く）の配偶者，三親等以内の親族その他これに準ずる者であることをその株式会社が知っているときは，その事実（重要でないものを除く）（3号）

　諸外国，とりわけ，アングロ・サクソン系の国々においては，取締役会の構成員に独立取締役を含めること，あるいは，取締役会の構成員の多数を独立取締役が占めることがコーポレート・ガバナンス・コードや証券取引所の上場規則によって要求されていることを踏まえて，自由民主党政務調査会法務部会商法に関する小委員会「会社法制の現代化に関する小委員会取りまとめ」（平成17年3月3日）の1.の2.においては，「社外取締役・社外監査役の要件について，経営者からの「独立性」に関する要件を加えること」につき引き続き検討を進め，速やかに結論を得ることとされていたところ，自由民主党「実効性ある内部統制システム等に関する提言」（平成17年10月23日）の2(2)では，「現行法の社外取締役及び社外監査役の「社外性」の要件においては，親会社の取締役等が子会社の社外取締役や社外監査役に，企業の取締役等がその重要な取引先の社外取締役や社外監査役に，また企業経営者の親族が当該企業経営者の経営する企業の社外取締役や社外監査役になることも禁じられていない。このような社外取締役及び社外監査役の「社外性」の要件について，諸外国の制度も勘案しつつ，……見直すべきである」とされ，短期的には「社外取締役及び社外監査役について，まず，それらの属性等につき法務省令に基づき開示するよう早急に検討すべきである」とされていたことが，平成18年制定時の会社法施行規則において，本号が定めるような開示が求められるに至った背景にあると考えられる。すなわち，独立性の要件を厳格化したとしても，その要件を満たして社外取締役として就任した者が企業の業務執行者に対して実効的に監督を加え，社外監査役として就任した者が企業の経営に対し実効的な監査を行い，または業務執行者による不当な業務執行を予防し，または是正することができるという保証はないし（実際，独立性と情報の入手可能性あるいは影響力とはトレード・オフの関係にある場合が多いのではないかと推測される），独立性の要件としてどのようなものが適当であるかは，それぞれの株式会社の状況や就任する社外取締役の個性に応じて異なるものと考えられ，一律に客観的な基準を設定するのでは，過剰な規制あるいは過少な規制となるおそれがある（相澤＝郡谷・商事法務1762号10頁参照）。そこで，社外役員である社外取締役および社外監査役については，その独立性に悪影響を与える可能性のある事実に関する情

報を事業報告に記載させ，注意を喚起するとともに，そのような記載をさせることを通じて，精神的独立性を有するような外観をもつ者を社外取締役または社外監査役として選任するインセンティブを株式会社に与えようとしているのが，本号であると考えられる。

すなわち，ある社外役員がその株式会社の親会社等（法2条4号の2，施規3条の2。自然人であるものに限る）またはその株式会社もしくはその株式会社の特定関係事業者の業務執行者（2条3項6号）もしくは役員（取締役，会計参与，監査役，執行役，理事，監事その他これらに準ずる者（2条3項3号）。業務執行者であるものを除く）の配偶者，三親等以内の親族その他これに準ずる者である場合には，そのような親族関係があるために，その株式会社の自然人である親会社等の利益を優先するような業務執行を防止し，または是正することを躊躇する，あるいは防止または是正できるような力関係がない，その株式会社の業務執行者の不当な業務執行を防止し，または是正することを躊躇する，あるいは防止または是正できるような力関係がないという事態が生ずるおそれがあるからである。また，特定関係事業者の利益を図り，その株式会社の利益を損なうような業務執行を防止し，または是正することを期待しにくいという問題が生ずる可能性もあるからである。さらに，親族関係等のある業務執行者，とりわけ，社外役員の配偶者など生計を一にする者が不適切な経済的利益をその株式会社から直接得て，または特定関係事業者がその株式会社から不適切な経済的利益を得たことによって社外役員の親族等が経済的利益を受け，それが社外役員の経済的利益にもなるという事態すら想定できるからである。「特定関係事業者」とは，その株式会社に親会社等がある場合には当該親会社等および当該親会社等の子会社等（当該株式会社を除く）および関連会社（当該親会社等が会社でない場合におけるその関連会社に相当するものを含む），その株式会社に親会社等がない場合にはその株式会社の子会社および関連会社ならびにその株式会社の主要な取引先である者（法人以外の団体を含む）をいう（2条3項19号）。

そして，「主要な」取引先とは，「主要な取引先」が親会社等，兄弟会社などと並列に規定されていることに照らすと，その株式会社の事業等の意思決定に対して，親会社等や兄弟会社あるいはその他の関係会社と同様の影響を与えることができる取引先をいうものと解するのが穏当であろう。たとえば，その取引先との取引による売上高等がその株式会社の売上高等の相当部分を占めている場合（量的重要性）や，その取引先からその株式会社がその事業活動に欠く

ことができない商品あるいは役務の提供を受けている場合（質的重要性）などの，その取引先が「主要な取引先」にあたると解される（相澤＝郡谷・商事法務1762号11頁）。

　また，配偶者とは法律婚上の配偶者をいい，三親等以内の親族（血族および姻族の両方を含む）であるかどうかは民法726条の規定によって判断されるが，「その他これに準ずる者」には内縁の配偶者のほか，いわゆるシビルユニオンやいくつかのヨーロッパ諸国やアメリカ合衆国で認められているような同性婚におけるパートナーなどが含まれると解することになるのではないかと推測される。

　なお，「当該株式会社が知っているとき」に限って記載が求められているのは，社外取締役または社外監査役と特定関係事業者などとの関係はその株式会社との関係ではないので，その株式会社が知らないことがありうるし，とりわけ，社外取締役または社外監査役が「当該株式会社または当該株式会社の特定関係事業者の業務執行者の配偶者，三親等以内の親族その他これに準ずる者である」ことは，その株式会社が当然に知っている事実とはいえないからである。もっとも，「知っているとき」とは，このような記載事項があることを前提として株式会社が調査を行った結果「知っているとき」という意味であり，十分な調査を行わないで，「知らない」とすることを認めるものではないと指摘されている（相澤＝郡谷・商事法務1762号11頁）。ただし，興信所等を用いて調査するようなことは要しないと考えられる。

　なお，本号は，社外取締役候補者に関する株主総会参考書類記載事項を定める74条4項7号ホおよび社外監査役候補者に関する株主総会参考書類記載事項を定める76条4項6号ホと整合的に定められている。

　「直前の定時株主総会の終結の日の翌日以降に在任していた者に限る」（1号）とされているのは，121条8号と同様，直前の定時株主総会の終結に伴い，もはや会社役員でなくなった者が有する人的関係の状況を開示することに意義は認められないし，会社としても把握するために不要な手間を要することになるからである。

4　各社外役員のその事業年度における主な活動状況（4号）

　社外役員を選任することだけでは，株式会社のコーポレート・ガバナンスの向上は図れない。かりに，高い独立性を有する者を社外役員として選任しても，その者が現実に社外役員として期待されている機能を果たすような活動を

しなければ意味がない。そこで，本号では，各社外役員のその事業年度における主な活動状況を開示させることによって，株式会社が社外役員の活動が適切になされるようにするための体制を整え，また，十分な活動をするような者を社外役員として選任するインセンティブを与えるとともに，社外役員として選任された者が社外役員としての職務を遂行するインセンティブを与えようとしている（相澤＝郡谷・商事法務1762号11頁参照）。本号では，「各社外役員のその事業年度における主な活動状況」（圏点―引用者）とされているので，社外役員ごとの活動状況を記載する必要がある。

なお，本号では，会社ごとに開示内容のレベルがあまりに異なることは適当ではないと考え，社外役員の活動状況に関する事項として，類型的にみて重要であると考えられるものを具体的に挙げ，その記載を要求することとしている。

まず，(a)取締役会への出席の状況，さらに，(i)監査役会設置会社の社外監査役については監査役会への出席の状況，(ii)監査等委員会等設置会社の監査等委員については監査等委員会への出席の状況，(iii)指名委員会等設置会社の監査委員については監査委員会への出席の状況を記載すべきものとしている。たとえば，各取締役会に誰が出席したかを明らかにする必要はないが，たとえば，1年に12回開かれた取締役会のうち，A氏は12回，B氏は10回出席したというような程度の記載は要求されるものと考えられる。

また，(b)取締役会における発言の状況，さらに，監査役会設置会社の社外監査役については監査役会における発言の状況，指名委員会等設置会社の監査委員については監査委員会における発言の状況を記載すべきものとしている。これについても，すべての発言の状況を明らかにする必要はないが，取締役会，監査役会または監査委員会において，社外役員が期待されている役割を果たしているかどうかが明らかになる程度の記載が要求される（相澤＝郡谷・商事法務1762号11頁）。監査役会設置会社の社外監査役については監査役会における発言の状況，監査等委員会設置会社の監査等委員については監査等委員会における発言の状況，指名委員会等設置会社の監査委員については監査委員会における発言の状況を，それぞれ記載すべきものとされている背景には，おそらく，取締役会においては，たとえば，常勤監査役などが監査役会における討議に基づいて監査役を代表して発言するため，社外監査役は発言しないということもしばしばありうると予想され，それでは，いかにも社外監査役が機能していないかのような誤解が生ずるおそれがあることもあるのではないかと推測される。

さらに，(c)その社外役員の意見によりその株式会社の事業の方針または事業その他の事項に係る決定が変更されたときは，その内容（重要でないものを除く）についての記載が要求されているのは，不当または不正な行為が社外役員の発言により防止されたとすれば，それは，社外役員を置くことの意義が発揮されたことなので，そのような意見を述べるインセンティブを社外役員に与えるためであると推測される。「株式会社の事業の方針又は事業その他の事項に係る決定が変更されたとき」とされているので，そのようなことがなければ，この事項を記載する必要はないことはいうまでもない。

(d)その事業年度中にその株式会社において法令または定款に違反する事実その他不当な業務の執行（その社外役員が社外監査役である場合には，不正な業務の執行）が行われた事実（重要でないものを除く）があるときは，各社外役員がその事実の発生の予防のために行った行為およびその事実の発生後の対応として行った行為の概要を記載することが求められている。

社外役員［→2条3⑤］である社外取締役または社外監査役を置く（会社法が一定の場合に置くことを要求している）理由の1つは，社外役員は業務執行者からの独立性が高いと考えられ，法令または定款に違反する業務執行その他不当な業務の執行（その社外役員が社外監査役である場合には，不正な業務の執行。以下，本号に対するコメントにおいて同じ）が行われたことを知ったときには適切な対応をしやすい，適切に対応する可能性がより高いと期待されることにある。そこで，その候補者が，社外役員として，法令または定款に違反する事実その他不当な業務の執行が行われた事実があったときに，適切に対応したかどうか（対応として行った行為だけではなく，行われた不当な業務執行の事実がどのようなものであるかが示されなければ，適切に対応したかどうかを判断しようがない），あるいは，法令・定款違反その他不当な業務の執行の予防のために適切な措置を講じたかどうかを明らかにし，社外役員として適切な行動をとったかどうかを開示させようとするのが本号である。また，このような事項を開示させることによって，社外役員に，法令または定款に違反する事実その他不当な業務の執行が行われた事実があったときに，適切に対応し，あるいは，法令・定款違反その他不当な業務の執行の予防のために適切な措置を講ずるインセンティブを与えるという効果も期待される。

「重要でないものを除く」とされているのも，その候補者の活動を評価する上で重要性の低いものを記載させる実益がない一方で，大規模な会社においてはささいな法令・定款違反の行為は少なからず発生するため，そのすべてを記

載するのでは，事業報告の分量が多くなりすぎることもありうるからであろう。

　なお，その事業年度中にその株式会社において法令または定款に違反する事実その他不当な業務の執行が行われた事実（重要でないものを除く）がなければ，この事項を記載する必要がないことは当然である。

　また，社外取締役との関連では「不当な業務執行」とされているのに対し，社外監査役との関連では，「不正な業務執行」（圏点―引用者）とされている。このような文言の相違は，監査役は，積極的な妥当性を判断せず，基本的には業務執行の適法性を監査するという通説的な見解（新注会(6)443〜445頁［竹内］）を前提としたものなのではないかと推測される。

　以上に加えて，(e)その社外役員が社外取締役であるときは，その社外役員が果たすことが期待される役割に関して行った職務の概要（(a)から(d)を除く）を含めることが求められている。

　これは，取締役の選任議案について株主総会参考書類に記載・記録すべき事項を定める74条4項3号および74条の3第4項3号が「当該候補者が社外取締役（社外役員に限る……）に選任された場合に果たすことが期待される役割の概要」を含めることを要求していることに対応したものである。すなわち，このような記載を事業報告にすることを求めることによって，単なる作文ではなく内実の伴う株主総会参考書類の記載・記録がなされるように仕向けられるし，選任された社外役員である社外取締役がその「果たすことが期待される役割」を果たしているかどうかを株主が判断する材料を提供することができ，その結果，「果たすことが期待される役割」を果たすインセンティブをその社外取締役に与えることになると予想される。ひいては，社外役員である社外取締役の候補者を選定するにあたって，その株式会社が社外役員である社外取締役にどのような役割を期待するのかを真剣に検討し，そして，そのような役割を果たすことを期待できる者を取締役候補者とするように仕向けられることになる。

　意見募集の結果（令和2年11月）では，「社外取締役は，少数株主を含む全ての株主に共通する株主の共同の利益を代弁する立場にある者として，業務執行者から独立した客観的な立場で，会社経営の監督を行い，また，経営者あるいは支配株主と少数株主との利益相反の監督を行う等の役割を果たすことが期待されているところ，改正法は，我が国の資本市場が信頼される環境を整備し，上場会社等については社外取締役による監督が保証されているというメッセー

ジを内外に発信するため，上場会社等に社外取締役の設置を義務付けることとしている。……このような改正法の趣旨を踏まえ，仮に，当該社外役員が果たすことが期待される役割に関して行った職務が会社法施行規則第124条第4号イからニまでに掲げる事項と重複する場合であっても，事業報告において，社外役員が果たすことが期待される役割との関連性を示した上で，当該社外役員が行った職務の概要をより具体的に記載させることにより，当該社外取締役が期待される役割をどの程度果たしたかについて事後的に検証することを可能とし，社外取締役による監督の実効性を担保しようとするものである」と，この事項の記載を要求する趣旨が説明されている（47頁）。また，公開会社であるか否かを問わず，候補者が社外取締役候補者であるときの株主総会参考書類には「当該候補者が社外取締役（社外役員に限る……）に選任された場合に果たすことが期待される役割の概要」の記載が求められているのに対し（74条4項3号），本号の記載が公開会社にのみ要求されている理由については，「公開会社のコーポレート・ガバナンスにおいて社外取締役に期待される役割は，一般的に非公開会社よりも大きいこと」が挙げられている（10頁）。

なお，例示には含められていないが，法348条の2第1項または2項の規定により社外取締役が業務を執行した場合には，「各社外役員の当該事業年度における主な活動状況」に該当すると考えられ，事業報告に当該業務執行に関する事項を記載することが求められるものと考えられる（意見募集の結果（令和2年11月）46頁参照。なお，同45～46頁では，121条11号の「株式会社の会社役員に関する重要な事項」に該当し，事業報告に含めることが求められるという解釈の余地も示されている）。

「直前の定時株主総会の終結の日の翌日以降に在任していた者に限る」（1号）とされているのは，121条8号と同様，直前の定時株主総会の終結に伴い，もはや会社役員でなくなった者の活動状況を開示することの意義は小さいし（事業年度の最初の3カ月程度の活動状況にとどまることおよび当該社外役員の活動を株主総会などを通じて評価することはもはやなされないと予想されるため），直前の定時株主総会において選任された社外役員の活動状況と並べて開示すると事業報告の分量が大きくなるという問題もあるからであろう。

5 社外役員のその事業年度に係る報酬等（5号）

これは，社外役員である社外取締役には業務執行者である代表取締役，業務執行取締役あるいは（代表）執行役などの業務執行を監督することが，社外監

査役には取締役の職務執行を監査することが，それぞれ，期待されており，社外役員である社外取締役・社外監査役がそれらの業務執行者から精神的に独立していること，および，独立しているという外観を有することが求められることによる。すなわち，報酬等の額の算定の基準が適切でないと社外取締役・社外監査役の独立性が損なわれるおそれがある。報酬等の額が不当に少ない場合には，社外役員である社外取締役・社外監査役は単なる人数合わせの可能性があり，または，そのような社外取締役・社外監査役が十分な時間とエネルギーを割いて，会社の取締役・監査役としての任務を遂行することを期待しにくくなる可能性がある。他方で，報酬等の額が不当に高い場合には，取締役・監査役として再任されることを期待して，あるいは解任されることをおそれて，株主総会に提出される取締役候補者・監査役候補者の決定に大きな影響力を有する業務執行者を適切に監督しないという問題が生じうる。また，たとえば，業績連動部分が多い，あるいはストック・オプション部分が多い場合には，報酬等の額の算定方法が社外役員である社外取締役・社外監査役のそれとして不適当であるとみられる場合もありえよう。そのような算定の基準によると，会社が過度のリスクをとることや粉飾等を抑止するインセンティブが失われるおそれがありうるからである。

　業務執行取締役など，社外取締役でない取締役と社外取締役とでは，期待されている役割が異なり，コーポレートガバナンスの観点から付与すべきインセンティブも異なると考えられることから（意見募集の結果（令和2年11月）41頁），社外役員の報酬等に関する記載についても，業績連動報酬等，非金銭報酬等およびその他の報酬等に分けてその総額または額を記載しなければならないこととされている（121条4号イ第2かっこ書・ロ第1かっこ書）。

　社外役員の全部につき報酬等の総額を掲げることとすることを認めている（本号イ）のは，報酬等の額はプライバシーの領域に属するという発想に基づくものであるが，この場合には，株主が報酬等の額の適切さを判断する材料として，121条4号とパラレルに「社外役員の……員数」を記載すべき者としている。他方，「社外役員の全部につき当該社外役員ごとの報酬等の額を掲げることとする場合」には「当該社外役員ごとの報酬等の額」を（本号ロ），「社外役員の一部につき当該社外役員ごとの報酬等の額を掲げることとする場合」には「当該社外役員ごとの報酬等の額並びにその他の社外役員についての報酬等の総額及び員数」を（本号ハ）記載すべきものとしているのは，参議院法務委員会における会社法案の審議の際に，当時の法務省民事局長である寺田参考

人が「報酬開示を強化するという観点から，……社外取締役等の報酬についての分離開示あるいは任意の個別報酬開示にも対応した規定を整備してまいりたいと……思っております」と回答したこと（第162回国会参議院法務委員会会議録第26号（平成17年6月28日）6頁）が背景にあると推測される。しかし，業務執行取締役でない取締役（すべての社外取締役はこれにあたる）および監査役については，責任限定契約を締結することができ，最低責任限度額も低く定められていることを考慮すると，立法論としては，個人別に記載することが望ましい［なお，「報酬等」および「当該事業年度に係る」の意義については，→121条7］。

6 当該事業年度において受け，または受ける見込みの額が明らかとなった社外役員の報酬等（5号の規定により当該事業年度に係る事業報告の内容とする報酬等および当該事業年度前の事業年度に係る事業報告の内容とした報酬等を除く）（6号）

　この規律は121条5号が定める，当該事業年度において受け，または受ける見込みの額が明らかとなった会社役員の報酬等とパラレルな開示事項である［→121条8］。

7 社外役員がその株式会社の親会社等または兄弟会社等から受けた報酬等の総額（社外役員であった期間に受けたものに限る）（7号）

　社外役員が，その株式会社に親会社等（法2条4号の2，施規3条の2）がある場合には，当該親会社等または当該親会社等の子会社等（法2条3号の2，施規3条の2。その株式会社を除く）から，その株式会社に親会社等がない場合にはその株式会社の子会社から，当該事業年度において役員としての報酬等を受けているときは，当該報酬等の総額（社外役員であった期間に受けたものに限る）を記載しなければならない。

　これは，5号で，社外役員のその事業年度に係る報酬等の総額を，6号で当該事業年度において受け，または受ける見込みの額が明らかとなった社外役員の報酬等（5号の規定により当該事業年度に係る事業報告の内容とする報酬等および当該事業年度前の事業年度に係る事業報告の内容とした報酬等を除く）を開示させることによって，社外役員の独立性を担保しようとすることが潜脱されることを防止するためである。すなわち，同じ企業集団に属する他の会社等から多額の報酬等を受けることによって，精神的独立性が損なわれるおそれがあるし，また，株主等としても，社外役員が企業集団に属する会社等から受けてい

る報酬等の総額を知ることによって，的確に，報酬等の決定に関する議案に対して議決権行使をすることができると期待される。もっとも，5号と異なり，「・受・け・て・い・る・と・きは，その報酬等の総額（社外役員であった期間に受けたものに限る。）」（圏点—引用者）とされており，現実に支給を受けた額の総額を開示させることとしている。これは，他の会社等において，支給の決定がなされたかどうか，あるいはどの程度の額を支払う予定なのかなどを知ることは，困難だからであろう。

なお，当該株式会社の「親会社等の子会社等（当該株式会社を除く。）」には，いわゆる兄弟会社およびその子会社が含まれるほか，その株式会社の子会社も含まれる（3条1項・3項参照）。「当該株式会社を除く」とされているのは，事業報告を作成する株式会社から社外役員が受ける報酬等については，事業報告において別途開示がされるからである（121条5号〜6号の3）。

8　社外役員についての1から7の内容に対してその社外役員の意見があるときは，その意見の内容（8号）

通常は考えにくいが，社外役員の認識とその株式会社の取締役（会）の認識とが異なっている場合には，事業報告は，株主に提供され，また，会社債権者の閲覧等の対象となり，それがさらに第三者の手にわたることもありえることを考慮して，1から7に関する記載についてのその社外役員の意見があるときは，その意見の内容を記載すべきこととしている。これは，その社外役員が自分に関する情報について，コメントをし，それを株主に知ってもらう機会を与えることが公平だと考えられるからであろう。

第3目　会計参与設置会社における事業報告の内容

> **第125条**　株式会社が当該事業年度の末日において会計参与設置会社である場合には，次に掲げる事項を事業報告の内容としなければならない。
> 　一　会計参与と当該株式会社との間で法第427条第1項の契約を締結しているときは，当該契約の内容の概要（当該契約によって当該会計参与の職務の執行の適正性が損なわれないようにするための措置を講じている場合にあっては，その内容を含む。）
> 　二　会計参与と当該株式会社との間で補償契約を締結しているときは，次に掲げる事項

イ　当該会計参与の氏名又は名称
　　ロ　当該補償契約の内容の概要（当該補償契約によって当該会計参与の職務の執行の適正性が損なわれないようにするための措置を講じている場合にあっては，その内容を含む。）
　三　当該株式会社が会計参与（当該事業年度の前事業年度の末日までに退任した者を含む。以下この号及び次号において同じ。）に対して補償契約に基づき法第430条の２第１項第１号に掲げる費用を補償した場合において，当該株式会社が，当該事業年度において，当該会計参与が同号の職務の執行に関し法令の規定に違反したこと又は責任を負うことを知ったときは，その旨
　四　当該株式会社が会計参与に対して補償契約に基づき法第430条の２第１項第２号に掲げる損失を補償したときは，その旨及び補償した金額

　本条は，その事業年度の末日において会計参与設置会社である会社（公開会社に限らない）が，追加的に，その事業報告の内容としなければならない事項を定めるものである。

1　責任限定契約を締結している場合（１号）

　株式会社は，会計参与の任務懈怠に基づく損害賠償責任（法423条）について，その会計参与が職務を行うにつき善意でかつ重大な過失がないときは，定款で定めた額の範囲内であらかじめ株式会社が定めた額と最低責任限度額とのいずれか高い額を限度とする旨の契約を会計参与と締結することができる旨を定款で定めることができる。最低責任限度額が法定されており（法425条１項，施規113条・114条），また，この責任限定契約は会計参与に軽過失がある場合に限り有効なので，濫用のおそれは低いと期待されるが，「定款で定めた額の範囲内であらかじめ株式会社が定めた額」も１つの基準となるところ，その額は代表取締役・代表執行役あるいは取締役会において定められると考えられることから，その内容を記載させることに意義が認められる。また，責任限度額以外についても，会社法および会社法施行規則の定めの範囲内で，会社が責任限定契約の内容を定めることができるため，責任限度額以外の契約内容も株主にとっては重要な情報であると考えられる。

　責任限定「契約によって当該会計参与の職務の執行の適正性が損なわれないようにするための措置」としては，適切に責任限度額を定めること，会計参与の解任・不再任について適切な方針を定めることや会計参与が職務遂行を適正に行うことができるような環境を整備すること（会計参与に応対するスタッフの

独立性の確保,会計参与に対する必要な情報の適時提供）などが考えられる。

2 補償契約を締結している場合（2号）

　その会計参与の氏名または名称およびその補償契約の内容の概要（その補償契約によってその会計参与の職務の執行の適正性が損なわれないようにするための措置を講じている場合には，その内容を含む）を内容としなければならない（121条の4のコメント参照）。

　事業報告は，原則として，当該事業報告が対象とする事業年度の初日から末日までに発生ないし変動した事象を内容とするところ（小松＝澁谷・商事法務1863号10頁），121条3号の2とは異なり，「直前の定時株主総会の終結の日の翌日以降に在任していた者に限る」とされていないため，当該事業年度の初日から末日までの間に在任した会計参与（当該事業年度中に辞任し，または解任された者を含む）について記載をしなければならない。

3 補償契約に基づき費用を補償した場合（3号）

　その株式会社が会計参与（その事業年度の前事業年度の末日までに退任した者を含む）に対して補償契約に基づき法430条の2第1項1号に掲げる費用を補償した場合において，その株式会社が，その事業年度において，その会計参与が同号の職務の執行に関し法令の規定に違反したことまたは責任を負うことを知ったときは，その旨を内容としなければならない（121条の5のコメント参照）。

4 補償契約に基づき損失を補償した場合（4号）

　その株式会社が会計参与（その事業年度の前事業年度の末日までに退任した者を含む）に対して補償契約に基づき法430条の2第1項2号に掲げる損失を補償したときは，その旨および補償した金額を内容としなければならない（121条の6のコメント参照）。

第4目　会計監査人設置会社における事業報告の内容

> **第126条**　株式会社が当該事業年度の末日において会計監査人設置会社である場合には，次に掲げる事項（株式会社が当該事業年度の末日において公開会社でない場合にあっては，第2号から第4号までに掲げる事項を除く。）を事業報告の内容としなければならない。

一　会計監査人の氏名又は名称
二　当該事業年度に係る各会計監査人の報酬等の額及び当該報酬等について監査役（監査役会設置会社にあっては監査役会，監査等委員会設置会社にあっては監査等委員会，指名委員会等設置会社にあっては監査委員会）が法第399条第1項の同意をした理由
三　会計監査人に対して公認会計士法第2条第1項の業務以外の業務（以下この号において「非監査業務」という。）の対価を支払っているときは，その非監査業務の内容
四　会計監査人の解任又は不再任の決定の方針
五　会計監査人が現に業務の停止の処分を受け，その停止の期間を経過しない者であるときは，当該処分に係る事項
六　会計監査人が過去2年間に業務の停止の処分を受けた者である場合における当該処分に係る事項のうち，当該株式会社が事業報告の内容とすることが適切であるものと判断した事項
七　会計監査人と当該株式会社との間で法第427条第1項の契約を締結しているときは，当該契約の内容の概要（当該契約によって当該会計監査人の職務の執行の適正性が損なわれないようにするための措置を講じている場合にあっては，その内容を含む。）
七の二　会計監査人と当該株式会社との間で補償契約を締結しているときは，次に掲げる事項
　イ　当該会計監査人の氏名又は名称
　ロ　当該補償契約の内容の概要（当該補償契約によって当該会計監査人の職務の執行の適正性が損なわれないようにするための措置を講じている場合にあっては，その内容を含む。）
七の三　当該株式会社が会計監査人（当該事業年度の前事業年度の末日までに退任した者を含む。以下この号及び次号において同じ。）に対して補償契約に基づき法第430条の2第1項第1号に掲げる費用を補償した場合において，当該株式会社が，当該事業年度において，当該会計監査人が同号の職務の執行に関し法令の規定に違反したこと又は責任を負うことを知ったときは，その旨
七の四　当該株式会社が会計監査人に対して補償契約に基づき法第430条の2第1項第2号に掲げる損失を補償したときは，その旨及び補償した金額
八　株式会社が法第444条第3項に規定する大会社であるときは，次に掲げる事項
　イ　当該株式会社の会計監査人である公認会計士（公認会計士法第16条の2第5項に規定する外国公認会計士を含む。以下この条において同じ。）

又は監査法人に当該株式会社及びその子会社が支払うべき金銭その他の財産上の利益の合計額（当該事業年度に係る連結損益計算書に計上すべきものに限る。）
　　ロ　当該株式会社の会計監査人以外の公認会計士又は監査法人（外国におけるこれらの資格に相当する資格を有する者を含む。）が当該株式会社の子会社（重要なものに限る。）の計算関係書類（これに相当するものを含む。）の監査（法又は金融商品取引法（これらの法律に相当する外国の法令を含む。）の規定によるものに限る。）をしているときは，その事実
　九　辞任した会計監査人又は解任された会計監査人（株主総会の決議によって解任されたものを除く。）があるときは，次に掲げる事項（当該事業年度前の事業年度に係る事業報告の内容としたものを除く。）
　　イ　当該会計監査人の氏名又は名称
　　ロ　法第340条第3項の理由があるときは，その理由
　　ハ　法第345条第5項において読み替えて準用する同条第1項の意見があるときは，その意見の内容
　　ニ　法第345条第5項において読み替えて準用する同条第2項の理由又は意見があるときは，その理由又は意見
　十　法第459条第1項の規定による定款の定めがあるときは，当該定款の定めにより取締役会に与えられた権限の行使に関する方針

　本条は，その事業年度の末日において会計監査人設置会社である会社（公開会社に限らない）が，追加的に，その事業報告の内容としなければならない事項を定めるものである。

1　会計監査人の氏名または名称（1号）

　その事業年度における会計監査の責任の所在を明らかにするため，会計監査人に関する情報を開示させようとするものである。監査法人も会計監査人となることができるため，「氏名又は名称」（圏点—引用者）とされている。

2　その事業年度に係る各会計監査人の報酬等の額および監査役等が同意した理由（2号）

　その事業年度に係る各会計監査人の報酬等の額および監査役等が同意した理由を事業報告に記載することを求めるものである。会社役員の報酬等の額の開

示（121条4号）と異なり，個別開示が要求されている。本号は，平成18年改正前商法施行規則105条1項3号を踏襲したものである。

　監査報酬の開示は，昭和56年改正に向けた法制審議会商法部会における議論の中でも取り上げられていたが，アメリカ合衆国，ヨーロッパ諸国やオセアニア諸国では監査報酬あるいは監査人やその関連事務所が提供する非監査サービスに対する報酬の額の開示が求められるようになっていること，監査報酬や非監査サービス報酬が多すぎると会計監査人の独立性に悪影響を与える一方，監査報酬が少なすぎると十分な監査が行われないおそれがあること，直接開示をすることが有意義であると考えられることなどを背景として要求されるにいたったものである。

　なお，会計監査人としての報酬等の額と金融商品取引法上の監査に対する報酬等の額とが公認会計士または監査法人との契約において明確に区分されておらず，かつ，実際上も区分できないような場合が現実にはありえる。そのような場合には併せた金額を記載することは許されよう（濱＝郡谷＝和久・商事法務1659号42頁）。

　また，平成27年会社法施行規則改正により，当該事業年度に係る各会計監査人の報酬等について，監査役，監査役会，監査等委員会または監査委員会が同意（法399条1項～4項）をした理由も事業報告の内容とされた。平成26年会社法改正では，会計監査人の報酬等の決定を監査役等の権限とすることは現時点では適当ではないとされたものの，会計監査人の報酬等についての監査役等の同意権の実効性を高めるためには，どのような理由で同意したかを開示させることが適切であると考えられたためである。監査役等が同意をした理由としては，各社の状況に応じた合理的な記載をすることでよいとされ，過去の報酬実績，日本監査役協会「会計監査人との連携に関する実務指針」（平成18年5月11日。最終改正：令和元年8月17日）等を参考に報酬を確認した旨の記載は，少なくともその一内容となりうるものと考えられるとされている（意見募集の結果（平成27年2月）第3・2⑾㉕）。

　日本監査役協会「会計監査人との連携に関する実務指針」では，監査役等は，報酬等の同意権が会計監査人の独立性の担保および監査品質の確保のために設けられた権限であることに留意しつつ，会社が会計監査人と監査契約を締結する場合には，取締役または執行役，社内関係部署および会計監査人から必要な資料を入手しかつ報告を受け，また非監査業務の委託状況およびその報酬の妥当性を確認の上，会計監査人の報酬等の額，監査担当者その他監査契約の

内容が適切であるかについて，契約ごとに検証するべきであるとする。そして，同意する報酬等の範囲の問題に加えて，同意する際に，報酬額（そのベースとなる監査活動）が合理的に設定されているかを確認する必要があるが，そのために，事前の情報収集・報告聴取を早期に着手・開始し，収集した情報に基づき会計監査人の新事業年度の「監査計画」の内容についてリスク・アプローチの観点を踏まえ十分な監査品質が確保できているかを主体的に吟味・検討し，「監査時間」と「報酬単価」が想定する監査品質に見合うかの精査を通じて「報酬見積り」の算出根拠・算定内容についてその適切性・妥当性を検討しなければならないとする。

　株式会社が当該事業年度の末日において公開会社でない場合には，本号による記載は要求されない。これは，公開会社以外の会社においては，事業報告の必要的記載事項はできるだけ簡素化しようとする考えに基づくものである（そのような会社においては，株主総会において説明を株主が求めた場合に説明することで十分であると考えてよいのではないかと思われる）。

3　会計監査人に対して非監査業務の対価を支払っているときは，その非監査業務の内容（3号）

　公認会計士法24条の2および34条の11の2ならびに公認会計士法施行規則5条および6条は，公認会計士は，その公認会計士，その配偶者またはその公認会計士もしくはその配偶者が実質的に支配していると認められるものとして内閣府令で定める関係を有する法人その他の団体が，大会社等から会計帳簿の記帳の代行その他の財務書類の調製に関する業務，財務または会計に係る情報システムの整備または管理に関する業務，現物出資財産その他これに準ずる財産の証明または鑑定評価に関する業務，保険数理に関する業務，内部監査の外部委託に関する業務，証券業，投資顧問業その他監査または証明をしようとする財務書類を自らが作成していると認められる業務または被監査会社等の経営判断に関与すると認められる業務により，継続的な報酬を受けている場合には，その大会社等の財務書類について，監査証明業務を行ってはならないものとしている。そして，（平成19年内閣府令第81号による廃止前）公認会計士等に係る利害関係に関する内閣府令8条3号は，監査証明書に，公認会計士または監査法人が被監査会社等（公認会計士法24条の2に規定する大会社等に限る）から他人の求めに応じ報酬を得て，財務書類の調製をし，財務に関する調査もしくは立案をし，または財務に関する相談に応ずる業務（公認会計士法2条2項の業

務)のうち同時提供が禁止されていないものの提供により継続的な報酬を受けている場合には，その旨を記載すべき旨を定めていたが，本号では，その非監査業務の内容を記載すべきものとされた。これは，会計監査人が株式会社に対して非監査業務を提供し，報酬を得ることによって，精神的独立性が損なわれるおそれがあるからである。

　株式会社が当該事業年度の末日において公開会社でない場合には，本号による記載は要求されない。これは，公開会社以外の会社においては，事業報告の必要的記載事項はできるだけ簡素化しようとする考えに基づくものである（そのような会社においては，株主総会において説明を株主が求めた場合に説明することで十分であると考えてよいのではないかと思われる）。

4　会計監査人の解任または不再任の決定の方針（4号）

　会計監査人の解任および不再任は株主総会の決議によるのが原則であるが（法339条1項），一定の場合には，監査役全員の同意，監査等委員全員の同意または監査委員会の委員全員の同意によって解任することができる（法340条1項・2項・4項～6項）。そして，株主総会に対して提出する解任または不再任の議案の内容を決定するのは，監査役設置会社においては監査役，監査役会設置会社においては監査役会，監査等委員会設置会社においては監査等委員会，指名委員会等設置会社においては監査委員会である（法344条・399条の2第3項2号・404条2項2号）。ところで，一方では，会計監査人の解任および不再任の議案が，恣意的に株主総会に提出されることになると，会計監査人の独立性を損なうおそれがある。他方では，会計監査人は不再任の議案が可決されない限り，自動的に再任されたものとみなされるため（法338条2項），不再任の議案を提出することを監査役，監査役会，監査等委員会または監査委員会が怠っている場合に，株主総会の監督が及ばないという問題も懸念される。そこで，株主や会社債権者が，株式会社の会計監査人の解任または不再任の決定の方針を知ることができるようにすることには意義があり，また，このような方針を開示することによって，監査役等に，会計監査人の再任・不再任または解任について，あらかじめ方針を定めるインセンティブが与えられ，また，その方針に従って，事業年度ごとに検討を加えることが促進されるのではないかと期待される（相澤＝郡谷・商事法務1763号15頁参照）。

　株式会社が当該事業年度の末日において公開会社でない場合には，本号による記載は要求されない。これは，公開会社以外の会社においては，事業報告の

必要的記載事項はできるだけ簡素化しようとする考えに基づくものである（そのような会社においては，株主総会において説明を株主が求めた場合に説明することで十分であると考えてよいのではないかと思われる）。

5 会計監査人が現に業務の停止の処分を受け，その停止の期間を経過しない者であるときは，その処分に係る事項（5号）

　会社法の下では，公認会計士法の規定により，計算書類について監査をすることができない者は，会計監査人となることができないものとされているが（法337条3項1号），公認会計士法上は，業務停止については，「行為の態様や内部管理体制の状況等を考慮し，監査法人全体に対してだけでなく，一部分（部門，従たる事務所など）又は一部の業務に対してのみ業務停止を行うことができる」（金融庁「公認会計士・監査法人に対する懲戒処分等の考え方について」（平成17年3月31日））と解されているため，業務停止処分を受け，その停止の期間を経過しない者であっても，ある株式会社の会計監査人となることができる場合がある。

　しかし，業務停止処分の根拠となった事実次第では，会計監査人が業務停止処分を受けたという事実は，その者の会計監査人としての適格性に疑問を投げかける根拠となりうるため，そのような事実は，株主の議決権行使のために重要な事項であると考えられる。そこで，会計監査人が現に業務の停止の処分を受け，その停止の期間を経過しない者であるときは，その処分に係る事項を記載させることとしている。その「会計監査人が現に業務の停止の処分を受け，その停止の期間を経過しない者である」ことを知らず，または，その処分の根拠となった事実等を株主等が知らずに，会計監査報告に信頼を置き，また，その会計監査人を不再任しないという意思決定をするのは適当ではないという考えに基づくものと推測される。

6 会計監査人が過去2年間に業務の停止の処分を受けた者である場合におけるその処分に係る事項のうち，その株式会社が事業報告の内容とすることが適切であるものと判断した事項（6号）

　業務停止処分の根拠となった事実次第では，会計監査人が過去に業務停止処分を受けたという事実は，会計監査人としての適格性に疑問を投げかける根拠となりうるため，そのような事実は，株主または会社債権者にとって重要な事項であると考えられる。そこで，その会計監査人が過去2年間に業務の停止の

処分を受けた者である場合には，その処分に係る事項のうち，その株式会社が事業報告に記載することが適切であるものと判断した事項を記載させることとしている。「事業報告の内容とすることが適切である」か否かの判断にあたっては，業務停止処分の根拠となった事実の重大性，業務停止期間終了後の期間の長短，その株式会社の会計監査人としての適格性にその業務停止処分があったことが影響をどの程度与えるか，その業務停止処分の後の会計監査人における体制の整備・改善の状況はどのようなものか，などを考慮に入れることになろう。

　もちろん，2年以上前に業務停止期間が終了している場合についても，その業務停止処分に係る事項を事業報告に記載することは，可能である。

7　会計監査人とその株式会社との間で会社に対する損害賠償責任について責任限定契約を締結しているときは，その契約の内容の概要（その契約によってその会計監査人の職務の執行の適正性が損なわれないようにするための措置を講じている場合にあっては，その内容を含む）（7号）

　株式会社は，会計監査人の任務懈怠に基づく損害賠償責任（法423条）について，その会計監査人が職務を行うにつき善意でかつ重大な過失がないときは，定款で定めた額の範囲内であらかじめ株式会社が定めた額と最低責任限度額とのいずれか高い額を限度とする旨の契約を会計監査人と締結することができる旨を定款で定めることができる（法427条1項）。最低責任限度額が法定されており（法425条1項，施規113条・114条），また，この責任限定契約は会計監査人に軽過失がある場合に限り有効なので，濫用のおそれは低いと期待されるが，「定款で定めた額の範囲内であらかじめ株式会社が定めた額」も1つの基準となるところ，その額は代表取締役・代表執行役あるいは取締役会において定められると考えられることから，その内容を記載させることに意義が認められる。また，責任限度額以外についても，会社法および会社法施行規則の定めの範囲内で，会社が責任限定契約の内容を定めることができるため，責任限度額以外の契約内容も株主にとっては重要な情報であると考えられる。

　責任限定「契約によって当該会計監査人の職務の執行の適正性が損なわれないようにするための措置」としては，適切な責任限度額を定めること，会計監査人の解任・不再任について適切な方針を定めること［→4］や，会計監査人が職務遂行を適正に行うことができるような環境を整備すること（会計監査人に応対するスタッフの独立性の確保，会計監査人に対する必要な情報の適時提供）

などが考えられる。

8 補償契約を締結している場合（7号の2）

　その会計監査人の氏名または名称およびその補償契約の内容の概要（その補償契約によってその会計監査人の職務の執行の適正性が損なわれないようにするための措置を講じている場合には，その内容を含む）を内容としなければならない（121条の4のコメント参照）。

　事業報告は，原則として，当該事業報告が対象とする事業年度の初日から末日までに発生ないし変動した事象を内容とするところ（小松＝澁谷・商事法務1863号10頁），121条3号の2とは異なり，「直前の定時株主総会の終結の日の翌日以降に在任していた者に限る」とされていないため，当該事業年度の初日から末日までの間に在任した会計監査人（当該事業年度中に辞任し，または解任された者を含む）について記載をしなければならない。

9 補償契約に基づき費用を補償した場合（7号の3）

　その株式会社が会計監査人（その事業年度の前事業年度の末日までに退任した者を含む）に対して補償契約に基づき法430条の2第1項1号に掲げる費用を補償した場合において，その株式会社が，その事業年度において，その会計監査人が同号の職務の執行に関し法令の規定に違反したことまたは責任を負うことを知ったときは，その旨を内容としなければならない（121条の5のコメント参照）。

10 補償契約に基づき損失を補償した場合（7号の4）

　その株式会社が会計監査人（その事業年度の前事業年度の末日までに退任した者を含む）に対して補償契約に基づき法430条の2第1項2号に掲げる損失を補償したときは，その旨および補償した金額を内容としなければならない（121条の6のコメント参照）。

11 株式会社が大会社である場合の記載事項（8号）

　まず，株式会社の会計監査人である公認会計士（外国公認会計士を含む）または監査法人にその株式会社およびその子会社が支払うべき金銭その他の財産上の利益の合計額を記載すべきこととされている（本号イ）。これは，平成18年改正前商法施行規則105条1項2号を踏襲したもので，会計監査人としての

監査報酬のみならず，コンサルティングなどのいわゆる非監査サービスに対する報酬も含む。もっとも，「当該事業年度に係る連結損益計算書に計上すべきものに限る」とされているため，非連結子会社が株式会社の会計監査人に支払うべき金銭その他の財産上の利益の合計額は含まれない。株式会社が支払うべき会計監査人としての報酬その他の職務遂行の対価である財産上の利益の額の開示（2号）は，株式会社の会計監査人の独立性および監査の実効性確保の点から基本的なものと考えられるが，子会社からの収入に会計監査人が大きく依存するような場合や企業集団全体にコンサルティングサービスなどを提供する場合を考慮すると，連結ベースでの開示が必要と考えられるため，大会社については，本号イのような開示が要求されている。

なお，平成18年改正前商法施行規則105条1項2号は，監査報酬と非監査サービス報酬とのバランスが適切かどうかを判断させるため，連結特例規定適用会社およびその連結対象子法人等が連結特例規定適用会社の会計監査人に公認会計士法2条1項の業務の対価として支払うべき金額の合計額も記載しなければならないものとしていたが，本号では，このような記載は要求されていない。このような情報の有用性が乏しいと判断したのであろうが，そのような開示を求めることによる負担は必ずしも大きくはないことを考えると，立法論としては理解に苦しむ面がないわけではない。

また，株式会社の会計監査人以外の公認会計士または監査法人（外国におけるこれらの資格に相当する資格を有する者を含む）がその株式会社の子会社（重要なものに限る）の計算関係書類（これに相当するものを含む）の監査（会社法または金融商品取引法（これらの法律に相当する外国の法令を含む）の規定によるものに限る）をしているときは，その事実を記載すべきこととしている（本号ロ）。これは，子会社には外国会社などが含まれるため，その株式会社の会計監査人である公認会計士（外国公認会計士）または監査法人以外の職業専門家である者が法定監査を行っていることが一般的なので，その事実を記載させようというものである。しかし，「その事実」の記載とされており，かりに，たとえば，「当社の会計監査人以外の監査法人（外国におけるこれらの資格に相当する資格を有する者を含む）が当社の子会社の計算関係書類（これに相当するものを含む）の監査を行っております」というだけの記載がされるとしたら，情報としての価値はほとんどないのではないかとも思われる。子会社の名称，当該監査人の氏名または名称の記載および根拠法令の記載が必要であるという解釈も可能であるが，もし，そのような趣旨であれば，立法論としては明示的に

要求すべきであったのではないかと考えられる。

12 辞任した会計監査人または解任された会計監査人（株主総会の決議によって解任されたものを除く）があるときは，一定の事項（当該事業年度前の事業年度に係る事業報告の内容としたものを除く）（9号）

　辞任した会計参与または解任された会計参与があるときの記載事項を定める121条7号とパラレルな規定である。

　これは，会計監査人が辞任し，または解任されるということは例外的なこと，異常なことであるので，辞任または解任の事実と会計監査人がその解任について意見を述べたときにはその意見，その辞任について理由を述べたときはその理由を事業報告に記載させることによって，株主等の注意を喚起しようとするものである。

　平成18年改正前商法施行規則の下では株主総会参考書類の記載事項とされていたが，書面または電磁的方法による議決権行使を認めない会社では株主総会参考書類は株主に提供されないこともあり，事業報告の記載事項とされた。

　「当該会計監査人の氏名又は名称」の記載が要求されるのは，誰が辞任し，または解任されたかは重要な情報だからである。また，辞任または解任の事実と会計監査人がその解任について意見を述べたときにはその意見，その辞任について理由を述べたときはその理由を記載すべきものとされているのは，解任された者はその解任が正当なものであるととらえているのか，辞任した理由はどのようなものなのかが，株主や会社債権者にとって重要な情報となりうるからである。また，監査役，監査役会，監査等委員会または監査委員会が会計監査人を解任できるのはきわめて例外的なので（職務上の義務に違反し，または職務を怠ったとき，会計監査人としてふさわしくない非行があったとき，心身の故障のため，職務の執行に支障があり，またはこれに堪えないときに限られている），解任の理由の記載が要求されている。

　「意見があるとき」または「理由があるとき」とされているのは，当該意見または理由が当該事業年度中の株主総会において述べられた場合と次の株主総会において述べられる予定であることが当該年度中に判明した場合の両方を含むことを明らかにするためである（大野ほか・商事法務1862号21頁参照）。

　そして，ある事業年度に係る事業報告に，次の株主総会において述べられる予定である意見または理由が記載され，かつ，その後に開催された株主総会において現に述べられた意見または理由が，当該株主総会の事業報告に提出また

は提供された事業報告に記載されていた意見または理由と同一のものであったときには、同じ内容を翌事業年度に係る事業報告に再び記載する必要はないから、「当該事業年度前の事業年度に係る事業報告の内容としたものを除く」とされている。

なお、「株主総会の決議によって解任されたものを除く」とされているのは、これらの者は、株主総会または種類株主総会において意見を述べることができたはずであるし（法345条1項・5項）、株主総会参考書類にはその意見が記載されたはずなので（81条3号）、重複して情報を提供する必要がないからである。

13　剰余金の配当等を取締役会が定めることができる旨の定款の定め（法459条1項の規定による定款の定め）があるときは、その定款の定めにより取締役会に与えられた権限の行使に関する方針（10号）

　法459条1項は、監査等委員会設置会社、指名委員会等設置会社および取締役の任期の末日が選任後1年以内に終了する事業年度のうち最終のものに関する定時株主総会の終結の日以前の日である会計監査人設置会社であって監査役会設置会社であるものは、自己株式の取得に関する事項（特定の株主から取得する場合を除く）、欠損の填補のための準備金の額の減少、損失の処理、任意積立金の積立てその他の剰余金の処分（剰余金の減少を伴う資本金または準備金の額の増加、剰余金の配当その他株式会社の財産を処分するものを除く）に関する事項、および、剰余金の配当に関する事項（配当財産が金銭以外の財産であり、かつ、株主に対して金銭分配請求権を与えないこととする場合を除く）を取締役会が定めることができる旨を定款で定めることが可能であるとしている。また、法460条1項は、さらに進んで、株式会社は、これらの事項を株主総会の決議によっては定めない旨を定款で定めることもできるものとしている。

　このような場合には、株主総会から剰余金の配当等に関する事項の決定権限を奪うことになるので、取締役が適切に剰余金の配当等に関する事項の決定を行ったかを株主が判断し、その結果、現在の取締役を再任するかどうかを決定するにあたって重要であると考えられる事項を開示させるため、本号の定めが置かれている。平成18年改正前商法施行規則141条は、平成17年廃止前商法特例法21条の31第1項の委任に基づき、委員会等設置会社において、貸借対照表、損益計算書および利益処分（損失処理）案が取締役会の承認を受けて確定した場合に、(a)利益の処分または損失の処理に関する中長期的な方針（平成18

年改正前商法施行規則141条1号)，(b)(a)の方針を変更したときは，その内容および理由（同条2号），(c)売上高または経常利益その他の利益もしくは損失が著しく増減したときは，その原因（同条3号），(d)その他委員会等設置会社の財産または損益の状態に重要な影響を及ぼす事実があるときは，その内容および原因（同条4号）を取締役は株主総会で報告しなければならないものと定めていたが，このうちで，(a)および(b)に相当する事項の記載を本号では要求している。

すなわち，法459条1項および460条1項は，剰余金あるいは会社財産を会社内部に留保することによって将来の事業活動のために用いるのか，それとも株主に還元するのかという判断にあたっては，会社の事業活動についての将来の計画と見通し，それに関する資金需要の予測が必要であり，それは業務執行の性質を有するということもできることに鑑みた規定である。このような権限を与えられた取締役会に対し，その権限を適切に行使するインセンティブを与え，また，その権限が適切に行使されることを株主が期待するためには権限の行使の方針が示されていることが望ましいと考えられる。そこで，内部留保と株主に対する分配に関する方針，また，株主に対する分配については自己株式の取得と剰余金の配当とをどのように使い分けるのかについての方針，さらに，諸積立金・任意準備金の設定・積立て・取崩しの方針などを記載することを要求している。これによって，株主としては，取締役がそのような方針に基づいて，法459条1項（および法460条1項）の権限を行使しているかどうか，場あたり的に権限を行使していないかどうかを確かめることになる。また，示された方針に不満がある場合には，取締役を再任しないなどの行動にでることも考えられる。

なお，平成18年改正前商法施行規則141条3号に相当する事項は，施規118条1号あるいは120条1項4号に基づいて事業報告において開示され，平成18年改正前商法施行規則141条4号に相当する事項の一部は継続企業の前提に関する注記（計規98条1項1号・100条）として個別注記表の内容とされる。

第127条 （平成21年法務省令第7号により削除）

第5目　事業報告の附属明細書の内容

> **第128条**　事業報告の附属明細書は，事業報告の内容を補足する重要な事項をその内容とするものでなければならない。
> 2　株式会社が当該事業年度の末日において公開会社であるときは，他の法人等の業務執行取締役，執行役，業務を執行する社員又は法第598条第1項の職務を行うべき者その他これに類する者を兼ねることが第128条第8号の重要な兼職に該当する会社役員（会計参与を除く。）についての当該兼職の状況の明細（重要でないものを除く。）を事業報告の附属明細書の内容としなければならない。この場合において，当該他の法人等の事業が当該株式会社の事業と同一の部類のものであるときは，その旨を付記しなければならない。
> 3　当該株式会社とその親会社等との間の取引（当該株式会社と第三者との間の取引で当該株式会社とその親会社等との間の利益が相反するものを含む。）であって，当該株式会社の当該事業年度に係る個別注記表において会社計算規則第112条第1項に規定する注記を要するもの（同項ただし書の規定により同項第4号から第6号まで及び第8号に掲げる事項を省略するものに限る。）があるときは，当該取引に係る第118条第5号イからハまでに掲げる事項を事業報告の附属明細書の内容としなければならない。

　本条は，すべての株式会社がその事業報告の附属明細書の内容としなければならない事項およびその事業年度の末日において公開会社である株式会社が特にその事業報告の附属明細書の内容としなければならない事項を定めるものである。

1　すべての株式会社がその事業報告の附属明細書の内容としなければならない事項（1項）

　事業報告の内容を補足する重要な事項は，事業報告の附属明細書の内容としなければならない。このように簡略な規定振りとされているのは，「特に公開会社以外の株式会社については，その多くが現実には附属明細書を作成していないという状態にある……といわれていることにかんがみ」たものであると説明されている（相澤＝郡谷・商事法務1763号18頁）。規制が遵守されていないから，規律を設けないというのは，説得力に欠ける理由であるが，善解するなら

ば，公開会社以外の会社においては，附属明細書を作成する資源が乏しく，また，株主総会における取締役等の説明義務の履行を通じて，公開会社の附属明細書に記載されるような情報を得ることができると期待されるからであろう（この点からも，附属明細書の記載事項が説明義務の範囲を画するという見解が不適切であることは明らかであろう［→71条］）。また，公開会社以外の会社には，さまざまな会社があり，一律に記載事項を定めることは必ずしも適切ではないということができるかもしれない。

2 その事業年度の末日において公開会社である株式会社が特にその事業報告の附属明細書の内容としなければならない事項

附属明細書は株主に直接提供されるものではなく，現実にも閲覧等されることは多くないといわれているにもかかわらず，その作成の事務負担は大きいという指摘があることから（相澤＝郡谷・商事法務1763号18頁），平成18年改正前商法施行規則の下では附属明細書の記載事項とされていた事項を，会社法施行規則では事業報告等の記載事項とし，または，会社が作成すべき書類の必要的記載事項には含めないものとしている。

(1) 他の法人等の業務執行取締役，執行役，業務を執行する社員または持分会社の業務執行社員が法人である場合の職務執行者等を兼ねる会社役員（会計参与を除く）についての兼務の状況の明細（当該他の法人等の事業が当該株式会社の事業と同一の部類のものであるときは，その付記）（2項）

取締役，執行役または監査役は，監査役の兼任禁止（法335条2項）に触れないかぎり，他の法人等（法人その他の団体。2条3項1号）の業務執行取締役，執行役，業務を執行する社員または持分会社の業務執行社員が法人である場合の職務執行者を兼ねることを会社法は禁止していない。しかし，兼務の状況次第では，取締役，執行役または監査役としての職務の遂行に支障をきたすおそれがあり，また，競業取引（法356条1項1号）や利益相反取引（同項2号）の問題が生ずる可能性があるので，兼務の状況を開示させるものである。また，取締役，執行役または監査役の兼務状況の記載は企業結合等の状況に関する情報ともなりうる。

すなわち，事業報告には，当該事業年度に係る当該株式会社の会社役員（会計参与を除く）の重要な兼職の状況（121条8号）の記載がなされるが，取締役，執行役および監査役の兼務の状況の明細を附属明細書において開示させる

ことは，このような事業報告の記載を補足する点で意義を有する。なお，取締役・監査役の選任議案の場合には，候補者が当該株式会社の取締役，監査等委員である取締役または監査役に就任した場合において121条8号に定める重要な兼職に該当する事実があることとなるときは，その事実，会社との間に特別の利害関係があるときはその事実の概要を株主総会参考書類に記載しなければならないものとされている（74条2項2号・3号・74条の3第1項2号・2項2号・76条1項2号・2項2号）。

　本項に基づく記載としては，各取締役，各執行役，各監査役ごとに，兼務先の法人等およびその法人等における役職を記載することになろう。兼務先法人等の事業が会社の事業と同一の部類のものであるときは，競業（法356条1項1号参照）との関連で問題が生ずるので，その旨を含むものとされている。監査役については法356条の適用はないし，取締役について同条1項1号の適用がない場合であっても，株式会社の取締役または監査役が競業取引を行っている法人等の業務執行取締役，執行役，業務を執行する社員または持分会社の業務執行社員が法人である場合の職務執行者となることによって株式会社の利益を害する可能性もあるので，兼務先法人等の事業が会社の事業と同一の部類のものである場合にはその旨を付記させ，利害関係人の注意を喚起している。

　なお，附属明細書の記載が複雑あるいは大量になることを防止し，明瞭性を確保するため，重要でない場合には記載を要しないものとされている。ここでの重要性は，兼務先法人等の重要性（たとえば，取引上の重要性），兼務先法人等での職務の重要性，兼務先法人等の職務に費やす時間などを勘案して判断することになるが，兼務先法人等の事業が会社の事業と同一の部類のものであるときは原則として重要であり，記載を要するものと考えるべきである。

　平成18年改正前商法施行規則108条1項5号・2項を実質的に踏襲したものであるが，他の法人等の支配人を兼ねるときの兼務の状況の明細の記載は要求されていない。これは，支配人を兼ねることはまれであるという認識に基づくものであると推測される。また，他の法人等の「無限責任社員」ではなく，他の法人等の「業務を執行する社員」または「持分会社の業務執行社員が法人である場合の職務執行者」を兼ねるときの兼務の状況の明細の記載が要求されているのは，兼務の状況が問題となるのは，その者が兼務によって精力を分散する場合だからである。

　なお，この開示は，121条8号による開示事項についてその明細を示すものであるから，同号による開示と同様，会社役員のうち，直前の定時株主総会の

終結の日の翌日以降に在任していた者についてすれば足りるものとされている（同条1号かっこ書）。直前の定時株主総会の終結に伴い，もはや会社役員でなくなった者の兼職の状況を開示することに意義は認められないし，会社としても把握するために不要な手間を要することになるからである。

(2) 個別注記表および計算書類の附属明細書で開示されている親会社等との取引に関する一定の事項（3項）

　株式会社とその親会社等との間の取引や株式会社と第三者との間の取引であって株式会社とその親会社等との間の利益が相反するもの（間接取引）は，株式会社に不利益を及ぼすおそれが類型的に存在する（親会社等との間でなければそのような取引がなされない，または，そのような取引条件では取引がなされないような非通例的な取引がなされるおそれがある）。そこで，平成27年改正前から，会社計算規則においては，計算書類の内容を的確に理解するための情報を提供するという観点もさることながら，取引条件等の適正を確保し，株式会社の利益を保護する（開示されることを前提として取引に関する意思決定がなされれば適正な取引条件等を設定するというインセンティブが生じる，また，注記されれば，監査役等による監査および取締役会における監督において意識され，注意が払われやすくなる）という観点から，このような取引を含む関連当事者との取引のうち重要なものについて，取引の内容等を個別注記表の内容とすることが求められてきたが，会計監査人設置会社以外の会社では一部を計算書類の附属明細書に記載することで足りるものとされている（計規112条1項ただし書）。

　本項は，118条5号とパラレルに，関連当事者との取引のうち，事業報告を作成する会社とその親会社等（法2条4号の2，施規3条の2）との間の取引（当該株式会社と第三者との間の取引で当該株式会社とその親会社等との間の利益が相反するものを含む）であって，当該株式会社の当該事業年度に係る個別注記表および計算書類の附属明細書において関連当事者との取引に関する注記を要するものについて，一定の事項を，事業報告の附属明細書の内容とすることを求めている。すなわち，関連当事者との取引に関する注記事項のうち，取引の内容，取引の種類別の取引金額，取引条件および取引条件の決定方針，ならびに，取引条件の変更があったときは，その旨等を個別注記表に記載するのではなく，計算書類の附属明細書に記載した（会計監査人設置会社ではない）公開会社は，(a)個別注記表および計算書類の附属明細書において開示が要求される親会社等との取引をするにあたり当該株式会社の利益を害さないように留意した

事項（当該事項がない場合には，その旨），(b)当該取引が当該株式会社の利益を害さないかどうかについての当該株式会社の取締役（取締役会設置会社では，取締役会）の判断およびその理由，ならびに，(c)社外取締役を置く株式会社において，(d)の取締役（取締役会設置会社では，取締役会）の判断が社外取締役の意見と異なる場合には，社外取締役の意見を事業報告の附属明細書の内容としなければならないものとされている［詳細については，→118条5］。

第3款　事業報告等の監査

(監査役の監査報告の内容)

第129条　監査役は，事業報告及びその附属明細書を受領したときは，次に掲げる事項（監査役会設置会社の監査役の監査報告にあっては，第1号から第6号までに掲げる事項）を内容とする監査報告を作成しなければならない。

　一　監査役の監査（計算関係書類に係るものを除く。以下この款において同じ。）の方法及びその内容

　二　事業報告及びその附属明細書が法令又は定款に従い当該株式会社の状況を正しく示しているかどうかについての意見

　三　当該株式会社の取締役（当該事業年度中に当該株式会社が指名委員会等設置会社であった場合にあっては，執行役を含む。）の職務の遂行に関し，不正の行為又は法令若しくは定款に違反する重大な事実があったときは，その事実

　四　監査のため必要な調査ができなかったときは，その旨及びその理由

　五　第118条第2号に掲げる事項（監査の範囲に属さないものを除く。）がある場合において，当該事項の内容が相当でないと認めるときは，その旨及びその理由

　六　第118条第3号若しくは第5号に規定する事項が事業報告の内容となっているとき又は前条第3項に規定する事項が事業報告の附属明細書の内容となっているときは，当該事項についての意見

　七　監査報告を作成した日

2　前項の規定にかかわらず，監査役の監査の範囲を会計に関するものに限定する旨の定款の定めがある株式会社の監査役は，前項各号に掲げる事項に代えて，事業報告を監査する権限がないことを明らかにした監査報告を作成しなければならない。

本条は，事業報告およびその附属明細書に関する監査役の監査報告の内容とすべき事項を定めるものである。

1 監査役設置会社または監査役会設置会社における事業報告およびその附属明細書に関する監査役の監査報告の内容とすべき事項（1項）

(1) 監査役の監査（計算関係書類に係るものを除く）の方法およびその内容（1号）

平成17年改正前商法281条ノ3第2項と異なり，監査の方法の概要では足りず，「方法及びその内容」を含めなければならない。監査役の監査については，一般的な基準が存在しないため，その監査の方法は会社によって異なり，その結果，その監査の方法およびその内容は，監査報告を利用する者が，監査の信頼性を正確に判断することができるように，ある程度具体的に記載する必要があると考えられる。

監査の方法とは，どのような手法によったかということであり，取締役会その他の重要な会議への出席，経理担当取締役あるいは経理部長からの報告の聴取，経理担当取締役あるいは経理部長に対する質問，重要な決裁書類等の閲覧，主要な事業所への往査などがこれにあたると思われる。また，子会社の業務および財産の状況の調査も監査の方法の1つである（相澤＝和久・商事法務1766号64頁参照）。さらに，監査役会が導入された趣旨の1つは組織的監査の実現にあるから，監査役が複数存在する場合の各監査役の職務分担の定めなどは——そのような定めをしている場合には——監査の方法として記載すべきであろう。

他方，監査の内容には，監査のスケジュール，監査の方法をどのように適用したか（たとえば，どの（およびどれだけの）事業所・工場あるいは子会社等へ往査したか）が含まれる（どのような方針で往査先を選定しているのか，ローテーションなのか重要性に注目しているのかなども重要である）。また，どのようなポイント（たとえば，内部統制，取締役の競業取引・利益相反取引，会社が無償でした財産上の利益の供与，関連当事者との間の取引など）に重点を置いて監査を行ったのかも含まれると考えられる。さらに，公認会計士の資格を有する者などを補助者として用いている場合にはそれも監査の内容に含まれよう。

監査役が複数存在する場合において，監査の重点を分担しているときなどは，監査役ごとに，監査の方法および内容が異なることが自然であることにも留意しなければならないであろう。

(2) 事業報告およびその附属明細書が法令または定款に従いその株式会社の状況を正しく示しているかどうかについての意見（2号）

「法令又は定款に従い」と規定されていることからは、監査役としては、事業報告書およびその附属明細書に法令および定款で要求されている記載事項がすべて記載されているかどうか、および、その記載事項が事実と合致しているかどうかを監査し、意見を述べなければならないと考えられる（稲葉・昭和56改正334頁）。そして、119条以下で具体的に列挙されている事項のみならず、「当該株式会社の状況に関する重要な事項」（118条1号）、「前各号に掲げるもののほか、当該株式会社の現況に関する重要な事項」（120条1項9号）、「前各号に掲げるもののほか、株式会社の会社役員に関する重要な事項」（121条11号）、「前2号に掲げるもののほか、株式会社の株式に関する重要な事項」（122条1項3号）、および、「前2号に掲げるもののほか、当該株式会社の新株予約権等に関する重要な事項」（123条3号）をも記載しなければ、「法令」に従っているとはいえないし、「その株式会社の状況を正しく示していない」ということになろう。

具体的に記載事項として定められていない事項を記載するか否かについては、取締役に広範な裁量権が与えられるから、記載しないという判断やどの程度記載するかという判断が、経営判断の枠を逸脱していると認めるときにのみ、監査役は適正ではない旨を報告すべきであるという見解も有力であるが（鴻ほか・計算104頁〔稲葉〕、新注会(8)61頁〔片木〕）、このような解釈には無理がある。まず、何を記載すべきかは経営判断の問題ではなく、法令の解釈の問題であるから、監査役の監査権限は適法性にのみ及ぶという見解によったとしても、監査役の監査の対象に含まれる事項である。また、かりに、経営判断の問題であると解しても、「事業報告及びその附属明細書が……その株式会社の状況を正しく示しているかどうか」は監査役が判断すべき事項であり、本号のような規定がある以上、少なくともその限度においては、監査役の監査権限が適法性についてのみ及ぶと解するか否かにかかわらず、監査役は、自己の見識に基づき、自由に――すなわち、取締役の判断を尊重しなければならないという要請はない――意見を述べることができると解さざるをえない。

なお、会社法の下では、計算書類およびその附属明細書の監査と事業報告およびその附属明細書の監査とを分けて規定しているため、事業報告と計算書類との首尾一貫性について（たとえば、ドイツ、フランス、イギリスなどでは、商法・会社法上、監査役・監査人の監査報告において、取締役報告書・状況報告書と

計算書類との首尾一貫性について意見を述べることが要求されている。弥永・会計監査人論223頁以下参照)，監査の範囲外であると解されるおそれがあるが，事業報告と計算書類との首尾一貫性が欠けている場合には，そのような首尾一貫性は黙示的に会社法・会社計算規則・会社法施行規則において要求されていると解して,「法令」に従っていないという意見を監査役は表明すべきであろう。

(3) その株式会社の取締役（その事業年度中にその株式会社が指名委員会等設置会社であった場合には，執行役を含む）の職務の遂行に関し，不正の行為または法令もしくは定款に違反する重大な事実があったときは，その事実（3号）

監査役の業務監査が適法性監査に限定されるか否かについては議論があるが（新注会(6)443〜445頁［竹内］参照），かりに，監査役の権限は適法性監査に限られるという立場によったとしても，取締役の職務の遂行に関し，不正の行為または法令もしくは定款に違反する重大な事実があったときは，取締役に善管注意義務違反があり，適法性の問題に帰着するので，本号に基づく記載を監査役が行うことができることには異論がない。「重大な事実」であるかどうかは，質的，量的に判断され，取締役の違法行為が計算書類の数値あるいは会社の将来の財産および損益の状況に重要な影響を与える場合にはもちろんのこと，そうではなくとも，違法行為の性質が重大である場合，とりわけ，取締役の解任事由あるいは解任の訴えにおける請求認容事由との関連で重要な場合には「重大」であるということができる。そして，違法行為が後に治癒された場合であっても記載を要する（大隅＝今井・中369頁，新注会(8)63頁［片木］）。

なお，平成18年改正前商法施行規則133条は，大会社の監査役会の監査報告書には，競業取引・利益相反取引，会社が無償でした財産上の利益の供与（反対給付が著しく少ない財産上の利益の供与を含む），会社がした子会社または株主との通例的でない取引および自己株式の取得および処分または株式失効の手続につき取締役の義務違反があるときは，その事実に関する記載は，各別にしなければならないものと定めていたが，会社法の下では，そのような要求はなされていない。これは，それらの行為のみが監査対象となるような誤解を与えるおそれがあること，取締役の違法行為としてはこれら以外の行為もあるが，そのような行為も同様の重要性が認められうること，および，監査において重点を置くべき事項は各会社において異なりうることなどに基づくものであると説明されている（相澤＝郡谷・商事法務1763号19頁）。

「当該事業年度中に当該株式会社が指名委員会等設置会社であった場合にあ

っては，執行役を含む」とされているのは，事業年度の末日においては監査役設置会社であるが，年度中に指名委員会等設置会社であった場合には，執行役の職務の遂行に関し，不正の行為または法令もしくは定款に違反する重大な事実があったときは，その事実を記載させない理由はないからである。

(4) 監査のため必要な調査ができなかったときは，その旨およびその理由（4号）

　平成17年改正前商法281条ノ3第2項12号および平成17年廃止前商法特例法13条2項と同趣旨の記載事項である。このような記載をさせるのは，監査報告を閲覧等する株主・会社債権者に監査報告の信頼性と限界について注意を喚起するためのものであるが，副次的に，監査に対する会社または子会社の取締役・使用人等の協力を動機づけることができる可能性がある。必要な調査ができない場合としては，監査に対する会社または子会社の取締役・使用人等の非協力，災害や事故の発生，後発事象の調査が時間的に不可能な場合などがあげられる（新注会(8)64頁［片木］参照）。そして，必要な調査ができなかった程度によっては，監査役は監査意見の表明をすることができない場合もあり，無責任な意見表明を強制するのは不適当なので，「事業報告およびその附属明細書が法令または定款に従いその株式会社の状況を正しく示しているかどうかについての意見を表明しない」という選択も監査役には許されると考えられる（酒巻・企業会計33巻9号1494頁，新注会(6)599頁［龍田］など参照）。

(5) 内部統制システム等の整備に関する取締役の決定または取締役会の決定（監査の範囲に属さないものを除く）がある場合において，その事項の内容が相当でないと認めるときは，その旨およびその理由（5号）

　監査役は，内部統制システム等の整備に関する取締役の決定または取締役会の決定が適切に事業報告に記載されているかという点と，取締役または取締役会によって決定された内部統制システム等の整備に関する事項がその株式会社における業務の適正を確保するために相当であるかという点について，判断をしなければならない。すなわち，その株式会社の業務の内容，規模その他その株式会社の具体的状況に照らして業務の適正を確保することができるような体制に関する事項が決定されているかに留意しなければならない。なお，6号と異なり，「事業報告の内容となっているとき」とは規定されておらず，「第118条第2号に掲げる事項……がある場合」と規定されているので，事業報告の内

容とされていない事項についても相当性の判断の対象となり，事業報告の内容とすべき事項が事業報告の内容とされていない場合には，その点で，相当ではないと認めることになろう。

　また，決定された事項を実現するという観点から，内部統制システム等が適切に運用されているかどうかについて本号に基づいて相当性の判断をし，相当でないと認めるときは，その旨およびその理由を記載すべきであると立案担当者は指摘する（相澤＝郡谷・商事法務1763号19頁）。しかし，本号では，「当該事項の内容」と規定しており，この文言からは事項の運用は含まれないと解するのが自然であろう。もっとも，運用が不適切な場合には，取締役または取締役会としては，あらためて，適切な決定をすべきであり，したがって，適切な決定を行わないことにより，「当該事項の内容」が相当ではないという判断をすることになると説明することになるのではないかと思われる。

　「監査の範囲に属さないものを除く」とされているのは，内部統制システム等として定められる内容の範囲について特に制限が設けられていないことから「念のため明らかにしているものである」と説明されている（相澤＝郡谷・商事法務1763号19頁）。なお，「取締役の職務の執行が効率的に行われることを確保するための体制」（98条1項3号・100条1項3号）が監査役の監査の対象となるかという問題があるが，効率性の確保と業務の適正性の確保とは密接に関連しており，かりに，監査役の監査の範囲は適法性監査に限られるという見解によった場合でも，「取締役の職務の執行が効率的に行われることを確保するための体制」は監査役の監査の対象とはならないと解することは適当ではない。「取締役の職務の執行が効率的に行われることを確保するための体制」が整備されていないことは，善管注意義務に違反するものと考えられるからである（相澤＝郡谷・商事法務1763号19頁）。ここで，「取締役の職務の執行が効率的に行われることを確保するための体制」が整備されているかということと，現実に取締役の職務の執行が効率的に行われているかという個別的な問題とは，分けて考えるべきであり，後者が監査役の監査の対象外であると解しても，そのことが前者が対象外であるということには必ずしもならない。

(6)　株式会社の支配に関する基本方針およびそれに基づく具体的取組みなどが事業報告の内容となっているときは，その事項についての意見（6号）

　118条3号は，株式会社がその株式会社の財務および事業の方針の決定を支配する者のあり方に関する基本方針を定めている場合には，基本方針の内容，

ならびに，その株式会社の財産の有効な活用，適切な企業集団の形成その他の基本方針の実現に資する特別な取組みまたは基本方針に照らして不適切な者によってその株式会社の財務および事業の方針の決定が支配されることを防止するための取組み（いわゆる買収防衛策）の具体的な内容を事業報告の内容としなければならないものとすると同時に，そのような取組みが基本方針に沿うものであること，その株式会社の株主の共同の利益を損なうものではないこと，および，その株式会社の会社役員の地位の維持を目的とするものではないことに関して，その株式会社の取締役（取締役会設置会社では，取締役会）の判断およびその判断に係る理由を事業報告に含めるべきものとしている。しかし，株式会社の支配に関する基本方針およびそれに基づく具体的取組みを定めたものである，その株式会社の取締役（取締役会設置会社では，取締役会）の判断は，いわば一方的なものであり，そのような判断が適切であるか，その判断に係る理由が説得的か，裏づけのあるものであるかについては必ずしも明らかではない。

　そこで，本号では，その株式会社が定めた株式会社の支配に関する基本方針およびそれに基づく具体的取組みについての監査役の意見やそのような取組みが基本方針に沿うものであること，その株式会社の株主の共同の利益を損なうものではないこと，および，その株式会社の会社役員の地位の維持を目的とするものではないことに関して，その株式会社の取締役（取締役会設置会社では，取締役会）が示した判断およびその判断に係る理由についての監査役の意見を表明させることによって，株主等がその株式会社が定めた株式会社の支配に関する基本方針およびそれに基づく具体的取組みの相当性を判断するための情報を提供させようとしている。監査役は取締役（取締役会設置会社では取締役会）に比べれば，第三者的な立場で意見を形成できるし，また，株式会社の内部にいるため，相当の判断材料や経験・知識を有していると期待できることから，取締役（取締役会設置会社では取締役会）の判断およびその判断に係る理由の相当性について意見を述べる適任者であると考えられるからである。さらに，このように監査役の意見が表明されることになれば，取締役（取締役会設置会社では取締役会）としては，株式会社の支配に関する基本方針およびそれに基づく具体的取組みの内容を適切に定めるのみならず，それを事業報告において適切に開示するインセンティブが与えられるし，取締役（取締役会設置会社では取締役会）の判断およびその判断に係る理由についても，説得力を有するような判断と理由を示すという動機づけが与えられると期待される。

同様に，118条5号または128条3項に基づき，親会社等との取引に関する一定の事項の開示が事業報告またはその附属明細書の内容となっているときは，当該開示事項についての意見を監査役の監査報告の内容としなければならない。これは，親会社等との取引について，監査役は取締役の職務の執行を監査することを任務とすること（法381条1項）から，監査役の意見を監査報告の内容とすることによって，当該取引の取引条件等の適正を確保し，ひいては，当該株式会社の利益を保護しようとするものである。監査役の意見が記載されるということになれば，親会社等との取引の取引条件を適切に定め，事業報告において適切に開示するインセンティブが取締役に与えられるし，取締役（取締役会設置会社では取締役会）の判断およびその判断に係る理由についても，説得力を有するような判断と理由を示すという動機づけが与えられると期待される。監査役の意見には，事業報告またはその附属明細書における開示の適正さ（取締役（会）の判断およびその理由ならびに社外取締役の意見が取締役（会）の意見と異なる場合における当該社外取締役の意見が正確かつ明瞭に記載されていること）についての意見のみならず，取締役（会）の判断の理由の合理性や親会社等との取引の取引条件等の妥当性などについての意見も含まれる。

(7) 監査報告を作成した日（7号）

監査報告の内容を通知すべき日までに通知しないときは監査役の監査を受けたものとみなされることとの関係で（132条3項），本号では，監査役会設置会社以外の会社における監査役の監査報告には監査報告の作成日を含めなければならないとされている。もっとも，監査報告を作成した日を記載することによって，その後に発生したいわゆる後発事象は監査役の意見形成に反映されていないこと，また，監査報告に追記事項として含めることができなかったことを示すことができる。

監査役会設置会社の監査役の監査報告に「監査報告を作成した日」を含めることを要しないものとされているのは，みなし監査規定（132条3項）との関係では，監査役会監査報告が基準となり（同条1項），監査役会監査報告に「監査役会監査報告を作成した日」を含めることが要求されているからである（130条2項3号）。

監査報告書

　私は，〇〇株式会社の令和××年×月×日から令和××年×月×日までの第××期事業年度に係る事業報告及びその附属明細書の監査を行いましたので，以下のとおり報告いたします。

１．監査の方法及び内容
　私は，取締役会その他の重要な会議に出席するほか，取締役等から事業の報告を聴取し，重要な決裁書類等を閲覧し，本社及び主要な事業所（東京支店・大阪支店）において業務及び財産の状況を調査し，３つの子会社（Ａ，Ｂ，Ｃ）より事業の報告を求め，Ａ会社の本店及び主要な工場（大分工場，札幌工場）を訪問し，質問等を行いました。

２．監査の結果
　第××期事業年度に係る事業報告及びその附属明細書は，法令及び定款に従い〇〇株式会社の状況を正しく示していると認めます。

　　　　　　　　　　　　　　　　　　　　　令和××年×月×日
　　　　　　　　　　　　　　　　　　　　　〇〇株式会社
　　　　　　　　　　　　　　　　　監査役　　　　〇〇〇〇

2　監査役の監査の範囲を会計に関するものに限定する旨の定款の定めがある株式会社における事業報告およびその附属明細書に関する監査役の監査報告の内容とすべき事項（2項）

　本項は，監査役の監査の範囲を会計に関するものに限定する旨の定款の定めがある株式会社においては，監査役は事業報告およびその附属明細書を監査する権限を有しないと解することが適当なので，監査報告では，事業報告を監査する権限がないことを明らかにすれば足りる（「監査役は事業報告を監査する権限を有しない」と記載すれば十分である）ことを明らかにするものである。

―（監査役会の監査報告の内容等）――――――――――――――――
第130条　監査役会は，前条第１項の規定により監査役が作成した監査報告（以

下この条において「監査役監査報告」という。）に基づき，監査役会の監査報告（以下この条において「監査役会監査報告」という。）を作成しなければならない。
2　監査役会監査報告は，次に掲げる事項を内容とするものでなければならない。この場合において，監査役は，当該事項に係る監査役会監査報告の内容と当該事項に係る当該監査役の監査役監査報告の内容が異なる場合には，当該事項に係る監査役監査報告の内容を監査役会監査報告に付記することができる。
　一　監査役及び監査役会の監査の方法及びその内容
　二　前条第1項第2号から第6号までに掲げる事項
　三　監査役会監査報告を作成した日
3　監査役会が監査役会監査報告を作成する場合には，監査役会は，1回以上，会議を開催する方法又は情報の送受信により同時に意見の交換をすることができる方法により，監査役会監査報告の内容（前項後段の規定による付記の内容を除く。）を審議しなければならない。

　本条は，事業報告およびその附属明細書に関する監査役会の監査報告の内容とすべき事項を定めるものである。

1　事業報告およびその附属明細書に関する監査役の監査報告と監査役会の監査報告との関係（1項）

　本項は，監査役会の監査報告は，各監査役の監査報告に基づいて作成すべきものとしている。これは，監査役の独任制を前提とすると，監査役会の主たる機能は，監査役相互の間において適切に情報を交換し，個々の監査役の監査結果を総合して適切な意見を形成することにあり，監査役会の監査報告は，各監査役の監査結果ないし監査意見を集約したものとしての性格を有するからである（新注会第2補巻90頁［森本］）。もっとも，「基づき」とされているから，監査役会の監査報告の内容は，各監査役の監査報告の内容と同一であることを要しない。また，監査役会における情報交換や討議の結果，各監査役の監査報告における多数意見以外の意見が，監査役会の監査報告において表明される意見となることもありうると考えられるが，そのような場合には，各監査役の監査報告における意見自体を変更することが適切であるとも考えられる（監査役会設置会社の各監査役の監査報告には監査報告の作成日の記載を要しないとされていることからは，各監査役の監査報告は暫定的な性質のものであると考えられるからである）。

なお，監査報告の内容をどのように書面または電磁的記録に表示すべきかは定められていないので，各監査役の監査報告と監査役会の監査報告とをそれぞれ別葉の書面等で行うことも，各監査役の監査報告および監査役会の監査報告を含む1通の監査報告書を作成することもできると考えられる。もっとも，1通の監査報告書を作成する場合であっても，2で述べるように，各監査役の監査の方法およびその内容が異なる可能性があるし，監査役会自体の監査の方法およびその内容は各監査役の監査の方法およびその内容とは異なると推測され，監査の方法およびその内容を併記することが必要であると考えられる。

監査報告書

　当監査役会は，令和××年×月×日から令和××年×月×日までの第××期事業年度に係る事業報告及びその附属明細書に係る各監査役の監査報告を受け，協議の上，本監査報告書を作成し，以下のとおり報告いたします。

1．監査役及び監査役会の監査の方法及び内容
　監査役会においては，本事業年度の監査にあたって，内部統制の整備状態及び○○に重点をおくこととし，監査役Aは○○，監査役Bは○○，監査役Cは××，監査役Dは××という業務の分担を定めました。
　各監査役は，監査役会において定めた監査の方針，業務の分担等に従い，取締役会その他の重要な会議に出席するほか，取締役等から事業の報告を聴取し，重要な決裁書類等を閲覧し，本社及び主要な事業所において業務及び財産の状況を調査し，必要に応じて子会社より会計の報告を求め，子会社の本店及び主要な工場を訪問し，質問等を行いました。また，必要に応じて，○○弁護士の助言を求めました。

2．監査の結果
(1)　第××期事業年度に係る事業報告及びその附属明細書は，法令及び定款に従い○○株式会社の状況を正しく示していると認めます。
(2)　第××期事業年度に係る事業報告に記載されている当社の財務および事業の方針の決定を支配する者の在り方に関する基本方針については，指摘すべき事項は認められません。また，これに基づく各取り組みは，

当該基本方針に沿ったものであり，当社の株主共同の利益を損なうものではなく，かつ，当社の会社役員の地位の維持を目的とするものではないと認めます。また，事業報告に記載されている当社と親会社との取引については，指摘すべき事項は認められません。

3．監査役○○○○の意見（異なる意見がある場合）

　　　　　　　　　　　　　　　　　　令和××年×月×日
　　　　　　　　　　　　　　　　　○○○○株式会社　監査役会
　　　　　　　　　　　　　　　　　　　監査役（常勤）　　A
　　　　　　　　　　　　　　　　　　　監査役（常勤）　　B
　　　　　　　　　　　　　　　　　　　監査役　　　　　　C
　　　　　　　　　　　　　　　　　　　監査役　　　　　　D

2　監査役会の監査報告の内容とすべき事項（2項）

　監査役会の監査報告の内容とすべき事項は監査役の監査報告の内容とすべき事項（129条）とパラレルに定められている。「前条第1項第2号から第6号までに掲げる事項」（2号），すなわち，①事業報告およびその附属明細書が法令または定款に従いその株式会社の状況を正しく示しているかどうかについての意見，②その株式会社の取締役（その事業年度中にその株式会社が指名委員会等設置会社であった場合には，執行役を含む）の職務の遂行に関し，不正の行為または法令もしくは定款に違反する重大な事実があったときは，その事実，③監査のため必要な調査ができなかったときは，その旨およびその理由，④内部統制システム等の整備に関する取締役の決定または取締役会の決定（監査の範囲に属さないものを除く）がある場合において，その事項の内容が相当でないと認めるときは，その旨およびその理由，ならびに，⑤株式会社の支配に関する基本方針およびそれに基づく具体的取組み（いわゆる買収防衛策）などおよび個別注記表または計算書類の附属明細書に記載すべき親会社等との取引に関する一定の事項が事業報告の内容となっているときは，その事項についての意見に関しては，3で述べるように，各監査役の監査役監査報告の内容の付記が可能であるとされていることから，各監査役の監査役監査報告の内容と一致するのが通常であると考えられる。これは，1項で，監査役が作成した監査報告に基づき，監査役会の監査報告を作成しなければならないとされていることの当

然の帰結である。

　また、「監査役及び監査役会の監査の方法及びその内容」（1号）とされているので、各監査役の監査の方法および内容（株主に提供されるのは監査役会の監査報告書なので（133条1項2号ロ）、共通する部分を除き、各監査役ごとに監査の方法、とりわけ、その内容を示す必要があろう）を各監査役の監査役監査報告に記載されたものと整合するように監査役会の監査報告の内容としなければならないほか［→1］、「監査役会の監査の方法及びその内容」も監査役会の監査報告の内容としなければならない。「監査役会の監査の方法及びその内容」としては、法390条2項3号に基づいて決定した事項、すなわち、監査役会が決定した監査の方針（業務分担など）、会社の財産の状況の調査の方法を記載するほか、監査役会全体として、たとえば、会社の代表取締役・業務執行取締役・会計監査人・従業員、企業集団内の他の会社の取締役・執行役・監査役・会計監査人などに対するインタビューや意見交換を行ったときは、それを記載することになろう。

　そして、監査役会設置会社においては、常勤監査役が1人以上置かれ、監査役の半数以上は社外監査役であるから、常勤監査役とそれ以外の監査役、社外監査役とそれ以外の監査役とでは、監査の方法および内容が異なるのが自然であると推測される（新注会第2補巻99頁［森本］参照）。

　なお、会社法の下では、計算書類およびその附属明細書の監査と事業報告およびその附属明細書の監査とを分けて規定しているため、事業報告と計算書類との首尾一貫性は会計監査人の監査の対象に含まれないが、事業報告と計算書類との首尾一貫性が欠けている場合には、そのような首尾一貫性は黙示的に会社法・会社計算規則・会社法施行規則において要求されていると解して、監査役会の監査報告においては、「法令」に従っていないという意見を表明すべきであろう。

3　各監査役の監査役監査報告の内容の付記（2項）

　これは、平成17年廃止前商法特例法14条3項柱書2文を踏襲した面を有するが、同法では、——少なくとも、文言上は——「各監査役の意見を付記することができる」と定めるにとどまっていたのに対し、本項では、意見のみならず、他の事項についても付記ができるものとされている。たとえば、監査のため必要な調査ができなかったときは、その旨およびその理由、あるいは追記情報についても付記が可能であるということになろう（もっとも、平成17年廃止前

商法特例法14条3項柱書2文の下でも可能であると解する見解はあった。新注会第2補巻70頁〔神崎〕)。

　監査役会設置会社において，監査役会による決定があっても，監査役の権限の行使は妨げられないとされていること（法390条2項柱書ただし書）に現れているように，監査役の独任制が認められることから，監査役会監査報告の内容が監査役の監査役監査報告の内容と異なる場合には，各監査役の監査役監査報告の内容を監査役会監査報告に付記することができるとするのが論理的だからである。また，実質的に考えても，反対した監査役が監査役会の議事録に異議をとどめることによって免責されるのであれば，株主等にとっての情報提供の観点から，監査報告にも記載させるべきであると考えられるからである（新注会第2補巻110頁〔龍田〕参照）。

　もっとも，計算関係書類に関する監査報告とは異なり，計算書類等の承認の特則（法439条・441条4項，計規135条）や剰余金の分配を決定する機関の特則（法459条2項・460条2項，計規155条）の適用には影響がないため，意見の付記を認めることの実益は少ないと考えられる。

　なお，平成17年廃止前商法特例法の解釈としては，監査役会の監査報告に付記する各監査役の意見は，その監査役が監査役会に対してした報告の内容と異なってもよいという解釈が有力であった（新注会第2補巻70頁〔神崎〕）。しかし，本項では，「当該事項に係る〔各監査役の〕監査役監査報告の内容を監査役会監査報告に付記することができる」（圏点—引用者）と定めているため，監査役が，他の監査役の報告内容および監査役会における協議を通じて，自己の監査報告とは異なる意見を有するようになり，かつ，その意見が，監査役会の多数意見とはならなかった場合には，自己の監査報告の内容を変更した上で，それを監査役会の監査報告に付記すべきであると考えられる（監査役会設置会社の各監査役の監査報告には監査報告の作成日の記載を要しないとされていることからは，各監査役の監査報告は暫定的な性質のものであると考えられる）。

4　会議の開催等の要求（3項）

　監査役会が監査役会監査報告を作成する場合には，監査役会は，1回以上，会議を開催する方法または情報の送受信により同時に意見の交換をすることができる方法により，監査役会監査報告の内容（2項後段の規定による付記を除く）を審議しなければならないとされているが，これは，監査役会は会議体であり，監査役会の監査報告の内容は監査役会の決議によって決定されるべきと

ころ（法393条1項），監査役会については取締役会について認められているような決議の省略（法370条）が認められていないからである（相澤＝石井・商事法務1745号19頁参照）。監査報告の作成は，あらかじめ定められたスケジュールに従って行えばよく，緊急性が認められることはないと通常は考えられる一方で，監査役間の意見の交換・情報交換および討議を通じて監査意見が形成されることが望ましいからである。

なお，本項の文言からは，監査報告の最終的な決定は，持回り決議等により行うことができるという解釈も可能であるようであるが（相澤＝和久・商事法務1766号68頁参照），立法の経緯（要綱案第二部第三3(6)（注2）は，「監査役会及び委員会等設置会社の各委員会については，書面決議を認めないものとする」としていた。江頭・商事法務1722号13頁も参照）からは疑義が残ろう。もっとも，単なる修文のレベルの問題であれば，持回り決議等が許されると解してもよいように思われる。

ここで，「情報の送受信により同時に意見の交換をすることができる方法」とはオンライン会議，電話会議，テレビ会議などを意味し，たとえば，電子メールのやり取りは，「同時に」意見の交換をすることができる方法ではないので，この方法にはあたらない。

（監査等委員会の監査報告の内容等）

第130条の2 監査等委員会は，事業報告及びその附属明細書を受領したときは，次に掲げる事項を内容とする監査報告を作成しなければならない。この場合において，監査等委員は，当該事項に係る監査報告の内容が当該監査等委員の意見と異なる場合には，その意見を監査報告に付記することができる。
　一　監査等委員会の監査の方法及びその内容
　二　第129条第1項第2号から第6号までに掲げる事項
　三　監査報告を作成した日
2　前項に規定する監査報告の内容（同項後段の規定による付記の内容を除く。）は，監査等委員会の決議をもって定めなければならない。

本条は，事業報告およびその附属明細書に関する監査等委員会の監査報告の内容とすべき事項などを定めるものである。指名委員会等設置会社の監査委員会の監査報告の内容とすべき事項を定める131条とパラレルに規定が設けられている［本条の意義と解釈については，→131条］。

---**(監査委員会の監査報告の内容等)**---

第131条 監査委員会は，事業報告及びその附属明細書を受領したときは，次に掲げる事項を内容とする監査報告を作成しなければならない。この場合において，監査委員は，当該事項に係る監査報告の内容が当該監査委員の意見と異なる場合には，その意見を監査報告に付記することができる。
　一　監査委員会の監査の方法及びその内容
　二　第129条第１項第２号から第６号までに掲げる事項
　三　監査報告を作成した日
２　前項に規定する監査報告の内容（同項後段の規定による付記の内容を除く。）は，監査委員会の決議をもって定めなければならない。

　本条は，事業報告およびその附属明細書に関する監査委員会の監査報告の内容とすべき事項などを定めるものである。

監査報告書

　当監査委員会は，令和××年×月×日から令和××年×月×日までの第××期事業年度に係る事業報告及びその附属明細書につき，協議の上，本監査報告書を作成し，以下のとおり報告いたします。

１．監査の方法及び内容
　監査委員会においては，本事業年度の監査にあたって，内部統制の整備状態及び○○に重点をおくこととし，監査委員Aは○○，監査委員Bは○○，監査委員Cは××，監査委員DはXXという業務の分担を定めました。
　監査委員会が定めた監査の方針，業務の分担等に従い，取締役会その他の重要な会議に出席するほか，取締役等から事業の報告を聴取し，重要な決裁書類等を閲覧し，本社及び主要な事業所において業務及び財産の状況を調査し，必要に応じて子会社より事業の報告を求め，子会社の本店及び主要な工場を訪問し，質問等を行いました。

２．監査の結果
(1)　第××期事業年度に係る事業報告及びその附属明細書は，法令及び定

款に従い○○株式会社の状況を正しく示していると認めます。
(2) 第××期事業年度に係る事業報告に記載されている当社の財務および事業の方針の決定を支配する者の在り方に関する基本方針については，指摘すべき事項は認められません。また，これに基づく各取り組みは，当該基本方針に沿ったものであり，当社の株主共同の利益を損なうものではなく，かつ，当社の会社役員の地位の維持を目的とするものではないと認めます。また，事業報告に記載されている当社と親会社との取引については，指摘すべき事項は認められません。

3．監査委員○○○○の意見（異なる意見がある場合）

令和××年×月×日
○○○○株式会社　監査委員会
監査委員　　A
監査委員　　B
監査委員　　C
監査委員　　D

1　事業報告およびその附属明細書に関する監査委員会の監査報告の内容とすべき事項

「監査役及び監査役会の監査の方法及びその内容」ではなく「監査委員会の監査の方法及びその内容」を内容とすべき点を除けば，監査役会の監査報告と同様の事項を内容とすべきものとされている［→130条2］。

監査役会の監査報告（130条2項1号）と異なり，「監査委員の監査の方法及びその内容」は監査委員会の監査報告の内容とされていない。これは，監査委員は監査委員会の構成員として監査を行うものと位置付けられているため，監査委員独自の監査の方法および内容を観念できないからである。

もっとも，監査役会設置会社における監査役会および各監査役の監査の方法およびその内容［→129条1・130条2］と監査委員会の監査の方法およびその内容との間には，監査委員会の場合，常勤者が存在するとは限らないこと，および，補助者の有効活用が期待されていることを除けば，重要な差異はないと思われる。

2 監査委員の意見の付記（1項）

たしかに，監査委員会は組織体として監査を行うため，監査委員の意見を付記することに法的効果を認めることには，理論的には首尾一貫しない面があるが，反対した監査委員が監査委員会の議事録に異議をとどめることによって，免責されるのであれば，株主等にとっての情報提供の観点から，監査報告にも記載させるべきであると考えられるからである（新注会第2補巻110頁［龍田］参照）。

もっとも，計算関係書類に関する監査報告とは異なり，計算書類等の承認の特則（法439条・441条4項，計規135条）や剰余金の分配を決定する機関の特則（法459条2項・460条2項，計規155条）の適用には影響がないため，意見の付記を認めることの実益は少ないと考えられる。

3 監査委員会の決議（2項）

監査委員会監査報告を作成する場合には，監査委員会は，1回以上，会議を開催する方法または情報の送受信により同時に意見の交換をすることができる方法により，監査委員会監査報告の内容（1項後段の規定による付記を除く（本条））を審議しなければならないとされているが（130条1項），これは，監査委員会は会議体であり，監査委員会の監査報告の内容は監査委員会の決議によって決定されるべきところ（法404条2項），監査委員会については取締役会について認められているような決議の省略（法370条）が認められていないからである。監査報告の作成は，あらかじめ定められたスケジュールに従って行えばよく，緊急性が認められることはないと通常は考えられる一方で，監査委員間の意見の交換・情報交換および討議を通じて監査意見が形成されることが望ましいからである。

なお，本項の文言からは，監査報告の最終的な決定は，持回り決議等により行うことができるという解釈も可能なようであるが（相澤＝和久・商事法務1766号68頁参照），立法の経緯（要綱案第二部第三3(6)（注2）は，「監査役会及び委員会等設置会社の各委員会については，書面決議を認めないものとする」としていた。江頭・商事法務1722号13頁も参照）からは疑義が残ろう。もっとも，単なる修文のレベルの問題であれば，持回り決議等が許されると解してもよいように思われる。

ここで，「情報の送受信により同時に意見の交換をすることができる方法」（130条3項）とはオンライン会議，電話会議，テレビ会議などを意味し，たと

えば，電子メールのやり取りは，「同時に」意見の交換をすることができる方法ではないので，この方法にはあたらない。

（監査役監査報告等の通知期限）

第132条 特定監査役は，次に掲げる日のいずれか遅い日までに，特定取締役に対して，監査報告（監査役会設置会社にあっては，第130条第１項の規定により作成した監査役会の監査報告に限る。以下この条において同じ。）の内容を通知しなければならない。
　一　事業報告を受領した日から４週間を経過した日
　二　事業報告の附属明細書を受領した日から１週間を経過した日
　三　特定取締役及び特定監査役の間で合意した日
２　事業報告及びその附属明細書については，特定取締役が前項の規定による監査報告の内容の通知を受けた日に，監査役（監査等委員会設置会社にあっては監査等委員会，指名委員会等設置会社にあっては，監査委員会）の監査を受けたものとする。
３　前項の規定にかかわらず，特定監査役が第１項の規定により通知をすべき日までに同項の規定による監査報告の内容の通知をしない場合には，当該通知をすべき日に，事業報告及びその附属明細書については，監査役（監査等委員会設置会社にあっては監査等委員会，指名委員会等設置会社にあっては，監査委員会）の監査を受けたものとみなす。
４　第１項及び第２項に規定する「特定取締役」とは，次の各号に掲げる場合の区分に応じ，当該各号に定める者をいう。
　一　第１項の規定による通知を受ける者を定めた場合　当該通知を受ける者と定められた者
　二　前号に掲げる場合以外の場合　事業報告及びその附属明細書の作成に関する職務を行った取締役又は執行役
５　第１項及び第３項に規定する「特定監査役」とは，次の各号に掲げる株式会社の区分に応じ，当該各号に定める者とする。
　一　監査役設置会社（監査役の監査の範囲を会計に関するものに限定する旨の定款の定めがある株式会社を含み，監査役会設置会社を除く。）　次のイからハまでに掲げる場合の区分に応じ，当該イからハまでに定める者
　　イ　二以上の監査役が存する場合において，第１項の規定による監査報告の内容の通知をすべき監査役を定めたとき　当該通知をすべき監査役として定められた監査役
　　ロ　二以上の監査役が存する場合において，第１項の規定による監査報告の内容の通知をすべき監査役を定めていないとき　全ての監査役

ハ　イ又はロに掲げる場合以外の場合　監査役
　二　監査役会設置会社　次のイ又はロに掲げる場合の区分に応じ，当該イ又はロに定める者
　　　イ　監査役会が第1項の規定による監査報告の内容の通知をすべき監査役を定めた場合　当該通知をすべき監査役として定められた監査役
　　　ロ　イに掲げる場合以外の場合　全ての監査役
　三　監査等委員会設置会社　次のイ又はロに掲げる場合の区分に応じ，当該イ又はロに定める者
　　　イ　監査等委員会が第1項の規定による監査報告の内容の通知をすべき監査等委員を定めた場合　当該通知をすべき監査等委員として定められた監査等委員
　　　ロ　イに掲げる場合以外の場合　監査等委員のうちいずれかの者
　四　指名委員会等設置会社　次のイ又はロに掲げる場合の区分に応じ，当該イ又はロに定める者
　　　イ　監査委員会が第1項の規定による監査報告の内容の通知をすべき監査委員を定めた場合　当該通知をすべき監査委員として定められた監査委員
　　　ロ　イに掲げる場合以外の場合　監査委員のうちいずれかの者

　本条は，事業報告およびその附属明細書に関する監査役の監査報告，監査役会の監査報告および監査委員会の監査報告の通知期限等について定めるものである。

1　監査報告の通知期限（1項）

　会社法および会社計算規則には，平成17年改正前商法とは異なり，定時株主総会の一定期間前までに監査役に計算書類を提供しなければならないとする規定はないが，本項は，監査報告の通知期限を定めることによって，反射的に，監査役，監査役会および監査委員会による事業報告およびその附属明細書の監査期間を法律上保障するものである。
　各事業年度の事業報告およびその附属明細書の監査について，保障されている監査期間は，平成17年改正前商法281条ノ2・281条ノ3と同じである。すなわち，昭和49年商法改正により，計算書類の監査期間が計算書類を受領した時から4週間内に伸長され，かつ，昭和56年商法改正により，附属明細書の提出

時期が計算書類を監査役に提出した後3週間内とされ，少なくとも1週間は計算書類と附属明細書とを手許において監査役が監査を行うことができるようにされたものを踏襲したと評価することができる。これは，附属明細書は事業報告の内容を補足する重要な事項を内容とするものである以上，事業報告と附属明細書とを比較対照し，監査を行うことが必要であるという認識に基づくものであるが，附属明細書を事業報告と同時に作成することは実務上困難であるという経済界の主張を容れて，少なくとも1週間は監査期間が重複するようにしたものであった（竹内・昭和56改正203頁，稲葉・昭和56改正328頁など参照）。

しかし，会社法施行規則の下では，附属明細書に含めるべき事項はかなり限定されており（128条），事業報告およびその附属明細書を同時に監査役または監査委員会に提供することが容易になったと考えられる（もっとも，附属明細書に含めるべき事項が限定されている以上，附属明細書を受領した日から1週間与えれば十分であるという見方ができないわけではない）。したがって，立法論としては，各事業年度に係る事業報告およびその附属明細書に係る監査報告の報告期限は，「特定監査役が各事業年度に係る事業報告及びその附属明細書を受領した日から4週間を経過した日」と「特定取締役及び特定監査役が合意により定めた日があるときは，その日」とのいずれか遅い日とすることが適当であるとも思われる。

監査期間の短縮の合意が認められていないのは，事業報告については十分な監査がなされる必要がある一方で，短縮の合意を認めると，取締役が監査役あるいは監査委員に比べて強い交渉力を有している場合には，事実上，監査役あるいは監査委員がそれに応じざるをえなくなり，十分な監査がなされないおそれがあるからであろう。なお，平成17年改正前商法と異なり，報告期限を延長し，監査期間を伸長する合意ができる旨が明文化されている（3号）。これは，連結計算書類の監査については監査期間を伸長できるにもかかわらず，事業報告およびその附属明細書の監査については伸長できないとすべき理由はないからである。定時株主総会の会日を基準として定められているものではないから，特定取締役と特定監査役とが合意によって報告期限を延長すれば，それだけ，定時株主総会の招集通知を発出できる時期が遅れ，定時株主総会の会日が遅れるだけのことである。

2 監査の終了時点（2項）

ここでいう「通知」の方法については，書面または電磁的方法により提供す

ることを要求し，電磁的記録で作成されている場合に，受領者の請求があるときは，電磁的記録に記録された事項を記載した書面の提供を要求していた平成17年改正前商法281条ノ2第3項・4項，平成17年廃止前商法特例法12条3項・14条5項・21条の28第5項・21条の29第4項・21条の27第3項・4項，平成18年改正前商法施行規則182条4項・183条4項・188条4項・189条2項と異なり，特に規律が加えられておらず，通知は適宜の方法で行えば足りる（相澤＝和久・商事法務1766号62頁）。

3 監査報告の通知が期限内になされなかった場合（3項）

本項は，特定監査役が通知をすべき日までに監査報告の内容の通知をしない場合には，その通知をすべき日に，事業報告については，監査役（指名委員会等設置会社では監査委員会）の監査を受けたものとみなすと定めているので，取締役会設置会社にあっては取締役会において，その事業報告の承認を行い（法436条3項），その事業報告（その事業報告の附属明細書を除く）および本項の規定により監査を受けたものとみなされた旨を記載した書面等を定時株主総会の招集に際して株主に提供すれば足りることになる（133条1項2号ハ）。

4 特定取締役および特定監査役（4項・5項）

二以上の取締役・執行役や監査役が監査報告の作成等に関与する場合に，監査報告の内容の通知等をすべての取締役・執行役・監査役に対して行わなければならない，あるいはすべての取締役・執行役・監査役が通知等を行わなければならないとすることは煩瑣である。また，取締役会や監査役会・監査等委員会・監査委員会は会議体であり，会議体として現実の行為をすることはできない。そこで，特定取締役および特定監査役という概念が定められている。

すなわち，本条の関係では，特定取締役とは，特定監査役から監査報告の内容の通知を受領するとともに，監査役・監査役会（監査等委員会設置会社では監査等委員会，指名委員会等設置会社では監査委員会）の監査報告期限の伸長等についての同意権を有する者であり，特定監査役とは，監査報告の内容を特定取締役に対して通知すること，および，監査役・監査役会（監査等委員会設置会社では監査等委員会，指名委員会等設置会社では監査委員会）の監査期限の伸長等について合意することを役割の1つとする監査役・監査委員である。

なお，特定取締役の定義との関係で，「第1項の規定による通知を受ける者」（4項1号），すなわち，監査報告の通知を受領する者をどのように定める

かについては，特に規定が設けられておらず，重要な業務執行にはあたらないと解されるので，取締役会の決議によって定める必要は必ずしもなく，互選その他の適宜の方法をもって定めれば足りるものと解される（相澤＝郡谷・商事法務1763号21頁参照）。また，特定監査役の定義との関係で，監査役設置会社（監査役の監査の範囲を会計に関するものに限定する旨の定款の定めがある株式会社を含み，監査役会設置会社を除く）において，二以上の監査役が存する場合において，「第１項の規定による監査報告の内容の通知をすべき監査役」（5項1号イ）をどのように定めるかについても規定は設けられていないので，互選その他の適宜の方法をもって定めれば足りるものと解される。

　他方，5項2号イは，監査役会設置会社において，「第１項の規定による監査報告の内容の通知をすべき監査役」を定めるのは監査役会であると定めており，監査役会の決議によって定めなければならない。また，監査等委員会設置会社においては，監査等委員会の決議によって監査等委員会が特定監査役となるべき監査等委員を指定しないと，監査等委員のうちいずれかの者が，指名委員会等設置会社においては，監査委員会の決議によって，監査委員会が特定監査役となるべき監査委員を指定しないと，監査等委員のうちいずれかの者が，特定監査役となる。したがって，このような場合には，監査等委員のうちいずれかの者または監査委員のうちいずれかの者が特定取締役に対して，監査報告の内容を通知することになる。

第４款　事業報告等の株主への提供

（事業報告等の提供）

第133条　法第437条の規定により株主に対して行う提供事業報告（次の各号に掲げる株式会社の区分に応じ，当該各号に定めるものをいう。以下この条において同じ。）の提供に関しては，この条に定めるところによる。

　一　株式会社（監査役設置会社，監査等委員会設置会社及び指名委員会等設置会社を除く。）　事業報告

　二　監査役設置会社，監査等委員会設置会社及び指名委員会等設置会社　次に掲げるもの

　　イ　事業報告

　　ロ　事業報告に係る監査役（監査役会設置会社にあっては監査役会，監査等委員会設置会社にあっては監査等委員会，指名委員会等設置会社にあっては監査委員会）の監査報告があるときは，当該監査報告（二以上の監査

役が存する株式会社（監査役会設置会社を除く。）の各監査役の監査報告の内容（監査報告を作成した日を除く。）が同一である場合にあっては，一又は二以上の監査役の監査報告）

　　八　前条第３項の規定により監査を受けたものとみなされたときは，その旨を記載又は記録をした書面又は電磁的記録
２　定時株主総会の招集通知（法第299条第２項又は第３項の規定による通知をいう。以下この条において同じ。）を次の各号に掲げる方法により行う場合には，提供事業報告は，当該各号に定める方法により提供しなければならない。
　一　書面の提供　次のイ又はロに掲げる場合の区分に応じ，当該イ又はロに定める方法
　　イ　提供事業報告が書面をもって作成されている場合　当該書面に記載された事項を記載した書面の提供
　　ロ　提供事業報告が電磁的記録をもって作成されている場合　当該電磁的記録に記録された事項を記載した書面の提供
　二　電磁的方法による提供　次のイ又はロに掲げる場合の区分に応じ，当該イ又はロに定める方法
　　イ　提供事業報告が書面をもって作成されている場合　当該書面に記載された事項の電磁的方法による提供
　　ロ　提供事業報告が電磁的記録をもって作成されている場合　当該電磁的記録に記録された事項の電磁的方法による提供
３　事業報告に表示すべき事項（次に掲げるものを除く。）に係る情報を，定時株主総会に係る招集通知を発出する時から定時株主総会の日から３箇月が経過する日までの間，継続して電磁的方法により株主が提供を受けることができる状態に置く措置（第222条第１項第１号ロに掲げる方法のうち，インターネットに接続された自動公衆送信装置を使用する方法によって行われるものに限る。第７項において同じ。）をとる場合における前項の規定の適用については，当該事項につき同項各号に掲げる場合の区分に応じ，当該各号に定める方法により株主に対して提供したものとみなす。ただし，この項の措置をとる旨の定款の定めがある場合に限る。
　一　第120条第１項第４号，第５号，第７号及び第８号，第121条第１号，第２号及び第３号の２から第６号の３まで，第121条の２，第125条第２号から第４号まで並びに第126条第７号の２から第７号の４までに掲げる事項
　二　事業報告に表示すべき事項（前号に掲げるものを除く。）につきこの項の措置をとることについて監査役，監査等委員会又は監査委員会が異議を述べている場合における当該事項
４　前項の場合には，取締役は，同項の措置をとるために使用する自動公衆送

信装置のうち当該措置をとるための用に供する部分をインターネットにおいて識別するための文字，記号その他の符号又はこれらの結合であって，情報の提供を受ける者がその使用に係る電子計算機に入力することによって当該情報の内容を閲覧し，当該電子計算機に備えられたファイルに当該情報を記録することができるものを株主に対して通知しなければならない。
5 　第３項の規定により事業報告に表示した事項の一部が株主に対して第２項各号に定める方法により提供したものとみなされた場合において，監査役，監査等委員会又は監査委員会が，現に株主に対して提供される事業報告が監査報告を作成するに際して監査をした事業報告の一部であることを株主に対して通知すべき旨を取締役に請求したときは，取締役は，その旨を株主に対して通知しなければならない。
6 　取締役は，事業報告の内容とすべき事項について，定時株主総会の招集通知を発出した日から定時株主総会の前日までの間に修正をすべき事情が生じた場合における修正後の事項を株主に周知させる方法を，当該招集通知と併せて通知することができる。
7 　第３項の規定は，同項各号に掲げる事項に係る情報についても，電磁的方法により株主が提供を受けることができる状態に置く措置をとることを妨げるものではない。

1　定時株主総会の招集に際して株主に提供すべき事業報告（１項）

　まず，監査役設置会社，監査等委員会設置会社および指名委員会等設置会社を除く取締役会設置会社（取締役会設置会社以外の会社は，法437条の適用がなく，定時株主総会の招集に際して事業報告を株主に提供する必要がない）については，事業報告のみを，定時株主総会の招集に際して株主に提供すれば足りるものとされている（１号）。したがって，監査役の監査の範囲を会計に関するものに限定する定款の定めのある会社は，監査役設置会社ではないので（２条１項，法２条９号），その監査役の監査報告を提供する必要はなく，事業報告のみを提供すれば足りる（ただし，本項は法437条かっこ書に抵触する規定であると考えられ，立法論としては問題がある）。

　また，監査役設置会社，監査等委員会設置会社および指名委員会等設置会社は，事業報告および事業報告に係る監査役（監査役会設置会社では監査役会，監査等委員会設置会社では監査等委員会，指名委員会等設置会社では監査委員会）の監査報告があるときは，その監査報告（二以上の監査役が存する株式会社（監査役会設置会社を除く）の各監査役の監査報告の内容（監査報告を作成した日を除く）

が同一である場合には、一または二以上の監査役の監査報告）を株主に提供するのが原則であるが、監査役（監査役会設置会社では監査役会、監査等委員会設置会社では監査等委員会、指名委員会等設置会社では監査委員会）の監査報告の内容が報告期限までに通知されなかったため、監査を受けたものとみなされた（132条3項）ときは、その旨の記載・記録をした書面・電磁的記録と事業報告とを提供すれば足りる。

　二以上の監査役が存する株式会社（監査役会設置会社を除く）の各監査役の監査報告の内容（監査報告を作成した日を除く）が同一である場合には、一または二以上の監査役の監査報告を提供すれば足りるものとされているのは、監査報告の作成日以外の監査報告の内容が同一であれば、複数の監査報告を提供する必要はないからである。

　監査役（監査役会設置会社では、監査役会、監査等委員会設置会社では監査等委員会、指名委員会等設置会社では監査委員会）の監査報告の内容が報告期限までに通知されなかったため、監査を受けたものとみなされたときは、その旨の記載・記録をした書面・電磁的記録と事業報告とを提供すれば足りるとされているのは、このような規定を設けないと、監査報告が定時株主総会の招集に際して株主に提供されないことが、招集の手続が法令（法437条）に違反するものとして株主総会決議取消原因（法831条1項1号）となる可能性があり、そうなると、132条3項で、監査を受けたものとみなすことの意義が大幅に没却されるからである（もっとも、立法論として、本号ハのような定めを置くことがはたして適当なのか（株主総会において、監査報告なしに決議をしなければならないとすることは、株主が判断材料なしに、取締役等の選任決議などを行うことにつながるが、それが、会社法が監査役設置会社、監査等委員会設置会社および指名委員会等設置会社において株主に対する監査報告の提供を要求している趣旨に照らして、許容されるか）、あるいは、法437条の委任の範囲を超えているのではないかという疑問は残る）。

2　事業報告の提供の方法（2項）

　取締役会設置会社の株主総会の招集通知は書面でしなければならないのが原則であるが（法299条2項2号）、政令（施行令2条）で定めるところにより、株主の承諾を得て、電磁的方法により通知を発することができる（法299条3項）。そして、本項は、招集通知の方法に応じて、招集通知の方法と首尾一貫した提供事業報告の提供方法を定めるものである。

第133条（事業報告等の提供）　769

　なお，事業報告は，書面をもって作成されている場合と電磁的記録をもって作成されている場合とがあるため（事業報告について法435条3項。監査報告または会計監査報告は書面をもって作成することを要求する明文の規定も電磁的記録をもって作成することを許容する明文の規定もないが，「書」という文字を含んでいないので，電磁的記録をもって作成することが認められると解することができよう），本項各号は提供事業報告が書面をもって作成されている場合（各号イ）および提供計算書類が電磁的記録［→16条1］をもって作成されている場合（各号ロ）について定めを置いている。

3　ウェブ開示によるみなし提供（3項～5項）

　会社法施行規則および会社計算規則は，株主総会参考書類および事業報告に含めるべき事項の一部のほか，個別注記表および連結計算書類に含めるべき事項をインターネット上のウェブサイトに掲載し，かつ，そのウェブサイトのアドレス（URL）を株主に通知すれば，それらの事項に係る情報が株主に提供されたものとみなすものとして，書面等による提供を省略すること（ウェブ開示によるみなし提供）を認めている。これは，定時株主総会の招集通知に際し，株主に対して，書面等により提供すべき情報が多くなると，印刷代や郵送料などの費用が著しく増大するという経済界の懸念に応える一方で，書面等による提供を強制すると，会社が費用を抑えるために株主に提供する情報の量を削減する可能性があることに鑑み，そのようなインセンティブを減少させようとするものである（相澤＝郡谷・商事法務1759号7～8頁）。

　高度情報通信ネットワーク社会推進戦略本部「IT利活用の裾野拡大のための規制制度改革集中アクションプラン」（平成25年12月20日）において，「法務省は，事業報告等の記載事項の中でインターネットでの開示の対象となる事項について拡大する方向で検討し，必要に応じて平成26年度中に予定されている会社法施行規則及び会社計算規則の改正の際に見直しを行う」（テーマ2【4】）とされたことを受けて，平成27年会社法施行規則改正により，ウェブ開示によるみなし提供が認められる範囲が拡大された。しかし，内容，記載事項とされている趣旨等に照らして，類型的に株主の関心が特に高いと考えられる事項および株主総会において口頭で説明されることが多いと考えられる事項などについては，株主に対して書面等で提供する必要性が高いと考えられることから（坂本ほか・商事法務2064号33頁），一定の事項については，ウェブ開示によるみなし提供が認められないものとされている。すなわち，株式会社の現況に関す

る事項のうち，当該事業年度における事業の経過およびその成果，重要な資金調達・設備投資・組織再編等についての状況，重要な親会社および子会社の状況および対処すべき課題，ならびに，株式会社の会社役員に関する事項のうち，会社役員の氏名，会社役員の地位および担当，会社役員の報酬等に関する事項は，ウェブ開示によるみなし提供が認められていない。

　また，令和2年改正により，新たに事業報告の記載事項とされたもののうち，補償契約に関する事項および役員等賠償責任保険契約に関する事項については，ウェブ開示によるみなし提供は認められなかった。

　補償契約および役員等賠償責任保険契約に関する事項がみなし提供の対象外とされた理由について，意見募集の結果（令和2年11月）では，「責任限定契約を締結することができる者は非業務執行取締役等に限定される（会社法第427条第1項）のに対し，補償契約を締結することができる者や役員等賠償責任保険契約の被保険者は，非業務執行取締役に限定されない（同法第430条の2第1項及び第430条の3第1項）ため，補償契約や役員等賠償責任保険契約の内容は，業務執行を行う役員等の職務の執行の適正性に影響を与える可能性がある。補償契約や役員等損害賠償責任保険契約の利益相反性の高さに加え，これらの契約が業務執行を行う役員等の職務執行の適正性に影響を与えるものであることに照らせば，補償契約や役員等損害賠償責任保険契約に関する事項は，株主にとって重要性が高いものであることから，これらの事項をウェブ開示によるみなし提供制度の対象としないこととしたものである」と説明されている（49～50頁）。

　もっとも，デジタル・デバイドの問題もあるため，電子公告制度の採用の場合とのバランス上，ウェブ開示によるみなし提供を行うためには，その旨の定款の定めが必要とされている。また，ある事項をウェブ開示し，書面等による提供を省略することについて監査役，監査等委員会または監査委員会が異議を述べている場合にはその事項についてはウェブ開示によるみなし提供は認められないものとされている。これは，その株式会社が置かれている環境などに照らすと，株主が議決権を適切に行使し，または，取締役等に対して適切なコントロールを及ぼすことを可能にするために，株主に対して書面等により提供することが必要な事業報告に記載すべき事項がありうるからである。3項は，事業報告に記載すべき事項の一部をウェブ開示することが，株主の議決権行使に必要な情報を提供しないことにつながらないかどうかを監査役，監査等委員会または監査委員会が検討する必要があることを前提としている。

ウェブ開示は，定時株主総会の招集に際して提供すべき情報を開示するものであるから，招集通知を発する時から「定時株主総会の日から3箇月が経過する日」まで，その情報を，継続して電磁的方法により株主が提供を受けることができる状態に置かなければならないものとされている。ここで，「継続して」行ったか否かは開示すべき期間全体を観察して実質的に判断され，電子公告の場合（法940条3項）と異なり，開示の中断についての制約が定められていないことから，短時間のアクセス不能時間があったことのみをもって，「継続して」行っていないと評価されるわけではない（相澤＝郡谷・商事法務1759号8頁）。もっとも，定時株主総会の日までの間については，電磁的方法により株主が提供を受けることができる状態が確保される必要性がとりわけ高いと考えられ，定時株主総会の日後の開示の中断に比べて厳格な規準が適用されると解するのが穏当であろう。

「株主が提供を受けることができる状態」（圏点―引用者）（7項）とされているのは，事業報告は，定時株主総会の招集に際して提供するものだからである。したがって，「不特定多数の者が……提供を受けることができる状態」に置くべき電子公告（法2条34号）や電磁的方法による貸借対照表等の公開（法440条3項）の場合と異なり，会社の株主のみがアクセス可能となるような設定（たとえば，パスワードの入力等を要求）をすることができる。

4項にいう3項「の措置をとるために使用する自動公衆送信装置のうち当該措置をとるための用に供する部分をインターネットにおいて識別するための文字，記号その他の符号又はこれらの結合であって，情報の提供を受ける者がその使用に係る電子計算機に入力することによって当該情報の内容を閲覧し，当該電子計算機に備えられたファイルに当該情報を記録することができるもの」（圏点―引用者）とは，ウェブサイトのURLを意味するが，パスワード等の入力を要求する場合には，パスワード等を株主に通知しなければならないと解すべきである。

5項で，監査役，監査等委員会または監査委員会が，現に株主に対して提供される事業報告が監査報告を作成するに際して監査をした事業報告の一部であることを株主に対して通知すべき旨を取締役に請求したときは，取締役は，その旨を株主に対して通知しなければならないとされているのは，監査報告はウェブ開示されている部分（定時株主総会の招集に際して書面等により株主に提供されていない部分）を含んだ事業報告全体について行われているため，その旨を明らかにして，株主の誤解を避けることが必要な場合があるからである。

4 修正事項の通知方法（6項）

本項は，定時株主総会の招集に際して株主に提供される事業報告に印刷ミスその他の事由による誤りがあった場合に，修正後の事項を株主に周知させる方法を，招集通知と併せて通知することを認めるものである。事業報告に誤りがある場合には，それを修正して，株主に再度交付することが望ましいとも考えられるが，再交付が要求されると，会社にとっての費用負担が無視できない額になる可能性もあるし，また，招集通知を発するべき時期との関係で，定時株主総会の会日を延期する必要があると解されると，そのための費用の発生や不便が生ずるからである（相澤＝郡谷・商事法務1759号18頁参照）。さらに，重要な後発事象が発生した場合に，それを株主に周知させることが望ましいとも考えられる。

「株主に周知させる方法」については，特に規律が設けられていないので，ウェブ開示の場合と同様，会社の使用するウェブサイトにおいて公表することや公告に用いている時事を掲載する日刊新聞紙や官報に掲載して周知することが考えられよう。とりわけ，ウェブ開示されている事業報告について修正すべき事項が生じた場合には，会社の使用するウェブサイト上で周知させれば十分であろう。

他方，ウェブ開示によるみなし提供には，定款の定めが必要とされていることを考慮すると，ウェブ開示によるみなし提供を採用していない会社については，会社の使用するウェブサイトで公表するだけでは不十分であると評価される場合がまったくないわけでなく，招集の手続が著しく不公正である（法831条1項1号）と評価される可能性を完全に否定することはできないであろう。

5 みなし提供事項でない事項のウェブ上での開示（7項）

平成27年会社法施行規則改正により，ウェブ開示によるみなし提供が認められていない事項に係る情報も──ウェブ上で開示してもみなし提供の効果は生ぜず，書面等での株主に対する提供が依然として求められるものの──インターネットを通じて開示することは妨げられず，その場合には，当該情報をウェブ開示によるみなし提供が認められる事項と一体として（単一のファイルとしてウェブサイトにアップロードして）インターネットを通じて開示することも可能であることを確認的に定めるものとして，本条7項が創設された。これは，情報の提供を受ける株主としては，ウェブ開示によるみなし提供が認められていない事項もウェブ開示によるみなし提供が認められている事項も事業報

告の内容をなしており，株式会社の現況に関する事項または株式会社の会社役員に関する事項の全体像を把握するためには，たとえば，ウェブサイト上に単一のファイルとしてアップロードされ，あるページを見れば，すべての事業報告記載事項に係る情報を入手することができれば便宜であるという認識を背景とする。

なお，令和3年法務省令第1号による本条の見出しの追加は2021年9月30日限り，その効力を失うものとされている。

┌─ **(事業報告等の提供の特則)** ─

第133条の2 前条第3項の規定にかかわらず，株式会社の取締役が定時株主総会の招集の手続を行う場合において，提供事業報告（同条第1項に規定する提供事業報告をいう。以下この条において同じ。）に表示すべき事項（次に掲げるものを除く。以下この条において同じ。）に係る情報を，定時株主総会に係る招集通知（法第299条第2項又は第3項の規定による通知をいう。以下この条において同じ。）を発出する時から定時株主総会の日から3箇月が経過する日までの間，継続して電磁的方法により株主が提供を受けることができる状態に置く措置（第222条第1項第1号ロに掲げる方法のうち，インターネットに接続された自動公衆送信装置を使用する方法によって行われるものに限る。）をとるときにおける前条第2項の規定の適用については，当該事項につき同項各号に掲げる場合の区分に応じ，当該各号に定める方法により株主に対して提供したものとみなす。ただし，同条第3項の措置をとる旨の定款の定めがある場合に限る。

一 第120条第1項第5号及び第7号，第121条第1号，第2号及び第3号の2から第6号の3まで，第121条の2，第125条第2号から第4号まで並びに第126条第7号の2から第7号の4までに掲げる事項

二 事業報告に表示すべき事項（前号に掲げるものを除く。）につきこの項の措置をとることについて監査役，監査等委員会又は監査委員会が異議を述べている場合における当該事項

2 前項の場合には，取締役は，同項の措置をとるために使用する自動公衆送信装置のうち当該措置をとるための用に供する部分をインターネットにおいて識別するための文字，記号その他の符号又はこれらの結合であって，情報の提供を受ける者がその使用に係る電子計算機に入力することによって当該情報の内容を閲覧し，当該電子計算機に備えられたファイルに当該情報を記録することができるものを株主に対して通知しなければならない。

3 第1項の規定により提供事業報告に表示すべき事項が株主に対して前条第

2項各号に定める方法により提供したものとみなされる場合において，監査役，監査等委員会又は監査委員会が，現に株主に対して提供される事業報告が監査報告を作成するに際して監査をした事業報告の一部であることを株主に対して通知すべき旨を取締役に請求したときは，取締役は，その旨を株主に対して通知しなければならない。
　4　取締役は，提供事業報告に表示すべき事項（前条第3項の事業報告に表示すべき事項を除く。）に係る情報について第1項の措置をとる場合には，株主の利益を不当に害することがないよう特に配慮しなければならない。

　新型コロナウイルス感染症の影響を踏まえ，事業報告に表示すべき事項の一部をいわゆるウェブ開示によるみなし提供制度の対象とするため（会社法施行規則及び会社計算規則の一部を改正する省令案に関する概要説明（2020年12月4日）第1「改正の趣旨」），令和3年法務省令第1号によって設けられた規定である。公布時（2021年1月29日）に適用された規定は，令和2年法務省令第37号により設けられ，かつ，2020年5月15日から起算して6カ月を経過した日（2020年11月15日）に失効した133条の2と同じ規定ぶりであったが，令和2年法務省令第52号による事業報告に表示すべき事項の拡張および124条2項の削除に対応して，2021年3月1日以降は，1項から3項までの規定は，現在のようになっている（追加的にウェブ開示によるみなし提供が認められる事項に変更はない）。なお，本条は，2021年9月30日限り，その効力を失うものとされているが，同日までに招集の手続が開始された定時株主総会に係る事業報告および計算書類の提供については，なおその効力を有するものとされている。
　1項は，133条3項では対象として認められていない事項の一部を，ウェブ開示によるみなし提供制度の対象とするものである。すなわち，133条3項で対象として認められている事項に加え，「当該事業年度における事業の経過及びその成果」（120条1項4号）および「対処すべき課題」（同項8号）を，監査役，監査等委員会または監査委員会が異議を述べている場合を除き（本条1項2号），ウェブ開示することによって株主に提供したものとみなすことを可能にするものである。
　2項は，133条4項と同じである。趣旨等については133条4項に対するコメント参照。
　3項は，ウェブ開示することによって提供したものと本条1項の規定により

みなされる場合について、133条5項とパラレルな規律を定めるものである。趣旨等については133条5項に対するコメント参照。

　4項は、本条1項により追加的にウェブ開示によるみなし提供が認められる事項（1項に対するコメント参照）につきウェブ開示により提供したとみなす場合には、株主の利益を不当に害することがないよう特に配慮しなければならないとするものである。すなわち、133条3項においてはウェブ開示によるみなし提供制度の対象とされていない事項をウェブ開示によるみなし提供の対象とするものであるため、追加的にウェブ開示によるみなし提供が認められる事項についてウェブ開示をする場合には、株主の利益を不当に害することがないよう特に配慮しなければならないとされている。

　どのように株主の利益に配慮するかについては、それぞれの会社が置かれた個別具体的な事情を踏まえた、それぞれの会社の判断によるが、本条により追加的にウェブ開示によるみなし提供が認められた事項であってウェブ開示することによって株主に提供したものとみなすものについて、①できる限り早期にウェブ開示を開始すること、②できる限り株主総会までにその事項を記載した書面を株主（電磁的方法により株主総会の招集通知を受けることを承諾した株主を除く）に交付することができるように、ウェブ開示の開始後、準備ができ次第速やかに、その事項を記載した書面を株主に送付すること、もしくは、会社に対してその事項を記載した書面の送付を希望することができる旨を招集通知に記載して株主に通知し、送付を希望した株主に、準備ができ次第速やかに、その事項を記載した書面を送付すること、または、③株主総会の会場に来場した株主に対してその事項を記載した書面を交付すること、などが考えられる（法務省「会社法施行規則及び会社計算規則の一部を改正する省令（令和3年法務省令第1号）について」（2021年1月29日））。

第6章

事業の譲渡等

―（総資産額）―
第134条　法第467条第1項第2号及び第2号の2イに規定する法務省令で定める方法は，算定基準日（同項第2号又は第2号の2に規定する譲渡に係る契約を締結した日（当該契約により当該契約を締結した日と異なる時（当該契約を締結した日後から当該譲渡の効力が生ずる時の直前までの間の時に限る。）を定めた場合にあっては，当該時）をいう。以下この条において同じ。）における第1号から第9号までに掲げる額の合計額から第10号に掲げる額を減じて得た額をもって株式会社の総資産額とする方法とする。

一　資本金の額

二　資本準備金の額

三　利益準備金の額

四　法第446条に規定する剰余金の額

五　最終事業年度（法第461条第2項第2号に規定する場合にあっては，法第441条第1項第2号の期間（当該期間が二以上ある場合にあっては，その末日が最も遅いもの）。以下この項において同じ。）の末日（最終事業年度がない場合にあっては，株式会社の成立の日。以下この条において同じ。）における評価・換算差額等に係る額

六　株式引受権の帳簿価額

七　新株予約権の帳簿価額

八　最終事業年度の末日において負債の部に計上した額

九　最終事業年度の末日後に吸収合併，吸収分割による他の会社の事業に係る権利義務の承継又は他の会社（外国会社を含む。）の事業の全部の譲受けをしたときは，これらの行為により承継又は譲受けをした負債の額

十　自己株式及び自己新株予約権の帳簿価額の合計額

2　前項の規定にかかわらず，算定基準日において法第467条第1項第2号又は第2号の2に規定する譲渡をする株式会社が清算株式会社である場合における同項第2号及び第2号の2イに規定する法務省令で定める方法は，法第492条

第１項の規定により作成した貸借対照表の資産の部に計上した額をもって株式会社の総資産額とする方法とする。

　本条は，事業の重要な一部の譲渡または子会社の株式もしくは持分の全部もしくは一部の譲渡につき株主総会の特別決議による承認を要しないとされる規準との関連で，株式会社の総資産額を算定する方法を定めるものである。

　すなわち，株式会社は，事業の重要な一部の譲渡をする場合には，その行為がその効力を生ずる日（効力発生日）の前日までに，株主総会の決議によって，事業の重要な一部の譲渡に係る契約の承認を受けなければならないものとされているが（法467条１項柱書・２号），その譲渡により譲り渡す資産の帳簿価額がその株式会社の総資産額として法務省令で定める方法により算定される額の５分の１（これを下回る割合を定款で定めた場合にあっては，その割合）を超えない場合には，株主総会の決議を要しないものとされている（法467条１項２号かっこ書）。また，株式会社は，譲り渡す株式または持分の帳簿価額が当該株式会社の総資産額として法務省令で定める方法により算定される額の５分の１（これを下回る割合を定款で定めた場合には，その割合）を超える子会社の株式または持分の全部または一部の譲渡をし，かつ，当該株式会社が，効力発生日において当該子会社の議決権の総数の過半数の議決権を有しない場合には，その行為がその効力を生ずる日（効力発生日）の前日までに，株主総会の決議によって，事業の重要な一部の譲渡に係る契約の承認を受けなければならないものとされている（法467条１項柱書・２号の２）。この委任に基づき，本条が，事業の重要な一部の譲渡または子会社の株式もしくは持分の全部もしくは一部の譲渡をする株式会社の総資産額を算定する方法を定めている。

1　株式会社の総資産額を算定する方法（１項）
(1)　算定基準日
　事業の重要な一部または子会社の株式もしくは持分の全部もしくは一部の「譲渡に係る契約を締結した日（当該契約により当該契約を締結した日と異なる時（当該契約を締結した日後から当該譲渡の効力が生ずる時の直前までの間の時に限る。）を定めた場合には，当該時）」が算定基準日とされる。すなわち，法467条１項２号かっこ書は，「当該譲渡により譲り渡す資産の帳簿価額が当該株式会社の総資産額として法務省令で定める方法により算定される額の５

分の1（これを下回る割合を定款で定めた場合にあっては，その割合）を超えない」場合には，事業の重要な一部を譲渡する株式会社においては，その譲渡に係る契約につき株主総会の特別決議による承認を受けることを要しないものとしている。また，同項2号の2イは，「当該譲渡により譲り渡す株式又は持分の帳簿価額が当該株式会社の総資産額として法務省令で定める方法により算定される額の5分の1（これを下回る割合を定款で定めた場合にあっては，その割合）を超えるとき」にのみ，その譲渡に係る契約につき株主総会の特別決議による承認を受けることを要するものとしている。そして，株主総会の特別決議を経ないで事業の重要な一部の譲渡または子会社の株式もしくは持分の全部もしくは一部の譲渡を行うことができるかどうかは，その事業の重要な一部の譲渡または子会社の株式もしくは持分の全部もしくは一部の譲渡のスケジュールに重要な影響を与える可能性があるため，事業の重要な一部の譲渡または子会社の株式もしくは持分の全部もしくは一部の譲渡に係る契約を締結する段階で法467条1項2号かっこ書の要件を満たせる可能性があるかどうか，同項2号の2イに該当するかどうかを判断できることが望ましい。すなわち，承認は不要であるとして，事業の重要な一部の譲渡または子会社の株式もしくは持分の全部もしくは一部の譲渡のためのプロセスを踏んでいる間に株主総会の特別決議による承認が必要となることがありうるとすると，円滑な譲渡が妨げられることになりかねない。そこで，本項では，事業の重要な一部または子会社の株式もしくは持分の全部もしくは一部の「譲渡に係る契約を締結した日」を算定基準日とすることを原則としている。

　もっとも，法467条1項2号かっこ書および同項2号の2イは，その事業の一部の譲渡または子会社の株式もしくは持分の全部もしくは一部の譲渡が譲渡株式会社の株主に与える可能性のある影響の大小に注目しているものであり，理論的には，事業の一部の譲渡または子会社の株式もしくは持分の全部もしくは一部の譲渡の効力が生ずる時点を基準時として要件を満たすか否かを判断することがより適切であるし，また，事業の一部の譲渡または子会社の株式もしくは持分の全部もしくは一部の譲渡に係る契約の締結後，その当事会社において，剰余金の配当その他会社の財産の状況に重要な影響を与える行為を行うことが予想される場合には，事業の一部の譲渡または子会社の株式もしくは持分の全部もしくは一部の譲渡に係る契約を締結した日後の日を算定基準日とすることが適切でありうる。そこで，本項では，「当該契約により当該契約を締結した日と異なる時（当該契約を締結した日後から当該譲渡の効力が生ずる時の直前ま

での間の時に限る。)を定めた場合にあっては,「当該時」を算定基準日としている。

(2) 算定方法

1項では,総資産額を算定基準日における同項「第1号から第9号までに掲げる額の合計額から第10号に掲げる額を減じて得た額」と定めているが,これは,評価・換算差額等の額および(臨時計算書類を作成したときは,臨時会計年度(臨時会計年度が二以上ある場合には,その末日が最も遅いもの)の末日(最終事業年度がない場合には,株式会社の成立の日)後に吸収合併,吸収分割による他の会社の事業に係る権利義務の承継または他の会社(外国会社を含む)の事業の全部の譲受けをしたときの,これらの行為により承継または譲受けをした負債の額を別とすれば)負債の額を除き,事業年度中の変動(当該事業年度の損益計算書に反映されるべき損益を除く)を反映した額を用いて,総資産額を算定しようというものである。すなわち,①資本金の額,②資本準備金の額,③利益準備金の額,④法446条に規定する剰余金の額,⑤株式引受権の帳簿価額,⑥新株予約権の帳簿価額ならびに⑦自己株式および自己新株予約権の帳簿価額の合計額については,算定基準日の額を用いるというものである。⑧評価・換算差額等に係る額および(臨時計算書類を作成したときは,臨時会計年度(臨時会計年度が二以上ある場合には,その末日が最も遅いもの)の末日(最終事業年度がない場合には,株式会社の成立の日)後に吸収合併,吸収分割による他の会社の事業に係る権利義務の承継または他の会社(外国会社を含む)の事業の全部の譲受けをしたときの,これらの行為により承継または譲受けをした負債の額を別とすれば)⑨負債の額は,最終事業年度(臨時計算書類を作成したときは,臨時会計年度。臨時会計年度が二以上ある場合には,その末日が最も遅いもの)の末日(最終事業年度がない場合には,株式会社の成立の日)における額を用いることとされているが,これは,事業年度中の評価・換算差額等(その他有価証券評価差額金,繰延ヘッジ損益および土地再評価差額金[→計規コンメ76条8]および負債の額を把握することは,会社にとって,手間がかかることから,計算書類または臨時計算書類上の額を用いることができるようにしたものである。

なお,「最終事業年度の末日後に吸収合併,吸収分割による他の会社の事業に係る権利義務の承継又は他の会社(外国会社を含む。)の事業の全部の譲受けをしたときは,これらの行為により承継又は譲受けをした負債の額」(9号)を考慮に入れるべきものとされているのは,これらの行為によって,資本金の額,資本準備金の額,利益準備金の額,法446条に規定する剰余金の額,株式

引受権の帳簿価額，新株予約権の帳簿価額，自己株式の帳簿価額および自己新株予約権の帳簿価額が変動する一方で，「これらの行為により承継又は譲受けをした負債の額」を株式会社は把握しているはずなので，算定にあたってこれを考慮に入れることを要求しても，煩瑣ではないと考えられるからである。

　法446条に規定する剰余金の額には，最終事業年度の末日後にした自己株式の処分，資本金または準備金の額の減少と剰余金の額の増加，剰余金の額の減少と資本金または準備金の額の増加，吸収型再編受入行為による資本剰余金および利益剰余金の額の変動，自己株式の消却，剰余金の配当が反映されるという点で［詳細については，→計規コンメ149条・150条］，最終事業年度に係る貸借対照表上の資産の部の額の合計額を総資産額として法467条1項2号かっこ書を適用するよりも，1項の定めは合理的であるといえる。

　しかし，立法論としては，本項の定めには課題が残っている。すなわち，臨時計算書類を作成した場合に，臨時損益計算書に計上された当期純損益の金額を基準純資産額の算定に反映させない理由はないと思われる。臨時損益計算書に計上された当期純損益の金額だけ，株式会社の純資産の額は増加していると考えてよい一方で，評価・換算差額等の増減は臨時損益計算書に計上された収益・費用・利益・損失と結びついているはずなので，臨時会計年度中の評価・換算差額等の増減を総資産額に反映しつつ，臨時会計年度に係る純損益金額を反映させないことは均衡のとれていない取扱いであるといえるからである。

2　清算株式会社の特則（2項）

　算定基準日において，事業の重要な一部の譲渡をする株式会社が清算株式会社（法475条の規定により清算をする株式会社（法476条））である場合には，「法第492条第1項の規定により作成した貸借対照表の資産の部に計上した額」が株式会社の総資産額とされる。これは，清算株式会社においては，剰余金の配当は行われないので，資本金，資本準備金，利益準備金という区分や剰余金の額は意味を有さず［詳細については，→145条］，純資産の部は細分されないことになっているため（145条3項柱書），1項が定める算式によっては株式会社の総資産額を算定できないからである。

（純資産額）

第135条　法第467条第1項第5号ロに規定する法務省令で定める方法は，算定基準日（同号に規定する取得に係る契約を締結した日（当該契約により当該契

約を締結した日と異なる時（当該契約を締結した日後から当該取得の効力が生ずる時の直前までの間の時に限る。）を定めた場合にあっては，当該時）をいう。以下この条において同じ。）における第１号から第７号までに掲げる額の合計額から第８号に掲げる額を減じて得た額（当該額が500万円を下回る場合にあっては，500万円）をもって株式会社の純資産額とする方法とする。
　一　資本金の額
　二　資本準備金の額
　三　利益準備金の額
　四　法第446条に規定する剰余金の額
　五　最終事業年度（法第461条第２項第２号に規定する場合にあっては，法第441条第１項第２号の期間（当該期間が二以上ある場合にあっては，その末日が最も遅いもの）。以下この号において同じ。）の末日（最終事業年度がない場合にあっては，株式会社の成立の日）における評価・換算差額等に係る額
　六　株式引受権の帳簿価額
　七　新株予約権の帳簿価額
　八　自己株式及び自己新株予約権の帳簿価額の合計額
２　前項の規定にかかわらず，算定基準日において法第467条第１項第５号に規定する取得をする株式会社が清算株式会社である場合における同号ロに規定する法務省令で定める方法は，法第492条第１項の規定により作成した貸借対照表の資産の部に計上した額から負債の部に計上した額を減じて得た額（当該額が500万円を下回る場合にあっては，500万円）をもって株式会社の純資産額とする方法とする。

　本条は，いわゆる事後設立として，株主総会の特別決議による承認を必要とするか否かの規準との関連で，株式会社の純資産額を算定する方法を定めるものである。すなわち，発起設立または募集設立によって設立された株式会社がその成立後２年以内に，その成立前から存在する財産であってその事業のために継続して使用するものを取得する場合には，その行為がその効力を生ずる日（効力発生日）の前日までに，株主総会の決議によって，その取得に係る契約の承認を受けなければならないものとされているが（法467条１項柱書・５号），その財産の対価として交付する財産の帳簿価額の合計額の「当該株式会社の純資産額として法務省令で定める方法により算定される額」に対する割合が５分の１（これを下回る割合をその株式会社の定款で定めた場合には，その割合）を超えない場合には，株主総会の決議による承認を得ることを要しないものとされ

ている（法467条1項5号ただし書）。そこで、この委任を受けて、本条は当該株式会社の純資産額を算定する方法を定めている。

1 株式会社の純資産額を算定する方法（1項）
(1) 算定基準日

財産の「取得に係る契約を締結した日（当該契約により当該契約を締結した日と異なる時（当該契約を締結した日後から当該取得の効力が生ずる時の直前までの間の時に限る。）を定めた場合にあっては、当該時）」が算定基準日とされる。すなわち、法467条1項5号ただし書は、その財産の対価として交付する財産の帳簿価額の合計額の「当該株式会社の純資産額として法務省令で定める方法により算定される額」に対する割合が5分の1（これを下回る割合をその株式会社の定款で定めた場合には、その割合）を超えない場合には、株主総会の決議による承認を得ることを要しないものとしている。そして、株主総会の特別決議を経ないで財産の取得を行うことができるかどうかは、その財産の取得のスケジュールに重要な影響を与える可能性があるため、財産の取得に係る契約を締結する段階で法467条1項5号ただし書の要件を満たせる可能性があるかどうかを判断できることが望ましい。そこで、本項では、財産の「取得に係る契約を締結した日」を算定基準日とすることを原則としている。

もっとも、法467条1項5号ただし書は、その財産の取得が株式会社の株主に与える可能性のある影響の大小に注目しているものであり、理論的には、その財産の取得の効力が生ずる時点を基準時として要件を満たすか否かを判断することがより適切であるし、また、財産の取得に係る契約の締結後、その取得会社において、剰余金の配当その他会社の財産の状況に重要な影響を与える行為を行うことが予想される場合には、財産の取得に係る契約を締結した日後の日を算定基準日とすることが適切でありうる。そこで、本項では、「当該契約により当該契約を締結した日と異なる時（当該契約を締結した日後から当該取得の効力が生ずる時の直前までの間の時に限る。）を定めた場合には、当該時」を算定基準日とするものとしている。

(2) 算定方法

1項では、純資産額を算定の基準日［→(1)］における同項「第1号から第7号までに掲げる額の合計額から第8号に掲げる額を減じて得た額（当該額が500万円を下回る場合にあっては、500万円）」と定めているが、これは、評

価・換算差額等以外の項目については事業年度中の変動（当該事業年度の損益計算書に反映されるべき損益を除く）を反映した額を用いて，純資産額を算定しようというものである。すなわち，資本金の額，資本準備金の額，利益準備金の額，法446条に規定する剰余金の額，株式引受権の帳簿価額，新株予約権の帳簿価額ならびに自己株式および自己新株予約権の帳簿価額の合計額については，算定基準日の額を用いるというものである。評価・換算差額等に係る額は，最終事業年度（臨時計算書類を作成したときは，臨時会計年度。臨時会計年度が二以上ある場合には，その末日が最も遅いもの）の末日（最終事業年度がない場合には，株式会社の成立の日）における額を用いることとされているが，これは，事業年度中の評価・換算差額等（その他有価証券評価差額金，繰延ヘッジ損益および土地再評価差額金［→計規コンメ76条8］を把握することは，会社にとって，手間がかかることから，計算書類または臨時計算書類上の額を用いることができるようにしたものである。

　法446条に規定する剰余金の額には，最終事業年度の末日後にした自己株式の処分，資本金または準備金の額の減少と剰余金の額の増加，剰余金の額の減少と資本金または準備金の額の増加，吸収型再編受入行為による資本剰余金および利益剰余金の額の変動，自己株式の消却，剰余金の配当が反映されるという点で［詳細については，→計規コンメ149条・150条］，最終事業年度の末日に係る貸借対照表上の純資産の部の額の合計額を純資産額とするよりも合理的であるといえる。

　しかし，立法論としては，本項の定めには，少なくとも2つの点で課題がある。第1に，臨時計算書類を作成した場合に，臨時損益計算書に計上された当期純損益金の額を基準純資産額の算定に反映させない理由はないと思われる。臨時損益計算書に計上された当期純損益金の額だけ，株式会社の純資産の額は増加していると考えてよい一方で，評価・換算差額等の増減は臨時損益計算書に計上された収益・費用・利益・損失と結びついているはずなので，臨時会計年度中の評価・換算差額等の増減は純資産額に反映しつつ，臨時会計年度に係る純損益金額を反映させないことは均衡のとれていない取扱いであるといえるからである。第2に，新株予約権の金額（自己新株予約権の金額があるときは，その額を控除した後の額）を基準純資産額の算定にあたって考慮することが適当であるかどうかについては，疑義がある。なぜなら，新株予約権の金額は，新株予約権者に帰属する部分を表しているとみることもできる一方で，新株予約権をたとえば買収防衛策の一環として，あるいは有利発行として無償で発行

すると新株予約権の額はゼロであるが，その後，市場で新株予約権を取得すると自己新株予約権の額は正の値をとり，新株予約権の金額から自己新株予約権の金額を控除した額はマイナスとなって，それが純資産額を減少させることになるが，それでよいのかという問題である。

なお，「当該額が500万円を下回る場合にあっては，500万円」と定められているのは，現物出資の目的である財産および財産引受けの目的である財産について定款に記載され，または記録された価額の総額が500万円を超えない場合には検査役の調査を要しないものとされていること（法33条10項1号）との平仄をとったものと推測される。すなわち，法33条10項1号が検査役の調査を要しないものとしている趣旨は，500万円を超えない場合には協定債権者にとっての重要性が高くないということに鑑みたものであろう。法207条9項2号や法284条9項2号も現物出資財産の価額が500万円を超えない場合には，検査役の調査を要しないものと定めている。

2 清算株式会社の特則（2項）

算定基準日において，財産の取得をする株式会社が清算株式会社（法475条の規定により清算をする株式会社。法476条）である場合には，「法第492条第1項の規定により作成した貸借対照表の資産の部に計上した額」が株式会社の総資産額とされる。これは，清算株式会社においては，剰余金の配当は行われないので，資本金，資本準備金，利益準備金という区分や剰余金の額は意味を有さず［詳細については，→145条］，純資産の部は細分されないことになっているため（145条3項柱書），1項が定める算式によっては株式会社の純資産額を算定できないからである。

(特別支配会社)

第136条 法第468条第1項に規定する法務省令で定める法人は，次に掲げるものとする。

一 法第468条第1項に規定する他の会社がその持分の全部を有する法人（株式会社を除く。）

二 法第468条第1項に規定する他の会社及び特定完全子法人（当該他の会社が発行済株式の全部を有する株式会社及び前号に掲げる法人をいう。以下この項において同じ。）又は特定完全子法人がその持分の全部を有する法人

2 前項第2号の規定の適用については，同号に掲げる法人は，同号に規定す

> る特定完全子法人とみなす。

　本条は，特別支配会社との関係で特定完全子法人であるものまたは特定完全子法人とみなされるものを定めるものである。すなわち，法468条1項は，①事業の全部の譲渡，②事業の重要な一部の譲渡，③その子会社の株式または持分の全部または一部の譲渡，④他の会社（外国会社その他の法人を含む）の事業の全部の譲受けおよび⑤事業の全部の賃貸，事業の全部の経営の委任，他人と事業上の損益の全部を共通にする契約その他これらに準ずる契約の締結，変更または解約（事業譲渡等）に係る契約の相手方が，その事業譲渡等をする株式会社の特別支配会社（ある株式会社の総株主の議決権の10分の9（これを上回る割合を当該株式会社の定款で定めた場合には，その割合）以上を他の会社および当該他の会社が発行済株式の全部を有する株式会社その他これに準ずるものとして法務省令で定める法人が有している場合における当該他の会社）である場合には，その事業譲渡等をする株式会社においては，その事業譲渡等に係る契約につき，株主総会の特別決議による承認を要しないものと定めている（また，法784条1項本文は，法783条1項の規定（消滅株式会社等は，効力発生日の前日までに，株主総会の決議によって，吸収合併契約等の承認を受けなければならない）は，「吸収合併存続会社，吸収分割承継会社又は株式交換完全親会社……が消滅株式会社等の特別支配会社である場合には，適用しない」と規定する）。法468条1項の委任をうけて，本条は，「当該他の会社が発行済株式の全部を有する株式会社……に準ずるものとして法務省令で定める法人」を定めている。

　特定完全子法人には株式会社以外の法人が含まれるのに対し，218条の3にいう完全子会社は株式会社である点を除くと，218条の3における完全子会社の定義とパラレルに特定完全子法人が定義されている。

　1項2号は，事業譲渡等に係る契約の相手方が発行済株式の全部を有する株式会社および事業譲渡等に係る契約の相手方がその持分の全部を有する法人（株式会社を除く）を特定完全子法人と呼ぶこととし，①事業譲渡等に係る契約の相手方およびその特定完全子法人がその持分の全部を有する法人または②事業譲渡等に係る契約の相手方の特定完全子法人がその持分の全部を有する法人は，法468条1項にいう事業譲渡等に係る契約の相手方が「発行済株式の全部を有する株式会社その他これに準ずるものとして法務省令で定める法人」にあたると定めている。もちろん，ここでいう事業譲渡等に係る契約の相手方の特定完全子法人は複数であってもよい。

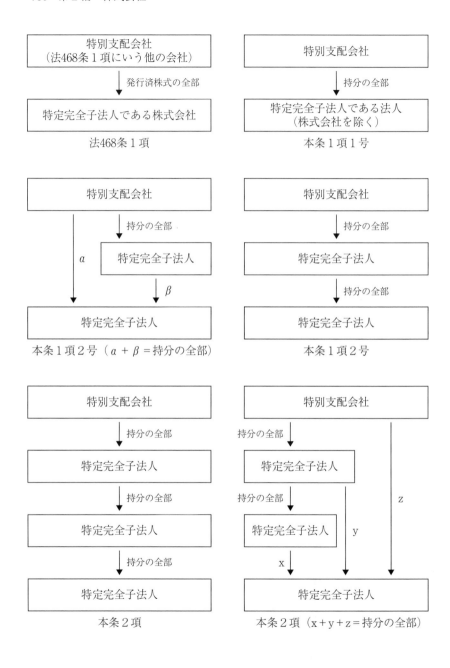

2項は，①または②の法人を事業譲渡等に係る契約の相手方の特定完全子法人とみなすと定めており，事業譲渡等に係る契約の相手方と①もしくは②の法人がその株式の全部を有する法人または①もしくは②の法人がその持分の全部を有する法人も，法468条1項にいう事業譲渡等に係る契約の相手方が「発行済株式の全部を有する株式会社その他これに準ずるものとして法務省令で定める法人」にあたることになる。

―(純資産額)―

第137条　法第468条第2項第2号に規定する法務省令で定める方法は，算定基準日（法第467条第1項第3号に規定する譲受けに係る契約を締結した日（当該契約により当該契約を締結した日と異なる時（当該契約を締結した日後から当該譲受けの効力が生ずる時の直前までの間の時に限る。）を定めた場合にあっては，当該時）をいう。以下この条において同じ。）における第1号から第7号までに掲げる額の合計額から第8号に掲げる額を減じて得た額（当該額が500万円を下回る場合にあっては，500万円）をもって株式会社の純資産額とする方法とする。

一　資本金の額
二　資本準備金の額
三　利益準備金の額
四　法第446条に規定する剰余金の額
五　最終事業年度（法第461条第2項第2号に規定する場合にあっては，法第441条第1項第2号の期間（当該期間が二以上ある場合にあっては，その末日が最も遅いもの）。以下この号において同じ。）の末日（最終事業年度がない場合にあっては，株式会社の成立の日）における評価・換算差額等に係る額
六　株式引受権の帳簿価額
七　新株予約権の帳簿価額
八　自己株式及び自己新株予約権の帳簿価額の合計額

2　前項の規定にかかわらず，算定基準日において法第467条第1項第3号に規定する譲受けをする株式会社が清算株式会社である場合における法第468条第2項第2号に規定する法務省令で定める方法は，法第492条第1項の規定により作成した貸借対照表の資産の部に計上した額から負債の部に計上した額を減じて得た額（当該額が500万円を下回る場合にあっては，500万円）をもって株式会社の純資産額とする方法とする。

本条は，他の会社（外国会社その他の法人を含む。以下，本条に対するコメントにおいて同じ）の事業の全部を譲り受ける場合に，株主総会の特別決議による承認をつねに必要とするか否かの規準との関連で，株式会社の純資産額を算定する方法を定めるものである。すなわち，他の会社の事業の全部を譲り受ける場合には，その行為がその効力を生ずる日（効力発生日）の前日までに，株主総会の決議によって，その譲受けに係る契約の承認を受けなければならないものとされているが（法467条1項柱書・3号），当該他の会社の事業の全部の対価として交付する財産の帳簿価額の合計額の「当該株式会社の純資産額として法務省令で定める方法により算定される額」に対する割合が5分の1（これを下回る割合をその株式会社の定款で定めた場合には，その割合）を超えない場合には，原則として，株主総会の決議による承認を得ることを要しないものとされている（法468条2項2号）。そこで，この委任を受けて，当該株式会社の純資産額を算定する方法を本条は定めている。

1 株式会社の純資産額を算定する方法（1項）

(1) 算定基準日

他の会社の事業の全部の「譲受けに係る契約を締結した日（当該契約により当該契約を締結した日と異なる時（当該契約を締結した日後から当該譲受けの効力が生ずる時の直前までの間の時に限る。）を定めた場合にあっては，当該時）」が算定基準日とされる。すなわち，法468条2項2号は，当該他の会社の事業の全部の対価として交付する財産の帳簿価額の合計額の「当該株式会社の純資産額として法務省令で定める方法により算定される額」に対する割合が5分の1（これを下回る割合をその株式会社の定款で定めた場合には，その割合）を超えない場合には，原則として，株主総会の決議による承認を得ることを要しないものとしている。そして，株主総会の特別決議を経ないで他の会社の事業の全部の譲受けを行うことができるかどうかは，その譲受けのスケジュールに重要な影響を与える可能性があるため，他の会社の事業の全部の譲受けに係る契約を締結する段階で法468条2項の要件を満たせる可能性があるかどうかを判断できることが望ましい。そこで，本項では，他の会社の事業の全部の「譲受けに係る契約を締結した日」を算定基準日とすることを原則としている。

もっとも，法468条2項は，当該他の会社の事業の全部の譲受けが株式会社の株主に与える可能性のある影響の大小に注目しているものであり，理論的には，当該他の会社の事業の全部の譲受けの効力が生ずる時点を基準時として要

件を満たすか否かを判断することがより適切であるし，また，他の会社の事業の全部の譲受けに係る契約の締結後，その譲受会社において，剰余金の配当その他会社の財産の状況に重要な影響を与える行為を行うことが予想される場合には，当該他の会社の事業の全部の譲受けに係る契約を締結した日後の日を算定基準日とすることが適切でありうる。そこで，本項では，「当該契約により当該契約を締結した日と異なる時（当該契約を締結した日後から当該譲受けの効力が生ずる時の直前までの間の時に限る。）を定めた場合には，当該時」を算定基準日とするものとしている。

(2) 算定方法

1項では，純資産額を算定基準日における同項「第1号から第7号までに掲げる額の合計額から第8号に掲げる額を減じて得た額（当該額が500万円を下回る場合にあっては，500万円）」と定めているが，これは，評価・換算差額等以外の項目については事業年度中の変動（当該事業年度の損益計算書に反映されるべき損益を除く）を反映した額を用いて，純資産額を算定しようというものである。すなわち，資本金の額，資本準備金の額，利益準備金の額，法446条に規定する剰余金の額，株式引受権の帳簿価額，新株予約権の帳簿価額ならびに自己株式および自己新株予約権の帳簿価額の合計額については，算定基準日の額を用いるというものである。評価・換算差額等に係る額は，最終事業年度（臨時計算書類を作成したときは，臨時会計年度。臨時会計年度が二以上ある場合には，その末日が最も遅いもの）の末日（最終事業年度がない場合には，株式会社の成立の日）における額を用いることとされているが，これは，事業年度中の評価・換算差額等（その他有価証券評価差額金，繰延ヘッジ損益および土地再評価差額金［→計規コンメ76条❽］）を把握することは，会社にとって，手間がかかることから，計算書類または臨時計算書類上の額を用いることができるようにしたものである。

法446条に規定する剰余金の額には，最終事業年度の末日後にした自己株式の処分，資本金または準備金の額の減少と剰余金の額の増加，剰余金の額の減少と資本金または準備金の額の増加，吸収型再編受入行為による資本剰余金および利益剰余金の額の変動，自己株式の消却，剰余金の配当が反映されるという点で［詳細については，→計規コンメ149条・150条］，最終事業年度の末日に係る貸借対照表上の純資産の部の額の合計額を純資産額とするよりも合理的であるといえる。

しかし，立法論としては，本項の定めには，少なくとも2つの点で課題がある。第1に，臨時計算書類を作成した場合に，臨時損益計算書に計上された当期純損益金の額を基準純資産額の算定に反映させない理由はないと思われる。臨時損益計算書に計上された当期純損益金の額だけ，株式会社の純資産の額は増加していると考えてよい一方で，評価・換算差額等の増減は臨時損益計算書に計上された収益・費用・利益・損失と結びついているはずなので，臨時会計年度中の評価・換算差額等の増減は純資産額に反映しつつ，臨時会計年度に係る純損益金額を反映させないことは均衡のとれていない取扱いであるといえるからである。第2に，新株予約権の金額（自己新株予約権の金額があるときは，その額を控除した後の額）を基準純資産額の算定にあたって考慮することが適当であるかどうかについては疑義がある。なぜなら，新株予約権の金額は，新株予約権者に帰属する部分を表しているとみることもできる一方で，新株予約権をたとえば買収防衛策の一環として，あるいは有利発行として無償で発行すると新株予約権の額はゼロであるが，その後，市場で新株予約権を取得すると自己新株予約権の額は正の値をとり，新株予約権の金額から自己新株予約権の金額を控除した額はマイナスとなって，それが純資産額を減少させることになるが，それでよいのかという課題である。

　なお，「当該額が500万円を下回る場合にあっては，500万円」と定められているのは，現物出資の目的である財産および財産引受けの目的である財産について定款に記載され，または記録された価額の総額が500万円を超えない場合には検査役の調査を要しないものとされていること（法33条10項1号）との平仄をとったものと推測される。すなわち，法33条10項1号が検査役の調査を要しないものとしている趣旨は，500万円を超えない場合には重要性が高くないということに鑑みたものであろう。法207条9項2号や法284条9項2号も現物出資財産の価額が500万円を超えない場合には，検査役の調査を要しないものと定めている。

2　清算株式会社の特則（2項）

　算定基準日において，他の会社の事業全部の譲受けをする株式会社が清算株式会社（法475条の規定により清算をする株式会社。法476条）である場合には，「法第492条第1項の規定により作成した貸借対照表の資産の部に計上した額」が株式会社の総資産額とされる。これは，清算株式会社においては，剰余金の配当は行われないので，資本金，資本準備金，利益準備金という区分や剰余金

の額は意味を有さず［詳細については，→145条］，純資産の部は細分されないことになっているため（145条3項柱書），1項が定める算式によっては株式会社の純資産額を算定できないからである。

──**（事業譲渡等につき株主総会の承認を要する場合）**──────────

第138条　法第468条第3項に規定する法務省令で定める数は，次に掲げる数のいずれか小さい数とする。

一　特定株式（法第468条第3項に規定する行為に係る株主総会において議決権を行使することができることを内容とする株式をいう。以下この条において同じ。）の総数に2分の1（当該株主総会の決議が成立するための要件として当該特定株式の議決権の総数の一定の割合以上の議決権を有する株主が出席しなければならない旨の定款の定めがある場合にあっては，当該一定の割合）を乗じて得た数に3分の1（当該株主総会の決議が成立するための要件として当該株主総会に出席した当該特定株主（特定株式の株主をいう。以下この条において同じ。）の有する議決権の総数の一定の割合以上の多数が賛成しなければならない旨の定款の定めがある場合にあっては，1から当該一定の割合を減じて得た割合）を乗じて得た数に1を加えた数

二　法第468条第3項に規定する行為に係る決議が成立するための要件として一定の数以上の特定株主の賛成を要する旨の定款の定めがある場合において，特定株主の総数から株式会社に対して当該行為に反対する旨の通知をした特定株主の数を減じて得た数が当該一定の数未満となるときにおける当該行為に反対する旨の通知をした特定株主の有する特定株式の数

三　法第468条第3項に規定する行為に係る決議が成立するための要件として前2号の定款の定め以外の定款の定めがある場合において，当該行為に反対する旨の通知をした特定株主の全部が同項に規定する株主総会において反対したとすれば当該決議が成立しないときは，当該行為に反対する旨の通知をした特定株主の有する特定株式の数

四　定款で定めた数

　本条は，他の会社（外国会社その他の法人を含む。以下，本条に対するコメントにおいて同じ）の事業の全部を譲り受ける場合であって，法468条2項の要件をみたすにもかかわらず，株主総会の特別決議による承認が必要になる要件との関連で，反対の意思を通知した株主が有すべき株式の数を定めるものである。すなわち，他の会社の事業の全部を譲り受ける場合であっても，当該他の会社

の事業の全部の対価として交付する財産の帳簿価額の合計額の「当該株式会社の純資産額として法務省令で定める方法により算定される額」に対する割合が5分の1（これを下回る割合をその株式会社の定款で定めた場合には，その割合）を超えない場合には，原則として，株主総会の決議による承認を得ることを要しないものとされているが（法468条2項2号），法務省令で定める数の株式を有する株主が一定期間内に他の会社の事業の全部を譲り受けることに反対する旨をその行為をする株式会社に対し通知したときは，その株式会社は，効力発生日の前日までに，株主総会の決議によって，他の会社の事業の全部の譲受けに係る契約の承認を受けなければならないものとされている（同条3項）。本条は，この委任をうけて，「法務省令で定める数の株式」を定めるものである。

　本条は，結局のところ，他の会社の事業の全部の譲受けに係る契約の承認のための株主総会が開催された場合に，承認決議が否決される可能性のある株式数のうちで最も少ない数を「法務省令で定める数の株式」として定めている。平成14年改正前商法245条ノ5第6項が定めていた「会社ノ総株主ノ議決権ノ6分ノ1」という割合は，特別決議の定足数である「会社ノ総株主ノ議決権ノ過半数」に3分の1（出席株主が有する議決権の3分の2以上の多数が特別決議の要件であるため，1から3分の2を減じて得た割合）を乗じて定めたものであって（河本ほか・商事法務1465号40頁［菊池発言］参照），それは，他の会社の事業の全部の譲受けに係る契約の承認のための株主総会が開催された場合に，承認決議が否決される可能性のある議決権数に相当するものであると説明されていたことを踏まえたものである。

　すなわち，1号が，「特定株式……の総数に2分の1……を乗じて得た数に3分の1……を乗じて得た数に1を加えた数」と定めているのは，定款に別段の定めを設けない場合には，特別「決議は，当該株主総会において議決権を行使することができる株主の議決権の過半数……を有する株主が出席し，出席した当該株主の議決権の3分の2……以上に当たる多数をもって行わなければならない」とされていること（法309条2項柱書）に対応するものであり，平成17年改正前商法245条ノ5第6項の定めをその発想において踏襲したものである（「1を加えた数」とされているのは，このように定めないと，厳密には特別決議の成立を阻止することができる最低数にはならないためである）。1号で，「当該株主総会の決議が成立するための要件として当該特定株式の議決権の総数の一定の割合以上の議決権を有する株主が出席しなければならない旨の定款の定めがある場合にあっては，当該一定の割合」と規定されているのは，定款の定めによ

り特別決議の定足数として3分の1以上の割合を定めることができ，「当該株主総会の決議が成立するための要件として当該株主総会に出席した当該特定株主（特定株式の株主をいう……）の有する議決権の総数の一定の割合以上の多数が賛成しなければならない旨の定款の定めがある場合にあっては，1から当該一定の割合を減じて得た割合」と定められているのは，定款の定めにより特別決議の決議要件として，3分の2を上回る割合を定めることができるからである。

2号が，他の会社の事業の全部の譲受けに「係る決議が成立するための要件として一定の数以上の特定株主の賛成を要する旨の定款の定めがある場合において，特定株主の総数から株式会社に対して当該行為に反対する旨の通知をした特定株主の数を減じて得た数が当該一定の数未満となるときにおける当該行為に反対する旨の通知をした特定株主の有する特定株式の数」と定めているのは，特別決議の決議要件として，「当該決議の要件に加えて，一定の数以上の株主の賛成を要する旨……を定款で定めることを妨げない」とされていること（法309条2項柱書2文）をうけたものである。すなわち，一定数以上の株主が賛成しない限り，特別決議により可決されないものと定款に定められている場合には，「特定株主の総数から株式会社に対して当該行為に反対する旨の通知をした特定株主の数を減じて得た数が当該一定の数未満となるとき」には，反対する旨の通知をした特定株主が反対する限り，特別決議は成立しないからである。

3号が，他の会社の事業の全部の譲受けに「係る決議が成立するための要件として前2号の定款の定め以外の定款の定めがある場合において，当該行為に反対する旨の通知をした特定株主の全部が同項に規定する株主総会において反対したとすれば当該決議が成立しないときは，当該行為に反対する旨の通知をした特定株主の有する特定株式の数」と定めているのは，特別決議の決議要件として，「当該決議の要件に加えて，……その他の要件を定款で定めることを妨げない」とされていること（法309条2項柱書2文）をうけたものである。「その他の要件」としては，さまざまなものがありうるので，3号では，端的に，「当該行為に反対する旨の通知をした特定株主の全部が同項〔法468条3項〕に規定する株主総会において反対したとすれば当該決議が成立しないときは，当該行為に反対する旨の通知をした特定株主の有する特定株式の数」と定めている。この場合には，反対する旨の通知をした特定株主が反対する限り，特別決議は成立しないからである。

4号は「定款で定めた数」と定めるが,これは,特別決議の要件と関係なく,定款で定めた一定数以上の株式を有する株主が反対する旨の通知をした場合には,株主総会の特別決議による承認を要するものとすることができることを前提とするものである。「いずれか小さい数」(柱書)とされているので,「定款で定めた数」は,株主総会の特別決議による承認を要する場合を拡大する方向でのみ意義を有する。

第7章

解　　散

> 第139条　法第472条第1項の届出（以下この条において単に「届出」という。）は，書面でしなければならない。
> 2　前項の書面には，次に掲げる事項を記載しなければならない。
> 　一　当該株式会社の商号及び本店並びに代表者の氏名及び住所
> 　二　代理人によって届出をするときは，その氏名及び住所
> 　三　まだ事業を廃止していない旨
> 　四　届出の年月日
> 　五　登記所の表示
> 3　代理人によって届出をするには，第1項の書面にその権限を証する書面を添付しなければならない。

　本条は，事業を廃止していない旨の届出に関して定めるものである。
　すなわち，休眠会社（株式会社であって，その株式会社に関する登記が最後にあった日から12年を経過したもの）は，法務大臣が休眠会社に対し2カ月以内に法務省令で定めるところによりその本店の所在地を管轄する登記所に事業を廃止していない旨の届出をすべき旨を官報に公告した場合に，その届出をしないときは，その2カ月の期間の満了の時に，解散したものとみなすと定められている（法427条1項）。本条は，この規定をうけて定められたものであって，平成18年改正前商法施行規則199条を踏襲したものである。
　本条は，最後の登記後12年を経過した会社は本店の所在地を管轄する登記所に廃業していない旨の届出をすべき旨を法務大臣が官報をもって公告した場合に，そのような届出の手続を定めるものである。本条が，廃業していない旨の届出の手続を定めるのは，廃業していない旨の届出が会社の真意に基づいてな

されることを確保するためである。

　まず，この届出は書面でしなければならないものとされ（1項），電磁的方法による届出は認められていない。これは，この届出については，届出を公告の日から2カ月以内に行わないとその期間満了時に解散したものとみなされるため（法472条1項本文），確実性が重視される一方，このような届出は反復的に行われるものではないため，電磁的方法による届出を認める実益は大きくないからであろう。

　届出の書面には，株式会社の商号および本店ならびに代表者の氏名および住所，代理人によって届出をするときは，その氏名および住所，まだ事業を廃止していない旨，届出の年月日および登記所の表示を記載しなければならない（2項）。株式会社の商号および本店を記載させるのは届出の対象となっている会社を特定するためであり，代表者の氏名および住所，さらに，代理人によって届出をするときは，その氏名および住所を記載させるのは，会社を代表あるいは代理する権限を有する者が届出を行うことを確保して，事業を継続することが会社の真意であることを確保するためである。このような趣旨に照らして，代理人によって届出をするには，届出書面に代理人の代理権を証する書面を添付しなければならないものとされている（3項）。

　届出書面に「まだ事業を廃止していない旨」を記載するのはこの届出の性格上，当然のことであり，届出の年月日を記載するのは，公告の日から2カ月を経過した後の届出は無効だからである。登記所の表示をすべきものとされているのは，届出は本店の所在地を管轄する登記所に対してなされなければ無効だからである。

第8章 清　算

第1節　総　則

（清算株式会社の業務の適正を確保するための体制）

第140条　法第482条第3項第4号に規定する法務省令で定める体制は，次に掲げる体制とする。
　一　清算人の職務の執行に係る情報の保存及び管理に関する体制
　二　損失の危険の管理に関する規程その他の体制
　三　使用人の職務の執行が法令及び定款に適合することを確保するための体制
2　清算人が2人以上ある清算株式会社である場合には，前項に規定する体制には，業務の決定が適正に行われることを確保するための体制を含むものとする。
3　監査役設置会社以外の清算株式会社である場合には，第1項に規定する体制には，清算人が株主に報告すべき事項の報告をするための体制を含むものとする。
4　監査役設置会社（監査役の監査の範囲を会計に関するものに限定する旨の定款の定めがある清算株式会社を含む。）である場合には，第1項に規定する体制には，次に掲げる体制を含むものとする。
　一　監査役がその職務を補助すべき使用人を置くことを求めた場合における当該使用人に関する体制
　二　前号の使用人の清算人からの独立性に関する事項
　三　監査役の第1号の使用人に対する指示の実効性の確保に関する事項
　四　清算人及び使用人が監査役に報告をするための体制その他の監査役への報告に関する体制
　五　前号の報告をした者が当該報告をしたことを理由として不利な取扱いを受けないことを確保するための体制

六　監査役の職務の執行について生ずる費用の前払又は償還の手続その他の当該職務の執行について生ずる費用又は債務の処理に係る方針に関する事項
　七　その他監査役の監査が実効的に行われることを確保するための体制

　本条は，清算株式会社の業務の適正を確保するための体制を定めるものである。すなわち，法482条3項4号は，清算人会設置会社ではない清算株式会社において，清算人が2人以上いるときは，「清算人の職務の執行が法令及び定款に適合することを確保するための体制その他清算株式会社の業務の適正を確保するために必要なものとして法務省令で定める体制の整備」についての決定を各清算人に委任することができないものと定めている。これをうけて，本条は「清算株式会社の業務の適正を確保するために必要なものとして法務省令で定める体制」を定めている。取締役会設置会社ではない株式会社の「業務の適正を確保するために必要なものとして法務省令で定める体制」を定める98条とパラレルな規定である。
　なお，清算株式会社の業務の適正を確保するために必要なものとして法務省令で定める体制の整備に関する事項を決定するに際しては，「株式会社の業務の適正を確保する体制に関する法務省令案」（商事法務1750号70頁）の3条3号が「株式会社の業務及び効率性の適正の確保に向けた株主又は会社の機関相互の適切な役割分担と連携を促すものであること」に，同4号が「株式会社の規模，事業の性質，機関の設計その他当該株式会社の個性及び特質を踏まえた必要，かつ，最適なものであること」に，それぞれ，留意するよう努めるものとすると定めることを提案していたことは，本条の解釈にあたって参考になるものと考えられる。
　なお，株式会社の「業務の適正を確保するために必要なものとして法務省令で定める体制」と異なり，「取締役の職務の執行が効率的に行われることを確保するための体制」や「当該株式会社並びにその親会社及び子会社から成る企業集団における業務の適正を確保するための体制」に相当する体制はあげられていない。「取締役の職務の執行が効率的に行われることを確保するための体制」に相当する体制が列挙されていないのは，清算株式会社は清算の目的の範囲内において，清算が結了するまではなお存続するものとみなされており（法476条），積極的に事業を行うことを目的とするものではないからである。ま

た,「当該株式会社並びにその親会社及び子会社から成る企業集団における業務の適正を確保するための体制」に相当する体制が列挙されていないのは,清算株式会社は,類型的にみて,企業集団を構成する会社としての役割を果たしていくことが期待されている会社ではないからであろう。「取締役の職務の執行が法令及び定款に適合することを確保するための体制その他株式会社の業務並びに当該株式会社及びその子会社から成る企業集団の業務の適正を確保するために必要なものとして法務省令で定める体制の整備」(圏点—引用者)と定める法348条3項4号と異なり,法482条3項4号は,「清算人の職務の執行が法令及び定款に適合することを確保するための体制その他清算株式会社の業務の適正を確保するために必要なものとして法務省令で定める体制の整備」とのみ定めている。

1 すべての清算株式会社(清算人会設置会社を除く)にとっての「清算株式会社の業務の適正を確保するために必要なものとして法務省令で定める体制」

(1項)

(1) 清算人の職務の執行に係る情報の保存および管理に関する体制(1号)

　清算人の職務の執行に係る情報の保存および管理に関する体制を定めなければならないものとされているのは,清算人は,清算株式会社の本店の所在地における清算結了の登記の時から10年間,清算株式会社の帳簿ならびにその事業および清算に関する重要な資料を保存しなければならないものとされているからである(法508条1項)。また,監査役設置会社において,監査役が清算人の職務執行を監査するためには,清算人の職務執行に係る情報が適切に保存され,改ざん等がなされない状態におかれ,かつ,監査役がその情報に容易にアクセスできるような状況が確保される必要があるからである。具体的には,清算人が意思決定やそれに基づく業務執行行為を行った場合および清算人の指揮命令下にある使用人が職務執行を行った場合に,それらに係る記録のために作成すべき文書(電磁的記録を含む)の内容,作成すべき者など,そのような文書の保存(保存期間,保存方法,保存場所等),管理(管理部署または責任者の指定等)および廃棄(廃棄方法等),それらの文書の監査役および内部監査部門による閲覧および謄写の確保に関する事項を定めた文書管理方針および文書管理規程を定めることが考えられる。

　なお,ここでいう「清算人の職務」には,代表清算人としての職務に加えて,他の清算人の職務執行の監督機関としての清算人の職務も含まれると解さ

れる（相澤＝石井・商事法務1761号14頁参照）。

(2) 損失の危険の管理に関する規程その他の体制（2号）

　清算株式会社もさまざまなリスクにさらされており，そのようなリスク管理体制の大綱を決定し，それを具体化するのは清算人の役割であるが，監査役はそのようなリスク管理体制が適切に構築され，運用されているかを，監査役設置会社において監査することが求められている。より具体的には，清算人は，各種のリスクの特性・実態を理解し，どの程度のリスクをとるかについての方針を定め，適切な資源配分を行い，清算株式会社を取り巻く環境に対応し清算株式会社内部の状況を機動的に管理することができる体制を構築する必要がある。すなわち，リスクの所在および種類を把握して，各種のリスクの測定・モニタリング・管理の方針を定め，定期的に，また状況の変化に応じて随時，見直すことが求められる。また，さまざまな部門について発生するリスクを統合的に管理できるリスク管理のための部門の整備，リスクの発見・特定・報告体制の明確化，リスク管理手法や組織の有効性の検証と見直しなどが清算人の任務の1つである。また，監査役設置会社においては，それが適切になされているかどうかを監査することは監査役の職務の1つである。そこで，損失の危険の管理に関する規程その他の体制に関する事項の決定を各清算人に委任することはできないものとされている。

　リスク管理方針およびリスク管理規程においては，具体的なリスクをあげた上で，各リスクへの対処の優先順位を示し，各リスクの現実化を未然に防止するための対処方法および組織・体制を明らかにするとともに，リスクが現実化した場合の対処方法・手順および是正手段を定めることになろう。また，新たにリスクが認識された場合の対応をも含めるべきであろう（詳細については，たとえば，新会社法実務相談161〜162頁［佐藤＝中島］参照）。

(3) 使用人の職務の執行が法令および定款に適合することを確保するための体制（3号）

　会社の業務が適正に行われていると評価されるためには，清算人のみならず，清算人の指揮命令の下で会社の業務を行う使用人の職務の執行が法令および定款に適合することが必要である。現代の企業においては，内部統制システムが整備され，コンプライアンスの仕組みが有効に機能することが重要な課題となっている。そこで，使用人の職務の執行が法令および定款に適合し，か

つ，効率的に行われることを確保するための体制の整備の決定は各清算人に委任することはできないものとされている。伝統的には，たとえば，内部統制システムとして，資産管理，会計管理，業務管理などに関して，実効的な内部牽制とその検証のための内部監査の仕組みを確保することが必要であると指摘されてきた。清算人はリスクの種類や重大さあるいは損害をもたらす蓋然性の大きさに応じた実効的な内部統制システムおよび内部監査体制を構築するための規程を定め，内部監査部門（あるいはそれに相当する職能を果たす部門。以下同じ）の被監査部門などからの独立性，内部監査部門の情報収集のための権限と能力の確保，適切な人材の配置による実効性の確保，内部牽制および内部監査の有効性の検証，必要に応じた外部の専門家の利用，清算人または監査役に対する報告系統の確立などについて，十分な方策を講じなければならない。このような清算人の決定に沿って代表清算人などによって具体的に構築され，運用されている内部統制システム等を前提としなければ，監査役による監査の実効性は確保できないからである。

　そこで，上述したほかに，「使用人の職務の執行が法令及び定款に適合することを確保するための体制」としては，清算株式会社の事業活動に適用のある法令および想定される具体的な法令違反行為を想定し，コンプライアンス・マニュアルや倫理規定の策定・配布，コンプライアンスに関する教育・研修体制の整備，法令違反行為によって得られた業績に対する人事評価の排除を含む法令違反行為の予防措置を定めるとともに，法令違反行為が発見された場合における対処方法および是正手段（内部者通報制度の構築による通常の業務報告ルートとは異なる報告経路（ヘルプライン）の構築など）を内容とするコンプライアンス方針またはコンプライアンス規程を定め，それに沿った体制を構築すること（かつ，内部通報制度認証により実効性を高めること）が考えられる。コンプライアンス・オフィサーを任命し，あるいはコンプライアンス部門を設けることも考えられる。

2　清算株式会社（清算人会設置会社を除く）のうち，清算人が2人以上あるものにとっての「清算株式会社の業務の適正を確保するために必要なものとして法務省令で定める体制」（2項）

　清算人が2人以上ある清算株式会社である場合には，「清算株式会社の業務の適正を確保するために必要なものとして法務省令で定める体制」には，業務の決定が適正に行われることを確保するための体制を含むものとするとされて

いるのは，法482条2項は「清算人が2人以上ある場合には，清算株式会社の業務は，定款に別段の定めがある場合を除き，清算人の過半数をもって決定する」と定めるにとどまっており，会社法の明文上は，持ち回り決議などによることも可能であるが，それぞれの清算株式会社において，業務の決定にあたって十分に検討が尽くされるように配慮することは望ましいことであり，あらかじめ，決定の方法を定めることが適当でありうるという考えに基づくものである（相澤＝石井・商事法務1761号16頁参照）。

3 清算株式会社（清算人会設置会社および監査役設置会社を除く）にとっての「清算株式会社の業務の適正を確保するために必要なものとして法務省令で定める体制」（3項）

監査役設置会社以外の清算株式会社では，「清算株式会社の業務の適正を確保するために必要なものとして法務省令で定める体制」には，清算人が株主に報告すべき事項の報告をするための体制も含まれるものとされている。これは，監査役設置会社でない会社の清算人は，株式会社に著しい損害を及ぼすおそれのある事実があることを発見したときは，ただちに，その事実を株主に報告しなければならないとされていること（法482条4項・357条1項）をうけたものであって，監査役設置会社について定める4項4号とパラレルな規定である。このような体制を整備しなければ，株主に対する情報の流れが確保されず，株主としては，違法行為差止請求権（法482条4項・360条1項）などを適切に行使することができず，その結果，清算株式会社の業務の執行の適正を確保できないおそれがあるからである。

4 清算株式会社（清算人会設置会社を除く）のうち，監査役設置会社であるものにとっての「清算株式会社の業務の適正を確保するために必要なものとして法務省令で定める体制」（4項）

「監査役の監査の範囲を会計に関するものに限定する旨の定款の定めがある清算株式会社を含む」とされているのは，そのような会社においても，監査役の監査の実効性を確保することによって，清算株式会社の業務の適正を確保する必要があるからである。

まず，監査役の職務を補助すべき使用人に関する事項（1号），その使用人の清算人からの独立性に関する事項（2号）および監査役の職務を補助すべき使用人に対する監査役の指示の実効性の確保に関する事項（3号）を定めるこ

第140条（清算株式会社の業務の適正を確保するための体制）

とが求められているのは，監査役による監査の実効性を確保するためである。すなわち，清算株式会社の規模や事業所・工場などの地理的な広がり次第では，監査役のみで十分な監査を行うことは事実上不可能でありうるし，また，監査役のこれまでの経験や知識では，会計事項を含む，清算人の職務執行を監査するためには不十分である場合も想定できる。したがって，監査役の職務を補助する使用人（スタッフ）がいなければ，十分な監査はできないことが少なくないと予想される。そして，監査役の職務を補助するのに十分な能力と経験を有していることのみならず，スタッフが監査の対象である清算人から独立していなければ，監査役は，株式会社もしくはその子会社の清算人・取締役もしくは支配人その他の使用人または当該子会社の会計参与（会計参与が法人であるときは，その職務を行うべき社員）もしくは執行役を兼ねることができないとして（法491条・335条2項），監査役の独立性を確保しようとした趣旨が没却されるおそれがあるからである。この観点から，監査役の職務を補助すべき使用人，たとえば，内部監査担当者などが清算人から不当な干渉や圧力を受けることや不利益な扱いを受けることを防止するための方策を定める必要がありうる。

　他方，監査役の職務を補助すべき使用人が置かれても，たとえば，その使用人が代表取締役等の業務執行を行う取締役の指示を受ける使用人としての立場を有しているような場合には，必ずしも，監査役が指示を与えてもそれに従う余裕がなく，監査役を十分に補助できない可能性や監査役の指示と取締役の指示とが矛盾抵触するような場合には監査役の指示に従わない可能性もある。この点で，監査役の職務を補助すべき使用人に対する監査役による指示の実効性に関する事項は当該使用人の取締役からの独立性に関する事項と明確に分けることはできない（監査役の職務を補助すべき使用人の取締役からの独立性が高ければ，当該使用人に対する監査役による指示の実効性という面はあるものの，監査役による監査を支える体制に係る規定の具体化を図るという観点から，平成27年改正により，「監査役の第1号の使用人に対する指示の実効性の確保に関する事項」が明文化された。坂本ほか・商事法務2060号6頁）。具体的には，監査役の職務を補助すべき使用人を監査役の専任のスタッフとするのか，他の業務を兼任させるのか，取締役（とりわけ業務執行権を有する取締役）の当該使用人に対する指揮命令権の有無，当該使用人の異動についての監査役の同意等の要否，当該使用人の懲戒等についての監査役の同意等の要否などを定めることが想定されている。

　「監査役がその職務を補助すべき使用人を置くことを求めた場合における」

（1号）とされているのは，監査役の監査体制は監査役の主導によって定められるべきものであるから，補助する使用人の要否は監査役が判断するものとすべきだからであると説明されている（相澤＝石井・商事法務1761号15頁）。また，監査役設置会社においては，第1次的には監査役が監査を行うものとされていること，監査役設置会社の中には比較的小規模な会社が含まれることなどから，監査役設置会社においては，監査役の職務を補助すべき使用人をおく必要があるとは必ずしもいえないことも，1号のような規定振りの背景にはあるのではないかと推測される。

また，清算人および使用人が監査役に報告をするための体制その他の監査役への報告に関する体制（4号）を定めなければならないとされているのは，監査役に対する情報の流れが確保されなければ，監査役の権限を適切に行使することができず，その結果，株式会社の業務の執行の適正を確保できないおそれがあるからである。法491条・381条2項は，監査役は，いつでも，清算人および会計参与ならびに支配人その他の使用人に対して事業の報告を求め，または監査役設置会社の業務および財産の状況の調査をすることができるとし（監査役の監査の範囲を会計に関するものに限定する旨の定款の定めがある株式会社の監査役も清算人および会計参与ならびに支配人その他の使用人に対して会計に関する報告を求めることができるものとされている。法389条4項），法482条4項が準用する357条1項は，清算人は，株式会社に著しい損害を及ぼすおそれのある事実があることを発見したときは，ただちに，その事実を，監査役設置会社では監査役に報告しなければならないとするが，それ以外の事項であっても一定の重要な事項については，いちいち報告を求められなくとも，清算人および使用人側から監査役に報告すべきものとあらかじめ定めておく必要があるからである。清算人としては，重要な情報が握りつぶされてしまうようなことを防止すると同時に，裏づけのある重要な情報が監査役に伝達されるよう，どのような報告体制を構築するかを定めることになろう。特に，いわゆる内部者通報制度との関連でも使用人から直接に監査役に報告する仕組みをどのように作るのかという問題がある。そして，重要な情報が監査役に適時かつ適切に報告されることを確保するという観点から，監査役への「報告をした者が当該報告をしたことを理由として不利な取扱いを受けないことを確保するための体制」（5号）も列挙されている［→100条］。

さらに，監査役の職務の執行について生ずる費用の前払いまたは償還の手続その他の当該職務の執行について生ずる費用または債務の処理に係る方針に関

第141条（社債を引き受ける者の募集に際して清算人会が定めるべき事項）

する事項（6号）が例示されている。法388条は，監査役がその職務の執行について会社に対して費用の前払いの請求，支出した費用および支出の日以後におけるその利息の償還の請求または負担した債務の債権者に対する弁済（当該債務が弁済期にない場合には，相当の担保の提供）の請求をしたときは，会社は，当該請求に係る費用または債務が当該監査役の職務の執行に必要でないことを証明した場合を除き，これを拒むことができないと定め，清算株式会社の監査役にもこの規定が準用されている（法491条）。しかし，清算人が監査役に対し，監査費用の前払いもしくは償還または監査役の職務の執行について生ずる債務の引受けに難色を示す可能性がないとはいえず［→100条］，このことは，監査役による職務執行が費用などの制約のために十分になされないことにつながりかねない。6号が規定するような方針が定められれば，監査役にとっての予測可能性が高まり，ひいては実効的な職務執行が期待できると考えられるため（坂本ほか・商事法務2060号8頁），平成27年改正により明文で例示することとされた。

　以上に加えて，本条では，清算人はその他監査役の監査が実効的に行われることを確保するための体制（7号）を定めなければならないものとしている。これは，1号から6号に掲げる事項を定めるのみでは，監査役の監査が実効的に行われることを確保するためには不十分でありうるからである。「その他監査役の監査が実効的に行われることを確保するための体制」としては，たとえば，内部監査部門等との連携に関する体制などが考えられる。日本監査役協会・監査役監査基準37条1項は，「監査役は，会社の業務及び財産の状況の調査その他の監査職務の執行に当たり，内部監査部門その他内部統制システムにおけるモニタリング機能を所管する部署……と緊密な連携を保ち，組織的かつ効率的な監査を実施するよう努める」としており，監査役としては，内部監査部門等との連係体制の整備について清算人に適切な決定を求めることが必要な場合が多いと予想される。そして，監査役の監査の実効性を高めるためには，内部監査部門の態勢の充実が不可欠であり，監査役としては，内部監査部門の実態を評価し，監査役の監査環境の観点から不足であると認められる点については，清算人に対し，その整備を求めることが適切である。

──（社債を引き受ける者の募集に際して清算人会が定めるべき事項）──
第141条　法第489条第6項第5号に規定する法務省令で定める事項は，次に掲げる事項とする。

一　二以上の募集（法第676条の募集をいう。以下この条において同じ。）に係る法第676条各号に掲げる事項の決定を委任するときは、その旨
　二　募集社債の総額の上限（前号に規定する場合にあっては、各募集に係る募集社債の総額の上限の合計額）
　三　募集社債の利率の上限その他の利率に関する事項の要綱
　四　募集社債の払込金額（法第676条第9号に規定する払込金額をいう。以下この号において同じ。）の総額の最低金額その他の払込金額に関する事項の要綱

　本条は、清算人会設置会社である清算株式会社において、社債を引き受ける者の募集に際して清算人会が定めるべき事項を定めるものである。すなわち、法489条6項5号は、法「第676条第1号に掲げる事項その他の社債を引き受ける者の募集に関する重要な事項として法務省令で定める事項」の決定を清算人会は清算人に委任することができないと定めており、この委任をうけて、本条は法「第676条第1号に掲げる事項その他の社債を引き受ける者の募集に関する重要な事項として法務省令で定める事項」を定めるものである。99条とパラレルな規定である。

1　二以上の募集に係る法676条各号に掲げる事項の決定を委任するときは、その旨（1号）

　法489条6項5号は、法「第676条第1号に掲げる事項その他の社債を引き受ける者の募集に関する重要な事項として法務省令で定める事項」の決定を特定の清算人に委任することはできないと定めているが、本号は、二以上の募集に係る法676条各号に掲げる事項の決定を特定の清算人に委任することができることを前提としている。これは、募集社債の募集は、資金調達の一手段であり、時機をみて、臨機応変に、その時の経済環境や資金市場の動向に合わせて、条件を変更することができるようにすることが望ましいという価値判断によるものであると思われるが、立案担当者は通常の借入金と募集社債の募集とで大きく規制を異ならせる合理的な理由はないと考えていたのではないかとも推測される。また、形式的には、法「第676条第1号に掲げる事項その他の社債を引き受ける者の募集に関する重要な事項として法務省令で定める事項」（圏点—引用者）と定めており、法676条1号に掲げる事項は「社債を引き受ける者の募集に関する重要な事項として法務省令で定める事項」の一部であると

いう位置付けが与えられているので、法務省令で定められない限り、法676条1号に掲げる事項であっても、その決定を清算人に委任できると解する余地があると説明するのであろう。

2 募集社債の総額の上限（二以上の募集に係る法676条各号に掲げる事項の決定を委任する場合には、各募集に係る募集社債の総額の上限の合計額）（2号）

募集社債の総額は、ある時点で、会社が負担する社債の元本債務の上限を画するものであり、会社にとっては、負債総額は重要性を有するという観点から清算人会において決定しなければならないものとされている。本号は、法489条6項2号が「多額の借財」については清算人にその決定を委任することができないと定めており、多額の借財についての清算人会の決議においては、借入額（の上限）を定める必要があると解されていることとも首尾一貫すると考えられる。「二以上の募集……に係る法第676条各号に掲げる事項の決定を委任する」場合には、「各募集に係る募集社債の総額の上限の合計額」とされているのも、それぞれの募集ごとに募集社債の総額の上限を定めなくとも、全体として、会社が、ある一時点において、社債債務（元本債務）をどれだけ負う可能性があるかを清算人会にコントロールさせれば十分であると考えられるからである。

そして、「二以上の募集……に係る法第676条各号に掲げる事項の決定を委任する」場合には、「各募集に係る募集社債の総額の上限の合計額」とされており、かつ、「募集社債の総額」はこれからどのような募集を行い、どの程度の社債を割り当てるかについて枠を定めるものであり、募集社債の発行後にその募集に係る社債の全部または一部が償還された場合には、以後発行できる募集社債の総額がそれだけ増加するという定め方も可能であるとされている（相澤＝郡谷・商事法務1760号14頁注2）。また、複数の種類の社債について、発行と償還を繰り返す場合であっても、ある種類の社債が償還された場合に、その償還相当額を他の種類の募集社債の総額の枠に組み入れるものとすること（プログラム・アマウント）も可能である。このようにすることによって、枠の範囲内であれば、清算人会の決議を経ずに、社債を随時発行することが可能になる。

3 募集社債の利率の上限その他の利率に関する事項の要綱（3号）および募集社債の払込金額の総額の最低金額その他の払込金額に関する事項の要綱

（4号）

募集社債の利率および払込金額はその募集社債の実質利回りを規定するものであり，市場における金利水準などを考慮に入れた上で，決定することが合理的である。そこで，社債の商品性を魅力的なものとし，会社の資金調達を円滑かつ有利に行うためには，上限を定めることによって委任の範囲を画すより，利率や払込金額の決定に関する要綱をもって委任の範囲を画するほうが適当な場合がありうるという理由に基づき（相澤＝郡谷・商事法務1760号13〜14頁），要綱のみを定めることでもよいものとされている。剰余金の配当などについて内容の異なる株式について定款に定めるべき事項との関係では，法108条3項が「剰余金の配当について内容の異なる種類の種類株主が配当を受けることができる額……の全部又は一部については，当該種類の株式を初めて発行する時までに，株主総会（取締役会設置会社にあっては株主総会又は取締役会，清算人会設置会社にあっては株主総会又は清算人会）の決議によって定める旨を定款で定めることができる。この場合においては，その内容の要綱を定款で定めなければならない」と定めていること［→20条］との整合性を図ったものとみることもできよう。

要綱とされている以上，清算人に対する白紙委任あるいはそれと同視できるようなものであってはならず，利率や払込金額としてどのような条件が定められるか（たとえば，プライム・レートやTIBORなどを基準とするなど）が，清算人会にとって予測可能な程度には特定していなければならないことはいうまでもない。

（清算人会設置会社の業務の適正を確保するための体制）

第142条 法第489条第6項第6号に規定する法務省令で定める体制は，次に掲げる体制とする。
　一　清算人の職務の執行に係る情報の保存及び管理に関する体制
　二　損失の危険の管理に関する規程その他の体制
　三　使用人の職務の執行が法令及び定款に適合することを確保するための体制
2　監査役設置会社以外の清算株式会社である場合には，前項に規定する体制には，清算人が株主に報告すべき事項の報告をするための体制を含むものとする。
3　監査役設置会社（監査役の監査の範囲を会計に関するものに限定する旨の定款の定めがある清算株式会社を含む。）である場合には，第1項に規定する

第142条（清算人会設置会社の業務の適正を確保するための体制）

体制には，次に掲げる体制を含むものとする。
一　監査役がその職務を補助すべき使用人を置くことを求めた場合における当該使用人に関する体制
二　前号の使用人の清算人からの独立性に関する事項
三　監査役の第１号の使用人に対する指示の実効性の確保に関する事項
四　清算人及び使用人が監査役に報告をするための体制その他の監査役への報告に関する体制
五　前号の報告をした者が当該報告をしたことを理由として不利な取扱いを受けないことを確保するための体制
六　監査役の職務の執行について生ずる費用の前払又は償還の手続その他の当該職務の執行について生ずる費用又は債務の処理に係る方針に関する事項
七　その他監査役の監査が実効的に行われることを確保するための体制

　本条は，清算人会設置会社である清算株式会社の業務の適正を確保するための体制を定めるものである。すなわち，法489条６項６号は，清算人会設置会社である清算株式会社において，清算人会は「清算人の職務の執行が法令及び定款に適合することを確保するための体制その他清算株式会社の業務の適正を確保するために必要なものとして法務省令で定める体制の整備」の決定を清算人に委任することができないものと定めている。これをうけて，本条は「清算株式会社の業務の適正を確保するために必要なものとして法務省令で定める体制」を定めている。本条は，取締役会設置会社の「業務の適正を確保するために必要なものとして法務省令で定める体制」を定める100条とパラレルな規定である。
　もっとも，株式会社の「業務の適正を確保するために必要なものとして法務省令で定める体制」と異なり，「取締役の職務の執行が効率的に行われることを確保するための体制」や「当該株式会社並びにその親会社及び子会社から成る企業集団における業務の適正を確保するための体制」に相当する体制はあげられていない。「取締役の職務の執行が効率的に行われることを確保するための体制」に相当する体制が列挙されていないのは，清算株式会社は清算の目的の範囲内において，清算が結了するまではなお存続するものとみなされており（法476条），積極的に事業を行うことを目的とするものではないからである。また，「当該株式会社並びにその親会社及び子会社から成る企業集団における業務の適正を確保するための体制」に相当する体制が列挙されていないのは，

清算株式会社は，類型的にみて，企業集団を構成する会社として役割を果たしていくことが期待されている会社ではないからであろう。「取締役の職務の執行が法令及び定款に適合することを確保するための体制その他株式会社の業務並びに当該株式会社及びその子会社から成る企業集団の業務の適正を確保するために必要なものとして法務省令で定める体制の整備」（圏点—引用者）と定める法362条4項6号と異なり，法489条6項6号は，「清算人の職務の執行が法令及び定款に適合することを確保するための体制その他清算株式会社の業務の適正を確保するために必要なものとして法務省令で定める体制の整備」とのみ定めている。

　この点で，本条は，清算人会設置会社ではない清算株式会社の業務の適正を確保するための体制について規定する140条1項，3項および4項と同じ内容を定めている（140条2項は清算人会という会議体によらずに相互牽制・監視，慎重な決定などが行われるように「業務の決定が適正に行われることを確保するための体制」を例示している）。

　なお，清算株式会社の業務の適正を確保するために必要なものとして法務省令で定める体制の整備に関する事項を決定するに際しては，「株式会社の業務の適正を確保する体制に関する法務省令案」（商事法務1750号70頁）の3条3号が「株式会社の業務及び効率性の適正の確保に向けた株主又は会社の機関相互の適切な役割分担と連携を促すものであること」に，同4号が「株式会社の規模，事業の性質，機関の設計その他当該株式会社の個性及び特質を踏まえた必要，かつ，最適なものであること」に，それぞれ，留意するよう努めるものとすると定めることを提案していたことは，本条の解釈にあたって参考になるものと考えられる。

1　すべての清算人会設置会社にとっての「清算株式会社の業務の適正を確保するために必要なものとして法務省令で定める体制」（1項）
　　［→140条1］

2　清算人会設置会社のうち監査役設置会社でないものにとっての「清算株式会社の業務の適正を確保するために必要なものとして法務省令で定める体制」（2項）
　　［→140条3］

3　清算人会設置会社のうち，監査役設置会社であるものにとっての追加的な「清算株式会社の業務の適正を確保するために必要なものとして法務省令で定める体制」（3項）
［→140条4］

―（清算人会の議事録）―
第143条　法第490条第5項において準用する法第369条第3項の規定による清算人会の議事録の作成については，この条の定めるところによる。
2　清算人会の議事録は，書面又は電磁的記録をもって作成しなければならない。
3　清算人会の議事録は，次に掲げる事項を内容とするものでなければならない。
一　清算人会が開催された日時及び場所（当該場所に存しない清算人，監査役又は株主が清算人会に出席をした場合における当該出席の方法を含む。）
二　清算人会が次に掲げるいずれかのものに該当するときは，その旨
　　イ　法第490条第2項の規定による清算人の請求を受けて招集されたもの
　　ロ　法第490条第3項の規定により清算人が招集したもの
　　ハ　法第490条第4項において準用する法第367条第1項の規定による株主の請求を受けて招集されたもの
　　ニ　法第490条第4項において準用する法第367条第3項において読み替えて準用する法第490条第3項の規定により株主が招集したもの
　　ホ　法第383条第2項の規定による監査役の請求を受けて招集されたもの
　　ヘ　法第383条第3項の規定により監査役が招集したもの
三　清算人会の議事の経過の要領及びその結果
四　決議を要する事項について特別の利害関係を有する清算人があるときは，その氏名
五　次に掲げる規定により清算人会において述べられた意見又は発言があるときは，その意見又は発言の内容の概要
　　イ　法第382条
　　ロ　法第383条第1項
　　ハ　法第489条第8項において準用する法第365条第2項
　　ニ　法第490条第4項において準用する法第367条第4項
六　清算人会に出席した監査役又は株主の氏名又は名称
七　清算人会の議長が存するときは，議長の氏名
4　次の各号に掲げる場合には，清算人会の議事録は，当該各号に定める事項

を内容とするものとする。
　一　法第490条第5項において準用する法第370条の規定により清算人会の決議があったものとみなされた場合　次に掲げる事項
　　イ　清算人会の決議があったものとみなされた事項の内容
　　ロ　イの事項の提案をした清算人の氏名
　　ハ　清算人会の決議があったものとみなされた日
　　ニ　議事録の作成に係る職務を行った清算人の氏名
　二　法第490条第6項において準用する法第372条第1項の規定により清算人会への報告を要しないものとされた場合　次に掲げる事項
　　イ　清算人会への報告を要しないものとされた事項の内容
　　ロ　清算人会への報告を要しないものとされた日
　　ハ　議事録の作成に係る職務を行った清算人の氏名

　本条は，清算人会の議事録の作成方法と内容を定めるものである。すなわち，法369条3項が取締役会の議事については，法務省令で定めるところにより，議事録を作成しなければならないものと定めているところ，法490条5項は法369条3項の規定を清算人会の議事に準用している。これをうけて，本条が定められており，本条は，取締役会の議事録の作成方法と内容を定める101条とパラレルな規定である。

1　書面または電磁的記録（2項）

　会社法は清算人会の議事録をどのような媒体で作成しなければならないかについて直接には規律していないが，法490条5項が準用する369条3項および4項は，清算人会の議事録が書面または電磁的記録をもって作成されることを前提とした規定である。そこで，本項は，清算人会の議事録は，書面または電磁的記録をもって作成しなければならないものと定めている。書面または電磁的記録をもって作成しなければならないとされているのは，株式会社は，清算人会の日から10年間，議事録を当該株式会社の本店に備え置かなければならないとされていること（法490条5項・371条1項）に鑑みて，ある程度の期間，保存が可能な確実な記録媒体を用いることを要求するものである。

　本項でいう電磁的記録とは，電子的方式，磁気的方式その他人の知覚によっては認識することができない方式で作られる記録であって，電子計算機による情報処理の用に供されるものとして法務省令で定めるものをいい（法26条2項

かっこ書)，具体的には，磁気ディスクその他これに準ずる方法により一定の情報を確実に記録しておくことができる物をもって調製するファイルに情報を記録したものをいうものとされている（224条）。

磁気ディスクにはフロッピー・ディスクなどが含まれるが，「その他これに準ずる方法により一定の情報を確実に記録しておくことができる物」には，磁気テープ，磁気ドラムのように磁気的方法により情報を記録するための媒体，ICカードやUSBメモリなどのような電子的方法により情報を記録するための媒体，CD-ROM，DVD-ROMなどのような光学的方式により情報を記録するための媒体が含まれる。そのような記録媒体を用いて調製するファイルに情報を記録したものが，本項にいう電磁的記録にあたる（江原＝太田・商事法務1627号8頁）。

2　議事録の内容（3項）

平成17年改正前商法の下では，取締役会の議事録との関連で，「議事の経過の要領」とは，開会宣言から閉会宣言までの会議の経過の要約をいうと解され，「議事の経過の要領」には，標題，開催の日時および場所，取締役および監査役の出席状況と定足数，議長と開会宣言，決議事項，意見表明，報告事項，議長の閉会宣言と閉会時刻，作成日時が含まれると解されていたが（今井＝成毛14頁以下)，これは，本項で特に内容とすべき事項として掲げられたものを除けば，本項3号にいう「清算人会の議事の経過の要領」の解釈にもおおむねあてはまると考えられる。

本項では，第1に，清算人会が開催された「場所に存しない清算人，監査役又は株主が清算人会に出席をした場合における当該出席の方法」を内容とすることを要求している点（1号かっこ書）が特徴的である。清算人会が開催された「場所に存しない清算人，監査役又は株主が清算人会に出席をした場合における当該出席の方法」とは，清算人会を開催する際に，その場所に物理的に出席しなくとも，オンライン会議，テレビ会議や電話会議のように，情報伝達の双方向性および即時性が確保されるような方式で清算人等が清算人会に出席することができることを前提とした規定である［→101条2］。

他方，「清算人会が開催された……場所」（1号）と規定されていることからは，物理的な清算人会の開催場所を観念できない完全にヴァーチャルな清算人会では清算人会が開催されたとは会社法上評価できないと解するのが自然であろう（もっとも，議長の所在する場所を清算人会が開催される場所として，清算人会

を招集し，清算人等が所在する場所を通信回線でつないで，清算人会を開催することはできると思われる）。本項1号の下では，清算人会が開催された「場所に存しない清算人，監査役又は株主が清算人会に出席をした場合における当該出席の方法」という表現からみて，オンライン会議，テレビ会議や電話会議で参加した清算人等が所在する場所は「清算人会が開催された……場所」ではないと解すべきことになろう。

　なお，たとえば，電話会議によって清算人会に参加した清算人がある場合には，「電話会議システムにより，出席者の音声が即時に他の出席者に伝わり，出席者が一堂に会するのと同等に適時的確な意見表明が互いにできる状態となっていることが確認されて，議案の審議に入った。……本日の電話会議システムを用いた清算人会は，終始異状なく議題の審議を終了した」というような内容を議事録に含めることになろう。

　第2に，清算人会の招集が通例的でない場合には，そのような清算人会の会議であることを議事録の内容としなければならないものとされている（2号）。すなわち，①招集権者以外の清算人の招集請求に応じて招集された清算人会，②招集権者以外の清算人が招集した清算人会，③株主の招集請求を受けて招集された清算人会，④株主が招集した清算人会，⑤監査役の招集請求を受けて招集された清算人会，および，⑥監査役が招集した清算人会については，その旨を議事録の内容とすることが要求されている。これは，清算人会の招集が通例的でない場合には，何らかの問題あるいは重要な事象が会社に発生した場合が多いため，その事実を明らかにすることが，議事録を閲覧等する利害関係人に有用な情報を提供するという観点から重要でありうるからであろう。

　第3に，「決議を要する事項について特別の利害関係を有する清算人があるときは，その氏名」（4号）を議事録の内容としているのは，特別の利害関係を有する清算人は議決に加わることができないとされており（法490条5項・369条2項），そのような清算人が議決に加わっていないことを明らかにするためであると考えられるとともに，取締役に関する下級審裁判例（東京地判平成2・4・20判時1350号138頁（上告審である最判平成4・9・10資料版商事法務102号143頁も支持），東京高判平成8・2・8資料版商事法務151号143頁など。もっとも，反対説も有力である。大隅＝今井・中196頁，森本・商事法務1110号39頁）を参照すれば，そのような清算人は当該事項の審議にあたって議長となることもできないとされていることから，議長の氏名（7号）とあいまって，特別な利害関係を有する清算人が議長とはなっていないという事実が議事録上明らかにな

るようにするためであると推測される。

　なお，「特別の利害関係」とは，清算人の忠実義務違反をもたらすおそれのある，清算株式会社の利益と衝突する清算人の個人的利害関係をいい，「特別の利害関係を有する清算人」には，具体的には清算人の競業取引の承認決議における競業取引を行う清算人や利益相反取引の承認決議における会社と利益が相反する清算人が含まれる。判例によると，代表取締役の解職決議の対象となる代表取締役（最判昭和44・3・28民集23巻3号645頁）も「特別の利害関係を有する取締役」にあたり（ただし，特別利害関係人にはあたらないとする見解が学説上は有力である。鈴木＝竹内280頁注10，龍田＝前田123頁。また，江頭435頁注15），これは，清算人についての解釈にも妥当すると考えられる。

　第4に，①監査役による，清算人が不正の行為をし，もしくは当該行為をするおそれがあると認める旨の報告，または法令もしくは定款に違反する事実もしくは著しく不当な事実の報告（法491条・382条），または，②監査役の意見（法491条・383条1項），③利益相反取引または競業取引をした清算人による当該取引についての重要な事実の報告（法489条8項・365条2項），④株主が清算人会の招集を請求し，または清算人会を招集した場合にその株主が述べた意見（法490条4項・367条4項）があるときは，その意見または発言の内容の概要（5号）を議事録の内容としなければならないものとされている。①は，清算人が不正の行為をし，もしくは当該行為をするおそれがあること，あるいは法令もしくは定款に違反する事実もしくは著しく不当な事実は，清算人会議事録を閲覧等する株主等にとって重要な情報でありうるし，議事録に含められることによって，監査役も遅滞なく，なすべき報告をしたことを後日証明しやすくなると期待できるからである。また，議事録に含めるべきこととされることは，そのような報告をするインセンティブを監査役に与えることにもなろう。②は，監査役が清算人会において意見を述べるのは，「必要があると認めるとき」が多いと考えられ，そうであれば，その意見は清算人会議事録を閲覧等する株主等にとって重要な情報でありうるし，監査役も適切に意見を述べたことが議事録に含められることによって任務懈怠がなかったことを後日証明しやすくなると期待できるからである。③は，清算人が報告義務を適切に履行したかどうかについての証拠を残すとともに，適切な報告の履行を動機づけるためであると考えられる。④は，清算人会設置会社（監査役設置会社を除く）の株主が清算人会の招集を請求し，または招集することができるのは，清算人が清算人会設置会社の目的の範囲外の行為その他法令もしくは定款に違反する行為を

し，またはこれらの行為をするおそれがあると認めるときに限られているため，株主が当該清算人会で述べた意見の情報的価値が高い可能性があるからであろう。

　第5に，「清算人会に出席した監査役又は株主の氏名又は名称」を含めるべきこととされている（6号）。これは，清算人会の出席者は意見を述べる可能性があるとともに，意見を述べなくとも，事実上の影響力を及ぼす可能性があるため，清算人会の出席者を議事録に含めることを要求するものである。清算人会に出席した清算人の氏名を含めることが要求されていないのは，出席した清算人および監査役は，議事録が書面をもって作成されているときは，これに署名し，または記名押印しなければならず，議事録が電磁的記録をもって作成されているときは，当該電磁的記録に記録された事項については，法務省令で定める署名または記名押印に代わる措置をとらなければならないため（法490条5項・369条3項・4項），それによって，出席した清算人の氏名が明らかになるからである（この観点からは，監査役の氏名を含めなければならないとされている趣旨は不明である）。

　第6に，「清算人会の議長が存するときは，議長の氏名」（7号）を議事録に含めるべきこととされているのは，議長は議事の進行に大きな影響力を有するため，清算人会議事録を閲覧等する株主等にとって重要な情報でありうるからであろう。したがって，ここでいう「清算人会の議長」とは，清算人会の当該会議において議長を務めた者をいうと解される。議事の途中で，議長が交代した場合には，すべての議長の氏名を，どの事項についての報告・審議について議長を務めたかを明らかにして，示すべきことになろう。

3　清算人会の決議または清算人会への報告があったものとみなされた場合の議事録の作成（4項）

　清算人会設置会社は，清算人が清算人会の決議の目的である事項について提案をした場合において，当該提案につき清算人（その事項について議決に加わることができるものに限る）の全員が書面または電磁的記録により同意の意思表示をしたとき（監査役設置会社では，監査役が当該提案について異議を述べたときを除く）は，その提案を可決する旨の清算人会の決議があったものとみなす旨を定款で定めることができ（法490条5項・370条），そのような定款の定めに基づき，清算人会の決議があったものとみなされた場合には，株式会社は，清算人会の決議があったものとみなされた日から10年間，当該書面または電磁的記

録を当該株式会社の本店に備え置かなければならないものとされている（法490条5項・371条1項）。また，清算人，会計参与または監査役が清算人（監査役設置会社では，清算人および監査役）の全員に対して清算人会に報告すべき事項を通知したときは，その事項を清算人会へ報告することを要しないが（法490条6項・372条1項・2項），この場合には，当該書面または電磁的記録の備置きや閲覧・謄写等に応じることは要求されていない。

　しかし，特定の決議や報告が，会議を開催して行われたのか，清算人全員の同意によって行われたのかが明らかではないことから，清算人会の決議あるいは清算人会への報告に関する資料の保存等についての規律の首尾一貫性を確保するため，本項は，清算人会の決議または清算人会への報告があったものとみなされた場合にも議事録の作成を要求することとしたものである（相澤＝郡谷・商事法務1759号16頁参照）。議事録である以上，法490条5項が準用する法371条により，備置き・閲覧・謄写等の対象となる。

　もっとも，会議が開催された場合と異なり，清算人会が開催された日時および場所ならびに清算人会の議事の経過の要領およびその結果といったような記載・記録事項はないし，清算人会の議長が存するということはないから，議長の氏名は記載・記録事項ではない。すなわち，清算人会の決議があったものとみなされた事項（または清算人会への報告を要しないものとされた事項）の内容（清算人会の決議があったものとみなされた場合には，さらに，その事項の提案をした清算人の氏名），清算人会の決議があったものとみなされた（清算人会への報告を要しないものとされた）日，および，議事録の作成に係る職務を行った清算人の氏名を内容としなければならないものとされるにとどまっている。

（財産目録）

第144条　法第492条第1項の規定により作成すべき財産目録については，この条の定めるところによる。

2　前項の財産目録に計上すべき財産については，その処分価格を付すことが困難な場合を除き，法第475条各号に掲げる場合に該当することとなった日における処分価格を付さなければならない。この場合において，清算株式会社の会計帳簿については，財産目録に付された価格を取得価額とみなす。

3　第1項の財産目録は，次に掲げる部に区分して表示しなければならない。この場合において，第1号及び第2号に掲げる部は，その内容を示す適当な名称を付した項目に細分することができる。

一　資産

二　負債
　三　正味資産

　本条は，清算人が作成すべき清算開始時の財産目録について定めるものである。すなわち，清算人（清算人会設置会社では，法489条7項各号に掲げる清算人）は，その就任後遅滞なく，清算株式会社の財産の現況を調査し，法務省令で定めるところにより，清算の開始原因が生じた日における財産目録および貸借対照表を作成しなければならないものとされていること（法492条1項）をうけて，本条は定められている。
　清算開始時の財産目録は，清算株式会社の清算開始時における事業用財産（積極財産・消極財産）の明細表であり，清算開始時における清算株式会社の総財産に個別的に価額を付して記載した帳簿である（大隅・商法総則［初版］224頁参照）。
　清算開始時の財産目録は清算開始時の貸借対照表の作成の基礎とするために作成されるものであるが，清算開始時の貸借対照表および清算事務年度の貸借対照表の作成の目的は，清算株式会社の解体換価とそれによる債権者・株主への財産の分配を目標として，会社債権者に対して清算開始時およびその後における清算株式会社の財産状態を表示してその債務の弁済可能性を明らかにし，株主に対して，残余財産分配の額を予測するための情報を提供することである（矢沢・企業会計法の理論315頁）。

1　財産目録に計上すべき財産に付すべき価格と会計帳簿（2項）

　清算開始時の財産目録および貸借対照表は，期間損益の適正な表示および剰余金の適切な分配に寄与することを目的とする各事業年度に係る計算書類とは異なり，適正な期間損益計算を考慮に入れたものである必要はなく，むしろ，清算開始時における清算株式会社の財産状態をよりよく示すことが目的とされる。しかも，継続企業を前提とした価格を付すのではなく，換価を前提とする価格を付すことが求められる。そこで，本項では，財産目録に計上すべき財産については，その処分価格を付すことが困難な場合を除き，清算原因が生じた日における処分価格を付さなければならないものと定めている。これは，従来の通説の立場によったものである（田中耕・貸借対照表法の論理137頁，大隅・商法総則237頁，矢沢・企業会計法の理論316頁など）。

現金の場合には、その保有高が処分価格となるが、現金以外の財産については清算人が処分価格を判断しなければならない。抽象的には、処分価格とは、資産の売却・処分見積額から売却・処分に要するコストの見積額を控除した額をいうものと考えられる。したがって、たとえば、預金については、元本金額に清算開始時までの既経過利息（源泉税控除後）の額を加えた額、受取手形・売掛金・貸付金については各債務者ごとの残高から取立不能見込額（個別に算定する）および取立費用を控除した額（したがって、財産目録には貸倒引当金という項目は現れない）、市場価格のある有価証券や棚卸資産については市場価格から売却に要する費用を控除した額、市場価格のない有価証券については適正な評価額に基づく処分可能な見積額から売却に要する費用を控除した額ということになろう。また、土地・建物については近隣の売買事例や公示価格などから売却に要する費用を控除した額、前払費用については契約解除により返金を受けることができる額ということになるのではないか。その他の有形固定資産や無形固定資産についても処分可能価額から処分に要する費用を控除した額ということになろうが、処分可能価額の見積りは必ずしも容易ではなく、「その処分価格を付すことが困難な場合」にあたることが多いのではないかと推測される。

他方、負債については、たとえば、退職一時金に対応する債務は、会社都合の要支給額の100％を計上するなどしなければならない。

「その処分価格を付すことが困難な場合」とは、財産目録に計上すべきその財産につき市場価格等が存在せず、かつ、その財産と類似の財産についても市場価格等が存在しないため、処分価格を合理的に見積もることができない場合あるいは処分価格を合理的に見積もるために過分の費用を要する場合をいい、このような場合には、清算株式会社における（減損を認識すべき場合には減損を認識するなどした）適正な帳簿価額を付すべきであると、通常は解されよう。

「この場合において、清算株式会社の会計帳簿については、財産目録に付された価格を取得価額とみなす」とされているのは、清算株式会社の各清算事務年度の貸借対照表および事務報告の作成にあたっては、財産目録に付された価格を取得価額とみなして、計規5条および6条を適用するということを意味するものと考えられる。このような規定は、たとえば、財産について会社更生法83条1項の規定により評定した価額がある場合における会社更生法施行規則1条1項において準用する計規5条の規定の適用については、会社更生「法第83条第1項の規定により評定した価額を取得価額とみなす」と定めている会社更

財　産　目　録

（令和××年×月×日現在）

（単位：百万円）

資産の部

科　　目		金額
現金及び預金		××
受取手形	A 株式会社	××
	株式会社 B	××
売掛金	C 株式会社	××
	株式会社 B	××
有価証券	D 株式	××
	E 社債	××
商品	○○○	××
その他の流動資産	△△，○○，……	××
土地	○○市○○町○○番地　△△ m^2	××
建物	○○市○○町○○番地　△△ m^2	××
什器及び備品	○○○ほか	××
長期貸付金	F 株式会社	××
その他の固定資産	△△，○○，……	××
資産の部合計		×××

負債の部

科　　目		金額
支払手形	P 株式会社	××
	株式会社 Q	××
買掛金	R 株式会社	××
	株式会社 S	××
短期借入金	T 銀行	××
	V 信用金庫	××
リース債務	△△リース	××
長期借入金	W 信託銀行	××
負債の部合計		×××

正　味　財　産		×××

（注）　土地建物の価格については，Y 信託銀行の鑑定評価によった。

生法施行規則1条2項とパラレルな規定である。この規定を設けることにより，毎清算事務年度ごとに，財産の処分価格を見積もり直すという事務負担が生じないようにしている。

2 財産目録の区分表示（3項）

　本項は，清算開始時の財産目録の部の区分について規定したものである。通常の株式会社における各事業年度に係る貸借対照表とは異なり，資産の部には，財産的価値のあるもの（換金性のあるものとのれん，ノウハウ等）が記載され，負債の部には法律上の債務が計上される。すなわち，繰延資産のように換金性のないもの，単に，適正な期間損益計算の観点から認識された費用の繰延べとしての性質を有するにすぎない項目は計上すべきではない。また，継続企業を前提とした項目（たとえば，繰延税金資産・繰延税金負債，法的債務性のない引当金，租税特別措置法上の準備金など）も計上されない。他方，計算書類の作成との関係では，「一般に公正妥当と認められる企業会計の基準その他の企業会計の慣行」をしん酌して（計規3条），資産または負債として認識していないもの（たとえば，自家創設のれん・無形資産，あるいは，取得時に費用処理したことによってオフバランスとなっている資産やリース資産・リース債務，保証債務など）を資産または負債の部に計上する必要がある（田中耕・貸借対照表法の論理135頁・137頁，大隅・商法総則242頁，矢沢・企業会計法の理論316頁など）。これは，清算開始時の財産目録は，清算開始時における清算株式会社の積極財産・消極財産の状況を示すものだからである。

　正味財産の部には，単に「正味財産」という1つの項目を掲げれば足りるものと解される。これは，清算株式会社においては，剰余金の配当は行われないので，資本金，資本準備金，利益準備金という区分や剰余金の額は意味を有しないからである（東京控判昭和14・1・31法律新聞4443号10頁，田中耕・貸借対照表法の論理134頁，新注会⑬288頁［中西］，矢沢・企業会計法の理論316頁など）。

　なお，資産の部および負債の「部は，その内容を示す適当な名称を付した項目に細分することができる」とされているが，財産目録の性格から，その内容を示す適当な名称を付した項目に細分しなければならないはずであり，「細分することを要しない」とも読める本項の表現はミスリーディングであることは否めない。どの程度細分するか，どのような名称を項目に付すかは，会社の規模，業種業態に則して，明瞭性と重要性を考慮して，清算株式会社が決定すべきことになるが，貸借対照表と異なり，相当細分化する必要があろう。

---(清算開始時の貸借対照表)---
第145条 法第492条第1項の規定により作成すべき貸借対照表については，この条の定めるところによる。
2　前項の貸借対照表は，財産目録に基づき作成しなければならない。
3　第1項の貸借対照表は，次に掲げる部に区分して表示しなければならない。この場合において，第1号及び第2号に掲げる部は，その内容を示す適当な名称を付した項目に細分することができる。
　一　資産
　二　負債
　三　純資産
4　処分価格を付すことが困難な資産がある場合には，第1項の貸借対照表には，当該資産に係る財産評価の方針を注記しなければならない。

　本条は，清算人が作成すべき清算開始時の貸借対照表について定めるものである。すなわち，清算人（清算人会設置会社では，法489条7項各号に掲げる清算人）は，その就任後遅滞なく，清算株式会社の財産の現況を調査し，法務省令で定めるところにより，清算の開始原因が生じた日における財産目録および貸借対照表を作成しなければならないものとされていること（法492条1項）をうけて，本条は定められている。

1　財産目録と貸借対照表（2項）

　清算開始時の財産目録は，清算株式会社の清算開始時における事業用財産（積極財産・消極財産）の内容を明らかにする明細表であるのに対し，清算開始時の貸借対照表は清算開始時における清算株式会社の財産の構成を概括的に示す摘要表である（大隅・商法総則［初版］224頁参照）。昭和49年改正前商法33条1項は，財産目録の作成を商人に対して要求していたが，同法34条は財産目録に記載すべき財産の評価について定めていたにとどまり，貸借対照表に記載すべき財産の評価については規定を置いていなかった。これは，貸借対照表は財産目録の記載に基づいて作成されるものであるという立場を示すものであると指摘されていた（大隅・商法総則［初版］225頁注1）。本項も，清算開始時の貸借対照表は，清算開始時の財産目録[→144条]に基づき作成しなければならないものと定めている。

第145条(清算開始時の貸借対照表) 823

貸 借 対 照 表

(令和××年×月×日現在)

(単位:百万円)

資 産 の 部		負 債 の 部	
科 目	金 額	科 目	金 額
現金及び預金	××	支 払 手 形	××
受 取 手 形	××	リース債務	××
売 掛 金	××	短期借入金	××
その他の流動資産	××	保証債務	××
土　　地	××	退職給付債務	××
建物・附属設備	××	負債の部合計	××
什器及び備品	××	純 資 産 の 部	
リース資産	××	純 資 産	××
関係会社株式	××		
長期貸付金	××		
その他の固定資産	××		
資産の部合計	××	負債・純資産の部合計	××

2 清算開始時の貸借対照表の部の区分(3項)

　本項は,清算開始時の貸借対照表の部の区分について規定したものである。通常の株式会社における各事業年度に係る貸借対照表とは異なり,資産の部には,財産的価値のあるもの(換金性のあるものとのれん,ノウハウ等)が記載され,負債の部には法律上の債務が計上される[→144条2]。純資産の部には,単に「純資産」という1つの項目を掲げれば足りるものと解される。これは,清算株式会社においては,剰余金の配当は行われないので,資本金,資本準備金,利益準備金という区分や剰余金の額は意味を有しないからである。

　貸借対照表の記載様式には,左右に借方,貸方の2つの欄を設け,借方には資産項目,貸方には負債項目と純資産項目とを記載し,借方合計と貸方合計を記載する勘定式と,資産項目を記載し,その後に負債項目,純資産項目を記載するというように上から下へ記載していく報告式とが存在し,会社法施行規則

は特段の規定を置いていないから，会社法上は，いずれの様式によることも可能である。

　資産の部は，適当な項目に細分することもできるが，資産の部を流動資産，固定資産，繰延資産に，負債の部を流動負債と固定負債とに，それぞれ区分する必要も，固定資産を有形固定資産，無形固定資産，投資その他の資産に区分する必要もない。なぜなら，清算株式会社の貸借対照表には繰延資産は計上されないと考えられるし，清算株式会社においては，すべての資産は原則として換価されることが予定されているため，流動資産と固定資産との区分には意味がなく，また，すべての債務は清算の結了までに弁済されることが予定されているので，流動負債と固定負債との区分にも意味がないからである。したがって，固定資産を有形固定資産，無形固定資産，投資その他の資産に区分することの意義も乏しい（清算開始時の貸借対照表の作成は投資・与信の意思決定に必要な情報を提供するためではなく，以後の弁済や残余財産分配に向けて情報を提供するためになされると考えられる）。

　どの程度細分するか，どのような名称を項目に付すかは，「一般に公正妥当と認められる企業会計の基準その他の企業会計の慣行」をしん酌して（計規3条），会社の規模，業種業態に則して，明瞭性と重要性を考慮して，清算株式会社が決定すべきことになる。もっとも，明瞭性の観点から，貸借対照表の利用者になじみのある項目名を選択すべきであり，計規74条3項および75条2項において用いられている項目名は参考になるし，平成18年改正前商法施行規則52条は資産を示す名称として「現金及び預金，受取手形，建物」を，同規則77条は負債を示す名称として「支払手形，買掛金，社債」を，それぞれ例示していた。

3　処分価格を付すことが困難な資産がある場合（4項）

　清算開始時の貸借対照表は，清算開始時の財産目録に基づき作成されるので，資産には処分価格が付されるのが原則である（144条2項1文）。しかし，その財産につき市場価格等が存在せず，かつ，その財産と類似の財産についても市場価格等が存在しないため，処分価格を合理的に見積もることができない場合や処分価格を把握するために過分の費用を要する場合には，処分価格を付すことを要しないものとされている（144条2項2文）。処分価格を付さない場合には，その資産に付された価格が他の資産・負債に付された価格とは異なる性質のものであること，および，どのような方針で価格を付したかを明らかにしないと貸借対照表の利用者の適切な意思決定を妨げることから，本項は「当

該資産に係る財産評価の方針を注記しなければならない」と定めている。

（各清算事務年度に係る貸借対照表）
第146条 法第494条第１項の規定により作成すべき貸借対照表は，各清算事務年度に係る会計帳簿に基づき作成しなければならない。
２　前条第３項の規定は，前項の貸借対照表について準用する。
３　法第494条第１項の規定により作成すべき貸借対照表の附属明細書は，貸借対照表の内容を補足する重要な事項を，その内容としなければならない。

　本条は，各清算事務年度（清算開始原因が生じた日の翌日またはその後毎年その日に応当する日（応当する日がない場合は，その前日）から始まる各１年の期間。法494条１項かっこ書）に係る貸借対照表およびその附属明細書の作成について定めるものである。すなわち，法494条１項は，清算株式会社は，法務省令で定めるところにより，各清算事務年度に係る貸借対照表およびその附属明細書を作成しなければならないとしており，これをうけて，本条が定められている。本条は，各事業年度に係る計算書類およびその附属明細書の作成について定める計規59条３項・73条１項・117条柱書とパラレルな規定振りになっているが，相当程度簡略化されている。

１　作成方法（誘導法）（１項）

　平成17年改正前商法の下では必ずしも明確ではなかったが，本項は，通常の株式会社における各事業年度に係る貸借対照表と同様，各清算事務年度に係る貸借対照表は，各清算事務年度に係る会計帳簿に基づき作成しなければならないものと定めている［→計規コンメ59条］。

２　貸借対照表の部の区分（２項）

　本項は，各清算事務年度に係る貸借対照表の部の区分について規定したものである。通常の株式会社における各事業年度に係る貸借対照表とは異なり，資産の部には，財産的価値のあるもの（換金性のあるものとのれん，ノウハウ等）が記載され，負債の部には法律上の債務が計上される［→144条２］。純資産の部には，単に「純資産」という１つの項目を掲げれば足りるものと解される。これは，清算株式会社においては，剰余金の配当は行われないので，資本金，資本準備金，利益準備金という区分や剰余金の額は意味を有しないからである。

貸借対照表の記載様式には，左右に借方，貸方の2つの欄を設け，借方には資産項目，貸方には負債項目と純資産項目とを記載し，借方合計と貸方合計を記載する勘定式と，資産項目を記載し，その後に負債項目，純資産項目を記載するというように上から下へ記載していく報告式とが存在し，会社法施行規則は特段の規定を置いていないから，会社法上は，いずれの様式によることも可能である。

　資産の部は，適当な項目に細分することもできるが，資産の部を流動資産，固定資産，繰延資産に，負債の部を流動負債と固定負債とに，それぞれ区分する必要も，固定資産を有形固定資産，無形固定資産，投資その他の資産に区分する必要もない。なぜなら，清算株式会社の貸借対照表には繰延資産は計上されないと考えられるし，清算株式会社においては，すべての資産は原則として換価されることが予定されているため，流動資産と固定資産との区分には意味がなく，また，すべての債務は清算の結了までに弁済されることが予定されているので，流動負債と固定負債との区分にも意味がないからである。したがって，固定資産を有形固定資産，無形固定資産，投資その他の資産に区分することの意義も乏しい（清算事務年度に係る貸借対照表の作成は投資・与信の意思決定に必要な情報を提供するためではなく，以後の弁済や残余財産分配に向けて情報を提供するためになされると考えられる）。

　どの程度細分するか，どのような名称を項目に付すかは，「一般に公正妥当と認められる企業会計の基準その他の企業会計の慣行」をしん酌して（計規3条），会社の規模，業種業態に則して，明瞭性と重要性を考慮して，清算株式会社が決定すべきことになる。もっとも，明瞭性の観点から，貸借対照表の利用者になじみのある項目名を選択すべきであり，計規74条3項および75条2項において用いられている項目名は参考になるし，平成18年改正前商法施行規則52条は資産を示す名称として「現金及び預金，受取手形，建物」を，同規則77条は負債を示す名称として「支払手形，買掛金，社債」を，それぞれ例示していた。

3　各清算事務年度に係る貸借対照表の附属明細書（3項）

　本項では，各清算事務年度に係る貸借対照表の附属明細書は，貸借対照表の内容を補足する重要な事項を，その内容としなければならないとのみ規定し，具体的な記載事項を定めていない。これは，清算株式会社ごとに事情が異なり，一律に定めることは適当ではないという価値判断に基づくものではないかと推測される。

附属明細書の典型的な記載事項として考えられるのは、各清算事務年度に係る貸借対照表に対応する財産目録（昭和49年改正前商法420条参照）を作成したと仮定した場合に財産目録に記載される事項である。すなわち、個々の資産・負債ごとにその資産・財産の名称と帳簿価額を記載することが考えられよう。

　もっとも、個別注記表の作成が要求されていないことに鑑みると、少なくとも附属明細書には（本来は、貸借対照表の注記とすることが望ましいが）、たとえば、資産が担保に供されている場合の被担保債権・担保物についての事項（計規103条1号）、貸借対照表に計上されていない保証債務、手形遡求債務、重要な係争事件に係る損害賠償義務その他これらに準ずる債務の内容および金額（計規103条5号）などを記載することが必要であろう。

（各清算事務年度に係る事務報告）

第147条　法第494条第1項の規定により作成すべき事務報告は、清算に関する事務の執行の状況に係る重要な事項をその内容としなければならない。

2　法第494条第1項の規定により作成すべき事務報告の附属明細書は、事務報告の内容を補足する重要な事項を、その内容としなければならない。

　本条は、各清算事務年度に係る事務報告およびその附属明細書の内容を定めるものである。すなわち、法494条1項は、各清算事務年度に係る事務報告およびその附属明細書を作成しなければならないとしており、これをうけて、本条が定められている。

　この事務報告は、株式会社の事業報告に相当するものであるが、本条は、その具体的な記載事項を定めず、単に「清算に関する事務の執行の状況に係る重要な事項をその内容としなければならない」と定め、事務報告の附属明細書についても「事務報告の内容を補足する重要な事項を、その内容としなければならない」と定めるにとどまっている。

　平成17年改正前商法の下でも、事務報告の内容については議論があり、必ずしも明らかではないが、本条のように抽象的な表現が採用されているのは、清算株式会社にはさまざまなものがあり、かつ、清算のどの段階にあるかによっても、事務報告およびその附属明細書の記載事項とされるべきものが大きく異なると考えられるからであろう。すなわち、画一的・定型的に記載事項を定めると、かえって、株主や会社債権者にとって有用な情報が提供されない結果になるという懸念があるからである。

事 務 報 告

令和○年○月○日～令和△年△月△日

(単位：百万円)

財産処分原価		財産処分高	
製品売上原価	××	製品売上高	××
有価証券売却原価	××	有価証券売却収入	××
設備売却原価	××	設備売却収入	××
土地売却原価	××	土地売却収入	××
財産処分益	××		
	××		××
清算費用			
支払手数料	××	財産処分益	××
給料	××	受取利息	××
租税公課	××	雑収入	××
雑費	××		
退職金	××		
その他の費用			
支払利息	××		
貸倒引当金繰入額	××		
法人税等	××		
当期純利益	××		
	××		××

　事務報告およびその附属明細書の作成が要求されているのは，清算人の職務の執行の経緯を株主に報告し，会社債権者に開示することが受任者としての清算人の顛末報告義務の履行であると考えられるとともに，株主等が清算人の職務執行の当否を判断し，適切な措置を講ずることができるようにするためであると考えられる。

　そこで，事務報告およびその附属明細書においては，清算事務の進行状況，これに伴う財産（とりわけ，現金・預金）の増減の概要，財産の処分，債権の

取立て，債務の弁済などの経過を記載することが必要であると考えられる（大住・株式会社会計の法的考察［改訂版］379～380頁参照）。事務報告は，通常の株式会社における事業報告に対応するものであり，120条に倣って清算株式会社の現況に関する事項（従業員の員数・退職等の状況，重要な資産の売却あるいは事業の譲渡，主要な借入金に関する事項など）や122条に倣って清算株式会社の株式に関する状況（発行済株式総数，主要な株主，株式の分布状況，自己株式の数など）を記載することが求められると考えられる一方で，清算事務の進行状況を示すためには，損益計算書またはキャッシュフロー計算書に相当する内容を含める必要があると考えられる（石井・会社法下383頁，高木（監修）・会社の合併・分割・清算・更生［第６版］494頁［山上］など参照）。146条が，各清算事務年度に係る「貸借対照表は，各清算事務年度に係る会計帳簿に基づき作成しなければならない」（圏点―引用者）と規定し，いわゆる誘導法により貸借対照表を作成することを求め，清算株式会社においても継続的な会計記録がなされていることを前提とする以上，損益計算書に相当するものを作成することを清算株式会社に対して要求しても過度の負担を課すものとはならないと思われる。

（清算株式会社の監査報告）

第148条　法第495条第１項の規定による監査については，この条の定めるところによる。

２　清算株式会社の監査役は，各清算事務年度に係る貸借対照表及び事務報告並びにこれらの附属明細書を受領したときは，次に掲げる事項（監査役会設置会社の監査役の監査報告にあっては，第１号から第５号までに掲げる事項）を内容とする監査報告を作成しなければならない。

一　監査役の監査の方法及びその内容

二　各清算事務年度に係る貸借対照表及びその附属明細書が当該清算株式会社の財産の状況を全ての重要な点において適正に表示しているかどうかについての意見

三　各清算事務年度に係る事務報告及びその附属明細書が法令又は定款に従い当該清算株式会社の状況を正しく示しているかどうかについての意見

四　清算人の職務の遂行に関し，不正の行為又は法令若しくは定款に違反する重大な事実があったときは，その事実

五　監査のため必要な調査ができなかったときは，その旨及びその理由

六　監査報告を作成した日

３　前項の規定にかかわらず，監査役の監査の範囲を会計に関するものに限定

する旨の定款の定めがある清算株式会社の監査役は，同項第3号及び第4号に掲げる事項に代えて，これらの事項を監査する権限がないことを明らかにした監査報告を作成しなければならない。
4 清算株式会社の監査役会は，第2項の規定により清算株式会社の監査役が作成した監査報告に基づき，監査役会の監査報告を作成しなければならない。
5 清算株式会社の監査役会の監査報告は，次に掲げる事項を内容とするものでなければならない。
　一 監査役及び監査役会の監査の方法及びその内容
　二 第2項第2号から第5号までに掲げる事項
　三 監査報告を作成した日
6 特定監査役は，第146条第1項の貸借対照表及び前条第1項の事務報告の全部を受領した日から4週間を経過した日（特定清算人（次の各号に掲げる場合の区分に応じ，当該各号に定める者をいう。以下この条において同じ。）及び特定監査役の間で合意した日がある場合にあっては，当該日）までに，特定清算人に対して，監査報告（監査役会設置会社にあっては，第4項の規定により作成した監査役会の監査報告に限る。）の内容を通知しなければならない。
　一 この項の規定による通知を受ける者を定めた場合　当該通知を受ける者として定められた者
　二 前号に掲げる場合以外の場合　第146条第1項の貸借対照表及び前条第1項の事務報告並びにこれらの附属明細書の作成に関する職務を行った清算人
7 第146条第1項の貸借対照表及び前条第1項の事務報告並びにこれらの附属明細書については，特定清算人が前項の規定による監査報告の内容の通知を受けた日に，監査役の監査を受けたものとする。
8 前項の規定にかかわらず，特定監査役が第6項の規定により通知をすべき日までに同項の規定による監査報告の内容の通知をしない場合には，当該通知をすべき日に，第146条第1項の貸借対照表及び前条第1項の事務報告並びにこれらの附属明細書については，監査役の監査を受けたものとみなす。
9 第6項及び前項に規定する「特定監査役」とは，次の各号に掲げる清算株式会社の区分に応じ，当該各号に定める者とする。
　一 監査役設置会社（監査役の監査の範囲を会計に関するものに限定する旨の定款の定めがある清算株式会社を含み，監査役会設置会社を除く。）　次のイからハまでに掲げる場合の区分に応じ，当該イからハまでに定める者
　　イ 二以上の監査役が存する場合において，第6項の規定による監査報告の内容の通知をすべき監査役を定めたとき　当該通知をすべき監査役として定められた監査役
　　ロ 二以上の監査役が存する場合において，第6項の規定による監査報告

の内容の通知をすべき監査役を定めていないとき　全ての監査役
　　ハ　イ又はロに掲げる場合以外の場合　監査役
　ニ　監査役会設置会社　次のイ又はロに掲げる場合の区分に応じ，当該イ又はロに定める者
　　イ　監査役会が第６項の規定による監査報告の内容の通知をすべき監査役を定めた場合　当該通知をすべき監査役として定められた監査役
　　ロ　イに掲げる場合以外の場合　全ての監査役

　本条は，清算株式会社の監査役および監査役会の監査報告について定めるものである。すなわち，法495条１項は，「監査役設置会社（監査役の監査の範囲を会計に関するものに限定する旨の定款の定めがある株式会社を含む。）においては，……貸借対照表及び事務報告並びにこれらの附属明細書は，法務省令で定めるところにより，監査役の監査を受けなければならない」と規定しており，この委任に基づき，本条が定められている。本条は，129条・130条・132条および計規122条から124条までとパラレルな規定である。

1　監査役設置会社または監査役会設置会社における事業報告およびその附属明細書に関する監査役の監査報告の内容とすべき事項（２項）

(1)　監査役の監査の方法およびその内容（１号）

　監査の方法の概要では足りず，「方法及びその内容」を含めなければならない。監査役の監査については，一般的な基準が存在しないため，その監査の方法は会社によって異なり，その結果，その監査の方法およびその内容は，読者が，監査の信頼性を正確に判断することができるように，ある程度具体的に記載する必要があると考えられる。

　監査の方法とは，どのような手法によったかということであり，清算人会その他の重要な会議への出席，経理担当清算人あるいは経理部長からの報告の聴取，経理担当清算人あるいは経理部長に対する質問，重要な決裁書類等の閲覧，主要な事業所への往査などが，これにあたると思われる。また，子会社の業務および財産の状況の調査も，監査の方法の１つである（相澤＝和久・商事法務1766号64頁参照）。さらに，監査役会が導入された趣旨の１つは組織的監査の実現にあるから，監査役が複数存在する場合の各監査役の職務分担の定めなどは——そのような定めをしている場合には——監査の方法として記載すべきであろう。

他方，監査の内容には，監査のスケジュール，監査の方法をどのように適用したか（たとえば，どの（およびどれだけの）事業所・工場あるいは子会社等へ往査したか）が含まれる（どのような方針で往査先を選定しているのか，ローテーションなのか重要性に注目しているのかなども重要である）。また，どのようなポイント（たとえば，内部統制，清算人の競業取引・利益相反取引，清算株式会社が無償でした財産上の利益の供与，関連当事者との間の取引など）に重点を置いて監査を行ったのかも含まれると考えられる。さらに，公認会計士の資格を有する者などを補助者として用いている場合にはそれも監査の内容に含まれよう。

監査役が複数存在する場合において，監査の重点を分担しているときなどは，監査役ごとに，監査の方法および内容が異なることが自然であることにも留意しなければならないであろう。

(2) 各清算事務年度に係る貸借対照表およびその附属明細書がその清算株式会社の財産の状況をすべての重要な点において適正に表示しているかどうかについての意見（2号）

計算書類の監査報告書の記載事項を定めていた平成17年改正前商法281条ノ3第2項の下で重要であると考えられていた点（意見を述べるべきであるとされていた項目）は，各清算事務年度に係る貸借対照表およびその附属明細書の監査との関連でも重要であると考えてよいであろう。したがって，「清算事務年度に係る貸借対照表及びその附属明細書が当該清算株式会社の財産の状況を全ての重要な点において適正に表示している」とは，清算事務年度に係る貸借対照表およびその附属明細書が法令および定款に従い清算株式会社の財産の状況を正しく示していることと一致すると考えられるが（商事法務研究会編・監査役ハンドブック［初版］62頁［矢澤］，田辺ほか・昭和49改正53～54頁，味村ほか・昭和49改正267頁，飯野・会計ジャーナル6巻6号91頁，新注会(8)58頁［片木］，新注会(6)592頁［龍田］など参照。また，大蔵省企業会計審議会『監査制度改善に関する「商法改正試案」について』二，注3は「計算書類が法令及び定款に従って作成され，会社の財務内容の実態を適正に表示しているかどうかの意見を表明することが必要である」と指摘していた），その判断の過程においては，会計帳簿に記載もしくは記録すべき事項がすべて会計帳簿に記載もしくは記録されていること，会計帳簿に不実の記載もしくは記録がないこと，貸借対照表およびその附属明細書の記載もしくは記録が会計帳簿の記載もしくは記録と合致すること，および，貸借対照表の作成に関する会計方針の変更が相当であること，附属明細書

の記載もしくは記録と会計帳簿もしくは貸借対照表の記載もしくは記録とが合致することを確かめるべきであろう。会計帳簿の適正性は，貸借対照表およびその附属明細書の適正性の前提となるからである（相澤＝和久・商事法務1766号64頁参照）。

　もっとも，法令・定款違反があっても，それが軽微な場合には，「貸借対照表及びその附属明細書が当該清算株式会社の財産の状況を全ての重要な点において適正に表示している」（圏点—引用者）といえるのではないかとも思われる。そして，「貸借対照表及びその附属明細書が当該清算株式会社の財産の状況を全ての重要な点において適正に表示しているかどうかについての意見」（圏点—引用者）とされ，かつ，計規126条とは異なり，無限定適正意見，限定付適正意見，不適正意見といった意見の表明の仕方は例示されていないのであるから，表現については，バリエーションが認められる。そして，法令・定款違反を発見した場合に，監査役としては，重要性を判断して，重要性がきわめて乏しければ，法令・定款違反にまったく言及せずに，「貸借対照表及びその附属明細書は清算株式会社の財産の状況をすべての重要な点において適正に表示していると認める」という意見を表明すればよいし，指摘すべき程度の重要性はあるが，貸借対照表およびその附属明細書全体としては，会社の財産の状況を正しく示していると考えるのであれば，たとえば，「○○という点で，法令・定款違反はあるが，貸借対照表及びその附属明細書は清算株式会社の財産の状況を全体として正しく示しているものと認める」というような意見を表明してもよいのではないかと思われる。

(3) 各清算事務年度に係る事務報告およびその附属明細書が法令または定款に従いその清算株式会社の状況を正しく示しているかどうかについての意見（3号）

　「法令又は定款に従い」と規定されていることからは，監査役としては，事務報告およびその附属明細書に法令および定款で要求されている記載事項がすべて記載されているかどうか，および，その記載事項が事実と合致しているかどうかを監査し，意見を述べなければならないと考えられる（稲葉・昭和56改正334頁参照）。

　具体的に記載事項が定められていないため，ある事項を記載するか否か，あるいはどの程度記載するかについては，清算人に広範な裁量権が与えられるから，記載しないという判断やどの程度記載するかという判断が，経営判断の枠

を逸脱していると認めるときにのみ，監査役は適正ではない旨を報告すべきであるという見解も有力であるが（鴻ほか・計算104頁［稲葉］，新注会(8)61頁［片木］参照），このような解釈には無理がある。まず，何を記載すべきかは経営判断の問題ではなく，法令の解釈の問題であるから，監査役の監査権限は適法性にのみ及ぶという見解によったとしても，監査役の監査の対象に含まれる事項である。また，かりに，経営判断の問題であると解しても，「事務報告及びその附属明細書が……当該清算株式会社の状況を正しく示しているかどうか」は監査役が判断すべき事項であり，本号のような規定がある以上，少なくともその限度においては，監査役の監査権限が適法性についてのみ及ぶと解するか否かにかかわらず，監査役は，自己の見識に基づき，自由に——すなわち，清算人の判断を尊重しなければならないという要請はない——意見を述べることができると解さざるをえない。

(4) 清算人の職務の遂行に関し，不正の行為または法令もしくは定款に違反する重大な事実があったときは，その事実（4号）

監査役の業務監査が適法性監査に限定されるか否かについては議論があるが（新注会(6)443～445頁［竹内］参照），かりに，監査役の権限は適法性監査に限られるという立場によったとしても，清算人の職務の遂行に関し，不正の行為または法令もしくは定款に違反する重大な事実があったときは，清算人に善管注意義務違反があり，適法性の問題に帰着するので，本号に基づく記載を監査役が行うことができることには異論がない。「重大な事実」であるかどうかは，質的，量的に判断され，清算人の違法行為が計算書類の数値あるいは会社の将来の財産および損益の状況に重要な影響を与える場合にはもちろんのこと，そうではなくとも，違法行為の性質が重大である場合，とりわけ，清算人の解任事由あるいは解任の訴えにおける請求認容事由との関連で重要な場合には「重大」であるということができる。そして，違法行為が後に治癒された場合であっても記載を要する（大隅＝今井・中369頁，新注会(8)63頁［片木］参照）［→129条1］。

(5) 監査のため必要な調査ができなかったときは，その旨およびその理由（5号）

このような記載をさせるのは，監査報告を閲覧等する株主・会社債権者に監査報告の信頼性と限界について注意を喚起するためのものであるが，副次的

に，監査に対する会社または子会社の清算人・取締役・使用人等の協力を動機づけることができる可能性がある。必要な調査ができない場合としては，監査に対する会社または子会社の清算人・取締役・使用人等の非協力，災害や事故の発生，後発事象の調査が時間的に不可能な場合などがあげられる（新注会(8)64頁［片木］参照）。そして，必要な調査ができなかった程度によっては，監査役は監査意見の表明をすることができない場合もあり，無責任な意見表明を強制するのは不適当なので，その「清算事務年度に係る貸借対照表及びその附属明細書がその清算株式会社の財産の状況をすべての重要な点において適正に表示しているかどうかについての意見を表明しない」またはその「清算事務年度に係る事務報告及びその附属明細書が法令または定款に従いその清算株式会社の状況を正しく示しているかどうかについての意見を表明しない」という選択も監査役には許されると考えられる（酒巻・企業会計33巻9号1494頁，新注会(6)599頁［龍田］など参照）。

(6) 監査報告を作成した日（6号）

　監査報告の内容を通知すべき日までに通知しないときは監査役の監査を受けたものとみなされることとの関係で（8項），監査役会設置会社以外の会社における監査役の監査報告には監査報告の作成日を含めなければならないとされている。もっとも，監査報告を作成した日を記載することによって，その後に発生したいわゆる後発事象は監査役の意見形成に反映されていないこと，また，監査報告に含めることができなかったことを示すことができる。

　監査役会設置会社の監査役の監査報告には「監査報告を作成した日」を含めることを要しないものとされているのは，みなし監査規定（8項）との関係では，監査役会監査報告が基準となり（6項），監査役会監査報告に「監査役会監査報告を作成した日」を含めることが要求されているからである（5項）。

監査報告書

　私は，○○株式会社の令和××年×月×日から令和××年×月×日までの清算第××期清算事務年度に係る貸借対照表及びその附属明細書並びに事業報告及びその附属明細書の監査を行いましたので，以下のとおり報告いたします。

1．監査の方法及び内容
　私は，経理担当清算人及び経理部長に対して，内部統制に重点を置いて経理の体制について質問を行い，多額の支出・収入に係る証憑と帳簿との突合せなどを通じて，適切な記帳が行われていることを確かめました。また，重要な資産の実在性を確かめるため，銀行からの残高証明書，証券会社からの有価証券の預り状況報告書と貸借対照表の残高との一致を確かめ，サンプルベースでの得意先に対する売掛金残高の確認などを行いました。
　また，清算人会その他の重要な会議に出席するほか，清算人等から事業の報告を聴取し，重要な決裁書類等を閲覧することによって，負債の網羅性を確かめました。
　さらに，本社及び主要な事業所（東京支店・大阪支店）において業務及び財産の状況を調査し，3つの子会社（A，B，C）より会計の報告を求め，A会社の本店及び主要な工場（大分工場，札幌工場）を訪問し，質問等を行いました。

2．監査の結果
(1) 清算第××期清算事務年度に係る貸借対照表及びその附属明細書は，○○株式会社の財産の状況をすべての重要な点において適正に表示していると認めます。
(2) 清算第××期清算事務年度に係る事業報告及びその附属明細書は，法令及び定款に従い○○株式会社の状況を正しく示していると認めます。

　　　　　　　　　　　　　　　　　　　　令和××年×月×日
　　　　　　　　　　　　　　　　　　　　○○株式会社
　　　　　　　　　　　　　　　　監査役　　　　○○○○

2　監査役の監査の範囲を会計に関するものに限定する旨の定款の定めがある清算株式会社における事務報告およびその附属明細書に関する監査役の監査報告の内容とすべき事項（3項）
　監査役の監査の範囲を会計に関するものに限定する旨の定款の定めがある清

算株式会社においては，監査役は事務報告およびその附属明細書を監査する権限を有さない。また，清算人の職務の遂行に関し，不正の行為または法令もしくは定款に違反する重大な事実があるか否かを監査する必要はないと解することが適当なので，本項は，監査報告においては，「各清算事務年度に係る事務報告及びその附属明細書が法令又は定款に従い当該清算株式会社の状況を正しく示しているかどうかについての意見」および「清算人の職務の遂行に関し，不正の行為又は法令若しくは定款に違反する重大な事実があったときは，その事実」を記載することなく，その監査役には，各清算事務年度に係る事務報告およびその附属明細書を監査する権限がないことおよび清算人の職務の遂行に関し，不正の行為または法令もしくは定款に違反する重大な事実があるか否かを監査する権限を有しないことを明らかにすれば足りることを明らかにするものである。

3　監査役の監査報告と監査役会の監査報告との関係（4項）

　本項は，監査役会の監査報告は，各監査役の監査報告に基づいて作成すべきものとしている。これは，監査役の独任制を前提とすると，監査役会の主たる機能は，監査役相互の間において適切に情報を交換し，個々の監査役の監査結果を総合して適切な意見を形成することにあり，監査役会の監査報告は，各監査役の監査結果ないし監査意見を集約したものとしての性格を有するからである（新注会第2補巻90頁〔森本〕参照）。もっとも，「基づき」とされているから，監査役会の監査報告の内容は，各監査役の監査報告の内容と同一であることを要しない。また，監査役会における情報交換や討議の結果，各監査役の監査報告における多数意見以外の意見が，監査役会の監査報告において表明される意見となることもありうると考えられるが，そのような場合には，各監査役の監査報告における意見自体を変更することが適切であるとも考えられる（監査役会設置会社の各監査役の監査報告には監査報告の作成日の記載を要しないとされていることからは，各監査役の監査報告は暫定的な性質のものであると考えられるからである）。

　なお，監査報告の内容をどのように書面または電磁的記録に表示すべきかは定められていないので，各監査役の監査報告と監査役会の監査報告とをそれぞれ別葉の書面等で行うことも，各監査役の監査報告および監査役会の監査報告を含む1通の監査報告書を作成することもできると考えられる。もっとも，1通の監査報告書を作成する場合であっても，各監査役の監査の方法およびその

内容が異なる可能性があるし，監査役会自体の監査の方法およびその内容は各監査役の監査の方法およびその内容が異なると推測され，監査の方法およびその内容を併記することが必要であると考えられる。

4 監査役会の監査報告書の内容とすべき事項（5項）

本項は，清算株式会社における監査役会の監査報告の内容とすべき事項を定めるものである。

監査役会の監査報告の内容とすべき事項は，監査役の監査報告の内容とすべき事項（2項）とパラレルに定められている。「第2項第2号から第5号までに掲げる事項」（2号），すなわち，①各清算事務年度に係る貸借対照表およびその附属明細書がその清算株式会社の財産の状況をすべての重要な点において適正に表示しているかどうかについての意見，②各清算事務年度に係る事務報告およびその附属明細書が法令または定款に従いその清算株式会社の状況を正しく示しているかどうかについての意見，③清算人の職務の遂行に関し，不正の行為，または法令もしくは定款に違反する重大な事実があったときは，その事実，④監査のため必要な調査ができなかったときは，その旨およびその理由などが事業報告の内容となっているときは，その事項についての意見については，各監査役の監査役監査報告の内容と一致するのが通常であると考えられる。これは，4項で，監査役が作成した監査報告に基づき，監査役会の監査報告を作成しなければならないとされていることの当然の帰結である。

また，「監査役及び監査役会の監査の方法及びその内容」（1号）とされているので，各監査役の監査の方法および内容（特定清算人にその内容が通知されるのは監査役会の監査報告書なので（6項柱書），共通する部分を除き，各監査役ごとに監査の方法，とりわけ，その内容を示す必要があろう）を各監査役の監査役監査報告に記載されたものと整合するように監査役会の監査報告の内容としなければならないほか［→1］，「監査役会の監査の方法及びその内容」も監査役会の監査報告の内容としなければならない。「監査役会の監査の方法及びその内容」としては，法390条2項3号に基づいて決定した事項，すなわち，監査役会が決定した監査の方針（業務分担など），清算株式会社の財産の状況の調査の方法を記載するほか，監査役会全体として，たとえば，清算株式会社の代表清算人・従業員，企業集団内の他の会社等の取締役・執行役・監査役・会計監査人などに対するインタビューや意見交換を行ったときは，それを記載することになろう。

そして，監査役会設置会社においては，常勤監査役が１人以上置かれ，監査役の半数以上は社外監査役（①清算開始原因が発生した時に監査等委員会設置会社または指名委員会等設置会社であった清算株式会社である監査役会設置会社においては，その就任の前10年間当該監査等委員会設置会社もしくは指名委員会等設置会社またはその子会社の取締役（社外取締役を除く），会計参与（会計参与が法人であるときは，その職務を行うべき社員）もしくは執行役または支配人その他の使用人であったことがないこと，②その就任の前10年内のいずれかの時において当該監査等委員会設置会社もしくは指名委員会等設置会社またはその子会社の社外取締役または監査役であったことがある者の場合は，当該社外取締役または監査役への就任の前10年間当該監査等委員会設置会社もしくは指名委員会等設置会社またはその子会社の取締役（社外取締役を除く），会計参与（会計参与が法人であるときは，その職務を行うべき社員）もしくは執行役または支配人その他の使用人であったことがないこと，および，③法２条16号ハからホまでに掲げる要件のすべてを満たすもの。法478条７項。以下，本条に対するコメントにおいて同じ）であるから，常勤監査役とそれ以外の監査役，社外監査役とそれ以外の監査役とでは，監査の方法および内容が異なるのが自然であると推測される（新注会第２補巻99頁［森本］参照）。

　なお，清算株式会社の監査役会の監査報告書については，ある事項に係る監査役会監査報告の内容がその事項に係る監査役の監査役監査報告の内容と異なる場合に，その事項に係る各監査役の監査役監査報告の内容を監査役会監査報告に付記することができる旨の規定は設けられていない（計規123条２項，施規130条２項と対照）。たしかに，監査役会設置会社において，監査役会による決定があっても，監査役の権限の行使は妨げられないとされていること（法390条２項柱書ただし書）に現れているように，監査役の独任制が認められることから，監査役会監査報告の内容が監査役の監査役監査報告の内容と異なる場合には，各監査役の監査役監査報告の内容を監査役会監査報告に付記することができるとするのが論理的であり，実質的に考えても，反対した監査役が監査役会の議事録に異議をとどめることによって，免責されるのであれば，株主等にとっての情報提供の観点から，監査報告にも記載させるべきであると考えられるが（新注会第２補巻110頁［龍田］参照），会計監査人設置会社の計算関係書類に関する監査報告とは異なり，清算株式会社における監査役会の監査報告は，計算書類等の承認の特例（法439条・441条４項，計規135条）や剰余金の分配を決定する機関の特例（法459条２項・460条２項，計規155条）の適用に影響を与

えないため，意見の付記を認めることの実益は少ないからなのであろう。

監査報告書

　当監査役会は，○○株式会社の令和××年×月×日から令和××年×月×日までの清算第××期清算事務年度に係る貸借対照表及びその附属明細書並びに事業報告及びその附属明細書に係る各監査役の監査報告を受け，協議の上，本監査報告書を作成し，以下のとおり報告いたします。

1．監査役及び監査役会の監査の方法及び内容
　監査役会においては，本清算事務年度の監査において，重要な資産の実在性の確認及び○○に重点をおくこととし，監査役Aは○○，監査役Bは○○，監査役Cは××，監査役Dは××という業務の分担を定めました。
　各監査役は，監査役会が定めた監査の方針，業務の分担等に従い，取締役会その他の重要な会議に出席するほか，取締役等から事業の報告を聴取し，重要な決裁書類等を閲覧し，本社及び主要な事業所において業務及び財産の状況を調査し，必要に応じて子会社より会計の報告を求め，子会社の本店及び主要な工場を訪問し，質問等を行いました。また，必要に応じて，○○弁護士及び△△税理士の助言を求めました。

2．監査の結果
(1)　清算第××期清算事務年度に係る貸借対照表及びその附属明細書は，○○株式会社の財産の状況をすべての重要な点において適正に表示していると認めます。
(2)　清算第××期清算事務年度に係る事業報告及びその附属明細書は，法令及び定款に従い○○株式会社の状況を正しく示していると認めます。

令和××年×月×日
○○○○株式会社　監査役会
監査役　A
監査役　B
監査役　C

　　　　　　　　　　　　　　　　監査役　D

5　監査報告の内容の通知期限（6項）

　本項は，監査報告の内容の通知期限を定めることによって，反射的に，監査役および監査役会による監査期間を定めるものである。

　特定清算人と特定監査役との間で別段の合意をしないかぎり，各清算事務年度の監査について，その監査期間は，附属明細書の受領時期との関係を除き，各事業年度に係る事業報告およびその附属明細書の監査に係る原則的な監査期間（132条1項1号）および会計監査人設置会社以外の会社における各事業年度に係る計算書類およびその附属明細書の監査に係る原則的な監査期間（計規124条1項1号）と同じである。すなわち，貸借対照表および事務報告の全部を受領した日から4週間を経過した日が監査報告の内容の通知期限とされている。

　すなわち，各事業年度に係る事業報告およびその附属明細書の監査に係る原則的な監査期間（132条1項2号）および会計監査人設置会社以外の会社における各事業年度に係る計算書類およびその附属明細書の監査に係る原則的な監査期間（計規124条1項2号）と異なり，附属明細書の受領時期とは無関係に監査報告の内容の通知期限が定められている。したがって，監査役には，貸借対照表および事務報告とそれらの附属明細書とを同時に手許において監査を行うことができる十分な時間は当然には保障されていない（もっとも，附属明細書も監査の対象である以上，監査報告の通知期限よりも前に附属明細書を受領していることが論理的に不可欠である）。これは，清算株式会社においては，附属明細書に含めるべき事項が具体的には定められておらず，附属明細書は相当程度簡略なものであると想定され，したがって，附属明細書の監査にはさほどの時間を要しないのが通常であると考えられること，そして，貸借対照表および事務報告とそれらの附属明細書とを比較対照する手間も大したことがないと予想されることによるものと思われる。

　また，各事業年度に係る事業報告およびその附属明細書の監査および各事業年度に係る計算書類およびその附属明細書の監査と異なり，監査期間の短縮の合意も認められているのは，清算株式会社における各清算事務年度に係る貸借対照表および事務報告ならびにそれらの附属明細書は通常の株式会社における各事業年度に係る計算書類および事業報告ならびにそれらの附属明細書と異な

り，（とりわけ，清算の最終段階においては）簡略である可能性があり，そうであるとすれば，4週間の監査期間をつねに保障することは合理的ではないし，清算株式会社においては剰余金の配当はなされず，また，自己株式の取得が認められる場合が限定されていることから，分配可能額算定との関係での慎重な監査の要請も低いからであろう。

6　監査の終了時点（7項）

　ここでいう「通知」の方法については，書面または電磁的方法により提供することを要求し，電磁的記録で作成されている場合に，受領者の請求があるときは，電磁的記録に記録された事項を記載した書面の提供を要求していた平成17年改正前商法281条ノ2第3項・4項，平成17年廃止前商法特例法12条3項・14条5項・21条の28第5項・21条の29第4項・21条の27第3項・4項，平成18年改正前商法施行規則182条4項・183条4項・188条4項・189条2項と異なり，特に規律が加えられておらず，通知は適宜の方法で行えば足りる（相澤＝和久・商事法務1766号62頁）。

7　監査報告の通知が期限内になされなかった場合（8項）

　本項は，特定監査役が通知をすべき日までに監査報告の内容の通知をしない場合には，その通知をすべき日に，貸借対照表および事務報告ならびにそれらの附属明細書について，監査役の監査を受けたものとみなすと定めているので，清算人会設置会社では清算人会において，その事業報告の承認を行えばよいことになる（法495条2項）。もっとも，清算株式会社は，貸借対照表および事務報告ならびにそれらの附属明細書とともに監査報告を，定時株主総会の日の1週間前の日からその本店の所在地における清算結了の登記の時までの間，その本店に備え置かなければならないとされている（法496条1項）。

8　特定清算人および特定監査役（6項・9項）

　二以上の清算人や監査役が関与する場合に，通知等をすべての清算人・監査役に対して行わなければならない，あるいはすべての清算人・監査役が通知等を行わなければならないとすることは煩瑣である。また，清算人会や監査役会は会議体であり，会議体として現実の行為をすることはできない。そこで，特定清算人および特定監査役という概念が定められている。

　すなわち，本条の関係では，特定清算人とは，特定監査役から監査報告の内

容の通知を受領するとともに、監査役・監査役会の監査報告期限について同意することを役割の1つとする清算人であり、特定監査役とは、監査報告の内容を特定清算人に対して通知すること、および、監査役・監査役会の監査期限等について合意することを役割の1つとする監査役である。

なお、特定清算人の定義との関係で、6項の規定による通知を受ける者」、すなわち、監査報告の通知を受領する者をどのように定めるかについては、特に規定が設けられていないところ、重要な業務執行にあたるとは解されないので、清算人会の決議によって定める必要は必ずしもなく、互選その他の適宜な方法をもって定めれば足りるものと解される。また、特定監査役の定義との関係で、監査役設置会社（監査役の監査の範囲を会計に関するものに限定する旨の定款の定めがある株式会社を含み、監査役会設置会社を除く）において、二以上の監査役が存する場合において、6項の規定による監査報告の内容の通知をすべき監査役」をどのように定めるかについても規定は設けられていないので、互選その他の適宜の方法をもって定めれば足りるものと解される。

他方、9項2号イは、監査役会設置会社において、6項の規定による監査報告の内容の通知をすべき監査役」を定めるのは監査役会であると定めており、監査役会の決議によって定めなければならない。

（金銭分配請求権が行使される場合における残余財産の価格）

第149条 法第505条第3項第1号に規定する法務省令で定める方法は、次に掲げる額のうちいずれか高い額をもって同号に規定する残余財産の価格とする方法とする。

一　法第505条第1項第1号の期間の末日（以下この項において「行使期限日」という。）における当該残余財産を取引する市場における最終の価格（当該行使期限日に売買取引がない場合又は当該行使期限日が当該市場の休業日に当たる場合にあっては、その後最初になされた売買取引の成立価格）

二　行使期限日において当該残余財産が公開買付け等の対象であるときは、当該行使期限日における当該公開買付け等に係る契約における当該残余財産の価格

2　法第506条の規定により法第505条第3項後段の規定の例によることとされる場合における前項第1号の規定の適用については、同号中「法第505条第1項第1号の期間の末日」とあるのは、「残余財産の分配をする日」とする。

本条は，金銭分配請求権が行使される場合において残余財産の価格を定める方法を定めるものである。すなわち，法505条1項は，株主は，残余財産が金銭以外の財産であるときは，金銭分配請求権（当該残余財産に代えて金銭を交付することを清算株式会社に対して請求する権利）を有するものと定め，同条3項1号は，清算株式会社は，金銭分配請求権を行使した株主に対し，当該株主が割当てを受けた残余財産に代えて，当該残余財産が市場価格のある財産である場合には当該残余財産の市場価格として法務省令で定める方法により算定される額に相当する金銭を支払わなければならないものとしている。そこで，本条は，法505条3項1号をうけて，残余財産が市場価格のある財産である場合について，残余財産の市場価格の算定方法を定めるものである。本条は，剰余金の配当における配当財産が金銭以外の財産であって金銭分配請求権が行使された場合に，配当財産が市場価格のある財産である場合の当該配当財産の価格を定める計規154条とパラレルな規定である。

1 金銭分配請求権と残余財産の市場価格を算定する方法（1項）

1項1号が，「行使期限日……における当該残余財産を取引する市場における最終の価格（当該行使期限日に売買取引がない場合又は当該行使期限日が当該市場の休業日に当たる場合にあっては，その後最初になされた売買取引の成立価格）」と定めているのは，平成17年改正前商法220条ノ6（端株買取請求の場合。同法221条6項で単元未満株式買取請求に準用）が「請求ノ日ノ最終ノ市場価格」を基準としていたこと，および平成13年商法改正前の昭和56年商法改正附則19条2項が「証券取引所に上場されている株式について……請求があったときは，証券取引所（二以上の証券取引所に上場されている場合には，本店の最寄りの証券取引所をいう……）の開設する市場における請求の日の最終価格（その日に売買取引がないときは，その後最初にされた売買取引の成立価格）」を基準としていたことに対応するものであると推測される。

ここで，「当該残余財産を取引する市場」に，金融商品取引所（証券取引所），商品取引所などの当該残余財産を取引する取引所が含まれることには異論がなく，「市場」には，法令の規定の裏づけがある。たとえば，日本証券業協会がかつて開設していた店頭市場のような取引所に類する市場は少なくとも含まれ，抽象的には，随時，売買・換金等を行うことができる取引システムを「市場」といってよいと思われるが，「市場」の外延がどこまで及ぶかは難しい問題である。少なくとも相対の個別交渉で決定された価格は「市場における最

第149条（金銭分配請求権が行使される場合における残余財産の価格）

終の価格」とは評価できないであろう。また，複数の取引所に上場されている有価証券が存在するし，「市場」を広くとらえると，複数の市場で残余財産とされている財が取引されているという状況は容易に想定される。したがって，会社の定款で，どの「市場」における最終の価格を基準とするかを定めることができるが（原田・商事法務1608号100頁，落合ほか・商事法務1602号28頁〔中西発言〕〔前田発言〕〔落合発言〕など参照），その定めが不合理な場合には，株主は争うことができると解するのが穏当なのではないかと思われる。定め方としては，ある市場を1つ特定することも考えられるが，たとえば，「上場株式については東京証券取引所における終値があれば，その終値，なければ，札幌証券取引所における終値」というような定め方もありえよう。市場の特定は，単元未満株式の買取り，端株の買取り，端数の処理，現物配当や現物残余財産分配といった類型ごとにするのではなく，すべての類型を通じて，統一的にすることが原則として求められるのではないかと思われる。少なくとも，事前に定めておくべきであり，「市場における最終の価格」が基準として金額が決まるような株主あるいは会社の行為ごとに，市場を特定することは許されず，特に定めていない場合には，株主にとって有利に市場の選択がなされるべきであるという考え方も成り立たないわけではないのではないか。

　他方，「残余財産の価格」は委託手数料相当額などを控除した後の額なのかどうかという問題もありえよう（落合ほか・商事法務1602号28頁〔落合発言〕など参照）。たしかに，平成13年改正前の昭和56年商法改正附則19条3項のような「株式の売買の委託に係る手数料に相当する金額の支払を請求することができる」という定めがなく，文言からは，控除することはできないと解するのが自然であり，剰余金の配当の場合には，会社に資金があることが一般的であることが多いはずであるから，必ずしも，配当財産を換価する必要はなく，控除できないと解するのが穏当であろう。しかし，残余財産の分配の場合に，金銭で分配するときには，換価に要した費用を控除した後のものを分配するのであり，これとの均衡からは，「残余財産の価格」は委託手数料相当額などを控除した後の額であると解すべきであろう（ゼミナール会社法現代化247〜248頁参照）。

　平成17年改正前商法と異なり，会社計算規則および会社法施行規則では，当該財産が公開買付け等の対象である場合には，その公開買付け等に係る契約における財産の価格を基準に含めるものとしている。1項も，行使期限日において当該残余財産が公開買付け等の対象であるときは，当該行使期限日における当該公開買付け等に係る契約における当該残余財産の価格（2号）と1号の金

額とのいずれか高い額を残余財産の価格とするものと定めている。これは，残余財産が公開買付け等の対象となっている場合には，通常，買付価格が市場価格より高いが，公開買付けに応ずることによって，その買付価格で残余財産を処分できる可能性があるためであると推測される（もっとも，買付数量が少ない場合に，買付価格を基準とすることに合理性があるのか，会社自身が公開買付けを行っている場合には問題があるのではないかというような問題があり，本条の定めが立法論として，つねに適切であるとはいいきれない）。

なお，1項2号にいう「公開買付け等」とは，金融商品取引法27条の2第6項（同法27条の22の2第2項において準用する場合を含む）に規定する公開買付けおよびこれに相当する外国の法令に基づく制度をいうが（2条3項15号），本条の趣旨からすれば，公開買付け「に相当する外国の法令に基づく制度」であるというためには，買付価格を引き下げることが原則としてできないこと（金融商品取引法27条の6第3項参照）が要件とされよう。なぜなら，買付価格を引き下げることができるのであれば，その買付価格を基準として残余財産の価格を決定することに合理性はないからである。

2 基準未満株式を有する株主に対する金銭支払と残余財産の市場価格を算定する方法（2項）

現物による残余財産の分配を行うとした場合に，基準株式数を定めたときは，清算株式会社は，基準株式数に満たない数の株式（基準未満株式）を有する株主に対し，金銭分配請求権について定める法505条3項後段の規定の例により基準株式数の株式を有する株主が割当てを受けた残余財産の価格として定めた額にその基準未満株式の数の基準株式数に対する割合を乗じて得た額に相当する金銭を支払わなければならないとされているが，この場合にも，本条1項が定める方法により，市場価格のある財産について残余財産の価格を定めるのが合理的である。もっとも，金銭分配請求権が行使される場合と異なり，行使期限日を基準とする合理的根拠はないので，「残余財産の分配をする日」における当該残余財産を取引する市場における最終の価格（当該行使期限日に売買取引がない場合または当該行使期限日が当該市場の休業日にあたる場合には，その後最初になされた売買取引の成立価格）が算定基礎とされる（2項）。ただ，必ずしも，その理由は明らかにされていないが，1項2号の規定との関係では読替えをしないこととされており，理論的には均衡を欠いている。

なお，「残余財産の分配をする日」とは，当該金銭以外の財産である残余財

産を分配する日を意味すると考えられ，たとえば，一部を金銭，一部を金銭以外の財産で分配する場合には，金銭である残余財産の分配をする日とは必ずしも一致することを要しないものと解される。「分配をする日」とは分配をすることを決定した日ではなく，分配を実施した日（＝所有権を移転した日）をいうと解するのが文言上素直である。

（決算報告）
第150条 法第507条第１項の規定により作成すべき決算報告は，次に掲げる事項を内容とするものでなければならない。この場合において，第１号及び第２号に掲げる事項については，適切な項目に細分することができる。
一 債権の取立て，資産の処分その他の行為によって得た収入の額
二 債務の弁済，清算に係る費用の支払その他の行為による費用の額
三 残余財産の額（支払税額がある場合には，その税額及び当該税額を控除した後の財産の額）
四 １株当たりの分配額（種類株式発行会社にあっては，各種類の株式１株当たりの分配額）
２ 前項第４号に掲げる事項については，次に掲げる事項を注記しなければならない。
一 残余財産の分配を完了した日
二 残余財産の全部又は一部が金銭以外の財産である場合には，当該財産の種類及び価額

　本条は，清算株式会社の決算報告の内容を定めるものである。すなわち，清算株式会社は，清算事務が終了したときは，遅滞なく，法務省令で定めるところにより，決算報告を作成しなければならないとされており（法507条１項），この委任をうけて，本条が定められている。
　平成17年改正前商法の下では，決算報告書の内容について明文の規定は設けられておらず，解釈に委ねられていたが，本条では，従来の通説を踏まえて，決算報告の記載事項を定めている。すなわち，平成17年改正前商法の下では，決算報告書（同法427条１項）には，資産の処分，債務の弁済および残余財産の分配についての報告が記載されなければならないと解されていたが（味村・新訂詳解商業登記上1016頁），本条は具体的に記載事項を定めている。

1 決算報告の記載事項（1項）

　清算は，現務の結了，債権の取立ておよび債務の弁済および残余財産の分配を主たる内容とする手続であること（法481条）と整合的に，本項では，決算報告に含めるべき事項が定められている。決算報告書の対象期間は，清算開始時から清算事務の終了時までであると考えられる。すなわち，清算開始時の貸借対照表を前提として，清算人が行った現務の結了，債権の取立ておよび債務の弁済の結果，どれだけの残余財産が生じ，それが株主にどのように分配されたかを示すものである。

(1) 債権の取立て，資産の処分その他の行為によって得た収入の額（1号）

　債権の取立て，資産の処分によって得た収入の額のみならず，現務の結了の過程で生じた収入や清算株式会社が有していた有価証券・貸付金などの金融資産に係る利息・配当金などの収入あるいは契約の解除によって返戻された前払金・前払費用などが含まれる。また，差入保証金や敷金などの返還によるものも含まれる。すなわち，企業会計上の収益・利益が生ずるか否かを問わず，現預金の総額としての増加額を意味する。

(2) 債務の弁済，清算に係る費用の支払その他の行為による費用の額（2号）

　債務の弁済には元本の弁済のみならず，利息の支払も含まれるし，また，金銭債務以外の債務の履行に要した費用の額は本号にいう「費用の額」に含まれる。さらに，清算人の報酬等も清算に係る費用といってよいと思われる。「費用の額」とされているが，債務の弁済による支払は費用ではないので，ここでは，支出額および未払の費用の額をいうものと解するのが相当であろう。すなわち，1号とは非対称的に支出の額ではなく「費用の額」とされているのは，未払の費用がありうるということを前提とするのであろう。清算事務が終了している以上，未払いはありえないようにも思われるが，清算人の報酬等を決算報告の承認に際して，株主総会において決定するとすれば，清算人の報酬等の額は「費用の額」であるが，支出されていないということはありえよう。

(3) 残余財産の額（支払税額がある場合には，その税額および当該税額を控除した後の財産の額）（3号）

　このような記載が求められているのは，1株当たりの残余財産分配額を定める前提として，残余財産の額が明らかにならなければならないからである。清

算課税においては，残余財産の額が前提となる面があるため，本号かっこ書では，「支払税額がある場合には，その税額及び当該税額を控除した後の財産の額」として，支払税額がある場合にはそれを区分表示することを要求している。

　金銭で残余財産の分配を行う場合には残余財産の額は残余財産としての金銭の額なので問題は生じないが，金銭以外の財産で残余財産の分配を行う場合には，残余財産の額とはその残余財産の帳簿価額なのか時価なのか，時価であるとすればどの時点での時価なのかという問題がある。たしかに，金銭以外の財産で残余財産の分配を行う場合には，株主に対する情報提供という観点から，時価を示すことが望ましいという考え方もありえようが，いちいち，その財産の時価を把握するために費用や手間をかけさせることは一般的には避けるべき

決　算　報　告

令和○年○月○日～令和△年△月△日

仕入債務弁済	××	清算開始日現預金残高	××
借入金返済	××	製品現金売上	××
支払手数料	××	有価証券売却収入	××
給料	××	設備売却収入	××
租税公課	××	土地売却収入	××
雑費	××	貸付金回収	××
退職金	××	売上債権回収	××
清算人報酬（未払）	××	受取利息	××
残余財産（税引前）	××	雑収入	××
	××		××
法人税等	××	残余財産（税引前）	××
残余財産（税引後）	××		
	××		××

普通株式1株当たりの
残余財産分配額
○円○銭

であるから，原則として，帳簿価額を意味すると解してよいと思われる。もっとも，金銭分配請求権が行使された場合および基準未満株主に対する金銭の支払がなされた場合には，時価を把握せざるをえないので，時価で記載すべきであると考えるのが相当である。そして，それは金銭以外の財産である残余財産の分配をする日における時価であると解してよいのではないかと思われる（149条2項参照）。

(4) 1株当たりの分配額（種類株式発行会社にあっては，各種類の株式1株当たりの分配額）（4号）

算定された残余財産の額（3号）に応じて1株当たりの分配額が決定されたことを明らかにするための記載である。残余財産の分配について内容の異なる株式（法108条1項2号）が発行されている場合には，各種類の株式1株当たりの分配額が異なることになりうるので，各種類の株式1株当たりの分配額を記載させる必要があるが，本号かっこ書では，さらに進んで，「種類株式発行会社にあっては，各種類の株式1株当たりの分配額」の記載を要求している。明瞭性を確保しようとする趣旨によるものであろうか。

2 必要な注記（2項）

(1) 残余財産の分配を完了した日（1号）

決算報告の記載事項として，1株当たりの分配額（種類株式発行会社では，各種類の株式1株当たりの分配額）があげられているが（1項4号），そのような残余財産の分配が終わってから，決算報告を作成すべきであることから，残余財産の分配を完了した日を記載すべきこととされている。残余財産の分配が完了しない限り，分配のための追加的費用が生ずる可能性もあることも指摘できよう。

(2) 残余財産の全部または一部が金銭以外の財産である場合には，その財産の種類および価額（2号）

残余財産の全部または一部が金銭以外の財産である場合には，どのような財産なのか，その価額はどれほどなのかを知ることが株主にとって重要な情報でありうるので，記載が要求されている。

「その財産の種類」として，どれほど具体的に記載すべきかが問題となるが，決算報告においては，詳細な記載を求めても，過重な事務負担が生ずると

は考えられないので，たとえば，「○○株式会社第○回新株予約権付社債」，「株式会社××株式」という程度の具体性は要求されると考えられる。

また，1項3号と同様，「残余財産の価額」とはその残余財産の帳簿価額なのか時価なのか，時価であるとすればどの時点での時価なのかという問題がある。たしかに，金銭以外の財産で残余財産の分配を行う場合には，株主に対する情報提供という観点から，時価を示すことが望ましいという考え方もありえようが，いちいち，その財産の時価を把握するために費用や手間をかけさせることは一般的には避けるべきであるから，原則として，帳簿価額を意味すると解してよいと思われる。もっとも，金銭分配請求権が行使された場合および基準未満株主に対する金銭の支払がなされた場合には，時価を把握せざるをえないので，時価で記載すべきであると考えるのが相当である。そして，それは金銭以外の財産である残余財産の分配をする日における時価であると解してよいのではないかと思われる（149条2項参照）。

(清算株式会社が自己の株式を取得することができる場合)

第151条 法第509条第3項に規定する法務省令で定める場合は，次に掲げる場合とする。

一 当該清算株式会社が有する他の法人等の株式（持分その他これに準ずるものを含む。以下この条において同じ。）につき当該他の法人等が行う剰余金の配当又は残余財産の分配（これらに相当する行為を含む。）により当該清算株式会社の株式の交付を受ける場合

二 当該清算株式会社が有する他の法人等の株式につき当該他の法人等が行う次に掲げる行為に際して当該株式と引換えに当該清算株式会社の株式の交付を受ける場合

 イ 組織変更
 ロ 合併
 ハ 株式交換（法以外の法令（外国の法令を含む。）に基づく株式交換に相当する行為を含む。）
 ニ 取得条項付株式（これに相当する株式を含む。）の取得
 ホ 全部取得条項付種類株式（これに相当する株式を含む。）の取得

三 当該清算株式会社が有する他の法人等の新株予約権等を当該他の法人等が当該新株予約権等の定めに基づき取得することと引換えに当該清算株式会社の株式の交付をする場合

四 当該清算株式会社が法第785条第5項又は第806条第5項（これらの規定

を株式会社について他の法令において準用する場合を含む。）に規定する株式買取請求（合併に際して行使されるものに限る。）に応じて当該清算株式会社の株式を取得する場合
　五　当該清算株式会社が法第116条第５項，第182条の４第４項，第469条第５項，第785条第５項，第797条第５項，第806条第５項又は第816条の６第５項（これらの規定を株式会社について他の法令において準用する場合を含む。）に規定する株式買取請求（清算株式会社となる前にした行為に際して行使されたものに限る。）に応じて当該清算株式会社の株式を取得する場合
　六　当該清算株式会社が清算株式会社となる前に法第192条第１項の規定による請求があった場合における当該請求に係る同条第２項の株式を取得する場合

　本条は，清算株式会社が自己の株式を取得することができる場合を定めるものである。すなわち，法509条３項は，「清算株式会社は，無償で取得する場合その他法務省令で定める場合に限り，当該清算株式会社の株式を取得することができる」と定めており，これをうけて，本条では，「その他法務省令で定める場合」を定めている。

　本条は，無償で取得する場合（法509条３項）以外であって，清算株式会社が自己の株式を取得できる場合を列挙するものであるが，いずれも，取得方法規制や財源規制が定められていない自己の株式の取得である。このように，清算株式会社が自己の株式を取得することができる場合が限定されているのは，清算株式会社における株主への会社財産の払戻しは，原則として，残余財産の分配によって行われるべきだからである（相澤ほか・商事法務1770号10頁）。

１　本条が定める自己の株式を取得することができる場合

(1)　その清算株式会社が有する他の法人等の株式（持分その他これに準ずるものを含む）につき当該他の法人等が行う剰余金の配当または残余財産の分配（これらに相当する行為を含む）によりその清算株式会社の株式の交付を受ける場合（１号）

　これは，清算株式会社が他の法人等（法人その他の団体（２条３項１号））の株式（持分その他これに準ずるものを含む。以下，本条に対するコメントにおいて同じ）を保有している場合に，当該他の法人等が剰余金の配当または残余財産の分配（これらに相当する行為を含む）を行うと，清算株式会社が保有している他の法人等の株式の価値が下落し，または清算株式会社はその株式を失うの

第151条(清算株式会社が自己の株式を取得することができる場合) 853

で，もし，その自己の株式の交付を受けないと，当該他の法人等の他の株主等に富が移転し，その清算株式会社にとっては財産が減少するだけになってしまう。したがって，このような場合には，その自己の株式の交付を受けることによってその清算株式会社の財産が減少するとは評価できないので，会社財産の確保の点から弊害があるとは評価されない。またこの場合に，自己の株式の交付を受けても，それは，当該他の法人等から優先的に自己の株式を取得するとも評価できないので，株主間の平等を損なうとは評価されない。なお，その清算株式会社の意思決定により，自己の株式の交付を受けるわけではないので，財源規制や取得方法規制の対象とすることはできない。

　他の法人等が株式会社である場合には，現物配当(法454条4項)や現物による残余財産分配(法504条1項1号)が認められたことを背景として設けられた規定であると評価することができる。

(2)　その清算株式会社が有する他の法人等の株式(持分その他これに準ずるものを含む)につき，当該他の法人等が行う組織の変更，合併，株式交換(法以外の法令(外国の法令を含む)に基づく株式交換に相当する行為を含む)，取得条項付株式(これに相当する株式を含む)の取得または全部取得条項付種類株式(これに相当する株式を含む)の取得に際してその株式と引換えにその清算株式会社の株式の交付を受ける場合(2号)

　これは，清算株式会社が他の法人等の株式を保有している場合に，当該他の法人等が組織の変更，合併，株式交換(法以外の法令(外国の法令を含む)に基づく株式交換に相当する行為を含む)，取得条項付株式(これに相当する株式を含む)の取得または全部取得条項付種類株式(これに相当する株式を含む)の取得を行うと，清算株式会社は保有している他の法人等の株式を失うので，もし，自己の株式の交付を受けないと，当該他の法人等の他の株主等に富が移転し，清算株式会社にとっては財産が減少するだけになってしまう。したがって，このような場合には，自己の株式の交付を受けることによって清算株式会社の財産が減少するとは評価できないので，会社財産の確保の点から弊害があるとは評価されない。また，この場合に，自己の株式の交付を受けても，それは，当該他の法人等から優先的に自己の株式を取得するとも評価できないので株主間の平等を損なうとは評価されない。なお，清算株式会社の意思決定により，自己の株式の交付を受けるわけではないので，財源規制や取得方法規制の対象とすることはできない。

本号は，他の法人等が株式会社である場合には，組織再編対価の柔軟化（法749条1項2号・768条1項2号）に対応するもの，あるいは取得条項付株式（法107条1項3号・108条1項6号）または全部取得条項付株式（法108条1項7号）の制度に対応するものであると評価できる。

(3) その清算株式会社が有する他の法人等の新株予約権等を当該他の法人等が当該新株予約権等の定めに基づき取得することと引換えにその清算株式会社の株式の交付をする場合（3号）

これは，清算株式会社が他の法人等の新株予約権等（新株予約権その他その法人等に対して行使することによりその法人等の株式その他の持分の交付を受けることができる権利。2条3項14号）を保有している場合に，当該他の法人等がその新株予約権等の定めに基づきその新株予約権等の取得を行うと，清算株式会社は保有している他の法人等の新株予約権等を失うので，もし，自己の株式の交付を受けないと，当該他の法人等の他の株主等に富が移転し，清算株式会社にとっては財産が減少するだけになってしまう。したがって，このような場合には，自己の株式の交付を受けることによって清算株式会社の財産が減少するとは評価できないので，会社財産の確保の点から弊害があるとは評価されない。またこの場合に，自己の株式の交付を受けても，それは，当該他の法人等から優先的に自己の株式を取得するとも評価できないので，株主間の平等を損なうとは評価されない。なお，清算株式会社の意思決定により，自己の株式の交付を受けるわけではないので，財源規制や取得方法規制の対象とすることはできない。

本号は，他の法人等が株式会社である場合には，取得条項付新株予約権（法236条1項7号）が認められたことに対応するものと評価できる。

(4) 合併に対する反対株主の株式買取請求に応じて，その清算株式会社がその清算株式会社の株式を取得する場合（4号）

これは，反対株主の株式買取請求に応じて取得する場合であり，本来，会社財産の流出が生じ，かつ，株主間の平等を損なうという面はあるが，平成17年改正前商法と同様，少数派株主保護の観点から認められているものである。5号が定める場合と異なり，「清算株式会社となる前にした行為に際して行使されたものに限る」という限定は付されていない。清算株式会社も吸収合併消滅会社，新設合併消滅会社，吸収分割会社または新設分割会社となることができ

るが（法474条・509条1項3号と対照），本号では，「合併に際して行使されるものに限る」とされ，会社分割の場合には認められないものとされているのは，事業の全部の譲渡の決議と同時に解散の決議をした場合には，反対株主に株式買取請求権が認められないこと（法469条1項かっこ書。もっとも，これが立法論として問題がありうることについては，江頭1014頁注9）との平仄をとったものである。合併の場合には認められるとされているのは，買取代金を支払うのは実際には吸収合併存続会社または新設合併設立会社であること，および，合併に際して株式買取請求に応じて買取代金を支払うことは実質的には残余財産の分配であると解することができることによると説明されている（相澤＝郡谷・商事法務1747号16頁）。

なお，「これらの規定を株式会社について他の法令において準用する場合を含む」とされているが，たとえば，相互会社と株式会社の合併の際の反対株主の株式買取請求権について定める保険業法165条の5第2項（同法165条の12で準用）および協同組織金融機関と普通銀行との合併の際の反対株主の株式買取請求権を定める金融機関の合併及び転換に関する法律24条2項（同法31条で準用）は会社法785条5項を，株式会社金融商品取引所と会員金融商品取引所との吸収合併の際の反対株主の株式買取請求権を定める金融商品取引法139条の11第2項および株式会社商品取引所と会員商品取引所との吸収合併の際の反対株主の株式買取請求権を定める商品先物取引法144条の10第3項は会社法797条5項を，株式会社金融商品取引所と会員金融商品取引所との新設合併の際の反対株主の株式買取請求権を定める金融商品取引法139条の17第2項および株式会社商品取引所と会員商品取引所との新設合併の際の反対株主の株式買取請求権を定める商品先物取引法144条の17第2項は会社法806条5項を，それぞれ準用している。

(5) その清算株式会社が法116条5項・182条の4第4項・469条5項・785条5項・797条5項・806条5項または816条の6第5項（これらの規定を株式会社について他の法令において準用する場合を含む）に規定する株式買取請求（清算株式会社となる前にした行為に際して行使されたものに限る）に応じてその清算株式会社の株式を取得する場合（5号）

これは，反対株主の株式買取請求に応じて取得する場合であり，本来，会社財産の流出が生じ，かつ，株主間の平等を損なうという面はあるが，平成17年改正前商法と同様，少数派株主保護の観点から認められているものである。す

なわち，1株に満たない端数が生ずるような株式の併合に対する反対株主（法182条の4第4項），事業の譲渡等に対する反対株主（法469条5項），吸収合併・吸収分割・株式交換に対する反対株主（法785条5項・797条5項），新設合併・新設分割・株式移転に対する反対株主（法806条5項），および，株式交付に対する反対株主（法816条の6第5項）のほか，その発行する全部の株式を譲渡制限株式とする定款の変更に対する反対株主，ある種類の株式を譲渡制限株式または全部取得条項付種類株式とする定款の変更に対するその種類の株式の反対株主，および，ある種類株主総会の決議を要しない旨の定款の定めがある場合に，株式の併合または株式の分割，株式無償割当て，単元株式数についての定款の変更，その株式会社の株式を引き受ける者の募集（株主に割当てを受ける権利を与えるものに限る），その株式会社の新株予約権を引き受ける者の募集（株主に割当てを受ける権利を与えるものに限る）または新株予約権無償割当てが，その種類の株式を有する種類株主に損害を及ぼすおそれがあるときのその種類の株式の反対株主（法116条5項）に株式買取請求権が認められている。

「清算株式会社となる前にした行為に際して行使されたものに限る」とされているのは（ただし，4号 [→(4)]），清算株式会社における株主への会社財産の払戻しは，原則として，残余財産の分配によって行われるべきだからであるが，清算株式会社となる前にした行為に際して行使されたものについては，その行為の効力が生じている以上，株式買取りを認めないと，反対株主の保護に欠けるからである（認めないとすると，反対株主の株式買取請求を排除するために，事後的に解散の決議をするという弊害も生じうる）。もっとも，清算株式会社は株式交換・株式移転，株式交付をすることはできないので（法509条1項3号），その限りにおいては清算株式会社となった後にした行為に際して株式買取請求権が行使されることはないし，清算株式会社において，その発行する全部の株式を譲渡制限株式とする定款の変更あるいはある種類の株式を譲渡制限株式または全部取得条項付種類株式とする定款の変更がなされても，株主またはその種類の株式の株主に大きな不利益を与えるということはないので，株式買取請求に応じることができないものとしても問題はないであろう。他方，ある種類株主総会の決議を要しない旨の定款の定めがある場合の，その種類の株式を有する種類株主に損害を及ぼすおそれがある株式の併合または株式の分割，株式無償割当て，単元株式数についての定款の変更，その株式会社の株式を引き受ける者の募集（株主に割当てを受ける権利を与えるものに限る），その株式会社の新株予約権を引き受ける者の募集（株主に割当てを受ける権利を与える

ものに限る）または新株予約権無償割当てに際して，清算株式会社となった後であれば株式買取請求に応じることができないとされていることからは，そのような行為は清算株式会社となった後は，清算の目的の範囲外の行為であって，清算株式会社はなしえないと解するのが穏当であろう。清算株式会社となった後の会社分割あるいは事業の譲渡等について，清算株式会社はその反対株主の株式買取請求に応じることができないとされている点については，法469条1項との均衡を図るものであると説明できようが，立法論として問題がないとはいいきれない（江頭1048頁注2参照）。

　「これらの規定を株式会社について他の法令において準用する場合を含む」とされているが，たとえば，相互会社と株式会社の合併の際の反対株主の株式買取請求権について定める保険業法165条の5第2項（同法165条の12で準用）および協同組織金融機関と普通銀行との合併の際の反対株主の株式買取請求権を定める金融機関の合併及び転換に関する法律24条2項（同法31条で準用）は会社法785条5項を，株式会社金融商品取引所と会員金融商品取引所との吸収合併の際の反対株主の株式買取請求権を定める金融商品取引法139条の11第2項および株式会社商品取引所と会員商品取引所との吸収合併の際の反対株主の株式買取請求権を定める商品先物取引法144条の10第3項は会社法797条5項を，株式会社金融商品取引所と会員金融商品取引所との新設合併の際の反対株主の株式買取請求権を定める金融商品取引法139条の17第2項および株式会社商品取引所と会員商品取引所との新設合併の際の反対株主の株式買取請求権を定める商品先物取引法144条の17第2項は会社法806条5項を，それぞれ準用している。

(6)　その清算株式会社が単元未満株式の買取請求に応じてその清算株式会社の株式を取得する場合（6号）

　法192条が，単元未満株主は，株式会社に対し，自己の有する単元未満株式を買い取ることを請求することができると定めているのは，単元未満株式に係る株券を発行しないこと，あるいは，株主名簿への記載・記録をしないことによって，単元未満株式について，株式会社は実質的に譲渡による取得を制限できることに鑑み，単元未満株主の投下資本回収の途を確保するためである。そして，単元未満株式の買取りにより支払われる額はさほど多くはないと考えられ，しかも，とりわけ，市場価格のある株式については市場価格として法務省令で定める方法（36条）により算定される額をもって買い取るべきこととされ

ているので（法193条1項1号），法161条との均衡からも株主間の公平の観点からは問題はないため，財源規制や取得方法規制の対象ともされていない。そこで，清算株式会社においても，買取請求に応じることが認められていると推測される。

「清算株式会社となる前に……請求があった場合」とされているのは，清算株式会社における株主への会社財産の払戻しは，原則として，残余財産の分配によって行われるべきだからである。そして，株式買取りを認めないと，単元未満株主の保護に欠けるからである（認めないとすると，単元未満株主の株式買取請求を排除するために，事後的に解散の決議をするという弊害も生じうる）。

2 無償取得および本条が定める場合以外に自己の株式の取得が許される場合はあるか

法509条が，清算株式会社が自己の株式を取得することができる場合をきわめて限定していることに照らすと，立法論としてはともかく，解釈論としては，無償取得および本条が定める場合以外に自己の株式の取得が許される場合はなく，担保権の実行や代物弁済等による取得［→27条8］も無償取得であると評価できない限り（江頭253頁参照），許されないと解すべきであろう。

第2節　特別清算

（総資産額）

第152条　法第536条第1項第2号及び第3号イに規定する法務省令で定める方法は，法第492条第1項の規定により作成した貸借対照表の資産の部に計上した額を総資産額とする方法とする。

本条は，特別清算開始命令があった場合でも，事業の重要な一部の譲渡または子会社の株式もしくは持分の全部もしくは一部の譲渡につき裁判所の許可を要しないとされる規準との関係での総資産額を定めるものである。すなわち，特別清算開始の命令があった場合に，清算株式会社が事業の重要な一部の譲渡または子会社の株式もしくは持分の全部もしくは一部の譲渡をするには，裁判

所の許可を得なければならないが（法536条１項柱書），その譲渡により譲り渡す資産または子会社の株式もしくは持分の全部もしくは一部の譲渡の帳簿価額がその清算株式会社の総資産額として法務省令で定める方法により算定される額の５分の１（これを下回る割合を定款で定めた場合には，その割合）を超えない場合には裁判所の許可を得ることを要しないものとされている（同条１項２号かっこ書・３号イ）。これをうけて，本条が定められている。

　本条は，清算開始時の貸借対照表の資産の部に計上した額を総資産額とする方法とすると定めており，134条２項とパラレルな規定である。たしかに，清算開始時から事業の重要な一部を譲渡するまでの間に清算株式会社の財産の状況が変化することに鑑みると，清算開始時の貸借対照表の資産の部に計上した額を総資産額として，裁判所の許可の要否を決定することは必ずしも適当ではないが，清算株式会社において，いちいち，資産および負債の変動を把握し，それを総資産額の算定に反映させることは煩瑣であると考えられるため，本条のような定めが設けられていると推測される。

（債権者集会の招集の決定事項）

第153条　法第548条第１項第４号に規定する法務省令で定める事項は，次に掲げる事項とする。

　一　次条の規定により債権者集会参考書類に記載すべき事項（同条第１項第１号に掲げる事項を除く。）

　二　書面による議決権の行使の期限（債権者集会（法第２編第９章第２節第８款の規定の適用のある債権者の集会をいう。以下この節において同じ。）の日時以前の時であって，法第549条第１項の規定による通知を発した日から２週間を経過した日以後の時に限る。）

　三　一の協定債権者が同一の議案につき法第556条第１項（法第548条第１項第３号に掲げる事項を定めた場合にあっては，法第556条第１項又は第557条第１項）の規定により重複して議決権を行使した場合において，当該同一の議案に対する議決権の行使の内容が異なるものであるときにおける当該協定債権者の議決権の行使の取扱いに関する事項を定めるときは，その事項

　四　第155条第１項第３号の取扱いを定めるときは，その取扱いの内容

　五　法第548条第１項第３号に掲げる事項を定めたときは，次に掲げる事項

　　イ　電磁的方法による議決権の行使の期限（債権者集会の日時以前の時であって，法第549条第１項の規定による通知を発した日から２週間を経過した日以後の時に限る。）

□ 法第549条第2項の承諾をした協定債権者の請求があった時に当該協定債権者に対して法第550条第1項の規定による議決権行使書面（同項に規定する議決権行使書面をいう。以下この節において同じ。）の交付（当該交付に代えて行う同条第2項の規定による電磁的方法による提供を含む。）をすることとするときは，その旨

　本条は，債権者集会を招集する者（招集者）が債権者集会の招集に際して決定すべき事項を定めるものであり，株主総会の招集に際して決定すべき事項を定める63条とパラレルな規定である（もっとも，債権者集会の性質上，決定すべき事項は同条が定める株主総会の招集に際して決定すべき事項に比べると限定されている）。すなわち，法548条1項は，招集者は，債権者集会を招集する場合には，債権者集会の日時および場所，債権者集会の目的である事項，ならびに，債権者集会に出席しない協定債権者が電磁的方法によって議決権を行使することができることとするときは，その旨のほか「法務省令で定める事項」を定めなければならないものとしており，本条は，この委任をうけて定められている。
　債権者集会の招集時に決定すべき事項は，招集通知に記載しなければならないものとされており（法549条3項），協定債権者に与えるべき最低限度の情報という意味をも有する。

1 債権者集会参考書類に記載すべき事項（1号）

　債権者集会参考書類は，債権の申出をした協定債権者その他清算株式会社に知れている協定債権者に交付しなければならないので（法550条1項），債権者集会参考書類に記載すべき事項（その債権者集会参考書類の交付を受けるべき協定債権者が有する協定債権について清算株式会社によって定められた債権者集会における議決権の行使の許否およびその額を除く）を招集時に定めなければならないものとされている。
　154条「第1項第1号に掲げる事項」，すなわち，その債権者集会参考書類の交付を受けるべき協定債権者が有する協定債権について清算株式会社によって定められた債権者集会における議決権の行使の許否およびその額については，定めることを要しないものとされているのは，このような事項は，招集通知に記載する必要がない一方で，債権者集会参考書類の提供までの間に定めればよ

く，しかも，清算株式会社が定める事項（清算株式会社が招集者であるとは限らない）だからであろう。

2 書面による議決権の行使の期限（2号）

　債権者集会に出席しない協定債権者は，書面によって議決権を行使することができるものとされており（法556条1項），書面による議決権の行使の期限を定める必要がある。書面による議決権行使を認める場合の，株主総会における書面による議決権行使の期限については，特に定めなければ，株主総会の日時の直前の営業時間の終了時とされている（69条）のとは異なり，債権者集会における書面による議決権行使については，債権者集会の招集事項として定められた日時が，債権者集会における書面による議決権行使の期限とされるため（156条），書面による議決権の行使の期限を債権者集会の招集時に決定しなければならない。これは，債権者集会の段階では，営業を止めていて清算株式会社の営業時間を観念できない場合があったり，営業時間が短縮されている場合がありうるからであろう。

　「債権者集会……の日時以前の時であって」，招集「通知を発した時から2週間を経過した時以後の時に限る」とされているのは，書面による議決権行使の期限が債権者集会の日時以前の時でなければ，債権者集会の議場において行使された議決権と合算して，決議の成立を議場において明らかにすることができないため，「債権者集会……の日時以前の時」とされている。「債権者集会……の日時以前の時」（圏点―引用者）とされているので，債権者集会の開始時刻以前であれば，債権者集会の会日における特定の時刻を指定することもできる。招集「通知を発した時から2週間を経過した時以後の時」とされているのは，協定債権者に議案に賛成するか否かについての熟慮期間を確保するためである。そして，招集「通知を発した時から2週間を経過した時以後の時」とされているので，この要件を満たす限り，債権者集会の日時より数日前の日時を指定することもできる。

3 重複して議決権が行使され，同一の議案に対する議決権の行使の内容が異なる場合（3号）

　平成17年改正前商法および平成17年廃止前商法特例法の解釈としては，重複して議決権が行使され，同一の議案に対する議決権の行使の内容が異なる場合には，後にされた議決権行使により先になされたものが撤回されたものとして

取り扱うのが原則である（江頭・株式有限309頁注14）ものの，とりわけ，書面による議決権行使と電磁的方法による議決権行使との両方がなされた場合には，その先後を判別することが容易ではないので，議決権行使書面等にあらかじめ，いずれか一方の方法による議決権行使を優先する旨を会社は記載し，それに従って処理することができるものと解されていた（郡谷・商事法務1664号38頁，江頭・株式有限309頁注14）。

しかし，明文の規定を設けることが適切であると考えられるため，3号は，重複して議決権が行使され，同一の議案に対する議決権の行使の内容が異なる場合の取扱いを招集者があらかじめ定めておくことを認めている。これは，招集者の事務処理上の便宜を図るものである。招集者が定める取扱方法については，会社法施行規則上，明文の制約がなく，書面による議決権行使または電磁的方法による議決権行使のいずかを優先する方法，後に発信された議決権行使を優先する方法，後に招集者に到達した議決権行使を優先する方法，いずれの議決権行使も無効なものとして取り扱う方法，当該事項について賛否の記載がないものとして取り扱う方法［この場合については，→5］などが考えられる（相澤＝郡谷・商事法務1759号12頁参照）。

なお，協定債権者が書面または電磁的方法により議決権行使をした後に，債権者集会の当日に会場に現れて議決権行使をした場合については，本号の範囲外であり，招集者は定めを置くことはできず，議場での議決権行使が優先されることになると解するべきであろう。なぜなら，法548条1項3号は「債権者集会に出席しない協定債権者が電磁的方法によって議決権を行使することができることとするときは，その旨」（圏点―引用者）と，法556条1項は「債権者集会に出席しない協定債権者は，書面によって議決権を行使することができる」（圏点―引用者）と，それぞれ，定めており，債権者集会に出席した以上は，書面および電磁的方法による議決権の行使は無効となると解するのが自然であり，重複して議決権が行使され，同一の議案に対する議決権の行使の内容が異なる場合には，後にされた議決権行使により先になされたものが撤回されたものとして取り扱うという原則からも自然である。また，2号および5号が定める書面および電磁的方法による議決権行使の期限に照らせば，債権者集会の会場における議決権行使が後になされたことは明白だからである。

4 賛否の記載がない場合の取扱い（4号）

各議案について賛否を記載する欄に記載がない議決権行使書面が招集者に提

出された場合に備えて、そのような場合には各議案についての賛成、反対または棄権のいずれかの意思の表示があったものとする取扱いを定めることができるものとされている。

すなわち、議決権行使書面に賛否の記載がないまま招集者に返送されるものがあることが十分に予想されるため、このような定めが設けられている。必要な記載すなわち賛否の記載がないときは、その投票は棄権として扱われ、その結果、決議が成立しないという事態が生じうるので、あらかじめ賛否等の記載がない場合の協定債権者の意思を推測し、その取扱いを定めることを認めるものである。そして、賛否の記載のない議決権行使書面の提出は、招集者に対する信任を表わす趣旨とも考えられる（稲葉・昭和56改正165頁参照）。そこで、協定債権者が賛否等の記載のない議決権行使書面を招集者に提出したときには、各議案につき賛成、反対または棄権のいずれかの意思表示があったものとして扱う旨を定めることを認めている。実務上、すべての議案について賛成と扱う旨のみを定めることも考えられる。

なお、このような定めは主として招集者の便宜のために認められており、このような定めをするか否かは招集者の任意である。

5 電磁的方法による議決権の行使の期限（5号イ）

電磁的方法による議決権行使を認める場合の、株主総会における電磁的方法による議決権行使の期限について、特に定めなければ、株主総会の日時の直前の営業時間の終了時とされている（70条）のとは異なり、債権者集会の招集事項として定められた日時が、債権者集会における電磁的方法による議決権行使の期限とされるため（157条）、電磁的方法による議決権の行使の期限を債権者集会の招集時に決定しなければならない。これは、債権者集会の段階では、営業を止めていて清算株式会社の営業時間を観念できない場合があったり、営業時間が短縮されている場合がありうるからであろう。

「債権者集会の日時以前の時であって」、招集「通知を発した時から2週間を経過した時以後の時に限る」とされているのは、電磁的方法による議決権行使の期限が債権者集会の日時以前の時でなければ、債権者集会の議場において行使された議決権と合算して、決議の成立を議場において明らかにすることができないため、「債権者集会の日時以前の時」とされている。「債権者集会の日時以前の時」（圏点―引用者）とされているので、債権者集会の開始時刻以前であれば、債権者集会の会日における特定の時刻を指定することもできる。招集

「通知を発した時から2週間を経過した時以後の時」とされているのは，協定債権者に議案に賛成するか否かについての熟慮期間を確保するためである。そして，招集「通知を発した時から2週間を経過した時以後の時」とされているので，この要件を満たす限り，債権者集会の日時より数日前の日時を指定することもできる。

6 電磁的方法による議決権行使を認める場合の議決権行使書面の交付等の時期（5号ロ）

　法550条1項は，債権者集会招集の通知に際して，法務省令で定めるところにより，協定債権者に対し，議決権の行使について参考となるべき事項を記載した書類（債権者集会参考書類）および協定債権者が議決権を行使するための書面（議決権行使書面）を交付しなければならないと定め，同条2項本文は，招集者は，電磁的方法により債権者集会招集の通知を受けることにつき承諾をした協定債権者に対し電磁的方法による通知を発するときは，債権者集会参考書類および議決権行使書面の交付に代えて，これらの書類に記載すべき事項を電磁的方法により提供することができると定めている。

　しかし，本号ロは，電磁的方法により債権者集会招集の通知を受けることにつき承諾をした協定債権者については，その協定債権者の請求があった時に初めてその協定債権者に対して議決権行使書面の交付（その交付に代えて行う法550条2項の規定による電磁的方法による提供を含む）をすることとすることを招集者に認めている。これは，電磁的方法による議決権行使を認める場合には，電磁的方法により債権者集会招集の通知を受けることにつき承諾をした協定債権者に対する電磁的方法による通知に際して，法務省令で定めるところ（155条）により，協定債権者に対し，議決権行使書面に記載すべき事項をその電磁的方法により提供しなければならないとされているので（法551条1項），その協定債権者に対して議決権行使書面の交付（その交付に代えて行う法550条2項の規定による電磁的方法による提供を含む）をすると，書面による議決権行使と電磁的方法による議決権行使を重複して行われる可能性が高まることに鑑みて，協定債権者からの請求がない限り，議決権行使手段を複数与えることを回避することを招集者に認めるものである。また，議決権行使書面の交付がつねに義務づけられるとすると，招集通知を電磁的方法により発出しても，招集者にとっては，郵送料や印刷費等の債権者集会招集コストの軽減を図ることができず，電磁的方法による議決権行使を認めることのインセンティブが相当程度

失われることとなる。その結果，協定債権者にとっても，簡便な方法での議決権行使という権利行使の拡大の機会が損なわれることになりかねないからである（要綱試案補足説明40頁参照）。

（債権者集会参考書類）
第154条 債権者集会参考書類には，次に掲げる事項を記載しなければならない。
　一　当該債権者集会参考書類の交付を受けるべき協定債権者が有する協定債権について法第548条第２項又は第３項の規定により定められた事項
　二　議案
２　債権者集会参考書類には，前項に定めるもののほか，協定債権者の議決権の行使について参考となると認める事項を記載することができる。
３　同一の債権者集会に関して協定債権者に対して提供する債権者集会参考書類に記載すべき事項（第１項第２号に掲げる事項に限る。）のうち，他の書面に記載している事項又は電磁的方法により提供している事項がある場合には，これらの事項は，債権者集会参考書類に記載することを要しない。
４　同一の債権者集会に関して協定債権者に対して提供する招集通知（法第549条第１項又は第２項の規定による通知をいう。以下この節において同じ。）の内容とすべき事項のうち，債権者集会参考書類に記載している事項がある場合には，当該事項は，招集通知の内容とすることを要しない。

　本条は，債権者集会参考書類に記載すべき事項を定めるものである。すなわち，招集者は，債権者集会の招集通知に際して，法務省令で定めるところにより，協定債権者に対し，議決権の行使について参考となるべき事項を記載した書類（債権者集会参考書類）を交付しなければならない（法550条１項）。もっとも，招集者は，電磁的方法により招集通知を受けることを承諾した協定債権者に対し電磁的方法による通知を発するときは，債権者集会参考書類の交付に代えて，その債権者集会参考書類に記載すべき事項を電磁的方法により提供することができる（ただし，協定債権者から請求があったときは，債権者集会参考書類をその協定債権者に交付しなければならない。法550条２項）。この委任をうけて，本条が定められている。

1　債権者集会参考書類に記載すべき事項（１項）
(1)　その債権者集会参考書類の交付を受けるべき協定債権者が有する協定債権

について法548条２項または３項の規定により定められた事項（１号）

　その債権者集会参考書類の交付を受けるべき協定債権者が有する協定債権について，清算株式会社によって定められた債権者集会における議決権の行使の許否およびその額（債権者集会においては，議決権の額と表現される。法554条１項２号参照）を記載しなければならないとされている。これは，協定債権者にとっては，債権者集会において自己が議決権を行使できるのか，できる場合には，どれだけの議決権を行使できるのかが重要だからである。同様に，清算株式会社以外の者が債権者集会を招集する場合にも，その招集者の請求に応じて清算株式会社が定めた各協定債権について債権者集会における議決権の行使の許否およびその額を記載しなければならない。

(2)　議案（２号）

　株主総会参考書類に関する73条１項１号とパラレルな規定である。債権者集会に提出される予定の議案はすべて記載されなければならない。債権者集会の招集通知には，会議の目的たる事項すなわち議題を記載すれば足り，その議題について会社が提出しようとする議案まで記載する必要はない（法549条３項・548条１項２号）。しかし，議案が明らかにされなければ，書面または電磁的方法により，議決権を行使することは不可能なので，債権者集会参考書類には議案の記載が必要とされる。

2　任意的記載事項（２項）

　１項に定めるもの（必要的記載事項）のほか，債権者集会参考書類には，協定債権者の議決権の行使について参考となると認める事項（任意的記載事項）を記載することができる。会社法施行規則が列挙するものが協定債権者の議決権の行使について参考となるべき事項のすべてを網羅できていない可能性があるからである。もっとも，そのような事項であれば，記載を強制すべきであるとも考えられるが，限界が必ずしも明確でない上，その場合には記載を欠くと決議取消しの原因ともなるので，任意的な記載にとどめたと推測される。

3　債権者集会参考書類への記載の省略（３項）

　同一の債権者集会に関して協定債権者に対して提供する債権者集会参考書類に記載すべき議案のうち，他の書面に記載している事項または電磁的方法により提供する事項がある場合には，これらの事項は，協定債権者に対して提供す

る債権者集会参考書類に記載することを要しない。これは，同一の債権者集会に関して同一の情報を重複して提供する無駄を省くためである。典型的には，議案を招集通知または議決権行使書面に記載している場合が考えられよう。

　当然のことであるが，他の書面は，債権者集会参考書類と物理的に分離している必要はないし，逆に，同一の債権者集会に関するものである限り，別に送付された資料を参照することもできる。招集通知に同封されていなくとも，発送時期の要件を充足し，特に参照に不便を生じないのであれば，追送などの形で補完することを否定する理由はないと考えられるからである。これに対し，以前の債権者集会に関して協定債権者に送付された書類など債権者集会と無関係に送付された書類を引用することは許されない。これは，協定債権者がそれらの書類を保管していることを期待すべきではないからであろう。

4　債権者集会参考書類に記載することによる，協定債権者に対して提供する招集通知への記載の省略（4項）

　同一の債権者集会に関して協定債権者に対して提供する招集通知の内容とすべき事項のうち，債権者集会参考書類に記載している事項がある場合には，その事項は，協定債権者に対して提供する招集通知の内容とすることを要しないものとされている。これは，3項と同様の趣旨に基づくものであり，同一の債権者集会に関して同一の情報を重複して協定債権者に提供する無駄を省くためである。

（議決権行使書面）

第155条　法第550条第1項の規定により交付すべき議決権行使書面に記載すべき事項又は法第551条第1項若しくは第2項の規定により電磁的方法により提供すべき議決権行使書面に記載すべき事項は，次に掲げる事項とする。
　一　各議案についての同意の有無（棄権の欄を設ける場合にあっては，棄権を含む。）を記載する欄
　二　第153条第3号に掲げる事項を定めたときは，当該事項
　三　第153条第4号に掲げる事項を定めたときは，第1号の欄に記載がない議決権行使書面が招集者（法第548条第1項に規定する招集者をいう。以下この条において同じ。）に提出された場合における各議案についての賛成，反対又は棄権のいずれかの意思の表示があったものとする取扱いの内容
　四　議決権の行使の期限
　五　議決権を行使すべき協定債権者の氏名又は名称及び当該協定債権者につ

いて法第548条第2項又は第3項の規定により定められた事項
2　第153条第5号ロに掲げる事項を定めた場合には，招集者は，法第549条第2項の承諾をした協定債権者の請求があった時に，当該協定債権者に対して，法第550条第1項の規定による議決権行使書面の交付（当該交付に代えて行う同条第2項の規定による電磁的方法による提供を含む。）をしなければならない。
3　同一の債権者集会に関して協定債権者に対して提供する招集通知の内容とすべき事項のうち，議決権行使書面に記載している事項がある場合には，当該事項は，招集通知の内容とすることを要しない。
4　同一の債権者集会に関して協定債権者に対して提供する議決権行使書面に記載すべき事項（第1項第2号から第4号までに掲げる事項に限る。）のうち，招集通知の内容としている事項がある場合には，当該事項は，議決権行使書面に記載することを要しない。

　本条は，債権者集会において書面または電磁的方法による議決権行使を認める場合に議決権行使書面に記載すべき事項を定めるものであり，株主総会において書面または電磁的方法による議決権行使を認める場合に議決権行使書面に記載すべき事項を定める66条とパラレルな規定である。すなわち，招集者は，債権者集会の招集通知に際して，法務省令で定めるところにより，協定債権者に対し，協定債権者が議決権を行使するための書面（議決権行使書面）を交付しなければならない（法550条1項）。また，債権者集会に出席しない協定債権者は電磁的方法によって議決権を行使することができることとした場合には，電磁的方法により招集通知を受けることを承諾した協定債権者に対する電磁的方法による招集通知に際して，法務省令で定めるところにより，協定債権者に対し，議決権行使書面に記載すべき事項を当該電磁的方法により提供しなければならないし，承諾をしていない協定債権者から債権者集会の日の1週間前までに議決権行使書面に記載すべき事項の電磁的方法による提供の請求があったときは，法務省令で定めるところにより，ただちに，当該協定債権者に対し，当該事項を電磁的方法により提供しなければならない（法551条）。これらの規定の委任をうけて本条が定められている。なお，本条では，協定債権者が押印する欄を設けることは要求されていない。これは，従来の実務においても，議決権行使書面に押印された印影と届出印とを照合することは行われていなかっ

たし，株主総会の議決権行使書面に関する解釈であるが，押印されていない場合の議決権行使書面による議決権行使も有効であると解する余地もあったため（稲葉・昭和56改正166頁），押印させることの意義は乏しいと考えられたからであろう。

1 議決権行使書面に記載すべき事項（1項）

議決権行使書面の具体的な様式は，その範囲で，招集者が定めることになる。なお，議決権行使書面という表題を付すことは要求されておらず，協定債権者が書面によって議決権を行使するための書面であることが明らかであればよい。本項が議決権行使書面に記載すべき事項を定めているのは，主として，書面または電磁的方法により議決権を行使する協定債権者の利益を保護するためである。すなわち，議案ごとの同意の有無を記載する欄を設けることによって協定債権者の意思が適切に書面または電磁的方法による議決権行使に反映されることが期待できる。同時に，定型化された様式を用いることによって，招集者も協定債権者の意思を的確に把握することができるとともに，書面または電磁的方法による議決権行使の結果の大量かつ迅速な処理が可能になると予想される。

(1) 各議案についての同意の有無（棄権の欄を設ける場合には，棄権を含む）を記載する欄（1号）

議決権行使書面には，各議案についての同意の有無を記載する欄を設けなければならない。議案ごとに協定債権者の意思を的確に反映させるためである。また，協定債権者の意思の正確な反映を確保するという観点から，どのような内容のものを1つの議案にまとめるのが適当であるかを判断して，招集者は議案を提出するものと考えられるからである。

なお，別に棄権の欄を設けることもできるとされている（本号かっこ書）。決議の成否に与える影響は，棄権も反対と同じであるため，棄権の欄を設けることは強制されていないが，招集者が自主的な判断に基づいて，協定債権者の意思をより正確に反映させるために，棄権の欄を設けることができることを明らかにしている。

なお，協定債権者が議決権行使書面を用いて，たとえば，複数の議案のうち一部の議案にのみ議決権を行使しようとする場合もありうるが，このような場合は例外的であると考えられるので，会社法施行規則には特に規定が置かれて

いない。そこで，協定債権者が当該議案に関する記載を全部抹消するなど，当該議案については議決権を行使しないという趣旨であると認められる措置を議決権行使書面においてとったときは，その意思を尊重して処理することが適当であろう（稲葉・昭和56改正165頁参照）。

(2) 153条3号に掲げる事項についての定めがあるときは，当該事項（2号）

重複して議決権が行使され，同一の議案に対する議決権の行使の内容が異なる場合の取扱いについての定めがあるときは，その取扱いが記載すべき事項とされている。これは，協定債権者にとって，議決権は重要な権利であり，重複して議決権を行使した場合にどのように取り扱われるのかについて重大な利害を有するから，協定債権者に予測可能性を与える必要があるからであろう。

(3) 153条4号に掲げる事項についての定めがあるときは，各議案に対する同意の有無を記載する欄に記載がない議決権行使書面が招集者に提出された場合における各議案についての賛成，反対または棄権のいずれかの意思の表示があったものとする取扱いの内容（3号）

議決権行使書面に同意の有無の記載がないまま招集者に返送されるものがあることが十分に予想されるため，本号が設けられている。必要な記載すなわち同意の有無の記載がないときは，その投票は棄権として扱われ，その結果，決議が成立しないという事態が生じうるので，あらかじめ同意の有無の記載がない場合の協定債権者の意思を推測し，その取扱いを明らかにしておくものである。そして，同意の有無の記載のない議決権行使書面の提出は，招集者に対する信任を表わす趣旨とも考えられる（稲葉・昭和56改正165頁参照）。そこで，本号は，協定債権者が同意の有無の記載のない議決権行使書面を招集者に提出したときには，各議案につき賛成，反対または棄権のいずれかの意思表示があったものとして扱う旨を議決権行使書面に記載しておくことを認めている。実務上は，すべての議案について賛成（同意があった）と扱う旨を記載することになるのではないかと思われる。

なお，このような定めは主として招集者の便宜のために認められており，このような定めをするかどうかは招集者の任意である。

(4) 議決権の行使の期限（4号）

書面または電磁的方法による議決権行使の期限は，招集の決定時に，決定し

なければならない（153条2号・5号イ）。協定債権者にとっては，議決権は重要な権利であるから，書面または電磁的方法による議決権行使の期限が記載すべき事項の1つとされている。

(5) 議決権を行使すべき協定債権者の氏名または名称およびその協定債権者について法548条2項または3項の規定により定められた事項（5号）

議決権を行使すべき協定債権者の氏名または名称，およびその協定債権者が有する協定債権について清算株式会社によって定められた債権者集会における議決権の行使の許否およびその額を，議決権行使書面に記載しなければならない。債権者集会において，その協定債権者が，どれだけの議決権を行使することができるかを明らかにする必要があるからである。

2 電磁的方法により債権者集会招集通知を受けることを承諾した協定債権者に対する議決権行使書面の交付（2項）

153条5号ロは，電磁的方法による議決権行使と書面による議決権行使との両方を認める場合には，協定債権者に対して議決権行使書面の交付（その交付に代えて行う法550条2項の規定による電磁的方法による提供を含む）をすると，書面による議決権行使と電磁的方法による議決権行使とが重複して行われる可能性が高まるので，議決権行使手段を複数与えることをできるだけ回避することを可能にするため，電磁的方法により債権者集会招集の通知を受けることにつき承諾をした協定債権者については，その協定債権者の請求があった時に初めてその協定債権者に対して議決権行使書面の交付（その交付に代えて行う法550条2項の規定による電磁的方法による提供を含む）をすることを招集者に認めている。協定債権者に対して議決権行使書面の交付をしなければならないとすると，電磁的方法により招集通知をすることによる費用などの削減効果が減殺され，電磁的方法による招集通知をするインセンティブが失われることも，153条5号ロの立法趣旨の1つである。

しかし，法550条1項は，債権者集会招集の通知に際して，法務省令で定めるところにより，協定債権者に対し，議決権の行使について参考となるべき事項を記載した書類（債権者集会参考書類）および協定債権者が議決権を行使するための書面（議決権行使書面）を交付しなければならないと定め，同条2項本文は，招集者は，電磁的方法により債権者集会招集の通知を受けることにつき承諾をした協定債権者に対し電磁的方法による通知を発するときは，債権者

集会参考書類および議決権行使書面の交付に代えて、これらの書類に記載すべき事項を電磁的方法により提供することができると定めているので、本項では、協定債権者の議決権行使の機会を十分に確保するという観点から、確認的に、電磁的方法により債権者集会の招集通知を受けることにつき承諾をした株主の請求があった時に、その協定債権者に対して、議決権行使書面の交付（その交付に代えて行う電磁的方法による提供を含む）をしなければならないものと定めている（これは、153条5号ロが認める定めとも整合的である）。これは、招集通知を電磁的方法により受領することを承諾した協定債権者であっても、議決権行使については書面によることを希望するものが存することも考えられ、債権者集会参考書類を電磁的方法により提供することができる場合であっても、協定債権者からの請求があれば書面の形で債権者集会参考書類を交付しなければならないこととされていること（法550条2項ただし書）との平仄をとったものと解される（要綱試案補足説明40～41頁参照）。

3 招集通知の記載の省略（3項）

同一の債権者集会に関して協定債権者に対して提供する招集通知の内容とすべき事項（法549条3項）のうち、議決権行使書面に記載している事項がある場合には、その事項は、招集通知の内容とすることを要しないものとされている。招集通知か議決権行使書面に記載すれば足りるという価値判断に基づくものである。これは、招集通知に際して議決権行使書面が交付されるか、議決権行使書面に記載すべき事項が電磁的方法により提供されるため（法550条・551条）、どちらかに記載されていれば、協定債権者は十分な情報を得ることができると考えられるためである。

具体的には、議決権行使書面の記載事項である、重複して議決権が行使され、同一の議案に対する議決権の行使の内容が異なる場合の取扱い（1項2号）、同意の有無の記載がない場合の取扱い（1項3号）および議決権行使の期限（1項4号）が債権者集会の招集に際して決定された場合には、法548条1項4号に掲げられた事項（153条）の1つとして、招集通知に記載すべき事項とされるが（法549条3項）、これらを議決権行使書面に記載した場合には招集通知に記載することを要しない。

4 議決権行使書面の記載の省略（4項）

同一の債権者集会に関して協定債権者に対して提供する議決権行使書面に記

載すべき事項（1項2号～4号に掲げる事項に限る）のうち，招集通知の内容としている事項がある場合には，当該事項は，議決権行使書面に記載することを要しないものとされている。3項と同様，招集通知か議決権行使書面に記載すれば足りるという価値判断に基づくものである。これは，招集通知に際して議決権行使書面が交付されるか，議決権行使書面に記載すべき事項が電磁的方法により提供されるため（法550条・551条），どちらかに記載されていれば，協定債権者は十分な情報を得ることができると考えられるためである。議決権行使書面の記載事項である，重複して議決権が行使され，同一の議案に対する議決権の行使の内容が異なる場合の取扱い（1項2号），同意の有無の記載がない場合の取扱い（1項3号）および議決権行使の期限（1項4号）が債権者集会の招集に際して決定された場合には，法548条1項4号に掲げられた事項（153条）の1つとして，招集通知に記載すべき事項とされるが（法549条3項），これらを招集通知に記載した場合には議決権行使書面に記載することを要しない。

各議案に対する賛否を記載する欄（1項1号）および協定債権者の氏名・名称およびその協定債権者が有する協定債権について清算株式会社によって定められた債権者集会における議決権の行使の許否およびその額（1項5号）は，招集通知に記載することが適切なものではないため，必ず，議決権行使書面に記載しなければならない。

（書面による議決権行使の期限）
第156条　法第556条第2項に規定する法務省令で定める時は，第153条第2号の行使の期限とする。

本条は，債権者集会における書面による議決権行使の期限を定めるものである。

株主総会における書面による議決権行使の期限について，特に定めなければ，株主総会の日時の直前の営業時間の終了時とされている（69条）のとは異なり，債権者集会における書面による議決権行使については，債権者集会の招集事項として定められた日時［→153条］が，債権者集会における書面による議決権行使の期限とされる。これは，債権者集会の段階では，営業を止めていて清算株式会社の営業時間を観念できない場合があったり，営業時間が短縮さ

れている場合がありうる一方，債権者集会は株主総会と異なり反復的に開催されるものではないから，書面による議決権行使の期限についてデフォルト・ルールを定める必要性が乏しいと考えられるからであると推測される。

（電磁的方法による議決権行使の期限）
第157条 法第557条第１項に規定する法務省令で定める時は，第153条第５号イの行使の期限とする。

　本条は，債権者集会における電磁的方法による議決権行使の期限を定めるものである。

　株主総会における電磁的方法による議決権行使の期限について，特に定めがなければ，株主総会の日時の直前の営業時間の終了時とされている（70条）のとは異なり，債権者集会における電磁的方法による議決権行使については，債権者集会の招集事項として定められた日時［→153条］が，債権者集会における電磁的方法による議決権行使の期限とされる。これは，債権者集会の段階では，営業を止めていて清算株式会社の営業時間を観念できない場合があったり，営業時間が短縮されている場合がありうる一方，債権者集会は株主総会と異なり反復的に開催されるものではないから，電磁的方法による議決権行使の期限についてデフォルト・ルールを定める必要性が乏しいと考えられるからであると推測される。

（債権者集会の議事録）
第158条 法第561条の規定による債権者集会の議事録の作成については，この条の定めるところによる。
２　債権者集会の議事録は，書面又は電磁的記録をもって作成しなければならない。
３　債権者集会の議事録は，次に掲げる事項を内容とするものでなければならない。
　一　債権者集会が開催された日時及び場所
　二　債権者集会の議事の経過の要領及びその結果
　三　法第559条の規定により債権者集会において述べられた意見があるときは，その意見の内容の概要
　四　法第562条の規定により債権者集会に対する報告及び意見の陳述がされたときは，その報告及び意見の内容の概要

五　債権者集会に出席した清算人の氏名
　　六　債権者集会の議長が存するときは，議長の氏名
　　七　議事録の作成に係る職務を行った者の氏名又は名称

　本条は，債権者集会の議事録の作成について定めるものである。すなわち，法561条は，債権者集会の議事については，招集者は，法務省令で定めるところにより，議事録を作成しなければならないと規定しており，この委任をうけて本条が定められている。

1　書面または電磁的記録（2項）

　会社法は債権者集会の議事録をどのような媒体で作成しなければならないかについて直接には規律していないが，本項は，株主総会の議事録などと平仄を合わせて（16条2項・72条2項・101条2項・109条2項・111条の4第2項・177条2項），債権者集会の議事録は，書面または電磁的記録をもって作成しなければならないものと定めている。書面または電磁的記録をもって作成しなければならないとされているのは，原則として，清算人（清算人会設置会社では，法489条7項各号に掲げる清算人）は，清算株式会社の本店の所在地における清算結了の登記の時から10年間，清算株式会社の帳簿ならびにその事業および清算に関する重要な資料を保存しなければならない（法508条1項）とされているが，「清算株式会社の帳簿並びにその事業及び清算に関する重要な資料」には債権者集会の議事録が含まれることに鑑みて，ある程度の期間，保存が可能な確実な記録媒体を用いることを要求するものである。

　本項でいう電磁的記録とは，電子的方式，磁気的方式その他人の知覚によっては認識することができない方式で作られる記録であって，電子計算機による情報処理の用に供されるものとして法務省令で定めるものをいい（法26条2項かっこ書），具体的には，磁気ディスクその他これに準ずる方法により一定の情報を確実に記録しておくことができる物をもって調製するファイルに情報を記録したものをいうものとされている（224条）。

　磁気ディスクにはフロッピー・ディスクなどが含まれるが，「その他これに準ずる方法により一定の情報を確実に記録しておくことができる物」には，磁気テープ，磁気ドラムのように磁気的方法により情報を記録するための媒体，ICカードやUSBメモリなどのような電子的方法により情報を記録するための媒体，CD-ROM，DVD-ROMなどのような光学的方式により情報を記録する

ための媒体が含まれる。そのような記録媒体を用いて調製するファイルに情報を記録したものが，本項にいう電磁的記録にあたる（江原＝太田・商事法務1627号8頁）。

2　議事録の内容（3項）

　平成17年改正前商法442条1項が準用する同244条2項は，議事録に議事の経過の要領およびその結果を記載または記録することを要求していたが，本項は，議事録の内容とすべき事項をより詳細に定めている。

　平成17年改正前商法の下では，「議事ノ経過ノ要領」とは，開会宣言から閉会宣言までの会議の経過の要約をいうと解され，「議事ノ経過ノ要領」には，標題，債権者集会の会日，開催時刻および開催場所，清算人の出席状況，議長の開会宣言，議決権個数の報告，報告事項の報告，質問状に対する一括回答，質疑応答，質問状の提出者が債権者集会に欠席した場合，決議事項の上程および審議，決議事項に関する質疑応答，動議が出された場合，議長の閉会宣言と閉会時刻，作成担保文言および作成日付などが含まれると解されていたが（今井＝成毛14頁以下参照），これは，本項で特に内容とすべき事項として掲げられたものを除けば，本項2号にいう「債権者集会の議事の経過の要領」の解釈にもあてはまると考えられる。

　本条では，第1に，一定の類型的に重要な意見等が債権者集会において述べられたときには，その内容の概要を議事録の内容とすることが要求されている。すなわち，①特別の先取特権，質権，抵当権または会社法もしくは商法の規定による留置権を有する債権者または一般の先取特権その他一般の優先権がある債権，特別清算の手続のために清算株式会社に対して生じた債権または特別清算の手続に関する清算株式会社に対する費用請求権を有する債権者が債権者集会で述べた意見，および②清算株式会社の業務および財産の状況の調査の結果ならびに財産目録等の要旨の清算人による債権者集会に対する報告および清算の実行の方針および見込みに関して清算人が述べた意見は，議事録の内容としなければならない（3号・4号）。いずれも，協定債権者の議決権行使にとって，重要な意見または発言であり，かつ，そのような意見を述べる機会が一定の担保権を有する債権者あるいは一定の優先的に弁済を受けることができる債権者に与えられたかどうかを後日確かめるための記録を残しておくことが必要だからである。また，清算人にとっては，善良な管理者としての注意義務を尽くして任務を果たしたことを立証するための証拠ともなりうる。

第2に，「債権者集会に出席した清算人の氏名」を含めるべきこととされている（5号）。これは，債権者集会の出席者は意見を述べる可能性があるとともに，意見を述べなくとも，事実上の影響力を及ぼす可能性があるため，債権者集会の出席者を議事録に含めることを要求するものである。取締役会議事録［→101条2］と異なり，出席した清算人の氏名を債権者集会議事録に含めることが要求されているのは，清算人会とは異なり（法490条5項・369条3項・4項と対照），出席した清算人も債権者集会議事録に署名あるいは記名押印等を行うことを要求されていないからである（会社法の下では，債権者集会の議事録に対する出席清算人の署名等には法的な意味がなく（取締役会，監査役会，指名委員会等または清算人会の議事録に対する署名等の効果（法369条5項・393条4項・412条5項・490条5項）と対照），しかも，署名等を要求することによっても，偽造の防止や真正性の確保が実現するとは必ずしも考えられないことから，会社法では，署名等は義務づけることとされていない。相澤＝郡谷・商事法務1759号15頁参照）。

　第3に，「債権者集会の議長が存するときは，議長の氏名」（6号）を議事録に含めるべきこととされているのは，議長は議事の進行に大きな影響力を有するため，債権者集会議事録が証拠として提出される場合などには重要な情報でありうるからであろう。したがって，ここでいう「債権者集会の議長」とは，その債権者集会において議長を務めた者をいうと解される。議事の途中で，議長が交代した場合には，すべての議長の氏名を，どの事項についての報告・審議について議長を務めたかを明らかにして，示すべきことになろう。

　第4に，「議事録の作成に係る職務を行った者の氏名又は名称」（7号）を議事録に含めるべきこととされているのは，議事録の作成についての責任者を明らかにするためである。「又は名称」とされているのは，債権者は必ずしも自然人であるとは限らないからである。

　株主総会の議事録とは異なり（72条3項1号かっこ書と対照），債権者集会が開催された「場所に存しない」者が債権者集会に「出席をした場合における当該出席の方法」は債権者集会の議事録の内容とすることが要求されていない。株主総会が開催された「場所に存しない取締役……，執行役，会計参与，監査役，会計監査人又は株主が株主総会に出席をした場合における当該出席の方法」が株主総会の議事録の内容とすべき事項とされているのは，株主総会を開催する際に，その場所に物理的に出席しなくとも，取締役会などと同様，オンライン会議，テレビ会議あるいは電話会議のように，情報伝達の双方向性および即時性が確保されるような方式で株主等が株主総会に出席することができる

ことを前提とした規定である［→101条2］。そこで，債権者集会について，同様の規定が設けられていないことから，債権者集会はオンライン会議，テレビ会議や電話会議によって行うことができないのかという問題があるが，オンライン会議，テレビ会議や電話会議で行うことができるかは，債権者集会を要求している会社法の規定の趣旨に照らして判断すべきなので，禁止する明文もなく，禁止すべき理由もない以上，債権者集会をオンライン会議，テレビ会議や電話会議によって行うことはできると解すべきである。

第3編 持分会社

第1章 計算等

> **第159条** 次に掲げる規定に規定する法務省令で定めるべき事項は，会社計算規則の定めるところによる。
> 　一　法第615条第1項
> 　二　法第617条第1項及び第2項
> 　三　法第620条第2項
> 　四　法第623条第1項
> 　五　法第626条第4項第4号
> 　六　法第631条第1項
> 　七　法第635条第2項，第3項及び第5項

　本条は，会社法が法務省令に委任した事項のうち，会社計算規則が定めるものを規定するものである。

会　社　法	委　任　事　項	会社計算規則
615条1項	持分会社の会計帳簿の作成	4条から12条,30条から39条,44条から51条,53条,54条
617条1項	持分会社の成立の日における貸借対照表の作成	57条,70条,72条から84条,118条,119条
617条2項	持分会社の各事業年度に係る計算書類の作成	57条,71条から84条,87条から94条,97条から99条,101条,102条の2,102条の3,102条の5,103条,116条,118条,119条
620条2項	持分会社の損失の額	162条
623条1項	持分会社の利益の額	163条
626条4項4号	合同会社の剰余金額の算定上控除すべき法務省令で定める各勘定科目に計上した額の合計額	164条
631条1項	合同会社の欠損の額	165条
635条2項・3項・5項	合同会社の純資産額	166条

第2章

清　　算

―(財産目録)――――――――――――――――――――――――――
第160条　法第658条第１項又は第669条第１項若しくは第２項の規定により作成すべき財産目録については，この条の定めるところによる。
２　前項の財産目録に計上すべき財産については，その処分価格を付すことが困難な場合を除き，法第644条各号に掲げる場合に該当することとなった日における処分価格を付さなければならない。この場合において，清算持分会社の会計帳簿については，財産目録に付された価格を取得価額とみなす。
３　第１項の財産目録は，次に掲げる部に区分して表示しなければならない。この場合において，第１号及び第２号に掲げる部は，その内容を示す適当な名称を付した項目に細分することができる。
　　一　資産
　　二　負債
　　三　正味資産
――――――――――――――――――――――――――――――――

　本条は，清算持分会社が作成すべき清算開始時の財産目録について定めるものである。すなわち，清算持分会社の清算人は，その就任後遅滞なく，清算持分会社の財産の現況を調査し，法務省令で定めるところにより，清算の開始原因が生じた日における財産目録および貸借対照表を作成し，各社員にその内容を通知しなければならないものとされ（法658条１項），定款または総社員の同意によって，①その持分会社が定款で定めた存続期間の満了，②定款で定めた解散の事由の発生および総社員の同意によって解散した場合におけるその持分会社の財産の処分の方法を定めた持分会社が定款で定めた存続期間の満了，③定款で定めた解散の事由の発生および総社員の同意によって解散した場合には，清算持分会社（合名会社および合資会社に限る）は，解散の日から２週間以内に，法務省令で定めるところにより，解散の日における財産目録および貸借

対照表を作成しなければならないものとされていること（法669条1項）をうけて，本条は定められている。

　清算開始時の財産目録は，清算持分会社の清算開始時における事業用財産（積極財産・消極財産）の明細表であり，清算開始時における清算持分会社の総財産に個別的に価額を付して記載した帳簿である（大隅・商法総則［初版］224頁参照）。

　清算開始時の財産目録は清算開始時の貸借対照表の作成の基礎とするために作成されるものであるが，清算開始時の貸借対照表および清算事務年度の貸借対照表の作成の目的は，清算持分会社の解体換価とそれによる債権者・社員への財産の分配を目標として，会社債権者に対して清算開始時およびその後における清算持分会社の財産状態を表示してその債務の弁済可能性を明らかにし，社員に対して，残余財産分配の額を予測するための情報を提供することである（矢沢・企業会計法の理論315頁参照）。

1　財産目録に計上すべき財産に付すべき価格と会計帳簿（2項）

　清算開始時の財産目録および貸借対照表は，期間損益の適正な表示および剰余金の適切な分配に寄与することを目的とする各事業年度に係る計算書類とは異なり，適正な期間損益計算を考慮に入れたものである必要はなく，むしろ，清算開始時における清算持分会社の財産状態をよりよく示すことが目的とされる。しかも，継続企業を前提とした価格を付すのではなく，換価を前提とする価格を付すことが求められる。そこで，本項では，財産目録に計上すべき財産については，その処分価格を付すことが困難な場合を除き，清算の開始原因が生じた日における処分価格を付さなければならないものと定めている。これは，従来の通説の立場によったものである（田中耕・貸借対照表法の論理137頁，大隅・商法総則241頁，矢沢・企業会計法の理論316頁など）。

　現金の場合には，その保有高が処分価格となるが，現金以外の財産については清算人が処分価格を判断しなければならない。抽象的には，処分価格とは，資産の売却・処分見積額から売却・処分に要するコストの見積額を控除した額をいうものと考えられる。したがって，たとえば，預金については，元本金額に清算開始時までの既経過利息（源泉税控除後）の額を加えた額，受取手形・売掛金・貸付金については各債務者ごとの残高から取立不能見込額（個別に算定する）および取立費用を控除した額（したがって，財産目録には貸倒引当金という項目は現れない），市場価格のある有価証券や棚卸資産については市場価格

から売却に要する費用を控除した額、市場価格のない有価証券については適正な評価額に基づく処分可能な見積額から売却に要する費用を控除した額ということになろう。また、土地・建物については近隣の売買事例や公示価格などから売却に要する費用を控除した額、前払費用については契約解除により返金を受けることができる額ということになるのではないか。その他の有形固定資産や無形固定資産についても処分可能価額から処分に要する費用を控除した額ということになろうが、処分可能価額の見積りは必ずしも容易ではなく、「その処分価格を付すことが困難な場合」にあたることが多いのではないかと推測される。

他方、負債については、たとえば、退職一時金に対応する債務は、会社都合の要支給額の100％を計上するなどしなければならない。

「その処分価格を付すことが困難な場合」とは、財産目録に計上すべきその財産につき市場価格等が存在せず、かつ、その財産と類似の財産についても市場価格等が存在しないため、処分価格を合理的に見積もることができない場合あるいは処分価格を合理的に見積もるために過分の費用を要する場合をいい、このような場合には、清算持分会社における（減損を認識すべき場合には減損を認識するなどした）適正な帳簿価額を付すべきであると、通常は解されよう。

「この場合において、清算持分会社の会計帳簿については、財産目録に付された価格を取得価額とみなす」とされているのは、清算株式会社に関する144条2項とパラレルな規定である。もっとも、清算株式会社と異なり、各清算事務年度の貸借対照表および事務報告の作成が義務づけられていないので、この規定の実益は、清算持分会社が、会社の継続（法642条）を行った場合にあるということになろう。

2 財産目録の区分表示（3項）

本項は、清算開始時の財産目録の部の区分について規定したものである。通常の持分会社における各事業年度に係る貸借対照表とは異なり、資産の部には、財産的価値のあるもの（換金性のあるものとのれん、ノウハウ等）が記載され、負債の部には法律上の債務が計上される。すなわち、繰延資産のように換金性のないもの、単に、適正な期間損益計算の観点から認識された費用の繰延べとしての性質を有するにすぎない項目は計上すべきではない。また、継続企業を前提とした項目（たとえば、繰延税金資産・繰延税金負債、法的債務性のない引当金、租税特別措置法上の準備金など）も計上されない。他方、計算書類の作

財　産　目　録

（令和××年×月×日現在）

（単位：百万円）

資産の部

科　　目		金額
現金及び預金		××
受取手形	A株式会社	××
	株式会社B	××
売掛金	C株式会社	××
	株式会社B	××
有価証券	D株式	××
	E社債	××
商品	○○○	××
その他の流動資産	△△, ○○, ………	××
土地	○○市○○町○○番地　　△△㎡	××
建物	○○市○○町○○番地　　△△㎡	××
什器及び備品	○○○ほか	××
長期貸付金	F株式会社	××
その他の固定資産	△△, ○○, ………	××
資産の部合計		×××

負債の部

科　　目		金額
支払手形	P株式会社	××
	株式会社Q	××
買掛金	R株式会社	××
	株式会社S	××
短期借入金	T銀行	××
	V信用金庫	××
リース債務	△△リース	××
長期借入金	W信託銀行	××
負債の部合計		×××

正　味　財　産		×××

（注）　土地建物の価格については，Y信託銀行の鑑定評価によった。

成との関係では,「一般に公正妥当と認められる企業会計の基準その他の企業会計の慣行」をしん酌して（計規３条），資産または負債として認識していないもの（たとえば，自家創設のれん・無形資産，あるいは，取得時に費用処理したことによってオフバランスとなっている資産やリース資産・リース債務，保証債務など）を資産または負債の部に計上する必要がある（田中耕・貸借対照表法の論理135頁・137頁，大隅・商法総則242頁，矢沢・企業会計法の理論316頁など参照）。これは，清算開始時の財産目録は，清算開始時における清算持分会社の積極財産・消極財産の状況を示すものだからである。

　正味財産の部には，単に「正味財産」という１つの項目を掲げれば足りるものと解される。これは，清算持分会社においては，剰余金の配当は行われないので，資本金の額や剰余金の額は意味を有しないからである（東京控判昭和14・１・31法律新聞4443号10頁，田中耕・貸借対照表法の論理134頁，新注会(13)288頁[中西]，矢沢・企業会計法の理論316頁など参照）。

　なお，資産の部および負債の「部は，その内容を示す適当な名称を付した項目に細分することができる」とされているが，財産目録の性格から，その内容を示す適当な名称を付した項目に細分しなければならないはずであり，「細分することを要しない」とも読める本項の表現はミスリーディングであることは否めない。どの程度細分するか，どのような名称を項目に付すかは，会社の規模，業種業態に則して，明瞭性と重要性を考慮しつつ，清算株式会社が決定すべきことになるが，貸借対照表と異なり，相当細分化する必要があろう。

（清算開始時の貸借対照表）

第161条　法第658条第１項又は第669条第１項若しくは第２項の規定により作成すべき貸借対照表については，この条の定めるところによる。

２　前項の貸借対照表は，財産目録に基づき作成しなければならない。

３　第１項の貸借対照表は，次に掲げる部に区分して表示しなければならない。この場合において，第１号及び第２号に掲げる部は，その内容を示す適当な名称を付した項目に細分することができる。

　一　資産
　二　負債
　三　純資産

４　処分価格を付すことが困難な資産がある場合には，第１項の貸借対照表には，当該資産に係る財産評価の方針を注記しなければならない。

本条は，清算持分会社が作成すべき清算開始時の貸借対照表について定めるものである。すなわち，清算持分会社の清算人は，その就任後遅滞なく，清算持分会社の財産の現況を調査し，法務省令で定めるところにより，清算の開始原因が生じた日における財産目録および貸借対照表を作成し，各社員にその内容を通知しなければならないものとされ（法658条1項），定款で定めた存続期間の満了，定款で定めた解散の事由の発生および総社員の同意によって解散した場合には，清算持分会社（合名会社および合資会社に限る）は，解散の日から2週間以内に，法務省令で定めるところにより，解散の日における財産目録および貸借対照表を作成しなければならないものとされていること（法669条1項）をうけて，本条は定められている。

1　財産目録と貸借対照表（2項）

清算開始時の財産目録は，清算持分会社の清算開始時における事業用財産（積極財産・消極財産）の内容を明らかにする明細表であるのに対し，清算開始時の貸借対照表は清算開始時における清算持分会社の財産の構成を概括的に示す摘要表である（大隅・商法総則［初版］224頁参照）。昭和49年改正前商法33条1項は，財産目録の作成を商人に対して要求していたが，同法34条は財産目録に記載すべき財産の評価について定めていたにとどまり，貸借対照表に記載すべき財産の評価については規定を置いていなかった。これは，貸借対照表は財産目録の記載に基づいて作成されるものであるという立場を示すものと指摘されていた（大隅・商法総則［初版］225頁）。本条も，清算開始時の貸借対照表は，清算開始時の財産目録［→160条］に基づき作成しなければならないものと定めている。

2　清算開始時の貸借対照表の部の区分（3項）

本項は，清算開始時の貸借対照表の部の区分について規定したものである。通常の持分会社における各事業年度に係る貸借対照表とは異なり，資産の部には，財産的価値のあるもの（換金性のあるものとのれん，ノウハウ等）が記載され，負債の部には法律上の債務が計上される［→160条2］。純資産の部には，単に「純資産」という1つの項目を掲げれば足りるものと解される。これは，清算株式会社においては，剰余金の配当は行われないので，資本金の額，剰余金の額は意味を有しないからである。

貸借対照表の記載様式には，左右に借方，貸方の2つの欄を設け，借方には

資産項目，貸方には負債項目と純資産項目とを記載し，借方合計と貸方合計を記載する勘定式と，資産項目を記載し，その後に負債項目，純資産項目を記載するというように上から下へ記載していく報告式とが存在し，会社法施行規則は特段の規定を置いていないから，会社法上は，いずれの様式によることも可能である。

　資産の部は，適当な項目に細分することもできるが，資産の部を流動資産，固定資産，繰延資産に，負債の部を流動負債と固定負債とに，それぞれ区分する必要も，固定資産を有形固定資産，無形固定資産，投資その他の資産に区分する必要もない。なぜなら，清算持分会社においては，すべての資産は原則として換価されることが予定されているため，流動資産と固定資産との区分には意味がなく，また，すべての債務は清算の結了までに弁済されることが予定されているので，流動負債と固定負債との区分にも意味がないからである。したがって，固定資産を有形固定資産，無形固定資産，投資その他の資産に区分することの意義も乏しい（清算開始時の貸借対照表の作成は投資・与信の意思決定に必要な情報を提供するためではなく，以後の弁済や残余財産分配に向けて情報を提供するためになされると考えられる）。

　どの程度細分するか，どのような名称を項目に付すかは，「一般に公正妥当と認められる企業会計の基準その他の企業会計の慣行」をしん酌して（計規3条），会社の規模，業種業態に則して，明瞭性と重要性を考慮しつつ，清算持分会社が決定すべきことになる。もっとも，明瞭性の観点から，貸借対照表の利用者になじみのある項目名を選択すべきであり，計規74条3項および75条2項において用いられている項目名は参考になるし，平成18年改正前商法施行規則52条は資産を示す名称として「現金及び預金，受取手形，建物」を，同規則77条は負債を示す名称として「支払手形，買掛金，社債」を，それぞれ例示していた。

3　処分価格を付すことが困難な資産がある場合（4項）

　清算開始時の貸借対照表は，清算開始時の財産目録に基づき作成されるので，資産には処分価格が付されるのが原則である（160条2項1文）。しかし，その財産につき市場価格等が存在せず，かつ，その財産と類似の財産についても市場価格等が存在しないため，処分価格を合理的に見積もることができない場合や処分価格を把握するために過分の費用を要する場合には処分価格を付すことを要しないものとされている（160条2項2文）。処分価格を付さない場合

貸 借 対 照 表

(令和××年×月×日現在)

(単位:百万円)

資 産 の 部		負 債 の 部	
科　　　目	金　額	科　　　目	金　額
現金及び預金	××	支 払 手 形	××
受 取 手 形	××	リース債務	××
売 　掛　 金	××	短期借入金	××
その他の流動資産	××	保証債務	××
土　　　　地	××	退職給付債務	××
建物・附属設備	××	負債の部合計	××
什器及び備品	××	純 資 産 の 部	
リース資産	××	純　資　産	××
関係会社株式	××		
長期貸付金	××		
その他の固定資産	××		
資産の部合計	××	負債・純資産の部合計	××

には，その資産に付された価格が他の資産・負債に付された価格とは異なる性質のものであること，および，どのような方針で価格を付したかを明らかにしないと貸借対照表の利用者の適切な意思決定を妨げることから，本項は「当該資産に係る財産評価の方針を注記しなければならない」と定めている。

第4編

社　債

第1章

総　則

（募集事項）

第162条　法第676条第12号に規定する法務省令で定める事項は，次に掲げる事項とする。

　一　数回に分けて募集社債と引換えに金銭の払込みをさせるときは，その旨及び各払込みの期日における払込金額（法第676条第9号に規定する払込金額をいう。）

　二　他の会社と合同して募集社債を発行するときは，その旨及び各会社の負担部分

　三　募集社債と引換えにする金銭の払込みに代えて金銭以外の財産を給付する旨の契約を締結するときは，その契約の内容

　四　法第702条の規定による委託に係る契約において法に規定する社債管理者の権限以外の権限を定めるときは，その権限の内容

　五　法第711条第2項本文（法第714条の7において読み替えて準用する場合を含む。）に規定するときは，同項本文に規定する事由

　六　法第714条の2の規定による委託に係る契約において法第714条の4第2項各号に掲げる行為をする権限の全部若しくは一部又は法に規定する社債管理補助者の権限以外の権限を定めるときは，その権限の内容

　七　法第714条の2の規定による委託に係る契約における法第714条の4第4項の規定による報告又は同項に規定する措置に係る定めの内容

> 八　募集社債が信託社債であるときは，その旨及び当該信託社債についての信託を特定するために必要な事項

　本条は，会社がその発行する社債を引き受ける者の募集をしようとするときに，募集社債（当該募集に応じて当該社債の引受けの申込みをした者に対して割り当てる社債）について定めるべき事項のうち，「法務省令で定める事項」（法676条12号）を定めるものである。法676条1号から11号までは，会社がその発行する社債を引き受ける者の募集をしようとするときには，(a)募集社債の総額，(b)各募集社債の金額，(c)募集社債の利率，(d)募集社債の償還の方法および期限，(e)利息支払の方法および期限，(f)社債券を発行するときは，その旨，(g)社債権者が法698条の規定による請求（記名式の社債券を無記名式とし，または無記名式の社債券を記名式とすることの請求）の全部または一部をすることができないこととするときは，その旨，(h)社債管理者を定めないこととするときは，その旨，(i)社債管理者が社債権者集会の決議によらずに法706条1項2号に掲げる行為（当該社債の全部についてする訴訟行為または破産手続，再生手続，更生手続もしくは特別清算に関する手続に属する行為。社債権者のために社債に係る債権の弁済を受け，または社債に係る債権の実現を保全するために必要な一切の裁判上または裁判外の行為を除く）をすることができることとするときは，その旨，(j)社債管理補助者を定めることとするときは，その旨，(k)各募集社債の払込金額（各募集社債と引換えに払い込む金銭の額）もしくはその最低金額またはこれらの算定方法，(l)募集社債と引換えにする金銭の払込みの期日および(m)一定の日までに募集社債の総額について割当てを受ける者を定めていない場合において，募集社債の全部を発行しないこととするときは，その旨およびその一定の日を，会社は募集社債について定めなければならないとするが，そのほか，法676条12号が，法務省令で定める事項も会社は定めなければならないとしていることをうけたものである。

1　分割払込みの場合（1号）

　数回に分けて募集社債と引換えに金銭の払込みをさせるときは，その旨および各払込みの期日における払込金額を決定しなければならない。

　平成17年改正前商法303条は「社債ノ募集ガ完了シタルトキハ取締役ハ遅滞ナク各社債ニ付其ノ全額又ハ第1回ノ払込ヲ為サシムルコトヲ要ス」と定め，同法301条2項7号は，株式申込証の記載事項として「数回ニ分チテ社債ノ払

込ヲ為サシムルトキハ其ノ払込ノ金額及時期」を定めていたが，これは，分割払込みを認めるものであり，平成17年改正前商法の解釈としても，取締役会において決定すべき事項であると解されていた（鴻・社債法127頁，新注会⑽23頁［上田］など参照）。なお，分割払込制が認められてきたのは，もっぱら分割払込制が採用されている外国で社債を募集する場合の便宜を考えたためであると説明されていた（鴻・社債法102頁・146頁，新注会⑽77頁［上田］など参照）。

　分割払込みを認めるかどうかは重要な業務執行上の意思決定であるので，取締役会設置会社あるいは清算人会設置会社では，取締役会または清算人会において決定すべきであると考えられるため，本号が設けられている。

2　合同募集の場合（2号）

　他の会社と合同して募集社債を発行するときは，その旨および各会社の負担部分を決定しなければならない。

　平成17年改正前商法304条は「会社ハ合同シテ社債ヲ発行スルコトヲ得」と規定していたが，これに相当する規定は会社法には設けられていない。しかし，社債は会社と募集社債を引き受ける者との間の意思表示の合致により，会社が負担する債務であり（法2条23号参照），2つ以上の会社が共同して社債を発行する意思を有している場合には，それを禁止する理由はないので（相澤＝葉玉・商事法務1751号16頁），会社法の下でも，2つ以上の会社が共同して社債を発行することは認められる。これを前提として，本号が設けられている。2つ以上の会社が合同して社債を発行するかどうかは重要な事項なので，取締役会設置会社または清算人会設置会社では，取締役会または清算人会において決定すべきであると考えられるからである。

3　現物による払込みの場合（3号）

　募集社債と引換えにする金銭の払込みに代えて金銭以外の財産を給付する旨の契約を締結するときは，その契約の内容を決定しなければならない。

　平成17年改正前商法の下でも，金銭による払込みを要求する規定がないことから（同法200条2項と対照），反対の特約がない限り，会社に対する債権をもって相殺することができると解するのが通説であったし，手形その他の物によって払込みをすることができると解されていた。また，償還される社債を他の社債の払込みにあてること，または第三者に対する金銭債権を払込みにあてることもできると解されていた（新注会⑽78頁［上田］）。株式に関するような現

物出資の規制は設けられていないが，会社と募集社債の引受人との間の契約によって，金銭の払込みに代えて，金銭以外の財産を給付するという代物弁済契約を締結することを禁止する理由はない（相澤＝葉玉・商事法務1751号16頁）。これを前提として本号が設けられている。代物弁済を認めるかどうかは重要な業務執行上の意思決定であるので，取締役会設置会社あるいは清算人会設置会社では，取締役会または清算人会において決定すべきであると考えられるからである。

なお，平成17年改正前商法の下での上述のような解釈および募集株式の発行等における現物出資財産には会社に対する債権が含まれると解されていること（法207条9項5号）などについての解釈との平仄をとるという観点から，ここでいう「金銭以外の財産」には会社に対する債権も含むと解するのが穏当であろう（ただし，166条1号にいう「金銭以外の財産」には会社に対する債権は含まないと解される）。

4　約定権限を定めた場合（4号）

社債管理契約（社債発行会社が社債管理者に弁済の受領，債権の保全その他の社債の管理を行うことを委託する契約）に会社法が規定する社債管理者の権限以外の権限を定めるときは，その権限の内容を募集事項に含めなければならない。これは，現代化要綱第2部第5・2(1)が，「社債管理会社が行うべき「社債ノ管理」に社債管理委託契約等に基づく権限（「約定権限」）の行使を含めるものとし，他の規定についても，約定権限を含める形で整理を行うものとする」としていたことをうけたものである。

すなわち，平成17年改正前商法の下では，「社債ノ管理」（同法297条ノ3）には，社債管理会社と社債発行会社との間で締結される社債管理契約などに基づく，いわゆる約定権限の行使は含まれないと解するのが多数説であったが，約定権限には，社債発行会社が財務制限条項に違反した場合に期限の利益の喪失を宣言する権限など重要な権限が含まれており，そのような権限を社債管理者が行使する際に，公平誠実義務および善管注意義務を負わないとすることは，社債権者保護の観点から問題がある。他方，社債発行会社と社債管理者との間の社債管理契約などは委任契約または準委任契約の性質を有し，その契約において，会社法が規定する権限以外の権限を社債管理者が有する旨を定めることを禁止する理由はない（相澤＝葉玉・商事法務1751号21頁）。そこで，会社法では，「社債の管理」には約定権限も含まれることが前提とされており，本号も

この前提に基づいて設けられている。

　社債管理契約等に約定権限を定めたときは，その事由を募集事項に含めなければならないものとされている。これは社債を引き受けようとする者にとって，社債管理者がどのような約定権限を有しているかは重要な関心事だからである。

5　社債管理者または社債管理補助者の辞任事由を社債管理契約または委託契約に定めた場合（5号）

　社債管理者は，社債管理契約に事務を承継する社債管理者に関する定めがないときを除き，社債管理契約に定めた事由があるときは，辞任することができる（法711条2項）。また，社債管理補助者は，委託契約に事務を承継する社債管理補助者に関する定めがないときを除き，委託契約に定めた事由があるときは，辞任することができる（法714条の7・711条2項）。

　これは，社債発行会社がデフォルトに陥り，社債発行会社に対し貸付債権等の債権を有する社債管理者または社債管理補助者と社債権者との利益相反が尖鋭化するような事態が生じた際，社債権者のために社債の管理を継続することが不適切であると社債管理者または社債管理補助者自らが判断するような場合には，時機に応じた辞任をすることができるようにするためである（要綱試案補足説明82頁参照）。

　そこで，社債管理契約または委託契約に社債管理者または社債管理補助者の辞任事由を定めたときは，その事由を募集事項に含めなければならないものとされている。これは社債を引き受けようとする者にとって，社債管理者または社債管理補助者がどのような場合に辞任することができるかは重要な関心事だからである。

6　社債管理補助者につき約定権限を定めた場合（6号）

　社債管理補助者は，社債権者のために破産手続参加，再生手続参加または更生手続参加，強制執行または担保権の実行の手続における配当要求，および，499条1項の期間内に債権の申出をする権限を有するほか（法714条の4第1項），委託契約に定める範囲内において，社債権者のために社債に係る債権の弁済を受けること，法705条1項の行為（法714条の4第1項各号および法714条の4第2項1号に掲げる行為を除く），法706条1項各号に掲げる行為および社債発行会社が社債の総額について期限の利益を喪失することとなる行為をする権

限を有するものとされている（法714条の4第2項）。また，社債管理者については，会社法に定める法定権限以外の権限を契約により付与することができると解されており（上記4参照），社債管理補助者の権限を定める会社法の規定も，委託契約により社債管理補助者に権限を付与することができる行為を限定列挙するものではなく，委託契約によりそれ以外の約定権限（本号では，「法に規定する社債管理補助者の権限以外の権限」と表現されている）を付与することを否定するものではない（竹林ほか・商事法務2227号6頁）。

ところが，社債管理補助者の権限がどのようなものであるかは社債権者の権利の実現に影響を与えることになりうるため，社債を引き受けようとする者にとって，社債管理補助者がどのような権限を有しているかは重要な関心事である。そこで，委託契約に約定権限（法714条の4第2項各号に掲げる行為をする権限の全部もしくは一部または法に規定する社債管理補助者の権限以外の権限）を定めたときは，その事由を募集事項に含めなければならないものとされている。社債管理者につき約定権限を定めた場合の本条4号とパラレルな規定である。

7　社債管理者の社債権者への報告または社債権者が知ることができるようにするための措置についての定め（7号）

社債管理補助者は，委託契約に従い，社債の管理に関する事項を社債権者に報告し，または社債権者がこれを知ることができるようにする措置をとらなければならないとされている（法714条の4第4項）とされているが，どのような措置をとるかは委託契約によって定められる。

社債権者が社債を的確に管理するためには，社債発行会社と社債権者との間または社債権者間での情報が円滑に伝達されることが重要であるため，情報伝達が円滑に行われるようにすることが社債管理補助者の重要な職務の1つと位置づけられている（竹林ほか・商事法務2227号7頁）。このため，社債の管理に関する事項の報告を受け，これを知ることができるようにする措置がどのようなものであるかについて，社債権者は利害を有し，また，社債を引き受けようとする者にとっても重要な関心事となる。ところが，社債管理補助者が社債権者に対して報告等をする適切な方法は，たとえば，その社債が記名社債であるか，無記名社債であるかなどによって異なり得るという観点から，「画一的な内容の義務を社債管理補助者に負わせることは相当でな」いと考えられ（竹林ほか・商事法務2227号7頁），報告等をする義務の対象となる事項の範囲や報告等をする方法は法定されていない。もっとも，法714条の4第4項が「第714条

の２の規定による委託に係る契約に従い，社債の管理に関する事項を社債権者に報告し，又は社債権者がこれを知ることができるようにする措置をとらなければならない。」と定めていることからは，委託契約において社債の管理に関する事項を社債権者に報告し，または社債権者がこれを知ることができるようにする措置に係る事項が定められることになると考えられる（意見募集の結果（令和2年11月）50頁）。

そこで，社債を引き受けようとする者がその措置がどのようなものであるかを知ることができるように，社債管理者の社債権者への報告または社債権者が知ることができるようにするための措置についての定めを募集事項に含めることが求められている。

8　募集社債が信託社債である場合（8号）

募集社債が信託社債であるときは，その旨および当該信託社債についての信託を特定するために必要な事項を定めなければならない。信託社債とは信託の受託者が発行する社債であって，信託財産（信託法2条3項に規定する信託財産）のために発行するものである（2条3項17号）。当該信託社債についての信託を特定するために必要な事項には，たとえば，当該信託契約の年月日，当該信託の名称，信託の受託者の商号などがあたる。信託社債である場合にはその旨を定めなければならないとされているのは，信託社債は信託の受託者が信託財産のために発行するものであることに加え，発行した信託社債に責任限定特約を付すこと（信託法21条2項4号）だけではなく，限定責任信託とすることによって（同項2号）履行責任を信託財産のみに限定することが可能だからであると考えられる。

（申込みをしようとする者に対して通知すべき事項）

第163条　法第677条第1項第3号に規定する法務省令で定める事項は，次に掲げる事項とする。
　一　社債管理者を定めたときは，その名称及び住所
　二　社債管理補助者を定めたときは，その氏名又は名称及び住所
　三　社債原簿管理人を定めたときは，その氏名又は名称及び住所

本条は，発行する社債を引き受ける者の募集に応じて募集社債の引受けの申込みをしようとする者に対し，会社が通知すべき事項のうち「法務省令で定め

る事項」（法677条1項3号）を定めるものである。すなわち，法677条1項は，会社の商号および当該募集に係る募集事項（法676条）のほか法務省令で定める事項を，募集社債の引受けの申込みをしようとする者に対し，会社は通知しなければならないものとしていることをうけたものである。

1 社債管理者を定めたときは，その名称および住所（1号）

　各社債の金額が1億円以上である場合その他社債権者の保護に欠けるおそれがないものとして法務省令で定める場合（169条）を除き，会社は，社債を発行する場合には，社債管理者を定め，社債権者のために，弁済の受領，債権の保全その他の社債の管理を行うことを委託しなければならないものとされている。これは，社債権者の利益保護のための制度であり，募集社債を引き受けようとする者にとっては，社債管理者が置かれるかどうか，誰が社債管理者となるかについて利害を有し，社債管理者の住所または営業所は社債管理者を特定する上で必要な情報だからである。

2 社債管理補助者を定めたときは，その氏名または名称および住所（2号）

　令和元年改正後会社法の下では，社債管理者を定めることを要しない場合には，社債管理補助者を定めることができるものとされた。社債管理補助者は，社債権者の利益保護のための制度であり，募集社債を引き受けようとする者にとっては，社債管理者が置かれない場合には，社債管理補助者が置かれるかどうか，誰が社債管理補助者となるかについて利害を有し，社債管理補助者の住所または営業所は社債管理補助者を特定する上で必要な情報だからである。このような趣旨に照らすと，「弁護士が社債管理補助者である場合には，その法律事務所の所在場所を住所とすることもできると考えられる」（意見募集の結果（令和2年11月）50頁）。

3 社債原簿管理人を定めたときは，その氏名または名称および住所（3号）

　現代化要綱第2部第5・4(4)は，「社債に係る名義書換代理人（商法307条2項・206条2項）については，定款にこれを置く旨の定めがない場合であっても，業務執行機関の決定により，これを置くことができるものとする」としており，法683条は，株式会社は，その株式会社に代わって社債原簿の作成および備置きその他の社債原簿に関する事務を行う者を置く旨を定款で定め，当該事務を行うことを委託することができるものとしている。そして，株式会社に

代わって社債原簿作成および備置きその他の社債原簿に関する事務を行う者を社債原簿管理人という。社債原簿管理人がある場合にはその営業所に，株式会社の社債原簿が備え置かれるので（法684条1項），募集社債を引き受けようとする者にとっては，社債原簿管理人が置かれるかどうか，誰が社債原簿管理人となるかについて利害を有するからである。また，社債原簿管理人を特定する上でも，さまざまな請求をする上でも，社債原簿管理人の住所または営業所は重要な情報だからである。

（申込みをしようとする者に対する通知を要しない場合）

第164条 法第677条第4項に規定する法務省令で定める場合は，次に掲げる場合であって，会社が同条第1項の申込みをしようとする者に対して同項各号に掲げる事項を提供している場合とする。
一 当該会社が金融商品取引法の規定に基づき目論見書に記載すべき事項を電磁的方法により提供している場合
二 当該会社が外国の法令に基づき目論見書その他これに相当する書面その他の資料を提供している場合
三 長期信用銀行法（昭和27年法律第187号）第11条第4項の規定に基づく公告により同項各号の事項を提供している場合
四 株式会社商工組合中央金庫法（平成19年法律第74号）第36条第3項の規定に基づく公告により同項各号の事項を提供している場合

本条は，法677条4項をうけて，金融商品取引法2条10項に規定する目論見書を募集に応じて募集社債の引受けの申込みをしようとする者に対し交付していない場合であるにもかかわらず，「その他募集社債の引受けの申込みをしようとする者の保護に欠けるおそれがないものとして法務省令で定める場合」，すなわち，発行する社債を引き受ける者の募集に応じて募集社債の引受けの申込みをしようとする者に対し，会社が法677条1項各号に掲げる事項を通知することを要しない場合を定めるものである。

これは，会社法に基づく通知等のコストを削減し，会社法と金融商品取引法との規制の差異による実務上の負担を軽減しようとするものである。目論見書等により会社と募集社債に関する事項が募集社債を引き受けようとする者に提供されるのであれば，重ねて通知による情報提供をさせる必要はないと考えられるためである（要綱試案補足説明37頁参照）。

1号および2号は募集株式の発行等に関する42条および新株予約権の募集に関する53条とパラレルな規定であるが，3号は社債の募集に特有な規定である。

金融商品取引法2条10項に規定する目論見書とは，有価証券の募集もしくは売出し，適格機関投資家取得有価証券一般勧誘（有価証券の売出しにあたるものを除く）または特定投資家等取得有価証券一般勧誘（有価証券の売出しにあたるものを除く）のためにその有価証券の発行者の事業その他の事項に関する説明を記載する文書であって，相手方に交付し，または相手方から交付の請求があった場合に交付するものをいう。

目論見書には，有価証券届出書の記載事項（公衆の縦覧に供しないこととされた事項を除く）と特記事項とが記載される（金融商品取引法13条2項1号イ，開示府令12条・13条1項）。特記事項としては，届出目論見書にはその目論見書に係る有価証券の募集または売出しに関して，その届出が効力を生じている旨（開示府令13条1項1号イ）が記載され，届出仮目論見書には，その届出仮目論見書に係る有価証券の募集または売出しに関して，その届出を行った日および届出の効力が生じていない旨（開示府令13条1項2号イ）を記載する。

また，参照方式による場合には，利用適格要件を満たしていることを示す書面，重要な事実の内容を記載した書面および事業内容の概要および主要な経営指標等の推移を的確かつ簡明に説明した書面に記載された事項を特記事項として記載しなければならない（開示府令13条1項1号ハ・2号ハ）。

すでに開示された有価証券に係る目論見書には，有価証券届出書を提出していればそれに記載すべきであった事項を記載するほか，有価証券の売出しに係る届出は行われていない旨を特記事項に記載する（金融商品取引法13条2項1号ロ，開示府令14条1項1号イ・2号イ）。

発行登録仮目論見書や発行登録目論見書には発行登録書または訂正発行登録書に記載すべき内容が記載されるほか，特記事項として，発行登録目論見書には，有価証券の募集または売出しに関し，発行登録がその効力を生じている旨（開示府令14条の13第1項1号）を，発行登録仮目論見書には，有価証券の募集または売出しに関し，発行登録がその効力を生じていない旨（同項2号）を，それぞれ，記載する。

他方，発行登録追補目論見書には，発行登録追補書類に記載すべき内容が記載され，特記事項として，発行登録追補書類において参照すべき旨が記載された有価証券報告書の提出日以後に生じた重要な事実の内容等を記載しなければ

第164条（申込みをしようとする者に対する通知を要しない場合）　899

ならない（開示府令14条の13第1項3号）。

1　その会社が金融商品取引法の規定に基づき目論見書に記載すべき事項を電磁的方法により提供している場合（1号）

　金融商品取引法上，目論見書および発行登録目論見書の提供を受ける者の承諾を得て，目論見書および発行登録目論見書の紙媒体での交付に代えて，これらに記載された事項を電子情報処理組織を使用する方法や磁気ディスク，CD-ROMその他これらに準ずる方法により一定の事項を確実に記録しておくことができる物（USBメモリやDVDなど）をもって調製するファイルに記載事項を記録したものを交付する方法によって提供することができ，それらの事項を提供した者は，その目論見書または発行登録目論見書を交付したものとみなされる（金融商品取引法27条の30の9第1項，開示府令23条の2第1項・2項）。募集株式の引受けの申込みをしようとする者に対し目論見書を書面の形で交付せず，目論見書に記載すべき事項を電磁的方法により提供している場合であっても，募集株式の引受けの申込みをしようとする者に対し必要な情報は提供されるので，このような場合にも，法677条1項による通知を要求する必要はない。そもそも，同項は，書面による通知を要求しておらず，電磁的方法その他による通知でかまわないこととしていることとの均衡からも，本号の場合に会社法に基づく通知を要求する必要はない。

2　その会社が外国の法令に基づき目論見書その他これに相当する書面その他の資料を提供している場合（2号）

　法677条4項は，会社法に基づく通知等のコストを削減し，会社法と金融商品取引法との規制の差異による実務上の負担を軽減しようとするものであり，他の法令により会社と募集社債に関する事項が募集社債を引き受けようとする者に提供されているのであれば，重ねて通知をする必要はないという発想に基づくものであり，外国の法令に基づいて目論見書その他これに相当する書面その他の資料を提供している場合にも，二重の負担を課す必要はないし，また，外国の法令も投資者を保護することを目的とする以上，それなりの要求をしていると期待できるので，募集社債の引受けの申込みをしようとする者に対する通知を要求しないこととするのが本号である。なお，本条柱書で法677条1項各号に掲げる事項を提供していることが要件とされているから，かりに外国の法令が日本の金融商品取引法に比べ緩やかな開示規制をしているとしても，法

677条1項が要求する情報提供は実現できると考えられる。

3 長期信用銀行法11条4項の規定に基づく公告により同項各号の事項を提供している場合（3号）

　長期信用銀行法11条4項は，長期信用銀行が，売出しの方法により長期信用銀行債を発行する場合においては，(a)売出期間，(b)長期信用銀行債の総額，(c)数回に分けて長期信用銀行債の払込みをさせるときは，その払込みの金額および時期，(d)長期信用銀行債発行の価額またはその最低価額，(e)社債等の振替に関する法律の規定によりその権利の帰属が振替口座簿の記載または記録により定まるものとされる債券を発行しようとするときは，同法の適用がある旨，(f)長期信用銀行の商号，(g)当該社債券に係る社債の金額，(h)当該社債券に係る長期信用銀行債の利率，および，(i)当該社債券に係る長期信用銀行債の償還の方法および期限を公告しなければならないと定めている。したがって，当該長期信用銀行債の引受けの申込みをしようとする者は，その公告をみることによって，法677条1項各号に掲げる情報に匹敵する情報を得ることができ，このような場合に，個別の通知をすることを会社（長期信用銀行）に強制することは適当ではないので，本号が設けられている。なお，平成17年改正前長期信用銀行法11条3項は，長期信用銀行が，売出しの方法により債券を発行する場合においては社債申込証を作ることを要しないと定めていたので，規律の実質に変更はない。

4 株式会社商工組合中央金庫法36条3項の規定に基づく公告により同項各号の事項を提供している場合（4号）

　株式会社商工組合中央金庫法36条3項は，商工組合中央金庫は，売出しの方法により商工債を発行しようとするときには，(a)商工組合中央金庫の商号，(b)売出期間，(c)商工債の総額，(d)各商工債の金額，(e)商工債の利率，(f)商工債の償還の方法および期限，(g)数回に分けて商工債の払込みをさせるときは，その払込みの金額および時期，(h)商工債発行の価額またはその最低価額，ならびに，(i)社債等の振替に関する法律の規定によりその権利の帰属が振替口座簿の記載または記録により定まるものとされる商工債を発行しようとするときは，社債等の振替に関する法律の適用がある旨を公告しなければならないと定めている。したがって，当該商工債の引受けの申込みをしようとする者は，その公告をみることによって，法677条1項各号に掲げる情報に匹敵する情報を得る

ことができ，このような場合に，個別の通知をすることを株式会社商工組合中央金庫に強制することは適当ではないので，本号が設けられている。

（社債の種類）

第165条 法第681条第1号に規定する法務省令で定める事項は，次に掲げる事項とする。
　一　社債の利率
　二　社債の償還の方法及び期限
　三　利息支払の方法及び期限
　四　社債券を発行するときは，その旨
　五　社債権者が法第698条の規定による請求の全部又は一部をすることができないこととするときは，その旨
　六　社債管理者を定めないこととするときは，その旨
　七　社債管理者が社債権者集会の決議によらずに法第706条第1項第2号に掲げる行為をすることができることとするときは，その旨
　八　社債管理補助者を定めることとするときは，その旨
　九　他の会社と合同して募集社債を発行するときは，その旨及び各会社の負担部分
　十　社債管理者を定めたときは，その名称及び住所並びに法第702条の規定による委託に係る契約の内容
　十一　社債管理補助者を定めたときは，その氏名又は名称及び住所並びに法第714条の2の規定による委託に係る契約の内容
　十二　社債原簿管理人を定めたときは，その氏名又は名称及び住所
　十三　社債が担保付社債であるときは，担保付社債信託法（明治38年法律第52号）第19条第1項第1号，第11号及び第13号に掲げる事項
　十四　社債が信託社債であるときは，当該信託社債についての信託を特定するために必要な事項

　本条は，社債原簿に記載しまたは記録しなければならない事項のうち，法「第676条第3号から第8号の2までに掲げる事項その他の社債の内容を特定するものとして法務省令で定める事項」（法681条1号）を定めるものである。「第676条第3号から第8号の2までに掲げる事項その他の社債の内容を特定するものとして法務省令で定める事項」は「種類」と呼ぶこととされているが，「種類」という概念は，現代化要綱第2部第5・5が「社債の銘柄統合（発行日等が異なる社債を1種類の社債として取り扱うこと）を可能とするための所

要の規定の整備を行うものとする」としていたことをうけて、銘柄統合を行うことができる社債の範囲を画するものである。

　法676条3号から8号の2まででは、①募集社債の利率、②募集社債の償還の方法および期限、③利息支払の方法および期限、④社債券を発行するときは、その旨、⑤社債権者が法698条の規定による請求（記名式の社債券を無記名式とし、または無記名式の社債券を記名式とすることの請求）の全部または一部をすることができないこととするときは、その旨、⑥社債管理者を定めないこととするときは、その旨、⑦社債管理者が社債権者集会の決議によらずに法706条1項2号に掲げる行為（当該社債の全部についてする訴訟行為または破産手続、再生手続、更生手続もしくは特別清算に関する手続に属する行為。社債権者のために社債に係る債権の弁済を受け、または社債に係る債権の実現を保全するために必要な一切の裁判上または裁判外の行為を除く）をすることができることとするときは、その旨、⑧社債管理補助者を定めることとするときは、その旨という事項が列挙されている。本条は、法676条3号から8号の2までに列挙されている事項その他の事項であって、同じ「種類」であるとされるために共通しているべき事項を定めている。なお、本条1号から8号までが法676条3号から8号の2までと同じ事項を定めているのは、法681条1号が「第676条第3号から第8号の2までに掲げる事項その他の社債の内容を特定するものとして法務省令で定める事項」（圏点―引用者）と定めているためである。

　社債の種類が同じであると、その社債権者は一の社債権者集会を構成するから、その社債権者が、抽象的にみて、同じ利害を有することが、社債の種類が同一であるとされるためには必要である。また、銘柄統合によって1つの種類の社債とすることの実益の1つは、ロットを大きくすることによって、その社債の流通性を高めることである以上、取引において、同じ経済的価値を有し、均質なものであると評価される必要がある。

　そこで、まず、①社債の利率（1号）、②社債の償還の方法および期限（2号）、ならびに、③利息支払の方法および期限（3号）が共通することが必要である。これらの点で相違があれば、社債の経済的価値に相違が生ずるからである。また、④社債券を発行するか否か（4号）および⑤社債権者が法698条の規定による請求（記名式社債券から無記名式社債券、あるいは無記名式社債券から記名式社債券への変更の請求）の全部または一部をすることができるか否か（5号）があげられているのは、同じ種類の社債であるにもかかわらず、譲渡の方法および譲渡の対抗要件が異なることは適切ではないし、社債券を発行す

るか否かは社債の種類ごとに決定されるものだからである。

⑥社債管理者が社債権者集会の決議によらずに法706条1項2号に掲げる行為（その社債の全部についてする訴訟行為または破産手続，再生手続，更生手続もしくは特別清算に関する手続に属する行為。社債権者のために社債に係る債権の弁済を受け，または社債に係る債権の実現を保全するために必要な一切の裁判上または裁判外の行為を除く）をすることができるか否か（7号）は，社債権者集会の権限に影響を与える以上，社債の種類が同一であるといえるかどうかの基準となる。⑦他の会社と合同して募集社債を発行するときは，その旨および各会社の負担部分（9号）があげられているのは，債務者が異なれば，同一の種類の社債であるとは評価できないからである。⑧社債管理者を定めないこととするときは，その旨（6号），および，⑨社債管理者を定めたときは，その名称および住所ならびに法702条の規定による委託に係る契約の内容（10号）は，社債管理者が存在するかどうか，社債管理者の約定権限はどのようなものであるかは社債権者の保護のあり方に影響を与える以上，この点で相違があるかどうかは，社債権者の利害の均質性に影響を及ぼすからであろう。

なお，⑧および⑩の「社債管理補助者を定めることとするときは，その旨」（8号）は，令和元年会社法改正により，社債管理補助者制度が創設され，社債管理者を定めることを要しない場合には，社債管理者または社債管理補助者のいずれかを定めることができることになったため，改正後会社法においては，両者が混同されることを防ぐ観点から，社債管理補助者を定めることとする場合には，社債管理者を定めないこととする旨および社債管理補助者を定めることとする旨のいずれもを募集事項として定めなければならないこととされ（法676条7号の2・8号の2），申込みをしようとする者に対してこれらを通知しなければならないこととされていること（法677条1項2号）に対応する記載事項である。

そして，⑪社債管理補助者を定めたときは，その氏名または名称および住所ならびに法714条の2の規定による委託に係る契約の内容（本条11号）は，社債管理者についての⑨とパラレルな記載事項であり，社債管理補助者は，社債権者の利益保護のための制度であり，募集社債を引き受けようとする者にとっては，社債管理者が置かれない場合には，社債管理補助者が置かれるかどうか，誰が社債管理補助者となるかについて利害を有し，社債管理補助者の住所または営業所は社債管理補助者を特定する上で必要な情報だからである。なお，このような趣旨に照らすと，「弁護士が社債管理補助者である場合には，

その法律事務所の所在場所を住所とすることもできると考えられる」(意見募集の結果（令和2年11月）50頁)。

また，社債管理補助者に委託される権限等がどのようなものであるかは社債権者の権利の実現に影響を与える可能性が高いため，委託契約の内容は申込みをしようとする者にとって重要な判断材料となりうる。

以上に加えて，⑫社債が担保付社債であるときは，委託者，受託会社および発行会社の氏名または名称（担保付社債信託法19条1項1号），⑬受託会社が社債権者集会の決議によらずに法706条1項2号に掲げる行為（その社債の全部についてする訴訟行為または破産手続，再生手続，更生手続もしくは特別清算に関する手続に属する行為。社債権者のために社債に係る債権の弁済を受け，または社債に係る債権の実現を保全するために必要な一切の裁判上または裁判外の行為を除く）をすることができることとするときは，その旨（担保付社債信託法19条1項11号），および⑭担保の種類，担保の目的である財産，担保権の順位，先順位の担保権者の有する担保権によって担保される債権の額および担保の目的である財産に関し担保権者に対抗することができる権利（同項13号）は，社債の経済的価値および社債権者集会の権限に影響を与える事項であり，これらの事項について差異がある場合には，その社債に均質性は認められないからである。

⑮社債原簿管理人を定めたときは，その氏名または名称および住所（12号）を記載すべきとされているのは，社債原簿管理人が定められているか否かは社債権者にとっての利便性に影響を与えるからであろう。また，⑯社債が信託社債（2条3項17号）であるときは，当該信託社債についての信託を特定するために必要な事項も社債原簿に記載しなければならない（14号）。当該信託社債についての信託を特定するために必要な事項には，たとえば，当該信託契約の年月日，当該信託の名称，信託の受託者の商号などがあたる。

（社債原簿記載事項）

第166条 法第681条第7号に規定する法務省令で定める事項は，次に掲げる事項とする。

　一　募集社債と引換えにする金銭の払込みに代えて金銭以外の財産の給付があったときは，その財産の価額及び給付の日

　二　社債権者が募集社債と引換えにする金銭の払込みをする債務と会社に対する債権とを相殺したときは，その債権の額及び相殺をした日

本条は，社債原簿に記載しまたは記録しなければならない事項のうち，「法務省令で定める事項」（法681条7号）を定めるものである。すなわち，法681条が，①社債の「種類」［→165条］，②種類ごとの社債の総額および各社債の金額，③各社債と引換えに払い込まれた金銭の額および払込みの日，④社債権者（無記名社債（無記名式の社債券が発行されている社債）の社債権者を除く）の氏名または名称および住所，⑤その社債権者が各社債を取得した日，⑥社債券を発行したときは，社債券の番号，発行の日，社債券が記名式か，または無記名式かの別および無記名式の社債券の数のほか，⑦法務省令で定める事項を社債原簿に記載しまたは記録しなければならないものとしていることをうけたものである。

　平成17年改正前商法の下でも，金銭による払込みを要求する規定がないことから（同法200条2項と対照），反対の特約がない限り，会社に対する債権をもって相殺することができると解するのが通説であったし，手形その他の物によって払込みをすることができると解されていた。また，償還される社債を他の社債の払込みに充てること，あるいは第三者に対する金銭債権で払込みをすることもできると解されていた（新注会⑽78頁［上田］）。そして，会社法には，株式に関するような現物出資の規制は設けられていないが，会社と募集社債の引受人との間の契約によって，金銭の払込みに代えて，金銭以外の財産を給付するという代物弁済契約を締結することを禁止する理由はない（相澤＝葉玉・商事法務1751号16頁）。そこで，162条3号では，募集社債と引換えにする金銭の払込みに代えて金銭以外の財産を給付する旨の契約を締結するときは，その契約の内容を募集社債の募集事項として定めなければならないものとしている。これを前提として本条の定めが設けられている（相澤＝郡谷・商事法務1760号15頁）。

　なお，162条3号とは異なり，1号にいう「金銭以外の財産」には会社に対する債権は含まないと解され（2号と対照），「金銭以外の財産……の価額」とはその給付の日における時価を意味すると解するのが穏当であろう［→計規コンメ14条］。「金銭以外の財産の……給付の日」とは，その財産の所有権が会社に移転された日を本来意味すると解されるが，登記，登録その他権利の設定または移転を第三者に対抗するために必要な行為がある場合には，その行為がなされた日を意味すると解すべきであろう。

　2号にいう「債権の額」とは，会社にとって相殺によって消滅した債務の額を意味し，その額は通常は会社における当該債権に係る債務の帳簿価額と一致

すると考えられる。いずれにせよ，相殺によって消滅する債務の額は，募集社債を引き受けた者と会社との合意によって決定されるものと解される（募集事項として定めることを要する。162条3号）。

(閲覧権者)
第167条 法第684条第2項に規定する法務省令で定める者は，社債権者その他の社債発行会社の債権者及び社債発行会社の株主又は社員とする。

　本条は，社債原簿の閲覧等を請求できる者を定めるものである。法684条2項が「社債権者その他の法務省令で定める者は，社債発行会社の営業時間内は，いつでも，」「社債原簿が書面をもって作成されているときは，当該書面の閲覧又は謄写の」，「社債原簿が電磁的記録をもって作成されているときは，当該電磁的記録に記録された事項を法務省令で定める方法により表示したものの閲覧又は謄写の」，それぞれ，「請求をすることができる」と定めていることをうけたものである。

　社債権者その他の社債発行会社の債権者が閲覧等を請求できるとされているのは，他にどのような債権者が存在するかは，社債権者その他の社債発行会社の債権者にとって重要な関心事であるし，社債発行会社の株主または社員が閲覧等を請求できるとされているのは，会社がどのような者に対して社債に係る債務を負っているかは株主等の意思決定にとって重要な情報だからである。

　本条は，平成17年改正前商法263条3項を踏襲したものであるが，「社債発行会社の債権者及び社債発行会社の株主又は社員」（圏点―引用者）とされているのは，会社法の下では，持分会社も社債を発行することができ，持分会社の社員も株式会社の社員と同様，利害関係を有するからである。

(社債原簿記載事項の記載等の請求)
第168条 法第691条第2項に規定する法務省令で定める場合は，次に掲げる場合とする。
　一　社債取得者が，社債権者として社債原簿に記載若しくは記録がされた者又はその一般承継人に対して当該社債取得者の取得した社債に係る法第691条第1項の規定による請求をすべきことを命ずる確定判決を得た場合において，当該確定判決の内容を証する書面その他の資料を提供して請求をしたと

> き。
> 二 社債取得者が前号の確定判決と同一の効力を有するものの内容を証する書面その他の資料を提供して請求をしたとき。
> 三 社債取得者が一般承継により当該会社の社債を取得した者である場合において，当該一般承継を証する書面その他の資料を提供して請求をしたとき。
> 四 社債取得者が当該会社の社債を競売により取得した者である場合において，当該競売により取得したことを証する書面その他の資料を提供して請求をしたとき。
> 五 社債取得者が法第179条第3項の規定による請求により当該会社の社債を取得した者である場合において，当該社債取得者が請求をしたとき。
> 2 前項の規定にかかわらず，社債取得者が取得した社債が社債券を発行する定めがあるものである場合には，法第691条第2項に規定する法務省令で定める場合は，次に掲げる場合とする。
> 一 社債取得者が社債券を提示して請求をした場合
> 二 社債取得者が法第179条第3項の規定による請求により当該会社の社債を取得した者である場合において，当該社債取得者が請求をしたとき。

　本条は，社債（無記名社債を除く）を社債発行会社以外の者から取得した者（その社債発行会社を除く）が，その取得した社債の社債権者として社債原簿に記載され，もしくは記録された者またはその相続人その他の一般承継人と共同せずに，その社債発行会社に対し，その社債に係る社債原簿記載事項を社債原簿に記載し，または記録することを請求することができる場合，すなわち，「利害関係人の利益を害するおそれがないものとして法務省令で定める場合」（法691条2項）を定めるものである。

　本条は，株式を取得した者が，その取得した株式の株主として株主名簿に記載され，もしくは記録された者またはその相続人その他の一般承継人と共同せずに，会社に対し，当該株式に係る株主名簿記載事項を株主名簿に記載し，または記録することを請求することができる場合を定める22条とパラレルな定めである。

1 社債取得者の取得した社債が社債券を発行する定めがないものである場合
　　（1項）

社債取得者の取得した社債が社債券を発行する定めがあるものである場合においては，社債券の占有者は，その社債券に係る社債についての権利を適法に有するものと推定されるので（法689条1項），社債券を占有する者は社債券を提示することによって単独で名義書換を請求することができるものとされている（本条2項1号）。しかし，社債取得者が取得した社債が社債券を発行する定めがないものである場合においては，社債券が発行されないため，法689条1項の適用の余地がない。これを前提とした上で，社債発行会社における安全かつ円滑な名義書換の実施を確保するために本項が定められている（始関・商事法務1708号27頁参照）。

(1) 社債取得者が社債権者として社債原簿に記載もしくは記録がされた者またはその一般承継人に対してその社債取得者の取得した社債に係る名義書換請求をすべきことを命ずる確定判決を得た場合において，その確定判決の内容を証する書面その他の資料を提供して請求をしたとき（1号）

その社債取得者の取得した社債に係る名義書換請求をすべきことを，社債権者として社債原簿に記載もしくは記録がされた者またはその一般承継人に対して命ずる確定判決によって，社債権者として社債原簿に記載もしくは記録がされた者またはその一般承継人が名義書換請求の意思表示をしたものとみなされるため（民事執行法177条1項），その確定判決の内容を証する書面その他の資料（確定判決の正本のほか，会社は謄本や確定判決の内容を証する電磁的記録等を許容することができるが（論点解説143頁参照），これは会社のリスクで許容されるものと考えられる）を提供して社債取得者が単独で名義書換を請求することを認めても，利害関係人を害するおそれがないからである。

(2) 社債取得者が(1)の確定判決と同一の効力を有するものの内容を証する書面その他の資料を提供して請求をしたとき（2号）

この場合には，確定判決と同一の効力を有するものを得ている以上，社債取得者が単独で名義書換を請求することを認めても利害関係人を害するおそれがないからである。(1)の「確定判決と同一の効力を有するものの内容を証する書面その他の資料」には，社債権者として社債原簿に記載もしくは記録がされた者またはその一般承継人が社債取得者への名義書換請求の意思表示をする旨を記載した和解調書や調停調書などがあたる。

(3) 社債取得者が一般承継によりその会社の社債を取得した者である場合において，その一般承継を証する書面その他の資料を提供して請求をしたとき（3号）

　相続や吸収合併の場合には，社債権者として社債原簿に記載もしくは記録がされた者がすでに存在しなくなっているため，共同して名義書換を請求することはできないが，相続の場合には戸籍謄本や遺産分割協議書によって，会社の合併や分割の場合には商業登記簿の登記事項証明書（会社の分割の場合は，さらに，吸収分割契約あるいは新設分割計画）によって，一般承継が生じたことを社債発行会社は確認することができるので，そのような「一般承継を証する書面その他の資料」を提供して，名義書換の請求がなされる場合には，社債取得者単独での請求を認めても利害関係人の利益を害するおそれがないからである（始関・商事法務1708号27頁参照）。

(4) 社債取得者がその会社の社債を競売により取得した者である場合において，その競売により取得したことを証する書面その他の資料を提供して請求をしたとき（4号）

　会社の社債を競売により取得する場合には，必ずしも，社債権者として社債原簿に記載もしくは記録がされた者の所在が明確ではなく，明確であっても，共同請求に協力的ではないことが一般的であろう。したがって，共同で，名義書換の請求をしなければならないとすることは実際的ではない。ところが，裁判所が行う競売手続においては，代金を納付することによって社債を取得するから，意思表示を命ずる確定判決（1号参照）を取得せずに，単独請求による名義書換を認めても，利害関係人を害するおそれはないと考えられるからである（始関・商事法務1708号27～28頁参照）。

(5) 社債取得者が新株予約権の売渡請求により当該会社の社債を取得した者である場合において，当該社債取得者が請求をしたとき（5号）

　法179条3項は，新株予約権付社債に付された新株予約権について別段の定めがある場合を除き，特別支配株主は，新株予約権付社債に付された新株予約権について新株予約権売渡請求をするときは，併せて，新株予約権付社債についての社債の全部を当該特別支配株主に売り渡すことを請求しなければならないとしている。ところで，当該新株予約権付社債に係る売渡新株予約権者と共同して名義書換を請求しなければならないとすると，新株予約権の売渡請求制

度を設けた趣旨に沿わない。また，売渡新株予約権者が共同請求に協力的であるとは限らない上，共同請求によらなければならないとすると煩瑣である。しかも，対象会社にとっては，当該社債取得者が売渡新株予約権を含む新株予約権付社債を取得したことは明らかである。したがって，この場合には，単独請求による名義書換を認めても，利害関係人を害するおそれはないと考えられる（坂本ほか・商事法務2063号50頁参照）。

2 社債取得者が取得した社債が社債券を発行する定めがあるものである場合
（2項）

確定判決を得た場合や競売等の場合には，社債券を提示して名義書換を請求することになるので，特別な定めは置かれていない（相澤＝郡谷・商事法務1760号6頁参照）。

社債取得者が社債券を提示して請求をする場合には，その取得した社債の社債権者として社債原簿に記載され，もしくは記録された者またはその相続人その他の一般承継人と共同せずに，その社債発行会社に対し，その社債に係る社債原簿記載事項を社債原簿に記載し，または記録することを請求することができる。これは，社債取得者が取得した社債が社債券を発行する定めがあるものである場合には，社債券の占有者は，その社債券に係る社債についての権利を適法に有するものと推定されるからである（法689条1項）。

また，社債取得者が新株予約権の売渡請求により当該会社の社債を取得した者である場合において，当該社債取得者（＝特別支配株主）が請求をしたときには，社債券を提示しなくとも社債原簿に記録または記載することを求めることができる。これは，一方で，当該新株予約権付社債に係る売渡新株予約権者と共同して請求しなければならないとすると，新株予約権の売渡請求制度を設けた趣旨に沿わないことに加え，売渡新株予約権者が共同請求に協力的であるとは限らない上，共同請求によらなければならないとすると煩瑣であるためである。他方で，対象会社にとっては，当該社債取得者が売渡新株予約権を含む新株予約権付社債を取得したことは明らかであるからである。したがって，単独請求による名義書換を認めても，利害関係人を害するおそれはないと考えられるからである（坂本ほか・商事法務2063号50頁参照）。

第2章

社債管理者等

---(社債管理者を設置することを要しない場合)―――――

第169条 法第702条に規定する法務省令で定める場合は，ある種類（法第681条第1号に規定する種類をいう。以下この条において同じ。）の社債の総額を当該種類の各社債の金額の最低額で除して得た数が50を下回る場合とする。

　本条は，社債管理者を設置することを要しない場合を定めるものである。

　法702条ただし書は，「各社債の金額が1億円以上である場合その他社債権者の保護に欠けるおそれがないものとして法務省令で定める場合は」社債管理者を定め，社債権者のために，弁済の受領，債権の保全その他の社債の管理を行うことを委託することを要しないものとしているが，本条は，この委任に基づき，「法務省令で定める場合」を定めるものであり，平成17年改正前商法297条ただし書が「各社債ノ金額ガ1億円ヲ下ラザル場合又ハ社債ノ総額ヲ社債ノ最低額ヲ以テ除シタル数ガ50ヲ下ル場合ハ此ノ限ニ在ラズ」としていたものを踏襲したものである。

　すなわち，「各社債の金額が1億円以上である場合」に社債管理者を置くことを要しないのは，社債権者が大口の投資者のみである場合には，それらの社債権者は自衛することができるから，わざわざ，社債管理者を置いて，コストをかけさせる必要がないと考えられる。他方，ある種類の社債の総額を当該種類の各社債の金額の最低額で除して得た数が50を下回る場合には，金融商品取引法上，私募にあたる場合と同様，社債発行会社のコスト負担を軽くする要請がある一方で，社債権者の数が少ないことにつながる（この場合には，必ず，その種類の社債に係る社債権者の数も50を下回る）ため，社債権者自らが発行会社と接触・交渉できる，あるいはしなければならないこととしても社債発行会社と社債権者の双方にとっての負担は重くないということができるからであ

る。

　もっとも，平成17年改正前商法とは異なり，いわゆる銘柄統合［→165条］に対応した規定となっている。すなわち，「募集社債」ではなく「社債」の「総額を当該種類の各社債の金額の最低額で除して得た数が50を下回る場合」と規定されているため，募集社債の募集が行われた段階では，その「総額を当該種類の各社債の金額の最低額で除して得た数が50を下回」っていたとしても，事後的に，銘柄統合が行われ，他の種類の社債と同一の種類の社債とされ，その結果，その種類の社債の「総額を当該種類の各社債の金額の最低額で除して得た数が50」以上となる場合には社債管理者の設置義務が課されることになる（相澤＝葉玉・商事法務1751号20頁，相澤＝郡谷・商事法務1760号15頁参照）。

（社債管理者の資格）

第170条　法第703条第3号に規定する法務省令で定める者は，次に掲げる者とする。

一　担保付社債信託法第3条の免許を受けた者
二　株式会社商工組合中央金庫
三　農業協同組合法第10条第1項第2号及び第3号の事業を併せ行う農業協同組合又は農業協同組合連合会
四　信用協同組合又は中小企業等協同組合法第9条の9第1項第1号の事業を行う協同組合連合会
五　信用金庫又は信用金庫連合会
六　労働金庫連合会
七　長期信用銀行法第2条に規定する長期信用銀行
八　保険業法第2条第2項に規定する保険会社
九　農林中央金庫

　本条は，銀行・信託会社以外の者で社債管理者となることができる者，すなわち，銀行・信託会社に準ずるものとして法務省令で定める者（法703条3号）を定めるものである。平成17年改正前商法の下で社債管理会社となることができた者が，法703条および本条の下でも社債管理者となることができる。

　すなわち，①担保付社債に関する信託事業（担保付社債信託法3条）の免許を受けた者（1号）は社債管理者となることができるものとされている。これ

は，担保付社債の受託会社は，社債の管理を行うこととなっているため（担保付社債信託法2条2項），そのような者に無担保社債の管理会社の資格を付与しても問題はないと考えられたためである（吉戒・商事法務1332号27頁）。

2号から6号まで，8号および9号に掲げられた者は，②商工組合中央金庫（平成17年改正前商工組合中央金庫法28条ノ7第2項。会社法の施行後，株式会社商工組合中央金庫法（平成19年法律第74号）が制定され，株式会社商工組合中央金庫となった），③農業協同組合法10条1項2号および3号の事業を併せ行う農業協同組合または農業協同組合連合会（平成17年改正前農業協同組合法10条19項），④信用協同組合または中小企業等協同組合法9条の9第1項1号の事業を行う協同組合連合会（平成17年改正前中小企業等協同組合法9条の8第11項・9条の9第6項），⑤信用金庫または信用金庫連合会（平成17年改正前信用金庫法53条12項・54条8項），⑥労働金庫連合会（平成17年改正前労働金庫法58条の2第11項），⑦保険業法2条2項に規定する保険会社（平成17年改正前保険業法99条6項），および，⑧農林中央金庫（平成17年改正前農林中央金庫法54条11項）であって，いずれも，平成17年改正前商法中の社債管理会社の規定との関係で銀行とみなされていたものである（「社債管理者」という語が会社法で用いられているのは，本条に掲げられているものの中には会社でないものがかなり含まれていることによると説明されている。相澤＝葉玉・商事法務1751号20頁）。

なお，長期信用銀行法2条に規定する長期信用銀行については，銀行とみなす規定は設けられていなかったが，長期信用銀行法において長期信用銀行は地方債または社債その他の債券の募集または管理の受託業務を営むことができるとされ（長期信用銀行法6条1項5号），長期信用銀行はその商号中に銀行という文字を用いなければならない（同法5条1項）とされていたから，平成17年改正前商法との関係では「銀行」であると解されていたと推測される。

---（特別の関係）---
第171条 法第710条第2項第2号（法第712条において準用する場合を含む。）に規定する法務省令で定める特別の関係は，次に掲げる関係とする。
一 法人の総社員又は総株主の議決権の100分の50を超える議決権を有する者（以下この条において「支配社員」という。）と当該法人（以下この条において「被支配法人」という。）との関係
二 被支配法人とその支配社員の他の被支配法人との関係
2 支配社員とその被支配法人が合わせて他の法人の総社員又は総株主の議決

> 権の100分の50を超える議決権を有する場合には，当該他の法人も，当該支配社員の被支配法人とみなして前項の規定を適用する。

　本条は，社債管理者と法務省令で定める特別の関係がある者を定めるものである。すなわち，法710条2項柱書および2号は，社債管理者は，誠実にすべき社債の管理を怠らなかったことまたはその損害がその行為によって生じたものでないことを証明した場合を除き，社債発行会社が社債の償還もしくは利息の支払を怠り，もしくは社債発行会社について支払の停止があった後またはその前3カ月以内に，その社債管理者と法務省令で定める特別の関係がある者に対してその社債管理者の債権を譲り渡すこと（その特別の関係がある者がその債権に係る債務について社債発行会社から担保の供与または債務の消滅に関する行為を受けた場合に限る）をしたときは，社債権者に対し，損害を賠償する責任を負うものと定めている。これをうけて，本条は，社債管理者と法務省令で定める特別の関係がある者を定めている。

　法710条2項柱書および2号は，現代化要綱第2部第5・2(2)②が，「発行会社の支払の停止等の前3か月以後に，社債管理会社との間に支配会社と被支配会社との関係その他の特別の関係を有する者が当該社債管理会社の有する債権を当該社債管理会社から譲り受け，その債権につき当該発行会社から弁済等を受けた場合も，商法311条ノ2第2項の対象とするものとする」（圏点—引用者）としていたことをうけたものである。

　このような規定が設けられたのは，社債管理者の子会社等であって，社債管理者から委託を受けて社債発行会社に対する債権の回収を行う等一定の要件に該当するものが弁済の受領その他の行為を行った場合にも，実質的に社債管理者の利益が図られ社債権者を害するおそれがあることは，社債管理者自らが有する債権につき弁済等を受けた場合と異なるところはないこと，および，実際に社債管理会社となることの多い銀行につき，昨今その多くが持株会社形態をとり，グループ会社と連携を図りつつ経営を行っていること等に鑑みたものである（要綱試案補足説明83頁）。

　1項1号では，「法人の総社員又は総株主の議決権の100分の50を超える議決権を有する者……と当該法人……との関係」をあげており，これは，平成17年改正前商法211条ノ2において採用されていた親子会社を判定する基準（形式基準）を法人に及ぼしたものである。このような形式基準が採用されているの

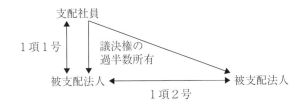

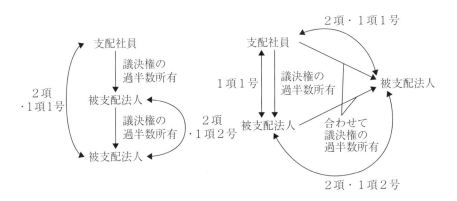

は，法710条は，挙証責任を転換する規定であり，その基準として，会社法および会社法施行規則が親会社概念および子会社概念について定めるような実質基準を用いることとすると，そのような実質基準に照らして，親子会社関係があるといえるかどうかを社債権者が立証しなければならないことになり，社債権者の立証の負担を軽減しようとする法710条の趣旨に反するおそれがあるためであると説明されている（相澤＝郡谷・商事法務1760号16頁）。また，「支配社員」という概念が使われているのは，社債管理者を支配する自然人に債権を譲渡する場合を対象とするためであると推測されるが，社債管理者は会社に限られず，現在のところは法人に限られてはいるものの，将来的には法人に限られないということもありうるからかもしれない。同様に，「被支配法人」という概念が使われているのも，社債管理者による支配を受けている蓋然性が高い者が会社であるかどうかを問うこととすると，法710条の趣旨に反する（社債管理者が法710条の規定の適用を回避することが容易になる）という問題があるからである。

　したがって，1項1号の下では形式基準に基づいて判定される親子会社関係に相当する関係――支配社員が自然人である場合を含むが――が社債管理者と

債権の譲受人の間に存在する場合の関係が法710条2項2号の関係にあたるとされている。

　1項2号では「被支配法人とその支配社員の他の被支配法人との関係」とされているので，社債管理者と債権の譲受人が共通の者（支配社員）によって支配されている蓋然性が高い場合，すなわち，形式基準に基づいて判定される兄弟会社関係に相当する関係がある場合が法710条2項2号の関係にあたることになる。

　2項では，「支配社員とその被支配法人が合わせて他の法人の総社員又は総株主の議決権の100分の50を超える議決権を有する場合には，当該他の法人も，当該支配社員の被支配法人とみなして前項の規定を適用する」とされており，平成17年改正前商法211条ノ3第3項とパラレルな規律が定められている。すなわち，支配社員と被支配法人とで合わせて他の法人の総社員または総株主の議決権の100分の50を超える議決権を有する場合には当該他の法人が被支配法人とされるのみならず，被支配法人の被支配法人は支配社員の被支配法人であるとされる（孫会社，ひ孫会社関係など）。

（社債管理補助者の資格）
第171条の2　法第714条の3に規定する法務省令で定める者は，次に掲げる者とする。
　一　弁護士
　二　弁護士法人

　本条は，法714条の3による委任に基づくものである。
　社債管理補助者は，社債権者のために，破産手続への参加等をする権限（714条の4第1項）や委託契約に定める範囲内において社債に係る債権の実現を保全するために必要な一切の裁判上または裁判外の行為をする権限（同条2項）を有する者である。社債権者を保護するために，社債管理補助者の資格は，その権限を適切に行使することを期待することができる者に限定することが相当であることから，本条は，社債管理者となることができる者のほか，弁護士および弁護士法人が社債管理補助者となることができることとしている（竹林ほか・商事法務2227号5〜6頁）。

第3章

社債権者集会

―(社債権者集会の招集の決定事項)――

第172条 法第719条第4号に規定する法務省令で定める事項は,次に掲げる事項とする。
　一　次条の規定により社債権者集会参考書類に記載すべき事項
　二　書面による議決権の行使の期限(社債権者集会の日時以前の時であって,法第720条第1項の規定による通知を発した日から2週間を経過した日以後の時に限る。)
　三　一の社債権者が同一の議案につき法第726条第1項(法第719条第3号に掲げる事項を定めた場合にあっては,法第726条第1項又は第727条第1項)の規定により重複して議決権を行使した場合において,当該同一の議案に対する議決権の行使の内容が異なるものであるときにおける当該社債権者の議決権の行使の取扱いに関する事項を定めるときは,その事項
　四　第174条第1項第3号の取扱いを定めるときは,その取扱いの内容
　五　法第719条第3号に掲げる事項を定めたときは,次に掲げる事項
　　イ　電磁的方法による議決権の行使の期限(社債権者集会の日時以前の時であって,法第720条第1項の規定による通知を発した日から2週間を経過した日以後の時に限る。)
　　ロ　法第720条第2項の承諾をした社債権者の請求があった時に当該社債権者に対して法第721条第1項の規定による議決権行使書面(同項に規定する議決権行使書面をいう。以下この章において同じ。)の交付(当該交付に代えて行う同条第2項の規定による電磁的方法による提供を含む。)をすることとするときは,その旨

　本条は,社債権者集会を招集する者(招集者)が社債権者集会の招集に際して決定すべき事項を定めるものであり,株主総会の招集に際して決定すべき事項を定める63条とパラレルな規定である(もっとも,社債権者集会の性質上,決

定すべき事項は63条が定める株主総会の招集に際して決定すべき事項に比べると限定されている）。すなわち，法719条は，招集者は，社債権者集会を招集する場合には，社債権者集会の日時および場所，社債権者集会の目的である事項，ならびに，社債権者集会に出席しない社債権者が電磁的方法によって議決権を行使することができることとするときは，その旨のほか「法務省令で定める事項」を定めなければならないものとしており，本条は，この委任をうけて定められている。

社債権者集会の招集時に決定すべき事項は，招集通知に記載し（法720条1項），無記名式の社債券を発行している場合には公告しなければならないものとされており（法720条3項・4項），社債権者，社債管理者，社債管理補助者および社債発行会社に与えるべき最低限度の情報という意味をも有する。

1 社債権者集会参考書類に記載すべき事項（1号）

社債権者集会参考書類を知れている社債権者に交付しなければならないので（法721条1項），社債権者集会参考書類に記載すべき事項を招集時に定めなければならないものとされている。

2 書面による議決権行使の期限（2号）

社債権者集会に出席しない社債権者は，書面によって議決権を行使することができるものとされており（法726条1項），書面による議決権の行使の期限を定める必要がある。書面による議決権行使を認める場合の，株主総会における書面による議決権行使の期限については，特に定めなければ，株主総会の日時の直前の営業時間の終了時とされている（69条）のとは異なり，社債権者集会における書面による議決権行使については，社債権者集会の招集事項として定められた日時が，社債権者集会における書面による議決権行使の期限とされるため（175条），書面による議決権の行使の期限を社債権者集会の招集時に決定しなければならない。これは，社債権者集会の段階では，株式会社の営業に支障が生じていて営業時間を観念できない場合があったり，営業時間が短縮されている場合がありうる一方で，社債権者集会は反復的に開催されるようなものではないからであろう。

「社債権者集会の日時以前の時であって」，招集「通知を発した日から2週間を経過した日以後の時に限る」とされているのは，書面による議決権行使の期限が社債権者集会の日時以前の時でなければ，社債権者集会の議場において行

使された議決権と合算して，決議の成立を議場において明らかにすることができないため，「社債権者集会の日時以前の時」とされている。「社債権者集会の日時以前の時」（圏点―引用者）とされているので，社債権者集会の開始時刻以前であれば，社債権者集会の日における特定の時刻を指定することもできる。招集「通知を発した日から2週間を経過した日以後の時」とされているのは，社債権者に議案に賛成するか否かについての熟慮期間を確保するためである。そして，招集「通知を発した日から2週間を経過した日以後の時」とされているので，この要件を満たす限り，社債権者集会の日時より数日前の日時を指定することもできる。

3 重複して議決権が行使され，同一の議案に対する議決権の行使の内容が異なる場合（3号）

　　株主総会に関する平成17年改正前商法および平成17年廃止前商法特例法の規定の解釈としては，重複して議決権が行使され，同一の議案に対する議決権の行使の内容が異なる場合には，後にされた議決権行使により先になされたものが撤回されたものとして取り扱うのが原則である（江頭・株式有限309頁注14）ものの，とりわけ，書面による議決権行使と電磁的方法による議決権行使との両方がなされた場合には，その先後を判別することが容易ではないので，会社は議決権行使書面等にあらかじめ，いずれか一方の方法による議決権行使を優先する旨を記載し，それに従って処理することができるものと解されていた（郡谷・商事法務1664号38頁，江頭・株式有限309頁注14）。

　　しかし，明文の規定を設けることが適切であると考えられるため，本号は，重複して議決権が行使され，同一の議案に対する議決権の行使の内容が異なる場合の取扱いを招集者があらかじめ定めておくことを認めている。これは，招集者の事務処理上の便宜を図るものである。招集者が定める取扱方法については，会社法施行規則上，明文の制約がなく，書面による議決権行使または電磁的方法による議決権行使のいずれかを優先する方法，後に発信された議決権行使を優先する方法，後に招集者に到達した議決権行使を優先する方法，いずれの議決権行使も無効なものとして取り扱う方法，当該事項について賛否の記載がないものとして取り扱う方法［この場合については，→4］などが考えられる（相澤＝郡谷・商事法務1759号12頁参照）。

　　なお，社債権者が書面または電磁的方法により議決権行使をした後に，社債権者集会の当日に会場に現れて議決権行使をした場合については，本号の範囲

外であり，招集者は定めを置くことはできず，議場での議決権行使が優先されることになると解するべきであろう。なぜなら，法719条3号は「社債権者集会に出席しない社債権者が電磁的方法によって議決権を行使することができることとするときは，その旨」と，法726条1項は「社債権者集会に出席しない社債権者は，書面によって議決権を行使することができる」（圏点―引用者）と，それぞれ，定めており，社債権者集会に出席した以上は，書面および電磁的方法による議決権の行使は無効となると解するのが自然であり，重複して議決権が行使され，同一の議案に対する議決権の行使の内容が異なる場合には，後にされた議決権行使により先になされたものが撤回されたものとして取り扱うという原則からも自然である。また，2号および5号イが定める書面および電磁的方法による議決権行使の期限に照らせば，社債権者集会の会場における議決権行使が後になされたことは明白だからである。

4 賛否の記載がない場合の取扱い（4号）

　招集者は各議案について賛否を記載する欄に記載がない議決権行使書面が提出された場合に備えて，そのような場合には各議案についての賛成，反対または棄権のいずれかの意思の表示があったものとする取扱いを定めることができるものとされている。

　すなわち，議決権行使書面には，賛否の記載がないまま招集者に返送されるものがあると十分に予想されるため，このような定めが設けられている。必要な記載すなわち賛否の記載がないときは，その投票は棄権として扱われ，その結果，決議が成立しないという事態が生じうるので，あらかじめ賛否等の記載がない場合の社債権者の意思を推測し，その取扱いを定めることを認めるものである。そして，賛否の記載のない議決権行使書面の提出は，招集者に対する信任を表す趣旨とも考えられる（稲葉・昭和56改正165頁参照）。そこで，社債権者が賛否等の記載のない議決権行使書面を招集者に提出したときには，各議案につき賛成，反対または棄権のいずれかの意思表示があったものとして扱う旨を定めることを認めている。実務上，すべての議案について賛成と扱う旨のみを定めることも考えられる。

　なお，このような定めは主として招集者の便宜のために認められており，このような定めをするか否かは招集者の任意である。

5 電磁的方法による議決権行使の期限（5号イ）

電磁的方法による議決権行使を認める場合の，株主総会における電磁的方法による議決権行使の期限については，特に定めなければ，株主総会の日時の直前の営業時間の終了時とされている（70条）のとは異なり，社債権者集会における電磁的方法による議決権行使については，社債権者集会の招集事項として定められた日時が，社債権者集会における電磁的方法による議決権行使の期限とされるため（176条），招集者は，電磁的方法による議決権の行使の期限を社債権者集会の招集時に決定しなければならない。これは，社債権者集会の段階では，株式会社の営業に支障が生じていて営業時間を観念できない場合があったり，営業時間が短縮されている場合がありうる一方で，社債権者集会は反復的に開催されるようなものではないからであろう。

「社債権者集会の日時以前の時であって」，とされているのは，電磁的方法による議決権行使の期限が社債権者集会の日時以前の時でなければ，社債権者集会の議場において行使された議決権と合算して，決議の成立を議場において明らかにすることができないため，「社債権者集会の日時以前の時」とされている。「社債権者集会の日時以前の時」（圏点―引用者）とされているので，社債権者集会の開始時刻以前であれば，社債権者集会の会日における特定の時刻を指定することもできる。招集「通知を発した日から2週間を経過した日以後の時」とされているのは，社債権者に議案に賛成するか否かについての熟慮期間を確保するためである。そして，招集「通知を発した日から2週間を経過した日以後の時」とされているので，この要件を満たす限り，社債権者集会の日時より数日前の日時を指定することもできる。

6 電磁的方法による議決権行使を認める場合の議決権行使書面の交付等の時期（5号ロ）

法721条1項は，社債権者集会招集の通知に際して，法務省令で定めるところにより，知れている社債権者に対し，議決権の行使について参考となるべき事項を記載した書類（社債権者集会参考書類）および社債権者が議決権を行使するための書面（議決権行使書面）を交付しなければならないと定め，同条2項本文は，招集者は，電磁的方法により社債権者集会招集の通知を受けることにつき承諾をした社債権者に対し電磁的方法による通知を発するときは，社債権者集会参考書類および議決権行使書面の交付に代えて，これらの書類に記載すべき事項を電磁的方法により提供することができると定めている。

しかし，本号ロは，電磁的方法により社債権者集会招集の通知を受けることにつき承諾をした社債権者については，その社債権者の請求があった時に初めてその協定債権者に対して議決権行使書面を交付（その交付に代えて行う法721条2項の規定による電磁的方法による提供を含む）することとすることを招集者に認めている。これは，電磁的方法による議決権行使を認める場合には，電磁的方法により社債権者集会招集の通知を受けることにつき承諾をした社債権者に対する電磁的方法による通知に際して，法務省令で定めるところにより，社債権者に対し，議決権行使書面に記載すべき事項をその電磁的方法により提供しなければならないとされているので（法722条1項），その社債権者に対して議決権行使書面の交付（その交付に代えて行う法721条2項の規定による電磁的方法による提供を含む）をすると，書面による議決権行使と電磁的方法による議決権行使が重複して行われる可能性が高まることに鑑みて，社債権者からの請求がない限り，議決権行使手段を複数与えることを回避することを招集者に認めるものである。また，議決権行使書面の交付がつねに義務づけられるとすると，招集通知を電磁的方法により発出しても，招集者にとっては，郵送料や印刷費等の社債権者集会招集コストの軽減を図ることができず，電磁的方法による議決権行使を認めることのインセンティブが相当程度失われることとなる。その結果，社債権者にとっても，簡便な方法での議決権行使という権利行使の拡大の機会が損なわれることになりかねないからである（要綱試案補足説明40頁参照）。

―（社債権者集会参考書類）――――
第173条　社債権者集会参考書類には，次に掲げる事項を記載しなければならない。
　一　議案及び提案の理由
　二　議案が代表社債権者の選任に関する議案であるときは，次に掲げる事項
　　イ　候補者の氏名又は名称
　　ロ　候補者の略歴又は沿革
　　ハ　候補者が社債発行会社，社債管理者又は社債管理補助者と特別の利害関係があるときは，その事実の概要
2　社債権者集会参考書類には，前項に定めるもののほか，社債権者の議決権の行使について参考となると認める事項を記載することができる。
3　同一の社債権者集会に関して社債権者に対して提供する社債権者集会参考書類に記載すべき事項のうち，他の書面に記載している事項又は電磁的方法に

より提供している事項がある場合には，これらの事項は，社債権者集会参考書類に記載することを要しない。
4　同一の社債権者集会に関して社債権者に対して提供する招集通知（法第720条第1項又は第2項の規定による通知をいう。以下この章において同じ。）の内容とすべき事項のうち，社債権者集会参考書類に記載している事項がある場合には，当該事項は，招集通知の内容とすることを要しない。

　本条は，社債権者集会参考書類に記載すべき事項を定めるものである。すなわち，招集者は，社債権者集会の招集通知に際して，法務省令で定めるところにより，知れている社債権者に対し，議決権の行使について参考となるべき事項を記載した書類（社債権者集会参考書類）を交付しなければならない（法721条1項・3項・722条1項）。もっとも，招集者は，電磁的方法により招集通知を受けることを承諾した社債権者に対し電磁的方法による通知を発するときは，社債権者集会参考書類および議決権行使書面の交付に代えて，その社債権者集会参考書類に記載すべき事項を電磁的方法により提供することができる（ただし，社債権者から請求があったときは，社債権者集会参考書類および議決権行使書面をその社債権者に交付しなければならない。法721条2項）。また，無記名式の社債券を発行している場合には，招集者は，社債権者集会の日の1週間前までに無記名社債の社債権者の請求があったときは，ただちに，社債権者集会参考書類および議決権行使書面をその社債権者に交付しなければならないが（法721条3項），招集者は，この社債権者集会参考書類および議決権行使書面の交付に代えて，政令で定めるところ（施行令1条）により，社債権者の承諾を得て，これらの書類に記載すべき事項を電磁的方法により提供することができる（法721条4項）。この委任をうけて，本条が定められている。

1　社債権者集会参考書類に記載すべき事項（1項）
(1)　議案および提案の理由（1号）
　株主総会参考書類に関する73条1項1号とパラレルな規定である。社債権者集会に提出される予定の議案はすべて記載されなければならない。社債権者集会の招集通知には，会議の目的たる事項すなわち議題を記載すれば足り，その議題について会社が提出しようとする議案まで記載する必要はない（法549条3項・548条1項2号）。しかし，議案が明らかにされなければ，書面または電磁的方法により，議決権を行使することは不可能なので，社債権者集会参考書

類には議案の記載が必要とされる。また，提案の理由は，社債権者が議決権を行使する上で重要であると考えられるので，記載しなければならないものとされている。

(2) 議案が代表社債権者の選任に関する議案であるとき（2号）

議案が代表社債権者の選任に関する議案であるときは，候補者の氏名または名称，候補者の略歴または沿革および候補者が社債発行会社，社債管理者または社債管理補助者と特別の利害関係があるときは，その事実の概要も記載しなければならない。これは，代表社債権者には社債権者集会において決議をする事項についての決定が委任されるので（法736条1項），社債権者にとっては誰が代表社債権者として選任されるかは重要であり，社債権者の委任をうけるという点では役員の選任に関する議案とパラレルな情報提供が求められるからである。

「候補者の氏名又は名称」とされているのは，社債権者には法人も存在し，代表社債権者が法人である場合が想定できるからである。「候補者の略歴又は沿革」が記載事項とされているのは，候補者の経歴・沿革は代表社債権者としての適格性を判断する重要な情報だからである。社債権者集会参考書類の分量などを考慮すれば，選任の判断にとって参考となる略歴で足りる。したがって，最近の経歴には限定されない。「候補者が社債発行会社，社債管理者又は社債管理補助者と特別の利害関係があるときは」，その事実の概要を記載しなければならないとしているのは，代表社債権者は社債権者全体の利益のために決定を行うことを委任されるものであるところ，社債発行会社との間に特別の利害関係があるときは，利益相反の問題が生ずるからである。また，社債管理者および社債管理補助者も社債権者の利益のために行動することが要求されるものであるが，代表社債権者と社債管理者または社債管理補助者との間に特別の利害関係があると，相互牽制が働かない可能性があるからであろう。

ここでいう「特別の利害関係」は，上場株式の議決権の代理行使の勧誘に関する内閣府令における特別利害関係（上場株式の議決権の代理行使の勧誘に関する内閣府令2条1項9号参照）を参考に決定すべきであろう。候補者が代表社債権者に選任されたときに，職務遂行に影響を及ぼすおそれのある重要事実を記載しなければならない。特別の利害関係は，たとえば，社債発行会社または社債管理者の役員・使用人（場合によれば，さらに，それらの者の配偶者あるいは近親者）であることや，社債発行会社，社債管理者または社債管理補助者との間

に重要な取引関係・貸借関係・係争等があることなどである。また，候補者が社債発行会社，社債管理者または社債管理補助者の関係会社の代表取締役を兼務し，社債発行会社，社債管理者または社債管理補助者との間に製品の取引関係がある場合や，社債発行会社，社債管理者または社債管理補助者がその関係会社に資金の貸付け，債務保証を行っている事実等があれば，これも記載を要するものと考えられる。

2 任意的記載事項（2項）

1項に定めるもの（必要的記載事項）のほか，社債権者集会参考書類には，社債権者の議決権の行使について参考となると認める事項（任意的記載事項）を記載することができる。会社法施行規則が列挙するものが社債権者の議決権の行使について参考となるべき事項のすべてを網羅しえていない可能性があるからである。もっとも，そのような事項であれば，記載を強制すべきであるとも考えられるが，限界が必ずしも明確でないうえ，その場合には記載を欠くと決議取消しの原因ともなるので，任意的な記載にとどめたと推測される。

3 社債権者集会参考書類への記載の省略（3項）

同一の社債権者集会に関して社債権者に対して提供する社債権者集会参考書類に記載すべき議案のうち，他の書面に記載している事項または電磁的方法により提供する事項がある場合には，これらの事項は，社債権者に対して提供する社債権者集会参考書類に記載することを要しない。これは，同一の社債権者集会に関して同一の情報を重複して提供する無駄を省くためである。典型的には，議案を招集通知または議決権行使書面に記載している場合が考えられよう。

当然のことであるが，他の書面は，社債権者集会参考書類と物理的に分離している必要はないし，逆に，同一の社債権者集会に関するものである限り，別に送付された資料を参照することもできる。招集通知に同封されていなくとも，発送時期の要件を充足し，特に参照に不便を生じないのであれば，追送などの形で補完することを否定する理由はないと考えられるからである。これに対し，以前の社債権者集会に関して社債権者に送付された書類など社債権者集会と無関係に送付された書類を引用することは許されない。これは，社債権者がそれらの書類を保管していることを期待すべきではないからであろう。

4 社債権者集会参考書類に記載することによる,社債権者に対して提供する招集通知への記載の省略（4項）

　同一の社債権者集会に関して社債権者に対して提供する招集通知の内容とすべき事項のうち,社債権者集会参考書類に記載している事項がある場合には,その事項は,社債権者に対して提供する招集通知の内容とすることを要しないものとされている。これは,3項と同様の趣旨に基づくものであり,同一の社債権者集会に関して同一の情報を重複して社債権者に提供する無駄を省くためである。

（議決権行使書面）

第174条　法第721条第1項の規定により交付すべき議決権行使書面に記載すべき事項又は法第722条第1項若しくは第2項の規定により電磁的方法により提供すべき議決権行使書面に記載すべき事項は,次に掲げる事項とする。
　一　各議案についての賛否（棄権の欄を設ける場合にあっては,棄権を含む。）を記載する欄
　二　第172条第3号に掲げる事項を定めたときは,当該事項
　三　第172条第4号に掲げる事項を定めたときは,第1号の欄に記載がない議決権行使書面が招集者（法第719条に規定する招集者をいう。以下この条において同じ。）に提出された場合における各議案についての賛成,反対又は棄権のいずれかの意思の表示があったものとする取扱いの内容
　四　議決権の行使の期限
　五　議決権を行使すべき社債権者の氏名又は名称及び行使することができる議決権の額
2　第172条第5号ロに掲げる事項を定めた場合には,招集者は,法第720条第2項の承諾をした社債権者の請求があった時に,当該社債権者に対して,法第721条第1項の規定による議決権行使書面の交付（当該交付に代えて行う同条第2項の規定による電磁的方法による提供を含む。）をしなければならない。
3　同一の社債権者集会に関して社債権者に対して提供する議決権行使書面に記載すべき事項（第1項第2号から第4号までに掲げる事項に限る。）のうち,招集通知の内容としている事項がある場合には,当該事項は,社債権者に対して提供する議決権行使書面に記載することを要しない。
4　同一の社債権者集会に関して社債権者に対して提供する招集通知の内容とすべき事項のうち,議決権行使書面に記載している事項がある場合には,当該事項は,社債権者に対して提供する招集通知の内容とすることを要しない。

第174条（議決権行使書面） 927

　本条は，社債権者集会に係る議決権行使書面に記載すべき事項を定めるものであり，株主総会において書面または電磁的方法による議決権行使を認める場合に議決権行使書面に記載すべき事項を定める66条とパラレルな規定である。すなわち，招集者は，社債権者集会の招集通知に際して，法務省令で定めるところにより，知れている社債権者に対し，社債権者が議決権を行使するための書面（議決権行使書面）を交付しなければならない（法721条1項）。また，無記名式の社債券を発行している場合には，招集者は，社債権者集会の日の1週間前までに無記名社債の社債権者の請求があったときは，直ちに，社債権者集会参考書類および議決権行使書面をその社債権者に交付しなければならない（同条3項）。また，社債権者集会に出席しない社債権者は電磁的方法によって議決権を行使することができることとした場合には，電磁的方法により招集通知を受けることを承諾した社債権者に対する電磁的方法による招集通知に際して，法務省令で定めるところにより，社債権者に対し，議決権行使書面に記載すべき事項をその電磁的方法により提供しなければならないし，承諾をしていない社債権者から社債権者集会の日の1週間前までに議決権行使書面に記載すべき事項の電磁的方法による提供の請求があったときは，法務省令で定めるところにより，ただちに，その社債権者に対し，その事項を電磁的方法により提供しなければならない（法722条）。これらの規定の委任をうけて本条が定められている。なお，本条では，社債権者が押印する欄を設けることは要求されていない。これは，平成17年改正前商法・平成17年廃止前商法特例法の下で，株主総会の議決権行使書面に押印された印影と届出印とを照合することは必ずしも行われていなかったし，押印されていない場合の議決権行使書面による議決権行使も有効であると解する余地もあったため（稲葉・昭和56改正166頁），押印させることの意義は乏しいと考えられたからであろう。

1　議決権行使書面に記載すべき事項（1項）

　議決権行使書面の具体的な様式は，その範囲で，招集者が定めることになる。なお，議決権行使書面という表題を付すことは要求されておらず，社債権者が書面によって議決権を行使するための書面であることが明らかであればよい。本項が議決権行使書面に記載すべき事項を定めているのは，主として，書面または電磁的方法により議決権を行使する社債権者の利益を保護するためである。すなわち，議案ごとの同意の有無を記載する欄を設けることによって社債権者の意思が適切に書面または電磁的方法による議決権行使に反映されるこ

とが期待できる。同時に，定型化された様式を用いることによって，招集者も社債権者の意思を的確に把握することができるとともに，書面または電磁的方法による議決権行使の結果の大量かつ迅速な処理が可能になると予想される。

(1) 各議案についての賛否（棄権の欄を設ける場合には，棄権を含む）を記載する欄（1号）

議決権行使書面には，各議案についての賛否を記載する欄を設けなければならない。議案ごとに社債権者の意思を的確に反映させるためである。また，招集者は，社債権者の意思の正確な反映を確保するという観点から，どのような内容のものを1つの議案にまとめるのが適当であるかを判断して，議案を提出するものと考えられるからである。

もっとも，立法論としては，株式会社における役員等の選任議案については，二以上の役員等の選任に関する議案である場合には各候補者の選任につき賛否を記載する欄を設けなければならないとされていること（66条1項1号イ）との均衡からは，代表社債権者の選任に関する議案についても同様の要求をすべきなのではないかとも考えられる。

なお，別に棄権の欄を設けることもできるとされている（1号かっこ書）。決議の成否に与える影響は，棄権も反対と同じであるため，棄権の欄を設けることは強制されていないが，招集者が自主的な判断に基づいて，社債権者の意思をより正確に反映させるために，棄権の欄を設けることができることを明らかにしている。

なお，社債権者が議決権行使書面を用いて，たとえば，複数の議案のうち一部の議案にのみ議決権を行使しようとする場合もありうるが，このような場合は例外的であると考えられるので，会社法施行規則には特に規定が置かれていない。そこで，社債権者が当該議案に関する記載を全部抹消するなど，当該議案については議決権を行使しないという趣旨であると認められる措置を議決権行使書面においてとったときは，その意思を尊重して処理することが適当であろう（稲葉・昭和56改正165頁参照）。

(2) 172条3号に掲げる事項についての定めがあるときは，当該事項（2号）

重複して議決権が行使され，同一の議案に対する議決権の行使の内容が異なる場合の取扱いについての定めがあるときは，その取扱いが記載すべき事項とされている。これは，社債権者にとって，議決権は重要な権利であり，重複し

て議決権を行使した場合にどのように取り扱われるのかについて重大な利害を有するから，社債権者に予測可能性を与える必要があるからであろう。

(3) 172条4号に掲げる事項についての定めがあるときは，各議案に対する賛否を記載する欄に記載がない議決権行使書面が招集者に提出された場合における各議案についての賛成，反対または棄権のいずれかの意思の表示があったものとする取扱いの内容（3号）

　議決権行使書面には，賛否の記載がないまま招集者に返送されるものがあると十分に予想されるため，本号が設けられている。必要な記載すなわち賛否の記載がないときは，その投票は棄権として扱われ，その結果，決議が成立しないという事態が生じうるので，あらかじめ賛否の記載がない場合の社債権者の意思を推測し，その取扱いを明らかにしておくものである。そして，賛否の記載のない議決権行使書面の提出は，招集者に対する信任を表す趣旨とも考えられる（稲葉・昭和56改正165頁参照）。そこで，本号は，社債権者が賛否の記載のない議決権行使書面を招集者に提出したときには，各議案につき賛成，反対または棄権のいずれかの意思表示があったものとして扱う旨を議決権行使書面に記載しておくことを認めている。実務上は，すべての議案について賛成（同意があった）と扱う旨を記載することになるのではないかと思われる。

　なお，このような定めは主として招集者の便宜のために認められており，このような定めをするかどうかは招集者の任意である。

(4) 議決権の行使の期限（4号）

　書面または電磁的方法による議決権行使の期限は，招集の決定時に，決定しなければならない（172条2号・5号イ）。ところが，社債権者にとっては，議決権は重要な権利であるから，書面または電磁的方法による議決権行使の期限が記載すべき事項の1つとされている。

(5) 議決権を行使すべき社債権者の氏名または名称および行使することができる議決権の額（5号）

　議決権を行使すべき社債権者の氏名または名称および行使することができる議決権の額を議決権行使書面に記載しなければならない。社債権者集会において，その社債権者が，どれだけの議決権を行使することができるか（法723条1項・2項）を明らかにする必要があるからである。

2 電磁的方法により社債権者集会招集通知を受けることを承諾した社債権者に対する議決権行使書面の交付（2項）

　172条5号ロは，電磁的方法による議決権行使と書面による議決権行使との両方を認める場合には，社債権者に対して議決権行使書面の交付（その交付に代えて行う法721条2項の規定による電磁的方法による提供を含む）をすると，書面による議決権行使と電磁的方法による議決権行使とが重複して行われる可能性が高まるので，議決権行使手段を複数与えることをできるだけ回避することを可能にするため，電磁的方法により社債権者集会招集の通知を受けることにつき承諾をした社債権者については，その社債権者の請求があった時に初めてその社債権者に対して議決権行使書面の交付（その交付に代えて行う法721条2項の規定による電磁的方法による提供を含む）をすることを招集者に認めている。社債権者に対して議決権行使書面の交付をしなければならないとすると，電磁的方法により招集通知をすることによる費用などの削減効果が減殺され，電磁的方法による招集通知をするインセンティブが失われることも，172条5号ロの立法趣旨の1つである。

　しかし，法721条1項は，社債権者集会招集の通知に際して，法務省令で定めるところにより，社債権者に対し，議決権の行使について参考となるべき事項を記載した書類（社債権者集会参考書類）および社債権者が議決権を行使するための書面（議決権行使書面）を交付しなければならないと定め，同条2項本文は，招集者は，電磁的方法により社債権者集会招集の通知を受けることにつき承諾をした社債権者に対し電磁的方法による通知を発するときは，社債権者集会参考書類および議決権行使書面の交付に代えて，これらの書類に記載すべき事項を電磁的方法により提供することができると定めているので，本項では，社債権者の議決権行使の機会を十分に確保するという観点から，確認的に，電磁的方法により社債権者集会の招集通知を受けることにつき承諾をした株主の請求があった時に，その社債権者に対して，議決権行使書面の交付（その交付に代えて行う電磁的方法による提供を含む）をしなければならないものと定めている（これは，172条5号ロが認める定めとも整合的である）。これは，招集通知を電磁的方法により受領することを承諾した社債権者であっても，議決権行使については書面によることを希望するものが存することも考えられ，社債権者集会参考書類を電磁的方法により提供することができる場合であっても，社債権者からの請求があれば書面の形で社債権者集会参考書類を交付しなければならないこととされていること（法721条2項ただし書）との平仄をとっ

たものと解される（要綱試案補足説明40～41頁参照）。

3 招集通知の記載の省略（3項）

　同一の社債権者集会に関して社債権者に対して提供する議決権行使書面に記載すべき事項（1項2号から4号までに掲げる事項に限る）のうち，招集通知の内容としている事項がある場合には，その事項は，議決権行使書面に記載することを要しないものとされている。招集通知か議決権行使書面に記載すれば足りるという価値判断に基づくものである。これは，招集通知に際して議決権行使書面が交付されるか，議決権行使書面に記載すべき事項が電磁的方法により提供されるため（法721条・722条），どちらかに記載されていれば，社債権者は十分な情報を得ることができると考えられるためである。

　具体的には，議決権行使書面の記載事項である，重複して議決権が行使され，同一の議案に対する議決権の行使の内容が異なる場合の取扱い（1項2号），同意の有無の記載がない場合の取扱い（1項3号）および議決権行使の期限（1項4号）が社債権者集会の招集に際して決定された場合には，法719条4号に掲げられた事項（172条）の1つとして，招集通知に記載すべき事項とされるが（法720条3項），これらを議決権行使書面に記載した場合には招集通知に記載することを要しない。

4 議決権行使書面の記載の省略（4項）

　同一の社債権者集会に関して社債権者に対して提供する招集通知の内容とすべき事項のうち，議決権行使書面に記載している事項がある場合には，当該事項は，招集通知の内容とすることを要しないものとされている。3項と同様，招集通知か議決権行使書面に記載すれば足りるという価値判断に基づくものである。これは，招集通知に際して議決権行使書面が交付されるか，議決権行使書面に記載すべき事項が電磁的方法により提供されるため（法721条・722条），どちらかに記載されていれば，社債権者は十分な情報を得ることができると考えられるためである。議決権行使書面の記載事項である，重複して議決権が行使され，同一の議案に対する議決権の行使の内容が異なる場合の取扱い（1項2号），同意の有無の記載がない場合の取扱い（1項3号）および議決権行使の期限（1項4号）が社債権者集会の招集に際して決定された場合には，法719条4号に掲げられた事項（172条）の1つとして，招集通知に記載すべき事項とされるが（法720条3項），これらを招集通知に記載した場合には議決権行使

書面に記載することを要しない。

　各議案に対する賛否を記載する欄（1項1号）および議決権を行使すべき社債権者の氏名または名称および行使することができる議決権の額（1項5号）は，招集通知に記載することが適切なものではないため，必ず，議決権行使書面に記載しなければならない。

（書面による議決権行使の期限）
第175条　法第726条第2項に規定する法務省令で定める時は，第172条第2号の行使の期限とする。

　本条は，社債権者集会における書面による議決権行使の期限を定めるものである。

　株主総会における書面による議決権行使の期限については，特に定めなければ，株主総会の日時の直前の営業時間の終了時とされている（69条）のとは異なり，社債権者集会における書面による議決権行使については，社債権者集会の招集事項として定められた日時［→172条2］が，社債権者集会における書面による議決権行使の期限とされる。これは，社債権者集会の段階では，株式会社の営業に支障が生じていて営業時間を観念できない場合があったり，営業時間が短縮されている場合がありうる一方で，社債権者集会は株主総会と異なり反復的に開催されるものではないから，書面による議決権行使の期限についてデフォルト・ルールを定める必要性が乏しいと考えられるためと推測される。

（電磁的方法による議決権行使の期限）
第176条　法第727条第1項に規定する法務省令で定める時は，第172条第5号イの行使の期限とする。

　本条は，社債権者集会における電磁的方法による議決権行使の期限を定めるものである。

　株主総会における電磁的方法による議決権行使の期限については，特に定めがなければ，株主総会の日時の直前の営業時間の終了時とされている（70条）のとは異なり，社債権者集会における電磁的方法による議決権行使について

は，社債権者集会の招集事項として定められた日時［→172条5］が，社債権者集会における書面による議決権行使の期限とされる。これは，社債権者集会の段階では，株式会社の営業に支障が生じていて営業時間を観念できない場合があったり，営業時間が短縮されている場合がありうる一方で，社債権者集会は株主総会と異なり反復的に開催されるものではないから，電磁的方法による議決権行使の期限についてデフォルト・ルールを定める必要性が乏しいと考えられるからであると推測される。

（社債権者集会の議事録）

第177条 法第731条第1項の規定による社債権者集会の議事録の作成については，この条の定めるところによる。

2　社債権者集会の議事録は，書面又は電磁的記録をもって作成しなければならない。

3　社債権者集会の議事録は，次に掲げる事項を内容とするものでなければならない。
　一　社債権者集会が開催された日時及び場所
　二　社債権者集会の議事の経過の要領及びその結果
　三　法第729条第1項の規定により社債権者集会において述べられた意見があるときは，その意見の内容の概要
　四　社債権者集会に出席した社債発行会社の代表者又は代理人の氏名
　五　社債権者集会に出席した社債管理者の代表者若しくは代理人の氏名又は社債管理補助者若しくはその代表者若しくは代理人の氏名
　六　社債権者集会の議長が存するときは，議長の氏名
　七　議事録の作成に係る職務を行った者の氏名又は名称

4　法第735条の2第1項の規定により社債権者集会の決議があったものとみなされた場合には，社債権者集会の議事録は，次の各号に掲げる事項を内容とするものとする。
　一　社債権者集会の決議があったものとみなされた事項の内容
　二　前号の事項の提案をした者の氏名又は名称
　三　社債権者集会の決議があったものとみなされた日
　四　議事録の作成に係る職務を行った者の氏名又は名称

本条は，社債権者集会の議事録の作成について定めるものである。すなわ

ち，法731条1項は，社債権者集会の議事については，法務省令で定めるところにより，議事録を作成しなければならないと規定しており，この委任をうけて本条が定められている。

1　書面または電磁的記録（2項）

　会社法は社債権者集会の議事録をどのような媒体で作成しなければならないかについて直接には規律していないが，本項は，株主総会の議事録などと平仄を合わせて（16条2項・72条2項・101条2項・109条2項・111条の4第2項・177条2項），社債権者集会の議事録は，書面または電磁的記録をもって作成しなければならないものと定めている。法731条3項も，社債権者集会の議事録が書面または電磁的記録をもって作成されることを前提としている。書面または電磁的記録をもって作成しなければならないとされているのは，社債発行会社は，社債権者集会の日から10年間，社債権者集会の議事録をその本店に備え置かなければならない（法731条2項）とされており，ある程度の期間，保存が可能な確実な記録媒体を用いることを要求するものである。

　本項でいう電磁的記録とは，電子的方式，磁気的方式その他人の知覚によっては認識することができない方式で作られる記録であって，電子計算機による情報処理の用に供されるものとして法務省令で定めるものをいい（法26条2項かっこ書），具体的には，磁気ディスクその他これに準ずる方法により一定の情報を確実に記録しておくことができる物をもって調製するファイルに情報を記録したものをいうものとされている（224条）。

　磁気ディスクにはフロッピー・ディスクなどが含まれるが，「その他これに準ずる方法により一定の情報を確実に記録しておくことができる物」には，磁気テープ，磁気ドラムのように磁気的方法により情報を記録するための媒体，ICカードやUSBメモリなどのような電子的方法により情報を記録するための媒体，CD-ROM，DVD-ROMなどのような光学的方式により情報を記録するための媒体が含まれる。そのような記録媒体を用いて調製するファイルに情報を記録したものが，本項にいう電磁的記録にあたる（江原＝太田・商事法務1627号8頁）。

2　議事録の内容（3項）

　平成17年改正前商法442条1項が準用する同法244条2項は，議事録に議事の経過の要領およびその結果を記載または記録することを要求していたが，本項

は，議事録の内容とすべき事項をより詳細に定めている。

平成17年改正前商法の下では，「議事ノ経過ノ要領」とは，開会宣言から閉会宣言までの会議の経過の要約をいうと解され，「議事ノ経過ノ要領」には，①標題，②社債権者集会の会日，③開催時刻および開催場所，④取締役・執行役・監査役・社債管理会社の出席状況，⑤議長の開会宣言，⑥議決権個数の報告，⑦報告事項の報告，⑧質問状に対する一括回答，⑨質疑応答，⑩質問状の提出者が社債権者集会に欠席した場合，⑪決議事項の上程および審議，⑫決議事項に関する質疑応答，⑬動議が出された場合，⑭議長の閉会宣言と閉会時刻，⑮議事録の作成担保文言および作成日付などが含まれると解されていたが（今井＝成毛14頁以下参照），これは，本項で特に内容とすべき事項として掲げられたものを除けば，本項2号にいう「社債権者集会の議事の経過の要領」の解釈にもあてはまると考えられる。

本項では，第1に，一定の類型的に重要な意見が社債権者集会において述べられたときには，その内容の概要を議事録の内容とすることが要求されている。すなわち，社債発行会社，社債管理者または社債管理補助者は，その代表者もしくは代理人を社債権者集会に出席させ，または書面により意見を述べることができ，そのようにして述べられた意見は議事録の内容としなければならないものとされている（3号）。いずれも，社債権者の議決権行使にとって，重要な意見であり，かつ，そのような意見を述べる機会が社債発行会社，社債管理者または社債管理補助者に与えられたかどうかを後日確かめるための記録を残しておくことが必要だからである。また，社債管理者にとっては，善良な管理者としての注意義務を尽くして任務を果たしたことを立証するための証拠ともなりうる。

第2に，「社債権者集会に出席した社債発行会社の代表者又は代理人の氏名」（4号）および「社債権者集会に出席した社債管理者の代表者若しくは代理人の氏名又は社債管理補助者若しくはその代表者若しくは代理人の氏名」（5号）を含めるべきこととされている。これは，社債権者集会において社債管理者または社債管理補助者には社債権者の利益を保護するという観点から適切な発言等を行うことが期待され，また，社債発行会社の代表者（または代理人）は社債権者集会において適切に説明し，また，社債権者集会における議論を理解しておくことが期待されるからであろう。出席者は意見を述べる可能性があるとともに，意見を述べなくとも，事実上の影響力を及ぼす可能性があることも一因かもしれない。取締役会議事録（101条に対するコメント2参照）と

異なり，出席した社債発行会社の代表者もしくは代理人，社債管理者の代表者もしくは代理人の氏名または社債管理補助者もしくはその代表者もしくは代理人の氏名を社債権者集会議事録に含めることが要求されているのは，平成17年改正前商法339条3項とは異なり，出席した社債発行会社の代表者等が社債権者集会議事録に署名または記名押印を行うことを要求されていないからである（出席した社債発行会社，社債管理者または社債管理補助者の代表者などの社債権者集会の議事録に対する署名等には法的な意味がなく（取締役会，監査役会，委員会または清算人会の議事録に対する署名等の効果（会社法369条5項・393条4項・412条5項・490条5項）と対照），しかも，署名等を要求することによっては，偽造の防止や真正性の確保が実現するとは必ずしも考えられないことから，会社法の下では，署名等は義務づけないこととされている。相澤＝郡谷・商事法務1759号15頁参照）。

　第3に，「社債権者集会の議長が存するときは，議長の氏名」（6号）を議事録に含めるべきこととされているのは，議長は議事の進行に大きな影響力を有するため，社債権者集会議事録が証拠として提出される場合などには重要な情報でありうるからであろう。したがって，ここでいう「社債権者集会の議長」とは，その社債権者集会において議長を務めた者をいうと解される。議事の途中で，議長が交代した場合には，すべての議長の氏名を，どの事項についての報告・審議について議長を務めたかを明らかにして，示すべきことになろう。

　第4に，「議事録の作成に係る職務を行った者の氏名又は名称」（7号）を議事録に含めるべきこととされているのは，議事録の作成についての責任者を明らかにするためである。「又は名称」とされているのは，社債権者などは自然人であるとは限らないからである。

　株主総会の議事録とは異なり（72条3項1号かっこ書と対照），社債権者集会が開催された「場所に存しない」者「が社債権者集会に出席をした場合における当該出席の方法」は社債権者集会の議事録の内容とすることが要求されていない。株主総会が開催された「場所に存しない取締役……，執行役，会計参与，監査役，会計監査人又は株主が株主総会に出席をした場合における当該出席の方法」が株主総会の議事録の内容とすべき事項とされているのは，株主総会を開催する際に，その場所に物理的に出席しなくとも，取締役会などと同様，オンライン会議，テレビ会議あるいは電話会議のように，情報伝達の双方向性および即時性が確保されるような方式で株主等が株主総会に出席することができることを前提とした規定である〔→101条2〕。そこで，社債権者集会に

ついて、同様の規定が設けられていないことから、社債権者集会はオンライン会議、テレビ会議や電話会議によって行うことができないのかという問題があるが、オンライン会議、テレビ会議や電話会議で行うことができるかは、社債権者集会を要求している会社法の規定の趣旨に照らして判断すべきなので、禁止する明文もなく、禁止すべき理由もない以上、社債権者集会をオンライン会議、テレビ会議または電話会議によって行うことはできると解すべきである。

3 社債権者集会の決議があったとみなされた場合（4項）

　社債発行会社、社債管理者、社債管理補助者または社債権者が社債権者集会の目的である事項について提案をした場合において、その提案につき議決権を行使することができる社債権者の全員が書面または電磁的記録により同意の意思表示をしたときは、その提案を可決する旨の社債権者集会の決議があったものとみなされる（法735条の2第1項）。そこで、本条4項は、株主総会の決議があったものとみなされた場合の株主総会の議事録について定める72条4項1号とパラレルに、この場合の社債権者集会の議事録の内容を定めるものである。

　ある提案につき議決権を行使することができる社債権者以外の者にとっては、特定の決議が、会議を開催して行われたのか、その提案につき議決権を行使することができる社債権者全員の同意によって行われたのかが明らかではないことから、社債権者集会の決議に関する資料の保存等についての規律の首尾一貫性を確保するため、本条は、社債権者集会の決議があったものとみなされた場合にも議事録の作成を要求することとしたものである。議事録である以上、会社法731条2項・3項により、備置き・閲覧・謄写等の対象となる。

　もっとも、会議が開催された場合と異なり、社債権者集会が開催された日時および場所ならびに社債権者集会の議事の経過の要領およびその結果といったような記載・記録事項はないし、議長が存するということはないから、議長の氏名は記載・記録事項ではない。すなわち、社債権者集会の決議があったものとみなされた事項の内容、社債権者集会の決議があったものとみなされた場合には、その事項の提案をした者の氏名または名称、社債権者集会の決議があったものとみなされた日、および、議事録の作成に係る職務を行った者の氏名または名称を内容としなければならないものとされるにとどまっている。

第5編 組織変更，合併，会社分割，株式交換，株式移転及び株式交付

第1章 吸収分割契約及び新設分割計画

第1節 吸収分割契約

第178条 法第758条第8号イ及び第760条第7号イに規定する法務省令で定めるものは，次に掲げるものとする。

一 イに掲げる額からロに掲げる額を減じて得た額がハに掲げる額よりも小さい場合における吸収分割に際して吸収分割株式会社が吸収分割承継会社から取得した金銭等であって，法第758条第8号又は第760条第7号の定めに従い取得対価（法第171条第1項第1号に規定する取得対価をいう。以下この条において同じ。）又は配当財産として交付する承継会社株式等（吸収分割承継株式会社の株式又は吸収分割承継持分会社の持分をいう。以下この号において同じ。）以外の金銭等

　イ 法第758条第8号イ若しくはロ又は第760条第7号イ若しくはロに掲げる行為により吸収分割株式会社の株主に対して交付する金銭等（法第758条第8号イ又は第760条第7号イに掲げる行為（次号において「特定株式取得」という。）をする場合にあっては，取得対価として交付する吸収分

割株式会社の株式を除く。）の合計額
　　ロ　イに規定する金銭等のうち承継会社株式等の価額の合計額
　　ハ　イに規定する金銭等の合計額に20分の1を乗じて得た額
　二　特定株式取得をする場合における取得対価として交付する吸収分割株式
　　会社の株式

　本条は，いわゆる分割型分割（人的分割）である吸収分割との関連で，吸収分割承継株式会社の株式に準ずるものとして法務省令で定めるもの（法758条8号イ）および吸収分割承継持分会社の持分に準ずるものとして法務省令で定めるもの（法760条7号イ）を定めるものである。すなわち，吸収分割株式会社が効力発生日に全部取得条項付種類株式の取得をする場合に，その取得対価が吸収分割承継株式会社の株式（吸収分割株式会社が吸収分割をする前から有するものを除き，吸収分割承継株式会社の株式に準ずるものとして法務省令で定めるものを含む）であるとき，または，吸収分割株式会社が効力発生日に剰余金の配当をする場合に，その配当財産が吸収分割承継株式会社の株式（吸収分割株式会社が吸収分割をする前から有するものを除き，吸収分割承継株式会社の株式に準ずるものとして法務省令で定めるものを含む）であるときには，法458条および法第2編第5章第6節が定める規律に服さないものとされている（法792条）。同様に，吸収分割株式会社が効力発生日に全部取得条項付種類株式の取得をする場合に，その取得対価が吸収分割承継持分会社の持分（吸収分割株式会社が吸収分割をする前から有するものを除き，吸収分割承継持分会社の持分に準ずるものとして法務省令で定めるものを含む）であるとき，または，吸収分割株式会社が効力発生日に剰余金の配当をする場合に，その配当財産が吸収分割承継持分会社の持分（吸収分割株式会社が吸収分割をする前から有するものを除き，吸収分割承継持分会社の持分に準ずるものとして法務省令で定めるものを含む）であるときには，法458条および法第2編第5章第6節が定める規律に服さないものとされている（法792条）。これをうけて，本条が定められている。

　本条は，平成17年改正前商法の下では，分割会社の株主に対して，分割交付金を交付することが認められていたこと（同法374条ノ17第2項4号）をふまえ，さらに，金銭以外の財産の交付を一定の範囲内で認めるものである。

　吸収分割株式会社が吸収分割の効力発生日に全部取得条項付種類株式の取得を行う場合にも剰余金の配当を行う場合にも，分割対価として取得した吸収分

割承継株式会社の株式または吸収分割承継持分会社の持分は制限なく取得対価または配当財産とすることができることは当然であるが、取得対価または配当財産として吸収分割株式会社の株主に交付する財産（全部取得条項付種類株式の取得の場合には、吸収分割株式会社の株式を除く）の合計額の５％を超えなければ、分割対価として取得した財産のうち吸収分割承継株式会社の株式でもなく吸収分割承継持分会社の持分でもない財産を交付することができるものとしている。また、全部取得条項付種類株式の取得対価としては、吸収分割株式会社自身の株式を――それが分割対価として取得したものであるか否かを問わず――交付すること（自己株式の処分あるいは株式の発行）もできるものとされているが（これは、法171条１項１号イとの整合性を図ったものと推測される。そして、吸収分割会社自身の株式を交付することによって会社財産の流出はないから、会社債権者保護の観点からも問題はない）、配当財産としては、吸収分割会社自身の株式を交付することはできないものとされている。これは、会社法の下では、剰余金の配当としては自己株式を交付することができないと整理されているためである（法461条１項柱書参照）。

　分割対価として取得した財産のうち吸収分割承継株式会社の株式でもなく吸収分割承継持分会社の持分でもない財産の交付が、取得対価としてまたは配当財産として吸収分割株式会社の株主に交付する財産（全部取得条項付種類株式の取得の場合には、吸収分割株式会社の株式を除く）の合計額の５％を超えない範囲内でのみ認められているのは、法758条８号および760条７号が認める全部取得条項付株式の取得および剰余金の配当は、平成17年改正前商法の下で認められていた分割型分割の実質を維持するためであるから、吸収分割承継株式会社の株式でもなく吸収分割承継持分会社の持分でもない財産の交付を無制限に認める必要はないからである。また、吸収分割においては、債権者保護手続が履践されるとはいえ、分配可能額を用いた分配規制の例外を広く認めることは適当ではないと考えられるからである（相澤＝細川・商事法務1769号21頁）。

第2節　新設分割計画

第179条　法第763条第1項第12号イ及び第765条第1項第8号イに規定する法務省令で定めるものは，次に掲げるものとする。
一　イに掲げる額から口に掲げる額を減じて得た額がハに掲げる額よりも小さい場合における新設分割に際して新設分割株式会社が新設分割設立会社から取得した金銭等であって，法第763条第1項第12号又は第765条第1項第8号の定めに従い取得対価（法第171条第1項第1号に規定する取得対価をいう。以下この条において同じ。）又は配当財産として交付する設立会社株式等（新設分割設立株式会社の株式又は新設分割設立持分会社の持分をいう。以下この号において同じ。）以外の金銭等
　　イ　法第763条第1項第12号イ若しくは口又は第765条第1項第8号イ若しくは口に掲げる行為により新設分割株式会社の株主に対して交付する金銭等（法第763条第1項第12号イ又は第765条第1項第8号イに掲げる行為（次号において「特定株式取得」という。）をする場合にあっては，取得対価として交付する新設分割株式会社の株式を除く。）の合計額
　　ロ　イに規定する金銭等のうち設立会社株式等の価額の合計額
　　ハ　イに規定する金銭等の合計額に20分の1を乗じて得た額
二　特定株式取得をする場合における取得対価として交付する新設分割株式会社の株式

　本条は，いわゆる分割型分割（人的）である新設分割との関連で，新設分割設立株式会社の株式に準ずるものとして法務省令で定めるもの（法763条1項12号イ）および新設分割設立持分会社の持分に準ずるものとして法務省令で定めるもの（法765条1項8号イ）を定めるものである。すなわち，新設分割株式会社が効力発生日に全部取得条項付種類株式の取得をする場合に，その取得対価が新設分割設立株式会社の株式（新設分割株式会社が新設分割をする前から有するものを除き，新設分割設立株式会社の株式に準ずるものとして法務省令で定めるものを含む）であるとき，または，新設分割株式会社が効力発生日に剰余金の配当をする場合に，その配当財産が新設分割設立株式会社の株式（新設分割株

式会社が新設分割をする前から有するものを除き，新設分割設立株式会社の株式に準ずるものとして法務省令で定めるものを含む）であるときには，法458条および法第2編第5章第6節が定める規律に服さないものとされている（法812条）。同様に，新設分割株式会社が効力発生日に全部取得条項付種類株式の取得をする場合に，その取得対価が新設分割設立持分会社の持分（新設分割株式会社が新設分割をする前から有するものを除き，新設分割設立持分会社の持分に準ずるものとして法務省令で定めるものを含む）であるとき，または，新設分割株式会社が効力発生日に剰余金の配当をする場合に，その配当財産が新設分割設立持分会社の持分（新設分割株式会社が新設分割をする前から有するものを除き，新設分割設立持分会社の持分に準ずるものとして法務省令で定めるものを含む）であるときには，法458条および法第2編第5章第6節が定める規律に服さないものとされている（法812条）。これをうけて，本条が定められている。

本条は，平成17年改正前商法の下では，分割会社の株主に対して，分割交付金を交付することが認められていたこと（同法374条2項4号）を踏まえ，さらに，金銭以外の財産の交付を一定の範囲内で認めるものである。

新設分割株式会社が新設分割の効力発生日に全部取得条項付種類株式の取得を行う場合にも剰余金の配当を行う場合にも，分割対価として取得した新設分割設立株式会社の株式または新設分割設立持分会社の持分は制限なく取得対価または配当財産とすることができることは当然であるが，取得対価としてまたは配当財産として新設分割株式会社の株主に交付する財産（全部取得条項付種類株式の取得の場合には，新設分割株式会社の株式を除く）の合計額の5％を超えなければ，分割対価として取得した財産のうち新設分割設立株式会社の株式でもなく新設分割設立持分会社の持分でもない財産を交付することができるものとしている。また，全部取得条項付種類株式の取得対価としては，新設分割株式会社自身の株式を——それが分割対価として取得したものであるか否かを問わず——交付すること（自己株式の処分あるいは株式の発行）もできるものとされているが（これは，法171条1項1号イとの整合性を図ったものと推測される。そして，新設分割株式会社自身の株式を交付することによって会社財産の流出はないから，会社債権者保護の観点からも問題はない），配当財産としては，新設分割株式会社自身の株式を交付することはできないものとされている。これは，会社法の下では，剰余金の配当としては自己株式を交付することができないと整理されているためである（法461条1項柱書参照）。

分割対価として取得した財産のうち新設分割設立株式会社の株式でもなく新

設分割設立持分会社の持分でもない財産の交付が，取得対価としてまたは配当財産として新設分割株式会社の株主に交付する財産（全部取得条項付種類株式の取得の場合には，新設分割株式会社の株式を除く）の合計額の5％を超えない範囲内でのみ認められているのは，法763条1項12号および765条1項8号が認める全部取得条項付株式の取得および剰余金の配当は，平成17年改正前商法の下で認められていた分割型分割の実質を維持するためであるから，新設分割設立株式会社の株式でもなく新設分割設立持分会社の持分でもない財産の交付を無制限に認める必要はないからである。また，新設分割においては，債権者保護手続が履践されるとはいえ，分配可能額を用いた分配規制の例外を広く認めることは適当ではないと考えられるからである（相澤＝細川・商事法務1769号21頁）。

第1章の2

株式交付子会社の株式の譲渡しの申込み

──(申込みをしようとする者に対して通知すべき事項)──
第179条の2 法第774条の4第1項第3号（法第774条の9において準用する場合を含む。）に規定する法務省令で定める事項は，次に掲げる事項とする。
一 交付対価について参考となるべき事項
二 株式交付親会社の計算書類等に関する事項
2 この条において「交付対価」とは，株式交付親会社が株式交付に際して株式交付子会社の株式，新株予約権（新株予約権付社債に付されたものを除く。以下この条において同じ。）又は新株予約権付社債の譲渡人に対して当該株式，新株予約権又は新株予約権付社債の対価として交付する金銭等をいう。
3 第1項第1号に規定する「交付対価について参考となるべき事項」とは，次に掲げる事項その他これに準ずる事項（これらの事項の全部又は一部を通知しないことにつき法第774条の4第1項（法第774条の9において準用する場合を含む。）の申込みをしようとする者の同意がある場合にあっては，当該同意があったものを除く。）とする。
一 交付対価として交付する株式交付親会社の株式に関する次に掲げる事項
　イ 当該株式交付親会社の定款の定め
　ロ 次に掲げる事項その他の交付対価の換価の方法に関する事項
　　(1) 交付対価を取引する市場
　　(2) 交付対価の取引の媒介，取次ぎ又は代理を行う者
　　(3) 交付対価の譲渡その他の処分に制限があるときは，その内容
　ハ 交付対価に市場価格があるときは，その価格に関する事項
二 株式交付親会社の過去5年間にその末日が到来した各事業年度（次に掲げる事業年度を除く。）に係る貸借対照表の内容
　(1) 最終事業年度
　(2) ある事業年度に係る貸借対照表の内容につき，法令の規定に基づく公告（法第440条第3項の措置に相当するものを含む。）をしている場合

における当該事業年度
　(3)　ある事業年度に係る貸借対照表の内容につき，金融商品取引法第24条第１項の規定により有価証券報告書を内閣総理大臣に提出している場合における当該事業年度
ロ　交付対価の一部が法人等の株式，持分その他これらに準ずるもの（株式交付親会社の株式を除く。）であるときは，次に掲げる事項（当該事項が日本語以外の言語で表示されている場合にあっては，当該事項（氏名又は名称を除く。）を日本語で表示した事項）
　イ　当該法人等の定款その他これに相当するものの定め
　ロ　当該法人等が会社でないときは，次に掲げる権利に相当する権利その他の交付対価に係る権利（重要でないものを除く。）の内容
　　(1)　剰余金の配当を受ける権利
　　(2)　残余財産の分配を受ける権利
　　(3)　株主総会における議決権
　　(4)　合併その他の行為がされる場合において，自己の有する株式を公正な価格で買い取ることを請求する権利
　　(5)　定款その他の資料（当該資料が電磁的記録をもって作成されている場合にあっては，当該電磁的記録に記録された事項を表示したもの）の閲覧又は謄写を請求する権利
　ハ　当該法人等が，その株主，社員その他これらに相当する者（以下この号，第182条第４項第２号及び第184条第４項第２号において「株主等」という。）に対し，日本語以外の言語を使用して情報の提供をすることとされているときは，当該言語
　ニ　株式交付が効力を生ずる日に当該法人等の株主総会その他これに相当するものの開催があるものとした場合における当該法人等の株主等が有すると見込まれる議決権その他これに相当する権利の総数
　ホ　当該法人等について登記（当該法人等が外国の法令に準拠して設立されたものである場合にあっては，法第933条第１項の外国会社の登記又は外国法人の登記及び夫婦財産契約の登記に関する法律第２条の外国法人の登記に限る。）がされていないときは，次に掲げる事項
　　(1)　当該法人等を代表する者の氏名又は名称及び住所
　　(2)　当該法人等の役員（(1)の者を除く。）の氏名又は名称
　ヘ　当該法人等の最終事業年度（当該法人等が会社以外のものである場合にあっては，最終事業年度に相当するもの。以下この号において同じ。）に係る計算書類（最終事業年度がない場合にあっては，当該法人等の成立の日における貸借対照表）その他これに相当するものの内容（当該計算書

類その他これに相当するものについて監査役，監査等委員会，監査委員会，会計監査人その他これらに相当するものの監査を受けている場合にあっては，監査報告その他これに相当するものの内容の概要を含む。）
　ト　次に掲げる場合の区分に応じ，次に定める事項
　　(1)　当該法人等が株式会社である場合　当該法人等の最終事業年度に係る事業報告の内容（当該事業報告について監査役，監査等委員会又は監査委員会の監査を受けている場合にあっては，監査報告の内容を含む。）
　　(2)　当該法人等が株式会社以外のものである場合　当該法人等の最終事業年度に係る第118条各号及び第119条各号に掲げる事項に相当する事項の内容の概要（当該事項について監査役，監査等委員会，監査委員会その他これらに相当するものの監査を受けている場合にあっては，監査報告その他これに相当するものの内容の概要を含む。）
　チ　当該法人等の過去5年間にその末日が到来した各事業年度（次に掲げる事業年度を除く。）に係る貸借対照表その他これに相当するものの内容
　　(1)　最終事業年度
　　(2)　ある事業年度に係る貸借対照表その他これに相当するものの内容につき，法令の規定に基づく公告（法第440条第3項の措置に相当するものを含む。）をしている場合における当該事業年度
　　(3)　ある事業年度に係る貸借対照表その他これに相当するものの内容につき，金融商品取引法第24条第1項の規定により有価証券報告書を内閣総理大臣に提出している場合における当該事業年度
　リ　前号ロ及びハに掲げる事項
　ヌ　交付対価が自己株式の取得，持分の払戻しその他これらに相当する方法により払戻しを受けることができるものであるときは，その手続に関する事項
三　交付対価の一部が株式交付親会社の社債，新株予約権又は新株予約権付社債であるときは，第1号ロ及びハに掲げる事項
四　交付対価の一部が法人等の社債，新株予約権，新株予約権付社債その他これらに準ずるもの（株式交付親会社の社債，新株予約権又は新株予約権付社債を除く。）であるときは，次に掲げる事項（当該事項が日本語以外の言語で表示されている場合にあっては，当該事項（氏名又は名称を除く。）を日本語で表示した事項）
　イ　第1号ロ及びハに掲げる事項
　ロ　第2号イ及びホからチまでに掲げる事項
五　交付対価の一部が株式交付親会社その他の法人等の株式，持分，社債，新株予約権，新株予約権付社債その他これらに準ずるもの及び金銭以外の財

> 産であるときは，第１号ロ及びハに掲げる事項
> ４　第１項第２号に規定する「株式交付親会社の計算書類等に関する事項」とは，次に掲げる事項とする。
> 　一　最終事業年度に係る計算書類等（最終事業年度がない場合にあっては，株式交付親会社の成立の日における貸借対照表）の内容
> 　二　最終事業年度の末日（最終事業年度がない場合にあっては，株式交付親会社の成立の日。次号において同じ。）後の日を臨時決算日（二以上の臨時決算日がある場合にあっては，最も遅いもの）とする臨時計算書類等があるときは，当該臨時計算書類等の内容
> 　三　最終事業年度の末日後に重要な財産の処分，重大な債務の負担その他の会社財産の状況に重要な影響を与える事象が生じたときは，その内容

　法774条の４第１項は，株式交付親会社は，株式交付子会社の株式の譲渡しの申込みをしようとする者に対し，株式交付親会社の商号（１号），株式交付計画の内容（２号）および「前２号に掲げるもののほか，法務省令で定める事項」（３号）を通知しなければならないと定め，法774条の９は株式交付子会社の新株予約権等の譲渡しについて法774条の４などを準用すると定めている。

　これをうけて，本条１項は，交付対価について参考となるべき事項および株式交付親会社の計算書類等に関する事項を法774条の４第１項３号の「法務省令で定める事項」とする。なお，本条において，「交付対価」とは，株式交付親会社が株式交付に際して株式交付子会社の株式，新株予約権（新株予約権付社債に付されたものを除く）または新株予約権付社債の譲渡人に対して当該株式，新株予約権または新株予約権付社債の対価として交付する金銭等をいうとされている（２項）。

１　交付対価について参考となるべき事項（１項１号・３項）

　交付対価の種類に応じて，交付対価について参考となるべき事項が定められている。すなわち，３項１号から５号に掲げる場合の区分に応じ，当該各号に定める事項その他これに準ずる事項が事前開示事項とされている。「その他これに準ずる事項」とされているので，３項各号に定められている事項のみを記載すれば足りるというわけでは必ずしもない。すなわち，開示された情報により，株式交付子会社の株式または新株予約権等の譲渡しの申込みをしようとする株式交付子会社の株主・新株予約権者・新株予約権付社債権者が交付対価の

内容および価値を的確に理解することが可能になるように情報を開示しなければならない。たとえば，交付対価が取得条項付株式である場合において，取得日を株式交換の効力発生日またはこれに近接した日に設定したときには，取得条項付株式の取得の対価である財産が実質的な交付対価にあたることになる。このように株式交付計画において定められた交付対価である財産と実質的な交付対価となる財産とが異なる場合には実質的な交付対価となる財産（この例では，取得条項付株式の取得の対価である財産）についても開示が求められる（相澤ほか・商事法務1800号13頁（注12）参照）。これは，交付対価が新株予約権，新株予約権付社債またはこれらに準ずるものである場合においても同様であり，当該新株予約権などの流通が予定されておらず，その権利を行使して株式・持分の交付を受けること以外に換価等の方法が事実上存在しない場合には，その権利を行使した場合に交付を受ける株式・持分について，交付対価として交付する株式交付親会社の株式（3項1号）に準じた開示が必要となると考えられる（相澤ほか・商事法務1800号13頁（注12）参照）。

(1) 交付対価として交付する株式交付親会社の株式に関する事項（3項1号）
① 株式交付親会社の定款の定めの記載が求められている。これが事前開示事項に含められているのは，会社法の下では，広く，定款自治が認められており，株式交付親会社の株主としての権利の実質的内容は，その定款の規定を見ないと適切に判断できないことによるものであると考えられる。申込みをしようとする株式交付子会社の株主等は，株式交付親会社の定款を閲覧する権利を有しないので事前開示事項とされている。2号イにおいて，交付対価の一部が株式交付親会社以外の法人等の株式，持分その他これらに準ずるものである場合には，「当該法人等の定款その他これに相当するもの」が原則として事前開示事項とされていることとの平仄をとったものであるということもできよう。
② 交付対価を取引する市場，交付対価の取引の媒介，取次ぎまたは代理を行う者，交付対価の譲渡その他の処分に制限があるときは，その内容その他の交付対価の換価の方法に関する事項の記載が求められる。これは，流動性が乏しく，換価が困難な交付対価が交付されるおそれがあることを背景とするものであるが，交付対価が株式交付親会社の株式である場合であっても当該交付対価の流動性や換価の容易さが欠けている場合があるため，交付対価とされる財産の種類にかかわらず，記載が求められている（相澤ほか・商事法

務1800号8頁参照)。交付対価を取引する市場としては金融商品取引所その他の取引所などの具体的な名称を記載することが考えられる。交付対価の取引の媒介，取次ぎまたは代理を行う者の記載としては，交付対価を取り扱う証券会社その他の業者に関する情報を記載することが想定されるが，株式交付子会社の株主がその業者に容易にアクセスすることを可能にする程度の情報を記載すべきであると指摘されている。すなわち，交付対価とされた財産を取り扱っている業者が限られる場合には，当該業者の氏名または名称のみならず，住所や電話番号などアクセスに必要な情報を開示する必要がある（相澤ほか・商事法務1800号8頁参照)。交付対価の譲渡その他の処分に制限があるときは，その内容を記載すべきこととされており，当該制限は，法令または定款に基づくものに限られないが，当該交付対価を受領する株式交付子会社の株式等の譲渡人およびその者からの転得者がその制限に服さないもの（株主間契約など）は開示を要しない。

③　交付対価に市場価格があるときは，その価格に関する事項を記載しなければならない。これは，交付対価の相当性に関する判断資料および交付対価の交付を受けた後に市場価格を把握するための手段に関する情報を，申込みをしようとする株式交付子会社の株主等に対して提供させようというものである。ここでいう「市場価格」は典型的には上場有価証券については証券取引所における相場であるが，「取引所の相場」とは規定されていないから，より広い概念であると考えられる（「市場価格」の意義については，36条に対するコメント参照)。市場価格に関する事項としては，事前開示書類の備置開始日までの，適切に選択された一定期間にわたる市場価格の状況を記載することがまず考えられる。また，交付対価の市場価格が掲載されているウェブページのURLを記載することも想定される。

④　最終事業年度，ある事業年度に係る貸借対照表の内容につき，法令の規定に基づく公告（会社法440条3項の措置（電磁的方法による公開）に相当するものを含む）をしている場合における当該事業年度，および，ある事業年度に係る貸借対照表の内容につき，金融商品取引法24条1項の規定により有価証券報告書を内閣総理大臣に提出している場合における当該事業年度を除き，株式交付親会社の過去5年間にその末日が到来した各事業年度に係る貸借対照表の内容を記載しなければならない。これは，株式交付親会社の株式の経済的価値を推測し，申込みをしようとする株式交付子会社の株主等が的確な判断を行うためには，株式交付親会社の財産および損益の状況についての十

分な情報が必要だからである。

　最終事業年度に係る貸借対照表の内容を記載することを要しないのは、計算書類等に関する事項（1項2号・4項）として開示されるからであり、公告もしくは電磁的方法による公開をしている事業年度に係る貸借対照表の内容を記載することを要しないのは、事前開示書面または電磁的記録に含めなくとも、公告をみることまたはインターネットを通じてアクセスすることによって入手可能な情報だからである。ある事業年度に係る貸借対照表の内容につき、金融商品取引法24条1項の規定により有価証券報告書を内閣総理大臣に提出している場合における当該事業年度に係る貸借対照表の内容を記載することを要しないのは、有価証券報告書は5年間公衆縦覧に供され（金融商品取引法25条1項4号）、また、EDINETを用いて提出され、公衆の縦覧に供されているものは行政サービスの一環としてインターネットを通じて当該情報を得ることができるからである。

(2)　交付対価の一部が法人等の株式、持分その他これらに準ずるもの（株式交付親会社の株式を除く）である場合（3項2号）
①　当該法人等の定款その他これに相当するものの定めの記載が求められるのは、株式交付親会社ではない法人等については、広い定款自治が認められていることがあり、株式交付親会社以外の法人等の株主・社員等としての権利の実質的内容は、その定款の規定を見ないと適切に判断できないことによる。また、1号において、株式交付親会社の定款の定めが事前開示事項とされていることとの平仄をとったものであるということもできよう。
②　当該法人等が会社（株式会社、合名会社、合資会社および合同会社。法2条1号、施規2条1項）でないときは、剰余金の配当を受ける権利、残余財産の分配を受ける権利、株主総会における議決権、合併その他の行為がされる場合において、自己の有する株式を公正な価格で買い取ることを請求する権利、定款その他の資料（当該資料が電磁的記録をもって作成されている場合には、当該電磁的記録に記録された事項を表示したもの）の閲覧または謄写を請求する権利に相当する権利その他の交付対価に係る権利（重要でないものを除く）の内容の記載が求められる。これは、交付対価が株式交付親会社の株式である場合にはその定款を閲覧することまたは事前開示書類に含まれる「株式交付親会社の定款の定め」の記載により、交付対価に係る権利の内容を知ることができるのに対し、交付対価の一部が株式交付親会社の株式以外

の法人等の株式，持分その他これらに準ずるものである場合には，当該法人等の定款その他これに相当するものを閲覧し，または，事前開示書類に含まれる情報のみからは，権利の内容を十分に把握することができない可能性があるためである。とりわけ，当該法人等が外国会社その他の外国の法人等である場合には，法制の相違が権利内容を把握する上で大きな障害となりうるからである。例示されている権利は，株式会社であったとすれば特に重要と考えられる株主の権利である（法105条参照）。

③　当該法人等が，その株主，社員その他これらに相当する者（株主等）に対し，日本語以外の言語を使用して情報の提供をすることとされているときは，当該言語の記載が求められている。これは，当該交付対価の交付を受ける株式交付子会社の株式等の譲渡人が当該交付対価を保有し続ける場合にも，それに係る権利を実効的に行使できるようにするためである。

④　株式交付が効力を生ずる日に当該法人等の株主総会その他これに相当するものの開催があるものとした場合における当該法人等の株主等が有すると見込まれる議決権その他これに相当する権利の総数の記載が求められる。これは，申込みをしようとする株式交付子会社の株主等が，株式交付後の自己の議決権割合を把握できるようにするためである。

⑤　当該法人等について登記がされていないときは，当該法人等を代表する者の氏名または名称および住所ならびに当該法人等の役員（当該法人等を代表する者を除く）の氏名または名称の記載が求められるのは，「株式交付親会社以外の法人等の株式，持分その他これらに準ずるもの」の経済的価値を推測し，申込みをしようとする株式交付子会社の株主等が的確な判断を行うためには，その法人等の経営者がだれであるのか，その法人等のガバナンスはどのようになっているのかに関する情報が重要となるが，登記がされていないと，申込みをしようとする株式交付子会社の株主等としては，その法人等がどのような者によって経営されているのかなどを知ることができないことによると推測される。

　　なお，当該法人等が外国の法令に準拠して設立されたものである場合には，法933条1項の外国会社の登記または外国法人の登記及び夫婦財産契約の登記に関する法律2条の外国法人の登記がされているときにのみ登記がされているものとして扱われるのは，外国会社の登記（法933条）または外国法人の登記（外国法人の登記及び夫婦財産契約の登記に関する法律2条）をみることによって，その外国会社または外国法人の日本における代表者の氏名お

よび住所を知ることができるが、たとえば、その法人等がしている不動産登記をみてもその法人等の日本における代表者の氏名および住所を知ることはできないからである。

⑥　当該法人等の最終事業年度（当該法人等が会社以外のものである場合には、最終事業年度に相当するもの）に係る計算書類（最終事業年度がない場合には、当該法人等の成立の日における貸借対照表）その他これに相当するものの内容（当該計算書類その他これに相当するものについて、監査役、監査等委員会、監査委員会、会計監査人その他これらに相当するものの監査を受けている場合には、監査報告その他これに相当するものの内容の概要を含む）が事前開示事項とされている。

⑦　当該法人等が株式会社である場合には、当該法人等の最終事業年度に係る事業報告の内容（当該事業報告について監査役、監査等委員会または監査委員会の監査を受けている場合には、監査報告の内容を含む）を、当該法人等が株式会社以外のものである場合には、当該法人等の最終事業年度に係る118条各号および119条各号に掲げる事項に相当する事項の内容の概要（当該事項について監査役、監査等委員会、監査委員会その他これらに相当するものの監査を受けている場合には、監査報告その他これに相当するものの内容の概要を含む）を、それぞれ記載しなければならない。これは、株式会社における事業報告の記載事項は、株主にとって重要な情報として定められていることに鑑みると、交付対価の交付により株主等となる者が当該法人等の現況について理解するためには、公開会社である会社の事業報告の記載事項に相当する情報が提供されることが適当だからである。

⑧　最終事業年度、ある事業年度に係る貸借対照表その他これに相当するものの内容につき、法令の規定に基づく公告（法440条3項の措置に相当するものを含む）をしている場合における当該事業年度、および、ある事業年度に係る貸借対照表その他これに相当するものの内容につき、金融商品取引法24条1項の規定により有価証券報告書を内閣総理大臣に提出している場合における当該事業年度を除き、当該法人等の過去5年間にその末日が到来した各事業年度に係る貸借対照表その他これに相当するものの内容を記載しなければならないものとされている。「株式交付親会社以外の法人等の株式、持分その他これらに準ずるもの」の経済的価値を推測し、申込みをしようとする株式交付子会社の株主等が的確な判断を行うためには、その法人等の財産および損益の状況についての十分な情報が必要だからである。「ある事業年度に

係る貸借対照表その他これに相当するものの内容につき法令の規定に基づく公告（法第440条第3項の措置に相当するものを含む。）をしている場合における当該事業年度」または「ある事業年度に係る貸借対照表その他これに相当するものの内容につき，金融商品取引法第24条第1項の規定により有価証券報告書を内閣総理大臣に提出している場合における当該事業年度」については通知が要求されないのは，その法人等が貸借対照表その他これに相当するものの内容を法令の規定に基づき公告または電磁的方法により公開している場合や有価証券報告書を提出している場合には，その法人等の財産および損益の状況に関する情報を，申込みをしようとする株式交付子会社の株主等は入手することができるからである。「外国の法令を含む」とはされていないので，「法令」とは日本の法令を意味すると解するのが文言上適当であるし，実質的にも日本国内で公告または電磁的方法で公開されていると評価できる場合でなければならないと考えられる。

⑨　他の交付対価の場合と同様，交付対価を取引する市場，交付対価の取引の媒介，取次ぎまたは代理を行う者，交付対価の譲渡その他の処分に制限があるときは，その内容その他の交付対価の換価の方法に関する事項ならびに交付対価に市場価格があるときは，その価格に関する事項が事前開示事項とされている。

⑩　交付対価が自己株式の取得，持分の払戻しその他これらに相当する方法により払戻しを受けることができるものであるときは，その手続に関する事項を記載しなければならない。これは，投下資本の回収は株主にとって重要な関心事であるところ，法人等の株式，持分その他これらに準ずるもの（株式交付親会社の株式を除く）である場合には，払戻しを受けることができる多様な方法が存在することがあるからである。払戻しを受けられるかどうか，受けられるとすればどのような方法によるのかは，株式交付計画を承認するかどうかの意思決定に重要である一方で，払戻しの手続が開示されていれば，交付対価の交付を受けた後に，払戻しを受ける権利を行使し，または払戻しを受ける機会を逸することを回避できると考えられる。

　本号では，株主等の権利として――株式会社による自己の株式の取得による場合を含め――払戻しを受けることができるものであるときに開示を求めており，交付対価が取得条項付株式である場合や新株予約権または新株予約権付社債である場合など，払戻を受けることができることが当該財産の権利の内容を成しているときには，株式交付計画で明らかにされるべき事項なの

で，本号に基づく記載は求められないと解される（相澤ほか・商事法務1800号14頁（注20）（注21）参照）。

　なお，これらの事項が日本語以外の言語で表示されている場合には，当該事項（氏名または名称を除く）を日本語で表示した事項が事前開示事項とされる。これは，これらの事項は株式交付子会社の株主等の意思決定のために重要な情報であると考えられるところ，株式交付親会社ではない法人等は外国の法人等でありうることに鑑み，申込みをしようとする株式交付子会社の株主等が事前開示事項を十分に理解することを可能にするためである。「氏名又は名称を除く」とされているのは，これらは日本語で表示しなくとも理解可能であるし，日本語では適切に表示することができないからであるともいえる。

(3) 交付対価の一部が株式交付親会社の社債，新株予約権または新株予約権付社債である場合（3項3号）

　他の交付対価の場合と同様，交付対価を取引する市場，交付対価の取引の媒介，取次ぎまたは代理を行う者，交付対価の譲渡その他の処分に制限があるときは，その内容その他の交付対価の換価の方法に関する事項ならびに交付対価に市場価格があるときは，その価格に関する事項が事前開示事項とされている（趣旨と解釈については，上記(1)参照）。

(4) 交付対価の一部が法人等の社債，新株予約権，新株予約権付社債その他これらに準ずるもの（株式交付親会社の社債，新株予約権または新株予約権付社債を除く）である場合（3項4号）

　他の交付対価の場合と同様，交付対価を取引する市場，交付対価の取引の媒介，取次ぎまたは代理を行う者，交付対価の譲渡その他の処分に制限があるときは，その内容その他の交付対価の換価の方法に関する事項ならびに交付対価に市場価格があるときは，その価格に関する事項が事前開示事項とされている（趣旨と解釈については，上記(1)参照）。

　また，「当該法人等の定款その他これに相当するものの定め」のほか，当該法人等について登記がされていないときは，当該法人等を代表する者の氏名または名称および住所ならびに当該法人等の役員（当該法人等を代表する者を除く）の氏名または名称，当該法人等の最終事業年度（当該法人等が会社以外のものである場合には，最終事業年度に相当するもの）に係る計算書類（最終事業年度

がない場合には，当該法人等の成立の日における貸借対照表）その他これに相当するものの内容（当該計算書類その他これに相当するものについて監査役，監査等委員会，監査委員会，会計監査人その他これらに相当するものの監査を受けている場合には，監査報告その他これに相当するものの内容の概要を含む），当該法人等が株式会社である場合には，当該法人等の最終事業年度に係る事業報告の内容（当該事業報告について監査役，監査等委員会または監査委員会の監査を受けている場合には，監査報告の内容を含む）を，当該法人等が株式会社以外のものである場合には，当該法人等の最終事業年度に係る118条各号および119条各号に掲げる事項に相当する事項の内容の概要（当該事項について監査役，監査等委員会，監査委員会その他これらに相当するものの監査を受けている場合には，監査報告その他これに相当するものの内容の概要を含む），および，最終事業年度，ある事業年度に係る貸借対照表その他これに相当するものの内容につき，法令の規定に基づく公告（法440条3項の措置に相当するものを含む）をしている場合における当該事業年度，および，ある事業年度に係る貸借対照表その他これに相当するものの内容につき，金融商品取引法24条1項の規定により有価証券報告書を内閣総理大臣に提出している場合における当該事業年度を除き，当該法人等の過去5年間にその末日が到来した各事業年度に係る貸借対照表その他これに相当するものの内容を記載しなければならない（趣旨と解釈については，上記(2)参照）。

なお，これらの事項が日本語以外の言語で表示されている場合には，当該事項（氏名または名称を除く）を日本語で表示した事項が事前開示事項とされる。これは，これらの事項は株式交付子会社の株主等の意思決定のために重要な情報であると考えられるところ，株式交付親会社ではない法人等は外国の法人等でありうることに鑑み，申込みをしようとする株式交付子会社の株主等が事前開示事項を十分に理解することを可能にするためである。「氏名又は名称を除く」とされているのは，これらは日本語で表示しなくとも理解可能であるし，日本語では適切に表示することができないからであるともいえる。

(5) 交付対価の一部が株式交付親会社その他の法人等の株式，持分，社債，新株予約権，新株予約権付社債その他これらに準ずるものおよび金銭以外の財産である場合（3項5号）

他の交付対価の場合と同様，交付対価を取引する市場，交付対価の取引の媒介，取次ぎまたは代理を行う者，交付対価の譲渡その他の処分に制限があるときは，その内容その他の交付対価の換価の方法に関する事項ならびに交付対価

に市場価格があるときは、その価格に関する事項が事前開示事項とされている。

(6) 「交付対価について参考となるべき事項」の通知を要しない場合（3条柱書かっこ書）

「交付対価について参考となるべき事項」の全部または一部の通知をしないことにつき株式交付子会社の株式または新株予約権等の売渡しの申込みをしようとする者の同意がある場合には、当該同意があったものは通知することを要しないものとされている。これは、この事項の通知は株式交付子会社の株式または新株予約権等の売渡しの申込みをしようとする者の保護を主たる目的としていること、申込みをしようとする者の同意が得られるような場合には、それらの者に対して十分な情報を提供していることまたは個別に情報を提供していることもあり得ることから、会社法があえて本条1項1号の事項の通知を要求するまでのことはないと考えられるからである。組織変更の際の事前開示事項を定める180条が、本条1項1号が定める事項に相当する事項の開示を要求していないこととパラレルである。

2 株式交付親会社の計算書類等に関する事項（1項2号・4項）

最終事業年度に係る計算書類等（最終事業年度がない場合には、株式交付親会社の成立の日における貸借対照表）の内容および最終事業年度の末日（最終事業年度がない場合には、株式交付親会社の成立の日）後の日を臨時決算日（二以上の臨時決算日がある場合には、最も遅いもの）とする臨時計算書類等があるときは、その臨時計算書類等の内容ならびに重要な後発事象が事前開示事項とされている。

計算書類等とは、株式会社については「各事業年度に係る計算書類及び事業報告（法第436条第1項又は第2項の規定の適用がある場合にあっては、監査報告又は会計監査報告を含む。）」をいい（2条3項12号）、臨時計算書類等とは「法第441条第1項に規定する臨時計算書類（同条第2項の規定の適用がある場合にあっては、監査報告又は会計監査報告を含む。）」をいう（2条3項13号）。これは、申込みをしようとする株式交付子会社の株主等が株式交付親会社の状況を正確に把握するためには、貸借対照表および損益計算書の内容のみでは不十分であるという認識、および、監査報告および会計監査報告がある場合にはその内容も重要な情報であるという認識に基づくものである。

最終事業年度に係る計算書類等の内容を通知すれば足りるとされているのは，最終事業年度に係る計算書類等に加えて，たとえば，株式交付計画の承認をする株主総会の日の前6カ月以内に作成された貸借対照表および損益計算書の内容の通知を要求したとしても，それらの貸借対照表および損益計算書について監査役，監査役会，監査等委員会または監査委員会の監査および会計監査人の監査がなされていなければ，その貸借対照表および損益計算書の内容の適正性が担保されないため，情報としての価値が低いこと，および，その貸借対照表および損益計算書の作成後に株式交付親会社の財産状態に重要な影響を与える事象が生じた場合には，株主や会社債権者の意思決定を的確ならしめるためには，4項3号に定める事項のような事項の追加的な開示が必要とされることによる。

　最終事業年度がない場合には，株式交付親会社の成立の日における貸借対照表を事前開示事項としているのは，通常は，株式会社の成立の日における貸借対照表は株主や会社債権者の閲覧等の請求の対象とされていないことによる。すなわち，株式交付親会社において最終事業年度がない場合には，申込みをしようとする株式交付子会社の株主等が株式交付親会社の成立の日における貸借対照表に基づいて，株式交付親会社の財産の状況に関する最低限の情報を得て，的確に権利行使をすることができるようにするためである。

　なお，臨時計算書類を作成している場合には，その臨時計算書類（その臨時計算書類について，監査役，監査役会，監査等委員会もしくは監査委員会の監査または会計監査人の監査がなされている場合には，その監査報告または会計監査報告を含む）が開示されれば申込みをしようとする株式交付子会社の株主等に有用な情報を提供することになるし，臨時計算書類等が通知すべき事項に含められることによる負担が大きいとはいえないので，それを通知すべき事項に含めている。「二以上の臨時決算日がある場合にあっては，最も遅いもの」とされているので，最終事業年度の末日（最終事業年度がない場合には，株式交付親会社の成立の日）後に複数の臨時計算書類が作成されている場合には，最新の臨時計算書類の内容を通知すれば足りる。

　また，最終事業年度の末日（最終事業年度がない場合には株式交付親会社の成立の日）後に重要な財産の処分，重大な債務の負担その他の会社財産の状況に重要な影響を与える事象が生じたときは，その内容が通知すべき事項に含められている。これは，最終事業年度の末日後に生じた重要な財産の処分，重大な債務の負担その他の会社財産の状況に重要な影響を与える事象や最終事業年度

の末日後になされた組織再編行為などは株式交付の条件の相当性に重要な影響を及ぼす可能性があるところ，最終事業年度に係る計算書類等の開示のみによっては，株式交付親会社の財産の状況を的確に判断することは難しいという認識に基づくものである。

（申込みをしようとする者に対する通知を要しない場合）

第179条の3 法第774条の4（法第774条の9において準用する場合を含む。以下この条において同じ。）第4項に規定する法務省令で定める場合は，次に掲げる場合であって，株式交付親会社が法第774条の4第1項の申込みをしようとする者に対して同項各号に掲げる事項を提供している場合とする。
一 当該株式交付親会社が金融商品取引法の規定に基づき目論見書に記載すべき事項を電磁的方法により提供している場合
二 当該株式交付親会社が外国の法令に基づき目論見書その他これに相当する書面その他の資料を提供している場合

　本条は，株式交付子会社の株式または新株予約権等の譲渡しの申込みをしようとする者に対して通知を要しない場合を定めるものである。すなわち，株式会社は，株式交付子会社の株式または新株予約権等の譲渡しの申込みをしようとする者に対し，一定の事項を通知しなければならないが（法774条の4第1項・774条の9），株式会社がその一定の事項を記載した金融商品取引法2条10項に規定する目論見書を株式交付子会社の株式または新株予約権等の譲渡しの申込みをしようとする者に対して交付している場合その他募集株式の引受けの申込みをしようとする者の保護に欠けるおそれがないものとして法務省令で定める場合には，通知することを要しないものとされている（法774条の4第4項・774条の9）。この委任をうけて，本条は，株式会社がその一定の事項を記載した金融商品取引法2条10項に規定する目論見書を株式交付子会社の株式または新株予約権等の譲渡しの申込みをしようとする者に対して交付している場合以外の場合であって，株式交付子会社の株式または新株予約権等の譲渡しの「申込みをしようとする者の保護に欠けるおそれがないものとして法務省令で定める場合」を定めるものである。

　これは，会社法に基づく通知等のコストを削減し，会社法と金融商品取引法との開示規制の差異による実務上の負担を軽減しようとするものである。目論見書等により株式交付親会社と交付対価に関する事項が株式交付子会社の株式

または新株予約権等の譲渡しの申込みをしようとする者に提供されるのであれば、重ねて通知による情報提供をさせる必要はないと考えられるためである（法務省民事局参事官室・会社法制の現代化に関する要綱試案補足説明37頁参照）。

1　目論見書の意義と記載事項

　金融商品取引法2条10項に規定する目論見書とは、有価証券の募集もしくは売出し、適格機関投資家取得有価証券一般勧誘（有価証券の売出しにあたるものを除く）または特定投資家等取得有価証券一般勧誘（有価証券の売出しにあたるものを除く）のためにその有価証券の発行者の事業その他の事項に関する説明を記載する文書であって、相手方に交付し、または相手方からの交付の請求があった場合に交付するものをいう。

　目論見書には、有価証券届出書の記載事項（公衆の縦覧に供しないこととされた事項を除く）と特記事項とが記載される（金融商品取引法13条2項1号イ、開示府令12条・13条1項）。特記事項としては、届出目論見書にはその目論見書に係る有価証券の募集または売出しに関して、その届出が効力を生じている旨（開示府令13条1項1号イ）が記載され、届出仮目論見書には、その届出仮目論見書に係る有価証券の募集または売出しに関して、その届出を行った日および届出の効力が生じていない旨（開示府令13条1項2号イ）を記載する。

　また、参照方式による場合には、利用適格要件を満たしていることを示す書面、重要な事実の内容を記載した書面および事業内容の概要および主要な経営指標等の推移を的確かつ簡明に説明した書面に記載された事項を特記事項として記載しなければならない（開示府令13条1項1号ハ・2号ハ）。

　すでに開示された有価証券に係る目論見書には、有価証券届出書を提出していればそれに記載すべきであった事項を記載するほか、有価証券の売出しに係る届出は行われていない旨を特記事項に記載する（金融商品取引法13条2項1号ロ、開示府令14条1項1号イ、2号イ）。

2　当該株式会社が金融商品取引法の規定に基づき目論見書に記載すべき事項を電磁的方法により提供している場合（1号）

　金融商品取引法上、目論見書および発行登録目論見書の提供を受ける者の承諾を得て、目論見書および発行登録目論見書の紙媒体での交付に代えて、これらに記載された事項を電子情報処理組織を使用する方法や磁気ディスク、CD-ROMその他これらに準ずる方法により一定の事項を確実に記録しておくこと

ができる物（USBメモリやDVDなど）をもって調製するファイルに記載事項を記録したものを交付する方法によって提供することができ，それらの事項を提供した者は，その目論見書または発行登録目論見書を交付したものとみなされる（金融商品取引法27条の30の9第1項，開示府令23条の2第1項・2項）。株式交付子会社の株式または新株予約権等の譲渡しの申込みをしようとする者に対し目論見書を書面の形で交付せず，目論見書に記載すべき事項を電磁的方法により提供している場合であっても，株式交付子会社の株式または新株予約権等の譲渡しの申込みをしようとする者に対し必要な情報は提供されるので，このような場合にも，法774条の4第1項・774条の9による通知を要求する必要はない。そもそも，法774条の4第1項は，書面による通知を要求しておらず，電磁的方法その他による通知でかまわないこととしていることとの均衡からも，本号の場合に会社法に基づく通知を要求する必要はない。

3　当該株式会社が外国の法令に基づき目論見書その他これに相当する書面その他の資料を提供している場合（2号）

　法774条の4第4項は，会社法に基づく通知等のコストを削減し，会社法と金融商品取引法との規制の差異による実務上の負担を軽減しようとするものであり，他の法令により株式交付親会社と交付対価に関する事項が株式交付子会社の株式または新株予約権等の譲渡しの申込みをしようとする者に提供されているのであれば，重ねて通知をする必要はないという発想に基づくものであり，外国の法令に基づいて目論見書その他これに相当する書面その他の資料を提供している場合にも，二重の負担を課す必要はないし，また，外国の法令も投資者を保護することを目的とする以上，それなりの要求をしていると期待できるので，株式交付子会社の株式または新株予約権等の譲渡しの申込みをしようとする者に対する通知を要求しないこととするのが本号である。なお，本条柱書で法774条の4第1項各号に掲げる事項を提供していることが要件とされているから，かりに外国の法令が日本の金融商品取引法に比べ緩やかな開示規制をしているとしても，法774条の4第1項が要求する情報提供は実現できると考えられる。

第2章

組織変更をする株式会社の手続

―(組織変更をする株式会社の事前開示事項)
第180条 法第775条第1項に規定する法務省令で定める事項は，次に掲げる事項とする。
　一　組織変更をする株式会社が新株予約権を発行しているときは，法第744条第1項第7号及び第8号に掲げる事項についての定めの相当性に関する事項
　二　組織変更をする株式会社において最終事業年度がないときは，当該組織変更をする株式会社の成立の日における貸借対照表
　三　組織変更後持分会社の債務の履行の見込みに関する事項
　四　法第775条第2項に規定する組織変更計画備置開始日後，前3号に掲げる事項に変更が生じたときは，変更後の当該事項

　本条は，組織変更をする株式会社の事前開示事項を定めるものである。すなわち，法775条1項は，組織変更をする株式会社は，組織変更計画備置開始日から組織変更がその効力を生ずる日（効力発生日）までの間，組織変更計画の内容その他法務省令で定める事項を記載し，または記録した書面または電磁的記録［→224条］をその本店に備え置かなければならないものと定めている。これをうけて，本条では，「法務省令で定める事項」を定めている。
　法775条1項は，主として，新株予約権の買取請求をするかどうかを意思決定するために必要な情報を組織変更をする株式会社の新株予約権者に，その組織変更に異議を述べるかどうかを意思決定するために必要な情報を組織変更をする株式会社の債権者に，それぞれ，提供することを目的とする。また，組織変更をする株式会社の株主や債権者が組織変更無効の訴え（法828条1項6号・2項6号）を提起するか否かの判断のために必要な情報を提供するという点でも意義を有する。
　その組織変更に同意をするかどうかを意思決定するために必要な最低限の情

報を組織変更をする株式会社の株主に提供するという面がまったく認められないというわけではないが、株式会社の組織変更には総株主の同意が必要とされていることから（法776条1項）、個々の株主としては、十分な情報が提供されていないと考えるときには、組織変更計画に同意せず、組織変更を阻止することができるので、株式会社に対して、情報の提供を求めれば、株式会社は十分な情報を提供するインセンティブを有するため、本条では、株主のみが必要とすると考えられる事項（組織再編対価の相当性に関する事項など）は掲げられていない。

1　組織変更をする株式会社が新株予約権を発行しているときは、組織変更後持分会社が組織変更に際してその新株予約権の新株予約権者に対して交付するその新株予約権に代わる金銭の額またはその算定方法ならびにその金銭の割当てに関する事項についての定めの相当性に関する事項（1号）

　法744条1項7号および8号は、株式会社が組織変更をする場合において、組織変更をする株式会社が新株予約権を発行しているときは、「組織変更後持分会社が組織変更に際して当該新株予約権の新株予約権者に対して交付する当該新株予約権に代わる金銭の額又はその算定方法」および「組織変更をする株式会社の新株予約権の新株予約権者に対する同号の金銭の割当てに関する事項」を組織変更計画に定めなければならないものとしている。これをうけて、本号では、それらの定めの相当性に関する事項を事前開示事項として定めている。これは、新株予約権者に交付される金銭の額が不当に高く定められると、会社財産が流出し、組織変更後の持分会社の財産が減少し、組織変更をする株式会社の株主にとっては、その持分の価値が下落する可能性があるため、組織変更に同意すべきか否かについての判断材料が必要となる一方で、新株予約権者にとっては新株予約権買取請求（法777条）を行うかどうかを判断するための材料が必要だからである。

2　組織変更をする株式会社において最終事業年度がないときは、その組織変更をする株式会社の成立の日における貸借対照表（2号）

　株式会社が組織変更をする場合には、その株式会社の債権者は、その株式会社に対し、組織変更について異議を述べることができるが（法779条1項）、異議を述べるか否かの判断にあたって、組織変更をする株式会社の財産および損益の状況を考慮に入れると推測される。そして、最終事業年度がある場合に

は，組織変更をする株式会社の計算書類等が作成されており，会社債権者はそれを閲覧等することができるが（法442条），最終事業年度がない場合にはそのような計算書類等が存在しない。しかも，株式会社の成立の日における貸借対照表は株主や会社債権者の閲覧等の請求の対象とされていない。そこで，組織変更をする株式会社において最終事業年度がない場合には，会社の債権者（および株主）がその株式会社の成立の日における貸借対照表を閲覧等して，会社の財産の状況に関する最低限の情報を得られるようにするために，本号が定められている。もっとも，立法論としては，組織変更をする株式会社が臨時計算書類を作成している場合には，臨時計算書類は会社の債権者および株主の閲覧等の対象とされているので，株式会社の成立の日における貸借対照表を事前開示事項に含める必要はないものと考えられる。

3　組織変更後持分会社の債務の履行の見込みに関する事項（3号）

　平成17年改正前商法374条ノ2第1項3号および374条ノ18第1項3号は，会社分割についてのみ「各会社ノ負担スベキ債務ノ履行ノ見込アルコト及其ノ理由ヲ記載シタル書面」を備え置くことを要求していたが，これは，会社分割の当事会社の債権者保護を目的とするものであり，そうであれば，会社分割の場合にのみ要求すべき開示事項ではないと考えられるため，本号は，組織変更後持分会社の債務の履行の見込みに関する事項を事前開示事項の1つとして定めている。

　「各会社ノ負担スベキ債務ノ履行ノ見込アルコト」と定めていた平成17年改正前商法374条ノ2第1項3号などと異なり，本号では「債務の履行の見込みに関する事項」と定めていることから，債務の履行の見込みがないような組織変更を行った場合であっても，その組織変更は当然に無効になるわけではないと解する余地はある。そして，組織変更の場合には，会社の財産状態に変化はなく，組織変更によって，債務の履行の見込みがなくなることは考えにくく，とりわけ，組織変更後持分会社が合名会社または合資会社である場合には，その無限責任社員に対しても会社の債務の履行を求める余地が生ずるから，少なくとも，持分会社への組織変更との関連では，組織変更後持分会社の債務の履行の見込みがないこと自体は，組織変更の無効原因にならないと解すべきなのではないか［ただし，吸収合併・吸収分割・株式交換・新設合併・新設分割・株式移転との関連では，必ずしも，そのようにはいえないのではないかという点について，→182条5］。もっとも，ガバナンスのあり方に変化が生ずることを重視す

4　1から3の事項に変更が生じたときは，変更後の当該事項（4号）

　平成17年改正前商法の下では，合併などに係る事前開示資料との関連でも，備置開始後，効力発生日までの間に，事前開示資料の内容事項について変更が生じた場合にはどのようにすべきかについての規律が定められていなかった。しかし，会社法の下では，債権者保護手続は効力発生日までに終了していれば足りるとされているため（法745条6項），組織変更計画備置開始日後，効力発生日までの間がある程度の期間となる可能性もあり，会社の債権者および株主に対して適切な権利行使のための判断材料を与えるという観点から最新の情報を提供することを要求することが適切である（相澤＝細川・商事法務1769号20頁）。そこで，本号では，新株予約権者に交付する金銭についての相当性に関する事項，組織変更後持分会社の債務の履行の見込みに関する事項または組織変更をする株式会社において最終事業年度がないときのその組織変更をする株式会社の成立の日における貸借対照表に，組織変更計画備置開始日後，変更が生じたときは，変更後のその事項を開示することを要求している。したがって，組織変更計画備置開始日後に，計算書類等が確定し，最終事業年度に係る計算書類等が存在するようになった場合には，もはや成立の日における貸借対照表を事前開示事項に含める必要はなく，一般原則に従って計算書類等を備え置き，閲覧等の請求に応ずれば足りることになる（法442条）。当初は，吸収合併などの場合と異なり，①新株予約権者に交付する金銭についての相当性に関する事項について変更が生じた場合に，変更後のその事項の開示が要求されていなかったが，平成20年法務省令第12号により，「前3号に掲げる事項」とされ，①について変更が生じた場合についても，変更後のその事項の開示が要求されることとなった。

　なお，組織変更の場合には，事前開示書面・電磁的記録は効力発生日までしか備え置かれないので，183条7号や184条1項6号とは規定振りが若干異なっている。

┌─**(計算書類に関する事項)**─
│　**第181条**　法第779条第2項第2号に規定する法務省令で定めるものは，同項の規定による公告の日又は同項の規定による催告の日のいずれか早い日における次の各号に掲げる場合の区分に応じ，当該各号に定めるものとする。

一　最終事業年度に係る貸借対照表又はその要旨につき組織変更をする株式会社が法第440条第１項又は第２項の規定による公告をしている場合　次に掲げるもの
　イ　官報で公告をしているときは，当該官報の日付及び当該公告が掲載されている頁
　ロ　時事に関する事項を掲載する日刊新聞紙で公告をしているときは，当該日刊新聞紙の名称，日付及び当該公告が掲載されている頁
　ハ　電子公告により公告をしているときは，法第911条第３項第28号イに掲げる事項
二　最終事業年度に係る貸借対照表につき組織変更をする株式会社が法第440条第３項に規定する措置をとっている場合　法第911条第３項第26号に掲げる事項
三　組織変更をする株式会社が法第440条第４項に規定する株式会社である場合において，当該株式会社が金融商品取引法第24条第１項の規定により最終事業年度に係る有価証券報告書を提出しているとき　その旨
四　組織変更をする株式会社が会社法の施行に伴う関係法律の整備等に関する法律（平成17年法律第87号）第28条の規定により法第440条の規定が適用されないものである場合　その旨
五　組織変更をする株式会社につき最終事業年度がない場合　その旨
六　組織変更をする株式会社が清算株式会社である場合　その旨
七　前各号に掲げる場合以外の場合　会社計算規則第６編第２章の規定による最終事業年度に係る貸借対照表の要旨の内容

　本条は，株式会社が組織変更をする場合に，その株式会社の債権者が異議を述べることができるときに官報における公告等に含めなければならない事項としての「組織変更をする株式会社の計算書類……に関する事項として法務省令で定めるもの」（法779条２項２号）を定めるものである。
　すなわち，株式会社が組織変更をする場合には，その株式会社の債権者は，その株式会社に対し，組織変更について異議を述べることができ（法779条１項），この場合には，その株式会社は，原則として，組織変更をする旨，「組織変更をする株式会社の計算書類……に関する事項として法務省令で定めるもの」，および，債権者が一定の期間（１カ月以上）内に異議を述べることができる旨を官報に公告し，かつ，知れている債権者には，各別にこれを催告しなければならない（ただし，株式会社が公告を，官報のほか，定款の定めに従い，時事

に関する事項を掲載する日刊新聞紙に掲載して,または電子公告によりするときは,知れている債権者に対する各別の催告は,することを要しない。同条3項)。このように「組織変更をする株式会社の計算書類……に関する事項として法務省令で定めるもの」を公告し,または催告に含めなければならないのは,組織変更の前に,その株式会社が公表した最終の貸借対照表に債権者がアクセスし,異議を述べるか否かの判断のために必要な情報を入手することを可能にするためである。

これをうけて,本条は,「組織変更をする株式会社の計算書類……に関する事項として法務省令で定めるもの」を,組織再編行為(合併,会社の分割,株式交換,株式移転)の際の債権者保護手続との関連での「当該株式会社の計算書類に関する事項として法務省令で定めるもの」を定める188条,199条および208条とパラレルに定めている。

柱書において「公告の日」と「催告の日」とのいずれか早い日を基準として,「組織変更をする株式会社の計算書類……に関する事項として法務省令で定めるもの」として公告し,または催告すべき事項が定められるものとしているのは,公告の内容と催告の内容との間に差があることは想定されていない以上,先になされるものの内容に合わせなければならないからである。

1 最終事業年度に係る貸借対照表またはその要旨につき会社が公告をしている場合(1号)

官報で公告をしているときは,当該官報の日付および当該公告が掲載されている頁が,時事に関する事項を掲載する日刊新聞紙で公告をしているときは,当該日刊新聞紙の名称,日付および当該公告が掲載されている頁が,電子公告により公告をしているときは,電子公告を行っているページ,すなわち,不特定多数の者が実際に閲覧できるインターネット上のウェブサイトのアドレス(URL。電子公告により公告すべき内容である情報について不特定多数の者がその提供を受けるために必要な事項であって法務省令で定めるもの(法911条3項28号イ)、すなわち,株式会社が電子公告をするために使用する自動公衆送信装置のうち電子公告をするための用に供する部分をインターネットにおいて識別するための文字,記号その他の符号またはこれらの結合であって,情報の提供を受ける者がその使用に係る電子計算機に入力することによって当該情報の内容を閲覧し,当該電子計算機に備えられたファイルに当該情報を記録することができるもの。220条1項)が,それぞれ,当該株式会社の「計算書類に関する事項として法務省令で定めるも

の」として定められている。

　これは、平成18年改正前商法施行規則198条1号を踏襲したものである。ここで、最終の貸借対照表自体を公告・通知させるのではなく、最終の貸借対照表に関する事項を公告・通知させることとしたのは、最終の貸借対照表自体を公告・通知することを要求するのは会社にとって負担が過重になると考えたからであろう。

2　最終事業年度に係る貸借対照表につき会社が貸借対照表の内容である情報を、定時株主総会の終結の日後5年を経過する日までの間、継続して電磁的方法により不特定多数の者が提供を受けることができる状態に置く措置をとっている場合（2号）

　不特定多数の者が実際に閲覧できるインターネット上のウェブサイトのアドレス（URL。貸借対照表の内容である情報について不特定多数の者がその提供を受けるために必要な事項であって法務省令で定めるもの（法911条3項26号）、すなわち、電磁的方法による貸借対照表の公開をするために株式会社が使用する自動公衆送信装置のうち電磁的方法による貸借対照表の公開をするための用に供する部分をインターネットにおいて識別するための文字、記号その他の符号またはこれらの結合であって、情報の提供を受ける者がその使用に係る電子計算機に入力することによって当該情報の内容を閲覧し、当該電子計算機に備えられたファイルに当該情報を記録することができるもの。220条1項）が、当該株式会社の「計算書類に関する事項として法務省令で定めるもの」として定められている。これは、平成18年改正前商法施行規則198条2号を踏襲したものである。

3　会社が金融商品取引法24条1項の規定により有価証券報告書を内閣総理大臣に提出しなければならない株式会社である場合において、その会社が最終事業年度に係る有価証券報告書を提出している場合（3号）

　この場合には、当該株式会社の「計算書類に関する事項として法務省令で定めるもの」としては、最終事業年度に係る有価証券報告書を提出している旨を通知または公告の内容とすれば足りるものとされている。これは、EDINETを通じて、有価証券報告書の内容を閲覧することができることに鑑みて、法440条4項により、金融商品取引法24条1項の規定により有価証券報告書を内閣総理大臣に提出しなければならない会社は貸借対照表等の公告あるいは電磁的方法による公開をすることを要しないものとされていることをうけたもので

ある。もっとも、金融商品取引法24条1項の規定により有価証券報告書を内閣総理大臣に提出しなければならない会社であっても、最終事業年度に係る有価証券報告書を提出していない場合には、会社債権者は、EDINETを通じて、最終事業年度に係る貸借対照表の内容を知ることができないから、7号に従って、「会社計算規則第6編第2章の規定による最終事業年度に係る貸借対照表の要旨の内容」を公告または通知しなければならない。

4 会社が特例有限会社である場合（4号）

整備法28条の規定により法440条の規定が適用されないものである旨を、「組織変更をする株式会社の計算書類……に関する事項として法務省令で定めるもの」として公告または催告に含めれば足りる。特例有限会社は、貸借対照表等の公告あるいは電磁的方法による公開をすることを要しないものとされているので（整備法28条）、組織変更に際して、最終事業年度に係る貸借対照表またはその要旨にアクセスする機会を会社債権者に会社法上保障することはしていないのである。

5 会社につき最終事業年度がない場合（5号）

会社につき最終事業年度がない旨を、「組織変更をする株式会社の計算書類……に関する事項として法務省令で定めるもの」として公告または催告に含めれば足りる。最終事業年度がない以上、最終事業年度に係る貸借対照表が存在しないからである。平成17年改正前商法および平成18年改正前商法施行規則にはこのような定めはなかったが、論理的には、平成17年改正前商法の下でも、この場合には、公告または催告に、平成18年改正前商法施行規則198条が定める事項を含める余地はなかったと解される。

6 会社が清算株式会社である場合（6号）

会社が清算株式会社である旨を、「組織変更をする株式会社の計算書類……に関する事項として法務省令で定めるもの」として公告または催告に含めれば足りるものとされている。これは、清算株式会社については、「清算中の会社の権利能力は、清算の目的の範囲内に縮減し、営業取引をなす権利能力を有しない以上、決算公告という方法によって広く利害関係人に対して清算中の株式会社の財務情報を開示すべき必要性は少ない」（要綱試案補足説明95頁）という認識の下で、貸借対照表（大会社の場合は、貸借対照表および損益計算書）の公

告あるいは電磁的方法による公開が要求されていないこと（法509条1項2号）に鑑みたものであると推測される。しかし、各清算事務年度の貸借対照表等の公告または電磁的方法による公開を要求しないことから、組織再編行為の場合にも計算書類に関する事項を公告または催告に実質的に含めなくともよいとすることは、立法論としては、適当であるとは思われない。なぜなら、清算株式会社を当事会社とする組織再編行為は反復して行われるものではないから、公告や公開を要求したとしても過剰な負担を課すものであるとは評価できないし、会社債権者保護の観点から計算書類に関する事項を明らかにする必要性は清算株式会社であるか否かによって変わりがないと考えられるからである。したがって、7号と同様に、計規第6編第2章の規定による最終事業年度に係る貸借対照表の要旨の内容を、「組織変更をする株式会社の計算書類……に関する事項として法務省令で定めるもの」として公告または催告に含めることを要求すべきであったと考えられる。

7 会社が1から6までのいずれにもあたらない場合（7号）

計規第6編第2章の規定による最終事業年度に係る貸借対照表の要旨の内容を、「組織変更をする株式会社の計算書類……に関する事項として法務省令で定めるもの」として公告または催告に含めれば足りる。平成17年改正前商法の下では、（会社につき最終事業年度がない場合を除き）貸借対照表またはその要旨を公告または電磁的方法により公開していないと、債権者保護手続に必然的に瑕疵があることになるという解釈が自然であったが、本号の定めにより、会社法の下では、組織変更をする株式会社につき最終事業年度があり、かつ、有価証券報告書を提出していないにもかかわらず、貸借対照表またはその要旨を公告または電磁的方法により公開していないものであっても、貸借対照表の要旨を公告または催告に含めれば足りるものとされている。要旨中の資産の部の各項目あるいは負債の部の各項目の区分・細分の要求は、公開会社であるか否かによって異なる（計規139条・140条）。なお、この場合の要旨には、当期純損益金額を付記しなければならないものと解される（計規142条参照）。

官報で行うこの公告は、会社の公告方法が官報である場合には、決算公告としての意義をも有すると解される（相澤＝和久・商事法務1766号72頁）。

第3章

吸収合併消滅株式会社，吸収分割株式会社及び株式交換完全子会社の手続

──(吸収合併消滅株式会社の事前開示事項)──
第182条 法第782条第1項に規定する法務省令で定める事項は，同項に規定する消滅株式会社等が吸収合併消滅株式会社である場合には，次に掲げる事項とする。
　一　合併対価の相当性に関する事項
　二　合併対価について参考となるべき事項
　三　吸収合併に係る新株予約権の定めの相当性に関する事項
　四　計算書類等に関する事項
　五　吸収合併が効力を生ずる日以後における吸収合併存続会社の債務（法第789条第1項の規定により吸収合併について異議を述べることができる債権者に対して負担する債務に限る。）の履行の見込みに関する事項
　六　吸収合併契約等備置開始日（法第782条第2項に規定する吸収合併契約等備置開始日をいう。以下この章において同じ。）後，前各号に掲げる事項に変更が生じたときは，変更後の当該事項
2　この条において「合併対価」とは，吸収合併存続会社が吸収合併に際して吸収合併消滅株式会社の株主に対してその株式に代えて交付する金銭等をいう。
3　第1項第1号に規定する「合併対価の相当性に関する事項」とは，次に掲げる事項その他の法第749条第1項第2号及び第3号に掲げる事項又は法第751条第1項第2号から第4号までに掲げる事項についての定め（当該定めがない場合にあっては，当該定めがないこと）の相当性に関する事項とする。
　一　合併対価の総数又は総額の相当性に関する事項
　二　合併対価として当該種類の財産を選択した理由
　三　吸収合併存続会社と吸収合併消滅株式会社とが共通支配下関係（会社計算規則第2条第3項第36号に規定する共通支配下関係をいう。以下この号及

び第184条において同じ。）にあるときは，当該吸収合併消滅株式会社の株主（当該吸収合併消滅株式会社と共通支配下関係にある株主を除く。）の利益を害さないように留意した事項（当該事項がない場合にあっては，その旨）
4 　第１項第２号に規定する「合併対価について参考となるべき事項」とは，次の各号に掲げる場合の区分に応じ，当該各号に定める事項その他これに準ずる事項（法第782条第１項に規定する書面又は電磁的記録にこれらの事項の全部又は一部の記載又は記録をしないことにつき吸収合併消滅株式会社の総株主の同意がある場合にあっては，当該同意があったものを除く。）とする。
　一　合併対価の全部又は一部が吸収合併存続会社の株式又は持分である場合　次に掲げる事項
　　イ　当該吸収合併存続会社の定款の定め
　　ロ　次に掲げる事項その他の合併対価の換価の方法に関する事項
　　　(1)　合併対価を取引する市場
　　　(2)　合併対価の取引の媒介，取次ぎ又は代理を行う者
　　　(3)　合併対価の譲渡その他の処分に制限があるときは，その内容
　　ハ　合併対価に市場価格があるときは，その価格に関する事項
　　ニ　吸収合併存続会社の過去５年間にその末日が到来した各事業年度（次に掲げる事業年度を除く。）に係る貸借対照表の内容
　　　(1)　最終事業年度
　　　(2)　ある事業年度に係る貸借対照表の内容につき，法令の規定に基づく公告（法第440条第３項の措置に相当するものを含む。）をしている場合における当該事業年度
　　　(3)　ある事業年度に係る貸借対照表の内容につき，金融商品取引法第24条第１項の規定により有価証券報告書を内閣総理大臣に提出している場合における当該事業年度
　二　合併対価の全部又は一部が法人等の株式，持分その他これらに準ずるもの（吸収合併存続会社の株式又は持分を除く。）である場合　次に掲げる事項（当該事項が日本語以外の言語で表示されている場合にあっては，当該事項（氏名又は名称を除く。）を日本語で表示した事項）
　　イ　当該法人等の定款その他これに相当するものの定め
　　ロ　当該法人等が会社でないときは，次に掲げる権利に相当する権利その他の合併対価に係る権利（重要でないものを除く。）の内容
　　　(1)　剰余金の配当を受ける権利
　　　(2)　残余財産の分配を受ける権利
　　　(3)　株主総会における議決権
　　　(4)　合併その他の行為がされる場合において，自己の有する株式を公正

な価格で買い取ることを請求する権利
　(5)　定款その他の資料（当該資料が電磁的記録をもって作成されている場合にあっては，当該電磁的記録に記録された事項を表示したもの）の閲覧又は謄写を請求する権利
ハ　当該法人等が，その株主等に対し，日本語以外の言語を使用して情報の提供をすることとされているときは，当該言語
ニ　吸収合併が効力を生ずる日に当該法人等の株主総会その他これに相当するものの開催があるものとした場合における当該法人等の株主等が有すると見込まれる議決権その他これに相当する権利の総数
ホ　当該法人等について登記（当該法人等が外国の法令に準拠して設立されたものである場合にあっては，法第933条第１項の外国会社の登記又は外国法人の登記及び夫婦財産契約の登記に関する法律第２条の外国法人の登記に限る。）がされていないときは，次に掲げる事項
　(1)　当該法人等を代表する者の氏名又は名称及び住所
　(2)　当該法人等の役員（(1)の者を除く。）の氏名又は名称
ヘ　当該法人等の最終事業年度（当該法人等が会社以外のものである場合にあっては，最終事業年度に相当するもの。以下この号において同じ。）に係る計算書類（最終事業年度がない場合にあっては，当該法人等の成立の日における貸借対照表）その他これに相当するものの内容（当該計算書類その他これに相当するものについて監査役，監査等委員会，監査委員会，会計監査人その他これらに相当するものの監査を受けている場合にあっては，監査報告その他これに相当するものの内容の概要を含む。）
ト　次に掲げる場合の区分に応じ，次に定める事項
　(1)　当該法人等が株式会社である場合　当該法人等の最終事業年度に係る事業報告の内容（当該事業報告について監査役，監査等委員会又は監査委員会の監査を受けている場合にあっては，監査報告の内容を含む。）
　(2)　当該法人等が株式会社以外のものである場合　当該法人等の最終事業年度に係る第118条各号及び第119条各号に掲げる事項に相当する事項の内容の概要（当該事項について監査役，監査等委員会，監査委員会その他これらに相当するものの監査を受けている場合にあっては，監査報告その他これに相当するものの内容の概要を含む。）
チ　当該法人等の過去５年間にその末日が到来した各事業年度（次に掲げる事業年度を除く。）に係る貸借対照表その他これに相当するものの内容
　(1)　最終事業年度
　(2)　ある事業年度に係る貸借対照表その他これに相当するものの内容に

つき，法令の規定に基づく公告（法第440条第３項の措置に相当するものを含む。）をしている場合における当該事業年度
　⑶　ある事業年度に係る貸借対照表その他これに相当するものの内容につき，金融商品取引法第24条第１項の規定により有価証券報告書を内閣総理大臣に提出している場合における当該事業年度
　リ　前号ロ及びハに掲げる事項
　ヌ　合併対価が自己株式の取得，持分の払戻しその他これらに相当する方法により払戻しを受けることができるものであるときは，その手続に関する事項
三　合併対価の全部又は一部が吸収合併存続会社の社債，新株予約権又は新株予約権付社債である場合　第１号イからニまでに掲げる事項
四　合併対価の全部又は一部が法人等の社債，新株予約権，新株予約権付社債その他これらに準ずるもの（吸収合併存続会社の社債，新株予約権又は新株予約権付社債を除く。）である場合　次に掲げる事項（当該事項が日本語以外の言語で表示されている場合にあっては，当該事項（氏名又は名称を除く。）を日本語で表示した事項）
　イ　第１号ロ及びハに掲げる事項
　ロ　第２号イ及びホからチまでに掲げる事項
五　合併対価の全部又は一部が吸収合併存続会社その他の法人等の株式，持分，社債，新株予約権，新株予約権付社債その他これらに準ずるもの及び金銭以外の財産である場合　第１号ロ及びハに掲げる事項
5　第１項第３号に規定する「吸収合併に係る新株予約権の定めの相当性に関する事項」とは，次の各号に掲げる場合の区分に応じ，当該各号に定める定めの相当性に関する事項　とする。
一　吸収合併存続会社が株式会社である場合　法第749条第１項第４号及び第５号に掲げる事項についての定め
二　吸収合併存続会社が持分会社である場合　法第751条第１項第５号及び第６号に掲げる事項についての定め
6　第１項第４号に規定する「計算書類等に関する事項」とは，次に掲げる事項とする。
一　吸収合併存続会社についての次に掲げる事項
　イ　最終事業年度に係る計算書類等（最終事業年度がない場合にあっては，吸収合併存続会社の成立の日における貸借対照表）の内容
　ロ　最終事業年度の末日（最終事業年度がない場合にあっては，吸収合併存続会社の成立の日。ハにおいて同じ。）後の日を臨時決算日（二以上の臨時決算日がある場合にあっては，最も遅いもの）とする臨時計算書類

>   等があるときは，当該臨時計算書類等の内容
>   八　最終事業年度の末日後に重要な財産の処分，重大な債務の負担その他の会社財産の状況に重要な影響を与える事象が生じたときは，その内容（吸収合併契約等備置開始日後吸収合併の効力が生ずる日までの間に新たな最終事業年度が存することとなる場合にあっては，当該新たな最終事業年度の末日後に生じた事象の内容に限る。）
> 二　吸収合併消滅株式会社（清算株式会社を除く。以下この号において同じ。）についての次に掲げる事項
>   イ　吸収合併消滅株式会社において最終事業年度の末日（最終事業年度がない場合にあっては，吸収合併消滅株式会社の成立の日）後に重要な財産の処分，重大な債務の負担その他の会社財産の状況に重要な影響を与える事象が生じたときは，その内容（吸収合併契約等備置開始日後吸収合併の効力が生ずる日までの間に新たな最終事業年度が存することとなる場合にあっては，当該新たな最終事業年度の末日後に生じた事象の内容に限る。）
>   ロ　吸収合併消滅株式会社において最終事業年度がないときは，吸収合併消滅株式会社の成立の日における貸借対照表

　本条は，吸収合併消滅株式会社の事前開示事項を定めるものである。すなわち，法782条1項は，吸収合併消滅株式会社は，吸収合併契約等備置開始日から吸収合併がその効力を生ずる日（効力発生日）までの間，吸収合併契約の内容その他法務省令で定める事項を記載し，または記録した書面または電磁的記録［→224条］をその本店に備え置かなければならないものと定めている。これをうけて，本条では，「法務省令で定める事項」を定めている。

　法782条1項は，その吸収合併契約を承認するかどうかを意思決定するために必要な情報を吸収合併消滅株式会社の株主に，新株予約権の買取請求をするかどうかを意思決定するために必要な情報を吸収合併消滅株式会社の新株予約権者に，その吸収合併に異議を述べるかどうかを意思決定するために必要な情報を吸収合併消滅株式会社の債権者に，それぞれ，提供することを目的とする。また，吸収合併消滅株式会社の株主が吸収合併差止請求（法784条の2）を行うかどうかを判断するための情報，吸収合併消滅株式会社の株主や会社債権者が吸収合併無効の訴え（法828条1項7号・2項7号）を提起すべきかどうかを判断するための情報を提供するという面もある。

1 合併対価の相当性に関する事項（1項1号・3項）

　平成17年改正前商法の下では，吸収合併消滅株式会社の株主に交付される対価は吸収合併存続会社の株式およびいわゆる合併交付金に限られていた（合併当事会社の一方が株式会社である場合には，吸収合併存続会社は株式会社でなければならなかった。同法56条2項）。しかし，会社法の下では，吸収合併存続会社が持分会社であることも認められ（法751条以下），かつ，吸収合併消滅株式会社の株主に交付される対価の種類に制限がなくなった（法749条1項2号・751条1項2号・3号）。

　そこで，合併対価の総数または総額の相当性に関する事項，合併対価として当該種類の財産を選択した理由，吸収合併存続会社と吸収合併消滅株式会社とが共通支配下関係（計規2条3項36号）にあるときは，当該吸収合併消滅株式会社の株主（当該吸収合併消滅株式会社と共通支配下関係にある株主を除く）の利益を害さないように留意した事項（当該事項がない場合には，その旨）その他の法749条1項2号および3号に掲げる事項についての定めまたは法751条1項2号から4号までに掲げる事項についての定め（当該定めがない場合には，当該定めがないこと）の相当性に関する事項が事前開示事項とされている（3項）。

　これは，合併対価の種類・内容ならびに合併対価の数もしくは額またはその算定方法は吸収合併消滅株式会社の株主の経済的利益や持分比率的利益に大きな影響を与えるものであり，吸収合併消滅株式会社の株主が吸収合併契約を承認するか否かを的確に判断するため，あるいは，株式買取請求を行うか否かを判断するために重要な情報だからである。

　合併対価として吸収合併消滅株式会社の株主に交付される財産の価値の総和は，吸収合併消滅株式会社の企業価値に基づいたものとなるべきであるという視点から（相澤ほか・商事法務1800号6頁），合併対価の総数または総額の相当性に関する事項の開示が求められる。合併対価の総数または総額の相当性に関する事項としては，合併対価の総数・総額を決定する際に，吸収合併当事会社の企業価値を算定するために採用した方法，当該方法を適用するにあたって用いた数値および当該方法を適用して算定された吸収合併当事会社の企業価値，合併対価の総数・総額の決定に際して考慮されたその他の事情などが記載されることが想定されている。この事項には，企業価値等の算定に独立性と専門性を有する第三者機関を用いたという事実も含まれうる。

　合併対価として当該種類の財産を選択した理由の記載が求められるのは，合併対価として交付する財産に制約がなくなったため，吸収合併契約を承認する

か否かの判断にあたってこのような選択理由が合理的であるかどうかが株主にとって重要な情報となりうるとともに，理由の記載が求められると，取締役としてもある程度合理的な理由なしにある種類の財産を合併対価として選択することは控えることが期待できるからである。合併対価として当該種類の財産を選択した理由としては，当該種類の財産の調達の容易性，吸収合併消滅株式会社の株主の利益の保護（換価の容易性など），吸収合併存続会社の株主構成に関する方針，企業集団の再編の方向性などが想定される（相澤ほか・商事法務1800号13頁注10）。

　吸収合併存続会社と吸収合併消滅株式会社とが共通支配下関係にあるときは，当該吸収合併消滅株式会社の株主（当該吸収合併消滅株式会社と共通支配下関係にある株主を除く）の利益を害さないように留意した事項の記載が要求されるのは，同一企業集団内の会社間の合併においては，吸収合併消滅株式会社またはその株主共同の利益よりも，企業集団全体の利益や当該企業集団における親会社の利益を優先して，合併対価とする財産の種類または数量もしくは額が決定されるおそれがあることに鑑みたものである（相澤ほか・商事法務1800号7頁）。企業価値等の算定および合併比率の算定などにつき，当該企業集団や親会社等から独立した専門性を有する第三者機関を用いたという事実を記載することなどが考えられる。吸収合併存続会社と吸収合併消滅株式会社とが共通支配下関係にあるときは，当該吸収合併消滅株式会社の株主（当該吸収合併消滅株式会社と共通支配下関係にある株主を除く）の利益を害さないように留意した事項……が「ない場合にあっては，その旨」を記載させることによって，当該吸収合併消滅株式会社の株主（当該吸収合併消滅株式会社と共通支配下関係にある株主を除く）の利益を害さないように留意するよう当該吸収合併消滅株式会社の取締役を仕向けようとしている。

　なお，共通支配下関係とは，二以上の者（人格のないものを含む）が同一の者に支配（一時的な支配を除く）をされている場合または二以上の者のうちの一の者が他のすべての者を支配している場合における当該二以上の者に係る関係をいう（計規2条3項36号）。ここでいう「支配されている」ことまたは「支配している」ことの意味は明文では定義されていないが，子会社等および親会社等（法2条3号・3号の2・4号・4号の2，施規3条の2）の定義との整合性から，「支配している」とは，経営を支配していること，すなわち，「財務及び事業の方針の決定を支配している」（なお，財務諸表等規則8条3項は，「財務及び営業又は事業の方針を決定する機関（株主総会その他これに準ずる機関をいう。

……）を支配している」ことに着目している）ことをいう［「財務及び事業の方針の決定を支配している」かどうかの判断基準については，→3条3］。結局，共通の親会社等を有する2つ以上の会社等（施規2条3項2号）に係る関係または株式会社とその親会社等に係る関係もしくは株式会社とその子会社等に係る関係が共通支配下関係である。

　その他の法749条1項2号および3号に掲げる事項についての定めまたは法751条1項2号から4号までに掲げる事項についての定め（当該定めがない場合にあっては，当該定めがないこと）の相当性に関する事項としては，個々の株主・社員に対する合併対価の割当ての相当性に関する事項（法749条1項3号・751条1項4号），とりわけ，吸収合併消滅株式会社が種類株式発行会社である場合における各種類株式に対する合併対価の割当ての方法の相当性に関する事項や，合併対価が吸収合併存続株式会社の株式であるときは，当該吸収合併存続株式会社の資本金および準備金の額に関する事項（法749条1項2号イ）の相当性に関する事項（183条1号イなど参照）が重要である。後者については，会社法の下では，吸収合併に際して，一般に公正妥当と認められる企業会計の慣行に従って算定された株主資本の額を，どのように資本金，資本準備金およびその他資本剰余金などに振り分けるかを吸収合併契約の定めに委ねており（計規35条・36条），会社の裁量が広く認められるため，その方針を事前開示事項の1つとするのが適当だからである（相澤＝細川・商事法務1769号16頁注1）。

　「当該定めがない場合にあっては，当該定めがないこと」とされているのは，吸収合併においては，吸収合併消滅株式会社の株主に対して合併対価を交付しないことができることを前提としており，このような場合には，吸収合併消滅会社の株主の利害に重要な影響を与える可能性があるので，合併対価を交付しないとすることが相当である理由を事前開示事項に含めるものである。

2　合併対価について参考となるべき事項（1項2号・4項）

　合併対価の種類に応じて，合併対価について参考となるべき事項が定められている。すなわち，4項1号から5号に掲げる場合の区分に応じ，当該各号に定める事項その他これに準ずる事項が事前開示事項とされている。「その他これに準ずる事項」とされているので，4項各号に定められている事項のみを記載すれば足りるというわけでは必ずしもない。すなわち，開示された情報により吸収合併消滅株式会社の株主が合併対価の内容および価値を的確に理解することが可能になるように情報を開示しなければならない。たとえば，合併対価

が取得条項付株式である場合において，取得日を吸収合併の効力発生日またはこれに近接した日に設定したときには，取得条項付株式の取得の対価である財産が実質的な合併対価にあたることになる。このように，吸収合併契約において定められた合併対価である財産と実質的な合併対価となる財産とが異なる場合には，実質的な合併対価となる財産（この例では，取得条項付株式の取得の対価である財産）についても開示が求められる（相澤ほか・商事法務1800号13頁注12）。これは，合併対価が新株予約権，新株予約権付社債またはこれらに準ずるものである場合においても同様であり，当該新株予約権などの流通が予定されておらず，その権利を行使して株式・持分の交付を受けること以外に換価等の方法が事実上存在しない場合には，その権利を行使した場合に交付を受ける株式・持分について，「合併対価の全部又は一部が吸収合併存続会社の株式又は持分である場合」（4項1号）に準じた開示が必要となると考えられる（相澤ほか・商事法務1800号13頁注12）。

(1) 合併対価の全部または一部が吸収合併存続会社の株式または持分である場合（4項1号）

① 吸収合併存続会社の定款の定めの記載が求められている。平成17年改正前商法の下では開示が要求されていなかった事項であるが，これが事前開示事項に含められたのは，会社法の下では，広く定款自治が認められており，吸収合併存続会社の株主・社員としての権利の実質的内容は，その定款の規定を見ないと適切に判断できないことによるものであると考えられる。吸収合併消滅株式会社の株主は，吸収合併存続会社の定款を閲覧する権利を有しないので事前開示事項とされている。2号イにおいて，合併対価の全部または一部が吸収合併存続会社以外の法人等の株式，持分その他これらに準ずるものである場合には，「当該法人等の定款その他これに相当するものの定め」が原則として事前開示事項とされていることとの平仄をとったものであるということもできよう（相澤＝細川・商事法務1769号16頁参照）。

② 合併対価を取引する市場，合併対価の取引の媒介，取次ぎまたは代理を行う者，合併対価の譲渡その他の処分に制限があるときは，その内容その他の合併対価の換価の方法に関する事項の記載が求められる。これは，合併対価の柔軟化により，流動性が乏しく，換価が困難な合併対価が交付されるおそれが高まったことを背景として定められたものであるが，合併対価の全部または一部が吸収合併存続会社の株式または持分である場合であっても当該合

併対価の流動性や換価の容易さが欠けている場合があるため，合併対価とされる財産の種類にかかわらず，記載が求められることとなった（相澤ほか・商事法務1800号8頁）。合併対価を取引する市場としては金融商品取引所その他の取引所などの具体的な名称を記載することが考えられる。合併対価の取引の媒介，取次ぎまたは代理を行う者の記載としては，合併対価を取り扱う証券会社その他の業者に関する情報を記載することが想定されるが，吸収合併消滅株式会社の株主がその業者に容易にアクセスすることを可能にする程度の情報を記載すべきであると指摘されている。すなわち，合併対価とされた財産を取り扱っている業者が限られる場合には，当該業者の氏名または名称のみならず，住所や電話番号などアクセスに必要な情報を開示する必要がある（相澤ほか・商事法務1800号8頁）。合併対価の譲渡その他の処分に制限があるときは，その内容を記載すべきこととされており，当該制限は，法令または定款に基づくものに限られないが，当該合併対価を受領する吸収合併消滅株式会社の株主およびその者からの転得者がその制限に服さないもの（株主間契約など）は開示を要しない。

③　合併対価に市場価格があるときは，その価格に関する事項を記載しなければならない。これは，合併対価の相当性に関する判断資料および合併対価の交付を受けた後に市場価格を把握するための手段に関する情報を吸収合併消滅株式会社の株主に対して提供させようというものである。ここでいう「市場価格」は典型的には上場有価証券については金融商品取引所（証券取引所）における相場であるが，「取引所の相場」とは規定されていないから，より広い概念であると考えられる［「市場価格」の意義については，→30条］。市場価格に関する事項としては，事前開示書類の備置開始日までの，適切に選択された一定期間にわたる市場価格の状況を記載することがまず考えられる。また，合併対価である株式または持分の市場価格が掲載されているインターネット上のウェブサイトのURLを記載することも想定される。

④　最終事業年度，ある事業年度に係る貸借対照表の内容につき，法令の規定に基づく公告（法440条3項の措置（電磁的方法による公開）に相当するものを含む）をしている場合における当該事業年度，および，ある事業年度に係る貸借対照表の内容につき，金融商品取引法24条1項の規定により有価証券報告書を内閣総理大臣に提出している場合における当該事業年度を除き，吸収合併存続会社の過去5年間にその末日が到来した各事業年度に係る貸借対照表の内容を記載しなければならない。これは，「吸収合併存続会社の株式又

は持分」の経済的価値を推測し，吸収合併消滅株式会社の株主が的確な判断を行うためには，吸収合併存続会社の財産および損益の状況についての十分な情報が必要だからである。

　最終事業年度に係る貸借対照表の内容を記載することを要しないのは，計算書類等に関する事項（1項4号・6項）として開示されるからであり，公告もしくは電磁的方法による公開をしている事業年度に係る貸借対照表の内容を記載することを要しないのは，事前開示書面または電磁的記録に含めなくとも，公告をみることまたはインターネットを通じてアクセスすることによって入手可能な情報だからである。ある事業年度に係る貸借対照表の内容につき，金融商品取引法24条1項の規定により有価証券報告書を内閣総理大臣に提出している場合における当該事業年度に係る貸借対照表の内容を記載することを要しないのは，有価証券報告書は5年間公衆縦覧に供され（金融商品取引法25条1項4号），また，行政サービスの一環としてEDINETを用いて提出され，公衆の縦覧に供されているものはインターネットを通じて当該情報を得ることができるからである。

(2)　合併対価の全部または一部が法人等の株式，持分その他これらに準ずるもの（吸収合併存続会社の株式または持分を除く）である場合（4項2号）
①　当該法人等の定款その他これに相当するものの定めの記載が求められるのは，吸収合併存続会社ではない法人等については，広い定款自治が認められていることがあり，吸収合併存続会社以外の法人等の株主・社員等としての権利の実質的内容は，その定款の規定を見ないと適切に判断できないことによる。また，1号において，合併対価の全部または一部が吸収合併存続会社の株式または持分である場合には，吸収合併存続株式会社または吸収合併存続持分会社の定款の定めが原則として事前開示事項とされていることとの平仄をとったものであるということもできよう（相澤＝細川・商事法務1769号16頁参照）。
②　当該法人等が会社（株式会社，合名会社，合資会社および合同会社。法2条1号，施規2条1項）でないときは，剰余金の配当を受ける権利，残余財産の分配を受ける権利，株主総会における議決権，合併その他の行為がされる場合において，自己の有する株式を公正な価格で買い取ることを請求する権利，定款その他の資料（当該資料が電磁的記録をもって作成されている場合には，当該電磁的記録に記録された事項を表示したもの）の閲覧または謄写を請

求する権利に相当する権利その他の合併対価に係る権利（重要でないものを除く）の内容の記載が求められる。これは，合併対価が吸収合併存続会社の株式または持分である場合にはその定款を閲覧することまたは事前開示書類に含まれる「吸収合併存続会社の定款の定めの記載」により，合併対価に係る権利の内容を知ることができるのに対し，「合併対価の全部又は一部が法人等の株式，持分その他これらに準ずるもの」である場合には，当該法人等の定款その他これに相当するものを閲覧し，または，事前開示書類に含まれる情報のみからは，権利の内容を十分に把握することができない可能性があるためである。とりわけ，当該法人等が外国会社その他の外国の法人等である場合には，法制の相違が権利内容を把握する上で大きな障害となりうるからである。例示されている権利は，株式会社であったとすれば特に重要と考えられる株主の権利である（法105条参照）。

③　当該法人等が，その株主等に対し，日本語以外の言語を使用して情報の提供をすることとされているときは，当該言語の記載が求められている。これは，当該合併対価の交付を受ける吸収合併消滅株式会社の株主が当該合併対価を保有し続ける場合にも，それに係る権利を実効的に行使できるようにするためである。

④　吸収合併が効力を生ずる日に当該法人等の株主総会その他これに相当するものの開催があるものとした場合における，当該法人等の株主等が有すると見込まれる議決権その他これに相当する権利の総数の記載が求められる。これは，吸収合併消滅株式会社の株主が，吸収合併後の自己の議決権割合を把握できるようにするためである。

⑤　当該法人等について登記がされていないときは，当該法人等を代表する者の氏名または名称および住所ならびに当該法人等の役員（当該法人等を代表する者を除く）の氏名または名称の記載が求められるのは，「吸収合併存続会社以外の法人等の株式，持分その他これらに準ずるもの」の経済的価値を推測し，吸収合併消滅株式会社の株主が的確な判断を行うためには，その法人等の経営者が誰であるのか，その法人等のガバナンスはどのようになっているのかに関する情報が重要となるが，登記がされていないと，吸収合併消滅株式会社の株主としては，その法人等がどのような者によって経営されているのかなどを知ることができないことによると推測される。

なお，当該法人等が外国の法令に準拠して設立されたものである場合には，法933条1項の外国会社の登記または外国法人の登記及び夫婦財産契約

の登記に関する法律2条の外国法人の登記がされている場合にのみ登記がされているものとして扱われるのは，外国会社の登記（法933条）または外国法人の登記（外国法人の登記及び夫婦財産契約の登記に関する法律2条）をみることによって，その外国会社または外国法人の日本における代表者の氏名および住所を知ることができるが，たとえば，その法人等がしている不動産登記をみてもその法人等の日本における代表者の氏名および住所を知ることはできないからである。

⑥　当該法人等の最終事業年度（当該法人等が会社以外のものである場合には，最終事業年度に相当するもの）に係る計算書類（最終事業年度がない場合には，当該法人等の成立の日における貸借対照表）その他これに相当するものの内容（当該計算書類その他これに相当するものについて監査役，監査等委員会，監査委員会，会計監査人その他これらに相当するものの監査を受けている場合には，監査報告その他これに相当するものの内容の概要を含む）が事前開示事項とされている。

⑦　当該法人等が株式会社である場合には，当該法人等の最終事業年度に係る事業報告の内容（当該事業報告について監査役，監査等委員会または監査委員会の監査を受けている場合には，監査報告の内容を含む）を，当該法人等が株式会社以外のものである場合には，当該法人等の最終事業年度に係る118条各号および119条各号に掲げる事項に相当する事項の内容の概要（当該事項について監査役，監査等委員会，監査委員会その他これらに相当するものの監査を受けている場合には，監査報告その他これに相当するものの内容の概要を含む）を，それぞれ記載しなければならない。これは，株式会社における事業報告の記載事項は，株主にとって重要な情報として定められていることに鑑みると，合併対価の交付により株主等となる者が当該法人等の現況について理解するためには，公開会社である会社の事業報告の記載事項に相当する情報が提供されることが適当だからである。

⑧　最終事業年度，ある事業年度に係る貸借対照表の内容につき，法令の規定に基づく公告（法440条3項の措置に相当するものを含む）をしている場合における当該事業年度，および，ある事業年度に係る貸借対照表の内容につき，金融商品取引法24条1項の規定により有価証券報告書を内閣総理大臣に提出している場合における当該事業年度を除き，当該法人等の過去5年間にその末日が到来した各事業年度に係る貸借対照表その他これに相当するものの内容を記載しなければならないものとされている。「吸収合併存続会社以外の

法人等の株式，持分その他これらに準ずるもの」の経済的価値を推測し，吸収合併消滅株式会社の株主が的確な判断を行うためには，その法人等の財産および損益の状況についての十分な情報が必要だからである。当該法人等がその「貸借対照表その他これに相当するものの内容につき，法令の規定に基づく公告（法第440条第3項の措置に相当するものを含む。）をしている」ものまたは「金融商品取引法第24条第1項の規定により有価証券報告書を内閣総理大臣に提出している」（圏点―引用者）ものでない場合に限って開示が要求されているのは，その法人等が，貸借対照表その他これに相当するものの内容を法令の規定に基づき公告または電磁的方法により公開している場合や有価証券報告書を提出している場合には，その法人等の財産および損益の状況に関する情報を吸収合併消滅株式会社の株主は入手することができるからである。「外国の法令を含む」とはされていないので，「法令」とは日本の法令を意味すると解するのが文言上適当であるし，実質的にも日本国内で公告または電磁的方法で公開されていると評価できる場合でなければならないと考えられる。

⑨　他の合併対価の場合と同様，合併対価を取引する市場，合併対価の取引の媒介，取次ぎまたは代理を行う者，合併対価の譲渡その他の処分に制限があるときはその内容，その他の合併対価の換価の方法に関する事項，ならびに合併対価に市場価格があるときはその価格に関する事項が事前開示事項とされている。

⑩　合併対価が自己株式の取得，持分の払戻しその他これらに相当する方法により払戻しを受けることができるものであるときは，その手続に関する事項を記載しなければならない。これは，投下資本の回収は株主にとって重要な関心事であるところ，法人等の株式，持分その他これらに準ずるもの（吸収合併存続会社の株式または持分を除く）である場合には，払戻しを受けることができる多様な方法が存在することがあるからである。払戻しを受けられるかどうか，受けられるとすればどのような方法によるのかは，吸収合併契約を承認するかどうかの意思決定に重要である一方で，払戻しの手続が開示されていれば，合併対価の交付を受けた後に，払戻しを受ける権利を行使し，または払戻しを受ける機会を逸することを回避できると考えられる。本号では，株主等の権利として払戻しを受けることができるものであるときに開示を求めており，合併対価が取得条項付株式である場合や新株予約権または新株予約権付社債である場合など，払戻しを受けることができることが当該財

産の権利の内容をなしているときには，吸収合併契約で明らかにされるべき事項なので，本号に基づく記載は求められないと解されている（相澤ほか・商事法務1800号14頁注20・注21）。

　なお，これらの事項が日本語以外の言語で表示されている場合には，当該事項（氏名または名称を除く）を日本語で表示した事項が事前開示事項とされる。これは，これらの事項は吸収合併消滅株式会社の株主の意思決定のために重要な情報であると考えられるところ，吸収合併存続会社ではない法人等は外国の法人等でありうることに鑑み，吸収合併消滅株式会社の株主が事前開示事項を十分に理解することを可能にするためである。「氏名又は名称を除く」とされているのは，これらは日本語で表示しなくとも理解可能であるし，日本語では適切に表示することができないからであるともいえる。

(3)　合併対価の全部または一部が吸収合併存続会社の社債，新株予約権または新株予約権付社債である場合（4項3号）

　合併対価の全部または一部が吸収合併存続会社の株式または持分である場合（4項1号）と同じ事項［趣旨と解釈については，→(1)］が事前開示事項とされている。

(4)　合併対価の全部または一部が法人等の社債，新株予約権，新株予約権付社債その他これらに準ずるもの（吸収合併存続会社の社債，新株予約権または新株予約権付社債を除く）である場合（4項4号）

　他の合併対価の場合と同様，①合併対価を取引する市場，②合併対価の取引の媒介，取次ぎまたは代理を行う者，③合併対価の譲渡その他の処分に制限があるときはその内容，④その他の合併対価の換価の方法に関する事項ならびに合併対価に市場価格があるときはその価格に関する事項が，事前開示事項とされている［趣旨と解釈については，→(1)］。

　また，⑤「当該法人等の定款その他これに相当するものの定め」のほか，当該法人等について登記がされていないときは，⑥当該法人等を代表する者の氏名または名称および住所，ならびに⑦当該法人等の役員（当該法人等を代表する者を除く）の氏名または名称，⑧当該法人等の最終事業年度（当該法人等が会社以外のものである場合には，最終事業年度に相当するもの）に係る計算書類（最終事業年度がない場合には，当該法人等の成立の日における貸借対照表）その他これに相当するものの内容（当該計算書類その他これに相当するものについて監査

役，監査等委員会，監査委員会，会計監査人その他これらに相当するものの監査を受けている場合には，監査報告その他これに相当するものの内容の概要を含む），⑨当該法人等が株式会社である場合には，当該法人等の最終事業年度に係る事業報告の内容（当該事業報告について監査役，監査等委員会または監査委員会の監査を受けている場合には，監査報告の内容を含む）を，⑩当該法人等が株式会社以外のものである場合には，当該法人等の最終事業年度に係る118条各号および119条各号に掲げる事項に相当する事項の内容の概要（当該事項について監査役，監査等委員会，監査委員会その他これらに相当するものの監査を受けている場合には，監査報告その他これに相当するものの内容の概要を含む），および，⑪最終事業年度，ある事業年度に係る貸借対照表の内容につき，法令の規定に基づく公告（法440条3項の措置に相当するものを含む）をしている場合における当該事業年度の貸借対照表その他これに相当するものの内容，および，⑫ある事業年度に係る貸借対照表の内容につき，金融商品取引法24条1項の規定により有価証券報告書を内閣総理大臣に提出している場合における当該事業年度を除き，当該法人等の過去5年間にその末日が到来した各事業年度に係る貸借対照表その他これに相当するものの内容を記載しなければならない［趣旨と解釈については，→(2)］。

　なお，これらの事項が日本語以外の言語で表示されている場合には，当該事項（氏名または名称を除く）を日本語で表示した事項が事前開示事項とされる。これは，これらの事項は吸収合併消滅株式会社の株主の意思決定のために重要な情報であると考えられるところ，吸収合併存続会社ではない法人等は外国の法人等でありうることに鑑み，吸収合併消滅株式会社の株主が事前開示事項を十分に理解することを可能にするためである。「氏名又は名称を除く」とされているのは，これらは日本語で表示しなくとも理解可能であるし，日本語では適切に表示することができないからであるともいえる。

(5) 合併対価の全部または一部が吸収合併存続会社その他の法人等の株式，持分，社債，新株予約権，新株予約権付社債その他これらに準ずるものおよび金銭以外の財産である場合（4項5号）

　他の合併対価の場合と同様，合併対価を取引する市場，合併対価の取引の媒介，取次ぎまたは代理を行う者，合併対価の譲渡その他の処分に制限があるときはその内容，その他の合併対価の換価の方法に関する事項，ならびに合併対価に市場価格があるときはその価格に関する事項が，事前開示事項とされてい

る。

　なお，事前開示書面または電磁的記録（法782条1項）に「合併対価について参考となるべき事項」の全部または一部の記載または記録をしないことにつき吸収合併消滅株式会社の総株主の同意がある場合には，当該同意があったものは記載または記録することを要しないものとされている（4項柱書かっこ書）。これは，この記載事項は吸収合併消滅株式会社の株主保護を主たる目的としていること，吸収合併消滅株式会社の総株主の同意を得るためには，総株主に対して十分な情報を提供していることあるいは個別に情報を求めていることもありうることから，会社法があえて本条1項2号の事項を事前開示することを要求するまでのことはない一方で，これらの情報を作成するためには相当な作業が必要とされる場合があると考えられるからである（相澤ほか・商事法務1800号11頁）。組織変更の際の事前開示事項を定める180条が，本条1項2号が定める事項に相当する事項の開示を要求していないこととパラレルである。

3　吸収合併に係る新株予約権の定めの相当性に関する事項（1項3号・5項）

　吸収合併存続会社が株式会社である場合には法749条1項4号および5号に掲げる事項についての定めの相当性に関する事項が，吸収合併存続会社が持分会社である場合には法751条1項5号および6号に掲げる事項についての定めの相当性に関する事項が，それぞれ，事前開示事項とされている。

　法749条1項4号および5号は，吸収合併消滅株式会社が新株予約権を発行しており，株式会社が吸収合併存続会社となる吸収合併をする場合において，吸収合併消滅株式会社の新株予約権の新株予約権者に対して吸収合併存続株式会社の新株予約権を交付するときは，「当該新株予約権の内容及び数又はその算定方法」，その「吸収合併消滅株式会社の新株予約権が新株予約権付社債に付された新株予約権であるときは，吸収合併存続株式会社が当該新株予約権付社債についての社債に係る債務を承継する旨並びにその承継に係る社債の種類及び種類ごとの各社債の金額の合計額又はその算定方法」，その吸収合併消滅株式会社の新株予約権の新株予約権者に対して金銭を交付するときは，「当該金銭の額又はその算定方法」を吸収合併契約に定めなければならないものとし，これらの場合においては「吸収合併消滅株式会社の新株予約権の新株予約権者に対する」法749条1項4号の「吸収合併存続株式会社の新株予約権又は金銭の割当てに関する事項」を吸収合併契約に定めなければならないものとしている。

同様に，法751条１項５号および６号は，吸収合併消滅株式会社が新株予約権を発行しており，吸収合併存続会社が持分会社である場合には，「吸収合併存続持分会社が吸収合併に際して当該新株予約権の新株予約権者に対して交付する当該新株予約権に代わる金銭の額又はその算定方法」および「吸収合併消滅株式会社の新株予約権の新株予約権者に対する」法751条１項５号の「金銭の割当てに関する事項」を吸収合併契約に定めなければならないものとしている。

これらをうけて，本号では，それらの定めの相当性に関する事項を事前開示事項として定めている。これは，新株予約権者に交付される金銭の額が不当に高く定められると，金銭が交付される場合には吸収合併存続会社の会社財産が流出し，吸収合併存続会社の財産が減少することになり，吸収合併消滅株式会社の株主にとっては，交付を受ける吸収合併存続会社の株式・持分の価値が下落する可能性がある一方，新株予約権が交付される場合にも，吸収合併存続会社の株式の価値が下落し，または，吸収合併存続会社における持分比率が低下することにつながりうるので，吸収合併契約の承認に賛成すべきか否かについての判断材料が必要となる一方で，新株予約権者にとっては新株予約権買取請求（法787条）を行うかどうかを判断するための材料が必要だからである。

4　計算書類等に関する事項（１項４号・６項）

最終事業年度に係る計算書類等（最終事業年度がない場合には，吸収合併存続会社の成立の日における貸借対照表）の内容および最終事業年度の末日（最終事業年度がない場合には，吸収合併存続会社の成立の日）後の日を臨時決算日（二以上の臨時決算日がある場合には，最も遅いもの）とする臨時計算書類等があるときは，その臨時計算書類等の内容が事前開示事項とされている。

計算書類等とは，株式会社については「各事業年度に係る計算書類及び事業報告（法第436条第１項又は第２項の規定の適用がある場合にあっては，監査報告又は会計監査報告を含む。）」を，持分会社については計算書類（法617条２項）を，それぞれいう（２条３項12号）。臨時計算書類等とは，会社「法第441条第１項に規定する臨時計算書類（同条第２項の規定の適用がある場合にあっては，監査報告又は会計監査報告を含む。）」をいうので（２条３項13号），平成17年改正前商法の下と比べると，株主資本等変動計算書および事業報告の内容が事前開示事項に含められ，また，計算書類およびその附属明細書ならびに事業報告およびその附属明細書について会社法の下で監査が行われている場合に

は，監査報告および会計監査報告の内容も事前開示事項に含められている点および臨時計算書類等の内容が含められている点で，開示が充実している。これは，吸収合併消滅株式会社の株主や債権者が吸収合併存続会社の状況を正確に把握するためには，貸借対照表および損益計算書の内容のみでは不十分であるという認識，および，監査報告および会計監査報告がある場合にはその内容も重要な情報であるという認識に基づくものである。

他方，吸収合併存続会社の計算書類等および臨時計算書類等の内容のみが事前開示事項とされ，吸収合併消滅株式会社の計算書類等および臨時計算書類等の内容が事前開示事項とされていないのは，吸収合併消滅株式会社の計算書類等および臨時計算書類等については，別途，備え置き，株主および会社債権者の閲覧等の請求に応じるべきものとされているため（法442条），二重に規制を設ける必要がないと考えられるためである。

平成17年改正前商法と異なり，吸収合併契約の承認をする株主総会の日の前6カ月以内に作成された計算書類等ではなく，最終事業年度に係る計算書類等の内容を開示すれば足りるとされているのは，最終事業年度に係る計算書類等に加えて，たとえば，吸収合併契約の承認をする株主総会の日の前6カ月以内に作成された貸借対照表および損益計算書の内容の開示を要求したとしても，それらの貸借対照表および損益計算書について監査役，監査役会，監査等委員会または監査委員会の監査および会計監査人の監査がなされていなければ，その貸借対照表および損益計算書の内容の適法性・適正性が担保されないため，情報としての価値が低いこと，および，その貸借対照表および損益計算書の作成後に吸収合併存続会社の財産状態に重要な影響を与える事象が生じた場合には，株主や債権者の意思決定を的確ならしめるためには，6項1号ハに定める事項のような事項の追加的な開示が必要とされることによるものである（相澤＝細川・商事法務1769号18頁）。

最終事業年度がない場合には，吸収合併存続会社の成立の日における貸借対照表を事前開示事項としているのは，通常は，株式会社の成立の日における貸借対照表は株主や会社債権者の閲覧等の請求の対象とされていないことによる。すなわち，吸収合併存続会社において最終事業年度がない場合には，吸収合併消滅株式会社の株主および債権者が吸収合併存続会社の成立の日における貸借対照表の内容を知って，吸収合併存続会社の財産の状況に関する最低限の情報を得て，的確に権利行使をすることができるようにするためである。

なお，吸収合併存続会社が臨時計算書類を作成している場合には，その臨時

計算書類（その臨時計算書類について，監査役，監査役会，監査等委員会もしくは監査委員会の監査または会計監査人の監査がなされている場合には，その監査報告または会計監査報告を含む）が開示されれば吸収合併消滅株式会社の株主や債権者に有用な情報を提供することになるし，吸収合併消滅株式会社においても吸収合併存続会社の臨時計算書類等が事前開示事項に含められることによる負担が大きいとはいえないので，6項1号ロでは，吸収合併存続会社が臨時計算書類等を作成しているときには，それを事前開示事項に含めている。「二以上の臨時決算日がある場合にあっては，最も遅いもの」とされているので，最終事業年度の末日（最終事業年度がない場合には，吸収合併存続会社の成立の日）後に複数の臨時計算書類が作成されている場合には，最新の臨時計算書類を開示すれば足りる。

　吸収合併消滅株式会社（清算株式会社を除く）において最終事業年度がないときは，吸収合併消滅株式会社の成立の日における貸借対照表が事前開示事項に含められている。

　株式会社が吸収合併をする場合には，吸収合併消滅株式会社の債権者は，その株式会社に対し，その吸収合併について異議を述べることができるが（法789条1項），異議を述べるか否かの判断にあたって，吸収合併消滅株式会社の財産および損益の状況を考慮に入れると推測される。そして，最終事業年度がある場合には，吸収合併消滅株式会社の計算書類等が作成されており，その債権者はそれを閲覧等することができるが（法442条），最終事業年度がない場合にはそのような計算書類等が存在しない。しかも，株式会社の成立の日における貸借対照表は，株主や債権者の閲覧等の請求の対象とされていない。そこで，吸収合併消滅株式会社において最終事業年度がない場合には，会社の債権者（および株主）が吸収合併消滅株式会社の成立の日における貸借対照表を閲覧等して，会社の財産の状況に関する最低限の情報を得られるようにするために，6項2号ロが定められている。もっとも，立法論としては，吸収合併消滅株式会社が臨時計算書類を作成している場合には，臨時計算書類は債権者および株主の閲覧等の対象とされているので，吸収合併消滅株式会社の成立の日における貸借対照表を事前開示事項に含める必要はないものと考えられる。

　「清算株式会社を除く」とされているのは，清算株式会社においては，清算開始時の貸借対照表が作成されている（法492条1項）からではないかと推測されるが，そうであるとすると，清算開始時の貸借対照表を事前開示事項に含めていない理由は不明である。清算開始時の貸借対照表は会社に備え置くこと

も，株主および債権者の閲覧等の請求等に応ずることも要求されていないからである。清算株式会社についても，各清算事務年度に係る貸借対照表および事務報告は備え置いて，株主および債権者の閲覧等の請求に応じるものとされていること（法496条）との均衡からも，吸収合併消滅会社である清算株式会社の株主および債権者にとっても，的確な意思決定をするためには，その株式会社の財産の状態に関する情報が必要であるし，事前開示事項に含められることによる清算株式会社の事務負担が大きいとも考えられないことからも，最終事業年度がない清算株式会社については，清算開始時の貸借対照表を事前開示事項に含めることが立法論としては適当であろう。

　また，吸収合併存続会社または吸収合併消滅株式会社（清算株式会社を除く）において，最終事業年度の末日（最終事業年度がない場合には，それぞれ，吸収合併存続会社または吸収合併消滅株式会社の成立の日）後に重要な財産の処分，重大な債務の負担その他の会社財産の状況に重要な影響を与える事象（後発事象）が生じたときは，その内容（吸収合併契約等備置開始日後吸収合併の効力が生ずる日までの間に新たな最終事業年度が存することとなる場合にあっては，当該新たな最終事業年度の末日後に生じた事象の内容に限る）が事前開示事項に含められている。これは，最終事業年度の末日後に生じた重要な財産の処分，重大な債務の負担その他の会社財産の状況に重要な影響を与える事象や最終事業年度の末日後になされた組織再編行為などは組織再編行為の条件の相当性に重要な影響を及ぼす可能性があるところ，最終事業年度に係る計算書類等の開示のみによっては，合併当事会社の財産の状況を的確に判断することは難しいという認識に基づく開示事項である（相澤＝細川・商事法務1769号18頁）。

　「吸収合併契約等備置開始日後吸収合併の効力が生ずる日までの間に新たな最終事業年度が存することとなる場合にあっては，当該新たな最終事業年度の末日後に生じた事象の内容に限る」とされているのは，新たな最終事業年度に係る計算書類等には当該新たな最終事業年度の末日までに生じた重要な財産の処分，重大な債務の負担その他の会社財産の状況に重要な影響を与える事象が反映されるため，別途開示する必要がないからである。

　「清算株式会社を除く」とされているのは，清算株式会社の権利能力は原則として営業取引には及ばないこと，および，清算株式会社の事務負担を軽減する必要があるという価値判断に基づくものであると推測されるが，吸収合併は反復して行われるような行為ではなく，株主および会社債権者に必要な情報を提供するという観点からは，このような例外を認めることは，立法論として，

必ずしも説得的であるとは思われない。

5 吸収合併が効力を生ずる日以後における吸収合併存続会社の債務（法789条1項の規定により吸収合併について異議を述べることができる債権者に対して負担する債務に限る）の履行の見込みに関する事項（1項5号）

　平成17年改正前商法374条ノ2第1項3号および374条ノ18第1項3号は，会社分割についてのみ「各会社ノ負担スベキ債務ノ履行ノ見込アルコト及其ノ理由ヲ記載シタル書面」を備え置くことを要求していたが，これは，会社分割の当事会社の債権者保護を目的とするものであり，そうであれば，会社分割の場合にのみ要求すべき開示事項ではないと考えられるため，本号は，吸収合併が効力を生ずる日以後における吸収合併存続会社の債務（吸収合併について異議を述べることができる債権者に対して負担する債務に限る）の履行の見込みに関する事項を事前開示事項の1つとして定めている。

　たしかに，「各会社ノ負担スベキ債務ノ履行ノ見込アルコト」と定めていた平成17年改正前商法374条ノ2第1項3号などと異なり，本号では「債務の……履行の見込みに関する事項」と定めていることから，債務の履行の見込みがないような吸収合併を行った場合であっても，その吸収合併は当然に無効になるわけではないと解する余地はある。実質的にも，債務履行の見込みは将来予測に基づくものであり，吸収合併の時点では不確定であることに鑑みると，債務の履行の見込みがないことが合併無効原因であると解することは法的安定性を損なう一方で，債権者の保護は債権者保護手続または詐害行為取消権の行使によって図ることが可能であるとも考えられる（相澤＝細川・商事法務1769号19頁）。

　しかし，平成17年改正前商法374条ノ2第1項3号などは，「各会社ノ負担スベキ債務ノ履行ノ見込」がないことを分割無効原因とする創設的規定ではなく，「各会社ノ負担スベキ債務ノ履行ノ見込」がないことが分割無効原因であることを前提として開示を要求する規定であって（原田・商事法務1565号11頁，名古屋地判平成16・10・29判時1881号122頁参照），開示すべき事項が「債務の……履行の見込みに関する事項」とされたことの一事をもって，実体法の解釈がただちに変更されると解するのはやや強引なのではないかとも思われる。実質的に考えてみても，株式会社の場合，債務の履行の見込みがないことは支払不能として破産原因（破産法16条1項）にあたり，会社がそのような状態となる組織再編行為を有効であると解することは適切ではない。また，「履行の見

込みがない」ということが開示されていれば十分であるともいえない。なぜなら，債権者保護手続として，必ずしも個別催告が要求されていない以上，「履行の見込みがない」ことを知っていたにもかかわらず，すべての債権者があえて異議を述べなかったとみなすことには無理があるからである。いいかえれば，組織再編行為がなされても，債務の履行の見込みがあってこそ，個別催告を必ずしも要求しないことが正当化されると思われる。したがって，債務の履行の見込みがないことは合併無効原因にあたると解することが穏当であるように思われる［もっとも，組織変更との関連では，必ずしも，そのようにはいえないのではないかという点について，→180条3］。ただし，異議を述べることができる債権者が異議を述べなかった場合には承認したものとみなされ（法789条4項），合併無効の訴えの原告適格を有しないから，「債務の履行の見込みがないこと」が合併無効原因であると解することの実益は必ずしも大きくはないこともまた事実である（藤田・商事法務1775号65頁注56，江頭945頁注3参照）。

なお，「法第789条第1項の規定により吸収合併について異議を述べることができる債権者に対して負担する債務に限る」とされているのは，本号に基づく開示は主として吸収合併について異議を述べることができる債権者の保護のためであると考えられるからである。

6　1から5の事項に変更が生じたときは，変更後の当該事項（1項6号）

吸収合併契約等備置開始日（法782条2項）後，1号から5号までに掲げる事項に変更が生じたときは，変更後のその事項も事前開示事項に含まれるものとされている。

平成17年改正前商法の下では，合併などに係る事前開示資料との関連でも，備置開始後，効力発生日までの間に，事前開示資料の内容事項について変更が生じた場合にはどのようにすべきかについての規律が定められていなかった。しかし，会社法の下では，債権者保護手続は効力発生日までに終了していれば足りるとされているため（法750条6項），吸収合併契約等備置開始日後，効力発生日までの間がある程度の期間となる可能性もあり，会社の債権者および株主に対して適切な権利行使のための判断材料を与えるという観点から最新の情報を提供することを要求することが適切である（相澤＝細川・商事法務1769号20頁）。そこで，本号では，吸収合併契約等備置開始日後，事前開示事項に変更が生じたときは，変更後のその事項を開示することを要求している。

したがって，たとえば，吸収合併契約等備置開始日後に，計算書類等が確定

し，最終事業年度に係る計算書類等が存在するようになった場合には，もはや成立の日における貸借対照表を事前開示事項に含める必要はなく，一般原則に従って計算書類等を備え置き，閲覧等の請求に応ずれば足りることになる（法442条）。同様に，最終事業年度に係る計算書類等については，新たに計算書類等が確定し，最終事業年度が更新された場合には，その最終事業年度に係る計算書類等を開示することが要求される。

なお，吸収合併消滅株式会社には，効力発生日までしか，事前開示書面・電磁的記録は備え置かれないので，183条7号や184条6項1号ハとは規定振りが若干異なっている。

―（吸収分割株式会社の事前開示事項）――――――――――――――――
第183条 法第782条第1項に規定する法務省令で定める事項は，同項に規定する消滅株式会社等が吸収分割株式会社である場合には，次に掲げる事項とする。
　一　次のイ又はロに掲げる場合の区分に応じ，当該イ又はロに定める定め（当該定めがない場合にあっては，当該定めがないこと）の相当性に関する事項
　　イ　吸収分割承継会社が株式会社である場合　法第758条第4号に掲げる事項についての定め
　　ロ　吸収分割承継会社が持分会社である場合　法第760条第4号及び第5号に掲げる事項についての定め
　二　法第758条第8号又は第760条第7号に掲げる事項を定めたときは，次に掲げる事項
　　イ　法第758条第8号イ又は第760条第7号イに掲げる行為をする場合において，法第171条第1項の決議が行われているときは，同項各号に掲げる事項
　　ロ　法第758条第8号ロ又は第760条第7号ロに掲げる行為をする場合において，法第454条第1項の決議が行われているときは，同項第1号及び第2号に掲げる事項
　三　吸収分割株式会社が法第787条第3項第2号に定める新株予約権を発行している場合において，吸収分割承継会社が株式会社であるときは，法第758条第5号及び第6号に掲げる事項についての定めの相当性に関する事項（当該新株予約権に係る事項に限る。）
　四　吸収分割承継会社についての次に掲げる事項
　　イ　最終事業年度に係る計算書類等（最終事業年度がない場合にあっては，吸収分割承継会社の成立の日における貸借対照表）の内容

ロ　最終事業年度の末日（最終事業年度がない場合にあっては，吸収分割承継会社の成立の日。ハにおいて同じ。）後の日を臨時決算日（二以上の臨時決算日がある場合にあっては，最も遅いもの）とする臨時計算書類等があるときは，当該臨時計算書類等の内容
　　ハ　最終事業年度の末日後に重要な財産の処分，重大な債務の負担その他の会社財産の状況に重要な影響を与える事象が生じたときは，その内容（吸収合併契約等備置開始日後吸収分割の効力が生ずる日までの間に新たな最終事業年度が存することとなる場合にあっては，当該新たな最終事業年度の末日後に生じた事象の内容に限る。）
　五　吸収分割株式会社（清算株式会社を除く。以下この号において同じ。）についての次に掲げる事項
　　イ　吸収分割株式会社において最終事業年度の末日（最終事業年度がない場合にあっては，吸収分割株式会社の成立の日）後に重要な財産の処分，重大な債務の負担その他の会社財産の状況に重要な影響を与える事象が生じたときは，その内容（吸収合併契約等備置開始日後吸収分割の効力が生ずる日までの間に新たな最終事業年度が存することとなる場合にあっては，当該新たな最終事業年度の末日後に生じた事象の内容に限る。）
　　ロ　吸収分割株式会社において最終事業年度がないときは，吸収分割株式会社の成立の日における貸借対照表
　六　吸収分割が効力を生ずる日以後における吸収分割株式会社の債務及び吸収分割承継会社の債務（吸収分割株式会社が吸収分割により吸収分割承継会社に承継させるものに限る。）の履行の見込みに関する事項
　七　吸収合併契約等備置開始日後吸収分割が効力を生ずる日までの間に，前各号に掲げる事項に変更が生じたときは，変更後の当該事項

　本条は，吸収分割株式会社の事前開示事項を定めるものである。すなわち，法782条1項は，吸収分割株式会社は，吸収合併契約等備置開始日から吸収分割がその効力を生ずる日（効力発生日）後6カ月を経過する日までの間，吸収分割契約の内容その他法務省令で定める事項を記載し，または記録した書面または電磁的記録［→224条］をその本店に備え置かなければならないものと定めている。これをうけて，本条では，「法務省令で定める事項」を定めている。
　法782条1項は，その吸収分割契約を承認するかどうかを意思決定するために必要な情報を吸収分割株式会社の株主に，新株予約権の買取請求をするかどうかを意思決定するために必要な情報を吸収分割株式会社の新株予約権者に，その吸収分割に異議を述べるかどうかを意思決定するために必要な情報を吸収

分割株式会社の債権者に，それぞれ，提供することを目的とする。また，吸収分割株式会社の株主が吸収分割差止請求（法784条の2）を行うかどうかを判断するための情報，吸収分割株式会社の株主や債権者が吸収分割無効の訴え（法828条1項9号・2項9号）を提起すべきかどうかを判断するための情報を提供するという面もある。

1　分割対価の相当性に関する事項（1号イ・ロ）

　平成17年改正前商法の下では，吸収分割会社に交付される対価は吸収分割承継会社の株式およびいわゆる分割交付金に限られていた（分割当事会社の双方が株式会社でなければならなかった。同法374条ノ16参照）。しかし，会社法の下では，吸収分割承継会社が持分会社であることも認められ（法760条以下），かつ，吸収分割会社に交付される対価の種類に制限がなくなった（法758条4号・760条4号・5号）。

　そこで，本号は，吸収分割承継会社が株式会社である場合には「法第758条第4号に掲げる事項についての定め」の相当性に関する事項を，吸収分割承継会社が持分会社である場合には「法第760条第4号及び第5号に掲げる事項についての定め」の相当性に関する事項を事前開示事項として定めている。実際には，分割対価の割当てについての理由，分割対価の内容を相当とする理由および吸収分割承継会社が株式会社であり，分割対価に吸収分割承継会社の株式が含まれる場合の吸収分割承継会社の資本金および準備金の額に関する事項を相当とする理由［→2］の開示が要求されている。

　これは，分割対価の種類・内容ならびに分割対価の数もしくは額またはその算定方法は吸収分割株式会社ひいてはその株主の経済的利益に大きな影響を与えるものであり，吸収分割株式会社の株主が吸収分割契約を承認するか否かを的確に判断するため，あるいは，株式買取請求を行うか否かを判断するために重要な情報だからである。また，分割対価の種類・内容ならびに分割対価の数もしくは額またはその算定方法は吸収分割株式会社の財産に影響を与えるものであり，吸収分割株式会社の債権者にとって，異議を述べるべきか否かを判断するために重要な情報だからである。

　「当該定めがない場合にあっては，当該定めがないこと」とされているのは，吸収分割においては，吸収分割株式会社に対して分割対価を交付しないことができることを前提としており，このような場合には，吸収分割株式会社の株主や債権者の利害に重要な影響を与える可能性があるので，分割対価を交付

しないとすることが相当である理由を事前開示事項に含めるものである。

なお，吸収合併消滅会社の事前開示事項と異なり，吸収分割株式会社に対して交付する金銭等の全部または一部が吸収分割承継株式会社の株式または吸収分割承継持分会社の持分である場合であっても，吸収分割承継株式会社または吸収分割承継持分会社の定款の定めは事前開示事項とされていないし，吸収分割株式会社に対して交付する金銭等の全部または一部が吸収分割承継会社以外の法人等の株式，持分，社債等その他これらに準ずるものである場合であっても，当該法人等の定款の定めなどは事前開示事項とはされていない（182条3項2号・3号と対照）。これは，吸収分割においては，吸収分割会社が分割対価の交付を受けるものだからである（吸収分割の効力発生日に吸収分割承継会社の株式または持分のみを配当財産とする剰余金の配当または吸収分割承継会社の株式または持分のみを取得対価とする全部取得条項付種類株式の取得を行う場合にも，事前開示事項とはされていない）。

182条3項のような明文の規定は設けられていないが，分割対価の総数または総額の相当性に関する事項，分割対価として当該種類の財産を選択した理由，吸収分割株式会社と吸収分割承継会社とが共通支配下関係（計規2条3項36号）[→182条] にあるときは，当該吸収分割株式会社の株主（当該吸収分割株式会社と共通支配下関係にある株主を除く）の利益を害さないように留意した事項（当該事項がない場合には，その旨）などを記載することが，通常は，必要であると解されている（相澤ほか・商事法務1800号13頁注7）。

2　吸収分割承継会社が株式会社であって，分割対価に吸収分割承継会社の株式が含まれる場合における吸収分割承継会社の資本金および準備金の額に関する事項の相当性に関する事項（1号イ）

会社法の下では，吸収分割に際して，一般に公正妥当と認められる企業会計の慣行に従って算定された株主資本の額を，どのように資本金，資本準備金およびその他資本剰余金などに振り分けるかについては吸収分割契約の定めに委ねられている（計規37条・38条）。すなわち，会社の裁量が広く認められるため，その配分の方針を事前開示事項の1つとしているのが本号である（相澤＝細川・商事法務1769号16頁）。

第183条（吸収分割株式会社の事前開示事項）　997

3　吸収分割の効力発生日に吸収分割承継会社の株式・持分のみを配当財産とする剰余金の配当または吸収分割承継会社の株式・持分のみを取得対価とする全部取得条項付種類株式の取得を行う場合（2号）

　吸収分割の効力発生日に吸収分割承継会社の株式・持分のみを配当財産とする剰余金の配当または吸収分割承継会社の株式・持分のみを取得対価とする全部取得条項付種類株式の取得を行う場合であっても，吸収分割契約にはその旨を記載すれば足りることとされている（法758条8号・760条7号）。しかし，吸収分割承継会社の株式・持分が配当財産あるいは全部取得条項付種類株式の取得対価として吸収分割株式会社の株主にどのように交付されるかを把握できなければ，吸収分割株式会社の株主としては，吸収分割契約を承認するか否かを的確に意思決定できないと考えられる。そこで，本号では，吸収分割の効力発生日に吸収分割承継会社の株式・持分のみを配当財産とする剰余金の配当または吸収分割承継会社の株式・持分のみを取得対価とする全部取得条項付種類株式の取得を行う場合において，その全部取得条項付種類株式の取得または剰余金の配当についての決議が行われているときは，その決議の内容を事前開示事項として定めている。すなわち，全部取得条項付種類株式の取得を行う場合には，当該財産の「内容及び数又はその算定方法」（法171条1項1号ニ），具体的には，取得対価とされる吸収分割承継会社の株式または持分の種類および種類ごとの数またはその数の算定方法，全部取得条項付種類株式の株主に対する取得対価の割当てに関する事項（同項2号）および株式会社が全部取得条項付種類株式を取得する日（同項3号。これは，吸収分割の効力が生ずる日となる）が事前開示事項とされる。剰余金の配当を行う場合には，配当財産の種類および帳簿価額の総額および株主に対する配当財産の割当てに関する事項が事前開示事項とされる。

　「決議が行われているときは」と規定されているので，事前開示書面・電磁的記録の備置開始時に決議がまだなされていないときは，決議がなされた時からその決議の内容が事前開示事項とされる（7号参照）。

4　吸収分割株式会社の新株予約権者に対して交付する新株予約権等についての定めの相当性（3号）

　法758条5号および6号は，吸収分割株式会社が吸収分割契約新株予約権（その吸収分割承継会社の新株予約権の交付を受ける吸収分割株式会社の新株予約権の新株予約権者の有する新株予約権）または吸収分割契約新株予約権以外の新

株予約権であって，吸収分割をする場合においてその新株予約権の新株予約権者に吸収分割承継株式会社の新株予約権を交付することとする旨の定めがあるものを発行しており，株式会社が吸収分割承継会社となる吸収分割をする場合において，吸収分割承継株式会社が吸収分割に際して吸収分割株式会社の新株予約権の新株予約権者に対してその新株予約権に代わるその吸収分割承継株式会社の新株予約権を交付するときは，「当該吸収分割承継株式会社の新株予約権の交付を受ける吸収分割株式会社の新株予約権の新株予約権者の有する新株予約権（……吸収分割契約新株予約権……）の内容」，「吸収分割契約新株予約権の新株予約権者に対して交付する吸収分割承継株式会社の新株予約権の内容及び数又はその算定方法」，および，「吸収分割契約新株予約権が新株予約権付社債に付された新株予約権であるときは，吸収分割承継株式会社が当該新株予約権付社債についての社債に係る債務を承継する旨並びにその承継に係る社債の種類及び種類ごとの各社債の金額の合計額又はその算定方法」を吸収分割契約に定めなければならないものとし，これらの場合においては，「吸収分割契約新株予約権の新株予約権者に対する」法758条5号「の吸収分割承継株式会社の新株予約権の割当てに関する事項」を吸収分割契約に定めなければならないものとしている。

これらをうけて，本号では，それらの定めの相当性に関する事項を事前開示事項として定めている。これは，不相当な新株予約権が交付される場合には，吸収分割会社が有する吸収分割承継株式会社の株式の価値が下落し，または，吸収分割承継株式会社における吸収分割株式会社の持分比率が低下することにつながり，その結果，吸収分割株式会社の株主が有することになる吸収分割承継株式会社の株式の価値が低下する可能性があるので，吸収分割に賛成すべきか否かについての判断材料が必要となる一方で，新株予約権者にとっては新株予約権買取請求（法787条）を行うかどうかを判断するための材料が必要だからである。

5 吸収分割承継会社の計算書類等および臨時計算書類等の内容 （4号イ・ロ）

最終事業年度に係る計算書類等（最終事業年度がない場合には，吸収分割承継会社の成立の日における貸借対照表）の内容および最終事業年度の末日（最終事業年度がない場合には，吸収分割承継会社の成立の日）後の日を臨時決算日（二以上の臨時決算日がある場合には，最も遅いもの）とする臨時計算書類等があるときは，その臨時計算書類等の内容が事前開示事項とされている。

計算書類等とは株式会社については「各事業年度に係る計算書類及び事業報告（法第436条第1項又は第2項の規定の適用がある場合にあっては，監査報告又は会計監査報告を含む。）」を，持分会社については計算書類（法617条2項）を，それぞれいい（2条3項12号），臨時計算書類等とは「法第441条第1項に規定する臨時計算書類（同条第2項の規定の適用がある場合にあっては，監査報告又は会計監査報告を含む。）」をいうので（2条3項13号），平成17年改正前商法の下に比べると，株主資本等変動計算書および事業報告の内容が事前開示事項に含められ，また，計算書類およびその附属明細書ならびに事業報告およびその附属明細書について会社法の下で監査が行われている場合には，監査報告および会計監査報告の内容も事前開示事項に含められている点および臨時計算書類等の内容が含められている点で，開示が充実している。これは，吸収分割株式会社の株主や会社債権者が吸収分割承継会社の状況を正確に把握するためには，貸借対照表および損益計算書の内容のみでは不十分であるという認識，および，監査報告および会計監査報告がある場合にはその内容も重要な情報であるという認識に基づくものである。

　他方，吸収分割承継会社の計算書類等および臨時計算書類等の内容のみが事前開示事項とされ，吸収分割株式会社の計算書類等および臨時計算書類等の内容が事前開示事項とされていないのは，吸収分割株式会社の計算書類等および臨時計算書類等については，別途，備置き，株主および会社債権者の閲覧等の請求に応じるべきものとされているため（法442条），二重に規制を設ける必要がないと考えられるためである。

　平成17年改正前商法374条ノ18第1項4号と異なり，吸収分割契約の承認をする株主総会の日の前6カ月以内に作成された計算書類等ではなく，最終事業年度に係る計算書類等の内容を開示すれば足りるとされているのは，最終事業年度に係る計算書類等に加えて，たとえば，吸収分割契約の承認をする株主総会の日の前6カ月以内に作成された貸借対照表および損益計算書の内容の開示を要求したとしても，それらの貸借対照表および損益計算書について監査役，監査役会，監査等委員会または監査委員会の監査および会計監査人の監査がなされていなければ，その貸借対照表および損益計算書の内容の適法性・適正性が担保されないため，情報としての価値が低いこと，および，その貸借対照表および損益計算書の作成後に吸収分割承継会社の財産状態に重要な影響を与える事象が生じた場合には，株主や会社債権者の意思決定を的確ならしめるためには，4号ハに定める事項のような事項の追加的な開示が必要とされることに

よるものである（相澤＝細川・商事法務1769号18頁）。

　最終事業年度がない場合に，吸収分割承継会社の成立の日における貸借対照表を事前開示事項としているのは，通常は，株式会社の成立の日における貸借対照表は株主や会社債権者の閲覧等の請求の対象とされていないことによる。すなわち，吸収分割承継会社において最終事業年度がない場合には，吸収分割株式会社の株主および債権者が吸収分割承継会社の成立の日における貸借対照表を閲覧等して，吸収分割承継会社の財産の状況に関する最低限の情報を得て，的確に権利行使をすることができるようにするためである。

　なお，吸収分割承継会社が臨時計算書類を作成している場合には，その臨時計算書類（その臨時計算書類について，監査役，監査役会，監査等委員会もしくは監査委員会の監査または会計監査人の監査がなされている場合には，その監査報告または会計監査報告を含む）が開示されれば株主や会社債権者に有用な情報を提供することになるし，吸収分割株式会社においても吸収分割承継会社の臨時計算書類等が事前開示事項に含められることによる負担が大きいとはいえないので，4号ロでは，吸収分割承継会社が臨時計算書類等を作成しているときには，それを事前開示事項に含めている。「二以上の臨時決算日がある場合にあっては，最も遅いもの」とされているので，最終事業年度の末日（最終事業年度がない場合には，吸収分割承継会社の成立の日）後に複数の臨時計算書類が作成されている場合には，最新の臨時計算書類を開示すれば足りる。

6　分割当事会社の重要な後発事象（4号ハ・5号イ）

　吸収分割承継会社または吸収分割株式会社（清算株式会社を除く）において，最終事業年度の末日（最終事業年度がない場合には，それぞれ，吸収分割承継会社または吸収分割株式会社の成立の日）後に重要な財産の処分，重大な債務の負担その他の会社財産の状況に重要な影響を与える事象が生じたときは，その内容（吸収合併契約等備置開始日後吸収分割の効力が生ずる日までの間に新たな最終事業年度が存することとなる場合にあっては，当該新たな最終事業年度の末日後に生じた事象の内容に限る）が事前開示事項に含められている。これは，最終事業年度の末日後に生じた重要な財産の処分，重大な債務の負担その他の会社財産の状況に重要な影響を与える事象や最終事業年度の末日後になされた組織再編行為などは組織再編行為の条件の相当性に重要な影響を及ぼす可能性があるところ，最終事業年度に係る計算書類等の開示のみによっては，分割当事会社の財産の状況を的確に判断することは難しいという認識に基づく開示事項である

(相澤＝細川・商事法務1769号18頁)。

　「吸収合併契約等備置開始日後吸収分割の効力が生ずる日までの間に新たな最終事業年度が存することとなる場合にあっては，当該新たな最終事業年度の末日後に生じた事象の内容に限る」とされているのは，新たな最終事業年度に係る計算書類等には当該新たな最終事業年度の末日までに生じた重要な財産の処分，重大な債務の負担その他の会社財産の状況に重要な影響を与える事象が反映されるため，別途開示する必要がないからである。

　「清算株式会社を除く」とされているのは，清算株式会社の権利能力は原則として営業取引には及ばないこと，および，清算株式会社の事務負担を軽減する必要があるという価値判断に基づくものであると推測されるが，吸収分割は反復して行われるような行為ではなく，吸収分割株式会社の株主および会社債権者に必要な情報を提供するという観点からは，このような例外を認めることは，立法論として，必ずしも説得的であるとは思われない。

7　吸収分割株式会社において最終事業年度がない場合（5号ロ）

　吸収分割株式会社（清算株式会社を除く）において最終事業年度がないときは，吸収分割株式会社の成立の日における貸借対照表が事前開示事項の1つとされている。

　株式会社が吸収合併をする場合には，吸収分割株式会社の債権者は，その株式会社に対し，その吸収分割について異議を述べることができるが（法789条1項），異議を述べるか否かの判断にあたって，吸収分割株式会社の財産および損益の状況を考慮に入れると推測される。そして，最終事業年度がある場合には，吸収分割株式会社の計算書類等が作成されており，その債権者はそれを閲覧等することができるが（法442条），最終事業年度がない場合にはそのような計算書類等が存在しない。しかも，株式会社の成立の日における貸借対照表は株主や会社債権者の閲覧等の請求の対象とされていない。そこで，吸収分割株式会社において最終事業年度がない場合には，その債権者（および株主）がその株式会社の成立の日における貸借対照表を閲覧等して，会社の財産の状況に関する最低限の情報を得られるようにするために，本号が定められている。もっとも，立法論としては，吸収分割株式会社が臨時計算書類を作成している場合には，臨時計算書類はその債権者および株主の閲覧等の対象とされているので，株式会社の成立の日における貸借対照表を事前開示事項に含める必要はないものと考えられる。

「清算株式会社を除く」とされているのは，清算株式会社においては，清算開始時の貸借対照表が作成されている（法492条1項）からではないかと推測されるが，そうであるとすると，清算開始時の貸借対照表を事前開示事項に含めていない理由は不明である。清算開始時の貸借対照表は会社に備え置くことも，株主および会社債権者の閲覧等の請求等に応ずることも要求されていないからである。清算株式会社についても，各清算事務年度に係る貸借対照表および事務報告は備え置いて，株主および会社債権者の閲覧等の請求に応じるものとされていること（法496条）との均衡からも，吸収分割株式会社である清算株式会社の株主および債権者にとっても，的確な意思決定をするためには，その株式会社の財産の状態に関する情報が必要であるし，事前開示事項に含められることによる清算株式会社の事務負担が大きいとも考えられないことからも，最終事業年度がない清算株式会社については，清算開始時の貸借対照表を事前開示事項に含めることが立法論としては適当であろう。

8　債務の履行の見込みに関する事項（6号）

平成17年改正前商法374条ノ2第1項3号および374条ノ18第1項3号は，会社分割に際して「各会社ノ負担スベキ債務ノ履行ノ見込アルコト及其ノ理由ヲ記載シタル書面」を備え置くことを要求していたが，これは，会社分割の当事会社の債権者保護を目的とするものであり，これを踏襲して，本号は，吸収分割が効力を生ずる日以後における吸収分割株式会社の債務および吸収分割承継会社の債務（吸収分割株式会社が吸収分割により吸収分割承継会社に承継させるものに限る）の履行の見込みに関する事項を事前開示事項の1つとして定めている。

たしかに，「各会社ノ負担スベキ債務ノ履行ノ見込アルコト」と定めていた平成17年改正前商法374条ノ2第1項3号などと異なり，本号では「債務の履行の見込みに関する事項」と定めていることから，債務の履行の見込みがないような吸収分割を行った場合であっても，その吸収分割は当然に無効になるわけではないと解する余地はある。実質的にも，債務履行の見込みは将来予測に基づくものであり，吸収分割の時点では不確定であることに鑑みると，債務の履行の見込みがないことが分割無効原因であると解することは法的安定性を損なう一方で，債権者の保護は債権者保護手続または詐害行為取消権の行使によって図ることが可能であるとも考えられる（相澤＝細川・商事法務1769号19頁）。

しかし，平成17年改正前商法374条ノ2第1項3号などは，「各会社ノ負担ス

ベキ債務ノ履行ノ見込」がないことを分割無効原因とする創設的規定ではなく,「各会社ノ負担スベキ債務ノ履行ノ見込」がないことが分割無効原因であることを前提として開示を要求する規定であって（原田・商事法務1565号11頁,名古屋地判平成16・10・29判時1881号122頁参照),開示すべき事項が「債務の履行の見込みに関する事項」とされたことの一事をもって,実体法の解釈がただちに変更されると解するのはやや強引なのではないかと思われる。実質的に考えてみても,株式会社の場合,債務の履行の見込みがないことは支払不能として破産原因（破産法16条1項）にあたり,会社がそのような状態となる組織再編行為を有効であると解することは適切ではない。また,「履行の見込みがない」ということが開示されていれば十分であるともいえない。なぜなら,債権者保護手続として,必ずしも個別催告が要求されていない以上,「履行の見込みがない」ことを知っていたにもかかわらず,すべての債権者があえて異議を述べなかったとみなすことには無理があるからである。いいかえれば,組織再編行為がなされても,債務の履行の見込みがあってこそ,個別催告を必ずしも要求しないことが正当化されると思われる。したがって,債務の履行の見込みがないことは分割無効原因にあたると解することが穏当であるように思われる〔もっとも,組織変更との関連では,必ずしも,そのようにはいえないのではないかという点について,→180条3〕。ただし,異議を述べることができる債権者が異議を述べなかった場合には承認したものとみなされ(法789条4項),分割無効の訴えの原告適格を有しないから,「債務の履行の見込みがないこと」が分割無効原因であると解することの実益は必ずしも大きくはないこともまた事実である（藤田・商事法務1775号65頁注56,江頭945頁注3参照）。

なお,「吸収分割株式会社が吸収分割により吸収分割承継会社に承継させるものに限る」とされているのは,本号に基づく開示は主として吸収分割について異議を述べることができる債権者の保護のためであると考えられるからである。

9　1から8の事項に変更が生じたときは,当該事項（7号）

吸収合併契約等備置開始日後,吸収分割が効力を生ずる日（効力発生日）までに1号から6号までに掲げる事項に変更が生じたときは,変更後のその事項も事前開示事項とされている。

平成17年改正前商法の下では,合併などに係る事前開示資料との関連でも,備置き開始後,効力発生日までの間に,事前開示資料の内容事項について変更

が生じた場合にはどのようにすべきかについての規律が定められていなかった。しかし，会社法の下では，債権者保護手続は効力発生日までに終了していれば足りるとされているため（法759条10項），吸収合併契約等備置開始日後，効力発生日までの間がある程度の期間となる可能性もあり，吸収分割株式会社の債権者および株主に対して適切な権利行使のための判断材料を与えるという観点から最新の情報を提供することを要求することが適切である（相澤＝細川・商事法務1769号20頁）。そこで，本号では，吸収合併契約等備置開始日後，事前開示事項に変更が生じたときは，変更後のその事項を開示することを要求している。

したがって，たとえば，吸収合併契約等備置開始日後に，計算書類等が確定し，最終事業年度に係る計算書類等が存在するようになった場合には，もはや成立の日における貸借対照表を事前開示事項に含める必要はなく，一般原則に従って計算書類等を備え置き，閲覧等の請求に応ずれば足りることになる（法442条）。同様に，最終事業年度に係る計算書類等については，新たに計算書類等が確定し，最終事業年度が更新された場合には，その最終事業年度に係る計算書類等を開示することが要求される（4号ハかっこ書・5号イかっこ書も参照）。

「吸収分割が効力を生ずる日までに」とされているのは，法782条1項は事前開示を定めるものであり，本号は事前開示事項を定めるものなので，吸収分割が効力を生じた後にも，事前開示事項の更新を要求することは背理であるからであろう。

（株式交換完全子会社の事前開示事項）
第184条 法第782条第1項に規定する法務省令で定める事項は，同項に規定する消滅株式会社等が株式交換完全子会社である場合には，次に掲げる事項とする。
一　交換対価の相当性に関する事項
二　交換対価について参考となるべき事項
三　株式交換に係る新株予約権の定めの相当性に関する事項
四　計算書類等に関する事項
五　法第789条第1項の規定により株式交換について異議を述べることができる債権者があるときは，株式交換が効力を生ずる日以後における株式交換完全親会社の債務（当該債権者に対して負担する債務に限る。）の履行の見込みに関する事項

六　吸収合併契約等備置開始日後株式交換が効力を生ずる日までの間に，前各号に掲げる事項に変更が生じたときは，変更後の当該事項
2　この条において「交換対価」とは，株式交換完全親会社が株式交換に際して株式交換完全子会社の株主に対してその株式に代えて交付する金銭等をいう。
3　第１項第１号に規定する「交換対価の相当性に関する事項」とは，次に掲げる事項その他の法第768条第１項第２号及び第３号に掲げる事項又は法第770条第１項第２号から第４号までに掲げる事項についての定め（当該定めがない場合にあっては，当該定めがないこと）の相当性に関する事項とする。
一　交換対価の総数又は総額の相当性に関する事項
二　交換対価として当該種類の財産を選択した理由
三　株式交換完全親会社と株式交換完全子会社とが共通支配下関係にあるときは，当該株式交換完全子会社の株主（当該株式交換完全子会社と共通支配下関係にある株主を除く。）の利益を害さないように留意した事項（当該事項がない場合にあっては，その旨）
4　第１項第２号に規定する「交換対価について参考となるべき事項」とは，次の各号に掲げる場合の区分に応じ，当該各号に定める事項その他これに準ずる事項（法第782条第１項に規定する書面又は電磁的記録にこれらの事項の全部又は一部の記載又は記録をしないことにつき株式交換完全子会社の総株主の同意がある場合にあっては，当該同意があったものを除く。）とする。
一　交換対価の全部又は一部が株式交換完全親会社の株式又は持分である場合　次に掲げる事項
イ　当該株式交換完全親会社の定款の定め
ロ　次に掲げる事項その他の交換対価の換価の方法に関する事項
(1)　交換対価を取引する市場
(2)　交換対価の取引の媒介，取次ぎ又は代理を行う者
(3)　交換対価の譲渡その他の処分に制限があるときは，その内容
ハ　交換対価に市場価格があるときは，その価格に関する事項
ニ　株式交換完全親会社の過去５年間にその末日が到来した各事業年度（次に掲げる事業年度を除く。）に係る貸借対照表の内容
(1)　最終事業年度
(2)　ある事業年度に係る貸借対照表の内容につき，法令の規定に基づく公告（法第440条第３項の措置に相当するものを含む。）をしている場合における当該事業年度
(3)　ある事業年度に係る貸借対照表の内容につき，金融商品取引法第24条第１項の規定により有価証券報告書を内閣総理大臣に提出している

場合における当該事業年度
ロ 交換対価の全部又は一部が法人等の株式，持分その他これらに準ずるもの（株式交換完全親会社の株式又は持分を除く。）である場合　次に掲げる事項（当該事項が日本語以外の言語で表示されている場合にあっては，当該事項（氏名又は名称を除く。）を日本語で表示した事項）
　イ　当該法人等の定款その他これに相当するものの定め
　ロ　当該法人等が会社でないときは，次に掲げる権利に相当する権利その他の交換対価に係る権利（重要でないものを除く。）の内容
　　(1)　剰余金の配当を受ける権利
　　(2)　残余財産の分配を受ける権利
　　(3)　株主総会における議決権
　　(4)　合併その他の行為がされる場合において，自己の有する株式を公正な価格で買い取ることを請求する権利
　　(5)　定款その他の資料（当該資料が電磁的記録をもって作成されている場合にあっては，当該電磁的記録に記録された事項を表示したもの）の閲覧又は謄写を請求する権利
　ハ　当該法人等がその株主等に対し，日本語以外の言語を使用して情報の提供をすることとされているときは，当該言語
　ニ　株式交換が効力を生ずる日に当該法人等の株主総会その他これに相当するものの開催があるものとした場合における当該法人等の株主等が有すると見込まれる議決権その他これに相当する権利の総数
　ホ　当該法人等について登記（当該法人等が外国の法令に準拠して設立されたものである場合にあっては，法第933条第1項の外国会社の登記又は外国法人の登記及び夫婦財産契約の登記に関する法律第2条の外国法人の登記に限る。）がされていないときは，次に掲げる事項
　　(1)　当該法人等を代表する者の氏名又は名称及び住所
　　(2)　当該法人等の役員（(1)の者を除く。）の氏名又は名称
　ヘ　当該法人等の最終事業年度（当該法人等が会社以外のものである場合にあっては，最終事業年度に相当するもの。以下この号において同じ。）に係る計算書類（最終事業年度がない場合にあっては，当該法人等の成立の日における貸借対照表）その他これに相当するものの内容（当該計算書類その他これに相当するものについて監査役，監査等委員会，監査委員会，会計監査人その他これらに相当するものの監査を受けている場合にあっては，監査報告その他これに相当するものの内容の概要を含む。）
　ト　次に掲げる場合の区分に応じ，次に定める事項
　　(1)　当該法人等が株式会社である場合　当該法人等の最終事業年度に係

る事業報告の内容（当該事業報告について監査役，監査等委員会又は監査委員会の監査を受けている場合にあっては，監査報告の内容を含む。）
　　　⑵　当該法人等が株式会社以外のものである場合　当該法人等の最終事業年度に係る第118条各号及び第119条各号に掲げる事項に相当する事項の内容の概要（当該事項について監査役，監査等委員会，監査委員会その他これらに相当するものの監査を受けている場合にあっては，監査報告その他これに相当するものの内容の概要を含む。）
　　チ　当該法人等の過去５年間にその末日が到来した各事業年度（次に掲げる事業年度を除く。）に係る貸借対照表その他これに相当するものの内容
　　　⑴　最終事業年度
　　　⑵　ある事業年度に係る貸借対照表その他これに相当するものの内容につき，法令の規定に基づく公告（法第440条第３項の措置に相当するものを含む。）をしている場合における当該事業年度
　　　⑶　ある事業年度に係る貸借対照表その他これに相当するものの内容につき，金融商品取引法第24条第１項の規定により有価証券報告書を内閣総理大臣に提出している場合における当該事業年度
　　リ　前号ロ及びハに掲げる事項
　　ヌ　交換対価が自己株式の取得，持分の払戻しその他これらに相当する方法により払戻しを受けることができるものであるときは，その手続に関する事項
　三　交換対価の全部又は一部が株式交換完全親会社の社債，新株予約権又は新株予約権付社債である場合　第１号イから二までに掲げる事項
　四　交換対価の全部又は一部が法人等の社債，新株予約権，新株予約権付社債その他これらに準ずるもの（株式交換完全親会社の社債，新株予約権又は新株予約権付社債を除く。）である場合　次に掲げる事項（当該事項が日本語以外の言語で表示されている場合にあっては，当該事項（氏名又は名称 を除く。）を日本語で表示した事項）
　　イ　第１号ロ及びハに掲げる事項
　　ロ　第２号イ及びホからチまでに掲げる事項
　五　交換対価の全部又は一部が株式交換完全親会社その他の法人等の株式，持分，社債，新株予約権，新株予約権付社債その他これらに準ずるもの及び金銭以外の財産である場合　第１号ロ及びハに掲げる事項
5　第１項第３号に規定する「株式交換に係る新株予約権の定めの相当性に関する事項」とは，株式交換完全子会社が法第787条第３項第３号に定める新株予約権を発行している場合（株式交換完全親会社が株式会社であるときに限

る。）における法第768条第1項第4号及び第5号に掲げる事項についての定めの相当性に関する事項（当該新株予約権に係る事項に限る。）とする。
6　第1項第4号に規定する「計算書類等に関する事項」とは，次に掲げる事項とする。
　一　株式交換完全親会社についての次に掲げる事項
　　イ　最終事業年度に係る計算書類等（最終事業年度がない場合にあっては，株式交換完全親会社の成立の日における貸借対照表）の内容
　　ロ　最終事業年度の末日（最終事業年度がない場合にあっては，株式交換完全親会社の成立の日。ハにおいて同じ。）後の日を臨時決算日（二以上の臨時決算日がある場合にあっては，最も遅いもの）とする臨時計算書類等があるときは，当該臨時計算書類等の内容
　　ハ　最終事業年度の末日後に重要な財産の処分，重大な債務の負担その他の会社財産の状況に重要な影響を与える事象が生じたときは，その内容（吸収合併契約等備置開始日後株式交換の効力が生ずる日までの間に新たな最終事業年度が存することとなる場合にあっては，当該新たな最終事業年度の末日後に生じた事象の内容に限る。）
　二　株式交換完全子会社についての次に掲げる事項
　　イ　株式交換完全子会社において最終事業年度の末日（最終事業年度がない場合にあっては，株式交換完全子会社の成立の日）後に重要な財産の処分，重大な債務の負担その他の会社財産の状況に重要な影響を与える事象が生じたときは，その内容（吸収合併契約等備置開始日後株式交換の効力が生ずる日までの間に新たな最終事業年度が存することとなる場合にあっては，当該新たな最終事業年度の末日後に生じた事象の内容に限る。）
　　ロ　株式交換完全子会社において最終事業年度がないときは，株式交換完全子会社の成立の日における貸借対照表

　本条は，株式交換完全子会社の事前開示事項を定めるものである。すなわち，法782条1項は，株式交換完全子会社は，吸収合併契約等備置開始日から株式交換がその効力を生ずる日（効力発生日）後6カ月を経過する日までの間，株式交換契約の内容その他法務省令で定める事項を記載し，または記録した書面または電磁的記録［→224条］をその本店に備え置かなければならないものと定めている。これをうけて，本条では，「法務省令で定める事項」を定めている。
　法782条1項は，その株式交換契約を承認するかどうかを意思決定するため

第184条（株式交換完全子会社の事前開示事項）　1009

に必要な情報を株式交換完全子会社の株主に，新株予約権の買取請求をするかどうかを意思決定するために必要な情報を株式交換完全子会社の新株予約権者に，その株式交換に異議を述べるかどうかを意思決定するために必要な情報を株式交換完全子会社の債権者に，それぞれ，提供することを目的とする。また，株式交換完全子会社の株主が株式交換差止請求（法784条の２）を行うかどうかを判断するための情報，株式交換完全子会社の株主や債権者が株式交換無効の訴え（法828条１項11号・２項11号）を提起すべきかどうかを判断するための情報を提供するという面もある。

1　株式交換対価の相当性に関する事項（１項１号・３項）

　平成17年改正前商法の下では，株式交換完全子会社の株主に交付される対価は株式交換完全親会社の株式およびいわゆる株式交換交付金に限られていた（株式交換完全親会社は株式会社でなければならなかった。平成17年改正前商法352条）。しかし，会社法の下では，株式交換完全親会社が合同会社であることも認められ（法767条），かつ，株式交換完全子会社の株主に交付される対価の種類に制限がなくなった（法768条１項・770条１項）。

　そこで，①株式交換対価の総数または総額の相当性に関する事項，②株式交換対価として当該種類の財産を選択した理由，③株式交換完全親会社と株式交換完全子会社とが共通支配下関係（計規２条３項36号）［→182条］にあるときは，当該株式交換完全子会社の株主（当該株式交換完全子会社と共通支配下関係にある株主を除く）の利益を害さないように留意した事項（当該事項がない場合には，その旨），④その他の法768条１項２号および３号に掲げる事項についての定めまたは法770条１項２号から４号までに掲げる事項についての定め（当該定めがない場合には，当該定めがないこと）の相当性に関する事項が事前開示事項とされている（３項）。

　これは，株式交換対価の種類・内容ならびに株式交換対価の数もしくは額またはその算定方法は，株式交換完全子会社の株主の経済的利益や持分比率的利益に大きな影響を与えるものであり，株式交換完全子会社の株主が株式交換契約を承認するか否かを的確に判断するため，あるいは，株式買取請求を行うか否かを判断するために重要な情報だからである。

　株式交換対価として株式交換完全子会社の株主に交付される財産の価値の総和は，株式交換完全子会社の企業価値に基づいたものとなるべきであるという視点から（相澤ほか・商事法務1800号６頁），①株式交換対価の総数または総額

の相当性に関する事項の開示が求められる。具体的には，(a)株式交換対価の総数・総額を決定する際に，株式交換当事会社の企業価値を算定するために採用した方法，(b)当該方法を適用するにあたって用いた数値および当該方法を適用して算定された株式交換当事会社の企業価値，(c)株式交換対価の総数・総額の決定に際して考慮されたその他の事情などが記載されることが想定されている。この事項には，企業価値等の算定に独立性と専門性を有する第三者機関を用いたという事実も含まれうる。

②株式交換対価として当該種類の財産を選択した理由の記載が求められるのは，株式交換対価として交付する財産に制約がなくなったため，株式交換契約を承認するか否かの判断にあたってこのような選択理由が合理的であるかどうかが株主にとって重要な情報となりうるとともに，理由の記載が求められると，取締役としてもある程度合理的な理由なしにある種類の財産を株式交換対価として選択することを控えることが期待できるからである。具体的には，(a)当該種類の財産の調達の容易性，(b)株式交換完全子会社の株主の利益の保護（換価の容易性など），(c)株式交換完全親会社の株主構成に関する方針，(d)企業集団の再編の方向性などが想定される（相澤ほか・商事法務1800号13頁注10)。

③株式交換完全親会社と株式交換完全子会社とが共通支配下関係にあるときは，当該株式交換完全子会社の株主（当該株式交換完全子会社と共通支配下関係にある株主を除く）の利益を害さないように留意した事項の記載が要求されるのは，同一企業集団内の会社間の株式交換においては，株式交換完全子会社またはその株主共同の利益よりも，企業集団全体の利益や当該企業集団における親会社の利益を優先して，株式交換対価とする財産の種類や数量や額が決定されるおそれがあることを鑑みたものである（相澤ほか・商事法務1800号7頁）。企業価値等の算定および株式交換比率の算定などにつき，当該企業集団や親会社等から独立した専門性を有する第三者機関を用いたという事実を記載することなどが考えられる。株式交換完全親会社と株式交換完全子会社とが共通支配下関係にあるときは，当該株式交換完全子会社の株主（当該株式交換完全子会社と共通支配下関係にある株主を除く）の利益を害さないように留意した事項が「ない場合には，その旨」を記載させることによって，当該株式交換完全子会社の株主（当該株式交換完全子会社と共通支配下関係にある株主を除く）の利益を害さないように留意するよう当該株式交換完全子会社の取締役を仕向けようとしている。

④その他の法768条1項2号および3号に掲げる事項についての定めまたは

法770条1項2号から4号までに掲げる事項についての定め（当該定めがない場合には，当該定めがないこと）の相当性に関する事項としては，個々の株主・社員に対する株式交換対価の割当ての相当性に関する事項（法768条1項3号・770条1項4号），とりわけ，株式交換完全子会社が種類株式発行会社である場合における各種類株式に対する株式交換対価の割当ての方法の相当性に関する事項や，株式交換対価が株式交換完全親会社の株式であるときは当該株式交換完全親株式会社の資本金および準備金の額に関する事項（法768条1項2号イ）の相当性に関する事項（施規183条1号イなど参照）が重要である。後者については，会社法の下では，株式交換に際して，一般に公正妥当と認められる企業会計の慣行に従って算定された株主資本の額を，どのように資本金，資本準備金およびその他資本剰余金などに振り分けるかについては株式交換契約の定めに委ねており（計規39条），会社の裁量が広く認められるため，その方針を事前開示事項の1つとするのが適当だからである（相澤＝細川・商事法務1769号16頁）。

「当該定めがない場合にあっては，当該定めがないこと」とされているのは，株式交換においては，株式交換完全子会社の株主に対して株式交換対価を交付しないことができることを前提としており，このような場合には，株式交換完全子会社の株主の利害に重要な影響を与える可能性があるので，株式交換対価を交付しないとすることが相当である理由を事前開示事項に含めるものである。

2　株式交換対価について参考となるべき事項（1項2号・4項）

株式交換対価の種類に応じて，株式交換対価について参考となるべき事項が定められている。すなわち，4項1号から5号に掲げる場合の区分に応じ，当該各号に定める事項その他これに準ずる事項が事前開示事項とされている。「その他これに準ずる事項」とされているので，4項各号に定められている事項のみを記載すれば足りるというわけでは必ずしもない。すなわち，開示された情報により株式交換完全子会社の株主が株式交換対価の内容および価値を的確に理解することが可能になるように情報を開示しなければならない。たとえば，株式交換対価が取得条項付株式である場合において，取得日を株式交換の効力発生日またはこれに近接した日に設定したときには，取得条項付株式の取得の対価である財産が実質的な株式交換対価にあたることになる。このように，株式交換契約において定められた株式交換対価である財産と実質的な株

交換対価となる財産とが異なる場合には、実質的な株式交換対価となる財産（この例では、取得条項付株式の取得の対価である財産）についても開示が求められる（相澤ほか・商事法務1800号13頁注12）。これは、株式交換対価が新株予約権、新株予約権付社債またはこれらに準ずるものである場合においても同様であり、当該新株予約権などの流通が予定されておらず、その権利を行使して株式・持分の交付を受けること以外に換価等の方法が事実上存在しない場合には、その権利を行使した場合に交付を受ける株式・持分について、株式「交換対価の全部又は一部が株式交換完全親会社の株式又は持分である場合」（4項1号）に準じた開示が必要となると考えられる（相澤ほか・商事法務1800号13頁注12）。

(1) 株式交換対価の全部または一部が株式交換完全親会社の株式または持分である場合（4項1号）

① 株式交換完全親会社の定款の定めの記載が求められている。平成17年改正前商法の下では開示が要求されていなかった事項であるが、これが事前開示事項に含められたのは、会社法の下では、広く定款自治が認められており、株式交換完全親会社の株主・社員としての権利の実質的内容は、その定款の規定を見ないと適切に判断できないことによるものであると考えられる。株式交換完全子会社の株主等は株式交換完全親会社の定款を閲覧する権利を有しないので、事前開示事項とされている。2号イにおいて、株式交換対価の全部または一部が株式交換完全親会社以外の法人等の株式、持分その他これらに準ずるものである場合には、「当該法人等の定款その他これに相当するものの定め」が原則として事前開示事項とされていることとの平仄をとったものであるということもできよう（相澤＝細川・商事法務1769号16頁参照）。

② 株式交換対価を取引する市場、株式交換対価の取引の媒介、取次ぎまたは代理を行う者、株式交換対価の譲渡その他の処分に制限があるときは、その内容その他の株式交換対価の換価の方法に関する事項の記載が求められる。これは、株式交換対価の柔軟化により、流動性が乏しく、換価が困難な株式交換対価が交付されるおそれが高まったことを背景として定められたものであるが、株式交換対価の全部または一部が株式交換完全親会社の株式または持分である場合であっても、当該株式交換対価の流動性や換価の容易さが欠けている場合があるため、株式交換対価とされる財産の種類にかかわらず、記載が求められることとなった（相澤ほか・商事法務1800号8頁）。株式交換

対価を取引する市場としては，金融商品取引所その他の取引所などの具体的な名称を記載することが考えられる。株式交換対価の取引の媒介，取次ぎまたは代理を行う者の記載としては，株式交換対価を取り扱う証券会社その他の業者に関する情報を記載することが想定されるが，株式交換完全子会社の株主がその業者に容易にアクセスすることを可能にする程度の情報を記載すべきであると指摘されている。すなわち，株式交換対価とされた財産を取り扱っている業者が限られる場合には，当該業者の氏名または名称のみならず，住所や電話番号などアクセスに必要な情報を開示する必要がある（相澤ほか・商事法務1800号8頁）。株式交換対価の譲渡その他の処分に制限があるときは，その内容を記載すべきこととされており，当該制限は，法令または定款に基づくものに限られないが，当該株式交換対価を受領する株式交換完全子会社の株主およびその者からの転得者がその制限に服さないもの（株主間契約など）は開示を要しない。

③　株式交換対価に市場価格があるときは，その価格に関する事項を記載しなければならない。これは，株式交換対価の相当性に関する判断資料および株式交換対価の交付を受けた後に市場価格を把握するための手段に関する情報を株式交換完全子会社の株主に対して提供させようというものである。ここでいう「市場価格」は，典型的には上場有価証券については金融商品取引所（証券取引所）における相場であるが，「取引所の相場」とは規定されていないから，より広い概念であると考えられる［「市場価格」の意義については，→30条］。市場価格に関する事項としては，事前開示書類の備置開始日までの，適切に選択された一定期間にわたる市場価格の状況を記載することがまず考えられる。また，株式交換対価である株式または持分の市場価格が掲載されているインターネット上のウェブサイトのURLを記載することも想定される。

④　最終事業年度，ある事業年度に係る貸借対照表の内容につき，法令の規定に基づく公告（法440条3項の措置（電磁的方法による公開）に相当するものを含む）をしている場合における当該事業年度，および，ある事業年度に係る貸借対照表の内容につき，金融商品取引法24条1項の規定により有価証券報告書を内閣総理大臣に提出している場合における当該事業年度を除き，株式交換完全親会社の過去5年間にその末日が到来した各事業年度に係る貸借対照表の内容を記載しなければならない。これは，「株式交換完全親会社の株式又は持分」の経済的価値を推測し，株式交換完全子会社の株主が的確な判

断を行うためには，株式交換完全親会社の財産および損益の状況についての十分な情報が必要だからである。

　最終事業年度に係る貸借対照表の内容を記載することを要しないのは，計算書類等に関する事項（1項4号・6項）として開示されるからであり，公告もしくは電磁的方法による公開をしている事業年度に係る貸借対照表の内容を記載することを要しないのは，事前開示書面または電磁的記録に含めなくとも，公告をみることまたはインターネットを通じて電磁的記録にアクセスすることによって入手可能な情報だからである。ある事業年度に係る貸借対照表の内容につき，金融商品取引法24条1項の規定により有価証券報告書を内閣総理大臣に提出している場合における当該事業年度に係る貸借対照表の内容を記載することを要しないのは，有価証券報告書は5年間公衆縦覧に供され（金融商品取引法25条1項4号），また，EDINETを用いて提出され，公衆の縦覧に供されているものは，行政サービスの一環としてインターネットを通じて当該情報を得ることができるからである。

(2)　株式交換対価の全部または一部が法人等の株式，持分その他これらに準ずるもの（株式交換完全親会社の株式または持分を除く）である場合（4項2号）

①　当該法人等の定款その他これに相当するものの定めの記載が求められるのは，株式交換完全親会社ではない法人等については，広い定款自治が認められていることがあり，株式交換完全親会社以外の法人等の株主・社員等としての権利の実質的内容は，その定款の規定を見ないと適切に判断できないことによる。また，1号において，株式交換対価の全部または一部が株式交換完全親会社の株式または持分である場合には，株式交換完全親会社の定款の定めが原則として事前開示事項とされていることとの平仄をとったものであるということもできよう（相澤＝細川・商事法務1769号16頁参照）。

②　当該法人等が会社（株式会社，合名会社，合資会社および合同会社。法2条1号，施規2条1項）でないときは，剰余金の配当を受ける権利，残余財産の分配を受ける権利，株主総会における議決権，合併その他の行為がされる場合において，自己の有する株式を公正な価格で買い取ることを請求する権利，定款その他の資料（当該資料が電磁的記録をもって作成されている場合には，当該電磁的記録に記録された事項を表示したもの）の閲覧または謄写を請求する権利に相当する権利その他の株式交換対価に係る権利（重要でないものを除く）の内容の記載が求められる。これは，株式交換対価が株式交換完

全親会社の株式または持分である場合にはその定款を閲覧することまたは事前開示書類に含まれる「株式交換完全親会社の定款の定めの記載」により，株式交換対価に係る権利の内容を知ることができるのに対し，株式「交換対価の全部または一部が法人等の株式，持分その他これらに準ずるもの」である場合には，当該法人等の定款その他これに相当するものを閲覧し，または，事前開示書類に含まれる情報のみからは，権利の内容を十分に把握することができない可能性があるためである。とりわけ，当該法人等が外国会社その他の外国の法人等である場合には，法制の相違が権利内容を把握する上で大きな障害となりうるからである。例示されている権利は，株式会社であったとすれば特に重要と考えられる株主の権利である（法105条参照）。

③ 当該法人等が，その株主，社員その他これらに相当する者（株主等）に対し，日本語以外の言語を使用して情報の提供をすることとされているときは，当該言語の記載が求められている。これは，当該株式交換対価の交付を受ける株式交換完全子会社の株主が当該株式交換対価を保有し続ける場合にも，それに係る権利を実効的に行使できるようにするためである。

④ 株式交換が効力を生ずる日に当該法人等の株主総会その他これに相当するものの開催があるものとした場合における当該法人等の株主等が有すると見込まれる議決権その他これに相当する権利の総数の記載が求められる。これは，株式交換完全子会社の株主が，株式交換後の自己の議決権割合を把握できるようにするためである。

⑤ 当該法人等について登記がされていないときは，当該法人等を代表する者の氏名または名称および住所ならびに当該法人等の役員（当該法人等を代表する者を除く）の氏名または名称の記載が求められるのは，「株式交換完全親会社以外の法人等の株式，持分その他これらに準ずるもの」の経済的価値を推測し，株式交換完全子会社の株主が的確な判断を行うためには，その法人等の経営者が誰であるのか，その法人等のガバナンスはどのようになっているのかに関する情報が重要となるが，登記がされていないと，株式交換完全子会社の株主としては，その法人等がどのような者によって経営されているのかなどを知ることができないことによると推測される。

なお，当該法人等が外国の法令に準拠して設立されたものである場合には，法933条1項の外国会社の登記または外国法人の登記及び夫婦財産契約の登記に関する法律2条の外国法人の登記がされている場合にのみ登記がされているものとして扱われるのは，外国会社の登記（法933条）または外国

法人の登記（外国法人の登記及び夫婦財産契約の登記に関する法律２条）をみることによって，その外国会社または外国法人の日本における代表者の氏名および住所を知ることができるが，たとえば，その法人等がしている不動産登記をみてもその法人等の日本における代表者の氏名および住所を知ることはできないからである。

⑥　当該法人等の最終事業年度（当該法人等が会社以外のものである場合には，最終事業年度に相当するもの）に係る計算書類（最終事業年度がない場合には，当該法人等の成立の日における貸借対照表）その他これに相当するものの内容（当該計算書類その他これに相当するものについて監査役，監査等委員会，監査委員会，会計監査人その他これらに相当するものの監査を受けている場合には，監査報告その他これに相当するものの内容の概要を含む）が事前開示事項とされている。

⑦　当該法人等が株式会社である場合には，当該法人等の最終事業年度に係る事業報告の内容（当該事業報告について監査役，監査等委員会または監査委員会の監査を受けている場合には，監査報告の内容を含む）を，当該法人等が株式会社以外のものである場合には，当該法人等の最終事業年度に係る118条各号および119条各号に掲げる事項に相当する事項の内容の概要（当該事項について監査役，監査等委員会，監査委員会その他これらに相当するものの監査を受けている場合には，監査報告その他これに相当するものの内容の概要を含む）を，それぞれ記載しなければならない。これは，株式会社における事業報告の記載事項は，株主にとって重要な情報として定められていることに鑑みると，株式交換対価の交付により株主等となる者が当該法人等の現況について理解するためには，公開会社である会社の事業報告の記載事項に相当する情報が提供されることが適当だからである。

⑧　最終事業年度，ある事業年度に係る貸借対照表の内容につき，法令の規定に基づく公告（法440条３項の措置に相当するものを含む）をしている場合における当該事業年度，および，ある事業年度に係る貸借対照表の内容につき，金融商品取引法24条１項の規定により有価証券報告書を内閣総理大臣に提出している場合における当該事業年度を除き，当該法人等の過去５年間にその末日が到来した各事業年度に係る貸借対照表その他これに相当するものの内容を記載しなければならないものとされている。「株式交換完全親会社以外の法人等の株式，持分その他これらに準ずるもの」の経済的価値を推測し，株式交換完全子会社の株主が的確な判断を行うためには，その法人等の財産

および損益の状況についての十分な情報が必要だからである。当該法人等が「ある事業年度に係る貸借対照表その他これに相当するものの内容につき，法令の規定に基づく公告（法第440条第３項の措置に相当するものを含む。）をしている場合における当該事業年度」（圏点―引用者）または「ある事業年度に係る貸借対照表その他これに相当するものの内容につき，金融商品取引法第24条第１項の規定により有価証券報告書を内閣総理大臣に提出している場合における当該事業年度」に係るものについては開示が要求されていないのは，その法人等が貸借対照表その他これに相当するものの内容を法令の規定に基づき公告または電磁的方法により公開している場合や有価証券報告書を提出している場合には，株式交換完全子会社の株主は，その法人等の財産および損益の状況に関する情報を入手することができるからである。

　「外国の法令を含む」とはされていないので，「法令」とは日本の法令を意味すると解するのが文言上適当であるし，実質的にも日本国内で公告または電磁的方法で公開されていると評価できる場合でなければならないと考えられる。

⑨　他の株式交換対価の場合と同様，(a)株式交換対価を取引する市場，(b)株式交換対価の取引の媒介，取次ぎまたは代理を行う者，(c)株式交換対価の譲渡その他の処分に制限があるときは，その内容，(d)その他の株式交換対価の換価の方法に関する事項ならびに株式交換対価に市場価格があるときは，その価格に関する事項が事前開示事項とされている。

⑩　株式交換対価が自己株式の取得，持分の払戻しその他これらに相当する方法により払戻しを受けることができるものであるときは，その手続に関する事項を記載しなければならない。これは，投下資本の回収は株主にとって重要な関心事であるところ，法人等の株式，持分その他これらに準ずるもの（株式交換完全親会社の株式または持分を除く）である場合には，払戻しを受けることができる多様な方法が存在することがあるからである。払戻しを受けられるかどうか，受けられるとすればどのような方法によるのかは，株式交換契約を承認するかどうかの意思決定に重要である一方で，払戻しの手続が開示されていれば，株式交換対価の交付を受けた後に，払戻しを受ける権利を行使し，または払戻しを受ける機会を逸することを回避できると考えられる。

　本号では，株主等の権利として払戻しを受けることができるものであるときに開示を求めており，株式交換対価が取得条項付株式である場合や新株予

約権または新株予約権付社債である場合など、払戻を受けることができることが当該財産の権利の内容を成しているときには、株式交換契約で明らかにされるべき事項なので、本号に基づく記載は求められないと解されている（相澤ほか・商事法務1800号14頁注20・注21）。

なお、これらの事項が日本語以外の言語で表示されている場合には、当該事項（氏名または名称を除く）を日本語で表示した事項が事前開示事項とされる。これは、これらの事項は株式交換完全子会社の株主等の意思決定のために重要な情報であると考えられるところ、株式交換完全親会社ではない法人等は外国の法人等でありうることに鑑み、株式交換完全子会社の株主等が事前開示事項を十分に理解することを可能にするためである。「氏名又は名称を除く」とされているのは、これらは日本語で表示しなくとも理解可能であるし、日本語では適切に表示することができないからであるともいえる。

(3) 株式交換対価の全部または一部が株式交換完全親会社の社債、新株予約権または新株予約権付社債である場合（4項3号）

株式交換対価の全部または一部が株式交換完全親会社の株式または持分である場合（4項1号）と同じ事項［趣旨と解釈については、→(1)］が事前開示事項とされている。

(4) 株式交換対価の全部または一部が法人等の社債、新株予約権、新株予約権付社債その他これらに準ずるもの（株式交換完全親会社の社債、新株予約権または新株予約権付社債を除く）である場合（4項4号）

他の株式交換対価の場合と同様、①株式交換対価を取引する市場、②株式交換対価の取引の媒介、取次ぎまたは代理を行う者、③株式交換対価の譲渡その他の処分に制限があるときは、その内容、④その他の株式交換対価の換価の方法に関する事項、ならびに⑤株式交換対価に市場価格があるときは、その価格に関する事項が事前開示事項とされている［趣旨と解釈については、→(1)］。

また、⑥「当該法人等の定款その他これに相当するものの定め」のほか、⑦当該法人等について登記がされていないときは、当該法人等を代表する者の氏名または名称および住所、ならびに⑧当該法人等の役員（当該法人等を代表する者を除く）の氏名または名称、⑨当該法人等の最終事業年度（当該法人等が会社以外のものである場合には、最終事業年度に相当するもの）に係る計算書類（最終事業年度がない場合には、当該法人等の成立の日における貸借対照表）その他こ

れに相当するものの内容（当該計算書類その他これに相当するものについて監査役，監査等委員会，監査委員会，会計監査人その他これらに相当するものの監査を受けている場合には，監査報告その他これに相当するものの内容の概要を含む），⑩当該法人等が株式会社である場合には，当該法人等の最終事業年度に係る事業報告の内容（当該事業報告について監査役，監査等委員会または監査委員会の監査を受けている場合には，監査報告の内容を含む）を，⑪当該法人等が株式会社以外のものである場合には，当該法人等の最終事業年度に係る118条各号および119条各号に掲げる事項に相当する事項の内容の概要（当該事項について監査役，監査等委員会，監査委員会その他これらに相当するものの監査を受けている場合には，監査報告その他これに相当するものの内容の概要を含む），および，⑫最終事業年度，ある事業年度に係る貸借対照表の内容につき，法令の規定に基づく公告（法440条3項の措置に相当するものを含む）をしている場合における当該事業年度，および，ある事業年度に係る貸借対照表の内容につき，金融商品取引法24条1項の規定により有価証券報告書を内閣総理大臣に提出している場合における当該事業年度を除き，当該法人等の過去5年間にその末日が到来した各事業年度に係る貸借対照表その他これに相当するものの内容を記載しなければならない［趣旨と解釈については，→(2)］。

　なお，これらの事項が日本語以外の言語で表示されている場合には，当該事項（氏名または名称を除く）を日本語で表示した事項が事前開示事項とされる。これは，これらの事項は株式交換完全子会社の株主等の意思決定のために重要な情報であると考えられるところ，株式交換完全親会社ではない法人等は外国の法人等でありうることに鑑み，株式交換完全子会社の株主等が事前開示事項を十分に理解することを可能にするためである。「氏名又は名称を除く」とされているのは，これらは日本語で表示しなくとも理解可能であるし，日本語では適切に表示することができないからであるともいえる。

(5)　株式交換対価の全部または一部が株式交換完全親会社その他の法人等の株式，持分，社債，新株予約権，新株予約権付社債その他これらに準ずるものおよび金銭以外の財産である場合（4項5号）

　他の株式交換対価の場合と同様，①株式交換対価を取引する市場，②株式交換対価の取引の媒介，取次ぎまたは代理を行う者，③株式交換対価の譲渡その他の処分に制限があるときは，その内容，④その他の株式交換対価の換価の方法に関する事項，ならびに⑤株式交換対価に市場価格があるときは，その価格

に関する事項が事前開示事項とされている。

なお，事前開示書面または電磁的記録（法782条1項）に株式「交換対価について参考となるべき事項」の全部または一部の記載または記録をしないことにつき株式交換完全子会社の総株主の同意がある場合には，当該同意があったものは記載または記録することを要しないものとされている（4項柱書かっこ書）。これは，この記載事項は株式交換完全子会社の株主保護を主たる目的としていること，株式交換完全子会社の総株主の同意を得るためには，総株主に対して十分な情報を提供していることあるいは個別に情報を求めていることもありうることから，会社法があえて本条1項2号の事項を事前開示することを要求するまでのことはない一方で，これらの情報を作成するためには相当な作業が必要とされる場合があると考えられるからである（相澤ほか・商事法務1800号11頁）。組織変更の際の事前開示事項を定める180条が，本条1項2号が定める事項に相当する事項の開示を要求していないこととパラレルである。

3　株式交換に係る新株予約権の定めの相当性に関する事項（1項3号・5項）

株式交換完全親会社が株式会社である場合には，法768条1項4号および5号に掲げる事項についての定めの相当性に関する事項が事前開示事項とされている。

法768条1項4号および5号は，株式交換完全親株式会社が株式交換に際し，株式交換完全子会社の新株予約権の新株予約権者に対して当該新株予約権に代わる当該株式交換完全親株式会社の新株予約権を交付するときは，当該新株予約権について，①当該株式交換完全親株式会社の新株予約権の交付を受ける株式交換完全子会社の新株予約権の新株予約権者の有する新株予約権（株式交換契約新株予約権）の内容，②株式交換契約新株予約権の新株予約権者に対して交付する株式交換完全親株式会社の新株予約権の内容および数またはその算定方法，③株式交換契約新株予約権が新株予約権付社債に付された新株予約権であるときは，株式交換完全親株式会社が当該新株予約権付社債についての社債に係る債務を承継する旨およびその承継に係る社債の種類および種類ごとの各社債の金額の合計額またはその算定方法，ならびに，④株式交換契約新株予約権の新株予約権者に対する株式交換完全親株式会社の新株予約権の割当てに関する事項を，株式交換契約に定めなければならないものとしている。

これらをうけて，本号では，それらの定めの相当性に関する事項を事前開示事項として定めている。これは，新株予約権者に交付される金銭の額が不当に

高く定められると，金銭が交付される場合には株式交換完全親会社の会社財産が流出し，株式交換完全親会社の財産が減少することになり，株式交換完全子会社の株主にとっては，交付を受ける株式交換完全親会社の株式・持分の価値が下落する可能性がある一方，新株予約権が交付される場合にも，株式交換完全親会社の株式の価値が下落し，または，株式交換完全親会社における持分比率が低下することにつながりうるので，株式交換契約の承認に賛成すべきか否かについての判断材料が必要となる一方で，新株予約権者にとっては新株予約権買取請求（法787条）を行うかどうかを判断するための材料が必要だからである。

4　計算書類等に関する事項（1項4号・6項）

　最終事業年度に係る計算書類等（最終事業年度がない場合には，株式交換完全親会社の成立の日における貸借対照表）の内容および最終事業年度の末日（最終事業年度がない場合には，株式交換完全親会社の成立の日）後の日を臨時決算日（二以上の臨時決算日がある場合には，最も遅いもの）とする臨時計算書類等があるときは，その臨時計算書類等の内容が事前開示事項とされている。

　計算書類等とは，株式会社については「各事業年度に係る計算書類及び事業報告（法第436条第1項又は第2項の規定の適用がある場合にあっては，監査報告又は会計監査報告を含む。）」を，持分会社については計算書類（法617条2項）を，それぞれいい（2条3項12号），臨時計算書類等とは，「法第441条第1項に規定する臨時計算書類（同条第2項の規定の適用がある場合にあっては，監査報告又は会計監査報告を含む。）」をいう（2条3項13号）。平成17年改正前商法の下に比べると，株主資本等変動計算書および事業報告の内容が事前開示事項に含められ，また，計算書類およびその附属明細書ならびに事業報告およびその附属明細書について会社法の下で監査が行われている場合には，監査報告および会計監査報告の内容も事前開示事項に含められている点および臨時計算書類等の内容が含められている点で，開示が充実している。これは，株主や会社債権者が株式交換完全親会社の状況を正確に把握するためには，貸借対照表および損益計算書の内容のみでは不十分であるという認識，および，監査報告および会計監査報告がある場合にはその内容も重要な情報であるという認識に基づくものである。

　他方，株式交換完全親会社の計算書類等および臨時計算書類等の内容のみが事前開示事項とされ，株式交換完全子会社の計算書類等および臨時計算書類等

の内容が事前開示事項とされていないのは，株式交換完全子会社の計算書類等および臨時計算書類等については，別途，備え置き，株主および会社債権者の閲覧等の請求に応じるべきものとされているため（法442条），二重に規制を設ける必要がないと考えられるためである。

　平成17年改正前商法と異なり，株式交換契約の承認をする株主総会の日の前6カ月以内に作成された計算書類等ではなく，最終事業年度に係る計算書類等の内容を開示すれば足りるとされているのは，最終事業年度に係る計算書類等に加えて，たとえば，株式交換契約の承認をする株主総会の日の前6カ月以内に作成された貸借対照表および損益計算書の内容の開示を要求したとしても，それらの貸借対照表および損益計算書について監査役，監査役会，監査等委員会または監査委員会の監査および会計監査人の監査がなされていなければ，その貸借対照表および損益計算書の内容の適法性・適正性が担保されないため，情報としての価値が低いこと，および，その貸借対照表および損益計算書の作成後に株式交換完全親会社の財産状態に重要な影響を与える事象が生じた場合には，株主や会社債権者の意思決定を的確ならしめるためには，6項1号ハに定める事項のような事項の追加的な開示が必要とされることによるものである（相澤＝細川・商事法務1769号18頁）。

　最終事業年度がない場合には，株式交換完全親会社の成立の日における貸借対照表を事前開示事項としているのは，通常は，株式会社の成立の日における貸借対照表は株主や会社債権者の閲覧等の請求の対象とされていないことによる。すなわち，株式交換完全親会社において最終事業年度がない場合には，株式交換完全子会社の株主および債権者が株式交換完全親会社の成立の日における貸借対照表を閲覧等して，株式交換完全親会社の財産の状況に関する最低限の情報を得て，的確に権利行使をすることができるようにするためである。

　なお，株式交換完全親会社が臨時計算書類を作成している場合には，その臨時計算書類（その臨時計算書類について，監査役，監査役会，監査等委員会もしくは監査委員会の監査または会計監査人の監査がなされている場合には，その監査報告または会計監査報告を含む）が開示されれば株主や会社債権者に有用な情報を提供することになるし，株式交換完全子会社においても株式交換完全親会社の臨時計算書類等が事前開示事項に含められることによる負担が大きいとはいえないので，6項1号ロでは，株式交換完全親会社が臨時計算書類等を作成しているときには，それを事前開示事項に含めている。「二以上の臨時決算日がある場合にあっては，最も遅いもの」とされているので，最終事業年度の末日

（最終事業年度がない場合には，株式交換完全親会社の成立の日）後に複数の臨時計算書類が作成されている場合には，最新の臨時計算書類を開示すれば足りる。

　株式交換完全子会社（清算株式会社を除く）において最終事業年度がないときは，株式交換完全子会社の成立の日における貸借対照表が事前開示事項に含められている。

　株式会社が株式交換をする場合には，株式交換完全子会社の債権者は，その株式会社に対し，その株式交換について異議を述べることができるが（法789条1項），異議を述べるか否かの判断にあたって，株式交換完全子会社の財産および損益の状況を考慮に入れると推測される。そして，最終事業年度がある場合には，株式交換完全子会社の計算書類等が作成されており，その債権者はそれを閲覧等することができるが（法442条），最終事業年度がない場合にはそのような計算書類等が存在しない。しかも株式会社の成立の日における貸借対照表は，株主や会社債権者の閲覧等の請求の対象とされていない。そこで，株式交換完全子会社において最終事業年度がない場合には，その債権者（および株主）がその株式会社の成立の日における貸借対照表を閲覧等して，会社の財産の状況に関する最低限の情報を得られるようにするために，本号が定められている。もっとも，立法論としては，株式交換完全子会社が臨時計算書類を作成している場合には，臨時計算書類は会社債権者および株主の閲覧等の対象とされているので，株式会社の成立の日における貸借対照表を事前開示事項に含める必要はないものと考えられる。

　「清算株式会社を除く」とされているのは，清算株式会社には，会社法第5編第5章中株式交換の手続に係る部分の適用がないためである（法509条1項3号）。

　また，株式交換完全親会社または株式交換完全子会社（清算株式会社を除く）において，最終事業年度の末日（最終事業年度がない場合には，それぞれ，株式交換完全親会社または株式交換完全子会社の成立の日）後に重要な財産の処分，重大な債務の負担その他の会社財産の状況に重要な影響を与える事象（後発事象）が生じたときは，その内容（吸収合併契約等備置開始日後株式交換の効力が生ずる日までの間に新たな最終事業年度が存することとなる場合にあっては，当該新たな最終事業年度の末日後に生じた事象の内容に限る）が，事前開示事項に含められている。これは，最終事業年度の末日後に生じた重要な財産の処分，重大な債務の負担その他の会社財産の状況に重要な影響を与える事象や最終事業年

度の末日後になされた組織再編行為などは組織再編行為の条件の相当性に重要な影響を及ぼす可能性があるところ，最終事業年度に係る計算書類等の開示のみによっては，株式交換当事会社の財産の状況を的確に判断することは難しいという認識に基づく開示事項である（相澤＝細川・商事法務1769号18頁）。

「吸収合併契約等備置開始日後株式交換の効力が生ずる日までの間に新たな最終事業年度が存することとなる場合にあっては，当該新たな最終事業年度の末日後に生じた事象の内容に限る」とされているのは，新たな最終事業年度に係る計算書類等には当該新たな最終事業年度の末日までに生じた重要な財産の処分，重大な債務の負担その他の会社財産の状況に重要な影響を与える事象が反映されるため，別途開示する必要がないからである。

5 法789条1項の規定により株式交換について異議を述べることができる債権者があるときには，株式交換が効力を生ずる日以後における株式交換完全親会社の債務（当該債権者に対して負担する債務に限る）の履行の見込みに関する事項（1項5号）

平成17年改正前商法374条ノ2第1項3号および374条ノ18第1項3号は，会社分割についてのみ「各会社ノ負担スベキ債務ノ履行ノ見込アルコト及其ノ理由ヲ記載シタル書面」を備え置くことを要求していたが，これは，会社分割の当事会社の債権者保護を目的とするものであり，そうであれば，会社分割の場合にのみ要求すべき開示事項ではないと考えられるため，本号は，株式交換が効力を生ずる日以後における株式交換完全親会社の債務（株式交換について異議を述べることができる債権者に対して負担する債務に限る）の履行の見込みに関する事項を事前開示事項の1つとして定めている。

たしかに，「各会社ノ負担スベキ債務ノ履行ノ見込アルコト」と定めていた平成17年改正前商法374条ノ2第1項3号などと異なり，本号では「債務……の履行の見込みに関する事項」と定めていることから，債務の履行の見込みがないような株式交換を行った場合であっても，その株式交換は当然に無効になるわけではないと解する余地はある。実質的にも，債務履行の見込みは将来予測に基づくものであり，株式交換の時点では不確定であることに鑑みると，債務の履行の見込みがないことが株式交換無効原因であると解することは法的安定性を損なう一方で，債権者の保護は債権者保護手続または詐害行為取消権の行使によって図ることが可能であるとも考えられる（相澤＝細川・商事法務1769号19頁）。

しかし，平成17年改正前商法374条ノ2第1項3号などは，「各会社ノ負担スベキ債務ノ履行ノ見込」がないことを分割無効原因とする創設的規定ではなく，「各会社ノ負担スベキ債務ノ履行ノ見込」がないことが分割無効原因であることを前提として開示を要求する規定であって（原田・商事法務1565号11頁，名古屋地判平成16・10・29判時1881号122頁参照），開示すべき事項が「債務……の履行の見込みに関する事項」とされたことの一事をもって，実体法の解釈がただちに変更されると解するのはやや強引なのではないかとも思われる。実質的に考えてみても，株式会社の場合，債務の履行の見込みがないことは支払不能として破産原因（破産法16条1項）にあたり，会社がそのような状態となる組織再編行為を有効であると解することは適切ではない。また，「履行の見込みがない」ということが開示されていれば十分であるともいえない。なぜなら，債権者保護手続として，必ずしも個別催告が要求されていない以上，「履行の見込みがない」ことを知っていたにもかかわらず，すべての債権者があえて異議を述べなかったとみなすことには無理があるからである。いいかえれば，組織再編行為がなされても，債務の履行の見込みがあってこそ，個別催告を必ずしも要求しないことが正当化されると思われる。したがって，債務の履行の見込みがないことは株式交換無効原因にあたると解することが穏当であるように思われる［もっとも，組織変更との関連では，必ずしも，そのようにはいえないのではないかという点について，→180条3］。ただし，異議を述べることができる債権者が異議を述べなかった場合には承認したものとみなされ（法789条4項），株式交換無効の訴えの原告適格を有しないから，「債務……の履行の見込みがないこと」が株式交換無効原因であると解することの実益は必ずしも大きくはないこともまた事実である（藤田・商事法務1775号65頁注56，江頭945頁注3参照）。

なお，「法第789条第1項の規定により株式交換について異議を述べることができる債権者……に対して負担する債務に限る」とされているのは，本号に基づく開示は主として株式交換について異議を述べることができる債権者の保護のためであると考えられるからである。

6　1から5の事項に変更が生じたときは，変更後の当該事項（1項6号）

吸収合併契約等備置開始日（法782条2項）後，1号から5号までに掲げる事項に変更が生じたときは，変更後のその事項も事前開示事項に含まれるものとされている。

平成17年改正前商法の下では，株式交換などに係る事前開示資料との関連でも，備置開始後，効力発生日までの間に，事前開示資料の内容事項について変更が生じた場合にはどのようにすべきかについての規律が定められていなかった。しかし，会社法の下では，債権者保護手続は効力発生日までに終了していれば足りるとされているため（法750条6項），合併契約等備置開始日後，効力発生日までの間がある程度の期間となる可能性もあり，会社債権者および株主に対して適切な権利行使のための判断材料を与えるという観点から最新の情報を提供することを要求することが適切である（相澤＝細川・商事法務1769号20頁）。そこで，本号では，吸収合併契約等備置開始日後，事前開示事項に変更が生じたときは，変更後のその事項を開示することを要求している。

したがって，たとえば，吸収合併契約等備置開始日後に，計算書類等が確定し，最終事業年度に係る計算書類等が存在するようになった場合には，もはや成立の日における貸借対照表を事前開示事項に含める必要はなく，一般原則に従って計算書類等を備え置き，閲覧等の請求に応ずれば足りることになる（法442条）。同様に，最終事業年度に係る計算書類等については，新たに計算書類等が確定し，最終事業年度が更新された場合には，その最終事業年度に係る計算書類等を開示することが要求される。

「株式交換が効力を生ずる日までの間に」とされているのは，法782条1項は事前開示を定めるものであり，本号は事前開示事項を定めるものなので，株式交換が効力を生じた後にも，事前開示事項の更新を要求することは背理であるからであろう。

―（持分等）――――――――――――――――――――――――――――
第185条 法第783条第2項に規定する法務省令で定めるものは，権利の移転又は行使に債務者その他第三者の承諾を要するもの（持分会社の持分及び譲渡制限株式を除く。）とする。
―――――――――――――――――――――――――――――――――

本条は，組織再編行為に係る契約・計画の承認との関連で「持分等」を定めるものである。すなわち，法783条2項は，吸収合併消滅株式会社または株式交換完全子会社が種類株式発行会社でない場合において，吸収合併消滅株式会社または株式交換完全子会社の株主に対して交付する金銭等の全部または一部が持分等（持分会社の持分その他これに準ずるものとして法務省令で定めるものを

いう）であるときは，吸収合併契約または株式交換契約について吸収合併消滅株式会社または株式交換完全子会社の総株主の同意を得なければならないものとしている。また，同条4項は，吸収合併消滅株式会社または株式交換完全子会社が種類株式発行会社である場合において，吸収合併消滅株式会社または株式交換完全子会社の株主に対して交付する金銭等の全部または一部が持分等であるときは，吸収合併または株式交換は，その持分等の割当てを受ける種類の株主の全員の同意がなければ，その効力を生じないものとしている。そこで，本条では，「持分会社の持分……に準ずるものとして法務省令で定めるもの」を定めている。

　法783条2項および4項は，持分会社の持分の譲渡については，原則として，他の社員全員の承諾が必要とされるため（法585条），株主の投下資本回収が相当困難になると推測されることに鑑みて，合併対価または株式交換対価が持分等である場合には，総株主またはその種類株主全員の同意を要求している。本条は，「持分会社の持分……に準ずるものとして法務省令で定めるもの」を定めているので，「持分会社の持分」そのものは含まれないのは当然であるが，合併対価または株式交換対価が譲渡制限株式である場合については，法783条3項および309条3項2号が，合併対価または株式交換対価が「持分等」である場合とは別の取扱いを定めているため，「持分等」には含まれないものとされている。

　持分会社の持分の譲渡については，原則として，他の社員全員の承諾が必要とされること（法585条）に鑑み，本条では，法令上の譲渡性につき，持分会社の持分と同等であると認められる「権利の移転又は行使に債務者その他第三者の承諾を要するもの」を，持分会社の持分ではないが「持分等」にあたるものと定めている（相澤＝細川・商事法務1769号22頁）。「権利の移転又は行使に債務者その他第三者の承諾を要するもの」には，譲渡制限新株予約権（法236条1項6号）や譲渡制限特約付指名債権が該当する（立法論としては，186条とパラレルに，「権利の移転又は行使に債務者その他第三者の承諾を要するもの」を取得対価とする取得条項付株式または取得条項付新株予約権も含まれるとすることが首尾一貫すると考えられる。また，本条の適用の余地がなく，会社法の問題であるが，新設合併または株式移転の際に，譲渡制限新株予約権など本条が定める「権利の移転又は行使に債務者その他第三者の承諾を要するもの」を合併対価または株式移転対価の一部とする場合については，新設合併契約または株式移転契約の承認についての規定が設けられていないという立法論上の問題がある（法831条1項3号によ

り，株主総会決議取消しを認めて株主を保護することは考えられるが，均衡はとれていない。なお，外国会社の株式等が合併対価とされる場合の株主保護との関連での検討については，相澤ほか・商事法務1800号5頁および12頁注5も参照）。

―（譲渡制限株式等）――――――――――――――――――――――――
第186条　法第783条第3項に規定する法務省令で定めるものは，次の各号に掲げる場合の区分に応じ，当該各号に定める株式会社の取得条項付株式（当該取得条項付株式に係る法第108条第2項第6号ロの他の株式の種類が当該各号に定める株式会社の譲渡制限株式であるものに限る。）又は取得条項付新株予約権（当該取得条項付新株予約権に係る法第236条第1項第7号ニの株式が当該各号に定める株式会社の譲渡制限株式であるものに限る。）とする。
　一　吸収合併をする場合　　吸収合併存続株式会社
　二　株式交換をする場合　　株式交換完全親株式会社
　三　新設合併をする場合　　新設合併設立株式会社
　四　株式移転をする場合　　株式移転設立完全親会社
――――――――――――――――――――――――――――――――

　本条は，組織再編行為に係る契約・計画の株主総会における承認決議の決議要件との関連で「譲渡制限株式等」を定めるものである。すなわち，法783条3項は，吸収合併消滅株式会社または株式交換完全子会社が種類株式発行会社である場合において，合併対価または株式交換対価の全部または一部が譲渡制限株式等（譲渡制限株式その他これに準ずるものとして法務省令で定めるものをいう）であるときは，吸収合併または株式交換は，当該譲渡制限株式等の割当てを受ける種類の株式（譲渡制限株式を除く）の種類株主を構成員とする種類株主総会（当該種類株主に係る株式の種類が二以上ある場合には，当該二以上の株式の種類別に区分された種類株主を構成員とする各種類株主総会）の決議がなければ，原則として，その効力を生じないと定めている。また，法309条3項2号は，法783条1項の株主総会（合併により消滅する株式会社または株式交換をする株式会社が公開会社であり，かつ，その株式会社の株主に対して交付する金銭等の全部または一部が譲渡制限株式等である場合におけるその株主総会に限る。種類株式発行会社の株主総会を除く）の決議は，その株主総会において議決権を行使することができる株主の半数以上（これを上回る割合を定款で定めた場合には，その割合以上）であって，その株主の議決権の3分の2（これを上回る割合を定款で定めた場合には，その割合）以上にあたる多数をもって行わなければならない

と定めている。

　同様に、法804条3項は、新設合併消滅株式会社または株式移転完全子会社が種類株式発行会社である場合において、新設合併消滅株式会社または株式移転完全子会社の株主に対して交付する新設合併設立株式会社または株式移転設立完全親株式会社の株式等の全部または一部が譲渡制限株式等であるときは、当該新設合併または株式移転は、その譲渡制限株式等の割当てを受ける種類の株式（譲渡制限株式を除く）の種類株主を構成員とする種類株主総会（当該種類株主に係る株式の種類が二以上ある場合には、当該二以上の株式の種類別に区分された種類株主を構成員とする各種類株主総会）の決議がなければ、原則として、その効力を生じないものとしている。また、法309条3項3号は、法804条1項の株主総会（合併または株式移転をする株式会社が公開会社であり、かつ、その株式会社の株主に対して交付する金銭等の全部または一部が譲渡制限株式等である場合におけるその株主総会に限る。種類株式発行会社の株主総会を除く）の決議は、その株主総会において議決権を行使することができる株主の半数以上（これを上回る割合を定款で定めた場合には、その割合以上）であって、その株主の議決権の3分の2（これを上回る割合を定款で定めた場合には、その割合）以上にあたる多数をもって行わなければならないと定めている。

　そこで、本条では、「譲渡制限株式……に準ずるものとして法務省令で定めるもの」を定めている。

　本条では、吸収合併存続株式会社、株式交換完全親株式会社、新設合併設立株式会社または株式移転設立完全親株式会社の取得条項付株式または取得条項付新株予約権のうち、取得対価が譲渡制限株式であるものを「譲渡制限株式……に準ずるものとして法務省令で定めるもの」としている。これは、株式または新株予約権には譲渡制限が付されていなくとも、その株式または新株予約権が取得条項付株式または取得条項付新株予約権であり、かつ、取得対価が譲渡制限株式である場合には、その交付後に、株式会社が、その取得条項付株式または取得条項付新株予約権を譲渡制限株式に転換できることに鑑みると、譲渡制限株式が合併対価または株式交換対価として交付された場合と実質的には共通する利害を吸収合併消滅株式会社、株式交換完全子会社、新設合併消滅株式会社または株式移転完全子会社の株主は有するからである（なお、外国会社の株式等が合併対価とされる場合の株主保護との関連での検討については、相澤ほか・商事法務1800号5頁および12頁注5も参照）。

(総資産の額)

第187条 法第784条第2項に規定する法務省令で定める方法は,算定基準日(吸収分割契約を締結した日(当該吸収分割契約により当該吸収分割契約を締結した日と異なる時(当該吸収分割契約を締結した日後から当該吸収分割の効力が生ずる時の直前までの間の時に限る。)を定めた場合にあっては,当該時)をいう。以下この条において同じ。)における第1号から第9号までに掲げる額の合計額から第10号に掲げる額を減じて得た額をもって吸収分割株式会社の総資産額とする方法とする。

一 資本金の額
二 資本準備金の額
三 利益準備金の額
四 法第446条に規定する剰余金の額
五 最終事業年度(法第461条第2項第2号に規定する場合にあっては,法第441条第1項第2号の期間(当該期間が二以上ある場合にあっては,その末日が最も遅いもの)。以下この項において同じ。)の末日(最終事業年度がない場合にあっては,吸収分割株式会社の成立の日。以下この項において同じ。)における評価・換算差額等に係る額
六 株式引受権の帳簿価額
七 新株予約権の帳簿価額
八 最終事業年度の末日において負債の部に計上した額
九 最終事業年度の末日後に吸収合併,吸収分割による他の会社の事業に係る権利義務の承継又は他の会社(外国会社を含む。)の事業の全部の譲受けをしたときは,これらの行為により承継又は譲受けをした負債の額
十 自己株式及び自己新株予約権の帳簿価額の合計額

2 前項の規定にかかわらず,算定基準日において吸収分割株式会社が清算株式会社である場合における法第784条第2項に規定する法務省令で定める方法は,法第492条第1項の規定により作成した貸借対照表の資産の部に計上した額をもって吸収分割株式会社の総資産額とする方法とする。

本条は,吸収分割につき吸収分割株式会社の株主総会の特別決議による承認を要しないとされる規準との関連で,株式会社の総資産額を算定する方法を定めるものである。

すなわち,吸収分割株式会社は,効力発生日の前日までに,株主総会の決議によって,吸収分割契約の承認を受けなければならない(法783条1項)。吸収分割により吸収分割承継会社に承継させる資産の帳簿価額の合計額が吸収分割

株式会社の総資産額として法務省令で定める方法により算定される額の5分の1（これを下回る割合を吸収分割株式会社の定款で定めた場合には，その割合）を超えない場合には，株主総会の決議を要しないものとされている（法784条2項）。この委任に基づき，吸収分割株式会社の総資産額を算定する方法を本条が定めている。

1 株式会社の総資産額を算定する方法（1項）
(1) 算定基準日
　吸収分割契約を締結した日（その吸収分割契約によりその吸収分割契約を締結した日と異なる時（その吸収分割契約を締結した日後からその吸収分割の効力が生ずる時の直前までの間の時に限る）を定めた場合には，その時）が算定基準日とされる。すなわち，法784条2項は，「吸収分割により吸収分割承継会社に承継させる資産の帳簿価額の合計額が吸収分割株式会社の総資産額として法務省令で定める方法により算定される額の5分の1（これを下回る割合を吸収分割株式会社の定款で定めた場合にあっては，その割合）を超えない」場合には，吸収分割株式会社においては，その吸収分割契約につき株主総会の特別決議による承認を受けることを要しないものとしている。そして，株主総会の特別決議を経ないで吸収分割を行うことができるかどうかは，その吸収分割のスケジュールに重要な影響を与える可能性があるため，吸収分割契約を締結する段階で法784条2項の要件を満たせる可能性があるかどうかを判断できることが望ましい。また，手続の途中で，簡易組織再編行為の要件を満たさないことになると，円滑な組織再編行為の実現を害する可能性もある（相澤＝細川・商事法務1769号24頁）。そこで，本項では，吸収分割契約を締結した日を算定基準日とすることを原則としている。

　もっとも，法784条2項は，その吸収分割が吸収分割株式会社の株主に与える可能性のある影響の大小に注目しているものであり，理論的には，吸収分割の効力が生ずる時点を基準時として要件を満たすか否かを判断することがより適切であるし，また，吸収分割契約の締結後，その当事会社において，剰余金の配当その他会社の財産の状況に重要な影響を与える行為を行うことが予想される場合には，吸収分割契約を締結した日後の日を算定基準日とすることが適切でありうる。そこで，本項柱書かっこ書では，「当該吸収分割契約により当該吸収分割契約を締結した日と異なる時（当該吸収分割契約を締結した日後から当該吸収分割の効力が生ずる時の直前までの間の時に限る。）を定めた場合

1032　第5編　組織変更，合併，会社分割，株式交換，株式移転及び株式交付

にあっては，当該時」を算定基準日としている。

(2)　算定方法

　本項では，総資産額を算定基準日における同項「第1号から第9号までに掲げる額の合計額から第10号に掲げる額を減じて得た額」と定めているが，これは，評価・換算差額等の額および（臨時計算書類を作成したときは，臨時会計年度（臨時会計年度が二以上ある場合には，その末日が最も遅いもの）の末日（最終事業年度がない場合には，吸収分割株式会社の成立の日）後に吸収合併，吸収分割による他の会社の事業に係る権利義務の承継または他の会社（外国会社を含む）の事業の全部の譲受けをしたときの，これらの行為により承継または譲受けをした負債の額を別とすれば）負債の額を除き，事業年度中の変動（当該事業年度の損益計算書に反映されるべき損益を除く）を反映した額を用いて，総資産額を算定しようというものである。すなわち，資本金の額，資本準備金の額，利益準備金の額，法446条に規定する剰余金の額，株式引受権の帳簿価額，新株予約権の帳簿価額ならびに自己株式および自己新株予約権の帳簿価額の合計額については，算定基準日の額を用いるというものである。評価・換算差額等に係る額および（臨時計算書類を作成したときは，臨時会計年度（臨時会計年度が二以上ある場合には，その末日が最も遅いもの）の末日（最終事業年度がない場合には，吸収分割株式会社の成立の日）後に吸収合併，吸収分割による他の会社の事業に係る権利義務の承継または他の会社（外国会社を含む）の事業の全部の譲受けをしたときの，これらの行為により承継または譲受けをした負債の額を別とすれば）負債の額は，最終事業年度（臨時計算書類を作成したときは，臨時会計年度。臨時会計年度が二以上ある場合には，その末日が最も遅いもの）の末日（最終事業年度がない場合には，吸収分割株式会社の成立の日）における額を用いることとされているが，これは，事業年度中の評価・換算差額等〔その他有価証券評価差額金，繰延ヘッジ損益および土地再評価差額金。→計規コンメ76条8〕および負債の額を把握することは，会社にとって，手間が掛かることから，計算書類または臨時計算書類上の額を用いることができるようにしたものである。

　なお，「最終事業年度の末日後に吸収合併，吸収分割による他の会社の事業に係る権利義務の承継又は他の会社（外国会社を含む。）の事業の全部の譲受けをしたときは，これらの行為により承継又は譲受けをした負債の額」（9号）を考慮に入れるべきものとされているのは，これらの行為によって，資本金の額，資本準備金の額，利益準備金の額，法446条に規定する剰余金の額，株式

引受権の帳簿価額，新株予約権の帳簿価額，自己株式の帳簿価額および自己新株予約権の帳簿価額が変動する一方で，「これらの行為により承継又は譲受けをした負債の額」を株式会社は把握しているはずなので，これを算定にあたって考慮に入れることを要求しても，煩瑣ではないと考えられるからである。

　法446条に規定する剰余金の額には，最終事業年度の末日後にした自己株式の処分，資本金または準備金の額の減少と剰余金の額の増加，剰余金の額の減少と資本金または準備金の額の増加，吸収型再編受入行為による資本剰余金および利益剰余金の額の変動，自己株式の消却，剰余金の配当が反映されるという点で［詳細については，→計規コンメ149条・150条］，最終事業年度に係る貸借対照表上の資産の部の額の合計額を総資産額として法784条2項を適用するよりも，本項の定めは合理的であるといえる。

　しかし，立法論としては，本項の定めには課題が残っている。すなわち，臨時計算書類を作成した場合に，臨時損益計算書に計上された当期純損益金額を総資産の算定に反映させない理由はないと思われる。臨時損益計算書に計上された当期純損益金額だけ，株式会社の純資産の額は増加していると考えてよい一方で，評価・換算差額等の増減は臨時損益計算書に計上された収益・費用・利益・損失と結びついているはずなので，臨時会計年度中の評価・換算差額等の増減を総資産額に反映しつつ，臨時会計年度に係る純損益金額を反映させないことは均衡のとれていない取扱いであるといえるからである。

2　清算株式会社の特則（2項）

　算定基準日において，吸収分割株式会社が清算株式会社（法475条の規定により清算をする株式会社。法476条）である場合には，「法第492条第1項の規定により作成した貸借対照表の資産の部に計上した額」が株式会社の総資産額とされる。これは，清算株式会社においては，剰余金の配当は行われないので，資本金，資本準備金，利益準備金という区分や剰余金の額は意味を有さず［詳細については，→145条2］，純資産の部は細分されないことになっているため（145条3項柱書），1項が定める算式によっては株式会社の総資産額を算定できないからである。

―（計算書類に関する事項）――――――――――――――――――――
第188条　法第789条第2項第3号に規定する法務省令で定めるものは，同項の規定による公告の日又は同項の規定による催告の日のいずれか早い日における

次の各号に掲げる場合の区分に応じ，当該各号に定めるものとする。
一　最終事業年度に係る貸借対照表又はその要旨につき公告対象会社（法第789条第2項第3号の株式会社をいう。以下この条において同じ。）が法第440条第1項又は第2項の規定による公告をしている場合　次に掲げるもの
　　イ　官報で公告をしているときは，当該官報の日付及び当該公告が掲載されている頁
　　ロ　時事に関する事項を掲載する日刊新聞紙で公告をしているときは，当該日刊新聞紙の名称，日付及び当該公告が掲載されている頁
　　ハ　電子公告により公告をしているときは，法第911条第3項第28号イに掲げる事項
二　最終事業年度に係る貸借対照表につき公告対象会社が法第440条第3項に規定する措置をとっている場合　法第911条第3項第26号に掲げる事項
三　公告対象会社が法第440条第4項に規定する株式会社である場合において，当該株式会社が金融商品取引法第24条第1項の規定により最終事業年度に係る有価証券報告書を提出しているとき　その旨
四　公告対象会社が会社法の施行に伴う関係法律の整備等に関する法律第28条の規定により法第440条の規定が適用されないものである場合　その旨
五　公告対象会社につき最終事業年度がない場合　その旨
六　公告対象会社が清算株式会社である場合　その旨
七　前各号に掲げる場合以外の場合　会社計算規則第6編第2章の規定による最終事業年度に係る貸借対照表の要旨の内容

　本条は，吸収合併，吸収分割または株式交換をする場合に，その吸収合併消滅株式会社，吸収分割株式会社または株式交換完全子会社の債権者が異議を述べることができるときに官報における公告等に含めなければならない事項としての「消滅株式会社等及び存続会社等（株式会社に限る。）の計算書類に関する事項として法務省令で定めるもの」を定めるものである。
　すなわち，株式会社が吸収合併，吸収分割または株式交換をする場合に，その吸収合併消滅株式会社，吸収分割株式会社または株式交換完全子会社の債権者が，その株式会社に対し，吸収合併，吸収分割または株式交換について異議を述べることができるときには（法789条1項），その株式会社は，原則として，吸収合併，吸収分割または株式交換をする旨，「消滅株式会社等及び存続会社等（株式会社に限る。）の計算書類に関する事項として法務省令で定めるもの」，および，債権者が一定の期間（1カ月以上）内に異議を述べることがで

きる旨を官報に公告し、かつ、知れている債権者には、各別にこれを催告しなければならない（ただし、株式会社が公告を、官報のほか、定款の定めに従い、時事に関する事項を掲載する日刊新聞紙に掲載して、または電子公告によりするときは、知れている債権者に対する各別の催告は、することを要しない）。このように「消滅株式会社等及び存続会社等（株式会社に限る。）の計算書類に関する事項として法務省令で定めるもの」を公告し、または催告に含めなければならないのは、吸収合併、吸収分割または株式交換の前に、当該株式会社が公表した最終の貸借対照表に債権者がアクセスすることを可能にし、異議を述べるか否かの判断の前提として、その吸収合併、吸収分割または株式交換が会社の分配可能額にどのような影響を与えるかを推測することを可能にするためである。すなわち、このような事項を公告または通知させるのは、会社の財産状態を知ることは債権者にとって重要であり、最終の貸借対照表に関する事項は債権者にとって異議を述べるかどうかの判断材料を入手する手がかりとなるからである。

　これをうけて、本条は、「消滅株式会社等及び存続会社等（株式会社に限る。）の計算書類に関する事項として法務省令で定めるもの」として、平成18年改正前商法施行規則198条と同様の規律を定めており、組織変更および組織再編行為の際の債権者保護手続との関連での株式会社の「計算書類に関する事項として法務省令で定めるもの」を定める施規181条、199条および208条とパラレルに定めている。

　柱書において「公告の日」と「催告の日」とのいずれか早い日を基準として、「消滅株式会社等及び存続会社等（株式会社に限る。）の計算書類に関する事項として法務省令で定めるもの」として公告し、または催告すべき事項が定められるものとしているのは、公告の内容と催告の内容との間に差があることは想定されていない以上、先になされるものの内容に合わせなければならないからである。

1　最終事業年度に係る貸借対照表またはその要旨につき会社が公告をしている場合（1号）

　官報で公告をしているときは、当該官報の日付および当該公告が掲載されている頁が、時事に関する事項を掲載する日刊新聞紙で公告をしているときは、当該日刊新聞紙の名称、日付および当該公告が掲載されている頁が、電子公告により公告をしているときは、電子公告を行っているインターネット上のウェ

ブサイト，すなわち，不特定多数の者が実際に閲覧できるウェブサイトのアドレス（URL。電子公告により公告すべき内容である情報について不特定多数の者がその提供を受けるために必要な事項であって法務省令で定めるもの（法911条3項28号イ），すなわち，株式会社が電子公告をするために使用する自動公衆送信装置のうち電子公告をするための用に供する部分をインターネットにおいて識別するための文字，記号その他の符号またはこれらの結合であって，情報の提供を受ける者がその使用に係る電子計算機に入力することによって当該情報の内容を閲覧し，当該電子計算機に備えられたファイルに当該情報を記録することができるもの。220条1項）が，それぞれ，「消滅株式会社等及び存続会社等（株式会社に限る。）の計算書類に関する事項として法務省令で定めるもの」として定められている。

　これは，平成18年改正前商法施行規則198条1号を踏襲したものである。ここで，最終の貸借対照表自体を公告・通知させるのではなく，最終の貸借対照表に関する事項を公告・通知させることとしたのは，最終の貸借対照表自体を公告・通知することを要求するのは会社にとって負担が過重になると考えたからであろう。

2　最終事業年度に係る貸借対照表につき会社が貸借対照表の内容である情報を，定時株主総会の終結の日後5年を経過する日までの間，継続して電磁的方法により不特定多数の者が提供を受けることができる状態に置く措置をとっている場合（2号）

　不特定多数の者が実際に閲覧できるインターネット上のウェブサイトのアドレス（URL。貸借対照表の内容である情報について不特定多数の者がその提供を受けるために必要な事項であって法務省令で定めるもの（法911条3項26号）。すなわち，電磁的方法による貸借対照表の公開をするために株式会社が使用する自動公衆送信装置のうち電磁的方法による貸借対照表の公開をするための用に供する部分をインターネットにおいて識別するための文字，記号その他の符号またはこれらの結合であって，情報の提供を受ける者がその使用に係る電子計算機に入力することによって当該情報の内容を閲覧し，当該電子計算機に備えられたファイルに当該情報を記録することができるもの。220条1項）が，「消滅株式会社等及び存続会社等（株式会社に限る。）の計算書類に関する事項として法務省令で定めるもの」として定められている。これは，平成18年改正前商法施行規則198条2号を踏襲したものである。

3 会社が金融商品取引法24条1項の規定により有価証券報告書を内閣総理大臣に提出しなければならない株式会社である場合において，その会社が最終事業年度に係る有価証券報告書を提出している場合（3号）

　この場合には，「消滅株式会社等及び存続会社等（株式会社に限る。）の計算書類に関する事項として法務省令で定めるもの」としては，最終事業年度に係る有価証券報告書を提出している旨を通知または公告の内容とすれば足りるものとされている。これは，EDINET を通じて，有価証券報告書の内容を閲覧することができることに鑑みて，法440条4項により，金融商品取引法24条1項の規定により有価証券報告書を内閣総理大臣に提出しなければならない会社は貸借対照表等の公告あるいは電磁的方法による公開をすることを要しないものとされていることをうけたものである。もっとも，金融商品取引法24条1項の規定により有価証券報告書を内閣総理大臣に提出しなければならない会社であっても，最終事業年度に係る有価証券報告書を提出していない場合には，会社債権者は，EDINET を通じて，最終事業年度に係る貸借対照表の内容を知ることができないから，7号に従って，「会社計算規則第6編第2章の規定による最終事業年度に係る貸借対照表の要旨の内容」を公告または通知しなければならない。

4 会社が特例有限会社である場合（4号）

　整備法28条の規定により法440条の規定が適用されないものである旨を，「消滅株式会社等及び存続会社等（株式会社に限る。）の計算書類に関する事項として法務省令で定めるもの」として公告または催告に含めれば足りる。特例有限会社は，貸借対照表等の公告あるいは電磁的方法による公開をすることを要しないものとされているので（整備法28条），吸収合併または吸収分割に際して，最終事業年度に係る貸借対照表またはその要旨にアクセスする機会を会社債権者に会社法上保障することはしていないのである。平成17年廃止前有限会社法の下での取扱いと同じである（始関・商事法務1650号14頁注141参照）。

5 会社につき最終事業年度がない場合（5号）

　会社につき最終事業年度がない旨を，「消滅株式会社等及び存続会社等（株式会社に限る。）の計算書類に関する事項として法務省令で定めるもの」として公告または催告に含めれば足りる。最終事業年度がない以上，最終事業年度に係る貸借対照表が存在しないからである。平成17年改正前商法および平成18

年改正前商法施行規則にはこのような定めはなかったが，論理的には，平成17年改正前商法の下でも，この場合には，公告または催告に，平成18年改正前商法施行規則198条が定める事項を含める余地はなかったと解される。

6　会社が清算株式会社である場合（6号）

　会社が清算株式会社である旨を，「消滅株式会社等及び存続会社等（株式会社に限る。）の計算書類に関する事項として法務省令で定めるもの」として公告または催告に含めれば足りるものとされている。これは，清算株式会社については，「清算中の会社の権利能力は，清算の目的の範囲内に縮減し，営業取引をなす権利能力を有しない以上，決算公告という方法によって広く利害関係人に対して清算中の株式会社の財務情報を開示すべき必要性は少ない」（要綱試案補足説明95頁）という認識の下で，貸借対照表（大会社の場合は，貸借対照表および損益計算書）の公告あるいは電磁的方法による公開が要求されていないこと（法509条1項2号）に鑑みたものであると推測される。しかし，各清算事務年度の貸借対照表等の公告または電磁的方法の公開を要求しないことから，組織再編行為の場合にも計算書類に関する事項を公告または催告に実質的に含めなくともよいとすることは，立法論としては，適当であるとは思われない。なぜなら，清算株式会社を当事会社とする組織再編行為は反復して行われるものではないから，公告や催告を要求したとしても過剰な負担を課すものであるとは評価できないし，会社債権者保護の観点から計算書類に関する事項を明らかにする必要性は清算株式会社であるか否かによって変わりがないと考えられるからである。したがって，7号と同様に，計規第6編第2章の規定による最終事業年度に係る貸借対照表の要旨の内容を，「消滅株式会社等及び存続会社等（株式会社に限る。）の計算書類に関する事項として法務省令で定めるもの」として公告または催告に含めることを要求すべきであったと考えられる。

7　会社が1から6のいずれにもあたらない場合（7号）

　計規第6編第2章の規定による最終事業年度に係る貸借対照表の要旨の内容を，「消滅株式会社等及び存続会社等（株式会社に限る。）の計算書類に関する事項として法務省令で定めるもの」として公告または催告に含めれば足りる。平成17年改正前商法の下では，（会社につき最終事業年度がない場合を除き）貸借対照表またはその要旨を公告または電磁的方法により公開していないと，債権

者保護手続に必然的に瑕疵があることになるという解釈が自然であったが，本号の定めにより，会社法の下では，吸収合併消滅株式会社，吸収分割株式会社または株式交換完全子会社につき最終事業年度があり，かつ，有価証券報告書を提出していないにもかかわらず，貸借対照表またはその要旨を公告または電磁的方法により公開していないものであっても，貸借対照表の要旨を公告または催告に含めれば足りるものとされている。要旨中の資産の部の各項目あるいは負債の部の各項目の区分・細分の要求は，公開会社であるか否かによって異なる（計規139条・140条）。なお，この場合の要旨には，当期純損益金額を付記しなければならないものと解される（計規142条参照）。

官報で行うこの公告は，会社の公告方法が官報である場合には，決算公告としての意義をも有すると解される（相澤＝和久・商事法務1766号72頁）。

---(吸収分割株式会社の事後開示事項)---
第189条 法第791条第１項第１号に規定する法務省令で定める事項は，次に掲げる事項とする。
一　吸収分割が効力を生じた日
二　吸収分割株式会社における次に掲げる事項
　イ　法第784条の２の規定による請求に係る手続の経過
　ロ　法第785条，第787条及び第789条の規定による手続の経過
三　吸収分割承継会社における次に掲げる事項
　イ　法第796条の２の規定による請求に係る手続の経過
　ロ　法第797条の規定及び法第799条（法第802条第２項において準用する場合を含む。）の規定による手続の経過
四　吸収分割により吸収分割承継会社が吸収分割株式会社から承継した重要な権利義務に関する事項
五　法第923条の変更の登記をした日
六　前各号に掲げるもののほか，吸収分割に関する重要な事項

吸収分割株式会社は，効力発生日後遅滞なく，吸収分割承継会社と共同して，吸収分割により吸収分割承継会社が承継した吸収分割株式会社の権利義務その他の吸収分割に関する事項として法務省令で定める事項を記載し，または記録した書面または電磁的記録［→224条］を作成し，効力発生日から６カ月間，その書面または電磁的記録をその本店に備え置かなければならないものと

されている（法791条1項1号・2項）。この委任をうけて、「吸収分割に関する事項として法務省令で定める事項」を定めるのが本条である。平成17年改正前商法374条ノ31が準用する同法374条ノ11が定めていた事項に加えて若干の事項が事後開示事項とされている。

吸収分割に係る事後開示は、主として、吸収分割の効力が生じた日において吸収分割契約をした会社の株主等もしくは社員等であった者または吸収分割契約をした会社の株主等、社員等、破産管財人もしくは吸収分割について承認をしなかった債権者（法828条2項9号）が、吸収分割無効の訴えを提起すべきかどうかを判断するために必要な情報を提供するという観点から定められている（菊池・商事法務1464号27頁参照）。吸収分割株式会社の取締役・執行役が適切に職務執行を行ったことを明らかにするという機能を有し、吸収分割株式会社の取締役・執行役に適切に職務執行するインセンティブを与えるという機能を有する。

1　吸収分割が効力を生じた日（1号）

これが事後開示事項とされているのは、吸収分割無効の訴えは、吸収分割の効力が生じた日から6カ月以内でなければ提起することができないとされていること（法828条1項9号）と関連する。

2　吸収分割株式会社における吸収分割差止請求（法784条の2）に係る手続の経過等（2号）

これが事後開示事項とされているのは、裁判所による吸収分割差止めの仮処分または判決に反してなされる吸収分割には吸収分割無効原因があると考えられるほか（最判平成5・12・16民集47巻10号5423頁参照）、法令または定款に違反する吸収分割には吸収分割無効原因があるとされる場合があるため、このような手続の経過を開示することが、株主その他の者が適切な判断を行うため、とりわけ、吸収分割無効の訴えを提起するか否かを判断するために重要であると考えられるためである。また、吸収分割株式会社における反対株主の株式買取請求に係る手続（法785条）、新株予約権買取請求に係る手続（法787条）および債権者保護手続（法789条）の経過（本号ロ）が事後開示事項とされているのは、これらの手続を適切に履践しないことは分割無効原因にあたると解されるからである。

3 吸収分割承継会社における吸収分割差止請求（法796条の2）に係る手続の経過（3号）

　これが事後開示事項とされているのは，裁判所による吸収分割差止めの仮処分または判決に反してなされる吸収分割には吸収分割無効原因があると考えられるほか（最判平成5・12・16民集47巻10号5423頁参照），法令または定款に違反する吸収分割には吸収分割無効原因があるとされる場合があるため，このような手続の経過を開示することが，株主その他の者が適切な判断を行うため，とりわけ，吸収分割無効の訴えを提起するか否かを判断するために重要であると考えられるためである。また，吸収分割承継会社における反対株主の株式買取請求に係る手続（法797条）および債権者保護手続（法799条・802条2項）の経過（本号ロ）が事後開示事項とされているのも，2と同じ趣旨に基づくものである。反対株主の株式買取請求あるいは新株予約権の買取請求があったときはその旨，買取請求の対象となった株式または新株予約権の数，種類株式発行会社ではその株式の種類，買取価格，裁判所に価格決定の申立てをしたときはその旨および裁判所が決定した価格を記載・記録することになろう。債権者保護手続の経過としては，債権者に対する通知または公告をした旨およびその年月日，公告の方法，電子公告または時事を掲載する日刊新聞紙に掲げてする公告を行ったことによって，知れている債権者に対して通知をしなかったときはその旨，債権者からの異議の有無，弁済，担保提供または財産の信託をしたときはその旨，債権者を害するおそれがないとして弁済，担保提供または財産の信託をしなかったときはその旨を記載・記録することになる。

4 吸収分割により吸収分割承継会社が吸収分割株式会社から承継した重要な権利義務に関する事項（4号）

　これが事後開示事項とされているのは，会社法の下では，吸収分割とは株式会社または合同会社がその事業に関して有する権利義務の全部または一部を分割後他の会社に承継させることをいうが（法2条29号），どのような権利義務が承継されたのかを明らかにすることが利害関係人の判断のために必要だからである。もっとも，吸収分割承継会社において増加させた資本金および資本準備金の額が資本金等増加限度額の範囲内にあることを確かめることができるようにするという意義も認められよう。

5 吸収分割の登記（法923条）をした日（5号）

　これが事後開示事項とされているのは，吸収分割の登記によって善意の第三者に対して，吸収分割があったことを対抗することができるようになるからである（法908条1項）。

6 「前各号に掲げるもののほか，吸収分割に関する重要な事項」（6号）

　これが事後開示事項とされているのは，それぞれの吸収分割において重要な事項は異なるため，すべてを本条で列挙することができないからであるが，たとえば，資本金および準備金の額に関する事項，分割対価の相当性に関する事項，効力発生日に剰余金の配当または全部取得条項付種類株式の取得を行った場合はその旨，独占禁止法などに基づく公正取引委員会や金融庁などに対する手続の履践状況などがあたると考えられる。

（株式交換完全子会社の事後開示事項）

第190条　法第791条第1項第2号に規定する法務省令で定める事項は，次に掲げる事項とする。
　一　株式交換が効力を生じた日
　二　株式交換完全子会社における次に掲げる事項
　　イ　法第784条の2の規定による請求に係る手続の経過
　　ロ　法第785条，第787条及び第789条の規定による手続の経過
　三　株式交換完全親会社における次に掲げる事項
　　イ　法第796条の2の規定による請求に係る手続の経過
　　ロ　法第797条の規定及び法第799条（法第802条第2項において準用する場合を含む。）の規定による手続の経過
　四　株式交換により株式交換完全親会社に移転した株式交換完全子会社の株式の数（株式交換完全子会社が種類株式発行会社であるときは，株式の種類及び種類ごとの数）
　五　前各号に掲げるもののほか，株式交換に関する重要な事項

　株式交換完全子会社は，効力発生日後遅滞なく，株式交換完全親会社と共同して，株式交換により株式交換完全親会社が取得した株式交換完全子会社の株式の数その他の株式交換に関する事項として法務省令で定める事項を記載し，または記録した書面または電磁的記録［→224条］を作成し，効力発生日から

6カ月間，その書面または電磁的記録をその本店に備え置かなければならない（法791条1項2号・2項）。この委任をうけて，「株式交換に関する事項として法務省令で定める事項」を定めるのが本条である。平成17年改正前商法360条が定めていた事項に加えて，若干の事項が事後開示事項とされている。

　株式交換に係る事後開示は，主として，株式交換の効力が生じた日において株式交換契約をした会社の株主等もしくは社員等であった者または株式交換契約をした会社の株主等，社員等，破産管財人もしくは株式交換について承認をしなかった債権者（法828条2項11号）が，株式交換無効の訴えを提起すべきかどうかを判断するために必要な情報を提供するという観点から定められているが（菊池・商事法務1464号27頁参照），株式交換完全子会社の取締役・執行役が適切に職務執行を行ったことを明らかにするという機能を有し，株式交換完全子会社の取締役・執行役に適切に職務執行をするインセンティブを与えるという機能を有する。

1　株式交換が効力を生じた日（1号）

　これが事後開示事項とされているのは，株式交換無効の訴えは，株式交換の効力が生じた日から6カ月以内でなければ提起することができないとされていること（法828条1項11号）と関連する。

2　株式交換完全子会社における株式交換差止請求（法784条の2）に係る手続の経過等（2号）

　これが事後開示事項とされているのは，裁判所による株式交換差止めの仮処分または判決に反してなされる株式交換には株式交換無効原因があると考えられるほか（最判平成5・12・16民集47巻10号5423頁参照），法令または定款に違反する株式交換には株式交換無効原因があるとされる場合があるため，このような手続の経過を開示することが，株主その他の者が適切な判断を行うため，とりわけ，株式交換無効の訴えを提起するか否かを判断するために重要であると考えられるためである。また，株式交換完全子会社における反対株主の株式買取請求に係る手続（法785条），新株予約権買取請求に係る手続（法787条）および債権者保護手続（法789条）の経過（本号ロ）が事後開示事項とされているのは，これらの手続を適切に履践しないことは株式交換無効原因にあたると解されるからである。

3 株式交換完全親会社における株式交換差止請求（法796条の2）に係る手続の経過等（3号）

　これが事後開示事項とされているのは，裁判所による株式交換差止めの仮処分または判決に反してなされる株式交換には株式交換無効原因があると考えられるほか（最判平成5・12・16民集47巻10号5423頁参照），法令または定款に違反する株式交換には株式交換無効原因があるとされる場合があるため，このような手続の経過を開示することが，株主その他の者が適切な判断を行うため，とりわけ，株式交換無効の訴えを提起するか否かを判断するために重要であると考えられるためである。また，株式交換完全親会社における反対株主の株式買取請求に係る手続（法797条）および債権者保護手続（法799条・802条2項）の経過（本号ロ）が事後開示事項とされているのも，2と同じ趣旨に基づくものである。反対株主の株式買取請求あるいは新株予約権の買取請求があったときはその旨，買取請求の対象となった株式または新株予約権の数，種類株式発行会社ではその株式の種類，買取価格，裁判所に価格決定の申立てをしたときはその旨および裁判所が決定した価格を記載・記録することになろう。債権者保護手続の経過としては，債権者に対する通知または公告をした旨およびその年月日，公告の方法，電子公告または時事を掲載する日刊新聞紙に掲げてする公告を行ったことによって，知れている債権者に対して通知をしなかったときはその旨，債権者からの異議の有無，弁済，担保提供または財産の信託をしたときはその旨，債権者を害するおそれがないとして弁済，担保提供または財産の信託をしなかったときはその旨を，記載・記録することになる。

4 株式交換により株式交換完全親会社に移転した株式交換完全子会社の株式の数（株式交換完全子会社が種類株式発行会社であるときは，株式の種類および種類ごとの数）（4号）

　これが事後開示事項とされているのは，どのような株式交換完全子会社の株式が移転したのかを明らかにすることが利害関係人の判断のために必要だからである。もっとも，株式交換完全親会社において増加させた資本金および資本準備金の額が資本金等増加限度額の範囲内にあることの判断の助けとなるという意義も認められよう。

5 「前各号に掲げるもののほか，株式交換に関する重要な事項」（5号）

　これが事後開示事項とされているのは，それぞれの株式交換において重要な事項は異なるため，すべてを本条で列挙することができないからであるが，たとえば，資本金および準備金の額に関する事項，株式交換対価の相当性に関する事項，独占禁止法などに基づく公正取引委員会や金融庁などに対する手続の履践状況などがあたると考えられる。

第4章

吸収合併存続株式会社, 吸収分割承継株式会社及び株式交換完全親株式会社の手続

―(吸収合併存続株式会社の事前開示事項)――――――――――

第191条 法第794条第1項に規定する法務省令で定める事項は, 同項に規定する存続株式会社等が吸収合併存続株式会社である場合には, 次に掲げる事項とする。

一 法第749条第1項第2号及び第3号に掲げる事項についての定め(当該定めがない場合にあっては, 当該定めがないこと)の相当性に関する事項

二 法第749条第1項第4号及び第5号に掲げる事項を定めたときは, 当該事項についての定め(全部の新株予約権の新株予約権者に対して交付する吸収合併存続株式会社の新株予約権の数及び金銭の額を零とする旨の定めを除く。)の相当性に関する事項

三 吸収合併消滅会社(清算株式会社及び清算持分会社を除く。)についての次に掲げる事項

　イ 最終事業年度に係る計算書類等(最終事業年度がない場合にあっては, 吸収合併消滅会社の成立の日における貸借対照表)の内容

　ロ 最終事業年度の末日(最終事業年度がない場合にあっては, 吸収合併消滅会社の成立の日。ハにおいて同じ。)後の日を臨時決算日(二以上の臨時決算日がある場合にあっては, 最も遅いもの)とする臨時計算書類等があるときは, 当該臨時計算書類等の内容

　ハ 最終事業年度の末日後に重要な財産の処分, 重大な債務の負担その他の会社財産の状況に重要な影響を与える事象が生じたときは, その内容(吸収合併契約等備置開始日(法第794条第2項に規定する吸収合併契約等備置開始日をいう。以下この章において同じ。)後吸収合併の効力が生ずる日までの間に新たな最終事業年度が存することとなる場合にあっては, 当該新たな最終事業年度の末日後に生じた事象の内容に限る。)

四 吸収合併消滅会社(清算株式会社又は清算持分会社に限る。)が法第492条第1項又は第658条第1項若しくは第669条第1項若しくは第2項の規定に

より作成した貸借対照表
　五　吸収合併存続株式会社についての次に掲げる事項
　　イ　吸収合併存続株式会社において最終事業年度の末日（最終事業年度がない場合にあっては，吸収合併存続株式会社の成立の日）後に重要な財産の処分，重大な債務の負担その他の会社財産の状況に重要な影響を与える事象が生じたときは，その内容（吸収合併契約等備置開始日後吸収合併の効力が生ずる日までの間に新たな最終事業年度が存することとなる場合にあっては，当該新たな最終事業年度の末日後に生じた事象の内容に限る。）
　　ロ　吸収合併存続株式会社において最終事業年度がないときは，吸収合併存続株式会社の成立の日における貸借対照表
　六　吸収合併が効力を生ずる日以後における吸収合併存続株式会社の債務（法第799条第1項の規定により吸収合併について異議を述べることができる債権者に対して負担する債務に限る。）の履行の見込みに関する事項
　七　吸収合併契約等備置開始日後吸収合併が効力を生ずる日までの間に，前各号に掲げる事項に変更が生じたときは，変更後の当該事項

　本条は，吸収合併存続株式会社の事前開示事項を定めるものである。すなわち，法794条1項は，吸収合併存続株式会社は，吸収合併契約等備置開始日から吸収合併がその効力を生ずる日（効力発生日）後6カ月を経過する日までの間，吸収合併契約の内容その他法務省令で定める事項を記載し，または記録した書面または電磁的記録［→224条］をその本店に備え置かなければならないものと定めている。これをうけて，本条では，「法務省令で定める事項」を定めている。
　法794条1項は，その吸収合併契約を承認するかどうかを意思決定するために必要な情報を吸収合併存続株式会社の株主に，その吸収合併に異議を述べるかどうかを意思決定するために必要な情報を吸収合併存続株式会社の債権者に，それぞれ，提供することを目的とする。また，吸収合併存続株式会社の株主が吸収合併差止請求（法796条の2）を行うかどうかを判断するための情報，吸収合併存続株式会社の株主や会社債権者が吸収合併無効の訴え（法828条1項7号・2項7号）を提起すべきかどうかを判断するための情報を提供するという面もある。

1　合併対価の相当性に関する事項（1号）

平成17年改正前商法の下では，吸収合併消滅株式会社の株主に交付される対価は吸収合併存続株式会社の株式およびいわゆる合併交付金に限られていた。しかし，会社法の下では，吸収合併消滅株式会社の株主に交付される対価の種類に制限がなくなった（法749条1項2号）。

そこで，本号は，「法第749条第1項第2号及び第3号に掲げる事項についての定め」の相当性に関する事項を事前開示事項として定めている。実際には，合併対価の割当てについての理由，合併対価の内容を相当とする理由および合併対価に吸収合併存続株式会社の株式が含まれる場合の吸収合併存続株式会社の資本金および資本準備金の額に関する事項を相当とする理由［→2］の開示が要求されている。

これは，合併対価の種類・内容ならびに合併対価の数もしくは額またはその算定方法は吸収合併存続株式会社の株主の経済的利益や持分比率的利益に大きな影響を与えるものであり，吸収合併存続株式会社の株主が吸収合併契約を承認するか否かを的確に判断するため，あるいは，株式買取請求を行うか否かを判断するために重要な情報だからである。

「当該定めがない場合にあっては，当該定めがないこと」とされているのは，吸収合併においては，吸収合併消滅株式会社の株主等に対して合併対価を交付しないことができることを前提としており，このような場合には，吸収合併消滅株式会社の株主等の利害に重要な影響を与える可能性があるので，合併対価を交付しないとすることが相当である理由を事前開示事項に含めるものである。

なお，182条3項のような明文の規定は設けられていないが，合併対価の総数または総額の相当性に関する事項，合併対価として当該種類の財産を選択した理由，吸収合併存続株式会社と吸収合併消滅会社とが共通支配下関係（計規2条3項36号）［→182条］にあるときは，当該吸収合併存続株式会社の株主（当該吸収合併存続株式会社と共通支配下関係にある株主を除く）の利益を害さないように留意した事項（当該事項がない場合には，その旨）などを記載することが，通常は，必要であると解されている（相澤ほか・商事法務1800号13頁注7）。

2 合併対価に吸収合併存続株式会社の株式が含まれる場合における吸収合併存続株式会社の資本金および準備金の額に関する事項の相当性に関する事項
（1号）

会社法の下では，吸収合併に際して，一般に公正妥当と認められる企業会計

の慣行に従って算定された株主資本の額を，どのように資本金，資本準備金およびその他資本剰余金などに振り分けるかについては吸収合併契約の定めに委ねている（計規35条・36条）。すなわち，会社の裁量が広く認められるため，その配分の方針を事前開示事項の1つとしているのが本号である（相澤＝細川・商事法務1769号16頁）。

3 吸収合併消滅株式会社の新株予約権者に対して交付する新株予約権等についての定めの相当性（2号）

　法749条1項4号および5号は，吸収合併消滅株式会社が新株予約権を発行しており，株式会社が吸収合併存続会社となる吸収合併をする場合において，吸収合併消滅株式会社の新株予約権の新株予約権者に対して吸収合併存続株式会社の新株予約権を交付するときは，「当該新株予約権の内容及び数又はその算定方法」，その「吸収合併消滅株式会社の新株予約権が新株予約権付社債に付された新株予約権であるときは，吸収合併存続株式会社が当該新株予約権付社債についての社債に係る債務を承継する旨並びにその承継に係る社債の種類及び種類ごとの各社債の金額の合計額又はその算定方法」，その吸収合併消滅株式会社の新株予約権の新株予約権者に対して金銭を交付するときは，「当該金銭の額又はその算定方法」を吸収合併契約に定めなければならないものとし，これらの場合においては「吸収合併消滅株式会社の新株予約権の新株予約権者に対する」法749条1項4号の「吸収合併存続株式会社の新株予約権又は金銭の割当てに関する事項」を吸収合併契約に定めなければならないものとしている。

　これらをうけて，本号では，それらの定めの相当性に関する事項を事前開示事項として定めている。これは，新株予約権者に交付される金銭の額が不当に高く定められると，金銭が交付される場合には吸収合併存続株式会社の会社財産が流出し，吸収合併存続株式会社の財産が減少することになり，吸収合併存続株式会社の株式の価値が下落する可能性がある一方，新株予約権が交付される場合にも，吸収合併存続株式会社の株式の価値が下落し，また，吸収合併存続株式会社の株主の持分比率が低下することにつながるので，吸収合併に賛成すべきか否かについての判断材料が必要となるからである。さらに，新株予約権者に交付される金銭の額が不当に高く定められると，金銭が交付される場合には吸収合併存続会社の会社財産が流出し，吸収合併存続株式会社の財産が減少することになるから，吸収合併存続株式会社の会社債権者にとっても，新株

予約権者に対する割当てに関する定めは重要な事項であり，吸収合併に異議を述べるか否かを判断するために必要な情報であるということができる。

「全部の新株予約権の新株予約権者に対して交付する吸収合併存続株式会社の新株予約権の数及び金銭の額を零とする旨の定めを除く」とされているのは，この場合には吸収合併存続株式会社の株主や債権者に不利益は生じないと考えられるからであると推測される（そもそも，法749条1項4号および5号に掲げる事項を定めているとはいえないので，確認的規定にすぎない）。

4 吸収合併消滅会社の計算書類等および臨時計算書類等の内容（3号イ・ロ）

吸収合併消滅会社（清算株式会社および清算持分会社を除く）の最終事業年度に係る計算書類等（最終事業年度がない場合には，吸収合併消滅会社の成立の日における貸借対照表）の内容および最終事業年度の末日（最終事業年度がない場合には，吸収合併消滅会社の成立の日）後の日を臨時決算日（二以上の臨時決算日がある場合には，最も遅いもの）とする臨時計算書類等があるときは，その臨時計算書類等の内容が事前開示事項とされている。

計算書類等とは，株式会社については「各事業年度に係る計算書類及び事業報告（法第436条第1項又は第2項の規定の適用がある場合にあっては，監査報告又は会計監査報告を含む。）」を，持分会社については計算書類（法617条2項）を，それぞれいい（2条3項12号），臨時計算書類等とは，「法第441条第1項に規定する臨時計算書類（同条第2項の規定の適用がある場合にあっては，監査報告又は会計監査報告を含む。）」をいう（2条3項13号）。平成17年改正前商法の下に比べると，株主資本等変動計算書および事業報告の内容が事前開示事項に含められ，また，計算書類およびその附属明細書ならびに事業報告およびその附属明細書について，会社法の下で監査が行われている場合には監査報告および会計監査報告の内容も事前開示事項に含められている点および臨時計算書類等の内容が含められている点で，開示が充実している。これは，株主や会社債権者が吸収合併存続株式会社の状況を正確に把握するためには，貸借対照表および損益計算書の内容のみでは不十分であるという認識，および，監査報告および会計監査報告がある場合にはその内容も重要な情報であるという認識に基づくものである。

他方，吸収合併消滅会社の計算書類等および臨時計算書類等の内容のみが事前開示事項とされ，吸収合併存続株式会社の計算書類等および臨時計算書類等の内容が事前開示事項とされていないのは，吸収合併存続株式会社の計算書類

等および臨時計算書類等については，別途，備え置き，株主および会社債権者の閲覧等の請求に応じるべきものとされているため（法442条），二重に規制を設ける必要がないと考えられるためである。

　平成17年改正前商法と異なり，吸収合併契約の承認をする株主総会の日の前6カ月以内に作成された計算書類等ではなく，最終事業年度に係る計算書類等の内容を開示すれば足りるとされているのは，最終事業年度に係る計算書類等に加えて，たとえば，吸収合併契約の承認をする株主総会の日の前6カ月以内に作成された貸借対照表および損益計算書の内容の開示を要求したとしても，それらの貸借対照表および損益計算書について監査役，監査役会，監査等委員会または監査委員会の監査および会計監査人の監査がなされていなければ，その貸借対照表および損益計算書の内容の適法性・適正性が担保されないため，情報としての価値が低いこと，および，その貸借対照表および損益計算書の作成後に吸収合併消滅会社の財産状態に重要な影響を与える事象が生じた場合に，株主や会社債権者の意思決定を的確ならしめるためには，3号ハに定める事項のような事項の追加的な開示が必要とされることによるものである（相澤＝細川・商事法務1769号18頁）。

　最終事業年度がない場合には，吸収合併消滅会社の成立の日における貸借対照表を事前開示事項としているのは，通常は，株式会社の成立の日における貸借対照表は株主や会社債権者の閲覧等の請求の対象とされていないことによる。すなわち，吸収合併消滅会社において最終事業年度がない場合には，吸収合併存続株式会社の株主および債権者が吸収合併消滅会社の成立の日における貸借対照表の内容を知って，吸収合併消滅会社の財産の状況に関する最低限の情報を得て，的確に権利行使をすることができるようにするためである。

　なお，吸収合併消滅会社が臨時計算書類を作成している場合には，その臨時計算書類（その臨時計算書類について，監査役，監査役会，監査等委員会もしくは監査委員会の監査または会計監査人の監査がなされている場合には，その監査報告または会計監査報告を含む）が開示されれば株主や会社債権者に有用な情報を提供することになるし，吸収合併存続株式会社においても吸収合併消滅会社の臨時計算書類等が事前開示事項に含められることによる負担が大きいとはいえないので，3号ロでは，吸収合併消滅会社が臨時計算書類等を作成しているときには，それを事前開示事項に含めている。「二以上の臨時決算日がある場合にあっては，最も遅いもの」とされているので，最終事業年度の末日（最終事業年度がない場合には，吸収合併消滅会社の成立の日）後に複数の臨時計算書類が

作成されている場合には，最新の臨時計算書類を開示すれば足りる。

「清算株式会社及び清算持分会社を除く」とされているのは，4号で，清算株式会社または清算持分会社である吸収合併消滅会社の清算開始時の貸借対照表が事前開示事項とされているからである。

5　合併当事会社の重要な後発事象（3号ハ・5号イ）

吸収合併存続株式会社または吸収合併消滅会社（清算株式会社および清算持分会社を除く）において，最終事業年度の末日（最終事業年度がない場合には，それぞれ，吸収合併存続株式会社または吸収合併消滅会社の成立の日）後に重要な財産の処分，重大な債務の負担その他の会社財産の状況に重要な影響を与える事象が生じたときは，その内容（吸収合併契約等備置開始日後吸収合併の効力が生ずる日までの間に新たな最終事業年度が存することとなる場合にあっては，当該新たな最終事業年度の末日後に生じた事象の内容に限る）が事前開示事項に含められている。これは，最終事業年度の末日後に生じた重要な財産の処分，重大な債務の負担その他の会社財産の状況に重要な影響を与える事象や最終事業年度の末日後になされた組織再編行為などは組織再編行為の条件の相当性に重要な影響を及ぼす可能性があるところ，最終事業年度に係る計算書類等の開示のみによっては，合併当事会社の財産の状況を的確に判断することは難しいという認識に基づく開示事項である（相澤＝細川・商事法務1769号18頁）。

なお，最終事業年度がない場合には，それぞれ，吸収合併存続株式会社の成立の日後の重要な事象を開示させることとしているが，そうだとすれば，成立の日における貸借対照表の内容を事前開示事項に含めることが論理的である。

「吸収合併契約等備置開始日後吸収合併の効力が生ずる日までの間に新たな最終事業年度が存することとなる場合にあっては，当該新たな最終事業年度の末日後に生じた事象の内容に限る」とされているのは，新たな最終事業年度に係る計算書類等には当該新たな最終事業年度の末日までに生じた重要な財産の処分，重大な債務の負担その他の会社財産の状況に重要な影響を与える事象が反映されるため，別途開示する必要がないからである。

「清算株式会社及び清算持分会社を除く」とされているのは，清算株式会社および清算持分会社の権利能力は原則として営業取引には及ばないこと，および，事務負担を軽減する必要があるという価値判断に基づくものであると推測されるが，吸収合併は反復して行われるような行為ではなく，株主および会社債権者に必要な情報を提供するという観点からは，このような例外を認めるこ

とは，立法論として，必ずしも説得的であるとは思われない。

6 吸収合併消滅会社が清算株式会社または清算持分会社である場合（4号）

　吸収合併消滅会社が清算株式会社または清算持分会社である場合には，吸収合併消滅株式会社または吸収合併消滅持分会社の清算開始時（合名会社または合資会社において財産処理の方法を定めた場合には解散の日）における貸借対照表が事前開示事項に含められている。これは，最終事業年度に係る計算書類等よりも清算開始時などにおける貸借対照表のほうが有用な情報を提供すると考えられるからであろう。しかし，立法論としては，清算株式会社である吸収合併消滅会社に最終の清算事務年度があるときは，最終の清算事務年度に係る貸借対照表および事務報告を事前開示事項とすべきではないかと思われる。なぜなら，清算開始時の貸借対照表よりも最終の清算事務年度に係る貸借対照表および事務報告のほうが最新の情報であるし，これを事前開示資料に含めるべきこととしても，吸収合併存続株式会社の負担が過重なものとなるとは考えにくいからである。

7 吸収合併存続株式会社の成立の日における貸借対照表（5号ロ）

　吸収合併存続株式会社において最終事業年度がないときは，その吸収合併存続会社の成立の日における貸借対照表が事前開示事項とされている。株式会社が吸収合併をする場合には，吸収合併存続株式会社の債権者は，その吸収合併存続株式会社に対し，その吸収合併について異議を述べることができるが（法799条1項），異議を述べるか否かの判断にあたって，その吸収合併存続株式会社の財産および損益の状況を考慮に入れると推測される。そして，最終事業年度がある場合には，その吸収合併存続株式会社の計算書類等が作成されており，会社債権者はそれを閲覧等することができるが（法442条），最終事業年度がない場合には，臨時計算書類が作成されていない限り，そのような計算書類等が存在しない。しかも，株式会社の成立の日における貸借対照表は株主や会社債権者の閲覧等の請求の対象とされていない。そこで，吸収合併存続株式会社において最終事業年度がない場合には，会社債権者（および株主）がその株式会社の成立の日における貸借対照表を閲覧等して，会社の財産の状況に関する最低限の情報を得られるようにするため，その吸収合併存続株式会社の成立の日における貸借対照表を事前開示事項に含める必要がある。

8 債務の履行の見込みに関する事項（6号）

　平成17年改正前商法374条ノ2第1項3号および374条ノ18第1項3号は，会社分割についてのみ「各会社ノ負担スベキ債務ノ履行ノ見込アルコト及其ノ理由ヲ記載シタル書面」を備え置くことを要求していたが，これは，会社分割の当事会社の債権者保護を目的とするものであり，そうであれば，会社分割の場合にのみ要求すべき開示事項ではないと考えられるため，本号は，吸収合併が効力を生ずる日以後における吸収合併存続株式会社の債務（吸収合併について異議を述べることができる債権者に対して負担する債務に限る）の履行の見込みに関する事項を事前開示事項の1つとして定めている。

　たしかに，「各会社ノ負担スベキ債務ノ履行ノ見込アルコト」と定めていた平成17年改正前商法374条ノ2第1項3号などと異なり，本号では「債務の履行の見込みに関する事項」と定めていることから，債務の履行の見込みがないような吸収合併を行った場合であっても，その吸収合併は当然に無効になるわけではないと解する余地はある。実質的にも，債務履行の見込みは将来予測に基づくものであり，吸収合併の時点では不確定であることに鑑みると，債務の履行の見込みがないことが合併無効原因であると解することは法的安定性を損なう一方で，債権者の保護は債権者保護手続または詐害行為取消権の行使によって図ることが可能であるとも考えられる（相澤＝細川・商事法務1769号19頁）。

　しかし，平成17年改正前商法374条ノ2第1項3号などは，「各会社ノ負担スベキ債務ノ履行ノ見込」がないことを分割無効原因とする創設的規定ではなく，「各会社ノ負担スベキ債務ノ履行ノ見込」がないことが分割無効原因であることを前提として開示を要求する規定であって（原田・商事法務1565号11頁，名古屋地判平成16・10・29判時1881号122頁参照），開示すべき事項が「債務……の履行の見込みに関する事項」とされたことの一事をもって，実体法の解釈がただちに変更されると解するのはやや強引なのではないかと思われる。実質的に考えてみても，株式会社の場合，債務の履行の見込みがないことは支払不能として破産原因（破産法16条1項）にあたり，会社がそのような状態となる組織再編行為を有効であると解することは適切ではない。また，「履行の見込みがない」ということが開示されていれば十分であるともいえない。なぜなら，債権者保護手続として，必ずしも個別催告が要求されていない以上，「履行の見込みがない」ことを知っていたにもかかわらず，すべての債権者があえて異議を述べなかったとみなすことには無理があるからである。いいかえれば，組織再編行為がなされても，債務の履行の見込みがあってこそ，個別催告を必ず

しも要求しないことが正当化されると思われる。したがって、債務の履行の見込みがないことは合併無効原因にあたると解することが穏当であるように思われる〔もっとも、組織変更との関連では、必ずしも、そのようにはいえないのではないかという点について、→180条3〕。ただし、異議を述べることができる債権者が異議を述べなかった場合には承認したものとみなされ（法799条4項）、合併無効の訴えの原告適格を有しないから、「債務……の履行の見込みがないこと」が合併無効原因であると解することの実益は必ずしも大きくはないこともまた事実である（藤田・商事法務1775号65頁注56，江頭945頁注3参照）。

なお、「法第799条第1項の規定により吸収合併について異議を述べることができる債権者に対して負担する債務に限る」とされているのは、本号に基づく開示は主として吸収合併について異議を述べることができる債権者の保護のためであると考えられるからである。

9　1から8の事項に変更が生じたときは、変更後の当該事項（7号）

吸収合併契約等備置開始日後、1号から6号までに掲げる事項に変更が生じたときは、変更後のその事項が事前開示事項に含まれるものとされている。

平成17年改正前商法の下では、合併などに係る事前開示資料との関連でも、備置開始後、効力発生日までの間に、事前開示資料の内容事項について変更が生じた場合にはどのようにすべきかについての規律が定められていなかった。しかし、会社法の下では、債権者保護手続は効力発生日までに終了していれば足りるとされているため（法750条6項）、吸収合併契約等備置開始日後、効力発生日までの間がある程度の期間となる可能性もあり、吸収合併存続株式会社の債権者および株主に対して適切な権利行使のための判断材料を与えるという観点から最新の情報を提供することを要求することが適切である（相澤＝細川・商事法務1769号20頁）。そこで、本号では、吸収合併契約等備置開始日後、事前開示事項に変更が生じたときは、変更後のその事項を開示することを要求している。

したがって、たとえば、吸収合併契約等備置開始日後に、計算書類等が確定し、最終事業年度に係る計算書類等が存在するようになった場合には、もはや成立の日における貸借対照表を事前開示事項に含める必要はなく、一般原則に従って計算書類等を備え置き、閲覧等の請求に応ずれば足りることになる（法442条）。同様に、最終事業年度に係る計算書類等については、新たに計算書類等が確定し、最終事業年度が更新された場合には、その最終事業年度に係る計

算書類等を開示することが要求される（3号ハかっこ書・5号イかっこ書も参照）。

─（吸収分割承継株式会社の事前開示事項）─
第192条　法第794条第1項に規定する法務省令で定める事項は，同項に規定する存続株式会社等が吸収分割承継株式会社である場合には，次に掲げる事項とする。
　一　法第758条第4号に掲げる事項についての定め（当該定めがない場合にあっては，当該定めがないこと）の相当性に関する事項
　二　法第758条第8号に掲げる事項を定めたときは，次に掲げる事項
　　イ　法第758条第8号イに掲げる行為をする場合において，法第171条第1項の決議が行われているときは，同項各号に掲げる事項
　　ロ　法第758条第8号ロに掲げる行為をする場合において，法第454条第1項の決議が行われているときは，同項第1号及び第2号に掲げる事項
　三　法第758条第5号及び第6号に掲げる事項を定めたときは，当該事項についての定めの相当性に関する事項
　四　吸収分割会社（清算株式会社及び清算持分会社を除く。）についての次に掲げる事項
　　イ　最終事業年度に係る計算書類等（最終事業年度がない場合にあっては，吸収分割会社の成立の日における貸借対照表）の内容
　　ロ　最終事業年度の末日（最終事業年度がない場合にあっては，吸収分割会社の成立の日。ハにおいて同じ。）後の日を臨時決算日（二以上の臨時決算日がある場合にあっては，最も遅いもの）とする臨時計算書類等があるときは，当該臨時計算書類等の内容
　　ハ　最終事業年度の末日後に重要な財産の処分，重大な債務の負担その他の会社財産の状況に重要な影響を与える事象が生じたときは，その内容（吸収合併契約等備置開始日後吸収分割の効力が生ずる日までの間に新たな最終事業年度が存することとなる場合にあっては，当該新たな最終事業年度の末日後に生じた事象の内容に限る。）
　五　吸収分割会社（清算株式会社又は清算持分会社に限る。）が法第492条第1項又は第658条第1項若しくは第669条第1項若しくは第2項の規定により作成した貸借対照表
　六　吸収分割承継株式会社についての次に掲げる事項
　　イ　吸収分割承継株式会社において最終事業年度の末日（最終事業年度がない場合にあっては，吸収分割承継株式会社の成立の日）後に重要な財産の処分，重大な債務の負担その他の会社財産の状況に重要な影響を与える事象が生じたときは，その内容（吸収合併契約等備置開始日後吸収分割の

効力が生ずる日までの間に新たな最終事業年度が存することとなる場合にあっては，当該新たな最終事業年度の末日後に生じた事象の内容に限る。）
　　ロ　吸収分割承継株式会社において最終事業年度がないときは，吸収分割承継株式会社の成立の日における貸借対照表
　七　吸収分割が効力を生ずる日以後における吸収分割承継株式会社の債務（法第799条第1項の規定により吸収分割について異議を述べることができる債権者に対して負担する債務に限る。）の履行の見込みに関する事項
　八　吸収合併契約等備置開始日後吸収分割が効力を生ずる日までの間に，前各号に掲げる事項に変更が生じたときは，変更後の当該事項

　本条は，吸収分割承継株式会社の事前開示事項を定めるものである。すなわち，法794条1項は，吸収分割承継株式会社は，吸収合併契約等備置開始日から吸収分割がその効力を生ずる日（効力発生日）後6カ月を経過する日までの間，吸収分割契約の内容その他法務省令で定める事項を記載し，または記録した書面または電磁的記録［→224条］をその本店に備え置かなければならないものと定めている。これをうけて，本条では，「法務省令で定める事項」を定めている。
　法794条1項は，その吸収分割契約を承認するかどうかを意思決定するために必要な情報を吸収分割承継株式会社の株主に，その吸収分割に異議を述べるかどうかを意思決定するために必要な情報を吸収分割承継株式会社の債権者に，それぞれ，提供することを目的とする。また，吸収分割承継株式会社の株主が吸収分割差止請求（法796条の2）を行うかどうかを判断するための情報，吸収分割承継株式会社の株主や会社債権者が吸収分割無効の訴え（法828条1項9号・2項9号）を提起すべきかどうかを判断するための情報を提供するという面もある。

1　分割対価の相当性に関する事項（1号）

　平成17年改正前商法の下では，吸収分割会社に交付される対価は吸収分割承継会社の株式およびいわゆる分割交付金に限られていた。しかし，会社法の下では，吸収分割会社に交付される対価の種類に制限がなくなった（法758条4号・760条4号・5号）。
　そこで，本号は，「法第758条第4号に掲げる事項についての定め」の相当性に関する事項を事前開示事項として定めている。実際には，分割対価の割当て

についての理由，分割対価の内容を相当とする理由および分割対価に吸収分割承継株式会社の株式が含まれる場合の吸収分割承継株式会社の資本金および準備金の額に関する事項を相当とする理由［→**2**］の開示が要求されている。

　これは，分割対価の種類・内容ならびに分割対価の数もしくは額またはその算定方法は吸収分割承継株式会社ひいてはその株主の経済的利益に大きな影響を与えるものであり，吸収分割承継株式会社の株主が吸収分割契約を承認するか否かを的確に判断するため，あるいは，株式買取請求を行うか否かを判断するために重要な情報だからである。また，分割対価の種類・内容ならびに分割対価の数もしくは額またはその算定方法は吸収分割承継株式会社の財産に影響を与えるものであり，吸収分割承継株式会社の会社債権者にとって，異議を述べるべきか否かを判断するために重要な情報だからである。

　「当該定めがない場合にあっては，当該定めがないこと」とされているのは，吸収分割においては，吸収分割会社に対して分割対価を交付しないことができることを前提としており，このような場合には，吸収分割会社の株主や会社債権者の利害に重要な影響を与える可能性があり，それは，吸収分割無効の訴えなどが提起される可能性につながるので，分割対価を交付しないとすることが相当である理由を事前開示事項に含めるものである。

　182条3項のような明文の規定は設けられていないが，分割対価の総数または総額の相当性に関する事項，分割対価として当該種類の財産を選択した理由，吸収分割会社と吸収分割承継株式会社とが共通支配下関係（計規2条3項36号）にあるときは，当該吸収分割承継株式会社の株主（当該吸収分割承継株式会社と共通支配下関係にある株主を除く）の利益を害さないように留意した事項（当該事項がない場合には，その旨）などを記載することが，通常は，必要であると解されている（相澤ほか・商事法務1800号13頁注7）。

2　分割対価に吸収分割承継株式会社の株式が含まれる場合における吸収分割承継株式会社の資本金および準備金の額に関する事項の相当性に関する事項

（1号）

　会社法の下では，吸収分割に際して，一般に公正妥当と認められる企業会計の慣行に従って算定された株主資本の額を，どのように資本金，資本準備金およびその他資本剰余金などに振り分けるかについては，吸収分割契約の定めに委ねている（計規37条・38条）。すなわち，会社の裁量が広く認められるため，その配分の方針を事前開示事項の1つとしているのが本号である（相澤＝細

川・商事法務1769号16頁注1）。

3 吸収分割の効力発生日に吸収分割承継株式会社の株式・持分のみを配当財産とする剰余金の配当または吸収分割承継株式会社の株式・持分のみを取得対価とする全部取得条項付種類株式の取得を行う場合（2号）

　吸収分割の効力発生日に吸収分割承継株式会社の株式・持分のみを配当財産とする剰余金の配当または吸収分割承継株式会社の株式・持分のみを取得対価とする全部取得条項付種類株式の取得を行う場合であっても，吸収分割契約にはその旨を記載すれば足りることとされている（法758条8号・760条7号）。しかし，吸収分割承継株式会社の株式・持分が配当財産あるいは全部取得条項付株式の取得対価として吸収分割会社の株主にどのように交付されるかを把握できなければ，吸収分割会社の株主としては，吸収分割契約を承認するか否かを的確に意思決定できないと考えられる。そこで，本号では，吸収分割の効力発生日に吸収分割承継株式会社の株式・持分のみを配当財産とする剰余金の配当または吸収分割承継株式会社の株式・持分のみを取得対価とする全部取得条項付種類株式の取得を行う場合において，その全部取得条項付種類株式の取得または剰余金の配当についての決議が行われているときは，その決議の内容を事前開示事項として定めている。すなわち，全部取得条項付種類株式の取得を行う場合には，「当該財産の内容及び数若しくは額又はこれらの算定方法」（法171条1項1号ホ），具体的には，取得対価とされる吸収分割承継株式会社の株式または持分の種類および種類ごとの数またはその数の算定方法，全部取得条項付種類株式の株主に対する取得対価の割当てに関する事項（同項2号）および株式会社が全部取得条項付種類株式を取得する日（同項3号。これは，吸収分割の効力が生ずる日となる）が事前開示事項とされる。剰余金の配当を行う場合には，配当財産の種類および帳簿価額の総額および株主に対する配当財産の割当てに関する事項が事前開示事項とされる。

　「決議が行われているときは」と規定されているので，事前開示書面・電磁的記録の備置開始時に決議がまだなされていないときは，決議がなされた時からその決議の内容が事前開示事項とされる（8号参照）。

4 吸収分割株式会社の新株予約権者に対して交付する新株予約権等についての定めの相当性（3号）

　法758条5号および6号は，吸収分割株式会社が吸収分割契約新株予約権（そ

の吸収分割承継株式会社の新株予約権の交付を受ける吸収分割株式会社の新株予約権の新株予約権者の有する新株予約権）または吸収分割契約新株予約権以外の新株予約権であって，吸収分割をする場合においてその新株予約権の新株予約権者に吸収分割承継株式会社の新株予約権を交付することとする旨の定めがあるものを発行しており，株式会社が吸収分割承継会社となる吸収分割をする場合において，吸収分割承継株式会社が吸収分割に際して吸収分割株式会社の新株予約権の新株予約権者に対してその新株予約権に代わるその吸収分割承継株式会社の新株予約権を交付するときは，(a)「当該吸収分割承継株式会社の新株予約権の交付を受ける吸収分割株式会社の新株予約権の新株予約権者の有する新株予約権（……吸収分割契約新株予約権……）の内容」，(b)「吸収分割契約新株予約権の新株予約権者に対して交付する吸収分割承継株式会社の新株予約権の内容及び数又はその算定方法」，および，(c)「吸収分割契約新株予約権が新株予約権付社債に付された新株予約権であるときは，吸収分割承継株式会社が当該新株予約権付社債についての社債に係る債務を承継する旨並びにその承継に係る社債の種類及び種類ごとの各社債の金額の合計額又はその算定方法」を吸収分割契約に定めなければならないものとし，これらの場合においては，(d)「吸収分割契約新株予約権の新株予約権者に対する」法758条5号「の吸収分割承継株式会社の新株予約権の割当てに関する事項」を吸収分割契約に定めなければならないものとしている。

　これらをうけて，本号では，それらの定めの相当性に関する事項を事前開示事項として定めている。これは，不相当な新株予約権が交付される場合には，吸収分割承継株式会社の株式の価値が下落し，または，吸収分割承継株式会社の株主の持分比率が低下することにつながり，その結果，吸収分割承継株式会社の株式の価値が低下する可能性があるので，吸収分割に賛成すべきか否かについての判断材料が必要となるからである。

5　吸収分割会社の計算書類等および臨時計算書類等の内容（4号イ・ロ）

　吸収分割会社（清算株式会社および清算持分会社を除く）の最終事業年度に係る計算書類等（最終事業年度がない場合には，吸収分割会社の成立の日における貸借対照表）の内容および最終事業年度の末日（最終事業年度がない場合には，吸収分割会社の成立の日）後の日を臨時決算日（二以上の臨時決算日がある場合には，最も遅いもの）とする臨時計算書類等があるときは，その臨時計算書類等の内容が事前開示事項とされている。

計算書類等とは，株式会社については「各事業年度に係る計算書類及び事業報告（法第436条第1項又は第2項の規定の適用がある場合にあっては，監査報告又は会計監査報告を含む。）」を，持分会社については計算書類（法617条2項）をそれぞれいい（2条3項12号），臨時計算書類等とは「法第441条第1項に規定する臨時計算書類（同条第2項の規定の適用がある場合にあっては，監査報告又は会計監査報告を含む。）」をいう（2条3項13号）。平成17年改正前商法の下に比べると，株主資本等変動計算書および事業報告の内容が事前開示事項に含められ，また，計算書類およびその附属明細書ならびに事業報告およびその附属明細書について会社法の下で監査が行われている場合には，監査報告および会計監査報告の内容も事前開示事項に含められている点および臨時計算書類等の内容が含められている点で，開示が充実している。これは，株主や会社債権者が吸収分割会社の状況を正確に把握するためには，貸借対照表および損益計算書の内容のみでは不十分であるという認識，および，監査報告および会計監査報告がある場合にはその内容も重要な情報であるという認識に基づくものである。

　他方，吸収分割会社の計算書類等および臨時計算書類等の内容のみが事前開示事項とされ，吸収分割承継株式会社の計算書類等および臨時計算書類等の内容が事前開示事項とされていないのは，吸収分割承継株式会社の計算書類等および臨時計算書類等については，別途，備え置き，株主および会社債権者の閲覧等の請求に応じるべきものとされているため（法442条），二重に規制を設ける必要がないと考えられるためである。

　平成17年改正前商法と異なり，吸収分割契約の承認をする株主総会の日の前6カ月以内に作成された計算書類等ではなく，最終事業年度に係る計算書類等の内容を開示すれば足りるとされているのは，最終事業年度に係る計算書類等に加えて，たとえば，吸収分割契約の承認をする株主総会の日の前6カ月以内に作成された貸借対照表および損益計算書の内容の開示を要求したとしても，それらの貸借対照表および損益計算書について監査役，監査役会，監査等委員会または監査委員会の監査および会計監査人の監査がなされていなければ，その貸借対照表および損益計算書の内容の適法性・適正性が担保されないため，情報としての価値が低いこと，および，その貸借対照表および損益計算書の作成後に吸収分割会社の財産状態に重要な影響を与える事象が生じた場合に，株主や会社債権者の意思決定を的確ならしめるためには，4号ハに定める事項のような事項の追加的な開示が必要とされることによるものである（相澤＝細

川・商事法務1769号18頁)。

最終事業年度がない場合には、吸収分割会社の成立の日における貸借対照表を事前開示事項としているのは、通常、株式会社の成立の日における貸借対照表は株主や会社債権者の閲覧等の請求の対象とされていないことによる。すなわち、吸収分割会社において最終事業年度がない場合には、吸収分割承継株式会社の株主および会社債権者が吸収分割会社の成立の日における貸借対照表を閲覧等して、吸収分割会社の財産の状況に関する最低限の情報を得て、的確に権利行使をすることができるようにするためである。

なお、吸収分割会社が臨時計算書類を作成している場合には、その臨時計算書類（その臨時計算書類について、監査役、監査役会、監査等委員会もしくは監査委員会の監査または会計監査人の監査がなされている場合には、その監査報告または会計監査報告を含む）が開示されれば株主や会社債権者に有用な情報を提供することになるし、吸収分割承継株式会社においても吸収分割会社の臨時計算書類等が事前開示事項に含められることによる負担が大きいとはいえないので、4号ロでは、吸収分割会社が臨時計算書類等を作成しているときには、それを事前開示事項に含めている。「二以上の臨時決算日がある場合にあっては、最も遅いもの」とされているので、最終事業年度の末日（最終事業年度がない場合には、吸収分割会社の成立の日）後に複数の臨時計算書類が作成されている場合には、最新の臨時計算書類を開示すれば足りる。

「清算株式会社及び清算持分会社を除く」とされているのは、清算開始時における貸借対照表が事前開示事項に含められているからである（5号）[→7]。

6　分割当事会社の重要な後発事象（4号ハ・6号イ）

吸収分割承継株式会社または吸収分割会社（清算株式会社および清算持分会社を除く）において、最終事業年度の末日（最終事業年度がない場合には、それぞれ、吸収分割承継株式会社または吸収分割会社の成立の日）後に重要な財産の処分、重大な債務の負担その他の会社財産の状況に重要な影響を与える事象が生じたときは、その内容（吸収合併契約等備置開始日後吸収合併の効力が生ずる日までの間に新たな最終事業年度が存することとなる場合にあっては、当該新たな最終事業年度の末日後に生じた事象の内容に限る）が、事前開示事項に含められている。これは、最終事業年度の末日後に生じた重要な財産の処分、重大な債務の負担その他の会社財産の状況に重要な影響を与える事象や最終事業年度の末日後になされた組織再編行為などは組織再編行為の条件の相当性に重要な影響を

及ぼす可能性があるところ、最終事業年度に係る計算書類等の開示のみによっては、分割当事会社の財産の状況を的確に判断することは難しいという認識に基づく開示事項である（相澤＝細川・商事法務1769号18頁）。

なお、最終事業年度がない場合には、それぞれ、吸収分割承継株式会社の成立の日後の重要な事象を開示させることとしているが、そうだとすれば、成立の日における貸借対照表の内容を事前開示事項に含めることが論理的である。

「吸収合併契約等備置開始日後吸収分割の効力が生ずる日までの間に新たな最終事業年度が存することとなる場合にあっては、当該新たな最終事業年度の末日後に生じた事象の内容に限る」とされているのは、新たな最終事業年度に係る計算書類等には当該新たな最終事業年度の末日までに生じた重要な財産の処分、重大な債務の負担その他の会社財産の状況に重要な影響を与える事象が反映されるため、別途開示する必要がないからである。

「清算株式会社及び清算持分会社を除く」とされているのは、清算株式会社および清算持分会社の権利能力は原則として営業取引には及ばないこと、および、会社の事務負担を軽減する必要があるという価値判断に基づくものであると推測されるが、吸収分割は反復して行われるような行為ではなく、株主および会社債権者に必要な情報を提供するという観点からは、このような例外を認めることは、立法論として、必ずしも説得的であるとは思われない。

7　吸収分割会社が清算株式会社または清算持分会社である場合（5号）

吸収分割会社が清算株式会社または清算持分会社である場合には、吸収分割株式会社または吸収分割持分会社の清算開始時（合名会社または合資会社において財産処理の方法を定めた場合には解散の日）における貸借対照表が事前開示事項に含められている。これは、最終事業年度に係る計算書類等よりも清算開始時などにおける貸借対照表のほうが有用な情報を提供すると考えられるからであろう。しかし、立法論としては、清算株式会社である吸収分割会社に最終の清算事務年度があるときは、最終の清算事務年度に係る貸借対照表および事務報告を事前開示事項とすべきではないかと思われる。なぜなら、清算開始時の貸借対照表よりも最終の清算事務年度に係る貸借対照表および事務報告のほうが最新の情報であるし、これを事前開示資料に含めるべきこととしても、吸収分割承継会社の負担が過重なものとなるとは考えにくいからである。

8　吸収分割承継株式会社の成立の日における貸借対照表（6号ロ）

吸収分割承継株式会社において最終事業年度がないときは、その吸収分割承継株式会社の成立の日における貸借対照表が事前開示事項とされている。株式会社が吸収分割をする場合には、吸収分割承継株式会社の債権者は、その吸収分割承継株式会社に対し、その吸収分割について異議を述べることができるが（法799条1項）、異議を述べるか否かの判断にあたって、その吸収分割承継株式会社の財産および損益の状況を考慮に入れると推測される。そして、最終事業年度がある場合には、その吸収分割承継株式会社の計算書類等が作成されており、会社債権者はそれを閲覧等することができるが（法442条）、最終事業年度がない場合には、臨時計算書類が作成されていない限り、そのような計算書類等が存在しない。しかも、株式会社の成立の日における貸借対照表は株主や会社債権者の閲覧等の請求の対象とされていない。そこで、吸収分割承継株式会社において最終事業年度がない場合には、会社債権者（および株主）がその株式会社の成立の日における貸借対照表を閲覧等して、会社の財産の状況に関する最低限の情報を得られるようにするため、その吸収分割承継株式会社の成立の日における貸借対照表を事前開示事項に含める必要がある。

9　債務の履行の見込みに関する事項（7号）

平成17年改正前商法374条ノ2第1項3号および374条ノ18第1項3号は、会社分割に際して「各会社ノ負担スベキ債務ノ履行ノ見込アルコト及其ノ理由ヲ記載シタル書面」を備え置くことを要求していたが、これは、会社分割の当事会社の債権者保護を目的とするものであり、これを踏襲して、本号は、吸収分割が効力を生ずる日以後における吸収分割承継株式会社の債務（吸収分割について異議を述べることができる債権者に対して負担する債務に限る）の履行の見込みに関する事項を、事前開示事項の1つとして定めている。

たしかに、「各会社ノ負担スベキ債務ノ履行ノ見込アルコト」と定めていた平成17年改正前商法374条ノ2第1項3号などと異なり、本号では「債務……の履行の見込みに関する事項」と定めていることから、債務の履行の見込みがないような吸収分割を行った場合であっても、その吸収分割は当然に無効になるわけではないと解する余地はある。実質的にも、債務履行の見込みは将来予測に基づくものであり、吸収分割の時点では不確定であることに鑑みると、債務の履行の見込みがないことが分割無効原因であると解することは法的安定性を損なう一方で、債権者の保護は債権者保護手続または詐害行為取消権の行使によって図ることが可能であるとも考えられる（相澤＝細川・商事法務1769号19

頁)。

　しかし，平成17年改正前商法374条ノ2第1項3号などは，「各会社ノ負担スベキ債務ノ履行ノ見込」がないことを分割無効原因とする創設的規定ではなく，「各会社ノ負担スベキ債務ノ履行ノ見込」がないことが分割無効原因であることを前提として開示を要求する規定であって（原田・商事法務1565号11頁，名古屋地判平成16・10・29判時1881号122頁参照），開示すべき事項が「債務……の履行の見込みに関する事項」とされたことの一事をもって，実体法の解釈がただちに変更されると解するのはやや強引なのではないかと思われる。実質的に考えてみても，株式会社の場合，債務の履行の見込みがないことは支払不能として破産原因（破産法16条1項）にあたり，会社がそのような状態となる組織再編行為を有効であると解することは適切ではない。また，「履行の見込みがない」ということが開示されていれば十分であるともいえない。なぜなら，債権者保護手続として，必ずしも個別催告が要求されていない以上，「履行の見込みがない」ことを知っていたにもかかわらず，すべての債権者があえて異議を述べなかったとみなすことには無理があるからである。いいかえれば，組織再編行為がなされても，債務の履行の見込みがあってこそ，個別催告を必ずしも要求しないことが正当化されると思われる。したがって，債務の履行の見込みがないことは分割無効原因にあたると解することが穏当であるように思われる〔もっとも，組織変更との関連では，必ずしも，そのようにはいえないのではないかという点について，→180条3〕。ただし，異議を述べることができる債権者が異議を述べなかった場合には承認したものとみなされ（法799条4項），分割無効の訴えの原告適格を有しないから，「債務……の履行の見込みがないこと」が分割無効原因であると解することの実益は必ずしも大きくはないこともまた事実である（藤田・商事法務1775号65頁注56，江頭945頁注3参照）。

　なお，「法第799条第1項の規定により吸収分割について異議を述べることができる債権者に対して負担する債務に限る」とされているのは，本号に基づく開示は，主として吸収分割について異議を述べることができる吸収分割承継株式会社の債権者の保護のためであると考えられるからである。

10　1から9の事項に変更が生じたときは，変更後の当該事項（8号）

　吸収合併契約等備置開始日後，1号から7号までに掲げる事項に変更が生じたときは，変更後のその事項も事前開示事項とされている。

　平成17年改正前商法の下では，合併などに係る事前開示資料との関連でも，

備置開始後,効力発生日までの間に,事前開示資料の内容事項について変更が生じた場合にはどのようにすべきかについての規律が定められていなかった。しかし,会社法の下では,債権者保護手続は効力発生日までに終了していれば足りるとされているため(法759条10項),吸収合併契約等備置開始日後,効力発生日までの間がある程度の期間となる可能性もあり,会社債権者および株主に対して適切な権利行使のための判断材料を与えるという観点から最新の情報を提供することを要求することが適切である(相澤＝細川・商事法務1769号20頁)。そこで,本号では,吸収合併契約等備置開始日後,事前開示事項に変更が生じたときは,変更後のその事項を開示することを要求している。

したがって,たとえば,吸収合併契約等備置開始日後に,計算書類等が確定し,最終事業年度に係る計算書類等が存在するようになった場合には,もはや成立の日における貸借対照表を事前開示事項に含める必要はなく,一般原則に従って計算書類等を備え置き,閲覧等の請求に応ずれば足りることになる(法442条)。同様に,最終事業年度に係る計算書類等については,新たに計算書類等が確定し,最終事業年度が更新された場合には,その最終事業年度に係る計算書類等を開示することが要求される(4号ハかっこ書・6号イかっこ書も参照)。

(株式交換完全親株式会社の事前開示事項)

第193条 法第794条第1項に規定する法務省令で定める事項は,同項に規定する存続株式会社等が株式交換完全親株式会社である場合には,次に掲げる事項とする。

一 法第768条第1項第2号及び第3号に掲げる事項についての定め(当該定めがない場合にあっては,当該定めがないこと)の相当性に関する事項

二 法第768条第1項第4号及び第5号に掲げる事項を定めたときは,当該事項についての定めの相当性に関する事項

三 株式交換完全子会社についての次に掲げる事項

　イ 最終事業年度に係る計算書類等(最終事業年度がない場合にあっては,株式交換完全子会社の成立の日における貸借対照表)の内容

　ロ 最終事業年度の末日(最終事業年度がない場合にあっては,株式交換完全子会社の成立の日。ハにおいて同じ。)後の日を臨時決算日(二以上の臨時決算日がある場合にあっては,最も遅いもの)とする臨時計算書類等があるときは,当該臨時計算書類等の内容

　ハ 最終事業年度の末日後に重要な財産の処分,重大な債務の負担その他の会社財産の状況に重要な影響を与える事象が生じたときは,その内容

第193条（株式交換完全親株式会社の事前開示事項）　1067

(吸収合併契約等備置開始日後株式交換の効力が生ずる日までの間に新たな最終事業年度が存することとなる場合にあっては，当該新たな最終事業年度の末日後に生じた事象の内容に限る。)
　　四　株式交換完全親株式会社についての次に掲げる事項
　　　イ　株式交換完全親株式会社において最終事業年度の末日（最終事業年度がない場合にあっては，株式交換完全親株式会社の成立の日）後に重要な財産の処分，重大な債務の負担その他の会社財産の状況に重要な影響を与える事象が生じたときは，その内容（吸収合併契約等備置開始日後株式交換の効力が生ずる日までの間に新たな最終事業年度が存することとなる場合にあっては，当該新たな最終事業年度の末日後に生じた事象の内容に限る。)
　　　ロ　株式交換完全親株式会社において最終事業年度がないときは，株式交換完全親株式会社の成立の日における貸借対照表
　　五　法第799条第1項の規定により株式交換について異議を述べることができる債権者があるときは，株式交換が効力を生ずる日以後における株式交換完全親株式会社の債務（当該債権者に対して負担する債務に限る。）の履行の見込みに関する事項
　　六　吸収合併契約等備置開始日後株式交換が効力を生ずる日までの間に，前各号に掲げる事項に変更が生じたときは，変更後の当該事項

　本条は，株式交換完全親株式会社の事前開示事項を定めるものである。すなわち，法794条1項は，株式交換完全親株式会社は，吸収合併契約等備置開始日から株式交換がその効力を生ずる日（効力発生日）後6カ月を経過する日までの間，株式交換契約の内容その他法務省令で定める事項を記載し，または記録した書面または電磁的記録［→224条］をその本店に備え置かなければならないものと定めている。これをうけて，本条では，「法務省令で定める事項」を定めている。
　法794条1項は，その株式交換契約を承認するかどうかを意思決定するために必要な情報を株式交換完全親株式会社の株主に，その株式交換に異議を述べるかどうかを意思決定するために必要な情報を株式交換完全親株式会社の債権者に，それぞれ，提供することを目的とする。また，株式交換完全親株式会社の株主が株式交換差止請求（法796条の2）を行うかどうかを判断するための情報，株式交換完全親株式会社の株主や会社債権者が株式交換無効の訴え（法828条1項11号・2項11号）を提起すべきかどうかを判断するための情報を提供

するという面もある。

1 株式交換対価の相当性に関する事項（1号）

　平成17年改正前商法の下では、株式交換完全子会社の株主に交付される対価は株式交換完全親会社の株式およびいわゆる株式交換交付金に限られていた。しかし、会社法の下では、株式交換完全子会社の株主に交付される対価の種類に制限がなくなった（法749条1項2号・751条1項2号・3号）。

　そこで、本号は、「法第768条第1項第2号及び第3号に掲げる事項についての定め」の相当性に関する事項を事前開示事項として定めている。実際には、株式交換対価の割当てについての理由、株式交換対価の内容を相当とする理由および株式交換対価に株式交換完全親株式会社の株式が含まれる場合の株式交換完全親株式会社の資本金および準備金の額に関する事項を相当とする理由［→2］の開示が要求されている。

　これは、株式交換対価の種類・内容ならびに株式交換対価の数もしくは額またはその算定方法は株式交換完全親株式会社の株主の経済的利益や持分比率的利益に大きな影響を与えるものであり、株式交換完全親株式会社の株主が株式交換契約を承認するか否かを的確に判断するため、あるいは、株式買取請求を行うか否かを判断するために重要な情報だからである。また、異議を述べることができる株式交換完全親株式会社の会社債権者が異議を述べるべきか否かを判断する上でも重要な情報だからである。

　「当該定めがない場合にあっては、当該定めがないこと」とされているのは、株式交換においては、株式交換完全子会社の株主に対して株式交換対価を交付しないことができることを前提としており、このような場合には、株式交換完全子会社の株主の利害に重要な影響を与える可能性があり、その結果、株式交換無効の訴えが提起されるおそれなどがあるので、株式交換対価を交付しないとすることが相当である理由を事前開示事項に含めるものである。

　なお、184条3項のような明文の規定は設けられていないが、株式交換対価の総数または総額の相当性に関する事項、株式交換対価として当該種類の財産を選択した理由、株式交換完全親株式会社と株式交換完全子会社とが共通支配下関係（計規2条3項36号）［→182条］にあるときは、当該株式交換完全親株式会社の株主（当該株式交換完全親株式会社と共通支配下関係にある株主を除く）の利益を害さないように留意した事項（当該事項がない場合には、その旨）などを記載することが、通常は必要であると解されている（相澤ほか・商事法務1800号

13頁注7）。

2　株式交換対価に株式交換完全親株式会社の株式が含まれる場合における株式交換完全親株式会社の資本金および準備金の額に関する事項の相当性に関する事項（1号）

　会社法の下では，株式交換に際して，一般に公正妥当と認められる企業会計の慣行に従って算定された株主資本の額を，どのように資本金，資本準備金およびその他資本剰余金などに振り分けるかについては──債権者保護手続を経ない場合には制約があるものの──株式交換契約の定めに委ねている（計規39条）。すなわち，会社の裁量が広く認められるため，その配分の方針を事前開示事項の1つとしているのが本号である（相澤＝細川・商事法務1769号16頁注1）。

3　株式交換完全子会社の新株予約権者に対して交付する新株予約権等についての定めの相当性（2号）

　法768条1項4号および5号は，株式交換完全子会社が株式交換契約新株予約権（当該株式交換完全親株式会社の新株予約権の交付を受ける株式交換完全子会社の新株予約権の新株予約権者の有する新株予約権）または株式交換契約新株予約権以外の新株予約権であって，株式交換をする場合においてその新株予約権の新株予約権者に株式交換完全親株式会社の新株予約権を交付することとする旨の定めがあるものを発行しており，株式会社が株式交換完全親会社となる株式交換をする場合において，株式交換完全親株式会社が株式交換に際して株式交換完全子株式会社の新株予約権の新株予約権者に対してその新株予約権に代わるその株式交換完全親株式会社の新株予約権を交付するときは，(a)「当該株式交換完全親株式会社の新株予約権の交付を受ける株式交換完全子会社の新株予約権の新株予約権者の有する新株予約権（……株式交換契約新株予約権……）の内容」，(b)「株式交換契約新株予約権の新株予約権者に対して交付する株式交換完全親株式会社の新株予約権の内容及び数又はその算定方法」，および，(c)「株式交換契約新株予約権が新株予約権付社債に付された新株予約権であるときは，株式交換完全親株式会社が当該新株予約権付社債についての社債に係る債務を承継する旨並びにその承継に係る社債の種類及び種類ごとの各社債の金額の合計額又はその算定方法」を株式交換契約に定めなければならないものとし，これらの場合においては，(d)「株式交換契約新株予約権の新株予約権者に対する」法768条1項4号「の株式交換完全親株式会社の新株予約権

の割当てに関する事項」を株式交換契約に定めなければならないものとしている。

　これらをうけて，本号では，それらの定めの相当性に関する事項を事前開示事項として定めている。これは，不相当な条件で新株予約権が交付される場合にも，株式交換完全親株式会社の株式の価値が下落し，または，株式交換完全親株式会社の株主の持分比率が低下することにつながりうるので，株式交換に賛成すべきか否かについての判断材料が必要となるからである。

4　株式交換完全子会社の計算書類等および臨時計算書類等の内容（3号イ・ロ）

　計算書類等とは，株式会社については「各事業年度に係る計算書類及び事業報告（法第436条第1項又は第2項の規定の適用がある場合にあっては，監査報告又は会計監査報告を含む。）」を，持分会社については計算書類（法617条2項）を，それぞれいい（2条3項12号），臨時計算書類等とは「法第441条第1項に規定する臨時計算書類（同条第2項の規定の適用がある場合にあっては，監査報告又は会計監査報告を含む。）」をいう（2条3項13号）。平成17年改正前商法の下に比べると，株主資本等変動計算書および事業報告の内容が事前開示事項に含められ，また，計算書類およびその附属明細書ならびに事業報告およびその附属明細書について会社法の下で監査が行われている場合には，監査報告および会計監査報告の内容も事前開示事項に含められている点および臨時計算書類等の内容が含められている点で，開示が充実している。これは，株主や会社債権者が株式交換完全子会社の状況を正確に把握するためには，貸借対照表および損益計算書の内容のみでは不十分であるという認識，および，監査報告および会計監査報告がある場合にはその内容も重要な情報であるという認識に基づくものである。

　他方，株式交換完全子会社の計算書類等および臨時計算書類等の内容のみが事前開示事項とされ，株式交換完全親株式会社の計算書類等および臨時計算書類等の内容が事前開示事項とされていないのは，株式交換完全親株式会社の計算書類等および臨時計算書類等については，別途，備え置き，株主および会社債権者の閲覧等の請求に応じるべきものとされているため（法442条），二重に規制を設ける必要がないと考えられるためである。

　平成17年改正前商法と異なり，株式交換契約の承認をする株主総会の日の前6カ月以内に作成された計算書類等ではなく，最終事業年度に係る計算書類等

の内容を開示すれば足りるとされているのは，最終事業年度に係る計算書類等に加えて，たとえば，株式交換契約の承認をする株主総会の日の前6カ月以内に作成された貸借対照表および損益計算書の内容の開示を要求したとしても，それらの貸借対照表および損益計算書について監査役，監査役会，監査等委員会または監査委員会の監査および会計監査人の監査がなされていなければ，その貸借対照表および損益計算書の内容の適法性・適正性が担保されないため，情報としての価値が低いこと，および，その貸借対照表および損益計算書の作成後に株式交換完全子会社の財産状態に重要な影響を与える事象が生じた場合に，株主や会社債権者の意思決定を的確ならしめるためには，3号ハに定める事項のような事項の追加的な開示が必要とされることによるものである（相澤＝細川・商事法務1769号18頁）。

　最終事業年度がない場合には，株式交換完全子会社の成立の日における貸借対照表を事前開示事項としているのは，通常，株式会社の成立の日における貸借対照表は，株主や会社債権者の閲覧等の請求の対象とされていないことによる。すなわち，株式交換完全子会社において最終事業年度がない場合には，株式交換完全親株式会社の株主および会社債権者が株式交換完全子会社の成立の日における貸借対照表の内容を知って，株式交換完全子会社の財産の状況に関する最低限の情報を得て，的確に権利行使をすることができるようにするためである。

　なお，株式交換完全子会社が臨時計算書類を作成している場合には，その臨時計算書類（その臨時計算書類について，監査役，監査役会，監査等委員会もしくは監査委員会の監査または会計監査人の監査がなされている場合には，その監査報告または会計監査報告を含む）が開示されれば株主や会社債権者に有用な情報を提供することになるし，株式交換完全親株式会社においても株式交換完全子会社の臨時計算書類等が事前開示事項に含められることによる負担が大きいとはいえないので，3号ロでは，株式交換完全子会社が臨時計算書類等を作成しているときには，それを事前開示事項に含めている。「二以上の臨時決算日がある場合にあっては，最も遅いもの」とされているので，最終事業年度の末日（最終事業年度がない場合には，株式交換完全子会社の成立の日）後に複数の臨時計算書類が作成されている場合には，最新の臨時計算書類を開示すれば足りる。

5　株式交換当事会社の重要な後発事象（3号ハ・4号イ）

株式交換完全親株式会社または株式交換完全子会社において，最終事業年度の末日（最終事業年度がない場合には，それぞれ，株式交換完全親株式会社または株式交換完全子会社の成立の日）後に重要な財産の処分，重大な債務の負担その他の会社財産の状況に重要な影響を与える事象が生じたときは，その内容（吸収合併契約等備置開始日後株式交換の効力が生ずる日までの間に新たな最終事業年度が存することとなる場合にあっては，当該新たな最終事業年度の末日後に生じた事象の内容に限る）が，事前開示事項に含められている。これは，最終事業年度の末日後に生じた重要な財産の処分，重大な債務の負担その他の会社財産の状況に重要な影響を与える事象や最終事業年度の末日後になされた組織再編行為などは，組織再編行為の条件の相当性に重要な影響を及ぼす可能性があるところ，最終事業年度に係る計算書類等の開示のみによっては，株式交換当事会社の財産の状況を的確に判断することは難しいという認識に基づく開示事項である（相澤＝細川・商事法務1769号18頁）。

「吸収合併契約等備置開始日後株式交換の効力が生ずる日までの間に新たな最終事業年度が存することとなる場合にあっては，当該新たな最終事業年度の末日後に生じた事象の内容に限る」とされているのは，新たな最終事業年度に係る計算書類等には当該新たな最終事業年度の末日までに生じた重要な財産の処分，重大な債務の負担その他の会社財産の状況に重要な影響を与える事象が反映されるため，別途開示する必要がないからである。

6 株式交換完全親株式会社の成立の日における貸借対照表（4号ロ）

株式交換完全親株式会社において最終事業年度がないときは，その株式交換完全親株式会社の成立の日における貸借対照表が事前開示事項とされている。株式会社が株式交換をする場合には，株式交換完全親株式会社の債権者のうち一定の者は，その株式交換完全親株式会社に対し，その株式交換について異議を述べることができるが（法799条1項），異議を述べるか否かの判断にあたって，その株式交換完全親株式会社の財産および損益の状況を考慮に入れると推測される。そして，最終事業年度がある場合には，その株式交換完全親株式会社の計算書類等が作成されており，会社債権者はそれを閲覧等することができるが（法442条），最終事業年度がない場合には，臨時計算書類が作成されていない限り，そのような計算書類等が存在しない。しかも，株式会社の成立の日における貸借対照表は株主や会社債権者の閲覧等の請求の対象とされていない。そこで，株式交換完全親株式会社において最終事業年度がない場合には，

会社債権者（および株主）がその株式会社の成立の日における貸借対照表を閲覧等して、会社の財産の状況に関する最低限の情報を得られるようにするため、その株式交換完全親株式会社の成立の日における貸借対照表を事前開示事項に含める必要がある。

7 債務の履行の見込みに関する事項（5号）

　平成17年改正前商法374条ノ2第1項3号および374条ノ18第1項3号は、会社分割についてのみ「各会社ノ負担スベキ債務ノ履行ノ見込アルコト及其ノ理由ヲ記載シタル書面」を備え置くことを要求していたが、これは、会社分割の当事会社の債権者保護を目的とするものであり、そうであれば、会社分割の場合にのみ要求すべき開示事項ではないと考えられるため、本号は、株式交換が効力を生ずる日以後における株式交換完全親株式会社の債務（株式交換について異議を述べることができる債権者に対して負担する債務に限る）の履行の見込みに関する事項を事前開示事項の1つとして定めている。

　たしかに、「各会社ノ負担スベキ債務ノ履行ノ見込アルコト」と定めていた平成17年改正前商法374条ノ2第1項3号などと異なり、本号では「債務……の履行の見込みに関する事項」と定めていることから、債務の履行の見込みがないような株式交換を行った場合であっても、その株式交換は当然に無効になるわけではないと解する余地はある。実質的にも、債務履行の見込みは将来予測に基づくものであり、株式交換の時点では不確定であることに鑑みると、債務の履行の見込がないことが株式交換無効原因であると解することは法的安定性を損なう一方で債権者の保護は債権者保護手続または債権者取消権の行使によって図ることが可能であるとも考えられる（相澤＝細川・商事法務1769号19頁）。

　しかし、平成17年改正前商法374条ノ2第1項3号などは、「各会社ノ負担スベキ債務ノ履行ノ見込」がないことを分割無効原因とする創設的規定ではなく、「各会社ノ負担スベキ債務ノ履行ノ見込」がないことが分割無効原因であることを前提として開示を要求する規定であって（原田・商事法務1565号11頁、名古屋地判平成16・10・29判時1881号122頁参照）、開示すべき事項が「債務……の履行の見込みに関する事項」とされたことの一事をもって、実体法の解釈がただちに変更されると解するのはやや強引なのではないかと思われる。実質的に考えてみても、株式会社の場合、債務の履行の見込みがないことは支払不能として破産原因（破産法16条1項）にあたり、会社がそのような状態となる組

織再編行為を有効であると解することは適切ではない。また，「履行の見込みがない」ということが開示されていれば十分であるともいえない。なぜなら，債権者保護手続として，必ずしも個別催告が要求されていない以上，「履行の見込みがない」ことを知っていたにもかかわらず，すべての債権者があえて異議を述べなかったとみなすことには無理があるからである。いいかえれば，組織再編行為がなされても，債務の履行の見込みがあってこそ，個別催告を必ずしも要求しないことが正当化されると思われる。したがって，債務の履行の見込みがないことは株式交換無効原因にあたると解することが穏当であるように思われる［もっとも，組織変更との関連では，必ずしも，そのようにはいえないのではないかという点について，→180条3］。ただし，異議を述べることができる債権者が異議を述べなかった場合には承認したものとみなされ(法799条4項)，株式交換無効の訴えの原告適格を有しないから，「債務……の履行の見込みがないこと」が株式交換無効原因であると解することの実益は必ずしも大きくはないこともまた事実である（藤田・商事法務1775号65頁注56，江頭945頁注3参照)。

なお，「法第799条第1項の規定により株式交換について異議を述べることができる債権者……に対して負担する債務に限る」とされているのは，本号に基づく開示は主として株式交換について異議を述べることができる債権者の保護のためであると考えられるからである。

8　1から7の事項に変更が生じたときは，変更後の当該事項（6号）

吸収合併契約等備置開始日後，1号から5号までに掲げる事項に変更が生じたときは，変更後のその事項も事前開示事項とされる。

平成17年改正前商法の下では，合併などに係る事前開示資料との関連でも，備置開始後，効力発生日までの間に，事前開示資料の内容事項について変更が生じた場合にはどのようにすべきかについての規律が定められていなかった。しかし，会社法の下では，債権者保護手続は効力発生日までに終了していれば足りるとされているため（法769条6項)，吸収合併契約等備置開始日後，効力発生日までの間がある程度の期間となる可能性もあり，会社債権者および株主に対して適切な権利行使のための判断材料を与えるという観点から最新の情報を提供することを要求することが適切である（相澤＝細川・商事法務1769号20頁)。そこで，本号では，吸収合併契約等備置開始日後，事前開示事項に変更が生じたときは，変更後のその事項を開示することを要求している。

第194条（株式交換完全親株式会社の株式に準ずるもの）　1075

したがって、たとえば、吸収合併契約等備置開始日後に、計算書類等が確定し、最終事業年度に係る計算書類等が存在するようになった場合には、もはや成立の日における貸借対照表を事前開示事項に含める必要はなく、一般原則に従って計算書類等を備え置き、閲覧等の請求に応ずれば足りることになる（法442条）。同様に、最終事業年度に係る計算書類等については、新たに計算書類等が確定し、最終事業年度が更新された場合には、その最終事業年度に係る計算書類等を開示することが要求される（3号ハかっこ書・4号イかっこ書も参照）。

（株式交換完全親株式会社の株式に準ずるもの）
第194条　法第794条第3項に規定する法務省令で定めるものは、第1号に掲げる額から第2号に掲げる額を減じて得た額が第3号に掲げる額よりも小さい場合における法第768条第1項第2号及び第3号の定めに従い交付する株式交換完全親株式会社の株式以外の金銭等とする。
　一　株式交換完全子会社の株主に対して交付する金銭等の合計額
　二　前号に規定する金銭等のうち株式交換完全親株式会社の株式の価額の合計額
　三　第1号に規定する金銭等の合計額に20分の1を乗じて得た額

本条は、株式交換完全親株式会社の株式以外の財産を株式交換対価として交付するときであっても、株式交換完全親株式会社の債権者に株式交換契約等の事前開示資料の閲覧等請求権が認められない要件との関連で、株式交換完全親株式会社の株式に準ずるものを定めるものである。すなわち、株式交換完全親株式会社の株主および債権者（株式交換完全子会社の株主に対して交付する金銭等が株式交換完全親株式会社の株式その他これに準ずるものとして法務省令で定めるもののみである場合（株式交換契約新株予約権が新株予約権付社債に付された新株予約権であって、株式交換完全親株式会社がその新株予約権付社債についての社債に係る債務を承継する場合を除く）には、株主）は、株式交換完全親株式会社に対して、その営業時間内は、いつでも、株式交換契約の内容その他法務省令（193条）で定める事項を記載した書面の閲覧、謄本または抄本の交付の請求をすることができ、また、記録した電磁的記録を法務省令で定める方法（226条）により表示したものの閲覧、電磁的方法であって存続株式会社等の定めたものにより提供することの請求またはその事項を記載した書面の交付を請求することができるものとされている（法794条3項）。この委任をうけて、本条では、

「株式交換完全親株式会社の株式……に準ずるものとして法務省令で定めるもの」を定めている。

　これは，株式交換対価の調整のために，株式交換完全親株式会社の株式以外の金銭等（金銭その他の財産。法151条柱書）を株式交換完全子会社の株主に交付する必要があり，そのような調整のために金銭等を交付しても，その経済的価値が十分に小さければ，債権者保護手続を経なくとも，株式交換完全親株式会社の債権者の利益を害する可能性は低いと考えられたためである。そして，債権者保護手続を踏むことを要しないとする（法799条1項3号）以上，株式交換完全親株式会社の債権者に，株式交換契約等の事前開示資料の閲覧等請求権を認める必要もないからである。

　本条では，株式交換完全子会社の株主に対して交付する株式交換完全親株式会社の株式以外の金銭等の合計額が株式交換完全子会社の株主に対して交付する金銭等の合計額の5％に相当する額未満の場合には，その金銭等は「株式交換完全親株式会社の株式に準ずるもの」にあたるものとし，株式交換完全親株式会社の債権者に，株式交換契約等の事前開示資料の閲覧等請求権を認める必要がないものとしている。

　なお，株式交換を行う場合に，株式交換完全子会社の個々の株主に割り当てる株式交換完全親株式会社の株式の数に1株に満たない端数があるときは，その端数の合計に相当する数の株式を競売等し，その端数に応じて，その競売等により得られた代金を株主に交付することになるが（法234条1項7号・2項・3項），このときに交付される代金は2号にいう株式交換完全親株式会社の株式として扱われ，本条の基準を満たすか否かの判断には反映されないものと考えられる。

┌─**（資産の額等）**─
│　**第195条**　法第795条第2項第1号に規定する債務の額として法務省令で定める額は，第1号に掲げる額から第2号に掲げる額を減じて得た額とする。
│　　一　吸収合併又は吸収分割の直後に吸収合併存続株式会社又は吸収分割承継株式会社の貸借対照表の作成があったものとする場合における当該貸借対照表の負債の部に計上すべき額から法第795条第2項第2号の株式等（社債（吸収合併又は吸収分割の直前に吸収合併存続株式会社又は吸収分割承継株式会社が有していた社債を除く。）に限る。）につき会計帳簿に付すべき額を減じて得た額

二　吸収合併又は吸収分割の直前に吸収合併存続株式会社又は吸収分割承継株式会社の貸借対照表の作成があったものとする場合における当該貸借対照表の負債の部に計上すべき額
2　法第795条第2項第1号に規定する資産の額として法務省令で定める額は，第1号に掲げる額から第2号に掲げる額を減じて得た額とする。
　　一　吸収合併又は吸収分割の直後に吸収合併存続株式会社又は吸収分割承継株式会社の貸借対照表の作成があったものとする場合における当該貸借対照表の資産の部に計上すべき額
　　二　吸収合併又は吸収分割の直前に吸収合併存続株式会社又は吸収分割承継株式会社の貸借対照表の作成があったものとする場合における当該貸借対照表の資産の部に計上すべき額から法第795条第2項第2号に規定する金銭等（同号の株式等のうち吸収合併又は吸収分割の直前に吸収合併存続株式会社又は吸収分割承継株式会社が有していた社債を含む。）の帳簿価額を減じて得た額
3　前項の規定にかかわらず，吸収合併存続株式会社が連結配当規制適用会社である場合において，吸収合併消滅会社が吸収合併存続株式会社の子会社であるときは，法第795条第2項第1号に規定する資産の額として法務省令で定める額は，次に掲げる額のうちいずれか高い額とする。
　　一　第1項第1号に掲げる額から同項第2号に掲げる額を減じて得た額
　　二　前項第1号に掲げる額から同項第2号に掲げる額を減じて得た額
4　第2項の規定にかかわらず，吸収分割承継株式会社が連結配当規制適用会社である場合において，吸収分割会社が吸収分割承継株式会社の子会社であるときは，法第795条第2項第1号に規定する資産の額として法務省令で定める額は，次に掲げる額のうちいずれか高い額とする。
　　一　第1項第1号に掲げる額から同項第2号に掲げる額を減じて得た額
　　二　第2項第1号に掲げる額から同項第2号に掲げる額を減じて得た額
5　法第795条第2項第3号に規定する法務省令で定める額は，第1号及び第2号に掲げる額の合計額から第3号に掲げる額を減じて得た額とする。
　　一　株式交換完全親株式会社が株式交換により取得する株式交換完全子会社の株式につき会計帳簿に付すべき額
　　二　会社計算規則第11条の規定により計上したのれんの額
　　三　会社計算規則第12条の規定により計上する負債の額（株式交換完全子会社が株式交換完全親株式会社（連結配当規制適用会社に限る。）の子会社である場合にあっては，零）

　本条は，組織再編行為に際して差損が生ずる場合を規定するものである。す

なわち，①吸収合併存続株式会社または吸収分割承継株式会社が承継する吸収合併消滅会社または吸収分割会社の債務の額として法務省令で定める額（承継債務額）が吸収合併存続株式会社または吸収分割承継株式会社が承継する吸収合併消滅会社または吸収分割会社の資産の額として法務省令で定める額（承継資産額）を超える場合，②吸収合併存続株式会社または吸収分割承継株式会社が吸収合併消滅株式会社の株主，吸収合併消滅持分会社の社員または吸収分割会社に対して交付する金銭等（吸収合併存続株式会社または吸収分割承継株式会社の株式等を除く）の帳簿価額が承継資産額から承継債務額を控除して得た額を超える場合，または，③株式交換完全親株式会社が株式交換完全子会社の株主に対して交付する金銭等（株式交換完全親株式会社の株式等を除く）の帳簿価額が株式交換完全親株式会社が取得する株式交換完全子会社の株式の額として法務省令で定める額を超える場合には，吸収合併存続株式会社，吸収分割承継株式会社または株式交換完全親株式会社の取締役は，吸収合併契約，吸収分割契約または株式交換契約を承認する株主総会において，その旨を説明しなければならないものとされ（法795条2項），簡易組織再編行為とされるための要件を定める法796条2項本文の要件に該当する場合であっても，株主総会の特別決議による承認を要する［ただし，→2(2)］ものとされている（法796条2項ただし書・309条2項12号）。

　これをうけて，1項は「吸収合併存続株式会社又は吸収分割承継株式会社が承継する吸収合併消滅会社又は吸収分割会社の債務の額として法務省令で定める額」（承継債務額）を，2項は「吸収合併存続株式会社又は吸収分割承継株式会社が承継する吸収合併消滅会社又は吸収分割会社の資産の額として法務省令で定める額」（承継資産額）を，5項は「株式交換完全親株式会社が取得する株式交換完全子会社の株式の額として法務省令で定める額」を，それぞれ定めている。

1　承継債務額（1項）

　吸収合併または吸収分割の直後に吸収合併存続株式会社または吸収分割承継株式会社の貸借対照表の作成があったものとする場合におけるその貸借対照表の負債の部に計上すべき額から法795条2項2号の株式等（ママ。ただし，法795条2項2号では「金銭等」が言及されている。社債（吸収合併または吸収分割の直前に吸収合併存続株式会社または吸収分割承継株式会社が有していた社債を除く）に限る）につき会計帳簿に付すべき額を減じて得た額から「吸収合併又は吸収

分割の直前に吸収合併存続株式会社又は吸収分割承継株式会社の貸借対照表の作成があったものとする場合における当該貸借対照表の負債の部に計上すべき額」を減じて得た額が，承継債務額とされている。

「吸収合併又は吸収分割の直後に吸収合併存続株式会社又は吸収分割承継株式会社の貸借対照表の作成があったものとする場合における当該貸借対照表の負債の部に計上すべき額」と，「吸収合併又は吸収分割の直前に吸収合併存続株式会社又は吸収分割承継株式会社の貸借対照表の作成があったものとする場合における当該貸借対照表の負債の部に計上すべき額」との差額が，吸収合併または吸収分割によって吸収合併存続株式会社または吸収分割承継株式会社において増加した負債の部に計上すべき額である。本項では，さらに，法795条2項2号の株式等（社債（吸収合併または吸収分割の直前に吸収合併存続株式会社または吸収分割承継株式会社が有していた社債を除く）に限る）につき会計帳簿に付すべき額を減じて，承継債務額を算定すべきものとしている。これは，吸収合併存続株式会社または吸収分割承継株式会社が吸収合併消滅株式会社の株主，吸収合併消滅持分会社の社員または吸収分割会社に対して交付する「社債（吸収合併又は吸収分割の直前に吸収合併存続株式会社又は吸収分割承継株式会社が有していた社債を除く。）」は，吸収合併消滅会社または吸収分割会社から承継する債務ではなく，吸収合併または吸収分割に際して，吸収合併存続株式会社または吸収分割承継株式会社が新たに負担する債務なので，吸収合併存続株式会社または吸収分割承継株式会社が承継する「吸収合併消滅会社または吸収分割会社の債務」にはあたらないからである。

2 承継資産額
(1) 原則（2項）

「吸収合併又は吸収分割の直後に吸収合併存続株式会社又は吸収分割承継株式会社の貸借対照表の作成があったものとする場合における当該貸借対照表の資産の部に計上すべき額」から，「吸収合併又は吸収分割の直前に吸収合併存続株式会社又は吸収分割承継株式会社の貸借対照表の作成があったものとする場合における当該貸借対照表の資産の部に計上すべき額から法第795条第2項第2号に規定する金銭等（同号の株式等のうち吸収合併又は吸収分割の直前に吸収合併存続株式会社又は吸収分割承継株式会社が有していた社債を含む。）の帳簿価額を減じて得た額」を減じて得た額を，承継資産額と定めている。

「吸収合併又は吸収分割の直後に吸収合併存続株式会社又は吸収分割承継株

式会社の貸借対照表の作成があったものとする場合における当該貸借対照表の資産の部に計上すべき額」と，「吸収合併又は吸収分割の直前に吸収合併存続株式会社又は吸収分割承継株式会社の貸借対照表の作成があったものとする場合における当該貸借対照表の資産の部に計上すべき額」との差額が，吸収合併または吸収分割によって吸収合併存続株式会社または吸収分割承継株式会社において増加した資産の部に計上すべき額である。本項では，法795条2項2号に規定する金銭等（同号の株式等のうち吸収合併または吸収分割の直前に吸収合併存続株式会社または吸収分割承継株式会社が有していた社債を含む）を加算すべきこととしている。

　吸収合併存続株式会社または吸収分割承継株式会社が吸収合併消滅株式会社の株主，吸収合併消滅持分会社の社員または吸収分割会社に対して交付する金銭等の額だけ，吸収合併または吸収分割の直後に吸収合併存続株式会社または吸収分割承継株式会社の貸借対照表の作成があったものとする場合におけるその貸借対照表の資産の部に計上すべき額が減少しているので，これを加算しないと，吸収合併存続株式会社または吸収分割承継株式会社が承継する「吸収合併消滅会社または吸収分割会社の資産の額」が過少に算定されることになるからである。

(2)　吸収合併存続株式会社が連結配当規制適用会社であり，かつ，吸収合併消滅会社が吸収合併存続株式会社の子会社である場合（3項）

　吸収合併存続株式会社が連結配当規制適用会社である場合において，吸収合併消滅会社が吸収合併存続株式会社の子会社であるときは，承継資産額は，「第1項第1号に掲げる額から同項第2号に掲げる額を減じて得た額」と2項「第1号に掲げる額から同項第2号に掲げる額を減じて得た額」のうちいずれか高い額とするものとされている。「第1項第1号に掲げる額から同項第2号に掲げる額を減じて得た額」とは，1項の規定により算定された吸収合併存続株式会社が承継する吸収合併消滅会社の債務の額（承継債務額）をいい，2項「第1号に掲げる額から同項第2号に掲げる額を減じて得た額」とは，2項の規定により算定された（原則的な）吸収合併存続株式会社が承継する吸収合併消滅会社の資産の額（承継資産額）をいう。

　したがって，吸収合併存続株式会社が連結配当規制適用会社である場合において，吸収合併消滅会社が吸収合併存続株式会社の子会社であるときは，承継資産額が承継債務額を下回ることはないことになり，吸収合併存続株式会社の

吸収合併契約を承認する株主総会において，合併差損が生ずる旨を説明する必要がなく，また，法796条2項本文の要件に該当する場合には簡易組織再編行為として吸収合併を行うことができる。このように定められているのは，連結配当規制適用会社においては，子会社に対する投資損失が分配可能額に反映されているため（計規158条4号），「吸収型再編により子会社が過去に計上した損失の引受けがなされたとしても，分配可能額には影響を及ぼさないためである」と説明されているが（相澤＝細川・商事法務1769号26頁），やや不正確であると思われる。なぜなら，連結配当規制適用会社において，分配可能額に反映されているのは，子会社の損失のうち，親会社持分に対応する部分だけであるのに対し，吸収合併が行われると，子会社の損失全部が吸収合併存続株式会社の分配可能額に反映されるからである。また，吸収合併消滅会社となった子会社に対する支配を獲得する前に発生したその子会社の損失は，吸収合併存続株式会社となった親会社が連結配当規制適用会社であっても，必ずしもその分配可能額に反映されているとは限らないからである。

　もっとも，親会社は子会社の債務を保証している場合が多く，そうでなくとも，企業集団の評判などを維持するために，子会社の債務の弁済について相当の負担をすることが少なくないため，実質的には吸収合併存続株式会社となる親会社の株主に新たな不利益は生じていないと評価できることが一般的であるということができるのかもしれない。

(3)　吸収分割承継株式会社が連結配当規制適用会社であり，かつ，吸収分割会社が吸収分割承継株式会社の子会社である場合（4項）

　吸収分割承継株式会社が連結配当規制適用会社である場合において，吸収分割会社が吸収分割承継株式会社の子会社であるときは，承継資産額は，「第1項第1号に掲げる額から同項第2号に掲げる額を減じて得た額」と「第2項第1号に掲げる額から同項第2号に掲げる額を減じて得た額」のうちいずれか高い額とするものとされている。「第1項第1号に掲げる額から同項第2号に掲げる額を減じて得た額」とは，1項の規定により算定された吸収分割承継株式会社が承継する吸収分割会社の債務の額（承継債務額）をいい，「第2項第1号に掲げる額から同項第2号に掲げる額を減じて得た額」とは，2項の規定により算定された（原則的な）吸収分割承継株式会社が承継する吸収分割会社の資産の額（承継資産額）をいう。

　したがって，吸収分割承継株式会社が連結配当規制適用会社である場合にお

いて，吸収分割会社が吸収分割承継株式会社の子会社であるときは，承継資産額が承継債務額を下回ることはないことになり，吸収分割承継株式会社の吸収分割契約を承認する株主総会において，分割差損が生ずる旨を説明する必要がなく，また，法796条2項本文の要件に該当する場合には簡易組織再編行為として吸収分割を行うことができる。このように定められているのは，連結配当規制適用会社においては，子会社に対する投資損失が分配可能額に反映されているため（計規158条4号），吸収分割により「子会社が過去に計上した損失の引受けがなされたとしても，分配可能額には影響を及ぼさないためである」と説明されているが（相澤＝細川・商事法務1769号26頁），やや不正確であると思われる。なぜなら，連結配当規制適用会社において，分配可能額に反映されているのは，子会社の損失のうち，親会社持分に対応する部分だけであるのに対し，吸収分割が行われると，子会社の損失全部が吸収分割承継株式会社の分配可能額に反映されるからである。また，吸収分割会社となった子会社に対する支配を獲得する前に発生したその子会社の損失は必ずしも吸収分割承継株式会社となった親会社が連結配当規制適用会社であっても，その分配可能額に反映されているとは限らないからである。

　もっとも，親会社は子会社の債務を保証している場合が多く，そうでなくとも，企業集団の評判などを維持するために，子会社の債務の弁済について相当の負担をすることが少なくないため，実質的には吸収分割承継株式会社となる親会社の株主に新たな不利益は生じていないと評価できることが一般的であるということができるのかもしれない。

3　合併差損または分割差損が生ずる場合

　合併差損または分割差損が生ずる場合としては，①承継資産額＜承継債務額＋合併対価・分割対価（株式・新株予約権を除く）である場合（法795条2項1号）および②承継資産額＜承継債務額＋合併対価・分割対価（社債に限る）である場合（同項2号）とが考えられる。

　まず，パーチェス法が適用される場合（吸収型再編対象財産の全部の取得原価を吸収型再編対価の時価その他当該吸収型再編対象財産の時価を適切に算定する方法をもって測定することとすべき場合）には，合併対価・分割対価の帳簿価額と承継債務額との合計額と承継資産額との差額はのれんとして計上されるため，原則として，合併差損または分割差損は生じない。もっとも，含み損がある財産を合併対価・分割対価として交付する場合には，その含み損に相当する額だ

け，会計上，純資産の額が減少することになるので，合併差損または分割差損が生ずることがある。

　また，持分プーリング法が適用される場合（吸収型再編対象財産に吸収合併消滅会社または吸収分割会社における吸収合併または吸収分割の直前の帳簿価額を付すべき場合）には，承継する権利義務が簿価債務超過であるときには，原則として，合併差損または分割差損が生ずる。同様に，共通支配下の取引の場合でも，吸収型再編対象財産に吸収合併消滅会社または吸収分割会社における吸収合併または吸収分割の直前の帳簿価額を付すことになるため，承継する権利義務が簿価債務超過であるときには，合併差損または分割差損が生ずる可能性があるが，共通支配下の取引（財規8条37項）の場合には，一定の要件の下で，のれんを計上することができるため（計規11条）〔→計規コンメ11条4(2)〕，合併差損または分割差損が生じないこともある。

4　株式交換完全親株式会社が承継する株式交換完全子会社の株式の額として法務省令で定める額（5項）

　株式交換完全親株式会社が株式交換により取得する株式交換完全子会社の株式につき会計帳簿に付すべき額と計規11条の規定により計上したのれんの額との合計額から計規12条の規定により計上する負債の額（株式交換完全子会社が株式交換完全親株式会社（連結配当規制適用会社に限る）の子会社である場合には，ゼロ）を減じて得た額を「株式交換完全親株式会社が承継する株式交換完全子会社の株式の額として法務省令で定める額」としている。これは，計規20条2項1号の規定により計上したのれんの額は差額のれんであるとはいえ，財産的価値を有する場合が十分にあるからである。

　また，計規12条の規定により計上する負債の額は，株式交換完全子会社の株式につき会計帳簿に付すべき額がゼロ以上でなければならないために計算上計上するものであることから，株式交換契約の承認総会において取締役が説明をする必要があるか，法796条2項本文の要件に該当する場合に株主総会の決議を省略できるかを判断する基準との関連では，負債の額を控除すべきものとしている。

　まず，パーチェス法が適用される場合には，取得する株式の取得価額は，原則として，完全子会社の株主に交付する財産の時価と一致することから，株式交換対価が金銭または株式である場合には，原則として，株式交換差損は生じない。もっとも，含み損がある財産を株式交換対価として交付する場合には，

その含み損に相当する額だけ，会計上，純資産の額が減少することになるので，株式交換差損が生ずることがある。

また，持分プーリング法が適用される場合（株式交換完全子会社の株式につき株式交換完全親株式会社が付すべき帳簿価額（計規12条の規定により計上する負債の額を含む）を株式交換完全子会社株式簿価評価額をもって算定すべき場合）には，完全子会社の株主資本の額が負の値である場合には，原則として，株式交換差損が生ずる。同様に，共通支配下の取引の場合でも，株式交換完全子会社株式簿価評価額を付すことになるため，完全子会社の株主資本の額が負の値であるときには，株式交換差損が生ずる可能性があるが，共通支配下の取引の場合には，一定の要件の下で，のれんを計上することができるため（計規11条）［→計規コンメ11条4(2)］，株式交換差損が生じないこともある。

なお，「株式交換完全子会社が株式交換完全親株式会社（連結配当規制適用会社に限る。）の子会社である場合にあっては，零」とされているため，株式交換完全親株式会社が株式交換完全子会社の株主に対して交付する金銭等（株式交換完全親株式会社の株式等を除く）の帳簿価額が株式交換完全親株式会社が承継する株式交換完全子会社の株式の額として法務省令で定める額（本項）を超えることはないことになる。したがって，株式交換完全親株式会社が連結配当規制適用会社である場合において，株式交換完全子会社が株式交換完全親会社の子会社であるときは，株式交換完全親株式会社の株式交換契約を承認する株主総会において，株式交換差損が生ずる旨を説明する必要がなく，また，法796条2項本文の要件に該当する場合には簡易組織再編行為として株式交換を行うことができる。このように定められているのは，連結配当規制適用会社においては，子会社に対する投資損失が分配可能額に反映されているため（計規158条4号），株式交換により「子会社が過去に計上した損失の引受けがなされたとしても，分配可能額には影響を及ぼさないためである」と説明されているが（相澤＝細川・商事法務1769号26頁），やや不正確であると思われる。なぜなら，連結配当規制適用会社において，分配可能額に反映されているのは，子会社の損失のうち，親会社持分に対応する部分だけであるのに対し，株式交換が行われると，子会社の損失全部が株式交換完全親株式会社の分配可能額に反映されるからである。また，株式交換完全子会社となった子会社に対する支配を獲得する前に発生したその子会社の損失は必ずしも株式交換完全親株式会社となった親会社が連結配当規制適用会社であっても，その分配可能額に反映されているとは限らないからである。

第196条（純資産の額）　1085

　もっとも，親会社は子会社の債務を保証している場合が多く，そうでなくとも，企業集団の評判などを維持するために，子会社の債務の弁済について相当の負担をすることが少なくないため，実質的には株式交換完全親会社となる親会社の株主に新たな不利益は生じていないと評価できることが一般的であるということができるのかもしれない。

（純資産の額）

第196条　法第796条第２項第２号に規定する法務省令で定める方法は，算定基準日（吸収合併契約，吸収分割契約又は株式交換契約を締結した日（当該契約により当該契約を締結した日と異なる時（当該契約を締結した日後から当該吸収合併，吸収分割又は株式交換の効力が生ずる時の直前までの間の時に限る。）を定めた場合にあっては，当該時）をいう。）における第１号から第７号までに掲げる額の合計額から第８号に掲げる額を減じて得た額（当該額が500万円を下回る場合にあっては，500万円）をもって存続株式会社等（法第794条第１項に規定する存続株式会社等をいう。以下この条において同じ。）の純資産額とする方法とする。

一　資本金の額
二　資本準備金の額
三　利益準備金の額
四　法第446条に規定する剰余金の額
五　最終事業年度（法第461条第２項第２号に規定する場合にあっては，法第441条第１項第２号の期間（当該期間が二以上ある場合にあっては，その末日が最も遅いもの））の末日（最終事業年度がない場合にあっては，存続株式会社等の成立の日）における評価・換算差額等に係る額
六　株式引受権の帳簿価額
七　新株予約権の帳簿価額
八　自己株式及び自己新株予約権の帳簿価額の合計額

　本条は，吸収合併，吸収分割および株式交換について，いわゆる簡易組織再編行為として，吸収合併契約，吸収分割契約および株式交換契約について吸収合併存続株式会社，吸収分割承継株式会社および株式交換完全親株式会社の株主総会の特別決議による承認を要しないとされるか否かの規準との関連で，吸収合併存続株式会社，吸収分割承継株式会社および株式交換完全親株式会社の純資産額を算定する方法を定めるものである。すなわち，株式会社が吸収合併，吸収分割または株式交換をする場合には，原則として，吸収合併存続株式

会社，吸収分割承継株式会社および株式交換完全親株式会社は，その効力発生日の前日までに，株主総会の決議によって，その吸収合併契約，吸収分割契約および株式交換契約の承認を受けなければならないものとされているが（法795条1項），吸収合併消滅株式会社もしくは株式交換完全子会社の株主，吸収合併消滅持分会社の社員または吸収分割会社に対して交付する存続株式会社等の株式の数に1株当たり純資産額を乗じて得た額，交付する存続株式会社等の社債，新株予約権または新株予約権付社債の帳簿価額の合計額および消滅会社等の株主等に対して交付する存続株式会社等の株式等以外の財産の帳簿価額の合計額を合計した額の「存続株式会社等の純資産額として法務省令で定める方法により算定される額」に対する割合が5分の1（これを下回る割合をその株式会社の定款で定めた場合には，その割合）を超えない場合には，一定の場合を除き，株主総会の決議による承認を得ることを要しないものとされている（法796条2項）。そこで本条は，この委任を受けて，当該株式会社の純資産額を算定する方法を定めている。

1　算定基準日

「吸収合併契約，吸収分割契約又は株式交換契約を締結した日（当該契約により当該契約を締結した日と異なる時（当該契約を締結した日後から当該吸収合併，吸収分割又は株式交換の効力が生ずる時の直前までの間の時に限る。）を定めた場合にあっては，当該時）」が算定基準日とされる。すなわち，法796条2項は，吸収合併消滅株式会社もしくは株式交換完全子会社の株主，吸収合併消滅持分会社の社員または吸収分割会社に対して交付する存続株式会社等の株式の数に1株当たり純資産額を乗じて得た額，交付する存続株式会社等の社債，新株予約権または新株予約権付社債の帳簿価額の合計額および消滅会社等の株主等に対して交付する存続株式会社等の株式等以外の財産の帳簿価額の合計額を合計した額の「存続株式会社等の純資産額として法務省令で定める方法により算定される額」に対する割合が5分の1（これを下回る割合をその株式会社の定款で定めた場合には，その割合）を超えない場合には，一定の場合を除き，株主総会の決議による承認を得ることを要しないものとしている。そして，株主総会の特別決議を経ないで吸収合併，吸収分割または株式交換を行うことができるかどうかは，その吸収合併，吸収分割または株式交換のスケジュールに重要な影響を与える可能性があるため，吸収合併契約，吸収分割契約または株式交換契約を締結する段階で法796条2項の要件を満たせる可能性が

あるかどうかを判断できることが望ましい。また、手続の途中で、簡易組織再編行為の要件を満たさないことになると、円滑な組織再編行為の実現を害する可能性もある（相澤＝細川・商事法務1769号24頁）。そこで、本号では、「吸収合併契約、吸収分割契約又は株式交換契約を締結した日」を算定の基準日とすることを原則としている。

　もっとも、法796条2項は、その吸収合併、吸収分割または株式交換が吸収合併存続株式会社、吸収分割承継株式会社または株式交換完全親株式会社の株主に与える可能性のある影響の大小に注目しているものであり、理論的には、その吸収合併、吸収分割または株式交換の効力が生ずる時点を基準時として要件を満たすか否かを判断することがより適切であるし、また、吸収合併契約、吸収分割契約または株式交換契約の締結後、その当事会社において、剰余金の配当その他会社の財産の状況に重要な影響を与える行為を行うことが予想される場合には、吸収合併契約、吸収分割契約または株式交換契約を締結した日後の日を算定基準日とすることが適切でありうる。そこで、本条では、吸収合併契約、吸収分割契約または株式交換「契約により当該契約を締結した日と異なる時（当該契約を締結した日後から当該吸収合併、吸収分割又は株式交換の効力が生ずる時の直前までの間の時に限る。）を定めた場合にあっては、当該時」を算定基準日とするものとしている。

2　算定方法

　本条では、純資産額を算定基準日［→1］における「第1号から第7号までに掲げる額の合計額から第8号に掲げる額を減じて得た額（当該額が500万円を下回る場合にあっては、500万円）」と定めているが、これは、評価・換算差額等以外の項目については事業年度中の変動（当該事業年度の損益計算書に反映されるべき損益を除く）を反映した額を用いて、純資産額を算定しようというものである。すなわち、資本金の額、資本準備金の額、利益準備金の額、法446条に規定する剰余金の額、最終事業年度の末日における評価・換算差額等に係る額、株式引受権の帳簿価額、新株予約権の帳簿価額ならびに自己株式および自己新株予約権の帳簿価額の合計額については、算定基準日の額を用いるというものである。評価・換算差額等に係る額は、最終事業年度（臨時計算書類を作成したときは、臨時会計年度（臨時会計年度が二以上ある場合には、その末日が最も遅いもの））の末日（最終事業年度がない場合には、存続株式会社等の成立の日）における額を用いることとされているが、これは、事業年度中の評価・

換算差額等（その他有価証券評価差額金，繰延ヘッジ損益および土地再評価差額金［→計規コンメ76条❽］）を把握することは，会社にとって，手間がかかることから，計算書類または臨時計算書類上の額を用いることができるようにしたものである。

　法446条に規定する剰余金の額には，最終事業年度の末日後にした自己株式の処分，資本金または準備金の額の減少と剰余金の額の増加，剰余金の額の減少と資本金または準備金の額の増加，吸収型再編受入行為による資本剰余金および利益剰余金の額の変動，自己株式の消却，剰余金の配当が反映されるという点で［詳細については，→計規コンメ149条・150条］，最終事業年度の末日に係る貸借対照表上の純資産の部の額の合計額を純資産額とするよりも合理的であるといえる。

　しかし，立法論としては，本条の定めには，少なくとも2つの点で課題がある。第1に，臨時計算書類を作成した場合に，臨時損益計算書に計上された当期純損益金の額を純資産額の算定に反映させない理由はないと思われる。臨時損益計算書に計上された当期純損益金の額だけ，株式会社の純資産の額は増加していると考えてよい一方で，評価・換算差額等の増減は臨時損益計算書に計上された収益・費用・利益・損失と結びついているはずなので，臨時会計年度中の評価・換算差額等の増減は純資産額に反映しつつ，臨時会計年度に係る純損益金額は反映させないことは均衡のとれていない取扱いであるといえるからである。第2に，新株予約権の金額（自己新株予約権の金額があるときは，その額を控除した後の額）を基準純資産額の算定にあたって考慮することが適当であるかどうかについては疑義がある。なぜなら，新株予約権の金額は，新株予約権者に帰属する部分を表しているとみることもできる一方で，新株予約権をたとえば買収防衛策の一環として，あるいは有利発行として無償で発行すると新株予約権の額はゼロであるが，その後，市場で新株予約権を取得すると自己新株予約権の額は正の値をとり，新株予約権の金額から自己新株予約権の金額を控除した額はマイナスとなって，それが純資産額を減少させることになるが，それでよいのかという問題がある。

　なお，「当該額が500万円を下回る場合にあっては，500万円」と定められているのは，現物出資の目的である財産および財産引受けの目的である財産について定款に記載され，または記録された価額の総額が500万円を超えない場合には検査役の調査を要しないものとされていること（法33条10項1号）との平仄をとったものと推測される。すなわち，法33条10項1号が検査役の調査を

要しないものとしている趣旨は，500万円を超えない場合には債権者にとっての重要性が高くないということにあることに鑑みたものであろう。法207条9項2号や284条9項2号も現物出資財産の価額が500万円を超えない場合には，検査役の調査を要しないものと定めている。

（株式の数）

第197条 法第796条第３項に規定する法務省令で定める数は，次に掲げる数のうちいずれか小さい数とする。

一　特定株式（法第796条第３項に規定する行為に係る株主総会において議決権を行使することができることを内容とする株式をいう。以下この条において同じ。）の総数に２分の１（当該株主総会の決議が成立するための要件として当該特定株式の議決権の総数の一定の割合以上の議決権を有する株主が出席しなければならない旨の定款の定めがある場合にあっては，当該一定の割合）を乗じて得た数に３分の１（当該株主総会の決議が成立するための要件として当該株主総会に出席した当該特定株主（特定株式の株主をいう。以下この条において同じ。）の有する議決権の総数の一定の割合以上の多数が賛成しなければならない旨の定款の定めがある場合にあっては，１から当該一定の割合を減じて得た割合）を乗じて得た数に１を加えた数

二　法第796条第３項に規定する行為に係る決議が成立するための要件として一定の数以上の特定株主の賛成を要する旨の定款の定めがある場合において，特定株主の総数から株式会社に対して当該行為に反対する旨の通知をした特定株主の数を減じて得た数が当該一定の数未満となるときにおける当該行為に反対する旨の通知をした特定株主の有する特定株式の数

三　法第796条第３項に規定する行為に係る決議が成立するための要件として前２号の定款の定め以外の定款の定めがある場合において，当該行為に反対する旨の通知をした特定株主の全部が同項に規定する株主総会において反対したとすれば当該決議が成立しないときは，当該行為に反対する旨の通知をした特定株主の有する特定株式の数

四　定款で定めた数

　本条は，吸収合併，吸収分割または株式交換の場合であって，法796条２項の要件を満たすにもかかわらず，吸収合併存続株式会社，吸収分割承継株式会社または株式交換完全親株式会社において株主総会の特別決議による承認が必要になる要件との関連で，反対の意思を通知した株主が有すべき株式の数を定めるものである。すなわち，吸収合併，吸収分割または株式交換の場合であっ

ても、吸収合併消滅株式会社もしくは株式交換完全子会社の株主、吸収合併消滅持分会社の社員または吸収分割会社に対して交付する存続株式会社等の株式の数に1株当たり純資産額を乗じて得た額、交付する存続株式会社等の社債、新株予約権または新株予約権付社債の帳簿価額の合計額および消滅会社等の株主等に対して交付する存続株式会社等の株式等以外の財産の帳簿価額の合計額を合計した額の「存続株式会社等の純資産額として法務省令で定める方法により算定される額」に対する割合が5分の1（これを下回る割合をその株式会社の定款で定めた場合には、その割合）を超えない場合には、一定の場合を除き、株主総会の決議による承認を得ることを要しないものとされているが（法796条2項、施規196条）、法務省令で定める数の株式を有する株主が一定期間内にその吸収合併、吸収分割または株式交換に反対する旨を吸収合併存続株式会社、吸収分割承継株式会社または株式交換完全親株式会社に対し通知したときは、その株式会社は、効力発生日の前日までに、株主総会の決議によって、吸収合併契約、吸収分割契約または株式交換契約の承認を受けなければならないものとされている（法796条3項）。本条は、この委任をうけて、「法務省令で定める数の株式」を定めるものである。

　本条は、結局のところ、吸収合併契約、吸収分割契約または株式交換契約の承認のための株主総会が開催された場合に、承認決議が否決される可能性のある株式数のうちで最も少ない数を「法務省令で定める数の株式」として定めている。平成17年改正前商法413条ノ3第8項、374条ノ23第8項および358条8項が定めていた「会社ノ総株主ノ議決権ノ6分ノ1」という割合は、特別決議の定足数である「会社の総株主の議決権の過半数」に3分の1（出席株主が有する議決権の3分の2以上の多数が特別決議の要件であるため、1から3分の2を減じて得た割合）を乗じて定めたものであって（河本ほか・商事法務1465号40頁［菊池発言］参照）、それは、吸収合併契約、吸収分割契約または株式交換契約の承認のための株主総会が開催された場合に、承認決議が否決される可能性のある議決権数に相当するものであると説明されていたことを踏まえたものである。

　すなわち、1号が、「特定株式……の総数に2分の1……を乗じて得た数に3分の1を乗じて得た数に1を加えた数」と定めているのは、定款に別段の定めを設けない場合には、特別決議は「決議は、当該株主総会において議決権を行使することができる株主の議決権の過半数……を有する株主が出席し、出席した当該株主の議決権の3分の2……以上に当たる多数をもって行わなければ

ならない」とされていること（法309条2項柱書）に対応するものであり，平成17年改正前商法413条ノ3第8項，374条ノ23第8項および358条8項の定めをその発想において踏襲したものである（「1を加えた数」とされているのは，このように定めないと，厳密には特別決議の成立を阻止することができる最低数にはならないためである）。1号で，「当該株主総会の決議が成立するための要件として当該特定株式の議決権の総数の一定の割合以上の議決権を有する株主が出席しなければならない旨の定款の定めがある場合にあっては，当該一定の割合」と規定されているのは，定款の定めにより特別決議の定足数として3分の1以上の割合を定めることができ，「当該株主総会の決議が成立するための要件として当該株主総会に出席した当該特定株主（特定株式の株主をいう……）の有する議決権の総数の一定の割合以上の多数が賛成しなければならない旨の定款の定めがある場合にあっては，1から当該一定の割合を減じて得た割合」と定められているのは，定款の定めにより特別決議の決議要件として，3分の2を上回る割合を定めることができるからである。

　2号が，吸収合併，吸収分割または株式交換「に係る決議が成立するための要件として一定の数以上の特定株主の賛成を要する旨の定款の定めがある場合において，特定株主の総数から株式会社に対して当該行為に反対する旨の通知をした特定株主の数を減じて得た数が当該一定の数未満となるときにおける当該行為に反対する旨の通知をした特定株主の有する特定株式の数」と定めているのは，特別決議の決議要件として，「当該決議の要件に加えて，一定の数以上の株主の賛成を要する旨……を定款で定めることを妨げない」とされていること（法309条2項柱書2文）をうけたものである。すなわち，一定数以上の株主が賛成しない限り，特別決議により可決されないものと定款に定められている場合には，「特定株主の総数から株式会社に対して当該行為に反対する旨の通知をした特定株主の数を減じて得た数が当該一定の数未満となるとき」には，反対する旨の通知をした特定株主が反対する限り，特別決議は成立しないからである。

　3号が，吸収合併，吸収分割または株式交換「に係る決議が成立するための要件として前2号の定款の定め以外の定款の定めがある場合において，当該行為に反対する旨の通知をした特定株主の全部が同項に規定する株主総会において反対したとすれば当該決議が成立しないときは，当該行為に反対する旨の通知をした特定株主の有する特定株式の数」と定めているのは，特別決議の決議要件として，「当該決議の要件に加えて，……その他の要件を定款で定めるこ

とを妨げない」とされていること（法309条2項柱書2文）をうけたものである。「その他の要件」としては，さまざまなものがありうるので，3号では，端的に，「当該行為に反対する旨の通知をした特定株主の全部が同項に規定する株主総会において反対したとすれば当該決議が成立しないときは，当該行為に反対する旨の通知をした特定株主の有する特定株式の数」と定めている。この場合には，反対する旨の通知をした特定株主が反対する限り，特別決議は成立しないからである。

4号は「定款で定めた数」と定めるが，これは，特別決議の要件と関係なく，定款で定めた一定数以上の株式を有する株主が反対する旨の通知をした場合には，株主総会の特別決議による承認を要するものとすることができることを前提とするものである。「いずれか小さい数」（柱書）とされているので，「定款で定めた数」は，株主総会の特別決議による承認を要する場合を拡大する方向でのみ意義を有する。

(株式交換完全親株式会社の株式に準ずるもの)

第198条 法第799条第1項第3号に規定する法務省令で定めるものは，第1号に掲げる額から第2号に掲げる額を減じて得た額が第3号に掲げる額よりも小さい場合における法第768条第1項第2号及び第3号の定めに従い交付する株式交換完全親株式会社の株式以外の金銭等とする。
　一　株式交換完全子会社の株主に対して交付する金銭等の合計額
　二　前号に規定する金銭等のうち株式交換完全親株式会社の株式の価額の合計額
　三　第1号に規定する金銭等の合計額に20分の1を乗じて得た額

本条は，株式交換完全親株式会社の株式以外の財産を株式交換対価として交付するときであっても，株式交換完全親株式会社の債権者がその株式交換につき異議を述べることができないとされる要件との関連で，株式交換完全親株式会社の株式に準ずるものを定めるものである。すなわち，株式交換完全子会社の株主に対して交付する金銭等が株式交換完全親株式会社の株式その他これに準ずるものとして法務省令で定めるもののみである場合以外の場合または株式交換契約新株予約権が新株予約権付社債に付された新株予約権であって，株式交換完全親株式会社がその新株予約権付社債についての社債に係る債務を承継する場合には株式交換完全親株式会社の債権者はその株式交換について異議を

述べることができる（法799条１項３号）。この委任をうけて，本条では，「株式交換完全親株式会社の株式……に準ずるものとして法務省令で定めるもの」を定めている。

　これは，株式交換対価の調整のために，株式交換完全親株式会社の株式以外の金銭等（金銭その他の財産。法151条柱書）を株式交換完全子会社の株主に交付する必要があり，そのような調整のために金銭等を交付しても，その経済的価値が十分に小さければ，債権者保護手続を経なくとも，株式交換完全親株式会社の債権者の利益を害する可能性は低いと考えられたためである。

　本条では，株式交換完全子会社の株主に対して交付する株式交換完全親株式会社の株式以外の金銭等の合計額が株式交換完全子会社の株主に対して交付する金銭等の合計額の５％に相当する額未満の場合には，その金銭等は「株式交換完全親株式会社の株式……に準ずるもの」にあたるものとし，株式交換完全親会社の債権者に，株式交換につき異議を述べる権利を認める必要がないものとしている。

　なお，株式交換を行う場合に，株式交換完全子会社の個々の株主に割り当てる株式交換完全親株式会社の株式の数に１株に満たない端数があるときは，その端数の合計数に相当する数の株式を競売等し，その端数に応じて，その競売等により得られた代金を株主に交付することになるが（法234条１項７号・２項・３項），このときに交付される代金は２号にいう株式交換完全親株式会社の株式として扱われ，本条の基準を満たすか否かの判断には反映されないものと考えられる。

（計算書類に関する事項）

第199条　法第799条第２項第３号に規定する法務省令で定めるものは，同項の規定による公告の日又は同項の規定による催告の日のいずれか早い日における次の各号に掲げる場合の区分に応じ，当該各号に定めるものとする。

　一　最終事業年度に係る貸借対照表又はその要旨につき公告対象会社（法第799条第２項第３号の株式会社をいう。以下この条において同じ。）が法第440条第１項又は第２項の規定による公告をしている場合　次に掲げるもの
　　イ　官報で公告をしているときは，当該官報の日付及び当該公告が掲載されている頁
　　ロ　時事に関する事項を掲載する日刊新聞紙で公告をしているときは，当該日刊新聞紙の名称，日付及び当該公告が掲載されている頁
　　ハ　電子公告により公告をしているときは，法第911条第３項第28号イに掲

げる事項
二　最終事業年度に係る貸借対照表につき公告対象会社が法第440条第３項に規定する措置をとっている場合　法第911条第３項第26号に掲げる事項
三　公告対象会社が法第440条第４項に規定する株式会社である場合において，当該株式会社が金融商品取引法第24条第１項の規定により最終事業年度に係る有価証券報告書を提出しているとき　その旨
四　公告対象会社が会社法の施行に伴う関係法律の整備等に関する法律第28条の規定により法第440条の規定が適用されないものである場合　その旨
五　公告対象会社につき最終事業年度がない場合　その旨
六　公告対象会社が清算株式会社である場合　その旨
七　前各号に掲げる場合以外の場合　会社計算規則第６編第２章の規定による最終事業年度に係る貸借対照表の要旨の内容

　本条は，吸収合併，吸収分割または株式交換をする場合に，その吸収合併存続株式会社，吸収分割承継株式会社または株式交換完全親株式会社の債権者が異議を述べることができるときに官報における公告等に含めなければならない事項としての「存続株式会社等及び消滅会社等（株式会社に限る。）の計算書類に関する事項として法務省令で定めるもの」（法799条２項３号）を定めるものである。
　すなわち，株式会社が吸収合併，吸収分割または株式交換をする場合に，その吸収合併存続株式会社，吸収分割承継株式会社または株式交換完全親株式会社の債権者が，その株式会社に対し，吸収合併，吸収分割または株式交換について異議を述べることができるときには（法799条１項），その株式会社は，原則として，吸収合併，吸収分割または株式交換をする旨，吸収合併消滅会社，吸収分割会社または株式交換完全子会社の商号および住所，「存続株式会社等及び消滅会社等（株式会社に限る。）の計算書類に関する事項として法務省令で定めるもの」，および，債権者が一定の期間（１カ月以上）内に異議を述べることができる旨を官報に公告し，かつ，知れている債権者には，各別にこれを催告しなければならない（ただし，株式会社が公告を，官報のほか，定款の定めに従い，時事に関する事項を掲載する日刊新聞紙に掲載して，または電子公告によりするときは，知れている債権者に対する各別の催告は，することを要しない）（法799条）。このように「存続株式会社等及び消滅会社等（株式会社に限る。）の計算書類に関する事項として法務省令で定めるもの」を公告し，または催告に

第199条（計算書類に関する事項）　1095

含めなければならないのは、吸収合併、吸収分割または株式交換の前に、当該株式会社が公表した最終の貸借対照表に債権者がアクセスする事を可能にし、異議を述べるか否かの判断の前提として、その吸収合併、吸収分割または株式交換が会社の分配可能額にどのような影響を与えるかを推測することを可能にするためである。すなわち、このような事項を公告または通知させるのは、会社の財産状態を知ることは存続会社等の債権者にとって重要であり、最終の貸借対照表に関する事項は存続会社等の債権者にとって異議を述べるかどうかの判断材料を入手する手がかりとなるからである。

　これをうけて、本条は、「存続株式会社等及び消滅株式会社等（株式会社に限る。）の計算書類に関する事項として法務省令で定めるもの」について、平成18年改正前商法施行規則198条と同様の規律を定めており、組織変更および組織再編行為の際の債権者保護手続との関連での株式会社の「計算書類に関する事項として法務省令で定めるもの」を定める181条、188条および208条とパラレルに定めている。

　柱書において「公告の日」と「催告の日」とのいずれか早い日を基準として、「存続株式会社等及び消滅株式会社等（株式会社に限る。）の計算書類に関する事項として法務省令で定めるもの」として公告し、または催告すべき事項が定められるものとしているのは、公告の内容と催告の内容との間に差があることは想定されていない以上、先になされるものの内容に合わせなければならないからである。

1　最終事業年度に係る貸借対照表またはその要旨につき会社が公告をしている場合（1号）

　官報で公告をしているときは、当該官報の日付および当該公告が掲載されている頁が、時事に関する事項を掲載する日刊新聞紙で公告をしているときは、当該日刊新聞紙の名称、日付および当該公告が掲載されている頁が、電子公告により公告をしているときは、電子公告を行っているページ、すなわち、不特定多数の者が実際に閲覧できるインターネット上のウェブサイトのアドレス（URL。電子公告により公告すべき内容である情報について不特定多数の者がその提供を受けるために必要な事項であって法務省令で定めるもの（法911条3項28号イ）、すなわち、株式会社が電子公告をするために使用する自動公衆送信装置のうち電子公告をするための用に供する部分をインターネットにおいて識別するための文字、記号その他の符号またはこれらの結合であって、情報の提供を受ける者がその使用

に係る電子計算機に入力することによって当該情報の内容を閲覧し，当該電子計算機に備えられたファイルに当該情報を記録することができるもの（220条1項））が，それぞれ，「存続株式会社等及び消滅会社等（株式会社に限る。）の計算書類に関する事項として法務省令で定めるもの」として定められている。

　これは，平成18年改正前商法施行規則198条1号を踏襲したものである。ここで，最終の貸借対照表自体を公告・通知させるのではなく，最終の貸借対照表に関する事項を公告・通知させることとしたのは，最終の貸借対照表自体を公告・通知することを要求するのは会社にとって負担が過重になると考えたからであろう。

2　最終事業年度に係る貸借対照表につき会社が貸借対照表の内容である情報を，定時株主総会の終結の日後5年を経過する日までの間，継続して電磁的方法により不特定多数の者が提供を受けることができる状態に置く措置をとっている場合（2号）

　不特定多数の者が実際に閲覧できるインターネット上のウェブサイトのアドレス（URL。貸借対照表の内容である情報について不特定多数の者がその提供を受けるために必要な事項であって法務省令で定めるもの（法911条3項26号），すなわち，電磁的方法による貸借対照表の公開をするために株式会社が使用する自動公衆送信装置のうち電磁的方法による貸借対照表の公開をするための用に供する部分をインターネットにおいて識別するための文字，記号その他の符号またはこれらの結合であって，情報の提供を受ける者がその使用に係る電子計算機に入力することによって当該情報の内容を閲覧し，当該電子計算機に備えられたファイルに当該情報を記録することができるもの（220条1項））が，「存続株式会社等及び消滅会社等（株式会社に限る。）の計算書類に関する事項として法務省令で定めるもの」として定められている。これは，平成18年改正前商法施行規則198条2号を踏襲したものである。

3　会社が金融商品取引法24条1項の規定により有価証券報告書を内閣総理大臣に提出しなければならない株式会社である場合において，その会社が最終事業年度に係る有価証券報告書を提出している場合（3号）

　この場合には，「存続株式会社等及び消滅会社等（株式会社に限る。）の計算書類に関する事項として法務省令で定めるもの」としては，最終事業年度に係る有価証券報告書を提出している旨を通知または公告の内容とすれば足りるも

のとされている。これは，EDINET を通じて，有価証券報告書の内容を閲覧することができることに鑑みて，法440条4項により，金融商品取引法24条1項の規定により有価証券報告書を内閣総理大臣に提出しなければならない会社は貸借対照表等の公告あるいは電磁的方法による公開をすることを要しないものとされていることをうけたものである。もっとも，金融商品取引法24条1項の規定により有価証券報告書を内閣総理大臣に提出しなければならない会社であっても，最終事業年度に係る有価証券報告書を提出していない場合には，会社債権者は，EDINET を通じて，最終事業年度に係る貸借対照表の内容を知ることができないから，7号に従って，「会社計算規則第6編第2章の規定による最終事業年度に係る貸借対照表の要旨の内容」を公告または通知しなければならない。

4　会社が特例有限会社である場合（4号）

　整備法28条の規定により法440条の規定が適用されないものである旨を，「存続株式会社等及び消滅会社等（株式会社に限る。）の計算書類に関する事項として法務省令で定めるもの」として公告または催告に含めれば足りる。特例有限会社は，貸借対照表等の公告あるいは電磁的方法による公開をすることを要しないものとされているので（整備法28条），吸収合併または吸収分割に際して，最終事業年度に係る貸借対照表またはその要旨にアクセスする機会を会社債権者に会社法上保障することはしていないのである。平成17年廃止前有限会社法の下での取扱いと同じである（始関・商事法務1650号14頁注141参照）。

5　会社につき最終事業年度がない場合（5号）

　会社につき最終事業年度がない旨を，「存続株式会社等及び消滅会社等（株式会社に限る。）の計算書類に関する事項として法務省令で定めるもの」として公告または催告に含めれば足りる。最終事業年度がない以上，最終事業年度に係る貸借対照表が存在しないからである。平成17年改正前商法および平成18年改正前商法施行規則にはこのような定めはなかったが，論理的には，平成17年改正前商法の下でも，この場合には，公告または催告に，平成18年改正前商法施行規則198条が定める事項を含める余地はなかったと解される。

6　会社が清算株式会社である場合（6号）

　会社が清算株式会社である旨を，「存続株式会社等及び消滅会社等（株式会

社に限る。）の計算書類に関する事項として法務省令で定めるもの」として公告または催告に含めれば足りるものとされている。これは，清算株式会社については，「清算中の会社の権利能力は，清算の目的の範囲内に縮減し，営業取引をなす権利能力を有しない以上，決算公告という方法によって広く利害関係人に対して清算中の株式会社の財務情報を開示すべき必要性は少ない」（要綱試案補足説明95頁）という認識の下で，貸借対照表（大会社の場合は，貸借対照表および損益計算書）の公告あるいは電磁的方法による公開が要求されていないこと（法509条1項2号）に鑑みたものであると推測される。しかし，各清算事務年度の貸借対照表等の公告または電磁的方法の公開を要求しないことから，組織再編行為の場合にも計算書類に関する事項を公告または催告に実質的に含めなくともよいとすることは，立法論としては，適当であるとは思われない。なぜなら，清算株式会社を当事会社とする組織再編行為は反復して行われるものではないから要求したとしても過剰な負担を課すものであるとは評価できないし，会社債権者保護の観点から計算書類に関する事項を明らかにする必要性は清算株式会社であるか否かによって変わりがないと考えられるからである。したがって，7号と同様に，計規第6編第2章の規定による最終事業年度に係る貸借対照表の要旨の内容を，「存続株式会社等及び消滅会社等（株式会社に限る。）の計算書類に関する事項として法務省令で定めるもの」として公告または催告に含めることを要求すべきであったと考えられる。

7　会社が1から6までのいずれにもあたらない場合（7号）

　計規第6編第2章の規定による最終事業年度に係る貸借対照表の要旨の内容を，「存続株式会社等及び消滅会社等（株式会社に限る。）の計算書類に関する事項として法務省令で定めるもの」として公告または催告に含めれば足りる。平成17年改正前商法の下では，（会社につき最終事業年度がない場合を除き）貸借対照表またはその要旨を公告または電磁的方法により公開していないと，債権者保護手続に必然的に瑕疵があることになるという解釈が自然であったが，本号の定めにより，会社法の下では，吸収合併存続株式会社，吸収分割承継株式会社または株式交換完全親株式会社につき最終事業年度があり，かつ，有価証券報告書を提出していないにもかかわらず，貸借対照表またはその要旨を公告または電磁的方法により公開していないものであっても，貸借対照表の要旨を公告または催告に含めれば足りるものとされている。要旨中の資産の部の各項目あるいは負債の部の各項目の区分・細分の要求は，公開会社であるか否かに

よって異なる（計規139条・140条）。なお，この場合の要旨には，当期純損益金額を付記しなければならないものと解される（計規142条参照）。

　官報で行うこの公告は，会社の公告方法が官報である場合には，決算公告としての意義をも有すると解される（相澤＝和久・商事法務1766号72頁）。

（吸収合併存続株式会社の事後開示事項）
第200条　法第801条第１項に規定する法務省令で定める事項は，次に掲げる事項とする。
一　吸収合併が効力を生じた日
二　吸収合併消滅会社における次に掲げる事項
　イ　法第784条の２の規定による請求に係る手続の経過
　ロ　法第785条及び第787条の規定並びに法第789条（法第793条第２項において準用する場合を含む。）の規定による手続の経過
三　吸収合併存続株式会社における次に掲げる事項
　イ　法第796条の２の規定による請求に係る手続の経過
　ロ　法第797条及び第799条の規定による手続の経過
四　吸収合併により吸収合併存続株式会社が吸収合併消滅会社から承継した重要な権利義務に関する事項
五　法第782条第１項の規定により吸収合併消滅株式会社が備え置いた書面又は電磁的記録に記載又は記録がされた事項（吸収合併契約の内容を除く。）
六　法第921条の変更の登記をした日
七　前各号に掲げるもののほか，吸収合併に関する重要な事項

　吸収合併存続株式会社は，効力発生日後遅滞なく，吸収合併により吸収合併存続株式会社が承継した吸収合併消滅会社の権利義務その他の吸収合併に関する事項として法務省令で定める事項を記載し，または記録した書面または電磁的記録［→224条］を作成し，効力発生日から６カ月間，その書面または電磁的記録をその本店に備え置かなければならないものとされている（法801条１項・３項１号）。この委任をうけて，「吸収合併に関する事項として法務省令で定める事項」を定めるのが本条である。平成17年改正前商法414条ノ２第１項が定めていた事項に加えて若干の事項が事後開示事項とされている。

　吸収合併に係る事後開示は，主として，吸収合併の効力が生じた日において吸収合併をする会社の株主等もしくは社員等であった者または吸収合併後存続する会社の株主等，社員等，破産管財人もしくは吸収合併について承認をしな

かった債権者が（法828条2項7号），吸収合併無効の訴えを提起すべきかどうかを判断するために必要な情報を提供するという観点から定められているが（菊池・商事法務1464号27頁），吸収合併の当事会社の取締役・執行役が適切に職務執行を行ったことを明らかにするという機能を有し，吸収合併の当事会社の取締役・執行役に適切に職務執行するインセンティブを与えるという機能を有する。

1　吸収合併が効力を生じた日（1号）

　これが事後開示事項とされているのは，吸収合併無効の訴えは，吸収合併の効力が生じた日から6カ月以内でなければ提起することができないとされていること（法828条1項7号）と関連する。

2　吸収合併消滅会社における吸収合併差止請求（法784条の2）に係る手続の経過（2号）

　これが事後開示事項とされているのは，裁判所による吸収合併差止めの仮処分または判決に反してなされる吸収合併には吸収合併無効原因があると考えられるほか（最判平成5・12・16民集47巻10号5423頁参照），法令または定款に違反する吸収合併には吸収合併無効原因があるとされる場合があるため，このような手続の経過を開示することが，株主その他の者が適切な判断を行うため，とりわけ，吸収合併無効の訴えを提起するか否かを判断するために重要であると考えられるためである。吸収合併消滅株式会社における反対株主の株式買取請求に係る手続（法785条），新株予約権買取請求に係る手続（法787条）および債権者保護手続（法789条・793条2項）の経過が事後開示事項とされているのは，これらの手続を適切に履践しないことは合併無効原因にあたると解されるからである。

3　吸収合併存続株式会社における吸収合併差止請求（法796条の2）に係る手続の経過，吸収合併存続株式会社における反対株主の株式買取請求に係る手続（法797条）および債権者保護手続（法799条）の経過（3号）

　これらが事後開示事項とされているのも2と同じ趣旨に基づくものである。反対株主の株式買取請求あるいは新株予約権の買取請求があったときはその旨，買取請求の対象となった株式または新株予約権の数，種類株式発行会社ではその株式の種類，買取価格，裁判所に価格決定の申立てをしたときはその旨

および裁判所が決定した価格を記載・記録することになろう。債権者保護手続の経過としては、債権者に対する通知または公告をした旨およびその年月日、公告の方法、電子公告または時事を掲載する日刊新聞紙に掲げてする公告を行ったことによって、知れている債権者に対して通知をしなかったときはその旨、債権者からの異議の有無、弁済、担保提供または財産の信託をしたときはその旨、債権者を害するおそれがないとして弁済、担保提供または財産の信託をしなかったときはその旨を記載・記録することになる。

4 吸収合併により吸収合併存続株式会社が吸収合併消滅会社から承継した重要な権利義務に関する事項（4号）

これが事後開示事項とされているのは、どのような権利義務が承継されたのかを明らかにすることが利害関係人の判断のために有用だからである。もっとも、吸収合併存続株式会社において増加させた資本金および資本準備金の額が資本金等増加限度額の範囲内にあることを確かめることができるようにするという意義も認められよう。

5 吸収合併消滅株式会社の事前開示事項（吸収合併契約の内容を除く）に相当する事項（5号）

吸収合併により、吸収合併消滅会社は消滅するので、吸収合併存続会社は、新設合併消滅会社の事前開示事項（吸収合併契約の内容を除く）に相当する事項を記載または記録した書面または電磁的記録の形で備え置き、閲覧等の請求に応じなければならないものとされている。これは、事前開示事項は合併無効の訴えを提起すべきかどうかを判断するために必要な情報を提供するという意義も有しているからである。

「吸収合併契約の内容を除く」とされているのは、吸収合併存続会社の事前開示事項に吸収合併契約の内容が含まれており（法794条1項）、事前開示事項を記載または記録した書面または電磁的記録は、吸収合併の効力発生日後6ヵ月を経過する日までの間、吸収合併存続会社の本店に備え置かれるからである。

本号で定められている事項の内容は、結局、法782条1項の委任により定められている施規182条が定めているということができる〔→182条〕。

6 吸収合併の登記（法921条）をした日（6号）

これが事後開示事項とされているのは，吸収合併消滅会社の吸収合併による解散は，吸収合併の登記の後でなければ，これをもって第三者に対抗することができないからである（法750条2項・752条2項）。

7　「前各号に掲げるもののほか，吸収合併に関する重要な事項」（7号）

これが事後開示事項とされているのは，それぞれの吸収合併において重要な事項は異なるため，すべてを本条で列挙することができないからであるが，たとえば，資本金および準備金の額に関する事項，合併対価の相当性に関する事項，独占禁止法などに基づく公正取引委員会や金融庁などに対する手続の履践状況などがあたると考えられる。

（吸収分割承継株式会社の事後開示事項）

第201条　法第801条第2項に規定する法務省令で定める事項は，次に掲げる事項とする。
　一　吸収分割が効力を生じた日
　二　吸収分割合同会社における法第793条第2項において準用する法第789条の規定による手続の経過
　三　吸収分割承継株式会社における次に掲げる事項
　　イ　法第796条の2の規定による請求に係る手続の経過
　　ロ　法第797条及び第799条の規定による手続の経過
　四　吸収分割により吸収分割承継株式会社が吸収分割合同会社から承継した重要な権利義務に関する事項
　五　法第923条の変更の登記をした日
　六　前各号に掲げるもののほか，吸収分割に関する重要な事項

吸収分割承継株式会社（合同会社が吸収分割をする場合における当該吸収分割承継株式会社に限る）は，効力発生日後遅滞なく，吸収分割合同会社と共同して，吸収分割により吸収分割承継株式会社が承継した吸収分割合同会社の権利義務その他の吸収分割に関する事項として法務省令で定める事項を記載し，または記録した書面または電磁的記録［→224条］を作成し，効力発生日から6カ月間，その本店に備え置かなければならないものとされている（法801条2項・3項2号。株式会社が吸収分割をする場合には法791条1項1号の書面または電磁的記録が吸収分割会社にも備え置かれる［その記載事項については→189条］）。

この委任をうけて,「吸収分割に関する事項として法務省令で定める事項」を定めるのが本条である。平成17年改正前商法374条ノ31が準用する同法374条ノ11が定めていた事項に加えて若干の事項が事後開示事項とされている。

吸収分割に係る事後開示は,主として,吸収分割の効力が生じた日において吸収分割契約をした会社の株主等もしくは社員等であった者または吸収分割契約をした会社の株主等,社員等,破産管財人もしくは吸収分割について承認をしなかった債権者が(法828条2項9号),吸収分割無効の訴えを提起すべきかどうかを判断するために必要な情報を提供するという観点から定められているが(菊池・商事法務1464号27頁参照),吸収分割承継株式会社の取締役・執行役が適切に職務執行を行ったことを明らかにするという機能を有し,吸収分割承継株式会社の取締役・執行役に適切に職務を執行するインセンティブを与えるという機能を有する。

1 吸収分割が効力を生じた日(1号)

これが事後開示事項とされているのは,吸収分割無効の訴えは,吸収分割の効力が生じた日から6カ月以内でなければ提起することができないとされていること(法828条1項9号)と関連する。

2 吸収分割合同会社における債権者保護手続(法793条2項・789条)の経過(2号)

これが事後開示事項とされているのは,これらの手続を適切に履践しないことは分割無効原因にあたると解されるからである。

3 吸収分割承継株式会社における反対株主の株式買取請求に係る手続(法797条)および債権者保護手続(法799条・802条2項)の経過(3号)

これらが事後開示事項とされているのも2と同じ趣旨に基づくものである。債権者保護手続の経過としては,債権者に対する通知または公告をした旨およびその年月日,公告の方法,電子公告または時事を掲載する日刊新聞紙に掲げてする公告を行ったことによって,知れている債権者に対して通知をしなかったときはその旨,債権者からの異議の有無,弁済,担保提供または財産の信託をしたときはその旨,債権者を害するおそれがないとして弁済,担保提供または財産の信託をしなかったときはその旨を記載・記録することになる。

吸収分割承継株式会社における吸収分割差止請求(法796条の2)に係る手続

の経過が事後開示事項とされているのは，裁判所による吸収分割差止めの仮処分または判決に反してなされる吸収分割には吸収分割原因があると考えられるほか（最判平成5・12・16民集47巻10号5423頁参照），法令または定款に違反する吸収分割には吸収分割無効原因があるとされる場合があるため，このような手続の経過を開示することが，株主その他の者が適切な判断を行うため，とりわけ，吸収分割無効の訴えを提起するか否かを判断するために重要であると考えられるためである。

4 吸収分割により吸収分割承継株式会社が吸収分割合同会社から承継した重要な権利義務に関する事項（4号）

これが事後開示事項とされているのは，会社法の下では，吸収分割とは株式会社または合同会社がその事業に関して有する権利義務の全部または一部を分割後他の会社に承継させることをいうが（法2条29号），どのような権利義務が承継されたのかを明らかにすることが利害関係人の判断のために必要だからである。もっとも，吸収分割承継株式会社において増加させた資本金および資本準備金の額が資本金等増加限度額の範囲内にあることを確かめることができるようにするという意義も認められよう。

5 吸収分割の登記（法923条）をした日（5号）

これが事後開示事項とされているのは，吸収分割の登記によって善意の第三者に対して，吸収分割があったことを対抗することができるようになるからである（法908条1項）。

6 「前各号に掲げるもののほか，吸収分割に関する重要な事項」（6号）

これが事後開示事項とされているのは，それぞれの吸収分割において重要な事項は異なるため，すべてを本条で列挙することができないからであるが，たとえば，資本金および準備金の額に関する事項，分割対価の相当性に関する事項，独占禁止法などに基づく公正取引委員会や金融庁などに対する手続の履践状況などがあたると考えられる。

―（株式交換完全親株式会社の株式に準ずるもの）――――――――
第202条　法第801条第6項において準用する同条第4項に規定する法務省令で定めるものは，第1号に掲げる額から第2号に掲げる額を減じて得た額が第3

> 号に掲げる額よりも小さい場合における法第768条第1項第2号及び第3号の定めに従い交付する株式交換完全親株式会社の株式以外の金銭等とする。
> 一　株式交換完全子会社の株主に対して交付する金銭等の合計額
> 二　前号に規定する金銭等のうち株式交換完全親株式会社の株式の価額の合計額
> 三　第1号に規定する金銭等の合計額に20分の1を乗じて得た額

　本条は、株式交換完全親会社の株式以外の財産を株式交換対価として交付するときであっても、株式交換完全親会社の債権者に事後開示資料の閲覧等請求権が認められない要件との関連で、株式交換完全親株式会社の株式に準ずるものを定めるものである。すなわち、株式交換完全親株式会社の株主および債権者（株式交換完全子会社の株主に対して交付する金銭等が株式交換完全親株式会社の株式その他これに準ずるものとして法務省令で定めるもののみである場合（株式交換契約新株予約権が新株予約権付社債に付された新株予約権であって、株式交換完全親株式会社がその新株予約権付社債についての社債に係る債務を承継する場合を除く）には、株主）は、株式交換完全親株式会社に対して、株式交換により株式交換完全親株式会社が取得した株式交換完全子会社の株式の数その他の株式交換に関する事項として法務省令で定める事項（190条）を記載した書面の閲覧、謄本または抄本の交付の請求をすることができ、法務省令で定める事項を記録した電磁的記録に記録された事項を法務省令で定める方法（226条）により表示したものの閲覧、電磁的方法であって存続株式会社等の定めたものにより提供することの請求またはその事項を記載した書面の交付を請求することができるものとされている（法801条6項・4項）。この委任をうけて、本条では、「株式交換完全親株式会社の株式……に準ずるものとして法務省令で定めるもの」を定めている。

　これは、株式交換対価の調整のために、株式交換完全親株式会社の株式以外の金銭等（金銭その他の財産。法151条柱書）を株式交換完全子会社の株主に交付する必要があり、そのような調整のために金銭等を交付しても、その経済的価値が十分に小さければ、債権者保護手続を経なくとも、株式交換完全親株式会社の債権者の利益を害する可能性は低いと考えられたためである。そして、債権者保護手続を踏むことを要しないものとし（法799条1項3号）、そのような株式交換完全親株式会社の債権者に、株式交換契約等の事前開示資料の閲覧等請求権を認めない以上（法794条3項）、事後開示資料の閲覧等請求権を認め

る必要もないからである。

　本条では，株式交換完全子会社の株主に対して交付する株式交換完全親株式会社の株式以外の金銭等の合計額が株式交換完全子会社の株主に対して交付する金銭等の合計額の５％に相当する額未満の場合には，その金銭等は「株式交換完全親株式会社の株式に……準ずるもの」にあたるものとし，株式交換完全親株式会社の債権者に，株式交換契約等の事前開示資料の閲覧等請求権を認める必要がないものとしている。

　なお，株式交換を行う場合に，株式交換完全子会社の個々の株主に割り当てる株式交換完全親株式会社の株式の数に１株に満たない端数があるときは，その端数の合計数に相当する数の株式を競売等し，その端数に応じて，その競売等により得られた代金を株主に交付することになるが（法234条１項７号・２項・３項），このときに交付される代金は２号にいう株式交換完全親株式会社の株式として扱われ，本条の基準を満たすか否かの判断には反映されないものと考えられる。

（株式交換完全親合同会社の持分に準ずるもの）

第203条　法第802条第２項において準用する法第799条第１項第３号に規定する法務省令で定めるものは，第１号に掲げる額から第２号に掲げる額を減じて得た額が第３号に掲げる額よりも小さい場合における法第768条第１項第２号及び第３号の定めに従い交付する株式交換完全親合同会社の持分以外の金銭等とする。

　一　株式交換完全子会社の株主に対して交付する金銭等の合計額
　二　前号に規定する金銭等のうち株式交換完全親合同会社の持分の価額の合計額
　三　第１号に規定する金銭等の合計額に20分の１を乗じて得た額

　本条は，株式交換完全親合同会社の持分以外の財産を株式交換対価として交付するときであっても，株式交換完全親会社の債権者がその株式交換につき異議を述べることができないとされる要件との関連で，株式交換完全親合同会社の持分に準ずるものを定めるものである。すなわち，株式交換完全子会社の株主に対して交付する金銭等が株式交換完全親合同会社の持分その他これに準ずるものとして法務省令で定めるもののみである場合以外の場合には株式交換完全親合同会社の債権者はその株式交換について異議を述べることができる（法

第203条（株式交換完全親合同会社の持分に準ずるもの）

802条2項・799条1項3号）。この委任をうけて、本条では、「株式交換完全親合同会社の持分……に準ずるものとして法務省令で定めるもの」を定めている。

これは、株式交換対価の調整のために、株式交換完全親合同会社の持分以外の金銭等（金銭その他の財産。法151条柱書）を株式交換完全子会社の株主に交付する必要があり、そのような調整のために金銭等を交付しても、その経済的価値が十分に小さければ、債権者保護手続を経なくとも、株式交換完全親合同会社の債権者の利益を害する可能性は低いと考えられたためである。

本条では、株式交換完全子会社の株主に対して交付する株式交換完全親合同会社の持分以外の金銭等の合計額が株式交換完全子会社の株主に対して交付する金銭等の合計額の5％に相当する額未満の場合には、その金銭等は「株式交換完全親合同会社の持分……に準ずるもの」にあたるものとし、株式交換完全親合同会社の債権者に、株式交換につき異議を述べる権利を認める必要がないものとしている。

第5章

新設合併消滅株式会社，新設分割株式会社及び株式移転完全子会社の手続

─（新設合併消滅株式会社の事前開示事項）─────────────
第204条 法第803条第1項に規定する法務省令で定める事項は，同項に規定する消滅株式会社等が新設合併消滅株式会社である場合には，次に掲げる事項とする。
　一　次のイ又はロに掲げる場合の区分に応じ，当該イ又はロに定める定めの相当性に関する事項
　　イ　新設合併設立会社が株式会社である場合　法第753条第1項第6号から第9号までに掲げる事項についての定め
　　ロ　新設合併設立会社が持分会社である場合　法第755条第1項第4号，第6号及び第7号に掲げる事項についての定め
　二　新設合併消滅株式会社の全部又は一部が新株予約権を発行しているときは，次のイ又はロに掲げる場合の区分に応じ，当該イ又はロに定める定めの相当性に関する事項
　　イ　新設合併設立会社が株式会社である場合　法第753条第1項第10号及び第11号に掲げる事項についての定め
　　ロ　新設合併設立会社が持分会社である場合　法第755条第1項第8号及び第9号に掲げる事項についての定め
　三　他の新設合併消滅会社（清算株式会社及び清算持分会社を除く。以下この号において同じ。）についての次に掲げる事項
　　イ　最終事業年度に係る計算書類等（最終事業年度がない場合にあっては，他の新設合併消滅会社の成立の日における貸借対照表）の内容
　　ロ　最終事業年度の末日（最終事業年度がない場合にあっては，他の新設合併消滅会社の成立の日）後の日を臨時決算日（二以上の臨時決算日がある場合にあっては，最も遅いもの）とする臨時計算書類等があるときは，当該臨時計算書類等の内容
　　ハ　他の新設合併消滅会社において最終事業年度の末日（最終事業年度が

ない場合にあっては，他の新設合併消滅会社の成立の日）後に重要な財産の処分，重大な債務の負担その他の会社財産の状況に重要な影響を与える事象が生じたときは，その内容（新設合併契約等備置開始日（法第803条第2項に規定する新設合併契約等備置開始日をいう。以下この章において同じ。）後新設合併の効力が生ずる日までの間に新たな最終事業年度が存することとなる場合にあっては，当該新たな最終事業年度の末日後に生じた事象の内容に限る。）

四 他の新設合併消滅会社（清算株式会社又は清算持分会社に限る。）が法第492条第1項又は第658条第1項若しくは第669条第1項若しくは第2項の規定により作成した貸借対照表

五 当該新設合併消滅株式会社（清算株式会社を除く。以下この号において同じ。）についての次に掲げる事項

　イ 当該新設合併消滅株式会社において最終事業年度の末日（最終事業年度がない場合にあっては，当該新設合併消滅株式会社の成立の日）後に重要な財産の処分，重大な債務の負担その他の会社財産の状況に重要な影響を与える事象が生じたときは，その内容（新設合併契約等備置開始日後新設合併の効力が生ずる日までの間に新たな最終事業年度が存することとなる場合にあっては，当該新たな最終事業年度の末日後に生じた事象の内容に限る。）

　ロ 当該新設合併消滅株式会社において最終事業年度がないときは，当該新設合併消滅株式会社の成立の日における貸借対照表

六 新設合併が効力を生ずる日以後における新設合併設立会社の債務（他の新設合併消滅会社から承継する債務を除く。）の履行の見込みに関する事項

七 新設合併契約等備置開始日後，前各号に掲げる事項に変更が生じたときは，変更後の当該事項

　本条は，新設合併消滅株式会社の事前開示事項を定めるものである。すなわち，法803条1項は，新設合併消滅株式会社は，新設合併契約等備置開始日から新設合併設立会社の成立の日までの間，新設合併契約の内容その他法務省令で定める事項を記載し，または記録した書面または電磁的記録［→224条］をその本店に備え置かなければならないものと定めている。これをうけて，本条では，「法務省令で定める事項」を定めている。

　法803条1項は，その新設合併契約を承認するかどうかを意思決定するために必要な情報を新設合併消滅株式会社の株主に，新株予約権の買取請求をする

かどうかを意思決定するために必要な情報を新設合併消滅株式会社の新株予約権者に，その新設合併に異議を述べるかどうかを意思決定するために必要な情報を新設合併消滅株式会社の債権者に，それぞれ，提供することを目的とする。また，新設合併消滅株式会社の株主が新設合併差止請求（法805条の2）を行うかどうかを判断するための情報，新設合併消滅株式会社の株主や会社債権者が新設合併無効の訴え（法828条1項8号・2項8号）を提起すべきかどうかを判断するための情報を提供するという面もある。

なお，新設合併設立会社の定款の定めが事前開示事項として本条で掲げられていないのは（182条4項1号イ・2号イ・3号と対照），新設合併契約の記載事項として，新設合併設立会社が株式会社である場合にはその目的，商号，本店の所在地および発行可能株式総数そのほか，新設合併設立株式会社の定款で定める事項が（法753条1項2号・3号），新設合併設立会社が持分会社である場合には合名会社，合資会社または合同会社のいずれであるかの別，新設合併設立持分会社の目的，商号および本店の所在地，新設合併設立持分会社の社員の氏名または名称および住所，その社員が無限責任社員または有限責任社員のいずれであるかの別，その社員の出資の価額そのほか，新設合併設立持分会社の定款で定める事項（法755条1項2号〜5号）が，それぞれ，定められており，新設合併契約の内容は事前開示事項とされているからである（法803条1項）。

1 合併対価の相当性に関する事項（1号イ・ロ）

平成17年改正前商法の下では，新設合併消滅会社の株主等に交付される対価は新設合併設立会社の株式およびいわゆる合併交付金に限られていた（合併当事会社の一方が株式会社である場合には，新設合併設立会社は株式会社でなければならなかった。同法56条2項）。しかし，会社法の下では，新設合併設立会社が持分会社であることも認められ（法755条・756条），かつ，新設合併消滅会社の株主等に交付される対価として新設合併設立会社の社債等（社債，新株予約権または新株予約権付社債）が認められるに至った（法753条1項8号・9号・755条1項6号・7号）。

そこで，本号は，新設合併設立会社が株式会社である場合には「法第753条第1項第6号から第9号までに掲げる事項についての定め」の相当性に関する事項を，新設合併設立会社が持分会社である場合には「法第755条第1項第4号，第6号及び第7号に掲げる事項についての定め」の相当性に関する事項を事前開示事項として定めている。実際には，合併対価の割当てについての理

由，合併対価の内容を相当とする理由および新設合併設立会社の資本金および準備金の額に関する事項を相当とする理由［→**2**］の開示が要求されている。

　これは，合併対価の種類・内容ならびに合併対価の数もしくは額またはその算定方法は新設合併消滅株式会社の株主の経済的利益や持分比率的利益に大きな影響を与えるものであり，新設合併消滅株式会社の株主が新設合併契約を承認するか否かを的確に判断するため，あるいは，株式買取請求を行うか否かを判断するために重要な情報だからである。また，新設合併設立会社の債権者となる新設合併消滅株式会社の債権者にとっても，どのような合併対価が交付されるかは新設合併設立会社の財産に影響を与えるので，重要な情報である。

　なお，182条3項のような明文の規定は設けられていないが，合併対価の総数または総額の相当性に関する事項，合併対価として当該種類の財産を選択した理由，当該新設合併消滅株式会社と他の新設合併消滅株式会社とが共通支配下関係（計規2条3項36号）［→182条］にあるときは，当該新設合併消滅株式会社の株主（当該新設合併消滅株式会社と共通支配下関係にある株主を除く）の利益を害さないように留意した事項（当該事項がない場合には，その旨）などを記載することが，通常は，必要であると解されている（相澤ほか・商事法務1800号13頁注7）。

2　新設合併設立会社の資本金および準備金の額に関する事項の相当性に関する事項（1号イ）

　会社法の下では，新設合併に際して，一般に公正妥当と認められる企業会計の基準その他の企業会計の慣行に従って算定された株主資本の額を，どのように資本金，資本準備金およびその他資本剰余金などに振り分けるかについては新設合併契約の定めに委ねている（計規45条～48条）。すなわち，会社の裁量が広く認められるため，その配分の方針を事前開示事項の1つとしているのが本号である（相澤＝細川・商事法務1769号16頁注1）。

3　新設合併消滅株式会社の新株予約権者に対して交付する新株予約権等についての定めの相当性（2号）

　法753条1項10号および11号は，新設合併消滅株式会社が新株予約権を発行しており，株式会社が新設合併設立会社となる吸収合併をする場合において，新設合併消滅株式会社の新株予約権の新株予約権者に対して新設合併設立会社の新株予約権を交付するときは，(a)「当該新株予約権の内容及び数又はその算

定方法」，(b)その新設合併消滅株式会社の新株予約権が新株予約権付社債に付された新株予約権であるときは，「新設合併設立株式会社が当該新株予約権付社債についての社債に係る債務を承継する旨並びにその承継に係る社債の種類及び種類ごとの各社債の金額の合計額又はその算定方法」，(c)その新設合併消滅株式会社の新株予約権の新株予約権者に対して金銭を交付するときは，「当該金銭の額又はその算定方法」を新設合併契約に定めなければならないものとし，これらの場合においては(d)「新設合併消滅株式会社の新株予約権の新株予約権者に対する」法753条1項10号の「新設合併設立株式会社の新株予約権又は金銭の割当てに関する事項」を，新設合併契約に定めなければならないものとしている。

同様に，法755条1項8号および9号は，新設合併消滅株式会社が新株予約権を発行しており，新設合併設立会社が持分会社である場合には，「新設合併設立持分会社が新設合併に際して当該新株予約権の新株予約権者に対して交付する当該新株予約権に代わる金銭の額又はその算定方法」および「新設合併消滅株式会社の新株予約権の新株予約権者に対する」法755条1項8号「の金銭の割当てに関する事項」を，新設合併契約に定めなければならないものとしている。

これらをうけて，本号では，それらの定めの相当性に関する事項を事前開示事項として定めている。これは，新株予約権者に交付される金銭の額が不当に高く定められると，金銭が交付される場合には，それだけ，新設合併設立会社の財産が減少することになり，新設合併消滅株式会社の株主にとっては，交付を受ける新設合併設立会社の株式・持分の価値が下落する可能性がある一方，新株予約権が交付される場合にも，新設合併設立会社の株式の価値が下落し，または，新設合併設立会社における持分比率が低下することにつながりうるので，新設合併に賛成すべきか否かについての判断材料が必要となる一方で，新株予約権者にとっては新株予約権買取請求（法808条）を行うかどうかを判断するための材料が必要だからである。また，新株予約権者に金銭が交付される場合には，新設合併設立会社の財産が減少するので，新設合併設立会社の債権者となる新設合併消滅株式会社の債権者にとっても重要な情報であるということができる。

4　他の新設合併消滅会社の計算書類等および臨時計算書類等の内容（3号イ・ロ）

第204条（新設合併消滅株式会社の事前開示事項）

　他の新設合併消滅会社（清算株式会社および清算持分会社を除く）の最終事業年度に係る計算書類等（最終事業年度がない場合には，その新設合併消滅会社の成立の日における貸借対照表）の内容および最終事業年度の末日（最終事業年度がない場合には，その新設合併消滅会社の成立の日）後の日を臨時決算日（二以上の臨時決算日がある場合には，最も遅いもの）とする臨時計算書類等があるときは，その臨時計算書類等の内容が事前開示事項とされている。

　計算書類等とは，株式会社については「各事業年度に係る計算書類及び事業報告（法第436条第１項又は第２項の規定の適用がある場合にあっては，監査報告又は会計監査報告を含む。）」を，持分会社については計算書類（法617条２項）を，それぞれいい（２条３項12号），臨時計算書類等とは「法第441条第１項に規定する臨時計算書類（同条第２項の規定の適用がある場合にあっては，監査報告又は会計監査報告を含む。）」をいう（２条３項13号）。平成17年改正前商法の下に比べると，株主資本等変動計算書および事業報告の内容が事前開示事項に含められ，また，計算書類およびその附属明細書ならびに事業報告およびその附属明細書について会社法の下で監査が行われている場合には，監査報告および会計監査報告の内容も事前開示事項に含められている点および臨時計算書類等の内容が含められている点で，開示が充実している。これは，株主や会社債権者が他の新設合併消滅会社の状況を正確に把握するためには，貸借対照表および損益計算書の内容のみでは不十分であるという認識，および，監査報告および会計監査報告がある場合にはその内容も重要な情報であるという認識に基づくものである。

　他方，他の新設合併消滅会社の計算書類等および臨時計算書類等の内容のみが事前開示事項とされ，当該新設合併消滅株式会社の計算書類等および臨時計算書類等の内容が事前開示事項とされていないのは，当該新設合併消滅株式会社の計算書類等および臨時計算書類等については，別途，備え置き，株主および会社債権者の閲覧等の請求に応じるべきものとされているため（法442条），二重に規制を設ける必要がないと考えられるためである。

　平成17年改正前商法と異なり，新設合併契約の承認をする株主総会の日の前６カ月以内に作成された計算書類等ではなく，最終事業年度に係る計算書類等の内容を開示すれば足りるとされているのは，最終事業年度に係る計算書類等に加えて，たとえば，新設合併契約の承認をする株主総会の日の前６カ月以内に作成された貸借対照表および損益計算書の内容の開示を要求したとしても，それらの貸借対照表および損益計算書について監査役，監査役会，監査等委員

会または監査委員会の監査および会計監査人の監査がなされていなければ、その貸借対照表および損益計算書の内容の適法性・適正性が担保されないため、情報としての価値が低いこと、および、その貸借対照表および損益計算書の作成後に他の新設合併消滅会社の財産状態に重要な影響を与える事象が生じた場合には、株主や会社債権者の意思決定を的確ならしめるためには、5号に定める事項のような事項の追加的な開示が必要とされることによるものである（相澤＝細川・商事法務1769号18頁）。

最終事業年度がない場合には、他の新設合併消滅会社の成立の日における貸借対照表を事前開示事項としているのは、通常は、株式会社の成立の日における貸借対照表は株主や会社債権者の閲覧等の請求の対象とされていないことによる。すなわち、他の新設合併消滅会社において最終事業年度がない場合には、当該新設合併消滅株式会社の株主および債権者が他の新設合併消滅会社の成立の日における貸借対照表を閲覧等して、他の新設合併消滅会社の財産の状況に関する最低限の情報を得て、的確に権利行使をすることができるようにするためである。

「清算株式会社及び清算持分会社を除く」とされているのは、それらについては清算開始時における貸借対照表が事前開示事項とされている（4号）[→5]からである。

なお、他の新設合併消滅会社が臨時計算書類を作成している場合には、その臨時計算書類（その臨時計算書類について、監査役、監査役会、監査等委員会もしくは監査委員会の監査または会計監査人の監査がなされている場合には、その監査報告または会計監査報告を含む）が開示されれば株主や会社債権者に有用な情報を提供することになるし、当該新設合併消滅株式会社においても他の新設合併消滅会社の臨時計算書類等が事前開示事項に含められることによる負担が大きいとはいえないので、3号ロでは、他の新設合併消滅会社が臨時計算書類等を作成しているときには、それを事前開示事項に含めている。「二以上の臨時決算日がある場合にあっては、最も遅いもの」とされているので、最終事業年度の末日（最終事業年度がない場合には、他の新設合併消滅会社の成立の日）後に複数の臨時計算書類が作成されている場合には、最新の臨時計算書類を開示すれば足りる。

5　他の新設合併消滅会社が清算株式会社または清算持分会社である場合（4号）

他の新設合併消滅会社が清算株式会社または清算持分会社である場合には，当該他の新設合併消滅会社の清算開始時（合名会社または合資会社において財産処理の方法を定めた場合には解散の日）における貸借対照表が事前開示事項に含められている。これは，最終事業年度に係る計算書類等よりも清算開始時などにおける貸借対照表のほうが有用な情報を提供すると考えられるからであろう。

しかし，立法論としては，他の新設合併消滅株式会社が清算株式会社である場合にも清算開始時の貸借対照表を事前開示事項に含めることが首尾一貫するのではないかと思われる。また，清算株式会社である新設合併消滅会社に最終の清算事務年度があるときは，最終の清算事務年度に係る貸借対照表および事務報告を事前開示事項とすべきではないかと思われる。なぜなら，清算開始時の貸借対照表よりも最終の清算事務年度に係る貸借対照表および事務報告のほうが最新の情報であるし，これを事前開示資料に含めるべきこととしても，新設合併消滅株式会社の負担が過重なものとなるとは考えにくいからである。

6　合併当事会社の重要な後発事象（3号ハ・5号イ）

新設合併消滅会社（清算株式会社および清算持分会社を除く。他の新設合併消滅会社に限られない）において，最終事業年度の末日（最終事業年度がない場合には，その新設合併消滅会社の成立の日）後に重要な財産の処分，重大な債務の負担その他の会社財産の状況に重要な影響を与える事象が生じたときは，その内容（新設合併契約等備置開始日後新設合併の効力が生ずる日までの間に新たな最終事業年度が存することとなる場合にあっては，当該新たな最終事業年度の末日後に生じた事象の内容に限る）が事前開示事項に含められている。これは，最終事業年度の末日後に生じた重要な財産の処分，重大な債務の負担その他の会社財産の状況に重要な影響を与える事象や最終事業年度の末日後になされた組織再編行為などは組織再編行為の条件の相当性に重要な影響を及ぼす可能性があるところ，最終事業年度に係る計算書類等の開示のみによっては，合併当事会社の財産の状況を的確に判断することは難しいという認識に基づく開示事項である（相澤＝細川・商事法務1769号18頁）。

「新設合併契約等備置開始日後新設合併の効力が生ずる日までの間に新たな最終事業年度が存することとなる場合にあっては，当該新たな最終事業年度の末日後に生じた事象の内容に限る」とされているのは，新たな最終事業年度に係る計算書類等には当該新たな最終事業年度の末日までに生じた重要な財産の

処分，重大な債務の負担その他の会社財産の状況に重要な影響を与える事象が反映されるため，別途開示する必要がないからである。

「清算株式会社及び清算持分会社を除く」とされているのは，清算株式会社および清算持分会社の権利能力は原則として営業取引には及ばないこと，および，会社の事務負担を軽減する必要があるという価値判断に基づくものであると推測されるが，新設合併は反復して行われるような行為ではなく，株主および会社債権者に必要な情報を提供するという観点からは，このような例外を認めることは，立法論として，必ずしも説得的であるとは思われない。

7　新設合併消滅株式会社の成立の日における貸借対照表（5号ロ）

新設合併消滅株式会社において最終事業年度がないときは，その新設合併消滅株式会社の成立の日における貸借対照表が事前開示事項とされている。株式会社が新設合併をする場合には，新設合併消滅株式会社の債権者は，その株式会社に対し，その新設合併について異議を述べることができるが（法810条1項），異議を述べるか否かの判断にあたって，その新設合併消滅会社の財産および損益の状況を考慮に入れると推測される。そして，最終事業年度がある場合には，その新設合併消滅株式会社の計算書類等が作成されており，会社債権者はそれを閲覧等することができるが（法442条），最終事業年度がない場合には，臨時計算書類が作成されていない限り，そのような計算書類等が存在しない。しかも，株式会社の成立の日における貸借対照表は株主や会社債権者の閲覧等の請求の対象とされていない。そこで，新設合併消滅株式会社において最終事業年度がない場合には，会社債権者（および株主）がその株式会社の成立の日における貸借対照表を閲覧等して，会社の財産の状況に関する最低限の情報を得られるようにするため，その新設合併消滅株式会社の成立の日における貸借対照表を事前開示事項に含める必要がある。

8　債務の履行の見込みに関する事項（6号）

平成17年改正前商法374条ノ2第1項3号および374条ノ18第1項3号は，会社分割についてのみ「各会社ノ負担スベキ債務ノ履行ノ見込アルコト及其ノ理由ヲ記載シタル書面」を備え置くことを要求していたが，これは，会社分割の当事会社の債権者保護を目的とするものであり，そうであれば，会社分割の場合にのみ要求すべき開示事項ではないと考えられるため，本号は，新設合併が効力を生ずる日以後における新設合併設立会社の債務（他の新設合併消滅会社

から承継する債務を除く）の履行の見込みに関する事項を事前開示事項の１つとして定めている。

　たしかに，「各会社ノ負担スベキ債務ノ履行ノ見込アルコト」と定めていた平成17年改正前商法374条ノ２第１項３号などと異なり，本号では「債務の履行の見込みに関する事項」と定めていることから，債務の履行の見込みがないような新設合併を行った場合であっても，その新設合併は当然に無効になるわけではないと解する余地はある。実質的にも，債務の履行の見込みは将来予測に基づくものであり，新設合併の時点では不確定であることに鑑みると，債務の履行の見込みがないことが合併無効原因であると解することは法的安定性を損なう一方で，債権者の保護は債権者保護手続または詐害行為取消権の行使によって図ることが可能であるとも考えられる（相澤＝細川・商事法務1769号19頁）。

　しかし，平成17年改正前商法374条ノ２第１項３号などは，「各会社ノ負担スベキ債務ノ履行ノ見込」がないことを分割無効原因とする創設的規定ではなく，「各会社ノ負担スベキ債務ノ履行ノ見込」がないことが分割無効原因であることを前提として開示を要求する規定であって（原田・商事法務1565号11頁，名古屋地判平成16・10・29判時1881号122頁参照），開示すべき事項が「債務の履行の見込みに関する事項」とされたことの一事をもって，実体法の解釈がただちに変更されると解するのはやや強引なのではないかと思われる。実質的に考えてみても，株式会社の場合，債務の履行の見込みがないことは支払不能として破産原因（破産法16条１項）にあたり，会社がそのような状態となる組織再編行為を有効であると解することは適切ではない。また，「履行の見込みがない」ということが開示されていれば十分であるともいえない。なぜなら，債権者保護手続として，必ずしも個別催告が要求されていない以上，「履行の見込みがない」ことを知っていたにもかかわらず，すべての債権者があえて異議を述べなかったとみなすことには無理があるからである。いいかえれば，組織再編行為がなされても，債務の履行の見込みがあってこそ，個別催告を必ずしも要求しないことが正当化されると思われる。したがって，債務の履行の見込みがないことは合併無効原因にあたると解することが穏当であるように思われる[もっとも，組織変更との関連では，必ずしも，そのようにはいえないのではないかという点について，→180条３]。ただし，異議を述べることができる債権者が異議を述べなかった場合には承認したものとみなされ（法810条４項），合併無効の訴えの原告適格を有しないから，「債務の履行の見込みがないこと」が合併

無効原因であると解することの実益は必ずしも大きくはないこともまた事実である（藤田・商事法務1775号65頁注56，江頭945頁注3参照）。

なお，「他の新設合併消滅会社から承継する債務を除く」とされているのは，本号に基づく開示は当該新設合併消滅株式会社の債権者の保護のためであると考えられるからである。

9　1から8の事項に変更が生じたときは，変更後の当該事項（7号）

新設合併契約等備置開始日後，1号から6号までに掲げる事項に変更が生じたときは，変更後のその事項が事前開示事項に含まれるものとされている。

平成17年改正前商法の下では，合併などに係る事前開示資料との関連でも，備置き開始後，効力発生日までの間に，事前開示資料の内容事項について変更が生じた場合にはどのようにすべきかについての規律が定められていなかった。しかし，会社法の下では，債権者保護手続を行うべき時期が明文では定められていないため，新設合併契約等備置開始日後，効力発生日までの間がある程度の期間となる可能性もあり，会社債権者および株主に対して適切な権利行使のための判断材料を与えるという観点から最新の情報を提供することを要求することが適切である（相澤＝細川・商事法務1769号20頁）。そこで，本号では，新設合併契約等備置開始日後，事前開示事項に変更が生じたときは，変更後のその事項を開示することを要求している。

したがって，たとえば，新設合併契約等備置開始日後に，計算書類等が確定し，最終事業年度に係る計算書類等が存在するようになった場合には，もはや成立の日における貸借対照表を事前開示事項に含める必要はなく，一般原則に従って計算書類等を備え置き，閲覧等の請求に応ずれば足りることになる（法442条）。同様に，最終事業年度に係る計算書類等については，新たに計算書類等が確定し，最終事業年度が更新された場合には，その最終事業年度に係る計算書類等を開示することが要求される（5号イかっこ書も参照）。

──（新設分割株式会社の事前開示事項）──
　第205条　法第803条第1項に規定する法務省令で定める事項は，同項に規定する消滅株式会社等が新設分割株式会社である場合には，次に掲げる事項とする。
　　一　次のイ又はロに掲げる場合の区分に応じ，当該イ又はロに定める定めの相当性に関する事項

イ　新設分割設立会社が株式会社である場合　法第763条第1項第6号から第9号までに掲げる事項についての定め

ロ　新設分割設立会社が持分会社である場合　法第765条第1項第3号，第6号及び第7号に掲げる事項についての定め

二　法第763条第1項第12号又は第765条第1項第8号に掲げる事項を定めたときは，次に掲げる事項

イ　法第763条第1項第12号イ又は第765条第1項第8号イに掲げる行為をする場合において，法第171条第1項の決議が行われているときは，同項各号に掲げる事項

ロ　法第763条第1項第12号ロ又は第765条第1項第8号ロに掲げる行為をする場合において，法第454条第1項の決議が行われているときは，同項第1号及び第2号に掲げる事項

三　新設分割株式会社の全部又は一部が法第808条第3項第2号に定める新株予約権を発行している場合において，新設分割設立会社が株式会社であるときは，法第763条第1項第10号及び第11号に掲げる事項についての定めの相当性に関する事項（当該新株予約権に係る事項に限る。）

四　他の新設分割会社（清算株式会社及び清算持分会社を除く。以下この号において同じ。）についての次に掲げる事項

イ　最終事業年度に係る計算書類等（最終事業年度がない場合にあっては，他の新設分割会社の成立の日における貸借対照表）の内容

ロ　最終事業年度の末日（最終事業年度がない場合にあっては，他の新設分割会社の成立の日）後の日を臨時決算日（二以上の臨時決算日がある場合にあっては，最も遅いもの）とする臨時計算書類等があるときは，当該臨時計算書類等の内容

ハ　他の新設分割会社において最終事業年度の末日（最終事業年度がない場合にあっては，他の新設分割会社の成立の日）後に重要な財産の処分，重大な債務の負担その他の会社財産の状況に重要な影響を与える事象が生じたときは，その内容（新設合併契約等備置開始日後新設分割の効力が生ずる日までの間に新たな最終事業年度が存することとなる場合にあっては，当該新たな最終事業年度の末日後に生じた事象の内容に限る。）

五　他の新設分割会社（清算株式会社又は清算持分会社に限る。）が法第492条第1項又は第658条第1項若しくは第669条第1項若しくは第2項の規定により作成した貸借対照表

六　当該新設分割株式会社（清算株式会社を除く。以下この号において同じ。）についての次に掲げる事項

イ　当該新設分割株式会社において最終事業年度の末日（最終事業年度が

ない場合にあっては，当該新設分割株式会社の成立の日）後に重要な財産の処分，重大な債務の負担その他の会社財産の状況に重要な影響を与える事象が生じたときは，その内容（新設合併契約等備置開始日後新設分割の効力が生ずる日までの間に新たな最終事業年度が存することとなる場合にあっては，当該新たな最終事業年度の末日後に生じた事象の内容に限る。）
　　　□　当該新設分割株式会社において最終事業年度がないときは，当該新設分割株式会社の成立の日における貸借対照表
　七　新設分割が効力を生ずる日以後における当該新設分割株式会社の債務及び新設分割設立会社の債務（当該新設分割株式会社が新設分割により新設分割設立会社に承継させるものに限る。）の履行の見込みに関する事項
　八　新設合併契約等備置開始日後新設分割が効力を生ずる日までの間に，前各号に掲げる事項に変更が生じたときは，変更後の当該事項

　本条は，新設分割株式会社の事前開示事項を定めるものである。すなわち，法803条1項は，新設分割株式会社は，新設合併契約等備置開始日から新設分割設立会社の成立の日後6カ月を経過する日までの間，新設分割計画の内容その他法務省令で定める事項を記載し，または記録した書面または電磁的記録[→224条]をその本店に備え置かなければならないものと定めている。これをうけて，本条では，「法務省令で定める事項」を定めている。
　法803条1項は，その新設分割契約を承認するかどうかを意思決定するために必要な情報を新設分割株式会社の株主に，新株予約権の買取請求をするかどうかを意思決定するために必要な情報を新設分割株式会社の新株予約権者に，その新設分割に異議を述べるかどうかを意思決定するために必要な情報を新設分割株式会社の債権者に，それぞれ，提供することを目的とする。また，新設分割株式会社の株主が新設分割差止請求（法805条の2）を行うかどうかを判断するための情報，新設分割株式会社の株主や会社債権者が新設分割無効の訴え（法828条1項10号・2項10号）を提起すべきかどうかを判断するための情報を提供するという面もある。
　なお，新設分割計画の記載事項として，新設分割設立会社が株式会社である場合にはその目的，商号，本店の所在地および発行可能株式総数そのほか，新設分割設立株式会社の定款で定める事項が（法763条1項1号・2号），新設分割設立会社が持分会社である場合には合名会社，合資会社または合同会社のいずれであるかの別，新設分割設立持分会社の目的，商号および本店の所在地，新設分割設立持分会社の社員の氏名または名称および住所，その社員が無限責

第205条（新設分割株式会社の事前開示事項） 1121

任社員または有限責任社員のいずれであるかの別，その社員の出資の価額そのほか，新設分割設立持分会社の定款で定める事項（765条1項1号〜5号）が，それぞれ，定められており，新設分割計画の内容は事前開示事項とされている（法803条1項）。

1 分割対価の相当性に関する事項（1号）

　平成17年改正前商法の下では，新設分割会社に交付される対価は新設分割設立会社の株式およびいわゆる分割交付金に限られていた（新設分割設立会社は株式会社でなければならなかった。同法373条参照）。しかし，会社法の下では，新設分割設立会社が持分会社であることも認められ（法765条・766条），かつ，新設分割会社に交付される対価として新設分割設立会社の社債等（社債，新株予約権または新株予約権付社債）が認められている（法763条1項8号・9号・765条1項6号・7号）。

　そこで，本号は，新設分割設立会社が株式会社である場合には「法第763条第1項第6号から第9号までに掲げる事項についての定め」の相当性に関する事項を，新設分割設立会社が持分会社である場合には「法第765条第1項第3号，第6号及び第7号に掲げる事項についての定め」の相当性に関する事項を事前開示事項として定めている。実際には，分割対価の割当てについての理由，分割対価の内容を相当とする理由および新設分割設立会社の資本金および準備金の額に関する事項を相当とする理由［→2］の開示が要求されている。

　これは，分割対価の種類・内容ならびに分割対価の数もしくは額またはその算定方法は新設分割株式会社ひいてはその株主の経済的利益に大きな影響を与えるものであり，新設分割株式会社の株主が新設分割契約を承認するか否かを的確に判断するため，あるいは，株式買取請求を行うか否かを判断するために重要な情報だからである。また，分割対価の種類・内容ならびに分割対価の数もしくは額またはその算定方法は新設分割株式会社または新設分割設立会社の財産に影響を与えるものであり，新設分割株式会社の会社債権者にとって，異議を述べるべきか否かを判断するために重要な情報だからである。

　なお，182条3項のような明文の規定は設けられていないが，分割対価の総数または総額の相当性に関する事項，分割対価として当該種類の財産を選択した理由，当該新設分割株式会社と他の新設分割会社とが共通支配下関係（計規2条3項36号）［→182条］にあるときは，通常は，当該新設分割株式会社の株主（当該新設分割株式会社と共通支配下関係にある株主を除く）の利益を害さない

ように留意した事項（当該事項がない場合には，その旨）などを記載することが，必要であると解されている（相澤ほか・商事法務1800号13頁注7）。

2 新設分割設立会社の資本金および準備金の額に関する事項の相当性に関する事項（1号イ）

会社法の下では，新設分割に際して，一般に公正妥当と認められる企業会計の基準その他の企業会計の慣行に従って算定された株主資本の額を，どのように資本金，資本準備金およびその他資本剰余金などに振り分けるかについては新設分割計画の定めに委ねている（計規49条～51条）。すなわち，会社の裁量が広く認められるため，その配分の方針を事前開示事項の1つとしているのが本号である（相澤＝細川・商事法務1769号16頁注1）。

3 新設分割の効力発生日に新設分割設立会社の株式・持分のみを配当財産とする剰余金の配当または新設分割設立会社の株式・持分のみを取得対価とする全部取得条項付種類株式の取得を行う場合（2号）

新設分割の効力発生日に新設分割設立会社の株式・持分のみを配当財産とする剰余金の配当または新設分割設立会社の株式・持分のみを取得対価とする全部取得条項付種類株式の取得を行う場合であっても，新設分割計画にはその旨を記載すれば足りることとされている（法763条1項12号・765条1項8号）。しかし，新設分割設立会社の株式・持分が配当財産あるいは全部取得条項付株式の取得対価として新設分割株式会社の株主にどのように交付されるかを把握できなければ，新設分割株式会社の株主としては，新設分割計画を承認するか否かを的確に意思決定できないと考えられる。そこで，本号では，新設分割の効力発生日に新設分割設立会社の株式・持分のみを配当財産とする剰余金の配当または新設分割設立会社の株式・持分のみを取得対価とする全部取得条項付種類株式の取得を行う場合において，その全部取得条項付種類株式の取得または剰余金の配当についての決議が行われているときは，その決議の内容を事前開示事項として定めている。すなわち，全部取得条項付種類株式の取得を行う場合には，「当該財産の内容及び数若しくは額又はこれらの算定方法」（法171条1項1号ホ），具体的には，取得対価とされる新設分割設立会社の株式または持分の種類および種類ごとの数またはその数の算定方法，全部取得条項付種類株式の株主に対する取得対価の割当てに関する事項（同項2号）および株式会社が全部取得条項付種類株式を取得する日（同項3号。これは，新設分割の効力

が生ずる日となる）が事前開示事項とされる。剰余金の配当を行う場合には，配当財産の種類および帳簿価額の総額および株主に対する配当財産の割当てに関する事項が事前開示事項とされる。

　「決議が行われているときは」と規定されているので，事前開示書面・電磁的記録の備置開始時に決議がまだなされていないときは，決議がなされた時からその決議の内容が事前開示事項とされる（8号参照）。

4　新設分割株式会社の新株予約権者に対して交付する新株予約権等についての定めの相当性（3号）

　法763条1項10号および11号は，新設分割株式会社が新設分割計画新株予約権（当該新設分割設立株式会社の新株予約権の交付を受ける新設分割株式会社の新株予約権の新株予約権者の有する新株予約権）または新設分割計画新株予約権以外の新株予約権であって，新設分割をする場合において当該新株予約権の新株予約権者に新設分割設立会社の新株予約権を交付することとする旨の定めがあるものを発行しており，株式会社が新設分割設立会社となる新設分割をする場合において，新設分割設立会社が新設分割に際して新設分割株式会社の新株予約権の新株予約権者に対してその新株予約権に代わるその新設分割設立会社の新株予約権を交付するときは，(a)「当該新設分割設立会社の新株予約権の交付を受ける新設分割株式会社の新株予約権の新株予約権者の有する新株予約権（……新設分割契約新株予約権……）の内容」，(b)「新設分割計画新株予約権の新株予約権者に対して交付する新設分割設立会社の新株予約権の内容及び数又はその算定方法」，および，(c)「新設分割計画新株予約権が新株予約権付社債に付された新株予約権であるときは，新設分割設立会社が当該新株予約権付社債についての社債に係る債務を承継する旨並びにその承継に係る社債の種類及び種類ごとの各社債の金額の合計額又はその算定方法」を新設分割契約に定めなければならないものとし，これらの場合においては，「新設分割計画新株予約権の新株予約権者に対する」法763条1項10号「の新設分割設立会社の新株予約権の割当てに関する事項」を新設分割契約に定めなければならないものとしている。

　これらをうけて，本号では，それらの定めの相当性に関する事項を事前開示事項として定めている。これは，不相当な新株予約権が交付される場合には，新設分割株式会社が有する新設分割設立会社の株式の価値が下落し，または，新設分割設立会社における新設分割株式会社の持分比率が低下することにつな

がり，その結果，新設分割株式会社の株主が有する新設分割株式会社の株式の価値が低下する可能性があるので，新設分割に賛成すべきか否かについての判断材料が必要となる一方で，新株予約権者にとっては新株予約権買取請求（法808条）を行うかどうかを判断するための材料が必要だからである。

5　他の新設分割会社の計算書類等および臨時計算書類等の内容（4号イ・ロ）

　他の新設分割会社（清算株式会社および清算持分会社を除く）の最終事業年度に係る計算書類等（最終事業年度がない場合には，その新設分割会社の成立の日における貸借対照表）の内容および最終事業年度の末日（最終事業年度がない場合には，新設分割会社の成立の日）後の日を臨時決算日（二以上の臨時決算日がある場合には，最も遅いもの）とする臨時計算書類等があるときは，その臨時計算書類等の内容が事前開示事項とされている。

　計算書類等とは，株式会社については「各事業年度に係る計算書類及び事業報告（法第436条第1項又は第2項の規定の適用がある場合にあっては，監査報告又は会計監査報告を含む。）」，持分会社については計算書類（法617条2項）をいい（2条3項12号），臨時計算書類等とは「法第441条第1項に規定する臨時計算書類（同条第2項の規定の適用がある場合にあっては，監査報告又は会計監査報告を含む。）」をいう（2条3項13号）。平成17年改正前商法の下に比べると，株主資本等変動計算書および事業報告の内容が事前開示事項に含められ，また，計算書類およびその附属明細書ならびに事業報告およびその附属明細書について会社法の下で監査が行われている場合には監査報告および会計監査報告の内容も事前開示事項に含められている点および臨時計算書類等の内容が含められている点で，開示が充実している。これは，株主や会社債権者が他の新設分割会社の状況を正確に把握するためには，貸借対照表および損益計算書の内容のみでは不十分であるという認識，および，監査報告および会計監査報告がある場合にはその内容も重要な情報であるという認識に基づくものである。

　他方，他の新設分割会社の計算書類等および臨時計算書類等の内容のみが事前開示事項とされ，当該新設分割株式会社の計算書類等および臨時計算書類等の内容が事前開示事項とされていないのは，当該新設分割株式会社の計算書類等および臨時計算書類等については，別途，備え置き，株主および会社債権者の閲覧等の請求に応じるべきものとされているため（法442条），二重に規制を設ける必要がないと考えられるためである。

平成17年改正前商法と異なり，新設分割契約の承認をする株主総会の日の前6カ月以内に作成された計算書類等ではなく，最終事業年度に係る計算書類等の内容を開示すれば足りるとされているのは，最終事業年度に係る計算書類等に加えて，たとえば，新設分割契約の承認をする株主総会の日の前6カ月以内に作成された貸借対照表および損益計算書の内容の開示を要求したとしても，それらの貸借対照表および損益計算書について監査役，監査役会，監査等委員会または監査委員会の監査および会計監査人の監査がなされていなければ，その貸借対照表および損益計算書の内容の適法性・適正性が担保されないため，情報としての価値が低いこと，および，その貸借対照表および損益計算書の作成後に他の新設分割会社の財産状態に重要な影響を与える事象が生じた場合には，株主や会社債権者の意思決定を的確ならしめるためには，6号に定める事項のような事項の追加的な開示が必要とされることによるものである（相澤＝細川・商事法務1769号18頁）。

　最終事業年度がない場合に，他の新設分割会社の成立の日における貸借対照表を事前開示事項としているのは，通常は，株式会社の成立の日における貸借対照表は株主や会社債権者の閲覧等の請求の対象とされていないことによる。すなわち，他の新設分割会社において最終事業年度がない場合には，当該新設分割株式会社の株主および会社債権者が他の新設分割会社の成立の日における貸借対照表を閲覧等して，他の新設分割会社の財産の状況に関する最低限の情報を得て，的確に権利行使をすることができるようにするためである。

　「清算株式会社及び清算持分会社を除く」とされているのは，それらについては清算開始時の貸借対照表が事前開示事項とされている（5号）[→6] ためである。

　なお，他の新設分割会社が臨時計算書類を作成している場合には，その臨時計算書類（その臨時計算書類について，監査役，監査役会，監査等委員会もしくは監査委員会の監査または会計監査人の監査がなされている場合には，その監査報告または会計監査報告を含む）が開示されれば株主や会社債権者に有用な情報を提供することになるし，当該新設分割株式会社においても他の新設分割会社の臨時計算書類等が事前開示事項に含められることによる負担が大きいとはいえないので，本号ロでは，他の新設分割会社が臨時計算書類等を作成しているときには，それを事前開示事項に含めている。「二以上の臨時決算日がある場合にあっては，最も遅いもの」とされているので，最終事業年度の末日（最終事業年度がない場合には，他の新設分割株式会社の成立の日）後に複数の臨時計算書類

が作成されている場合には、最新の臨時計算書類を開示すれば足りる。

6 他の新設分割会社が清算株式会社または清算持分会社である場合（5号）

　他の新設分割会社が清算株式会社または清算持分会社である場合には、当該他の新設分割会社の清算開始時（合名会社または合資会社において財産処理の方法を定めた場合には解散の日）における貸借対照表が事前開示事項に含められている。これは、最終事業年度に係る計算書類等よりも清算開始時などにおける貸借対照表の方が有用な情報を提供すると考えられるからであろう。

　しかし、立法論としては、当該新設分割株式会社が清算株式会社である場合にも清算開始時の貸借対照表を事前開示事項に含めることが首尾一貫するのではないかと思われる。また、清算株式会社である新設分割会社に最終の清算事務年度があるときは、最終の清算事務年度に係る貸借対照表および事務報告を事前開示事項とすべきではないかと思われる。なぜなら、清算開始時の貸借対照表よりも最終の清算事務年度に係る貸借対照表および事務報告のほうが最新の情報であるし、これを事前開示資料に含めるべきこととしても、当該新設分割株式会社の負担が過重なものとなるとは考えにくいからである。

7 分割当事会社の重要な後発事象（4号ハ・6号イ）

　新設分割会社（清算株式会社および清算持分会社を除く。他の新設分割会社に限られない）において、最終事業年度の末日（最終事業年度がない場合には、その新設分割会社の成立の日）後に重要な財産の処分、重大な債務の負担その他の会社財産の状況に重要な影響を与える事象が生じたときは、その内容（新設合併契約等備置開始日後新設分割の効力が生ずる日までの間に新たな最終事業年度が存することとなる場合にあっては、当該新たな最終事業年度の末日後に生じた事象の内容に限る）が、事前開示事項に含められている。これは、最終事業年度の末日後に生じた重要な財産の処分、重大な債務の負担その他の会社財産の状況に重要な影響を与える事象や最終事業年度の末日後になされた組織再編行為などは、組織再編行為の条件の相当性に重要な影響を及ぼす可能性があるところ、最終事業年度に係る計算書類等の開示のみによっては、新設分割当事会社の財産の状況を的確に判断することは難しいという認識に基づく開示事項である（相澤＝細川・商事法務1769号18頁）。

　「新設合併契約等備置開始日後新設分割の効力が生ずる日までの間に新たな最終事業年度が存することとなる場合にあっては、当該新たな最終事業年度の

末日後に生じた事象の内容に限る」とされているのは，新たな最終事業年度に係る計算書類等には当該新たな最終事業年度の末日までに生じた重要な財産の処分，重大な債務の負担その他の会社財産の状況に重要な影響を与える事象が反映されるため，別途開示する必要がないからである。

「清算株式会社及び清算持分会社を除く」とされているのは，清算株式会社および清算持分会社の権利能力は原則として営業取引には及ばないこと，および，会社の事務負担を軽減する必要があるという価値判断に基づくものであると推測されるが，新設分割は反復して行われるような行為ではなく，株主および会社債権者に必要な情報を提供するという観点からは，このような例外を認めることは，立法論として，必ずしも説得的であるとは思われない。

8 新設分割株式会社の成立の日における貸借対照表（6号ロ）

新設分割株式会社において最終事業年度がないときは，その新設分割株式会社の成立の日における貸借対照表が事前開示事項とされている。株式会社が新設分割をする場合には，新設分割株式会社の債権者は，その株式会社に対し，その新設分割について異議を述べることができるが（法810条1項），異議を述べるか否かの判断にあたって，その新設分割株式会社の財産および損益の状況を考慮に入れると推測される。そして，最終事業年度がある場合には，その新設分割株式会社の計算書類等が作成されており，会社債権者はそれを閲覧等することができるが（法442条），最終事業年度がない場合には，臨時計算書類が作成されていない限り，そのような計算書類等が存在しない。しかも，株式会社の成立の日における貸借対照表は株主や会社債権者の閲覧等の請求の対象とされていない。そこで，新設分割株式会社において最終事業年度がない場合には，会社債権者（および株主）がその株式会社の成立の日における貸借対照表を閲覧等して，会社の財産の状況に関する最低限の情報を得られるようにするため，その新設分割株式会社の成立の日における貸借対照表を事前開示事項に含める必要がある。

9 債務の履行の見込みに関する事項（7号）

平成17年改正前商法374条ノ2第1項3号および374条ノ18第1項3号は，会社分割に際して「各会社ノ負担スベキ債務ノ履行ノ見込アルコト及其ノ理由ヲ記載シタル書面」を備え置くことを要求していたが，これは，会社分割の当事会社の債権者保護を目的とするものであり，これを踏襲して，本号は，新設分

割が効力を生ずる日以後における新設分割株式会社の債務および新設分割設立会社の債務（新設分割株式会社が新設分割により新設分割設立会社に承継させるものに限る）の履行の見込みに関する事項を事前開示事項の1つとして定めている。

たしかに，「各会社ノ負担スベキ債務ノ履行ノ見込アルコト」と定めていた平成17年改正前商法374条ノ2第1項3号などと異なり，本号では「債務……の履行の見込みに関する事項」と定めていることから，債務の履行の見込みがないような新設分割を行った場合であっても，その新設分割は当然に無効になるわけではないと解する余地はある。実質的にも，債務の履行の見込みは将来予測に基づくものであり，新設分割の時点では不確定であることに鑑みると，債務の履行の見込みがないことが分割無効原因であると解することは法的安定性を損なう一方で，債権者の保護は債権者保護手続または詐害行為取消権の行使によって図ることが可能であるとも考えられる（相澤＝細川・商事法務1769号19頁）。

しかし，平成17年改正前商法374条ノ2第1項3号などは，「各会社ノ負担スベキ債務ノ履行ノ見込」がないことを分割無効原因とする創設的規定ではなく，「各会社ノ負担スベキ債務ノ履行ノ見込」がないことが分割無効原因であることを前提として開示を要求する規定であって（原田・商事法務1565号11頁，名古屋地判平成16・10・29判時1881号122頁参照），開示すべき事項が「債務……の履行の見込みに関する事項」とされたことの一事をもって，実体法の解釈がただちに変更されると解するのはやや強引なのではないかと思われる。実質的に考えてみても，株式会社の場合，債務の履行の見込みがないことは支払不能として破産原因（破産法16条1項）にあたり，会社がそのような状態となる組織再編行為を有効であると解することは適切ではない。また，「履行の見込みがない」ということが開示されていれば十分であるともいえない。なぜなら，債権者保護手続として，必ずしも個別催告が要求されていない以上，「履行の見込みがない」ことを知っていたにもかかわらず，すべての債権者があえて異議を述べなかったとみなすことには無理があるからである。いいかえれば，組織再編行為がなされても，債務の履行の見込みがあってこそ，個別催告を必ずしも要求しないことが正当化されると思われる。したがって，債務の履行の見込みがないことは分割無効原因にあたると解することが穏当であるように思われる［もっとも，組織変更との関連では，必ずしも，そのようにはいえないのではないかという点について，→180条3］。ただし，異議を述べることができる債権

者が異議を述べなかった場合には承認したものとみなされ（法810条4項），分割無効の訴えの原告適格を有しないから，「債務……の履行の見込みがないこと」が分割無効原因であると解することの実益は必ずしも大きくはないこともまた事実である（藤田・商事法務1775号65頁注56，江頭945頁注3参照）。

なお，「他の新設分割会社から承継する債務を除き，新設分割株式会社が新設分割契約により新設分割設立会社に承継させるものに限る」とされているのは，本号に基づく開示は主として当該新設分割株式会社の債権者のうち，新設分割について異議を述べることができるものの保護のためであると考えられるからである。

10　1から9の事項に変更が生じたときは，変更後の当該事項（8号）

　新設合併契約等備置開始日後，1号から7号までに掲げる事項に変更が生じたときは，変更後のその事項も事前開示事項とされている。

　平成17年改正前商法の下では，合併などに係る事前開示資料との関連でも，備置開始後，効力発生日までの間に，事前開示資料の内容事項について変更が生じた場合にはどのようにすべきかについての規律が定められていなかった。しかし，会社法の下では，債権者保護手続をなすべき時期は明文では定められておらず，新設合併契約等備置開始日後，効力発生日までの間がある程度の期間となる可能性もあり，会社債権者および株主に対して適切な権利行使のための判断材料を与えるという観点から最新の情報を提供することを要求することが適切である（相澤＝細川・商事法務1769号20頁）。そこで，本号では，新設合併契約等備置開始日後，事前開示事項に変更が生じたときは，変更後のその事項を開示することを要求している。

　したがって，たとえば，新設合併契約等備置開始日後に，計算書類等が確定し，最終事業年度に係る計算書類等が存在するようになった場合には，もはや成立の日における貸借対照表を事前開示事項に含める必要はなく，一般原則に従って計算書類等を備え置き，閲覧等の請求に応ずれば足りることになる（法442条）。同様に，最終事業年度に係る計算書類等については，新たに計算書類等が確定し，最終事業年度が更新された場合には，その最終事業年度に係る計算書類等を開示することが要求される（6号イかっこ書も参照）。

――(株式移転完全子会社の事前開示事項)――

第206条 法第803条第1項に規定する法務省令で定める事項は、同項に規定する消滅株式会社等が株式移転完全子会社である場合には、次に掲げる事項とする。

一 法第773条第1項第5号から第8号までに掲げる事項についての定めの相当性に関する事項

二 株式移転完全子会社の全部又は一部が法第808条第3項第3号に定める新株予約権を発行している場合には、法第773条第1項第9号及び第10号に掲げる事項についての定めの相当性に関する事項(当該新株予約権に係る事項に限る。)

三 他の株式移転完全子会社についての次に掲げる事項

　イ 最終事業年度に係る計算書類等(最終事業年度がない場合にあっては、他の株式移転完全子会社の成立の日における貸借対照表)の内容

　ロ 最終事業年度の末日(最終事業年度がない場合にあっては、他の株式移転完全子会社の成立の日)後の日を臨時決算日(二以上の臨時決算日がある場合にあっては、最も遅いもの)とする臨時計算書類等があるときは、当該臨時計算書類等の内容

　ハ 他の株式移転完全子会社において最終事業年度の末日(最終事業年度がない場合にあっては、他の株式移転完全子会社の成立の日)後に重要な財産の処分、重大な債務の負担その他の会社財産の状況に重要な影響を与える事象が生じたときは、その内容(新設合併契約等備置開始日後株式移転の効力が生ずる日までの間に新たな最終事業年度が存することとなる場合にあっては、当該新たな最終事業年度の末日後に生じた事象の内容に限る。)

四 当該株式移転完全子会社についての次に掲げる事項

　イ 当該株式移転完全子会社において最終事業年度の末日(最終事業年度がない場合にあっては、当該株式移転完全子会社の成立の日)後に重要な財産の処分、重大な債務の負担その他の会社財産の状況に重要な影響を与える事象が生じたときは、その内容(新設合併契約等備置開始日後株式移転の効力が生ずる日までの間に新たな最終事業年度が存することとなる場合にあっては、当該新たな最終事業年度の末日後に生じた事象の内容に限る。)

　ロ 当該株式移転完全子会社において最終事業年度がないときは、当該株式移転完全子会社の成立の日における貸借対照表

五 法第810条の規定により株式移転について異議を述べることができる債権者があるときは、株式移転が効力を生ずる日以後における株式移転設立完全

第206条（株式移転完全子会社の事前開示事項）　1131

　　親会社の債務（他の株式移転完全子会社から承継する債務を除き，当該異議を述べることができる債権者に対して負担する債務に限る。）の履行の見込みに関する事項
　六　新設合併契約等備置開始日後株式移転が効力を生ずる日までの間に，前各号に掲げる事項に変更が生じたときは，変更後の当該事項

　本条は，株式移転完全子会社の事前開示事項を定めるものである。すなわち，法803条1項は，株式移転完全子会社は，新設合併契約等備置開始日から株式移転設立完全親会社の成立の日後6カ月を経過する日までの間，株式移転計画の内容その他法務省令で定める事項を記載し，または記録した書面または電磁的記録［→224条］をその本店に備え置かなければならないものと定めている。これをうけて，本条では，「法務省令で定める事項」を定めている。
　法803条1項は，その株式移転計画を承認するかどうかを意思決定するために必要な情報を株式移転完全子会社の株主に，新株予約権の買取請求をするかどうかを意思決定するために必要な情報を株式移転完全子会社の新株予約権者に，その株式移転に異議を述べるかどうかを意思決定するために必要な情報を異議を述べることができる株式移転完全子会社の債権者に，それぞれ，提供することを目的とする。また，株式移転完全子会社の株主が株式移転差止請求（法805条の2）を行うかどうかを判断するための情報，株式移転完全子会社の株主や会社債権者が株式移転無効の訴え（法828条1項12号・2項12号）を提起すべきかどうかを判断するための情報を提供するという面もある。
　なお，株式移転設立完全親会社の定款の定めが事前開示事項として本条で掲げられていないのは（184条4項1号イ・2号イ・3号と対照），株式移転計画の記載事項として，株式移転設立完全親会社の目的，商号，本店の所在地および発行可能株式総数そのほか，株式移転設立完全親会社の定款で定める事項が定められており（法773条1項1号・2号），株式移転計画の内容は事前開示事項とされているからである（法803条1項）。

1　株式移転対価の相当性に関する事項（1号）

　平成17年改正前商法の下では，株式移転完全子会社の株主に交付される対価は株式移転設立完全親会社の株式およびいわゆる株式移転交付金に限られていた。しかし，会社法の下では，株式移転完全子会社の株主に交付される対価と

して株式移転設立完全親会社の社債等（社債，新株予約権または新株予約権付社債）も認められている（法773条1項7号・8号）。

そこで，本号は，「法第773条第1項第5号から第8号までに掲げる事項についての定め」の相当性に関する事項を事前開示事項として定めている。実際には，株式移転対価の割当てについての理由，株式移転対価の内容を相当とする理由および株式移転設立完全親会社の資本金および準備金の額に関する事項を相当とする理由［→2］の開示が要求されている。

これは，株式移転対価の種類・内容ならびに株式移転対価の数もしくは額またはその算定方法は，株式移転完全子会社の株主の経済的利益や持分比率的利益に大きな影響を与えるものであり，株式移転完全子会社の株主が株式移転計画を承認するか否かを的確に判断するため，あるいは，株式買取請求を行うか否かを判断するために重要な情報だからである。

なお，184条3項のような明文の規定は設けられていないが，株式移転対価の総数または総額の相当性に関する事項，株式移転対価として当該種類の財産を選択した理由，当該株式移転完全子会社と他の株式移転完全子会社とが共通支配下関係（計規2条3項36号）［→182条］にあるときは，当該株式移転完全子会社の株主（当該株式移転完全子会社と共通支配下関係にある株主を除く）の利益を害さないように留意した事項（当該事項がない場合には，その旨）などを記載することが，通常は，必要であると解されている（相澤ほか・商事法務1800号13頁注7）。

2　株式移転設立完全親会社の資本金および準備金の額に関する事項の相当性に関する事項（1号）

会社法の下では，株式移転に際して，一般に公正妥当と認められる企業会計の基準その他の企業会計の慣行に従って算定された株主資本の額を，どのように資本金，資本準備金およびその他資本剰余金などに振り分けるかについては株式移転計画の定めに委ねている（計規52条）。すなわち，会社の裁量が広く認められるため，その配分の方針を事前開示事項の1つとしているのが本号である（相澤＝細川・商事法務1769号16頁注1）。

3　株式移転完全子会社の新株予約権者に対して交付する新株予約権等についての定めの相当性（2号）

法773条1項9号および10号は，株式移転完全子会社が株式移転計画新株予

約権(当該株式移転設立完全親株式会社の新株予約権の交付を受ける株式移転完全子会社の新株予約権の新株予約権者の有する新株予約権)または株式移転計画新株予約権以外の新株予約権であって,株式移転をする場合においてその新株予約権の新株予約権者に株式移転設立完全親会社の新株予約権を交付することとする旨の定めがあるものを発行しており,株式移転設立完全親会社が株式移転に際して株式移転完全子会社の新株予約権の新株予約権者に対してその新株予約権に代わるその株式移転設立完全親会社の新株予約権を交付するときは,(a)「当該株式移転設立完全親会社の新株予約権の交付を受ける株式移転完全子会社の新株予約権の新株予約権者の有する新株予約権(……株式移転計画新株予約権……)の内容」,(b)「株式移転計画新株予約権の新株予約権者に対して交付する株式移転設立完全親会社の新株予約権の内容及び数又はその算定方法」,および,(c)「株式移転計画新株予約権が新株予約権付社債に付された新株予約権であるときは,株式移転設立完全親会社が当該新株予約権付社債についての社債に係る債務を承継する旨並びにその承継に係る社債の種類及び種類ごとの各社債の金額の合計額又はその算定方法」を株式移転計画に定めなければならないものとし,これらの場合においては,(d)「株式移転計画新株予約権の新株予約権者に対する」法773条1項9号「の株式移転設立完全親会社の新株予約権の割当てに関する事項」を,株式移転計画に定めなければならないものとしている。

　これらをうけて,本号では,それらの定めの相当性に関する事項を事前開示事項として定めている。これは,不相当な条件で新株予約権が交付される場合には,株式移転設立完全親会社の株式の価値が下落し,または,株式移転設立完全親会社における持分比率が低下することにつながりうるので,株式移転に賛成すべきか否かについての判断材料が株式移転完全子会社の株主にとって必要となる一方で,新株予約権者にとっては新株予約権買取請求(法808条)を行うかどうかを判断するための材料が必要だからである。

4　他の株式移転完全子会社の計算書類等および臨時計算書類等の内容(3号イ・ロ)

　他の株式移転完全子会社の最終事業年度に係る計算書類等(最終事業年度がない場合には,その株式移転完全子会社の成立の日における貸借対照表)の内容および最終事業年度の末日(最終事業年度がない場合には,その株式移転完全子会社の成立の日)後の日を臨時決算日(二以上の臨時決算日がある場合には,最も遅い

もの）とする臨時計算書類等があるときは，その臨時計算書類等の内容が事前開示事項とされている。

　計算書類等とは，株式会社については「各事業年度に係る計算書類及び事業報告（法第436条第1項又は第2項の規定の適用がある場合にあっては，監査報告又は会計監査報告を含む。）」，持分会社については計算書類（法617条2項）をいい（2条3項12号），臨時計算書類等とは「法第441条第1項に規定する臨時計算書類（同条第2項の規定の適用がある場合にあっては，監査報告又は会計監査報告を含む。）」をいう（2条3項13号）。平成17年改正前商法の下に比べると，株主資本等変動計算書および事業報告の内容が事前開示事項に含められ，また，計算書類およびその附属明細書ならびに事業報告およびその附属明細書について会社法の下で監査が行われている場合には，監査報告および会計監査報告の内容も事前開示事項に含められている点および臨時計算書類等の内容が含められている点で，開示が充実している。これは，当該株式移転完全子会社の株主や債権者が他の株式移転完全子会社の状況を正確に把握するためには，貸借対照表および損益計算書の内容のみでは不十分であるという認識，および，監査報告および会計監査報告がある場合にはその内容も重要な情報であるという認識に基づくものである。

　他方，他の株式移転完全子会社の計算書類等および臨時計算書類等の内容のみが事前開示事項とされ，当該株式移転完全子会社の計算書類等および臨時計算書類等の内容が事前開示事項とされていないのは，当該株式移転完全子会社の計算書類等および臨時計算書類等については，別途，備え置き，株主および会社債権者の閲覧等の請求に応じるべきものとされているため（法442条），二重に規制を設ける必要がないと考えられるためである。

　平成17年改正前商法と異なり，株式移転計画の承認をする株主総会の日の前6カ月以内に作成された計算書類等ではなく，最終事業年度に係る計算書類等の内容を開示すれば足りるとされているのは，最終事業年度に係る計算書類等に加えて，たとえば，株式移転計画の承認をする株主総会の日の前6カ月以内に作成された貸借対照表および損益計算書の内容の開示を要求したとしても，それらの貸借対照表および損益計算書について監査役，監査役会，監査等委員会または監査委員会の監査および会計監査人の監査がなされていなければ，その貸借対照表および損益計算書の内容の適法性・適正性が担保されないため，情報としての価値が低いこと，および，その貸借対照表および損益計算書の作成後に他の株式移転完全子会社の財産状態に重要な影響を与える事象が生じた

場合に，当該株式移転完全子会社の株主や債権者の意思決定を的確ならしめるためには，4号に定める事項のような事項の追加的な開示が必要とされることによるものである（相澤＝細川・商事法務1769号18頁）。

　最終事業年度がない場合には，他の株式移転完全子会社の成立の日における貸借対照表を事前開示事項としているのは，通常は，株式会社の成立の日における貸借対照表は株主や会社債権者の閲覧等の請求の対象とされていないことによる。すなわち，他の株式移転完全子会社において最終事業年度がない場合には，当該株式移転完全子会社の株主および会社債権者が他の株式移転完全子会社の成立の日における貸借対照表を閲覧等して，他の株式移転完全子会社の財産の状況に関する最低限の情報を得て，的確に権利行使をすることができるようにするためである。

　なお，他の株式移転完全子会社が臨時計算書類を作成している場合には，その臨時計算書類（その臨時計算書類について，監査役，監査役会，監査等委員会もしくは監査委員会の監査または会計監査人の監査がなされている場合には，その監査報告または会計監査報告を含む）が開示されれば株主や会社債権者に有用な情報を提供することになるし，当該株式移転完全子会社においても他の株式移転完全子会社の臨時計算書類等が事前開示事項に含められることによる負担が大きいとはいえないので，3号ロでは，他の株式移転完全子会社が臨時計算書類等を作成しているときには，それを事前開示事項に含めている。「二以上の臨時決算日がある場合にあっては，最も遅いもの」とされているので，最終事業年度の末日（最終事業年度がない場合には，他の株式移転完全子会社の成立の日）後に複数の臨時計算書類が作成されている場合には，最新の臨時計算書類を開示すれば足りる。

5　株式移転完全子会社の重要な後発事象（3号ハ・4号イ）

　株式移転完全子会社（他の株式移転完全子会社に限られない）において，最終事業年度の末日（最終事業年度がない場合には，その株式移転完全子会社の成立の日）後に重要な財産の処分，重大な債務の負担その他の会社財産の状況に重要な影響を与える事象が生じたときは，その内容（新設合併契約等備置開始日後株式移転の効力が生ずる日までの間に新たな最終事業年度が存することとなる場合にあっては，当該新たな最終事業年度の末日後に生じた事象の内容に限る）が事前開示事項に含められている。これは，最終事業年度の末日後に生じた重要な財産の処分，重大な債務の負担その他の会社財産の状況に重要な影響を与える事象

や最終事業年度の末日後になされた組織再編行為などは組織再編行為の条件の相当性に重要な影響を及ぼす可能性があるところ，最終事業年度に係る計算書類等の開示のみによっては，株式移転完全子会社の財産の状況を的確に判断することは難しいという認識に基づく開示事項である（相澤＝細川・商事法務1769号18頁）。

「新設合併契約等備置開始日後株式移転の効力が生ずる日までの間に新たな最終事業年度が存することとなる場合にあっては，当該新たな最終事業年度の末日後に生じた事象の内容に限る」とされているのは，新たな最終事業年度に係る計算書類等には当該新たな最終事業年度の末日までに生じた重要な財産の処分，重大な債務の負担その他の会社財産の状況に重要な影響を与える事象が反映されるため，別途開示する必要がないからである。

6 株式移転完全子会社の成立の日における貸借対照表（4号ロ）

株式移転完全子会社において最終事業年度がないときは，その株式移転完全子会社の成立の日における貸借対照表が事前開示事項とされている。株式会社が株式移転をする場合において，一定の場合には株式移転完全子会社の債権者は，その株式会社に対し，その株式移転について異議を述べることができるが（法810条1項），異議を述べるか否かの判断にあたって，その株式移転完全子会社の財産および損益の状況を考慮に入れると推測される。そして，最終事業年度がある場合には，その株式移転完全子会社の計算書類等が作成されており，会社債権者はそれを閲覧等することができるが（法442条），最終事業年度がない場合には，臨時計算書類が作成されていない限り，そのような計算書類等が存在しない。しかも，株式会社の成立の日における貸借対照表は株主や会社債権者の閲覧等の請求の対象とされていない。そこで，株式移転完全子会社において最終事業年度がない場合には，会社債権者（および株主）がその株式会社の成立の日における貸借対照表を閲覧等して，会社の財産の状況に関する最低限の情報を得られるようにするため，その株式移転完全子会社の成立の日における貸借対照表を事前開示事項に含める必要がある。

7 債務の履行の見込みに関する事項（5号）

平成17年改正前商法374条ノ2第1項3号および374条ノ18第1項3号は，会社分割についてのみ「各会社ノ負担スベキ債務ノ履行ノ見込アルコト及其ノ理由ヲ記載シタル書面」を備え置くことを要求していたが，これは，会社分割の

当事会社の債権者保護を目的とするものであり、そうであれば、会社分割の場合にのみ要求すべき開示事項ではないと考えられるため、本号は、株式移転が効力を生ずる日以後における株式移転設立完全親会社の債務（他の株式移転完全子会社から承継する債務を除き、株式移転について異議を述べることができる債権者に対して負担する債務に限る）の履行の見込みに関する事項を事前開示事項の1つとして定めている。

　たしかに、「各会社ノ負担スベキ債務ノ履行見込アルコト」と定めていた平成17年改正前商法374条ノ2第1項3号などと異なり、本号では「債務……の履行の見込みに関する事項」と定めていることから、債務の履行の見込みがないような株式移転を行った場合であっても、その株式移転は当然に無効になるわけではないと解する余地はある。実質的にも、債務履行の見込みは将来予測に基づくものであり、株式移転の時点では不確定であることに鑑みると、債務の履行の見込みがないことが株式移転無効原因であると解することは法的安定性を損なう一方で、債権者の保護は債権者保護手続または債権者取消権の行使によって図ることが可能であるとも考えられる（相澤＝細川・商事法務1769号19頁）。

　しかし、平成17年改正前商法374条ノ2第1項3号などは、「各会社ノ負担スベキ債務ノ履行ノ見込」がないことを分割無効原因とする創設的規定ではなく、「各会社ノ負担スベキ債務ノ履行ノ見込」がないことが分割無効原因であることを前提として開示を要求する規定であって（原田・商事法務1565号11頁、名古屋地判平成16・10・29判時1881号122頁参照）、開示すべき事項が「債務……の履行の見込みに関する事項」とされたことの一事をもって、実体法の解釈がただちに変更されると解するのはやや強引なのではないかと思われる。実質的に考えてみても、株式会社の場合、債務の履行の見込みがないことは支払不能として破産原因（破産法16条1項）にあたり、会社がそのような状態となる組織再編行為を有効であると解することは適切ではない。また、「履行の見込みがない」ということが開示されていれば十分であるともいえない。なぜなら、債権者保護手続として、必ずしも個別催告が要求されていない以上、「履行の見込みがない」ことを知っていたにもかかわらず、すべての債権者があえて異議を述べなかったとみなすことには無理があるからである。いいかえれば、組織再編行為がなされても、債務の履行の見込みがあってこそ、個別催告を必ずしも要求しないことが正当化されると思われる。したがって、債務の履行の見込みがないことは株式移転無効原因にあたると解することが穏当であるように

思われる［もっとも，組織変更との関連では，必ずしも，そのようにはいえないのではないかという点について，→180条３］。ただし，異議を述べることができる債権者が異議を述べなかった場合には承認したものとみなされ（法810条４項），株式移転無効の訴えの原告適格を有しないから，「債務……の履行の見込みがないこと」が株式移転無効原因であると解することの実益は必ずしも大きくはないこともまた事実である（藤田・商事法務1775号65頁注56，江頭945頁注３参照）。

なお，「他の株式移転完全子会社から承継する債務を除き，」法810条の規定により「株式移転について異議を述べることができる債権者……に対して負担する債務に限る」とされているのは，本号に基づく開示は主として株式移転について異議を述べることができる債権者の保護のためであると考えられるからである。

8　１から７の事項に変更が生じたときは，変更後の当該事項（６号）

　新設合併契約等備置開始日後，１号から５号までに掲げる事項に変更が生じたときは，変更後のその事項も事前開示事項とされる。

　平成17年改正前商法の下では，合併などに係る事前開示資料との関連でも，備置き開始後，効力発生日までの間に，事前開示資料の内容事項について変更が生じた場合にはどのようにすべきかについての規律が定められていなかった。しかし，会社法の下では，債権者保護手続をなすべき時期が明文で定められていないため，新設合併契約等備置開始日後，効力発生日までの間がある程度の期間となる可能性もあり，会社債権者および株主に対して適切な権利行使のための判断材料を与えるという観点から最新の情報を提供することを要求することが適切である（相澤＝細川・商事法務1769号20頁）。そこで，本号では，新設合併契約等備置開始日後，事前開示事項に変更が生じたときは，変更後のその事項を開示することを要求している。

　したがって，たとえば，新設合併契約等備置開始日後に，計算書類等が確定し，最終事業年度に係る計算書類等が存在するようになった場合には，もはや成立の日における貸借対照表を事前開示事項に含める必要はなく，一般原則に従って計算書類等を備え置き，閲覧等の請求に応ずれば足りることになる（法442条）。同様に，最終事業年度に係る計算書類等については，新たに計算書類等が確定し，最終事業年度が更新された場合には，その最終事業年度に係る計算書類等を開示することが要求される（４号イかっこ書参照）。

（総資産の額）

第207条 法第805条に規定する法務省令で定める方法は，算定基準日（新設分割計画を作成した日（当該新設分割計画により当該新設分割計画を作成した日と異なる時（当該新設分割計画を作成した日後から当該新設分割の効力が生ずる時の直前までの間の時に限る。）を定めた場合にあっては，当該時）をいう。以下この条において同じ。）における第1号から第9号までに掲げる額の合計額から第10号に掲げる額を減じて得た額をもって新設分割株式会社の総資産額とする方法とする。

一　資本金の額
二　資本準備金の額
三　利益準備金の額
四　法第446条に規定する剰余金の額
五　最終事業年度（法第461条第2項第2号に規定する場合にあっては，法第441条第1項第2号の期間（当該期間が二以上ある場合にあっては，その末日が最も遅いもの）。以下この項において同じ。）の末日（最終事業年度がない場合にあっては，新設分割株式会社の成立の日。以下この条において同じ。）における評価・換算差額等に係る額
六　株式引受権の帳簿価額
七　新株予約権の帳簿価額
八　最終事業年度の末日において負債の部に計上した額
九　最終事業年度の末日後に吸収合併，吸収分割による他の会社の事業に係る権利義務の承継又は他の会社（外国会社を含む。）の事業の全部の譲受けをしたときは，これらの行為により承継又は譲受けをした負債の額
十　自己株式及び自己新株予約権の帳簿価額の合計額

2　前項の規定にかかわらず，算定基準日において新設分割株式会社が清算株式会社である場合における法第805条に規定する法務省令で定める方法は，法第492条第1項の規定により作成した貸借対照表の資産の部に計上した額をもって新設分割株式会社の総資産額とする方法とする。

　本条は，新設分割につき新設分割株式会社の株主総会の特別決議による承認を要しないとされる規準との関連で株式会社の総資産額を算定する方法を定めるものである。
　すなわち，新設分割株式会社は，効力発生日の前日までに，株主総会の決議によって，新設分割契約の承認を受けなければならないが（法804条1項），新設分割により新設分割設立会社に承継させる資産の帳簿価額の合計額が新設分

割株式会社の総資産額として法務省令で定める方法により算定される額の5分の1（これを下回る割合を新設分割株式会社の定款で定めた場合には，その割合）を超えない場合には，株主総会の決議を要しないものとされている（法805条）。この委任に基づき，新設分割株式会社の総資産額を算定する方法を本条が定めている。

1 株式会社の総資産額を算定する方法（1項）

(1) 算定基準日

　新設分割計画を作成した日（その新設分割計画によりその新設分割計画を作成した日と異なる時（その新設分割計画を作成した日後からその新設分割の効力が生ずる時の直前までの間の時に限る）を定めた場合には，その時）が算定基準日とされる。すなわち，法805条は，「新設分割により新設分割設立会社に承継させる資産の帳簿価額の合計額が新設分割株式会社の総資産額として法務省令で定める方法により算定される額の5分の1（これを下回る割合を新設分割株式会社の定款で定めた場合にあっては，その割合）を超えない」場合には，新設分割株式会社においては，その新設分割計画につき株主総会の特別決議による承認を受けることを要しないものとしている。そして，株主総会の特別決議を経ないで新設分割を行うことができるかどうかは，その新設分割のスケジュールに重要な影響を与える可能性があるため，新設分割計画を作成する段階で法805条の要件を満たせる可能性があるかどうかを判断できることが望ましい。また，手続の途中で，簡易組織再編行為の要件を満たさないことになると，円滑な組織再編行為の実現を害する可能性もある（相澤＝細川・商事法務1769号24頁）。そこで，本項では，新設分割計画を作成した日を算定基準日とすることを原則としている。

　もっとも，法805条は，その新設分割が新設分割株式会社の株主に与える可能性のある影響の大小に注目しているものであり，理論的には，新設分割の効力が生ずる時点を基準時として要件を満たすか否かを判断することがより適切であるし，また，新設分割契約の作成後，その新設分割株式会社において，剰余金の配当その他会社の財産の状況に重要な影響を与える行為を行うことが予想される場合には，新設分割計画を作成した日後の日を算定基準日とすることが適切でありうる。そこで，本項では，「当該新設分割計画により当該新設分割計画を作成した日と異なる時（当該新設分割計画を作成した日後から当該新設分割の効力が生ずる時の直前までの間の時に限る。）を定めた場合にあって

は，当該時」を算定基準日としている。

(2) 算定方法

　本項では，総資産額を算定基準日における「第１号から第９号までに掲げる額の合計額から第10号に掲げる額を減じて得た額」と定めているが，これは，評価・換算差額等の額および（臨時計算書類を作成したときは，臨時会計年度（臨時会計年度が二以上ある場合には，その末日が最も遅いもの）の末日（最終事業年度がない場合には，新設分割株式会社の成立の日）後に吸収合併，吸収分割による他の会社の事業に係る権利義務の承継または他の会社（外国会社を含む）の事業の全部の譲受けをしたときの，これらの行為により承継または譲受けをした負債の額を別とすれば）負債の額を除き，事業年度中の変動（当該事業年度の損益計算書に反映されるべき損益を除く）を反映した額を用いて，総資産額を算定しようというものである。すなわち，資本金の額，資本準備金の額，利益準備金の額，法446条に規定する剰余金の額，株式引受権の帳簿価額，新株予約権の帳簿価額ならびに自己株式および自己新株予約権の帳簿価額の合計額については，算定基準日の額を用いるというものである。評価・換算差額等に係る額および（臨時計算書類を作成したときは，臨時会計年度（臨時会計年度が二以上ある場合には，その末日が最も遅いもの）の末日（最終事業年度がない場合には，新設分割株式会社の成立の日）後に吸収合併，吸収分割による他の会社の事業に係る権利義務の承継または他の会社（外国会社を含む）の事業の全部の譲受けをしたときの，これらの行為により承継または譲受けをした負債の額を別とすれば）負債の額は，最終事業年度（臨時計算書類を作成したときは，臨時会計年度。臨時会計年度が二以上ある場合には，その末日が最も遅いもの）の末日（最終事業年度がない場合には，新設分割株式会社の成立の日）における額を用いることとされているが，これは，事業年度中の評価・換算差額等（その他有価証券評価差額金，繰延ヘッジ損益および土地再評価差額金［→計規コンメ76条**8**]）および負債の額を把握することは，会社にとって，手間がかかることから，計算書類または臨時計算書類上の額を用いることができるようにしたものである。

　なお，「最終事業年度の末日後に吸収合併，吸収分割による他の会社の事業に係る権利義務の承継又は他の会社（外国会社を含む。）の事業の全部の譲受けをしたときは，これらの行為により承継又は譲受けをした負債の額」（8号）を考慮に入れるべきものとされているのは，これらの行為によって，資本金の額，資本準備金の額，利益準備金の額，法446条に規定する剰余金の額，株式

引受権の帳簿価格，新株予約権の帳簿価額，自己株式の帳簿価額および自己新株予約権の帳簿価額の合計額が変動する一方で，「これらの行為により承継又は譲受けをした負債の額」を株式会社は把握しているはずなので，これを算定にあたって考慮に入れることを要求しても，煩瑣ではないと考えられるからである。

　法446条に規定する剰余金の額には，最終事業年度の末日後にした自己株式の処分，資本金または準備金の額の減少と剰余金の額の増加，剰余金の額の減少と資本金または準備金の額の増加，吸収型再編受入行為による資本剰余金および利益剰余金の額の変動，自己株式の消却，剰余金の配当が反映されるという点で〔詳細については，→計規コンメ149条・150条〕，最終事業年度に係る貸借対照表上の資産の部の額の合計額を総資産額として法805条を適用するよりも，本項の定めは合理的であるといえる。

　しかし，立法論としては，本項の定めには課題が残っている。すなわち，臨時計算書類を作成した場合に，臨時損益計算書に計上された当期純損益金額を総資産額の算定に反映させない理由はないと思われる。臨時損益計算書に計上された当期純損益金の額だけ，株式会社の純資産の額は増加していると考えてよい一方で，評価・換算差額等の増減は臨時損益計算書に計上された収益・費用・利益・損失と結びついているはずなので，臨時会計年度中の評価・換算差額等の増減を総資産額に反映しつつ，臨時会計年度に係る純損益金額は反映させないことは均衡のとれていない取扱いといえるからである。

2　清算株式会社の特則（2項）

　算定基準日において，新設分割株式会社が清算株式会社（法475条の規定により清算をする株式会社。法476条）である場合には，「法第492条第1項の規定により作成した貸借対照表の資産の部に計上した額」が株式会社の総資産額とされる。これは，清算株式会社においては，剰余金の配当は行われないので，資本金，資本準備金，利益準備金という区分や剰余金の額は意味を有さず〔詳細については，→145条2〕，純資産の部は細分されないことになっているため（145条3項柱書），1項が定める算式によっては株式会社の総資産額を算定できないからである。

第208条（計算書類に関する事項）　1143

──（計算書類に関する事項）──
第208条　法第810条第2項第3号に規定する法務省令で定めるものは，同項の規定による公告の日又は同項の規定による催告の日のいずれか早い日における次の各号に掲げる場合の区分に応じ，当該各号に定めるものとする。
一　最終事業年度に係る貸借対照表又はその要旨につき公告対象会社（法第810条第2項第3号の株式会社をいう。以下この条において同じ。）が法第440条第1項又は第2項の規定による公告をしている場合　次に掲げるもの
　イ　官報で公告をしているときは，当該官報の日付及び当該公告が掲載されている頁
　ロ　時事に関する事項を掲載する日刊新聞紙で公告をしているときは，当該日刊新聞紙の名称，日付及び当該公告が掲載されている頁
　ハ　電子公告により公告をしているときは，法第911条第3項第28号イに掲げる事項
二　最終事業年度に係る貸借対照表につき公告対象会社が法第440条第3項に規定する措置をとっている場合　法第911条第3項第26号に掲げる事項
三　公告対象会社が法第440条第4項に規定する株式会社である場合において，当該株式会社が金融商品取引法第24条第1項の規定により最終事業年度に係る有価証券報告書を提出しているとき　その旨
四　公告対象会社が会社法の施行に伴う関係法律の整備等に関する法律第28条の規定により法第440条の規定が適用されないものである場合　その旨
五　公告対象会社につき最終事業年度がない場合　その旨
六　公告対象会社が清算株式会社である場合　その旨
七　前各号に掲げる場合以外の場合　会社計算規則第6編第2章の規定による最終事業年度に係る貸借対照表の要旨の内容

　本条は，新設合併，新設分割または株式移転をする場合に，その新設合併消滅株式会社，新設分割株式会社または株式移転完全子会社の債権者が異議を述べることができるときに官報における公告等に含めなければならない事項としての「消滅株式会社等の計算書類に関する事項として法務省令で定めるもの」（法810条2項3号）を定めるものである。
　すなわち，株式会社が新設合併，新設分割または株式移転をする場合に，その新設合併消滅株式会社，新設分割株式会社または株式移転完全子会社の債権者が，その株式会社に対し，新設合併，新設分割または株式移転について異議を述べることができるときには（法810条1項），その株式会社は，原則として，新設合併，新設分割または株式移転をする旨，「消滅株式会社等の計算書

類に関する事項として法務省令で定めるもの」、および、債権者が一定の期間（1カ月以上）内に異議を述べることができる旨を官報に公告し、かつ、知れている債権者には、各別にこれを催告しなければならない（同条2項）（ただし、株式会社が公告を、官報のほか、定款の定めに従い、時事に関する事項を掲載する日刊新聞紙に掲載して、または電子公告によりするときは、知れている債権者に対する各別の催告は、することを要しない。同条3項）。このように「消滅株式会社等の計算書類に関する事項として法務省令で定めるもの」を公告し、または催告に含めなければならないのは、新設合併、新設分割または株式移転の前に、当該株式会社が公表した最終の貸借対照表に債権者がアクセスすることを可能にし、異議を述べるか否かの判断の前提として、その新設合併、新設分割または株式移転が会社の分配可能額にどのような影響を与えるかを推測することを可能にするためである。すなわち、このような事項を公告または通知させるのは、会社の財産状態を知ることは債権者にとって重要であり、最終の貸借対照表に関する事項は債権者にとって異議を述べるかどうかの判断材料を入手する手がかりとなるからである。

　これをうけて、本条は、「消滅株式会社等の計算書類に関する事項として法務省令で定めるもの」として、平成18年改正前商法施行規則198条と同様の規律を定めており、組織変更および組織再編行為の際の債権者保護手続との関連での株式会社の「計算書類に関する事項として法務省令で定めるもの」を定める181条、188条および199条とパラレルに定めている。

　柱書において「公告の日」と「催告の日」とのいずれか早い日を基準として、「消滅株式会社等の計算書類に関する事項として法務省令で定めるもの」として公告し、または催告すべき事項が定められるものとしているのは、公告の内容と催告の内容との間に差があることは想定されていない以上、先になされるものの内容に合わせなければならないからである。

　なお、「公告対象会社」には、当該公告または催告をする新設合併消滅株式会社、新設分割株式会社または株式移転完全子会社のみならず、新設合併、共同新設分割または共同株式移転の場合には他の新設合併消滅株式会社、新設分割株式会社または株式移転完全子会社も含まれる（会社法810条2項2号は「他の消滅会社等」（圏点―引用者）と規定しているのに対し、同項3号は「消滅株式会社等」と定めている）（相澤＝細川・商事法務1753号52頁参照）。

第208条（計算書類に関する事項）　1145

1　最終事業年度に係る貸借対照表またはその要旨につき会社が公告をしている場合（1号）

　　官報で公告をしているときは，当該官報の日付および当該公告が掲載されている頁が，時事に関する事項を掲載する日刊新聞紙で公告をしているときは，当該日刊新聞紙の名称，日付および当該公告が掲載されている頁が，電子公告により公告をしているときは，電子公告を行っているページ，すなわち，不特定多数の者が実際に閲覧できるインターネット上のウェブサイトのアドレス（URL。電子公告により公告すべき内容である情報について不特定多数の者がその提供を受けるために必要な事項であって法務省令で定めるもの（法911条3項28号イ），すなわち，株式会社が電子公告をするために使用する自動公衆送信装置のうち電子公告をするための用に供する部分をインターネットにおいて識別するための文字，記号その他の符号またはこれらの結合であって，情報の提供を受ける者がその使用に係る電子計算機に入力することによって当該情報の内容を閲覧し，当該電子計算機に備えられたファイルに当該情報を記録することができるもの（220条1項））が，それぞれ，「消滅株式会社等の計算書類に関する事項として法務省令で定めるもの」として定められている。

　　これは，平成18年改正前商法施行規則198条1号を踏襲したものである。ここで，最終の貸借対照表自体を公告・通知させるのではなく，最終の貸借対照表に関する事項を公告・通知させることとしたのは，最終の貸借対照表自体を公告・通知することを要求するのは会社にとって負担が過重になると考えたからであろう。

2　最終事業年度に係る貸借対照表につき会社が貸借対照表の内容である情報を，定時株主総会の終結の日後5年を経過する日までの間，継続して電磁的方法により不特定多数の者が提供を受けることができる状態に置く措置をとっている場合（2号）

　　不特定多数の者が実際に閲覧できるインターネット上のウェブサイトのアドレス（URL。貸借対照表の内容である情報について不特定多数の者がその提供を受けるために必要な事項であって法務省令で定めるもの（法911条3項26号），すなわち，電磁的方法による貸借対照表の公開をするために株式会社が使用する自動公衆送信装置のうち電磁的方法による貸借対照表の公開をするための用に供する部分をインターネットにおいて識別するための文字，記号その他の符号またはこれらの結合であって，情報の提供を受ける者がその使用に係る電子計算機に入力することに

よって当該情報の内容を閲覧し，当該電子計算機に備えられたファイルに当該情報を記録することができるもの（220条1項））が，「消滅株式会社等の計算書類に関する事項として法務省令で定めるもの」として定められている。これは，平成18年改正前商法施行規則198条2号を踏襲したものである。

3　会社が金融商品取引法24条1項の規定により有価証券報告書を内閣総理大臣に提出しなければならない株式会社である場合において，その会社が最終事業年度に係る有価証券報告書を提出している場合（3号）

この場合には，「消滅株式会社等の計算書類に関する事項として法務省令で定めるもの」としては，最終事業年度に係る有価証券報告書を提出している旨を通知または公告の内容とすれば足りるものとされている。これは，EDINETを通じて，有価証券報告書の内容を閲覧することができることに鑑みて，法440条4項により，金融商品取引法24条1項の規定により有価証券報告書を内閣総理大臣に提出しなければならない会社は貸借対照表等の公告あるいは電磁的方法による公開をすることを要しないものとされていることをうけたものである。もっとも，金融商品取引法24条1項の規定により有価証券報告書を内閣総理大臣に提出しなければならない会社であっても，最終事業年度に係る有価証券報告書を提出していない場合には，会社債権者は，EDINETを通じて，最終事業年度に係る貸借対照表の内容を知ることができないから，7号に従って，「会社計算規則第6編第2章の規定による最終事業年度に係る貸借対照表の要旨の内容」を公告または通知しなければならない。

4　会社が特例有限会社である場合（4号）

整備法28条の規定により法440条の規定が適用されないものである旨を，「消滅株式会社等の計算書類に関する事項として法務省令で定めるもの」として公告または催告に含めれば足りる。特例有限会社は，貸借対照表等の公告あるいは電磁的方法による公開をすることを要しないものとされているので（整備法28条），新設合併または新設分割に際して，最終事業年度に係る貸借対照表またはその要旨にアクセスする機会を会社債権者に会社法上保障することはしていないのである。平成17年廃止前有限会社法の下での取扱いと同じである（始関・商事法務1650号14頁注141参照）。

5　会社につき最終事業年度がない場合（5号）

会社につき最終事業年度がない旨を、「消滅株式会社等の計算書類に関する事項として法務省令で定めるもの」として公告または催告に含めれば足りる。最終事業年度がない以上、最終事業年度に係る貸借対照表が存在しないからである。平成17年改正前商法および平成18年改正前商法施行規則にはこのような定めはなかったが、論理的には、平成17年改正前商法の下でも、この場合には、公告または催告に、平成18年改正前商法施行規則198条が定める事項を含める余地はなかったと解される。

6　会社が清算株式会社である場合（6号）

会社が清算株式会社である旨を、「消滅株式会社等の計算書類に関する事項として法務省令で定めるもの」として公告または催告に含めれば足りるものとされている。これは、清算株式会社については、「清算中の会社の権利能力は、清算の目的の範囲内に縮減し、営業取引をなす権利能力を有しない以上、決算公告という方法によって広く利害関係人に対して清算中の株式会社の財務情報を開示すべき必要性は少ない」（要綱試案補足説明95頁）という認識の下で、貸借対照表（大会社の場合は、貸借対照表および損益計算書）の公告あるいは電磁的方法による公開が要求されていないこと（法509条1項2号）に鑑みたものであると推測される。しかし、各清算事務年度の貸借対照表等の公告または電磁的方法の公開を要求しないことから、組織再編行為の場合にも計算書類に関する事項を公告または催告に実質的に含めなくともよいとすることは、立法論としては、適当であるとは思われない。なぜなら、清算株式会社を当事会社とする組織再編行為は反復して行われるものではないから、公告または催告を要求したとしても過剰な負担を課すものであるとは評価できないし、会社債権者保護の観点から、計算書類に関する事項を明らかにする必要性は清算株式会社であるか否かによって変わりがないと考えられるからである。したがって、7号と同様に、会社計算規則第6編第2章の規定による最終事業年度に係る貸借対照表の要旨の内容を、「消滅株式会社等の計算書類に関する事項として法務省令で定めるもの」として公告または催告に含めることを要求すべきであったと考えられる。

7　会社が1から6までのいずれにもあたらない場合（7号）

計規第6編第2章の規定による最終事業年度に係る貸借対照表の要旨の内容

を,「消滅株式会社等の計算書類に関する事項として法務省令で定めるもの」として公告または催告に含めれば足りる。平成17年改正前商法の下では,(会社につき最終事業年度がない場合を除き)貸借対照表またはその要旨を公告または電磁的方法により公開していないと,債権者保護手続に必然的に瑕疵があることになるという解釈が自然であったが,本号の定めにより,会社法の下では,新設合併消滅会社,新設分割会社または株式移転完全子会社につき最終事業年度があり,かつ,有価証券報告書を提出していないにもかかわらず,貸借対照表またはその要旨を公告または電磁的方法により公開していないものであっても,貸借対照表の要旨を公告または催告に含めれば足りるものとされている。要旨中の資産の部の各項目あるいは負債の部の各項目の区分・細分の要求は,公開会社であるか否かによって異なる(計規139条・140条)。なお,この場合の要旨には,当期純損益金額を付記しなければならないものと解される(計規142条参照)。

　官報で行うこの公告は,会社の公告方法が官報である場合には,決算公告としての意義をも有すると解される(相澤＝和久・商事法務1766号70頁)。

(新設分割株式会社の事後開示事項)

第209条 法第811条第1項第1号に規定する法務省令で定める事項は,次に掲げる事項とする。
　一　新設分割が効力を生じた日
　二　法第805条の2の規定による請求に係る手続の経過
　三　法第806条及び第808条の規定並びに法第810条(法第813条第2項において準用する場合を含む。)の規定による手続の経過
　四　新設分割により新設分割設立会社が新設分割会社から承継した重要な権利義務に関する事項
　五　前各号に掲げるもののほか,新設分割に関する重要な事項

　新設分割株式会社は,新設分割設立会社の成立の日後遅滞なく,新設分割設立会社と共同して,新設分割により新設分割設立会社が承継した新設分割株式会社の権利義務その他の新設分割に関する事項として法務省令で定める事項を記載しまたは記録した書面または電磁的記録[→224条]を作成し,新設分割設立会社の成立の日から6カ月間,その書面または電磁的記録をその本店に備え置かなければならない(法811条1項1号・2項)。この委任をうけて,「新設

分割に関する事項として法務省令で定める事項」を定めるのが本条である。平成17年改正前商法374条ノ11が定めていた事項に加えて若干の事項が事後開示事項とされている。

　新設分割株式会社による事後開示は，主として，新設分割の効力が生じた日において新設分割をする会社の株主等であった者または新設分割をする会社もしくは新設分割により設立する会社の株主等，社員等，破産管財人もしくは新設分割について承認をしなかった債権者が（法828条2項10号），新設分割無効の訴えを提起すべきかどうかを判断するために必要な情報を提供するという観点から定められているが（菊池・商事法務1464号27頁参照），新設分割株式会社の取締役・執行役が適切に職務執行を行ったことを明らかにするという機能を有し，新設分割会社の取締役等に適切に職務執行するインセンティブを与えるという機能を有する。

1　新設分割が効力を生じた日（1号）

　これが事後開示事項とされているのは，新設分割無効の訴えは，新設分割の効力が生じた日から6カ月以内でなければ提起することができないとされていること（法828条1項10号）と関連する。

2　新設分割差止請求に係る手続の経過（2号）

　平成26年会社法改正により，新設分割が法令または定款に違反する場合において，新設分割株式会社の株主等が不利益を受けるおそれがあるときは，簡易新設分割の要件を満たす場合を除き，新設分割株式会社の株主等は，新設分割株式会社に対し，当該新設分割をやめることを請求することができる旨の規定（法805条の2）が設けられたため，新設分割差止請求に係る手続の経過（2号）が事後開示事項とされている。これは，裁判所による新設分割差止めの仮処分または判決に反してなされる新設分割には分割無効原因があると考えられるほか（最判平成5・12・16民集47巻10号5423頁参照），法令または定款に違反する新設分割には分割無効原因があるとされる場合があるため，このような手続の経過を開示することが，株主その他の者が適切な判断を行うため，とりわけ，新設分割無効の訴えを提起するか否かを判断するために重要であると考えられるためである。

3　新設分割株式会社における反対株主の株式買取請求に係る手続（法806条）

および新株予約権買取請求に係る手続（法808条）ならびに新設分割会社における債権者保護手続（法810条・813条2項）の経過（3号）

　これらが事後開示事項とされているのは，これらの手続を適切に履践しないことは分割無効原因にあたると解されるからである。反対株主の株式買取請求あるいは新株予約権の買取請求があったときはその旨，買取請求の対象となった株式または新株予約権の数，種類株式発行会社ではその株式の種類，買取価格，裁判所に価格決定の申立てをしたときはその旨および裁判所が決定した価格を記載・記録することになろう。債権者保護手続の経過としては，債権者に対する通知または公告をした旨およびその年月日，公告の方法，電子公告または時事を掲載する日刊新聞紙に掲げてする公告を行ったことによって，知れている債権者に対して通知をしなかったときはその旨，債権者からの異議の有無，弁済，担保提供または財産の信託をしたときはその旨，債権者を害するおそれがないとして弁済，担保提供または財産の信託をしなかったときはその旨を記載・記録することになる。

4　新設分割により新設分割設立株式会社が新設分割会社から承継した重要な権利義務に関する事項（4号）

　これが事後開示事項とされているのは，会社法の下では，新設分割とは一または二以上の株式会社または合同会社がその事業に関して有する権利義務の全部または一部を分割により設立する会社に承継させることをいうが（法2条30号），どのような権利義務が承継されたのかを明らかにすることが利害関係人の判断のために必要だからである。もっとも，新設分割設立会社の資本金および資本準備金の額が会社計算規則が定める限度額の範囲内にあることを確かめることができるようにするという意義も認められよう。

5　「前各号に掲げるもののほか，新設分割に関する重要な事項」（5号）

　これが事後開示事項とされているのは，それぞれの新設分割において重要な事項は異なるため，すべてを本条で列挙することができないからであるが，たとえば，資本金および準備金の額に関する事項，分割対価の相当性に関する事項，効力発生日に剰余金の配当または全部取得条項付種類株式の取得を行った場合はその旨，独占禁止法などに基づく公正取引委員会や金融庁などに対する手続の履践状況などがあたると考えられる。

──(株式移転完全子会社の事後開示事項)─────────
第210条 法第811条第1項第2号に規定する法務省令で定める事項は，次に掲げる事項とする。
　一　株式移転が効力を生じた日
　二　法第805条の2の規定による請求に係る手続の経過
　三　法第806条，第808条及び第810条の規定による手続の経過
　四　株式移転により株式移転設立完全親会社に移転した株式移転完全子会社の株式の数（株式移転完全子会社が種類株式発行会社であるときは，株式の種類及び種類ごとの数）
　五　前各号に掲げるもののほか，株式移転に関する重要な事項

　株式移転完全子会社は，株式移転設立完全親会社の成立の日後遅滞なく，株式移転設立完全親会社と共同して，株式移転により株式移転設立完全親会社が取得した株式移転完全子会社の株式の数その他の株式移転に関する事項として法務省令で定める事項を記載しまたは記録した書面または電磁的記録［→224条］を作成し，効力発生日から6カ月間，その書面または電磁的記録をその本店に備え置かなければならない（法811条1項2号・2項）。この委任をうけて，「株式移転に関する事項として法務省令で定める事項」を定めるのが本条である。平成17年改正前商法371条2項が準用する同法360条が定めていた事項に加えて若干の事項が事後開示事項とされている。

　株式移転に係る事後開示は，主として，株式移転の効力が生じた日において株式移転をする株式会社の株主等であった者または株式移転により設立する株式会社の株主等が（法828条2項12号），株式移転無効の訴えを提起すべきかどうかを判断するために必要な情報を提供するという観点から定められているが（菊池・商事法務1464号27頁参照），株式移転完全子会社の取締役・執行役が適切に職務執行を行ったことを明らかにするという機能を有し，株式移転完全子会社の取締役・執行役に適切に職務を執行するインセンティブを与えるという機能を有する。

1　株式移転が効力を生じた日（1号）

　これが事後開示事項とされているのは，株式移転無効の訴えは，株式移転の効力が生じた日から6カ月以内でなければ提起することができないとされていること（法828条1項12号）と関連する。

2 株式移転差止請求に係る手続の経過（2号）

　平成26年会社法改正により，株式移転が法令または定款に違反する場合において，株式移転完全子会社の株主が不利益を受けるおそれがあるときは，株式移転完全子会社の株主は，株式移転完全子会社に対し，当該株式移転をやめることを請求することができる旨の規定（法805条の2）が設けられたため，株式移転差止請求に係る手続の経過が事後開示事項とされている。これは，裁判所による株式移転差止めの仮処分または判決に反してなされる株式移転には株式移転無効原因があると考えられるほか（最判平成5・12・16民集47巻10号5423頁参照），法令または定款に違反する株式移転には株式移転無効原因があるとされる場合があるため，このような手続の経過を開示することが，株主その他の者が適切な判断を行うため，とりわけ，株式移転無効の訴えを提起するか否かを判断するために重要であると考えられるためである。

3 株式移転完全子会社における反対株主の株式買取請求に係る手続（法806条），新株予約権買取請求に係る手続（法808条）および債権者保護手続（法810条）の経過（3号）

　これらが事後開示事項とされているのは，これらの手続を適切に履践しないことは株式移転無効原因にあたると解されるからである。反対株主の株式買取請求あるいは新株予約権の買取請求があったときはその旨，買取請求の対象となった株式または新株予約権の数，種類株式発行会社ではその株式の種類，買取価格，裁判所に価格決定の申立てをしたときはその旨および裁判所が決定した価格を記載・記録することになろう。債権者保護手続の経過としては，債権者に対する通知または公告をした旨およびその年月日，公告の方法，電子公告または時事を掲載する日刊新聞紙に掲げてする公告を行ったことによって，知れている債権者に対して通知をしなかったときはその旨，債権者からの異議の有無，弁済，担保提供または財産の信託をしたときはその旨，債権者を害するおそれがないとして弁済，担保提供または財産の信託をしなかったときはその旨を記載・記録することになる。

4 株式移転により株式移転設立完全親会社に移転した株式移転完全子会社の株式の数（株式移転完全子会社が種類株式発行会社であるときは，株式の種類および種類ごとの数）（4号）

　これが事後開示事項とされているのは，どのような株式移転完全子会社の株

式が移転されたのかを明らかにすることが利害関係人の判断のために必要だからである。もっとも，株式移転設立完全親会社の資本金および資本準備金の額が会社計算規則が定める額の範囲内にあることの判断の助けとなるという意義も認められよう。

5 「前各号に掲げるもののほか，株式移転に関する重要な事項」（5号）

これが事後開示事項とされているのは，それぞれの株式移転において重要な事項は異なるため，すべてを本条で列挙することができないからであるが，たとえば，資本金および準備金の額に関する事項，株式移転対価の相当性に関する事項，独占禁止法などに基づく公正取引委員会や金融庁などに対する手続の履践状況などがあたると考えられる。

第6章
新設合併設立株式会社，新設分割設立株式会社及び株式移転設立完全親会社の手続

　章の標題とは異なり，株式移転設立完全親会社の手続についての規定はない。

（新設合併設立株式会社の事後開示事項）

第211条　法第815条第1項に規定する法務省令で定める事項は，次に掲げる事項とする。
　一　新設合併が効力を生じた日
　二　法第805条の2の規定による請求に係る手続の経過
　三　法第806条及び第808条の規定並びに法第810条（法第813条第2項において準用する場合を含む。）の規定による手続の経過
　四　新設合併により新設合併設立株式会社が新設合併消滅会社から承継した重要な権利義務に関する事項
　五　前各号に掲げるもののほか，新設合併に関する重要な事項

　新設合併設立株式会社は，その成立の日後遅滞なく，新設合併により新設合併設立株式会社が承継した新設合併消滅会社の権利義務その他の新設合併に関する事項として法務省令で定める事項を記載しまたは記録した書面または電磁的記録［→224条］を作成し，効力発生日から6カ月間，その書面または電磁的記録をその本店に備え置かなければならないものとされている（法815条1項・3項1号）。この委任をうけて，「新設合併に関する事項として法務省令で定める事項」を定めるのが本条である。平成17年改正前商法414条ノ2が定めていた事項に加えて若干の事項が事後開示事項とされている。

　新設合併に係る事後開示は，主として，新設合併の効力が生じた日において新設合併をする会社の株主等もしくは社員等であった者または新設合併により

設立する会社の株主等，社員等，破産管財人もしくは新設合併について承認をしなかった債権者が（法828条2項8号），新設合併無効の訴えを提起すべきかどうかを判断するために必要な情報を提供するという観点から定められているが（菊池・商事法務1464号27頁），新設合併消滅会社の取締役・執行役が適切に職務執行を行ったことを明らかにするという機能を有し，新設合併消滅会社の取締役・執行役に適切に職務執行するインセンティブを与えるという機能を有する。

1 新設合併が効力を生じた日（1号）

これが事後開示事項とされているのは，新設合併無効の訴えは，新設合併の効力が生じた日から6カ月以内でなければ提起することができないとされていること（法828条1項8号）と関連する。

2 新設合併差止請求に係る手続の経過（2号）

平成26年会社法改正により，新設合併が法令または定款に違反する場合において，新設合併消滅会社の株主が不利益を受けるおそれがあるときは，新設合併消滅会社の株主は，新設合併消滅会社に対し，当該新設合併をやめることを請求することができる旨の規定（法805条の2）が設けられたため，新設合併差止請求に係る手続の経過が事後開示事項とされている。これは，裁判所による新設合併差止めの仮処分または判決に反してなされる新設合併には合併無効原因があると考えられるほか（最判平成5・12・16民集47巻10号5423頁），法令または定款に違反する新設合併には合併無効原因があるとされる場合があるため，このような手続の経過を開示することが，株主その他の者が適切な判断を行うため，とりわけ，新設合併無効の訴えを提起するか否かを判断するために重要であると考えられるためである。

3 新設合併消滅会社における反対株主の株式買取請求に係る手続（法806条）および新株予約権買取請求に係る手続（法808条）ならびに新設分割会社における債権者保護手続（法810条・813条2項）の経過（3号）

これらが事後開示事項とされているのは，これらの手続を適切に履践しないことは合併無効原因にあたると解されるからである。反対株主の株式買取請求あるいは新株予約権の買取請求があったときはその旨，買取請求の対象となった株式または新株予約権の数，種類株式発行会社ではその株式の種類，買取価

格，裁判所に価格決定の申立てをしたときはその旨および裁判所が決定した価格を記載・記録することになろう。債権者保護手続の経過としては，債権者に対する通知または公告をした旨およびその年月日，公告の方法，電子公告または時事を掲載する日刊新聞紙に掲げてする公告を行ったことによって，知れている債権者に対して通知をしなかったときはその旨，債権者からの異議の有無，弁済，担保提供または財産の信託をしたときはその旨，債権者を害するおそれがないとして弁済，担保提供または財産の信託をしなかったときはその旨を記載・記録することになる。

4 新設合併により新設合併設立株式会社が新設合併消滅会社から承継した重要な権利義務に関する事項（4号）

　これが事後開示事項とされているのは，どのような権利義務が承継されたのかを明らかにすることが利害関係人の判断のために必要だからである。もっとも，新設合併設立株式会社の資本金および資本準備金の額が会社計算規則が定める限度額の範囲内にあることを確かめることができるようにするという意義も認められよう。

5 「前各号に掲げるもののほか，新設合併に関する重要な事項」（5号）

　これが事後開示事項とされているのは，それぞれの新設合併において重要な事項は異なるため，すべてを本条で列挙することができないからであるが，たとえば，資本金および準備金の額に関する事項，合併対価の相当性に関する事項，独占禁止法などに基づく公正取引委員会や金融庁などに対する手続の履践状況などがあたると考えられる。

―（新設分割設立株式会社の事後開示事項）――――――――――――――
　第212条　法第815条第2項に規定する法務省令で定める事項は，次に掲げる事項とする。
　　一　新設分割が効力を生じた日
　　二　法第813条第2項において準用する法第810条の規定による手続の経過
　　三　新設分割により新設分割設立株式会社が新設分割合同会社から承継した重要な権利義務に関する事項
　　四　前3号に掲げるもののほか，新設分割に関する重要な事項

第212条（新設分割設立株式会社の事後開示事項）　1157

　新設分割設立株式会社（一又は二以上の合同会社のみが新設分割をする場合における当該新設分割設立株式会社に限る）は，その成立の日後遅滞なく，新設分割合同会社と共同して，新設分割により新設分割設立株式会社が承継した新設分割合同会社の権利義務その他の新設分割に関する事項として法務省令で定める事項を記載しまたは記録した書面または電磁的記録［→224条］を作成し，その成立の日から6カ月間，その書面または電磁的記録をその本店に備え置かなければならないものとされている（法815条2項・3項2号。株式会社が新設分割をする場合の新設分割株式会社における事後開示事項は法811条1項1号および施規209条参照）。この委任をうけて，「新設分割に関する事項として法務省令で定める事項」を定めるのが本条である。平成17年改正前商法374条ノ11が定めていた事項に加えて若干の事項が事後開示事項とされている。

　新設分割に係る事後開示は，主として，新設分割の効力が生じた日において新設分割をする会社の株主等もしくは社員等であった者または新設分割をする会社もしくは新設分割により設立する会社の株主等，社員等，破産管財人もしくは新設分割について承認をしなかった債権者が（法828条2項10号），新設分割無効の訴えを提起すべきかどうかを判断するために必要な情報を提供するという観点から定められているが（菊池・商事法務1464号27頁参照），新設分割会社の業務執行社員が適切に職務執行を行ったことを明らかにするという機能を有し，新設分割合同会社の業務執行社員に適切に職務執行するインセンティブを与えるという機能を有する。

　なお，209条2号と異なり，新設分割差止請求に係る手続の経過が事後開示事項とされていないのは，一又は二以上の合同会社のみが新設分割をする場合については，法805条の2のような新設分割差止請求に係る規定が設けられていないためである（坂本ほか・商事法務2065号39頁注113）。

1　新設分割が効力を生じた日（1号）

　これが事後開示事項とされているのは，新設分割無効の訴えは，新設分割の効力が生じた日から6カ月以内でなければ提起することができないとされていること（法828条1項10号）と関連する。

2　債権者保護手続（法813条2項・810条）の経過（2号）

　これが事後開示事項とされているのは，これらの手続を適切に履践しないことは分割無効原因にあたると解されるからである。債権者保護手続の経過とし

ては，債権者に対する通知または公告をした旨およびその年月日，公告の方法，電子公告または時事を掲載する日刊新聞紙に掲げてする公告を行ったことによって，知れている債権者に対して通知をしなかったときはその旨，債権者からの異議の有無，弁済，担保提供または財産の信託をしたときはその旨，債権者を害するおそれがないとして弁済，担保提供または財産の信託をしなかったときはその旨を記載・記録することになる。

3　新設分割により新設分割設立株式会社が新設分割合同会社から承継した重要な権利義務に関する事項（3号）

　これが事後開示事項とされているのは，新設分割とは一または二以上の株式会社または合同会社がその事業に関して有する権利義務の全部または一部を分割により設立する会社に承継させることをいうが（法2条30号），どのような権利義務が承継されたのかを明らかにすることが利害関係人の判断のために必要だからである。もっとも，新設分割設立株式会社の資本金および資本準備金の額が会社計算規則が定める限度額の範囲内にあることを確かめることができるようにするという意義も認められよう。

4　「前3号に掲げるもののほか，新設分割に関する重要な事項」（4号）

　これが事後開示事項とされているのは，それぞれの新設分割において重要な事項は異なるため，すべてを本条で列挙することができないからであるが，たとえば，資本金および準備金の額に関する事項，分割対価の相当性に関する事項，独占禁止法などに基づく公正取引委員会や金融庁などに対する手続の履践状況などがあたると考えられる。

―（新設合併設立株式会社の事後開示事項）――――――――――――――
　第213条　法第815条第3項第1号に規定する法務省令で定める事項は，法第803条第1項の規定により新設合併消滅株式会社が備え置いた書面又は電磁的記録に記載又は記録がされた事項（新設合併契約の内容を除く。）とする。

　本条は，新設合併設立株式会社の事後開示事項を定めるものである。新設合併により，新設合併消滅会社は消滅するので，新設合併設立株式会社は，新設合併消滅会社の事前開示事項（新設合併契約の内容を除く）に相当する事項を記

第213条（新設合併設立株式会社の事後開示事項） 1159

載または記録した書面または電磁的記録の形で備え置き，閲覧等の請求に応じなければならないものとされている。これは，事前開示事項は合併無効の訴えを提起すべきかどうかを判断するために必要な情報を提供するという意義も有しているからである。

すなわち，新設合併設立株式会社は，その成立の日から6カ月間，法815条1項の書面または電磁的記録［→224条］のほか，新設合併契約の内容その他法務省令で定める事項を記載し，または記録した書面または電磁的記録をその本店に備え置かなければならないものとされている（法815条3項1号）。これをうけて，本条が「法務省令で定める事項」を定めている。「新設合併契約の内容を除く」とされているのは，法815条3項1号が「新設合併契約の内容その他法務省令で定める事項」（圏点—引用者）と定めており，「法務省令で定める事項」には，「新設合併契約の内容」は含まれないものとされているからである。

本条で定められている事項の内容は，結局，法803条1項の委任により定められている施規204条が定めているということができる。したがって，合併対価の相当性に関する事項，新設合併設立株式会社の資本金および準備金の額に関する事項の相当性に関する事項，新設合併消滅株式会社の新株予約権者に対して交付する新株予約権等についての定めの相当性，他の新設合併消滅会社の計算書類等および臨時計算書類等の内容（新設合併消滅会社に最終事業年度がない場合には，その設立の日における貸借対照表，新設合併消滅会社が清算株式会社または清算持分会社である場合には，その清算開始時（合名会社または合資会社において財産処理の方法を定めた場合には解散の日）における貸借対照表），新設合併消滅会社の重要な後発事象，新設合併消滅株式会社の成立の日における貸借対照表，新設合併が効力を生ずる日以後における新設合併設立株式会社の債務の履行の見込みに関する事項，および，新設合併契約等備置開始日後，これらの事項に変更が生じたときは，変更後のその事項が事後開示事項に含まれる。

第7章

株式交付親会社の手続

―(株式交付親会社の事前開示事項)――――――――――――――
第213条の2　法第816条の2第1項に規定する法務省令で定める事項は，次に掲げる事項とする。
一　法第774条の3第1項第2号に掲げる事項についての定めが同条第2項に定める要件を満たすと株式交付親会社が判断した理由
二　法第774条の3第1項第3号から第6号までに掲げる事項についての定めの相当性に関する事項
三　法第774条の3第1項第7号に掲げる事項を定めたときは，同項第8号及び第9号に掲げる事項についての定めの相当性に関する事項
四　株式交付子会社についての次に掲げる事項を株式交付親会社が知っているときは，当該事項
　　イ　最終事業年度に係る計算書類等（最終事業年度がない場合にあっては，株式交付子会社の成立の日における貸借対照表）の内容
　　ロ　最終事業年度の末日（最終事業年度がない場合にあっては，株式交付子会社の成立の日。ハにおいて同じ。）後の日を臨時決算日（二以上の臨時決算日がある場合にあっては，最も遅いもの）とする臨時計算書類等があるときは，当該臨時計算書類等の内容
　　ハ　最終事業年度の末日後に重要な財産の処分，重大な債務の負担その他の会社財産の状況に重要な影響を与える事象が生じたときは，その内容（株式交付計画備置開始日（法第816条の2第2項に規定する株式交付計画備置開始日をいう。以下この条において同じ。）後株式交付の効力が生ずる日までの間に新たな最終事業年度が存することとなる場合にあっては，当該新たな最終事業年度の末日後に生じた事象の内容に限る。）
五　株式交付親会社についての次に掲げる事項
　　イ　株式交付親会社において最終事業年度の末日（最終事業年度がない場合にあっては，株式交付親会社の成立の日）後に重要な財産の処分，重大な債務の負担その他の会社財産の状況に重要な影響を与える事象が生じた

第213条の2（株式交付親会社の事前開示事項） 1161

> ときは，その内容（株式交付計画備置開始日後株式交付の効力が生ずる日までの間に新たな最終事業年度が存することとなる場合にあっては，当該新たな最終事業年度の末日後に生じた事象の内容に限る。）
>   ロ 株式交付親会社において最終事業年度がないときは，株式交付親会社の成立の日における貸借対照表
>   六 法第816条の8第1項の規定により株式交付について異議を述べることができる債権者があるときは，株式交付が効力を生ずる日以後における株式交付親会社の債務（当該債権者に対して負担する債務に限る。）の履行の見込みに関する事項
>   七 株式交付計画備置開始日後株式交付が効力を生ずる日までの間に，前各号に掲げる事項に変更が生じたときは，変更後の当該事項

　本条は，株式交付親会社の事前開示事項を定めるものである。すなわち，法816条の2第1項は，株式交付親会社は，株式交付計画備置開始日から株式交付がその効力を生ずる日（効力発生日）後6カ月を経過する日までの間，株式交付計画の内容その他法務省令で定める事項を記載し，または記録した書面または電磁的記録をその本店に備え置かなければならないものと定めている。これをうけて，本条では，「法務省令で定める事項」を定めている。

　法816条の2第1項は，その株式交付計画を承認するかどうかを意思決定するために必要な情報を株式交付親会社の株主に，その株式交付に異議を述べるかどうかを意思決定するために必要な情報を株式交付親会社の債権者に，それぞれ，提供することを目的とする。また，株式交付親会社の株主が株式交付差止請求（法816条の5）を行うかどうかを判断するための情報，株式交付親会社の株主や会社債権者が株式交付無効の訴え（法828条1項13号・2項13号）を提起すべきかどうかを判断するための情報を提供するという面もある。

1　株式交付に際して譲り受ける株式交付子会社の株式の数の下限についての株式交付計画の定めが株式交付子会社が効力発生日において株式交付親会社の子会社となる数を内容とするものであると判断した理由（1号）

　「株式交付計画において，株式交付親会社が株式交付に際して譲り受ける株式交付子会社の株式の数の下限についての定めが，株式交付子会社が効力発生日において株式交付親会社の子会社となる数を内容とするものとされたか否かが公開情報からは不明である場合が考えられるため」，「法第774条の3第1項

第2号に掲げる事項についての定めが同条第2項に定める要件を満たすと株式交付親会社が判断した理由」が事前開示事項とされている（意見募集の結果（令和2年11月）52〜53頁）。なお，この情報と，その他の株主権の行使により得られる情報や登記等の公開情報とを照らし合わせれば，株式交付親会社が有することとなった株式交付子会社の議決権の数が明らかとなる。

2　株式交付子会社の株式の譲渡人に対する交付対価の相当性に関する事項
（2号）

本号は，「法第774条の3第1項第3号から第6号までに掲げる事項についての定め」の相当性に関する事項を事前開示事項として定めている。具体的には，(a)株式交付親会社が株式交付に際して株式交付子会社の株式の譲渡人に対して当該株式の対価として交付する株式交付親会社の株式の数（種類株式発行会社にあっては，株式の種類および種類ごとの数）またはその数の算定方法ならびに当該株式交付親会社の資本金および準備金の額に関する事項，(b)株式交付子会社の株式の譲渡人に対する(a)の株式交付親会社の株式の割当てに関する事項，(c)株式交付親会社が株式交付に際して株式交付子会社の株式の譲渡人に対して当該株式の対価として金銭等（株式交付親会社の株式を除く）を交付するときは，(i)当該金銭等が株式交付親会社の社債（新株予約権付社債についてのものを除く）であるときは，当該社債の種類および種類ごとの各社債の金額の合計額またはその算定方法，(ii)当該金銭等が株式交付親会社の新株予約権（新株予約権付社債に付されたものを除く）であるときは，当該新株予約権の内容および数またはその算定方法，(iii)当該金銭等が株式交付親会社の新株予約権付社債であるときは，当該新株予約権付社債についての(i)に規定する事項および当該新株予約権付社債に付された新株予約権についての(ii)に規定する事項，(iv)当該金銭等が株式交付親会社の社債および新株予約権以外の財産であるときは，当該財産の内容および数もしくは額またはこれらの算定方法，(d)(c)に規定する場合には，株式交付子会社の株式の譲渡人に対する金銭等の割当てに関する事項の記載・記録が要求されている。

これは，株式交付対価の種類・内容ならびに株式交付対価の数もしくは額またはその算定方法は株式交付親会社の株主の経済的利益や持分比率的利益に大きな影響を与えるものであり，株式交付親会社の株主が株式交付計画を承認するか否かを的確に判断するため，あるいは，株式買取請求を行うか否かを判断するために重要な情報だからである。また，異議を述べることができる株式交

付親会社の会社債権者が異議を述べるべきか否かを判断する上でも重要な情報だからである。

3 株式交付親会社が株式交付に際して株式交付子会社の株式と併せて株式交付子会社の新株予約権等を譲り受ける場合の譲渡人に交付する交付対価の相当性に関する事項（3号）

　本号は，株式交付親会社が株式交付に際して株式交付子会社の株式と併せて株式交付子会社の新株予約権等を譲り受ける場合の法774条の3第1項「第8号及び第9号に掲げる事項についての定め」の相当性に関する事項を事前開示事項として定めている。

　具体的には，株式交付親会社が株式交付に際して株式交付子会社の株式と併せて株式交付子会社の新株予約権（新株予約権付社債に付されたものを除く）または新株予約権付社債（併せて，新株予約権等）を譲り受ける場合に，(a)株式交付親会社が株式交付に際して株式交付子会社の新株予約権等の譲渡人に対して当該新株予約権等の対価として金銭等を交付するときは，(i)当該金銭等が株式交付親会社の株式であるときは，当該株式の数（種類株式発行会社では，株式の種類および種類ごとの数）またはその数の算定方法ならびに当該株式交付親会社の資本金および準備金の額に関する事項，(ii)当該金銭等が株式交付親会社の社債（新株予約権付社債についてのものを除く）であるときは，当該社債の種類および種類ごとの各社債の金額の合計額またはその算定方法，(iii)当該金銭等が株式交付親会社の新株予約権（新株予約権付社債に付されたものを除く）であるときは，当該新株予約権の内容および数またはその算定方法，(iv)当該金銭等が株式交付親会社の新株予約権付社債であるときは，当該新株予約権付社債についての(ii)に規定する事項および当該新株予約権付社債に付された新株予約権についての(iii)に規定する事項，(v)当該金銭等が株式交付親会社の株式等以外の財産であるときは，当該財産の内容および数もしくは額またはこれらの算定方法，(b)(a)に規定する場合には，株式交付子会社の新株予約権等の譲渡人に対する金銭等の割当てに関する事項が事前開示事項とされている。

　これは，不相当な交付対価で新株予約権等を譲り受ける場合にも，株式交付親会社の株式の価値が下落し，または，株式交付親会社の株主の持分比率が低下することにつながりうるので，株式交付親会社の株主が株式交付計画を承認するか否かを的確に判断するため，あるいは，株式買取請求を行うか否かを判断するために重要な情報だからである。また，異議を述べることができる株式

交付親会社の会社債権者が異議を述べるべきか否かを判断する上でも重要な情報だからである。

4 株式交付子会社の計算書類等および臨時計算書類等の内容（4号イ・ロ）

「株式交付子会社についての次に掲げる事項を株式交付親会社が知っているときは」とされているのは、株式交付は必ずしも株式交付子会社の同意または関与の下で行われるものではないので、株式交付親会社が株式交付子会社の計算書類等および臨時計算書類等の内容を知らないことがあり得るためである。「知っているとき」とは、当該事項が事前開示書面に含めるべき事項となっていることを前提として行われる調査の結果、知っている場合を意味するものと解されており（相澤＝郡谷・商事法務1762号11頁参照）、そのような調査をしても把握できなかった事項まで記載をすることを求めるものではない（坂本ほか・商事法務2060号12頁）。もっとも、十分な調査を行わないで、「知らない」とすることを認めるものではないと指摘されている（相澤＝郡谷・商事法務1762号11頁）。

計算書類等とは株式会社については「各事業年度に係る計算書類及び事業報告（法第436条第1項又は第2項の規定の適用がある場合にあっては、監査報告又は会計監査報告を含む。）」をいい（2条3項12号）、臨時計算書類等とは会社「法第441条第1項に規定する臨時計算書類（同条第2項の規定の適用がある場合にあっては、監査報告又は会計監査報告を含む。）」をいう（2条3項13号）。本号は、株主や会社債権者が株式交付親会社の状況を正確に把握するためには、貸借対照表および損益計算書の内容のみでは不十分であるという認識、および、監査報告および会計監査報告がある場合にはその内容も重要な情報であるという認識に基づくものである。

最終事業年度に係る計算書類等の内容を開示すれば足りるとされているのは、最終事業年度に係る計算書類等に加えて、たとえば、株式交付計画の承認をする株主総会の日の前6カ月以内に作成された貸借対照表および損益計算書の内容の開示を要求したとしても、それらの貸借対照表および損益計算書について監査役、監査役会または監査委員会の監査および会計監査人の監査がなされていなければ、その貸借対照表および損益計算書の内容の適法性・適正性が担保されないため、情報としての価値が低いこと、および、その貸借対照表および損益計算書の作成後に株式交付子会社の財産状態に重要な影響を与える事象が生じた場合には、株主や会社債権者の意思決定を的確ならしめるために

は，4号ハに定める事項のような事項の追加的な開示が必要とされることによるものである。

　最終事業年度がない場合には，株式交付子会社の成立の日における貸借対照表を事前開示事項としているのは，株式会社の成立の日における貸借対照表は株主や会社債権者の閲覧等の請求の対象とされていないことによる。すなわち，株式交付子会社において最終事業年度がない場合には，株式交付親会社の株主および会社債権者が株式交付子会社の成立の日における貸借対照表の内容を知って，株式交付子会社の財産の状況に関する最低限の情報を得て，的確に権利行使をすることができるようにするためである。

　なお，株式交付子会社が臨時計算書類を作成している場合には，その臨時計算書類（その臨時計算書類について，監査役，監査役会もしくは監査委員会の監査または会計監査人の監査がなされている場合には，その監査報告または会計監査報告を含む）が開示されれば株主や会社債権者に有用な情報を提供することになるし，株式交付親会社においても株式交付子会社の臨時計算書類等が事前開示事項に含められることによる負担が大きいとはいえないので，4号ロでは，株式交付子会社が臨時計算書類等を作成しているときには，それを事前開示事項に含めている。「二以上の臨時決算日がある場合にあっては，最も遅いもの」とされているので，最終事業年度の末日（最終事業年度がない場合には，株式交付子会社の成立の日）後に複数の臨時計算書類が作成されている場合には，最新の臨時計算書類を開示すれば足りる。

5　株式交付親会社において最終事業年度がないときの株式交付親会社の成立の日における貸借対照表（5号ロ）

　株式交付子会社の計算書類等および臨時計算書類等の内容のみが事前開示事項とされ，株式交付親会社の計算書類等および臨時計算書類等の内容が事前開示事項とされていないのは，株式交付親会社の計算書類等および臨時計算書類等については，別途，備え置き，株主および会社債権者の閲覧等の請求に応じるべきものとされているため（法442条），二重に規制を設ける必要がないと考えられるためである。

　しかし，株式交付親会社において最終事業年度がないときは，株式交付親会社の成立の日における貸借対照表を事前開示事項に含める必要があると考えられる。株式会社が株式交付をする場合には，株式交付親会社の債権者のうち一定の者は，その株式会社に対し，その株式交付について異議を述べることがで

きるが（法816条の8），異議を述べるか否かの判断にあたって，株式交付親会社の財産および損益の状況を考慮に入れると推測される。また，交付対価に株式交付親会社の株式が含まれ，場合によっては，株式交付親会社の新株予約権や新株予約権付社債が含まれることから，株式交付親会社の財産および損益の状況は交付対価の相当性に影響を与えるため，株式交付親会社の財産および損益の状況についての情報は，株式交付親会社の株主が株式交付計画を承認するか否かを的確に判断するため，あるいは，株式買取請求を行うか否かを判断するために重要な情報である。たしかに，最終事業年度がある場合には，株式交付親会社の計算書類等が作成されており，会社債権者はそれを閲覧等することができるが（法442条），最終事業年度がない場合には，臨時計算書類が作成されていない限り，そのような計算書類等が存在しない。しかも，株式会社の成立の日における貸借対照表は株主や会社債権者の閲覧等の請求の対象とされていない。そこで，株式交付親会社において最終事業年度がない場合には，会社債権者（および株主）がその株式会社の成立の日における貸借対照表を閲覧等して，会社の財産の状況に関する最低限の情報を得られるようにするため，株式交付親会社の成立の日における貸借対照表が事前開示事項に含められている。

6 株式交付親会社および株式交付子会社の重要な後発事象（4号ハ・5号イ）

株式交付親会社または株式交付子会社において，最終事業年度の末日（最終事業年度がない場合には，それぞれ，株式交付親会社または株式交付子会社の成立の日）後に重要な財産の処分，重大な債務の負担その他の会社財産の状況に重要な影響を与える事象が生じたときは，その内容（株式交付計画備置開始日（法816条の2第2項）後株式交付の効力が生ずる日までの間に新たな最終事業年度が存することとなる場合にあっては，当該新たな最終事業年度の末日後に生じた事象の内容に限る）が事前開示事項に含められている。これは，最終事業年度の末日後に生じた重要な財産の処分，重大な債務の負担その他の会社財産の状況に重要な影響を与える事象や最終事業年度の末日後になされた組織再編行為などは株式交付対価の相当性に重要な影響を及ぼす可能性があるところ，最終事業年度に係る計算書類等の開示のみによっては，株式交付親会社および株式交付子会社の財産の状況を的確に判断することは難しいという認識に基づく開示事項である。

「株式交付計画備置開始日後株式交付の効力が生ずる日までの間に新たな最

終事業年度が存することとなる場合にあっては，当該新たな最終事業年度の末日後に生じた事象の内容に限る」とされているのは，新たな最終事業年度に係る計算書類等には当該新たな最終事業年度の末日までに生じた重要な財産の処分，重大な債務の負担その他の会社財産の状況に重要な影響を与える事象が反映されるため，別途開示する必要がないからである。

7　債務の履行の見込みに関する事項（6号）

　本号は，株式交付が効力を生ずる日以後における株式交付親会社の債務（株式交付について異議を述べることができる債権者に対して負担する債務に限る）の履行の見込みに関する事項を事前開示事項の1つとして定めている。

　たしかに，本号では「債務の履行の見込みに関する事項」と定めていることから，債務の履行の見込みがなくなるような株式交付を行った場合であっても，その株式交付は当然に無効になるわけではないと解する余地はある。実質的にも，債務履行の見込みは将来予測に基づくものであり，株式交付の時点では不確定であることに鑑みると，債務の履行の見込みがないことが株式交付無効原因であると解することは法的安定性を損なう一方で債権者の保護は債権者保護手続または債権者取消権の行使などによって図ることが可能であるとも考えられる（相澤＝細川・商事法務1769号19頁参照）。

　しかし，平成17年改正前商法374条ノ2第1項3号などは，「各会社ノ負担スベキ債務ノ履行ノ見込」がないことを分割無効原因とする創設的規定ではなく，「各会社ノ負担スベキ債務ノ履行ノ見込」がないことが分割無効原因であることを前提として開示を要求する規定であった（原田・商事法務1565号11頁，名古屋地判平成16・10・29判時1881号122頁参照）。開示すべき事項が「債務の履行の見込みに関する事項」と規定されていることの一事をもって，実体法の解釈が直ちに変更されたと解するのはやや強引なのではないかと思われる。実質的に考えてみても，株式会社の場合，債務の履行の見込みがないことは支払不能として破産原因（破産法16条1項）にあたり，会社がそのような状態となる株式交付を有効であると解することは適切ではない。また，「履行の見込みがない」ということが開示されていれば十分であるともいえない。なぜなら，債権者保護手続として，必ずしも個別催告が要求されていない以上，「履行の見込みがない」ことを知っていたにもかかわらず，すべての債権者があえて異議を述べなかったとみなすことには無理があるからである。いいかえれば，株式交付がなされても，債務の履行の見込みがあってこそ，個別催告を必ずしも要

求しないことが正当化されると思われる。したがって，債務の履行の見込みがないことは株式交付無効原因にあたると解することが穏当であるように思われる。ただし，異議を述べることができる債権者が異議を述べなかった場合には承認したものとみなされ（法816条の8第4項），株式交付無効の訴えの原告適格を有しないから，「債務の履行の見込みがないこと」が株式交付無効原因であると解することの実益は必ずしも大きくはないこともまた事実である（藤田・商事法務1775号65頁，江頭945頁注3参照）。

なお，「法第816条の8第1項の規定により株式交付について異議を述べることができる債権者……に対して負担する債務に限る」とされているのは，本号に基づく開示は主として株式交付について異議を述べることができる債権者の保護のためであると考えられるからである。

8　1から7の事項に変更が生じたときは，変更後の当該事項（7号）

株式交付計画備置開始日後，1号から6号までに掲げる事項に変更が生じたときは，変更後のその事項も事前開示事項とされる。

債権者保護手続は効力発生日までに終了していれば足りるとされているところ（法774条の11第5項1号），株式交付計画備置開始日後，効力発生日までの間がある程度の期間となる可能性もあり，会社債権者および株主に対して適切な権利行使のための判断材料を与えるという観点から最新の情報を提供することを要求することが適切である。そこで，本号では，株式交付計画備置開始日後，事前開示事項に変更が生じたときは，変更後のその事項を開示することを要求している。

したがって，たとえば，株式交付計画備置開始日後に，計算書類等が確定し，最終事業年度に係る計算書類等が存在するようになった場合には，もはや成立の日における貸借対照表を事前開示事項に含める必要はなく，一般原則に従って計算書類等を備え置き，閲覧等の請求に応ずれば足りることになる（法442条）。同様に，最終事業年度に係る計算書類等については，新たに計算書類等が確定し，最終事業年度が更新された場合には，その最終事業年度に係る計算書類等を開示することが要求される（4号ハかっこ書・5号イかっこ書も参照）。

─（株式交付親会社の株式に準ずるもの）─
第213条の3　法第816条の2第3項に規定する法務省令で定めるものは，第1号に掲げる額から第2号に掲げる額を減じて得た額が第3号に掲げる額よりも

第213条の3（株式交付親会社の株式に準ずるもの）　1169

> 小さい場合における法第774条の3第1項第5号，第6号，第8号及び第9号の定めに従い交付する株式交付親会社の株式以外の金銭等とする。
> 　一　株式交付子会社の株式，新株予約権（新株予約権付社債に付されたものを除く。）又は新株予約権付社債の譲渡人に対して交付する金銭等の合計額
> 　二　前号に規定する金銭等のうち株式交付親会社の株式の価額の合計額
> 　三　第1号に規定する金銭等の合計額に20分の1を乗じて得た額

　本条は，株式交付親会社の株式以外の財産を株式交付対価として交付するときであっても，株式交付親会社の債権者に株式交付計画等の事前開示資料の閲覧等請求権が認められない要件との関連で，株式交付親会社の株式に準ずるものを定めるものである。すなわち，株式交付親会社の債権者は，株式交付親会社が株式交付に際して株式交付子会社の株式および新株予約権等の譲渡人に対して交付する金銭等（株式交付親会社の株式を除く）が株式交付親会社の株式に準ずるものとして法務省令で定めるもののみである場合を除き，株式交付親会社に対して，その営業時間内は，いつでも，株式交付計画の内容その他法務省令で定める事項（213条の2）を記載した書面の閲覧，謄本または抄本の交付の請求をすることができ，株式交付計画の内容その他法務省令で定める事項（213条の2）を記録した電磁的記録を法務省令で定める方法（226条）により表示したものの閲覧，電磁的方法であって株式交付親会社の定めたものにより提供することの請求またはその事項を記載した書面の交付を請求することができるものとされている（法816条の2第3項）。この委任をうけて，本条では，「株式交付親会社の株式に準ずるものとして法務省令で定めるもの」を定めている。
　これは，株式交付対価の調整のために，株式交付親会社の株式以外の金銭等（金銭その他の財産。法151条柱書）を株式交付子会社の株式および新株予約権等の譲渡人に交付する必要があり，そのような調整のために金銭等を交付しても，その経済的価値が十分に小さければ，債権者保護手続を経なくとも，株式交付親会社の債権者の利益を害する可能性は低いと考えられたためである。そして，債権者保護手続をふむことを要しないとする（法816条の8第1項）以上，株式交付親会社の債権者に，株式交付計画等の事前開示資料の閲覧等請求権を認める必要もないからである。
　本条では，株式交付子会社の株式および新株予約権等の譲渡人に対して交付する株式交付親会社の株式以外の金銭等の合計額が株式交付子会社の株式およ

び新株予約権等の譲渡人に対して交付する金銭等の合計額の5％に相当する額未満の場合には，その金銭等は「株式交付親会社の株式に準ずるもの」にあたるものとし，株式交付親会社の債権者に，株式交付計画等の事前開示資料の閲覧等請求権を認める必要がないものとしている。

なお，株式交付を行う場合に，株式交付子会社の株式および新株予約権等の個々の譲渡人に割り当てる株式交付親会社の株式の数に1株に満たない端数があるときは，その端数の合計数に相当する数の株式を競売等し，その端数に応じて，その競売等により得られた代金を譲渡人に交付することになるが（法234条1項9号・2項・3項），このときに交付される代金は本条2号にいう株式交付親会社の株式として扱われ，本条の基準を満たすか否かの判断には反映されないものと考えられる。

（株式交付親会社が譲り受ける株式交付子会社の株式等の額）

第213条の4 法第816条の3第2項に規定する法務省令で定める額は，第1号及び第2号に掲げる額の合計額から第3号に掲げる額を減じて得た額とする。
 一 株式交付親会社が株式交付に際して譲り受ける株式交付子会社の株式，新株予約権（新株予約権付社債に付されたものを除く。）及び新株予約権付社債につき会計帳簿に付すべき額
 二 会社計算規則第11条の規定により計上したのれんの額
 三 会社計算規則第12条の規定により計上する負債の額（株式交付子会社が株式交付親会社（連結配当規制適用会社に限る。）の子会社である場合にあっては，零）

本条は，株式交付に際して差損が生ずる場合を規定するものである。すなわち，株式交付親会社が株式交付子会社の株式および新株予約権等の譲渡人に対して交付する金銭等（株式交付親会社の株式等を除く）の帳簿価額が株式交付親会社が譲り受ける株式交付子会社の株式および新株予約権等の額として法務省令で定める額を超える場合には，株式交付親会社の取締役は，株式交付契約を承認する株主総会において，その旨を説明しなければならないものとされている（法816条の3第2項）。簡易株式交付とされるための要件を定める法816条の4第1項本文の要件に該当する場合であっても，株主総会の特別決議による承認を要するものとされている（法816条の4第1項ただし書・309条2項12号）。

株式交付親会社が株式交付に際して譲り受ける株式交付子会社の株式，新株

第213条の4（株式交付親会社が譲り受ける株式交付子会社の株式等の額）

予約権（新株予約権付社債に付されたものを除く）および新株予約権付社債につき会計帳簿に付すべき額と計規11条の規定により計上したのれんの額との合計額から計規12条の規定により計上する負債の額（株式交付子会社が株式交付親会社（連結配当規制適用会社に限る）の子会社である場合には，ゼロ）を減じて得た額を「株式交付親会社が譲り受ける株式交付子会社の株式及び新株予約権等の額として法務省令で定める額」としている。これは，計規11条の規定により計上したのれんの額は差額のれんであるとはいえ，財産的価値を有する場合が十分にあるからである。

また，計規12条の規定により計上する負債の額は，株式交付子会社の株式および新株予約権等につき会計帳簿に付すべき額がゼロ以上でなければならないために計算上計上するものであることから，株式交付計画の承認総会において取締役が説明をする必要があるか，法816条の4第1項本文の要件に該当する場合に株主総会の決議を省略できるかを判断する基準との関連では，負債の額を控除すべきものとしている。

なお，「株式交付子会社が株式交付親会社（連結配当規制適用会社に限る。）の子会社である場合にあっては，零」とされているため，株式交付親会社が株式交付子会社の株主に対して交付する金銭等（株式交付親会社の株式等を除く）の帳簿価額が「株式交付親会社が譲り受ける株式交付子会社の株式及び新株予約権等の額として法務省令で定める額」（法816条の3第3項）を超えることはないことになる。したがって，株式交付親会社が連結配当規制適用会社である場合において，株式交付子会社が株式交付親会社の子会社であるときは，株式交付親会社の株式交付計画を承認する株主総会において，株式交付差損が生ずる旨を説明する必要がなく，また，法816条の4第1項本文の要件に該当する場合には簡易株式交付を行うことができる。このように定められているのは，連結配当規制適用会社においては，子会社に対する投資損失が分配可能額に反映されていること（計規158条4号）に着目したものである。もっとも，連結配当規制適用会社において，分配可能額に反映されているのは，子会社の損失のうち，親会社持分に対応する部分だけであること，また，株式交付子会社となった子会社に対する支配を獲得する前に発生したその子会社の損失は株式交付親会社となった親会社が連結配当規制適用会社であっても，その分配可能額に必ずしも反映されているとは限らないことという問題はある。

―（純資産の額）

第213条の５ 法第816条の４第１項第２号に規定する法務省令で定める方法は，算定基準日（株式交付計画を作成した日（当該株式交付計画により当該計画を作成した日と異なる時（当該株式交付計画を作成した日後から当該株式交付の効力が生ずる時の直前までの間の時に限る。）を定めた場合にあっては，当該時）をいう。）における第１号から第７号までに掲げる額の合計額から第８号に掲げる額を減じて得た額（当該額が500万円を下回る場合にあっては，500万円）をもって株式交付親会社の純資産額とする方法とする。

一　資本金の額
二　資本準備金の額
三　利益準備金の額
四　法第446条に規定する剰余金の額
五　最終事業年度（法第461条第２項第２号に規定する場合にあっては，法第441条第１項第２号の期間（当該期間が二以上ある場合にあっては，その末日が最も遅いもの））の末日（最終事業年度がない場合にあっては，株式交付親会社の成立の日）における評価・換算差額等に係る額
六　株式引受権の帳簿価額
七　新株予約権の帳簿価額
八　自己株式及び自己新株予約権の帳簿価額の合計額

　本条は，株式交付について，いわゆる簡易株式交付として，株式交付計画について株式交付親会社の株主総会の特別決議による承認を要しないとされるか否かの規準との関連で，株式交付親会社の純資産額を算定する方法を定めるものである。すなわち，株式会社が株式交付をする場合には，原則として，株式交付親会社は，その効力発生日の前日までに，株主総会の決議によって，その株式交付計画の承認を受けなければならないものとされているが（法816条の３第１項），株式交付子会社の株式および新株予約権等の譲渡人に対して交付する株式交付親会社の株式の数に１株当たり純資産額を乗じて得た額，株式交付子会社の株式および新株予約権等の譲渡人に対して交付する株式交付親会社の社債，新株予約権または新株予約権付社債の帳簿価額の合計額，ならびに，株式交付子会社の株式および新株予約権等の譲渡人に対して交付する株式交付親会社の株式等以外の財産の帳簿価額の合計額を合計した額の「株式交付親会社の純資産額として法務省令で定める方法により算定される額」に対する割合が５分の１（これを下回る割合をその株式会社の定款で定めた場合には，その割合）

を超えない場合には，一定の場合を除き，株主総会の決議による承認を得ることを要しないものとされている（法816条の4第1項）。そこで，この委任を受けて，株式交付親会社の純資産額を算定する方法を本条は定めている。

1 算定基準日

「株式交付計画を作成した日（当該株式交付計画により当該計画を作成した日と異なる時（当該株式交付計画を作成した日後から当該株式交付の効力が生ずる時の直前までの間の時に限る。）を定めた場合にあっては，当該時）」が算定基準日とされる。すなわち，法816条の4第1項は，株式交付子会社の株式および新株予約権等の譲渡人に対して交付する株式交付親会社の株式の数に1株当たり純資産額を乗じて得た額，株式交付子会社の株式および新株予約権等の譲渡人に対して交付する株式交付親会社の社債，新株予約権または新株予約権付社債の帳簿価額の合計額，ならびに，株式交付子会社の株式および新株予約権等の譲渡人に対して交付する株式交付親会社の株式等以外の財産の帳簿価額の合計額を合計した額の「株式交付親会社の純資産額として法務省令で定める方法により算定される額」に対する割合が5分の1（これを下回る割合をその株式会社の定款で定めた場合には，その割合）を超えない場合には，一定の場合を除き，株主総会の決議による承認を得ることを要しないものとしている。そして，株主総会の特別決議を経ないで株式交付を行うことができるかどうかは，その株式交付のスケジュールに重要な影響を与える可能性があるため，株式交付計画を作成する段階で法816条の4第1項の要件を満たせる可能性があるかどうかを判断できることが望ましい。また，手続の途中で，簡易株式交付の要件を満たさないことになると，円滑な株式交付の実現を害する可能性もある。そこで，本条では，「株式交付計画を作成した日」を算定の基準日とすることを原則としている。

もっとも，法816条の4第1項は，その株式交付が株式交付親会社の株主に与える可能性のある影響の大小に注目しているものであり，理論的には，その株式交付の効力が生ずる時点を基準時として要件を満たすか否かを判断することがより適切であるし，また，株式交付計画の作成後，株式交付親会社において，剰余金の配当その他会社の財産の状況に重要な影響を与える行為を行うことが予想される場合には，株式交付計画を作成した日後の日を算定基準日とすることが適切でありうる。そこで，本条では，「株式交付計画により当該計画を作成した日と異なる時（当該株式交付計画を作成した日後から当該株式交付

の効力が生ずる時の直前までの間の時に限る。）を定めた場合にあっては，当該時」を算定基準日とするものとしている。

2 算定方法

　純資産額を算定基準日（コメント1参照）における「第1号から第7号までに掲げる額の合計額から第8号に掲げる額を減じて得た額（当該額が500万円を下回る場合にあっては，500万円）」と定めているが，これは，評価・換算差額等以外の項目については事業年度中の変動（当該事業年度の損益計算書に反映されるべき損益を除く）を反映した額を用いて，純資産額を算定しようというものである。すなわち，資本金の額，資本準備金の額，利益準備金の額，法446条に規定する剰余金の額，株式引受権の帳簿価額，新株予約権の帳簿価額ならびに自己株式および自己新株予約権の帳簿価額の合計額については，算定基準日の額を用いるというものである。評価・換算差額等に係る額は，最終事業年度（臨時計算書類を作成したときは，臨時会計年度（臨時会計年度が二以上ある場合には，その末日が最も遅いもの））の末日（最終事業年度がない場合には，株式交付親会社の成立の日）における額を用いることとされているが，これは，事業年度中の評価・換算差額等（その他有価証券評価差額金，繰延ヘッジ損益および土地再評価差額金。[→計規コンメ76条8]）を把握することは，会社にとって，手間がかかることから，計算書類または臨時計算書類上の額を用いることができるようにしたものである。

　法446条に規定する剰余金の額には，最終事業年度の末日後にした自己株式の処分，資本金または準備金の額の減少と剰余金の額の増加，剰余金の額の減少と資本金または準備金の額の増加，吸収型再編受入行為による資本剰余金および利益剰余金の額の変動，自己株式の消却，剰余金の配当が反映されるという点で（詳細については，[→計規コンメ149条・150条]），最終事業年度の末日に係る貸借対照表上の純資産の部の額の合計額を純資産額とするよりも合理的であるといえる。

　しかし，立法論としては，本条の定めには，少なくとも2つの点で課題がある。第1に，臨時計算書類を作成した場合に，臨時損益計算書に計上された当期純損益金の額を純資産額の算定に反映させない理由はないと思われる。臨時損益計算書に計上された当期純損益金の額だけ，株式会社の純資産の額は増加していると考えてよい一方で，評価・換算差額等の増減は臨時損益計算書に計上された収益・費用・利益・損失と結びついているはずなので，臨時会計年度

中の評価・換算差額等の増減は純資産額に反映しつつ，臨時会計年度に係る純損益金額は反映させないことは均衡のとれていない取扱いであるといえるからである。第2に，新株予約権の金額（自己新株予約権の金額があるときは，その額を控除した後の額）を基準純資産額の算定にあたって考慮することが適当であるかどうかについては疑義がある。なぜなら，新株予約権の金額は，新株予約権者に帰属する部分を表しているとみることもできる一方で，新株予約権をたとえば買収防衛策の一環として，あるいは有利発行として無償で発行すると新株予約権の額はゼロであるが，その後，市場で新株予約権を取得すると自己新株予約権の額は正の値をとり，新株予約権の金額から自己新株予約権の金額を控除した額はマイナスとなって，それが純資産額を減少させることになるが，それでよいのかという問題がある。

　なお，「当該額が500万円を下回る場合にあっては，500万円」と定められているのは，現物出資の目的である財産および財産引受けの目的である財産について定款に記載され，または記録された価額の総額が500万円を超えない場合には検査役の調査を要しないものとされていること（法33条10項1号）との平仄をとったものと推測される。すなわち，会社法33条10項1号が検査役の調査を要しないものとしている趣旨は，500万円を超えない場合には債権者にとっての重要性が高くないということにあることに鑑みたものであろう。法207条9項2号や284条9項2号も現物出資財産の価額が500万円を超えない場合には，検査役の調査を要しないものと定めている。

―（株式の数）――――――――――――――――――――――――
　第213条の6　法第816条の4第2項に規定する法務省令で定める数は，次に掲げる数のうちいずれか小さい数とする。
　　一　特定株式（法第816条の4第2項に規定する行為に係る株主総会において議決権を行使することができることを内容とする株式をいう。以下この条において同じ。）の総数に2分の1（当該株主総会の決議が成立するための要件として当該特定株式の議決権の総数の一定の割合以上の議決権を有する株主が出席しなければならない旨の定款の定めがある場合にあっては，当該一定の割合）を乗じて得た数に3分の1（当該株主総会の決議が成立するための要件として当該株主総会に出席した当該特定株主（特定株式の株主をいう。以下この条において同じ。）の有する議決権の総数の一定の割合以上の多数が賛成しなければならない旨の定款の定めがある場合にあっては，一から当該一定の割合を減じて得た割合）を乗じて得た数に一を加えた数

二　法第816条の４第２項に規定する行為に係る決議が成立するための要件として一定の数以上の特定株主の賛成を要する旨の定款の定めがある場合において，特定株主の総数から株式会社に対して当該行為に反対する旨の通知をした特定株主の数を減じて得た数が当該一定の数未満となるときにおける当該行為に反対する旨の通知をした特定株主の有する特定株式の数

三　法第816条の４第２項に規定する行為に係る決議が成立するための要件として前２号の定款の定め以外の定款の定めがある場合において，当該行為に反対する旨の通知をした特定株主の全部が同項に規定する株主総会において反対したとすれば当該決議が成立しないときは，当該行為に反対する旨の通知をした特定株主の有する特定株式の数

四　定款で定めた数

本条は，法816条の４第１項の要件を満たすにもかかわらず，株式交付親会社において株主総会の特別決議による承認が必要になる要件との関連で，反対の意思を通知した株主が有すべき株式の数を定めるものである。すなわち，株式交付子会社の株式および新株予約権等の譲渡人に対して交付する株式交付親会社の株式の数に１株当たり純資産額を乗じて得た額，株式交付子会社の株式および新株予約権等の譲渡人に対して交付する株式交付親会社の社債，新株予約権または新株予約権付社債の帳簿価額の合計額，ならびに，株式交付子会社の株式および新株予約権等の譲渡人に対して交付する株式交付親会社の株式等以外の財産の帳簿価額の合計額を合計した額の「株式交付親会社の純資産額として法務省令で定める方法により算定される額」に対する割合が５分の１（これを下回る割合をその株式会社の定款で定めた場合には，その割合）を超えない場合には，一定の場合を除き，株主総会の決議による承認を得ることを要しないものとされているが（法816条の４第１項，施規213条の５），法務省令で定める数の株式（株式交付計画を承認する株主総会において議決権を行使することができるものに限る）を有する株主が一定期間内にその株式交付に反対する旨を株式交付親会社に対し通知したときは，その株式会社は，効力発生日の前日までに，株主総会の決議によって，株式交付計画の承認を受けなければならないものとされている（法816条の４第２項）。本条は，この委任をうけて，「法務省令で定める数の株式」を定めるものである。

本条は，結局のところ，株式交付計画の承認のための株主総会が開催された

場合に，承認決議が否決される可能性のある株式数のうちで最も少ない数を「法務省令で定める数の株式」として定めている。

　すなわち，1号が，「特定株式……の総数に2分の1……を乗じて得た数に3分の1を乗じて得た数に1を加えた数」と定めているのは，定款に別段の定めを設けない場合には，特別「決議は，当該株主総会において議決権を行使することができる株主の議決権の過半数……を有する株主が出席し，出席した当該株主の議決権の3分の2……以上に当たる多数をもって行わなければならない」とされていること（法309条2項柱書1文）に対応するものである（「1を加えた数」とされているのは，このように定めないと，厳密には特別決議の成立を阻止することができる最低数にはならないためである）。1号で，「当該株主総会の決議が成立するための要件として当該特定株式の議決権の総数の一定の割合以上の議決権を有する株主が出席しなければならない旨の定款の定めがある場合にあっては，当該一定の割合」と規定されているのは，定款の定めにより特別決議の定足数として3分の1以上の割合を定めることができ，「当該株主総会の決議が成立するための要件として当該株主総会に出席した当該特定株主（特定株式の株主をいう……）の有する議決権の総数の一定の割合以上の多数が賛成しなければならない旨の定款の定めがある場合にあっては，1から当該一定の割合を減じて得た割合」と定められているのは，定款の定めにより特別決議の決議要件として，3分の2を上回る割合を定めることができるからである。

　2号が，株式交付「に係る決議が成立するための要件として一定の数以上の特定株主の賛成を要する旨の定款の定めがある場合において，特定株主の総数から株式会社に対して当該行為に反対する旨の通知をした特定株主の数を減じて得た数が当該一定の数未満となるときにおける当該行為に反対する旨の通知をした特定株主の有する特定株式の数」と定めているのは，特別決議の決議要件として，「当該決議の要件に加えて，一定の数以上の株主の賛成を要する旨……を定款で定めることを妨げない」とされていること（法309条2項柱書2文）をうけたものである。すなわち，一定数以上の株主が賛成しない限り，特別決議により可決されないものと定款に定められている場合には，「特定株主の総数から株式会社に対して当該行為に反対する旨の通知をした特定株主の数を減じて得た数が当該一定の数未満となるとき」には，反対する旨の通知をした特定株主が反対する限り，特別決議は成立しないからである。

　3号が，株式交付「に係る決議が成立するための要件として前2号の定款の定め以外の定款の定めがある場合において，当該行為に反対する旨の通知をし

た特定株主の全部が同項に規定する株主総会において反対したとすれば当該決議が成立しないときは、当該行為に反対する旨の通知をした特定株主の有する特定株式の数」と定めているのは、特別決議の決議要件として、「当該決議の要件に加えて、……その他の要件を定款で定めることを妨げない」とされていること（法309条2項柱書2文）をうけたものである。「その他の要件」としては、さまざまなものがありうるので、本号では、端的に、「当該行為に反対する旨の通知をした特定株主の全部が同項に規定する株主総会において反対したとすれば当該決議が成立しないときは、当該行為に反対する旨の通知をした特定株主の有する特定株式の数」と定めている。この場合には、反対する旨の通知をした特定株主が反対する限り、特別決議は成立しないからである。

　4号は「定款で定めた数」と定めるが、これは、特別決議の要件と関係なく、定款で定めた一定数以上の株式を有する株主が反対する旨の通知をした場合には、株主総会の特別決議による承認を要するものとすることができることを前提とするものである。「いずれか小さい数」（柱書）とされているので、「定款で定めた数」は、株主総会の特別決議による承認を要する場合を拡大する方向でのみ意義を有する。

―（株式交付親会社の株式に準ずるもの）――――――
第213条の7　法第816条の8第1項に規定する法務省令で定めるものは、第1号に掲げる額から第2号に掲げる額を減じて得た額が第3号に掲げる額よりも小さい場合における法第774条の3第1項第5号、第6号、第8号及び第9号の定めに従い交付する株式交付親会社の株式以外の金銭等とする。
　一　株式交付子会社の株式、新株予約権（新株予約権付社債に付されたものを除く。）及び新株予約権付社債の譲渡人に対して交付する金銭等の合計額
　二　前号に規定する金銭等のうち株式交付親会社の株式の価額の合計額
　三　第1号に規定する金銭等の合計額に20分の1を乗じて得た額

　本条は、株式交付親会社の株式以外の財産を交付対価として交付するときであっても、株式交付親会社の債権者がその株式交付につき異議を述べることができないとされる要件との関連で、株式交付親会社の株式に準ずるものを定めるものである。すなわち、株式交付に際して株式交付子会社の株式および新株予約権等の譲渡人に対して交付する金銭等（株式交付親会社の株式を除く）が株式交付親会社の株式に準ずるものとして法務省令で定めるもののみである場合

を除き，株式交付親会社の債権者は，株式交付親会社に対し，株式交付について異議を述べることができる（法816条の８第１項）。この委任をうけて，本条では，「株式交付親会社の株式に準ずるものとして法務省令で定めるもの」を定めている。

　これは，株式交付対価の調整のために，株式交付親会社の株式以外の金銭等（金銭その他の財産。法151条柱書）を株式交付子会社の株式または新株予約権等の譲渡人に交付する必要があり，そのような調整のために金銭等を交付しても，その経済的価値が十分に小さければ，債権者保護手続を経なくとも，株式交付親会社の債権者の利益を害する可能性は低いと考えられたためである。

　本条では，株式交付子会社の株式および新株予約権等の譲渡人に対して交付する株式交付親会社の株式以外の金銭等の合計額が株式交付子会社の株式および新株予約権等の譲渡人に対して交付する金銭等の合計額の５％に相当する額未満の場合には，その金銭等は「株式交付親会社の株式に準ずるもの」にあたるものとし，株式交付親会社の債権者に，株式交付につき異議を述べる権利を認める必要がないものとしている。

　なお，株式交付を行う場合に，株式交付子会社の株式および新株予約権等の個々の譲渡人に割り当てる株式交付親会社の株式の数に１株に満たない端数があるときは，その端数の合計数に相当する数の株式を競売等し，その端数に応じて，その競売等により得られた代金を譲渡人に交付することになるが（法234条１項９号・２項・３項），このときに交付される代金は本条２号にいう株式交付親会社の株式として扱われ，本条の基準を満たすか否かの判断には反映されないものと考えられる。

(計算書類に関する事項)

第213条の８　法第816条の８第２項第３号に規定する法務省令で定めるものは，同項の規定による公告の日又は同項の規定による催告の日のいずれか早い日における次の各号に掲げる場合の区分に応じ，当該各号に定めるものとする。

　一　最終事業年度に係る貸借対照表又はその要旨につき公告対象会社（法第816条の８第２項第３号の株式交付親会社及び株式交付子会社をいう。以下この条において同じ。）が法第440条第１項又は第２項の規定による公告をしている場合　次に掲げるもの

　　イ　官報で公告をしているときは，当該官報の日付及び当該公告が掲載さ

れている頁
　　ロ　時事に関する事項を掲載する日刊新聞紙で公告をしているときは，当該日刊新聞紙の名称，日付及び当該公告が掲載されている頁
　　ハ　電子公告により公告をしているときは，法第911条第3項第28号イに掲げる事項
　二　最終事業年度に係る貸借対照表につき公告対象会社が法第440条第3項に規定する措置をとっている場合　法第911条第3項第26号に掲げる事項
　三　公告対象会社が法第440第4項に規定する株式会社である場合において，当該株式会社が金融商品取引法第24条第1項の規定により最終事業年度に係る有価証券報告書を提出しているとき　その旨
　四　公告対象会社が会社法の施行に伴う関係法律の整備等に関する法律第28条の規定により法第440条の規定が適用されないものである場合　その旨
　五　公告対象会社につき最終事業年度がない場合（株式交付親会社が株式交付子会社の最終事業年度の存否を知らない場合を含む。）　その旨
　六　前各号に掲げる場合以外の場合　会社計算規則第6編第2章の規定による最終事業年度に係る貸借対照表の要旨の内容（株式交付子会社の当該貸借対照表の要旨の内容にあっては，株式交付親会社がその内容を知らないときは，その旨）

　本条は，株式交付をする場合に，株式交付親会社の債権者が異議を述べることができるときに官報における公告等に含めなければならない事項としての「株式交付親会社及び株式交付子会社の計算書類に関する事項として法務省令で定めるもの」（法816条の8第2項3号）を定めるものである。
　すなわち，株式会社が株式交付をする場合に，株式交付親会社の債権者が，その株式会社に対し，株式交付について異議を述べることができるときには（法816条の8第1項），その株式会社は，原則として，株式交付をする旨，株式交付子会社の商号および住所，「株式交付親会社及び株式交付子会社の計算書類に関する事項として法務省令で定めるもの」，および，債権者が一定の期間（1カ月以上）内に異議を述べることができる旨を官報に公告し，かつ，知れている債権者には，各別にこれを催告しなければならない（ただし，株式交付親会社が公告を，官報のほか，定款の定めに従い，時事に関する事項を掲載する日刊新聞紙に掲載して，または電子公告によりするときは，知れている債権者に対する各別の催告は，することを要しない）（法816条の8第2項・3項）。このように「株式交付親会社及び株式交付子会社の計算書類に関する事項として法務省令で定

めるもの」を公告し，または催告に含めなければならないのは，株式交付の前に，株式交付親会社および株式交付子会社が公表した最終の貸借対照表に債権者がアクセスすることを可能にし，異議を述べるか否かの判断の前提として，その株式交付が会社の財産状態にどのような影響を与えるかを推測することを可能にするためである。すなわち，このような事項を公告または通知させるのは，会社の財産状態を知ることは債権者にとって重要であり，最終の計算書類に関する事項は債権者にとって異議を述べるかどうかの判断材料を入手する手がかりとなるからである。

　これをうけて，本条は，「株式交付親会社及び株式交付子会社の計算書類に関する事項として法務省令で定めるもの」について，組織変更および組織再編行為の際の債権者保護手続との関連での株式会社の「計算書類に関する事項として法務省令で定めるもの」を定める181条，188条，199条および208条とパラレルに定めている。

　柱書において「公告の日」と「催告の日」とのいずれか早い日を基準として，「株式交付親会社及び株式交付子会社の計算書類に関する事項として法務省令で定めるもの」として公告し，または催告すべき事項が定められるものとしているのは，公告の内容と催告の内容との間に差があることは想定されていない以上，先になされるものの内容に合わせなければならないからである。

1　最終事業年度に係る貸借対照表またはその要旨につき公告対象会社が公告をしている場合（1号）

　公告対象会社（株式交付親会社および株式交付子会社）が官報で公告をしているときは，当該官報の日付および当該公告が掲載されている頁が，時事に関する事項を掲載する日刊新聞紙で公告をしているときは，当該日刊新聞紙の名称，日付および当該公告が掲載されている頁が，電子公告により公告をしているときは，電子公告を行っているページ，すなわち，不特定多数の者が実際に閲覧できるページのアドレス（URL）（電子公告により公告すべき内容である情報について不特定多数の者がその提供を受けるために必要な事項であって法務省令で定めるもの（法911条3項28号イ），すなわち，株式会社が電子公告をするために使用する自動公衆送信装置のうち電子公告をするための用に供する部分をインターネットにおいて識別するための文字，記号その他の符号またはこれらの結合であって，情報の提供を受ける者がその使用に係る電子計算機に入力することによって当該情報の内容を閲覧し，当該電子計算機に備えられたファイルに当該情報を記録するこ

とができるもの（220条1項））が、それぞれ、「株式交付親会社及び株式交付子会社の計算書類に関する事項として法務省令で定めるもの」として定められている。ここで、最終の貸借対照表自体を公告・通知させるのではなく、最終の貸借対照表に関する事項を公告・通知させることとしたのは、最終の貸借対照表自体を公告・通知することを要求するのは会社にとって負担が過重になると考えたからであろう。

なお、株式交付の場合には、株式交付子会社は、株式交付の手続の直接的な当事者でなく、株式交付親会社が株式交付子会社の情報を入手することができない可能性があるが、本号が定める事項については、「株式交付子会社の登記を確認することにより、株式交付子会社の公告方法を確認することができ、公告方法が判明すれば、会社名で検索をすることなどにより、公告の掲載日を特定することも可能であると考えられる」（意見募集の結果（令和2年11月）51頁）。

2　**最終事業年度に係る貸借対照表につき公告対象会社が貸借対照表の内容である情報を、定時株主総会の終結の日後5年を経過する日までの間、継続して電磁的方法により不特定多数の者が提供を受けることができる状態に置く措置をとっている場合**（2号）

不特定多数の者が実際に閲覧できるページのアドレス（URL）（貸借対照表の内容である情報について不特定多数の者がその提供を受けるために必要な事項であって法務省令で定めるもの（法911条3項26号）、すなわち、電磁的方法による貸借対照表の公開をするために株式会社が使用する自動公衆送信装置のうち電磁的方法による貸借対照表の公開をするための用に供する部分をインターネットにおいて識別するための文字、記号その他の符号またはこれらの結合であって、情報の提供を受ける者がその使用に係る電子計算機に入力することによって当該情報の内容を閲覧し、当該電子計算機に備えられたファイルに当該情報を記録することができるもの（220条1項））が、「株式交付親会社及び株式交付子会社の計算書類に関する事項として法務省令で定めるもの」として定められている。

3　**公告対象会社が金融商品取引法24条1項の規定により有価証券報告書を内閣総理大臣に提出しなければならない株式会社である場合において、その会社が最終事業年度に係る有価証券報告書を提出している場合**（3号）

この場合には、「株式交付親会社及び株式交付子会社の計算書類に関する事項として法務省令で定めるもの」としては、最終事業年度に係る有価証券報告

書を提出している旨を通知または公告の内容とすれば足りるものとされている。これは、EDINETを通じて、有価証券報告書の内容を閲覧することができることに鑑みて、法440条4項により、金融商品取引法24条1項の規定により有価証券報告書を内閣総理大臣に提出しなければならない会社は貸借対照表等の公告あるいは電磁的方法による公開をすることを要しないものとされていることをうけたものである。もっとも、金融商品取引法24条1項の規定により有価証券報告書を内閣総理大臣に提出しなければならない会社であっても、最終事業年度に係る有価証券報告書を提出していない場合には、会社債権者は、EDINETを通じて、最終事業年度に係る貸借対照表の内容を知ることができないから、本条6号にしたがって、「会社計算規則第6編第2章の規定による最終事業年度に係る貸借対照表の要旨の内容」を公告または通知しなければならない。

4 公告対象会社が特例有限会社である場合（4号）

　会社法の施行に伴う関係法律の整備等に関する法律28条の規定により会社法440条の規定が適用されないものである旨を、「株式交付親会社及び株式交付子会社の計算書類に関する事項として法務省令で定めるもの」として公告または催告に含めれば足りる。特例有限会社は、貸借対照表等の公告あるいは電磁的方法による公開をすることを要しないものとされているので（会社法の施行に伴う関係法律の整備等に関する法律28条）、最終事業年度に係る貸借対照表またはその要旨にアクセスする機会を会社債権者に会社法上保障することはしないという趣旨によるものと解されるが、整備法38条は特例有限会社については会社法第5編第5章中株式交付の手続に係る部分の規定は適用しないとしており（江頭990頁注2参照）、本号にあたる場合はないのではないかと思われる。

5 公告対象会社につき最終事業年度がない場合（5号）

　公告対象会社につき最終事業年度がない旨を、「株式交付親会社及び株式交付子会社の計算書類に関する事項として法務省令で定めるもの」として公告または催告に含めれば足りる。最終事業年度がない以上、最終事業年度に係る貸借対照表が存在しないからである。かっこ書で「株式交付親会社が株式交付子会社の最終事業年度の存否を知らない場合を含む。」とされているのは、「株式交付親会社が公開情報から株式交付子会社の最終事業年度の存否を確認することは困難を伴う場合が想定されるため」である（意見募集の結果（令和2年11

月）52頁）。なお，株式交付親会社において，株式交付子会社に最終事業年度があることは知っているが，その貸借対照表の要旨の内容を知らないときには，本条6号が適用され，株式交付子会社に最終事業年度があるか否かを知らないときには，本号が適用される。

6　公告対象会社が1から5までのいずれにもあたらない場合（6号）

　計規第6編第2章の規定による最終事業年度に係る貸借対照表の要旨の内容を，「株式交付親会社及び株式交付子会社の計算書類に関する事項として法務省令で定めるもの」として公告または催告に含めれば足りる。会社法の下では，公告対象会社につき最終事業年度があり，かつ，有価証券報告書を提出していないにもかかわらず，貸借対照表またはその要旨を公告または電磁的方法により公開していないものであっても，貸借対照表の要旨を公告または催告に含めれば足りるものとされている。要旨中の資産の部の各項目あるいは負債の部の各項目の区分・細分の要求は，公開会社であるか否かによって異なる（計規138条・139条）。なお，この場合の要旨には，当期純損益金額を付記しなければならないものと解される（計規142条参照）。

　官報で行うこの公告は，会社の公告方法が官報である場合には，決算公告としての意義をも有すると解される（相澤＝和久・商事法務1766号72頁参照）。

　なお，「株式交付子会社の当該貸借対照表の要旨の内容にあっては，株式交付親会社がその内容を知らないときは，その旨」とされているのは，株式交付が株式交付子会社の意思とは関係なく，株式交付子会社の関与なしに行われる可能性があり，そのような場合には，株式交付親会社が株式交付子会社の貸借対照表（の要旨）を入手していないことがありうるからである。

（株式交付親会社の事後開示事項）

第213条の9　法第816条の10第1項に規定する法務省令で定める事項は，次に掲げる事項とする。
　一　株式交付が効力を生じた日
　二　株式交付親会社における次に掲げる事項
　　イ　法第816条の5の規定による請求に係る手続の経過
　　ロ　法第816条の6及び第816条の8の規定による手続の経過
　三　株式交付に際して株式交付親会社が譲り受けた株式交付子会社の株式の数（株式交付子会社が種類株式発行会社であるときは，株式の種類及び種類

> ごとの数）
> 四　株式交付に際して株式交付親会社が譲り受けた株式交付子会社の新株予約権の数
> 五　前号の新株予約権が新株予約権付社債に付されたものである場合には，当該新株予約権付社債についての各社債（株式交付親会社が株式交付に際して取得したものに限る。）の金額の合計額
> 六　前各号に掲げるもののほか，株式交付に関する重要な事項

　株式交付親会社は，効力発生日後遅滞なく，株式交付に際して株式交付親会社が譲り受けた株式交付子会社の株式の数その他の株式交付に関する事項として法務省令で定める事項を記載し，または記録した書面または電磁的記録を作成し，効力発生日から6カ月間，その書面または電磁的記録をその本店に備え置かなければならない（法816条の10第1項・2項）。この委任をうけて，「株式交付に関する事項として法務省令で定める事項」を定めるのが本条である。

　株式交付に係る事後開示は，主として，株式交付の効力が生じた日において株式交付親会社の株主等であった者，株式交付に際して株式交付親会社に株式交付子会社の株式もしくは新株予約権等を譲り渡した者または株式交付親会社の株主等，破産管財人もしくは株式交付について承認をしなかった債権者が（法828条2項13号），株式交付無効の訴えを提起すべきかどうかを判断するために必要な情報を提供するという観点から定められているが，株式交付親会社の取締役・執行役が適切に職務執行を行ったことを明らかにするという機能を有し，株式交付親会社の取締役・執行役に適切に職務執行をするインセンティブを与えるという機能を有する。

① 　株式交付が効力を生じた日（1号）が事後開示事項とされているのは，株式交付無効の訴えは，株式交付の効力が生じた日から6カ月以内でなければ提起することができないとされていること（法828条1項13号）と関連する。

② 　株式交付親会社における株式交付差止請求（法816条の5）に係る手続の経過が事後開示事項とされているのは（2号イ），裁判所による株式交付差止めの仮処分または判決に反してなされる株式交付には株式交付無効原因があると考えられるほか（最判平成5・12・16民集47巻10号5423頁参照），法令または定款に違反する株式交付には株式交付無効原因があるとされる場合があるため，このような手続の経過を開示することが，株主その他の者が適切な判断を行うため，とりわけ，株式交付無効の訴えを提起するか否かを判断する

ために重要であると考えられるためである。
③　株式交付親会社における反対株主の株式買取請求に係る手続（法816条の6）および債権者保護手続（法816条の8）の経過が事後開示事項とされているのは（2号ロ），これらの手続を適法に履践しなかった場合には，株式交付には株式交付無効原因があるとされる場合があるため，このような手続の経過を開示することが，株主その他の者が適切な判断を行うため，とりわけ，株式交付無効の訴えを提起するか否かを判断するために重要であると考えられるためである。反対株主の株式買取請求があったときはその旨，買取請求の対象となった株式または新株予約権の数，種類株式発行会社ではその株式の種類，買取価格，裁判所に価格決定の申立てをしたときはその旨および裁判所が決定した価格を記載・記録することになろう。債権者保護手続の経過としては，債権者に対する通知または公告をした旨およびその年月日，公告の方法，電子公告または時事を掲載する日刊新聞紙に掲げてする公告を行ったことによって，知れている債権者に対して通知をしなかったときはその旨，債権者からの異議の有無，弁済，担保提供または財産の信託をしたときはその旨，債権者を害するおそれがないとして弁済，担保提供または財産の信託をしなかったときはその旨を記載・記録することになる。
④　株式交付に際して株式交付親会社が譲り受けた株式交付子会社の株式の数（株式交付子会社が種類株式発行会社であるときは，株式の種類および種類ごとの数）（3号）の記載・記録が要求されているのは，法816条の10第1項によるものであるが，どのような株式交付子会社の株式が移転したのかを明らかにすることが利害関係人の判断のために必要だからである。もっとも，株式交付親会社において増加させた資本金および資本準備金の額が資本金等増加限度額の範囲内にあることの判断の助けとなるという意義も認められよう。
⑤　株式交付に際して株式交付親会社が譲り受けた株式交付子会社の新株予約権の数（4号）の記載・記録が要求されているのは，株式交付計画に沿って，株式交付子会社の新株予約権をどれだけ譲り受けることができたかを明らかにすることが利害関係人の判断のために必要だからである。
⑥　⑤の新株予約権が新株予約権付社債に付されたものである場合には，当該新株予約権付社債についての各社債（株式交付親会社が株式交付に際して取得したものに限る）の金額の合計額（5号）の記載・記録が要求されているのは，株式交付計画に沿って，新株予約権付社債に付されたものを含め，株式交付子会社の新株予約権をどれだけ譲り受けることができたかを明らかにす

ることが利害関係人の判断のために必要だからである。
⑦ 「前各号に掲げるもののほか，株式交付に関する重要な事項」（6号）が事後開示事項とされているのは，それぞれの株式交付において重要な事項は異なるため，すべてを本条で列挙することができないからであるが，たとえば，資本金および準備金の額に関する事項，株式交付対価の相当性に関する事項，独占禁止法などに基づく公正取引委員会や金融庁などに対する手続の履践状況などがあたると考えられる。

―（株式交付親会社の株式に準ずるもの）――――――――――
第213条の10 法第816条の10第3項に規定する法務省令で定めるものは，第1号に掲げる額から第2号に掲げる額を減じて得た額が第3号に掲げる額よりも小さい場合における法第774条の3第1項第5号，第6号，第8号及び第9号の定めに従い交付する株式交付親会社の株式以外の金銭等とする。
　一　株式交付子会社の株式，新株予約権（新株予約権付社債に付されたものを除く。）及び新株予約権付社債の譲渡人に対して交付する金銭等の合計額
　二　前号に規定する金銭等のうち株式交付親会社の株式の価額の合計額
　三　第1号に規定する金銭等の合計額に20分の1を乗じて得た額

　本条は，株式交付親会社の株式以外の財産を株式交付対価として交付するときであっても，株式交付親会社の債権者に事後開示資料の閲覧等請求権が認められない要件との関連で，株式交付親会社の株式に準ずるものを定めるものである。すなわち，株式交付に際して株式交付子会社の株式および新株予約権等の譲渡人に対して交付する金銭等（株式交付親会社の株式を除く）が株式交付親会社の株式に準ずるものとして法務省令で定めるもののみである場合を除き，株式交付親会社の債権者は，株式交付親会社に対して，株式交付に際して株式交付親会社が譲り受けた株式交付子会社の株式の数その他の株式交付に関する事項として法務省令で定める事項（213条の9）を記載した書面の閲覧，謄本または抄本の交付の請求をすることができ，法務省令で定める事項（213条の9）を記録した電磁的記録に記録された事項を法務省令で定める方法（226条）により表示したものの閲覧，電磁的方法であって株式交付親会社の定めたものにより提供することの請求またはその事項を記載した書面の交付を請求することができるものとされている（法816条の10第1項）。この委任をうけて，本条では，「株式交付親会社の株式に準ずるものとして法務省令で定めるもの」を定

めている。

　これは，株式交付対価の調整のために，株式交付親会社の株式以外の金銭等（金銭その他の財産。法151条柱書）を株式交付子会社の株式または新株予約権等の譲渡人に交付する必要があり，そのような調整のために金銭等を交付しても，その経済的価値が十分に小さければ，債権者保護手続を経なくとも，株式交付親会社の債権者の利益を害する可能性は低いと考えられたためである。

　本条では，株式交付子会社の株式および新株予約権等の譲渡人に対して交付する株式交付親会社の株式以外の金銭等の合計額が株式交付子会社の株式および新株予約権等の譲渡人に対して交付する金銭等の合計額の5％に相当する額未満の場合には，その金銭等は「株式交付親会社の株式に準ずるもの」にあたるものとし，株式交付親会社の債権者に，事後開示資料の閲覧等請求権を認める必要がないものとしている。

　なお，株式交付を行う場合に，株式交付子会社の株式および新株予約権等の個々の譲渡人に割り当てる株式交付親会社の株式の数に1株に満たない端数があるときは，その端数の合計数に相当する数の株式を競売等し，その端数に応じて，その競売等により得られた代金を譲渡人に交付することになるが（法234条1項9号・2項・3項），このときに交付される代金は本条2号にいう株式交付親会社の株式として扱われ，本条の基準を満たすか否かの判断には反映されないものと考えられる。

第6編 外国会社

──(計算書類の公告)
第214条 外国会社が法第819条第1項の規定により貸借対照表に相当するもの(以下この条において「外国貸借対照表」という。)の公告をする場合には、外国貸借対照表に関する注記(注記に相当するものを含む。)の部分を省略することができる。

2 法第819条第2項に規定する外国貸借対照表の要旨とは、外国貸借対照表を次に掲げる項目(当該項目に相当するものを含む。)に区分したものをいう。
　一　資産の部
　　イ　流動資産
　　ロ　固定資産
　　ハ　その他
　二　負債の部
　　イ　流動負債
　　ロ　固定負債
　　ハ　その他
　三　純資産の部
　　イ　資本金及び資本剰余金
　　ロ　利益剰余金
　　ハ　その他

3 外国会社が法第819条第1項の規定による外国貸借対照表の公告又は同条第2項の規定による外国貸借対照表の要旨の公告をする場合において、当該外国貸借対照表が日本語以外の言語で作成されているときは、当該外国会社は、当該公告を日本語をもってすることを要しない。

4 外国貸借対照表が存しない外国会社については、当該外国会社に会社計算規則の規定を適用することとしたならば作成されることとなるものを外国貸借

対照表とみなして，前3項の規定を適用する。

　本条は，法819条1項および2項の委任をうけて，外国会社の登記をした外国会社がする貸借対照表に相当するものまたはその要旨の公開について定めるものである。すなわち，有価証券報告書を内閣総理大臣に提出しなければならないものを除き，株式会社と同様，外国会社の登記をした外国会社（日本における同種の会社または最も類似する会社が株式会社であるものに限る）は，法務省令で定めるところにより，法438条2項の承認と同種の手続またはこれに類似する手続の終結後，遅滞なく，貸借対照表に相当するものを日本において公告しなければならない。ただし，その公告方法が官報または時事に関する事項を掲載する日刊新聞紙に掲げてする方法である外国会社は，貸借対照表に相当するものの要旨を公告すれば足りるものとされている。

1　注記の省略の許容（1項）

　計規136条とは異なり，外国貸借対照表に関する注記（注記に相当するものを含む）の部分を省略することができるものとされている。これは，外国会社の負担を軽減する趣旨によるものであると考えられるが，立法論としては，外国貸借対照表自体を公告することを外国会社が選択するのであれば，あえて，すべての注記（注記に相当するものを含む）を省略できるとする必要はなく，少なくとも，外国貸借対照表を理解する上で不可欠であると考えられる「重要な会計方針に係る事項に関する注記（注記に相当するものを含む）」は要求すべきであったのではないかと思われるし，当期純損益金額の付記は要求しても過度の負担とはならないのではないかと考えられる。

　「注記に相当するものを含む」とされているのは，日本法では，注記事項とされているものが付記すべき事項とされているような場合（たとえば，アメリカ合衆国では，資本金について，額面，授権株式数，発行済株式数，自己株式数を株式の種類ごとに貸借対照表に記載するのが一般に受け入れられた会計原則である）がありうることに配慮したものではないかと推測される。

2　外国貸借対照表の要旨（2項）

　株式会社による貸借対照表の公告に関する計規138条から140条までの規定のうち，公開会社以外の会社に適用される規律よりも，さらに緩和された規律を

定めている。すなわち，相当程度簡略化された要旨を公告すれば足りるものとされている。これは，外国会社は，その設立準拠法上も計算書類の作成・公開義務を負っていることが少なくないことに注目して，外国会社の負担を軽減するためであると推測される（しかし，立法論としては，当期純損益金額の付記は要求しても過度の負担とはならないのではないかと考えられ，要求すべきなのではないかと思われる）。

本項柱書かっこ書において，「当該項目に相当するものを含む」とされているのは，国によって，貸借対照表の区分は異なるためである。とりわけ，ヨーロッパ諸国においては，負債の部と純資産（資本／持分）の部という分け方をしないものが少なくない。たとえば，ドイツにおいて株式会社の貸方は自己資本，引当金，負債および計算限定項目，繰延税金負債に分けられる（商法典266条）。また，フランスにおいても，貸借対照表の貸方は自己資本，危険・費用引当金，債務および調整勘定（前受収益など）に分けられている。

さらに，資産の部，負債の部，純資産の部に「その他」という項目が掲げられているのも，国によって，資産の部，負債の部，純資産の部に属する項目が異なるからである。たとえば，ドイツでは，貸借対照表の借方は，固定資産，流動資産および計算限定項目（前払費用，社債発行差金），繰延税金資産，資産相殺による借方計上差額に分けられ，借方には貸借対照表計上補助項目（繰延税金資産，営業活動の開業準備およびその拡張のための費用）が計上されることもある。また，フランスでも，貸借対照表の借方は，固定資産，流動資産および調整勘定というように分けられ，また，自己資本は，資本，（株式）発行差金・合併差益・出資差金，再評価差異，積立金，繰越利益，当期利益／当期損失，投資助成金，規定引当金というように分けられている。さらに，イギリスなどでは，払込請求済未払込資本金は資産の部に計上されている。そして，EU諸国では，日本のように，資本剰余金と利益剰余金という項目だてをしている国は見あたらない。アメリカ合衆国でも，株主持分は，資本金，追加払込資本，贈与資本，留保利益，自己株式（控除項目），その他の包括利益項目というように区分されている。

3 公告の際に使用する言語（3項）

外国会社が外国貸借対照表の公告またはその要旨の公告をする場合には，その外国貸借対照表が日本語以外の言語で作成されているときは，その外国会社は，その公告を日本語をもってすることを要しないものとされており，会社法

上の会社については，貸借対照表の要旨または損益計算書の要旨は，日本語をもって表示することが原則とされ，その他の言語をもって表示することが不当でない場合に限り，日本語でない言語をもって表示することが認められていること（計規145条）と対照的である。これは，外国会社については，類型的に，会社法上の会社に比べて，日本国内の債権者等が少ないことが多いと考えられるため，外国会社に外国貸借対照表またはその要旨を日本語に翻訳する負担を課すことはコスト・ベネフィットの観点から適切ではないと考えたためであると推測される。

なお，同様の趣旨に基づいて，金融商品取引法24条8項および24条の5第7項は，有価証券報告書を提出しなければならない外国会社，公益または投資者保護に欠けることがないものとして内閣府令に定める場合には，有価証券報告書等および半期報告書に代えて，英語で記載された外国会社報告書および外国会社半期報告書を提出することができると定めている［→計規コンメ145条対照］。

4　外国貸借対照表が存しない外国会社（4項）

外国貸借対照表が存しない外国会社については，その外国会社に会社計算規則の規定を適用することとしたならば作成されることとなるものを「外国貸借対照表とみなして」前3項の規定を適用するとされていることからは，本条における「外国貸借対照表」とは，その外国会社の設立準拠法上，貸借対照表に相当するものの作成が要求されている場合に，その外国会社の設立準拠法に従って作成された貸借対照表に相当するものをいうものと解するべきであろう。そして，その外国会社の設立準拠法上，貸借対照表に相当するものの作成が要求されていないことによるなど，その設立準拠法に基づいて作成される貸借対照表に相当するものが存しない会社についても，法819条1項および2項の趣旨に照らして，貸借対照表に相当するものまたはその要旨の公告が要求されると解されるところ，本項の趣旨は，そのような外国会社の負担を軽減する必要性については，外国貸借対照表が存する場合と変わらない（かえって，必要性が高いとすら考えられる）ためであると考えられる。なお，その「外国会社に会社計算規則の規定を適用することとしたならば作成されることとなるものを外国貸借対照表とみな」（圏点—引用者）すとされているのは，貸借対照表の用語，様式，作成方法および貸借対照表作成にあたって用いられる会計処理の方法などについて設立準拠法に規定がない以上，会社計算規則を適用せざるをえ

ないからである。

　「前3項の規定を適用する」とされているが，2項の規定の適用との関係では，会社計算規則を適用する以上，資産の部，負債の部および純資産の部に分け，資産の部は流動資産，固定資産および繰延資産に，負債の部は流動負債と固定負債とに，純資産の部は，「資本金及び資本剰余金」と利益剰余金とに，それぞれ区分することが求められていると解することになろう。また，3項の規定の適用との関係では，計規57条2項ただし書により，日本語以外の言語をもって表示することが不当でない場合にあたるとして（外国会社については不当でないと解される場合が通常であろう），日本語以外の言語をもって「外国会社に会社計算規則の規定を適用することとしたならば作成されることとなるもの」を作成したときには，それまたはその要旨の公告を日本語をもってすることを要しないことになる。

（法第819条第3項の規定による措置）

第215条　法第819条第3項の規定による措置は，第222条第1項第1号ロに掲げる方法のうち，インターネットに接続された自動公衆送信装置を使用する方法によって行わなければならない。

　本条は，会社に関する計規147条とパラレルな規定であり，法819条3項の委任をうけて，外国会社が電磁的方法により貸借対照表に相当するものを公開する場合の「日本において不特定多数の者が提供を受けることができる状態に置く措置」について定めるものである。すなわち，有価証券報告書を内閣総理大臣に提出しなければならないものを除き，株式会社と同様，外国会社の登記をした外国会社（日本における同種の会社または最も類似する会社が株式会社であるものに限る）は，法務省令で定めるところにより，法438条2項の承認と同種の手続またはこれに類似する手続の終結後，遅滞なく，貸借対照表に相当するものまたはその要旨を日本において公告しなければならないが，公告に代えて，外国会社は，法務省令で定めるところにより，法438条2項の承認と同種の手続またはこれに類似する手続の終結後遅滞なく，貸借対照表に相当するものの内容である情報を，当該手続の終結の日後5年を経過する日までの間，継続して電磁的方法により日本において不特定多数の者が提供を受けることができる状態に置く措置をとることができる（法819条3項）。

そこで，本条は，計規147条とパラレルに規定している。本条は，電子情報処理組織を使用する方法であって，送信者の使用に係る電子計算機に備えられたファイルに記録された情報の内容を電気通信回線を通じて情報の提供を受ける者の閲覧に供し，当該情報の提供を受ける者の使用に係る電子計算機に備えられたファイルに当該情報を記録する方法（222条1項1号ロに掲げる方法）のうち，インターネットに接続された自動公衆送信装置（サーバ）を使用するもの（インターネット上のウェブサイトを利用する方法）を法務省令の定める電磁的方法として定めている。ここで，自動公衆通信装置とは，公衆の用に供する電気通信回線に接続することにより，その記録媒体のうち自動公衆送信（公衆送信のうち，公衆からの求めに応じ自動的に行うもの（放送または有線放送に該当するものを除く）。著作権法2条1項9号の4参照）の用に供する部分に記録され，または当該装置に入力される情報を自動公衆送信する機能を有する装置をいう。

ここでいう「電気通信回線」とは，電気通信の送信の場所と受信の場所との間を接続する伝送路をいうと考えられるところ，「電気通信」とは有線，無線その他の電磁的方式により，符号，音響または影像を送り，伝え，または受けることをいうから（電気通信事業法2条1号），無線LANや光ファイバーなども含まれると解される（郡谷・商事法務1662号74頁注29）。

また，著作権法2条1項7号の2では，「公衆送信」を公衆によって直接受信されることを目的として無線通信または有線電気通信の送信（有線電気通信設備で，その一の部分の設置の場所が他の部分の設置の場所と同一の構内（その構内が二以上の者の占有に属している場合には，同一の者の占有に属する区域内）にあるものによる送信（プログラムの著作物の送信を除く）を除く）を行うことをいうものとしている。

なお，「送信者の使用に係る電子計算機」と規定されているので，会社自身が保有する電子計算機に備えられたファイルに情報を記録する必要はない。また，貸借対照表の公開を行うウェブサイトは，必ずしも当該貸借対照表等の公開を行う会社自身が開設したものである必要もない。たとえば，計算書類の電磁的方法による提供業務を受託する会社などが開設したウェブサイトにおいて公開することでも問題はないと考えられる。

──**（日本にある外国会社の財産についての清算に関する事項）**──
第216条 第140条，第142条から第145条まで及び第2編第8章第2節の規定は，

第216条（日本にある外国会社の財産についての清算に関する事項）

> その性質上許されないものを除き，法第822条第３項において準用する法第482条第３項第４号，第489条第６項第６号，第492条第１項，第536条第１項第２号及び第３号イ，第548条第１項第４号，第550条第１項，第551条第１項及び第２項，第556条第２項，第557条第１項並びに第561条の規定により法務省令で定めるべき事項について準用する。

　本条は，株式会社の清算および特別清算に関する会社法施行規則の規定を，その性質上許されないものを除き，日本にある外国会社の財産についての清算について準用する旨を定めるものである。

　すなわち，①140条は清算人の職務の執行が法令および定款に適合することを確保するための体制その他清算株式会社の業務の適正を確保するために必要なものとして法務省令で定める体制の整備（法482条３項４号）について，②142条は清算人会設置会社における清算人の職務の執行が法令および定款に適合することを確保するための体制その他清算株式会社の業務の適正を確保するために必要なものとして法務省令で定める体制の整備（法489条６項６号）について，③143条は清算人会の議事録（法490条5項・369条３項）について，④144条および145条は財産目録および貸借対照表の作成（法492条１項）について，⑤152条は特別清算開始の命令があった場合に裁判所の許可を得ずになすことができる事業の重要な一部の譲渡および子会社の株式または持分の全部または一部の譲渡（法536条１項２号・３号イ）について，⑥153条は債権者集会を招集する場合に定めるべき事項（法548条１項４号）について，⑦154条および155条は債権者集会参考書類および議決権行使書面の交付等（法550条１項）について，⑧155条は債権者集会において電磁的方法による議決権行使を認める場合の議決権行使書面に記載すべき事項の電磁的方法による提供について（法551条），⑨156条は債権者集会における書面による議決権行使の期限（法556条２項）について，⑩157条は債権者集会における電磁的方法による議決権行使の期限（法557条１項）について，⑪158条は債権者集会の議事録（法561条）について，それぞれ，会社法の委任をうけて定めているが，これらの規定は，その性質上許されないものを除き，日本にある外国会社の財産についての清算について準用すると定めるのが本条である。これは，法822条３項が，法476条，第２編第９章第１節第２款（477条～491条），492条および法第２編第９章第２節第４款および508条ならびに第９章第２節（510条，511条，514条を除く）の規定

は，その性質上許されないものを除き，日本にある外国会社の財産についての清算について準用すると定めていることに対応するものである。

第7編 雑則

第1章 訴訟

―（株主による責任追及等の訴えの提起の請求方法）――――――――
第217条 法第847条第1項の法務省令で定める方法は，次に掲げる事項を記載した書面の提出又は当該事項の電磁的方法による提供とする。
　一　被告となるべき者
　二　請求の趣旨及び請求を特定するのに必要な事実
――――――――――――――――――――――――――――――――

　法847条1項本文は，6カ月（これを下回る期間を定款で定めた場合には，その期間）前から引き続き株式を有する株主は，株式会社に対し，書面その他の法務省令で定める方法により，発起人，設立時取締役，設立時監査役，役員等もしくは清算人の責任を追及する訴え，株主の権利の行使に関して供与された利益の返還を求める訴えまたは法102条の2第1項，212条1項もしくは法285条1項の規定による支払を求める訴え（責任追及等の訴え）の提起を請求することができると定めるが，この委任をうけて，本条は「書面その他の法務省令で定める方法」を定めるものである。

1　書面の提出または電磁的方法による提供

　書面の提出または電磁的方法による提供が求められているのは（会社法で

は，電磁的方法による提供について，会社の承諾を要件としていない），見読の確実性・容易性や後日の紛争を避けるための証拠の確保の便宜などを考慮したものであると推測される。

ここで，電磁的方法とは，電子情報処理組織を使用する方法その他の情報通信の技術を利用する方法であって法務省令で定めるもの（2条2項6号，法2条34号）をいい，222条1項は，①電子情報処理組織を使用する方法のうち，送信者の使用に係る電子計算機と受信者の使用に係る電子計算機とを接続する電気通信回線を通じて送信し，受信者の使用に係る電子計算機に備えられたファイルに記録する方法，②電子情報処理組織を使用する方法のうち，送信者の使用に係る電子計算機に備えられたファイルに記録された情報の内容を電気通信回線を通じて情報の提供を受ける者の閲覧に供し，当該情報の提供を受ける者の使用に係る電子計算機に備えられたファイルに当該情報を記録する方法，および，③磁気ディスクその他これに準ずる方法により一定の情報を確実に記録しておくことができる物をもって調製するファイルに情報を記録したものを交付する方法を「電磁的方法」として認めている。もっとも，同条2項は，受信者がファイルへの記録を出力することにより書面を作成することができるものでなければならないとしている。これは見読の容易さや証拠としての保存を確実にするためであるといえよう。

2 提訴請求に記載すべき事項

株式会社は，株主による責任追及等の訴えの提起の請求の日から60日以内に責任追及等の訴えを提起しない場合において，当該請求をした株主または法847条1項の株主または発起人，設立時取締役，設立時監査役，役員等もしくは清算人から請求を受けたときは，当該請求をした者に対し，遅滞なく，責任追及等の訴えを提起しない理由を書面その他の法務省令で定める方法により通知しなければならない（法847条4項）とされており，提訴するか否かを判断するための調査・検討のためには（218条参照），請求対象者のどのような責任または義務を追及することを株主が求めているのかを知る必要性が高いため，提訴請求の内容を明確化させる必要がある。他方で，会社が提訴しない場合には請求株主が代表訴訟を提起する可能性があることを考えると，請求株主に請求の内容を明確化することを要求しても，請求株主にとって過度の負担を課すことにはならないと考えられるため，本条では，被告となるべき者のほか，請求の趣旨および請求を特定するのに必要な事実を提訴請求に記載すべき事項とし

第218条（株式会社が責任追及等の訴えを提起しない理由の通知方法）

て定めている（相澤＝石井・商事法務1761号22頁）。

「請求の趣旨及び請求を特定するのに必要な事実」は訴状の記載事項とされており（民事訴訟法133条），これを記載させることによって，株主の負担が過重になることはないと推測される。ここで，民事訴訟法上，「請求の趣旨」とは，原告が訴えによって裁判所に対して申し立てる請求を特定明示するものをいうので，2号の関係では，たとえば，提訴請求には「取締役Aは株式会社に対して金1億円を支払えとの判決を求める」訴えを提起することを請求する旨を記載することになろう。また，「請求を特定するのに必要な事実」としては，訴訟物とする実体法上の請求権，および，その実体法上の請求権の発生原因事実が考えられる。したがって，2号との関係では，たとえば，法423条に基づく損害賠償請求権が訴訟物であること，株式会社が無担保でBに対し貸付けを行ったこと，貸付当時にBの資金繰りが相当厳しいことを取締役Aは知りまたは知ることができたこと，その後，Bは銀行取引停止処分を受け，事実上倒産し，Bに対する貸付金が回収不能となっていること，当該貸付けに際して，取締役Aは当該貸付金が回収不能となる可能性があることを知りつつ，貸付けを承認する取締役会決議に漫然と賛成したこと，などを記載することが考えられよう。

なお，会社法施行規則案（平成17年11月29日）（商事法務1750号11頁）124条2項2号は，「民事訴訟規則第53条第1項に規定する事項」，すなわち，請求の趣旨および請求の原因（請求を特定するのに必要な事実）を記載するほか，請求を理由づける事実を具体的に記載し，かつ，立証を要する事由ごとに，当該事実に関連する事実で重要なものおよび証拠を記載しなければならないとすることを提案していたが，民事訴訟規則53条1項を訓示規定と解する見解（条解民事訴訟規則117頁）があることを参酌して，2号のような規定としたと説明されている（相澤＝石井・商事法務1761号23頁）。

───（株式会社が責任追及等の訴えを提起しない理由の通知方法）───
第218条　法第847条第4項の法務省令で定める方法は，次に掲げる事項を記載した書面の提出又は当該事項の電磁的方法による提供とする。
　一　株式会社が行った調査の内容（次号の判断の基礎とした資料を含む。）
　二　法第847条第1項の規定による請求に係る訴えについての前条第1号に掲げる者の責任又は義務の有無についての判断及びその理由
　三　前号の者に責任又は義務があると判断した場合において，責任追及等の

訴えを提起しないときは，その理由

　法847条4項は，株式会社は，責任追及等の訴えの提起が株主により請求された日から60日以内に責任追及等の訴えを提起しない場合において，その請求をした株主または責任追及等の訴えの対象となるべき発起人，設立時取締役，設立時監査役，役員等もしくは清算人から請求を受けたときは，その請求をした者に対し，遅滞なく，責任追及等の訴えを提起しない理由を書面その他の法務省令で定める方法により通知しなければならないものとしている。この委任をうけて，本条は，「責任追及等の訴えを提起しない理由」を通知する「書面その他の法務省令で定める方法」を定めるものである。

　法847条4項は，現代化要綱第2部第3・3(9)②が「株式会社が株主から取締役の責任について提訴請求を受けた場合において，提訴期間中（商法267条3項）に訴えを提起しなかったときは，当該株式会社は，当該株主又は取締役の請求により，遅滞なく，当該株主又は取締役に対し，訴えを提起しなかった理由を，書面（不提訴理由書）をもって通知しなければならないものとする」としていたことをうけた規定であるが，会社法施行規則案（平成17年11月29日）（商事法務1750号11頁）125条は，①株式会社が行った調査の方法（調査において調べた証拠を含む）および結果，②請求対象者（発起人，設立時取締役および設立時監査役，役員等，清算人，株主の権利の行使に関して利益の供与を受けた者，法212条1項の義務を負う募集株式の引受人，法285条1項の義務を負う募集新株予約権の引受人）の責任の有無についての判断，および，③請求対象者に損害を賠償する責任があると判断した場合において，責任追及等の訴えを提起しないときは，その理由を明らかにして（2項），書面または電磁的方法によって（1項），通知すべきこととすることを提案していた。

1　書面の提出または電磁的方法による提供

　書面の提出または電磁的方法による提供が求められているのは，見読の確実性・容易性や後日の紛争を避けるための証拠の確保の便宜などを考慮したものであると推測される。提訴請求を行った株主あるいは請求において責任追及等の訴えの被告となるべき者とされた者（以下，本条に対するコメントにおいては，「請求対象者」という）にとって，会社がなす不提訴理由通知は代表訴訟を提起するかどうか，担保提供命令が認められる可能性が高いかどうかなどを判断する上で重要性を有するほか，会社が責任追及等の訴えを提起するかどうか

第218条（株式会社が責任追及等の訴えを提起しない理由の通知方法）　1201

について十分な調査・検討を行ったかどうかについての重要な証拠となりうるからである。

　ここで，電磁的方法とは，電子情報処理組織を使用する方法その他の情報通信の技術を利用する方法であって法務省令で定めるもの（2条2項6号，法2条34号）をいい，222条1項は，①電子情報処理組織を使用する方法のうち，送信者の使用に係る電子計算機と受信者の使用に係る電子計算機とを接続する電気通信回線を通じて送信し，受信者の使用に係る電子計算機に備えられたファイルに記録する方法，②電子情報処理組織を使用する方法のうち，送信者の使用に係る電子計算機に備えられたファイルに記録された情報の内容を電気通信回線を通じて情報の提供を受ける者の閲覧に供し，当該情報の提供を受ける者の使用に係る電子計算機に備えられたファイルに当該情報を記録する方法，および，③磁気ディスクその他これに準ずる方法により一定の情報を確実に記録しておくことができる物をもって調製するファイルに情報を記録したものを交付する方法を「電磁的方法」として認めている（222条に対するコメントも参照）。もっとも，同条2項は，受信者がファイルへの記録を出力することにより書面を作成することができるものでなければならないとしている。これは見読の容易さや証拠としての保存を確実にするためであるといえよう。

2　記載すべき事項

(1)　株式会社が行った調査の内容（1号）

　どのような調査を行ったのかをある程度具体的に示す必要があると考えられる。監査役などの監査報告と異なり，個別の事案に対応するものであるから，監査役などの監査報告に含められる監査の方法および内容よりは具体的な記載が要求されると解するのが適当であろう。

　もっとも，被告となるべき者の責任または義務の有無についての「判断の基礎とした資料を含む」（圏点―引用者）とされているので，会社が調査した資料のすべてを記載する必要はないし，ここでの「資料」とは資料の標目を意味し，資料の内容そのものを記載することは求められていない（相澤＝石井・商事法務1761号23頁）。

(2)　請求対象者の責任または義務の有無についての判断およびその理由（2号）

　請求対象者に責任または義務があるか否かについての判断を示すものであるが，結論のみならず，その理由を示すことが求められている（平成21年法務省

令第7号により,「及びその理由」という文言が追加された)。たしかに,法847条4項は,「責任追及等の訴えを提起しない理由」の通知を定めるものであるが,十分な(あるいは合理的な)不提訴理由が通知されたにもかかわらず,不提訴理由の通知を受けた株主が代表訴訟を提起した場合には,当該代表訴訟が「株式会社に損害を加えることを目的とする場合」などに該当し,提訴が不適法になる可能性を生じさせるという立案担当者の見解(相澤ほか・企業会計58巻4号25頁〔相澤発言〕)に照らせば,たとえば,「当該取締役の責任に帰すべき事実や損害がないことが判明した」というだけでは,請求株主の判断に役立たないからである。

(3) 請求対象者に責任または義務があると判断した場合において,責任追及等の訴えを提起しないときは,その理由(3号)

本号は,「請求対象者に損害を賠償する責任があると判断した場合において,責任追及等の訴え……を提起しないときは,その理由」を不提訴通知に含めることを要求するが,これは,損害賠償責任があると判断しても訴えを提起しないことが正当であるとされる場合があることを示唆している。

取締役等ではない第三者の責任を追及するために会社が訴えを提起すべきであったかどうかが問題とされた事案についてではあるが,東京地判平成16・7・28判タ1228号269頁は,債権管理・回収の具体的な方法については,債権の存在の確度,債権行使による回収の確実性,回収可能利益とそのためのコストとのバランス,敗訴した場合の会社の信用毀損のリスク等を考慮した専門的かつ総合的判断が必要となることから,その分析と判断には,取締役に一定の裁量が認められると解するのが相当であるとした上で,取締役が債権の管理・回収の具体的な方法として訴訟提起を行わないと判断した場合に,その判断について取締役の裁量の逸脱があったというためには,取締役が訴訟を提起しないとの判断を行った時点において収集されたまたは収集可能であった資料に基づき,(a)その債権の存在を証明して勝訴しうる高度の蓋然性があったこと,(b)債務者の財産状況に照らし勝訴した場合の債権回収が確実であったこと,(c)訴訟追行により回収が期待できる利益がそのために見込まれる諸費用等を上回ることが認められることが必要というべきであるとしている。これは,取締役等の責任を訴えによって追及すべきかどうかの判断にも妥当するものと思われる。

そして,従来,監査役の業務監査権限は適法性あるいは消極的妥当性にのみ及ぶと解するのが通説的見解であったが,監査役設置会社においては,取締役

の会社に対する責任の追及の訴えを提起するか否かの判断が監査役には委ねられており（法386条），訴えを提起するか否かは適法性の判断にとどまるものではなく，妥当性のレベルの判断が必要とされる可能性があることになろう。取締役の責任追及等の訴えの提起にあたっては，監査役には会社にとって何がよいのかという意味での妥当性の判断を要求されているとみることができ，その限りにおいては，妥当性監査の権限と職務を与えられていると評価できるのではないかと思われる。

（旧株主による責任追及等の訴えの提起の請求方法）
第218条の2 法第847条の2第1項及び第3項（同条第4項及び第5項において準用する場合を含む。第218条の4第2号において同じ。）の法務省令で定める方法は，次に掲げる事項を記載した書面の提出又は当該事項の電磁的方法による提供とする。
一　被告となるべき者
二　請求の趣旨及び請求を特定するのに必要な事実
三　株式交換等完全親会社の名称及び住所並びに当該株式交換等完全親会社の株主である旨

　法847条の2第1項は，旧株主に責任追及等の訴えの提起を株式会社（当該株式会社が吸収合併により消滅する会社となる吸収合併の場合には，吸収合併後存続する株式会社（株式交換等完全子会社）。施規2条2項120号（令和2年改正未施行部分の施行後は121号））に対して請求することを認めているが，その請求は，「書面その他の法務省令で定める方法により」行うべきこととされている。この委任に基づき，本条は，「書面その他の法務省令で定める方法」を定めている。

　本条は，株主による責任追及等の訴えの提起の請求方法を定めている217条とパラレルに訴えの提起の請求方法を定めているが，提訴請求をする者は提訴請求を受ける株式交換等完全子会社の株主ではないことから，株式交換等完全親会社（法849条2項1号，施規2条2項126号（令和2年改正未施行部分の施行後は127号））の名称および住所ならびに当該株式交換等完全親会社の株主である旨（3号）を記載すべきものとされている。これによって，株式交換等完全子会社は株式交換等完全親会社に対して，提訴請求してきた者が株式交換等完全親会社の株主であるかどうかを確かめる契機を得ることができると考えられる［その他の点については，→217条］。

―(完全親会社)―
第218条の3 法第847条の2第1項に規定する法務省令で定める株式会社は，ある株式会社及び当該ある株式会社の完全子会社（当該ある株式会社が発行済株式の全部を有する株式会社をいう。以下この条において同じ。）又は当該ある株式会社の完全子会社が法第847条の2第1項の特定の株式会社の発行済株式の全部を有する場合における当該ある株式会社とする。
2　前項の規定の適用については，同項のある株式会社及び当該ある株式会社の完全子会社又は当該ある株式会社の完全子会社が他の株式会社の発行済株式の全部を有する場合における当該他の株式会社は，完全子会社とみなす。

　本条は，旧株主による責任追及等の訴えの原告適格との関係で，完全親会社とされる会社を定めるものであり，平成27年改正前219条に相当する規定である。すなわち，法847条の2第1項は，株式会社の株主は，当該株式会社の株主でなくなった場合であっても，当該株式会社の株式交換または株式移転により当該株式会社の完全親会社の株式を取得したとき，または，その者が当該株式会社が合併により消滅する会社となる合併により，合併により設立する株式会社または合併後存続する株式会社もしくはその完全親会社の株式を取得したときには，それらの組織再編行為の効力が生じた時までにその原因となった事実が生じた責任または義務に係る責任追及等の訴えの提起を請求することができるものと定めている。そして，同項かっこ書では，完全親会社とは，「特定の株式会社の発行済株式の全部を有する株式会社その他これと同等のものとして法務省令で定める株式会社」をいうとされており，本条は，この委任をうけて，「特定の株式会社の発行済株式の全部を有する株式会社……と同等のものとして法務省令で定める株式会社」を定めている。
　ここで，法847条の2第1項は，株式会社の株主は，組織再編行為等により，当該株式会社の株主でなくなった後も，株式交換等により完全親会社等の株主となったときには，その原告株主は完全親会社等の株主として引き続き，その代表訴訟の結果について間接的に影響を受けることに着目したものである。このような趣旨と合致するように，同項かっこ書では書ききれなかった部分を補充するため，本条が定められている。
　1項は，ある株式会社が発行済株式の全部を有する株式会社を完全子会社と呼ぶこととし，①ある株式会社とその株式会社の完全子会社とが合わせて特定の株式会社の発行済株式の全部を有する場合，または②ある株式会社の完全子

会社が特定の株式会社の発行済株式の全部を有する場合には，当該ある株式会社は完全親会社となるものとしている。もちろん，ここでいうある株式会社の子会社は複数であってもよい。このような場合には，特定の株式会社に対して利害を有する株主は，究極的には完全親会社の株主に限られると考えられるからである。

2項は，①または②の場合には，当該他の株式会社を当該ある株式会社の完全子会社とみなすと定めており，当該他の株式会社の完全子会社や当該他の株式会社と当該ある株式会社または当該ある株式会社の完全子会社とが他の株式会社の発行済株式の全部を有する場合の他の株式会社も当該ある株式会社の完全子会社となる。

───（株式交換等完全子会社が責任追及等の訴えを提起しない理由の通知方法）───
第218条の4　法第847条の2第7項の法務省令で定める方法は，次に掲げる事項を記載した書面の提出又は当該事項の電磁的方法による提供とする。
一　株式交換等完全子会社が行った調査の内容（次号の判断の基礎とした資料を含む。）
二　法第847条の2第1項又は第3項の規定による請求に係る訴えについての第218条の2第1号に掲げる者の責任又は義務の有無についての判断及びその理由
三　前号の者に責任又は義務があると判断した場合において，責任追及等の訴えを提起しないときは，その理由

　法847条の2第7項は，株式交換等完全子会社は，責任追及等の訴えの提起が旧株主により請求された日から60日以内に責任追及等の訴えを提起しない場合において，その請求をした旧株主または当該提訴請求に係る責任追及等の訴えの被告となることとなる発起人等（発起人，設立時取締役，設立時監査役，役員等もしくは清算人）から請求を受けたときは，その請求をした者に対し，遅滞なく，責任追及等の訴えを提起しない理由を書面その他の法務省令で定める方法により通知しなければならないものとしている。この委任をうけて，本条は，「責任追及等の訴えを提起しない理由」を通知する「書面その他の法務省令で定める方法」を定めるものである。

　本条は，218条とパラレルな定めとなっている［本条の解釈については，→218条］。

―(特定責任追及の訴えの提起の請求方法)―
第218条の5　法第847条の3第1項の法務省令で定める方法は，次に掲げる事項を記載した書面の提出又は当該事項の電磁的方法による提供とする。
　一　被告となるべき者
　二　請求の趣旨及び請求を特定するのに必要な事実
　三　最終完全親会社等の名称及び住所並びに当該最終完全親会社等の株主である旨

　6カ月（これを下回る期間を定款で定めた場合には，その期間）前から引き続き――公開会社でない会社では継続保有要件は課されていない――株式会社の最終完全親会社等（当該株式会社の完全親会社等（法847条の3第2項，施規2条2項123号（令和2年改正未施行部分の施行後は124号））であって，その完全親会社等がないもの）の総株主（株主総会において決議をすることができる事項の全部につき議決権を行使することができない株主を除く）の議決権の100分の1（これを下回る割合を定款で定めた場合には，その割合）以上の議決権を有する株主または当該最終完全親会社等の発行済株式（自己株式を除く）の100分の1（これを下回る割合を定款で定めた場合には，その割合）以上の数の株式を有する株主は，当該株式会社に対し，書面その他の法務省令で定める方法により，特定責任に係る責任追及等の訴え（特定責任追及の訴え）の提起を請求することができるとされているが（法847条の3第1項），その請求は，「書面その他の法務省令で定める方法により」行うべきこととされている。この委任に基づき，本条は，「書面その他の法務省令で定める方法」を定めている。
　本条は，株主による責任追及等の訴えの提起の請求方法を定めている217条とパラレルに訴えの提起の請求方法を定めているが，提訴請求をする者は提訴請求を受ける株式会社の株主ではないことから，最終完全親会社等の名称および住所ならびに当該最終完全親会社等の株主である旨（3号）を記載すべきものとされている。これによって，提訴請求を受けた株式会社は最終完全親会社等に対して，提訴請求してきた者が最終完全親会社等の株主であるかどうかを確かめる契機を得ることができると考えられる[その他の点については，→217条]。

―(総資産額)―
第218条の6　法第847条の3第4項に規定する法務省令で定める方法は，同項の日（以下この条において「算定基準日」という。）における株式会社の最終

完全親会社等の第1号から第9号までに掲げる額の合計額から第10号に掲げる額を減じて得た額をもって当該最終完全親会社等の総資産額とする方法とする。
　一　資本金の額
　二　資本準備金の額
　三　利益準備金の額
　四　法第446条に規定する剰余金の額
　五　最終事業年度（法第461条第2項第2号に規定する場合にあっては，法第441条第1項第2号の期間（当該期間が二以上ある場合にあっては，その末日が最も遅いもの）。以下この項において同じ。）の末日（最終事業年度がない場合にあっては，当該最終完全親会社等の成立の日。以下この条において同じ。）における評価・換算差額等に係る額
　六　株式引受権の帳簿価額
　七　新株予約権の帳簿価額
　八　最終事業年度の末日において負債の部に計上した額
　九　最終事業年度の末日後に吸収合併，吸収分割による他の会社の事業に係る権利義務の承継又は他の会社（外国会社を含む。）の事業の全部の譲受けをしたときは，これらの行為により承継又は譲受けをした負債の額
　十　自己株式及び自己新株予約権の帳簿価額の合計額
2　前項の規定にかかわらず，算定基準日において当該最終完全親会社等が清算株式会社である場合における法第847条の3第4項に規定する法務省令で定める方法は，法第492条第1項の規定により作成した貸借対照表の資産の部に計上した額をもって株式会社の総資産額とする方法とする。

　法847条の3第4項は，「「特定責任」とは，当該株式会社の発起人等の責任の原因となった事実が生じた日において最終完全親会社等及びその完全子会社等……における当該株式会社の株式の帳簿価額が当該最終完全親会社等の総資産額として法務省令で定める方法により算定される額の5分の1（これを下回る割合を定款で定めた場合にあっては，その割合）を超える場合における当該発起人等の責任をいう」と定めており，この委任をうけて，本条は，「当該最終完全親会社等の総資産額として法務省令で定める方法により算定される額」を定めるものである。
　1項は，簡易事業譲渡および子会社の株式または持分の全部または一部の譲渡（法467条1項2号・2号の2イ）との関連で譲渡会社である「株式会社の総

資産額として法務省令で定める方法により算定される額」を定める134条1項とパラレルに規定している［→134条1］。

2項は，算定基準日において当該最終完全親会社等が清算株式会社である場合について，簡易事業譲渡および子会社の株式または持分の全部または一部の譲渡（法467条1項2号・2号の2イ）との関連で譲渡会社である「株式会社の総資産額として法務省令で定める方法により算定される額」を定める134条2項とパラレルに規定している［→134条2］。

---(株式会社が特定責任追及の訴えを提起しない理由の通知方法)---
第218条の7　法第847条の3第8項の法務省令で定める方法は，次に掲げる事項を記載した書面の提出又は当該事項の電磁的方法による提供とする。
　一　株式会社が行った調査の内容（次号の判断の基礎とした資料を含む。）
　二　法第847条の3第1項の規定による請求に係る訴えについての第218条の5第1号に掲げる者の責任又は義務の有無についての判断及びその理由
　三　前号の者に責任又は義務があると判断した場合において，特定責任追及の訴えを提起しないときは，その理由

法847条の3第8項は，株式会社は，特定責任追及の訴えの提起が最終完全親会社等の株主等により請求された日から60日以内に特定責任追及の訴えを提起しない場合において，その請求をした最終完全親会社等の株主または当該提訴請求に係る特定責任追及の訴えの被告となることとなる発起人等（発起人，設立時取締役，設立時監査役，役員等もしくは清算人）から請求を受けたときは，その請求をした者に対し，遅滞なく，特定責任追及等の訴えを提起しない理由を書面その他の法務省令で定める方法により通知しなければならないものとしている。この委任をうけて，本条は，「特定責任追及等の訴えを提起しない理由」を通知する「書面その他の法務省令で定める方法」を定めるものである。

本条は，218条とパラレルな定めとなっている［本条の解釈については，→218条］。

第219条　（平成27年法務省令第6号により削除）

第2章 登　記

> **第220条**　次の各号に掲げる規定に規定する法務省令で定めるものは，当該各号に定める行為をするために使用する自動公衆送信装置のうち当該行為をするための用に供する部分をインターネットにおいて識別するための文字，記号その他の符号又はこれらの結合であって，情報の提供を受ける者がその使用に係る電子計算機に入力することによって当該情報の内容を閲覧し，当該電子計算機に備えられたファイルに当該情報を記録することができるものとする。
> 　一　法第911条第3項第26号　法第440条第3項の規定による措置
> 　二　法第911条第3項第28号イ　株式会社が行う電子公告
> 　三　法第912条第9号イ　合名会社が行う電子公告
> 　四　法第913条第11号イ　合資会社が行う電子公告
> 　五　法第914条第10号イ　合同会社が行う電子公告
> 　六　法第933条第2項第4号　法第819条第3項に規定する措置
> 　七　法第933条第2項第6号イ　外国会社が行う電子公告
> 　2　法第911条第3項第28号に規定する場合には，同号イに掲げる事項であって，決算公告（法第440条第1項の規定による公告をいう。以下この項において同じ。）の内容である情報の提供を受けるものを，当該事項であって決算公告以外の公告の内容である情報の提供を受けるためのものと別に登記することができる。

　本条は，電子公告または電磁的方法による貸借対照表等の公開をする会社が登記すべき事項を定めるものである。すなわち，株式会社，合名会社，合資会社，合同会社または外国会社が電子公告を公告方法とする旨を定めた場合には，「電子公告により公告すべき内容である情報について不特定多数の者がその提供を受けるために必要な事項であって法務省令で定めるもの」を登記しなければならず（法911条3項28号イ・912条9号イ・913条11号イ・914条10号イ・

933条2項6号イ），株式会社が貸借対照表（大会社は，さらに損益計算書）を公告することに代えて，貸借対照表（大会社は，さらに損益計算書）の内容である情報を，または，外国会社が貸借対照表に相当するものを公告することに代えて，貸借対照表に相当するものの内容である情報を，それぞれ，計算書類の確定手続の終結の日後5年を経過する日までの間，継続して電磁的方法により日本において不特定多数の者が提供を受けることができる状態に置く措置をとるものと定めた場合には（法440条3項，819条3項），貸借対照表（大会社は，さらに損益計算書。外国会社は貸借対照表に相当するもの）の「内容である情報について不特定多数の者がその提供を受けるために必要な事項であって法務省令で定めるもの」を登記しなければならないものとされている（法911条3項26号・933条2項4号）。本条は，この委任をうけて定められている。

　1項柱書にいう「自動公衆送信装置」とは，サーバ，すなわち，公衆の用に供する電気通信回線に接続することにより，その記録媒体のうち自動公衆送信の用に供する部分に記録され，または当該装置に入力される情報を自動公衆送信する機能を有する装置をいい［→222条］，「当該各号に定める行為をするために使用する自動公衆送信装置のうち当該行為をするための用に供する部分をインターネットにおいて識別するための文字，記号その他の符号又はこれらの結合であって，情報の提供を受ける者がその使用に係る電子計算機に入力することによって当該情報の内容を閲覧し，当該電子計算機に備えられたファイルに当該情報を記録することができるもの」とは，ウェブサイトのURL（アドレス）を意味する。

　すなわち，公告を掲載するウェブサイトのURLであるが，個別の公告が掲載されるページのURLでなく，個別の公告が掲載されるページの前段階にある目次ページや，ホームページのフロントページのURLであっても，いわゆるリンクによって個別の公告ページにたどり着くことができる措置がとられていれば，このURLを公告ホームページのアドレスとして登記することも許されると解されている（始関・Q&A平成16年改正会社法　電子公告・株券不発行制度18頁参照）。個々の公告を掲載するページを変更するたびに変更登記をしなければならないとするのは，時事を掲載する日刊新聞紙で公告する場合には，その日刊新聞紙の名称が記載され，官報で公告する場合には官報により公告される旨のみが登記されることとつり合いがとれないことになる。

　2項は，平成18年改正前商法施行規則8条の2第2項に相当する規定である。平成13年改正により，貸借対照表等の電磁的方法による公開の制度が導入

され（平成17年改正前商法283条7項，平成17年廃止前商法特例法16条5項），貸借対照表等の電磁的方法による公開を行っている会社が相当数存在するが，そのような会社の中には，電子公告を採用するにあたって，貸借対照表等の電子公告については，従来，電磁的方法による公開のために使用していたホームページを利用し続けるとともに，それとは異なるウェブサイトをその他の公告事項の電子公告について利用できるようにしてほしいとの要望があり，かつ，これを認めても格別の弊害がないと考えられることから，2項が設けられている（始関・商事法務1719号123～124頁）。

第3章 公　　告

> **第221条** 次に掲げる規定に規定する法務省令で定めるべき事項は，電子公告規則（平成18年法務省令第14号）の定めるところによる。
> 一　法第941条
> 二　法第944条第1項（法第945条第2項において準用する場合を含む。）
> 三　法第946条第2項から第4項まで
> 四　法第947条
> 五　法第949条第2項
> 六　法第950条
> 七　法第951条第2項第3号
> 八　法第955条第1項
> 九　法第956条第2項
> 十　法第957条第2項

　本条は，会社法が法務省令に委任している事項のうち，電子公告規則が定めている事項を規定するものである。すなわち，①公規3条は電子公告調査を求める方法（法941条）を，②同規則4条は調査機関の登録または更新に関して必要な手続（法944条1項・945条2項）を，③同規則5条は電子公告調査を行う方法（法946条2項）を，④同規則6条は調査機関の法務大臣への報告事項および報告方法（法946条3項）を，⑤同規則7条は調査結果通知の方法等（法946条4項）を，⑥同規則8条は電子公告調査を行うことができない場合（法947条）を，⑦同規則10条は業務規程に定める事項（法949条2項）を，⑧同規則11条は電子公告調査の業務の休廃止の届出（法950条）について，⑨同規則12条は調査機関の財務諸表等の開示の方法（法951条2項3号）を，⑩同規則13条は調査記録簿等の記載および保存（法955条1項・956条2項）について，それぞ

れ，定めている。

　なお，10号の規定にもかかわらず，法務大臣が電子公告調査の業務の全部または一部を自ら行う場合における電子公告調査の業務の引継ぎその他の必要な事項（法957条2項）は，現在のところ，法務大臣は電子公告調査の業務の全部または一部を自ら行っていないため，電子公告規則には定められていない。

第4章

電磁的方法及び電磁的記録等

第1節　電磁的方法及び電磁的記録等

（電磁的方法）

第222条　法第2条第34号に規定する電子情報処理組織を使用する方法その他の情報通信の技術を利用する方法であって法務省令で定めるものは，次に掲げる方法とする。

一　電子情報処理組織を使用する方法のうちイ又はロに掲げるもの

イ　送信者の使用に係る電子計算機と受信者の使用に係る電子計算機とを接続する電気通信回線を通じて送信し，受信者の使用に係る電子計算機に備えられたファイルに記録する方法

ロ　送信者の使用に係る電子計算機に備えられたファイルに記録された情報の内容を電気通信回線を通じて情報の提供を受ける者の閲覧に供し，当該情報の提供を受ける者の使用に係る電子計算機に備えられたファイルに当該情報を記録する方法

二　磁気ディスクその他これに準ずる方法により一定の情報を確実に記録しておくことができる物をもって調製するファイルに情報を記録したものを交付する方法

2　前項各号に掲げる方法は，受信者がファイルへの記録を出力することにより書面を作成することができるものでなければならない。

　法2条34号は，電磁的方法とは「電子情報処理組織を使用する方法その他の情報通信の技術を利用する方法であって法務省令で定めるものをいう」と定めているが，この委任に基づいて，本条は電磁的方法を具体的に定めるものであり，平成18年改正前商法施行規則6条1項および2項を踏襲するものである。

　1項は，見読の確実性・容易性や後日の紛争を避けるための証拠の確保の便

宜などを考慮して，①電子情報処理組織を使用する方法のうち，送信者の使用に係る電子計算機と受信者の使用に係る電子計算機とを接続する電気通信回線を通じて送信し，受信者の使用に係る電子計算機に備えられたファイルに記録する方法，②電子情報処理組織を使用する方法のうち，送信者の使用に係る電子計算機に備えられたファイルに記録された情報の内容を電気通信回線を通じて情報の提供を受ける者の閲覧に供し，当該情報の提供を受ける者の使用に係る電子計算機に備えられたファイルに当該情報を記録する方法，および，③磁気ディスクその他これに準ずる方法により一定の情報を確実に記録しておくことができる物をもって調製するファイルに情報を記録したものを交付する方法を「電磁的方法」として認めつつ，受信者がファイルへの記録を出力することにより書面を作成することができるものでなければならないとしている（2項）。なお，平成18年改正前商法施行規則6条1項（同項1号にいう「送信者の使用に係る電子計算機と受信者の使用に係る電子計算機とを電気通信回線で接続した電子情報処理組織を使用する方法であって，当該電気通信回線を通じて情報が送信され，受信者の使用に係る電子計算機に備えられたファイルに当該情報が記録されるもの」には①および②の方法が含まれると解されていたが，②の方法が「情報が送信され」という要件を満たすか否かについて，文理上，疑義があった。相澤ほか・商事法務1770号4頁）と異なり，明示的に，②の方法が「電磁的方法」にあたるものと定めている。なお，1項1号イおよびロは，「電気通信回線を通じて」という要件を課しているが，ここでいう「電気通信回線」とは，電気通信の送信の場所と受信の場所との間を接続する伝送路をいうと考えられるところ，「電気通信」とは有線，無線その他の電磁的方式により，符号，音響または影像を送り，伝え，または受けることをいうから（電気通信事業法2条1号)，無線LANや光ファイバーなども含まれると解される（郡谷・商事法務1662号74頁注29）。また，著作権法2条1項7号の2では，「公衆送信」を公衆によって直接受信されることを目的として無線通信または有線電気通信の送信（電気通信設備で，その一の部分の設置の場所が他の部分の設置の場所と同一の構内（その構内が二以上の者の占有に属している場合には，同一の者の占有に属する区域内）にあるものによる送信（プログラムの著作物の送信を除く）を除く）を行うことをいうものとしている。

①の例としては，インターネット等を通じて電子メールを送信する方法が，②の例としては，ウェブサイトに情報を掲示し，これを見読あるいはダウンロードできるようにする方法があり，③の例としては，当該情報を記録した磁

気ディスクのほか，USBメモリ，DVD，CD-ROM，ICカード等などの記録媒体を交付する方法がある（割賦販売法施行規則10条1項2号，旅行業法施行規則37条の5第1項2号などはCD-ROMも例示している）。他方，ファクシミリは電子計算機ではないので，ファクシミリを用いた送信方法は本条にいう電磁的方法にはあたらない（江原＝太田・商事法務1628号33頁）。

2項が受信者がファイルへの記録を出力することにより書面を作成することができるものでなければならないとしているのは，見読の確実性・容易性の確保や証拠確保の便宜のためである。

――(電子公告を行うための電磁的方法)――
第223条 法第2条第34号に規定する措置であって法務省令で定めるものは，前条第1項第1号ロに掲げる方法のうち，インターネットに接続された自動公衆送信装置を使用するものによる措置とする。

本条は，電子公告を行うための電磁的方法を定めるものであって，計規147条とパラレルな規定である。本条は，電子情報処理組織を使用する方法であって，送信者の使用に係る電子計算機に備えられたファイルに記録された情報の内容を電気通信回線を通じて情報の提供を受ける者の閲覧に供し，当該情報の提供を受ける者の使用に係る電子計算機に備えられたファイルに当該情報を記録する方法（222条1項1号ロに掲げる方法）のうち，インターネットに接続された自動公衆送信装置（サーバ）を使用するもの（インターネット上のウェブサイトを利用する方法）を法務省令の定める電磁的方法として定めている。ここで，自動公衆送信装置とは，公衆の用に供する電気通信回線に接続することにより，その記録媒体のうち自動公衆送信の用に供する部分に記録され，または当該装置に入力される情報を自動公衆送信する機能を有する装置をいうと定義されている［→215条］。

なお，「送信者の使用に係る電子計算機」と規定されているので，会社自身が保有する電子計算機に備えられたファイルに情報を記録する必要はない。また，電子公告を行うウェブサイトは，必ずしも電子公告を行う会社自身が開設したものである必要もない。たとえば，電子公告に関する業務を受託する会社などが開設したウェブサイトにおいて公開することでも問題はないと考えられる。

──(電磁的記録)──
第224条 法第26条第２項に規定する法務省令で定めるものは，磁気ディスクその他これに準ずる方法により一定の情報を確実に記録しておくことができる物をもって調製するファイルに情報を記録したものとする。

　法26条２項１文かっこ書は，電磁的記録とは「電子的方式，磁気的方式その他人の知覚によっては認識することができない方式で作られる記録であって，電子計算機による情報処理の用に供されるものとして法務省令で定めるものをいう」と定めているが，この委任をうけて本条が電磁的記録の具体的内容を定めている。平成18年改正前商法施行規則３条を踏襲したものである。

　これは，会社関係書類が比較的長期間保存・備置きされるものであること（法81条２項・86条・318条２項・325条・371条１項・394条１項・399条の11第１項・413条１項・432条２項・435条４項・442条１項・２項・490条５項・508条１項・３項・615条２項・617条４項・672条１項・２項・４項・731条２項など参照）などに鑑みて，ある程度の期間，保存が可能な確実な記録媒体を用いることを要求するものである。

　磁気ディスクにはフロッピー・ディスクなどが含まれるが，「その他これに準ずる方法により一定の情報を確実に記録しておくことができる物」には，磁気テープ，磁気ドラムのような磁気的方法により情報を記録するための媒体，USBメモリ，ICカードなどのような電子的方法により情報を記録するための媒体，CD-ROM，DVD-ROMなどのような光学的方式により情報を記録するための媒体が含まれる。そのような記録媒体を用いて調製するファイルに情報を記録したものが，本条にいう電磁的記録にあたる（江原＝太田・商事法務1627号８頁）。

──(電子署名)──
第225条 次に掲げる規定に規定する法務省令で定める署名又は記名押印に代わる措置は，電子署名とする。
　一　法第26条第２項
　二　法第122条第３項
　三　法第149条第３項
　四　法第250条第３項

五　法第270条第３項
　　六　法第369条第４項（法第490条第５項において準用する場合を含む。）
　　七　法第393条第３項
　　八　法第399条の10第４項
　　九　法第412条第４項
　　十　法第575条第２項
　　十一　法第682条第３項
　　十二　法第695条第３項
　２　前項に規定する「電子署名」とは，電磁的記録に記録することができる情報について行われる措置であって，次の要件のいずれにも該当するものをいう。
　　一　当該情報が当該措置を行った者の作成に係るものであることを示すためのものであること。
　　二　当該情報について改変が行われていないかどうかを確認することができるものであること。

　①株式会社の定款（法26条２項），②株主名簿記載事項を記録した電磁的記録（法122条３項・149条３項），③新株予約権原簿記載事項を記録した電磁的記録（法250条３項・270条３項），④取締役会の議事録（法369条４項），⑤監査役会の議事録（法393条３項），⑥監査等委員会の議事録（法399条の10第４項），⑦指名委員会等の議事録（法412条４項），⑧清算人会の議事録（法490条５項），⑨持分会社の定款（法575条２項），⑩社債原簿記載事項を記録した電磁的記録（法682条３項・695条３項）のように，書面で作成された場合には，作成者が署名することが要求されている会社関係書類について，会社法は，当該書類が電磁的記録をもって作成された場合には，当該電磁的記録に記録された情報に「法務省令で定める署名又は記名押印に代わる措置」を講じなければならないものとしている。これは，署名が作成の真正等の担保となることに鑑み，書面で作成される場合に会社法上署名が要求されている書類については，電磁的記録をもって作成される場合であっても，同様の機能を果たす措置を作成者等に義務づけることが必要と考えられたからである。
　そこで，平成18年改正前商法施行規則５条を踏襲し，１号は，法26条２項の委任をうけて，「署名又は記名押印に代わる措置」として，電子署名を指定している。

そして，2項は，電子署名の具体的内容を定めているが，これは，電子署名及び認証業務に関する法律（平成12年法律第102号）2条1項が定める電子署名の定義と同じである。

すなわち，1項にいう電子署名とは，電磁的記録（電子的方式，磁気的方式その他人の知覚によっては認識することができない方式で作られる記録であって，電子計算機による情報処理の用に供されるものとして法務省令で定めるもの（224条））に記録することができる情報について行われる措置であって，①当該情報が当該措置を行った者の作成に係るものであることを示すためのものであること，および，②当該情報について改変が行われていないかどうかを確認することができるものであること，という2つの要件のいずれにも該当するものをいう。具体的には，いわゆる非対称暗号方式を用いたデジタル署名などがこれに該当する。デジタル署名には，ほぼ大きさが同じである2つの素数の積である整数の素因数分解を用いることが多いが（特にRSA方式やRSA-PSS方式），有限体の乗数群における離散対数計算（DSA方式など）や楕円曲線上の点がなす群における離散対数計算（楕円関数。ECDSA方式など）が用いられることもある。しかし，技術革新が著しい電子署名・電子認証技術に関し，技術的中立性を確保するという観点から，電子署名はデジタル署名に限定されておらず，デジタル署名以外の電子署名もありうる。

なお，電子署名及び認証業務に関する法律が定める認定認証事業者（電子署名及び認証業務に関する法律8条・4条1項）からの認証を受けた電子署名であることまでは求められていない。

(電磁的記録に記録された事項を表示する方法)

第226条 次に掲げる規定に規定する法務省令で定める方法は，次に掲げる規定の電磁的記録に記録された事項を紙面又は映像面に表示する方法とする。
　一　法第31条第2項第3号
　二　法第74条第7項第2号（法第86条において準用する場合を含む。）
　三　法第76条第5項（法第86条において準用する場合を含む。）
　四　法第81条第3項第2号（法第86条において準用する場合を含む。）
　五　法第82条第3項第2号（法第86条において準用する場合を含む。）
　六　法第125条第2項第2号
　七　法第171条の2第2項第3号
　八　法第173条の2第3項第3号
　九　法第179条の5第2項第3号

十　法第179条の10第3項第3号
十一　法第182条の2第2項第3号
十二　法第182条の6第3項第3号
十三　法第231条第2項第2号
十四　法第252条第2項第2号
十五　法第310条第7項第2号（法第325条において準用する場合を含む。）
十六　法第312条第5項（法第325条において準用する場合を含む。）
十七　法第318条第4項第2号（法第325条において準用する場合を含む。）
十八　法第319条第3項第2号（法第325条において準用する場合を含む。）
十九　法第371条第2項第2号（法第490条第5項において準用する場合を含む。）
二十　法第374条第2項第2号
二十一　法第378条第2項第3号
二十二　法第389条第4項第2号
二十三　法第394条第2項第2号（同条第3項において準用する場合を含む。）
二十四　法第396条第2項第2号
二十五　法第399条の11第2項第2号（同条第3項において準用する場合を含む。）
二十六　法第413条第2項第2号
二十七　法第433条第1項第2号
二十八　法第442条第3項第3号
二十九　法第496条第2項第3号
三十　法第618条第1項第2号
三十一　法第684条第2項第2号
三十二　法第731条第3項第2号
三十三　法第735条の2第3項第2号
三十四　法第775条第3項第3号
三十五　法第782条第3項第3号
三十六　法第791条第3項第3号（同条第4項において準用する場合を含む。）
三十七　法第794条第3項第3号
三十八　法第801条第4項第3号（同条第5項及び第6項において準用する場合を含む。）
三十九　法第803条第3項第3号
四十　法第811条第3項第3号（同条第4項において準用する場合を含む。）
四十一　法第815条第4項第3号（同条第5項及び第6項において準用する場合を含む。）

第226条（電磁的記録に記録された事項を表示する方法）　1221

　四十二　法第816条の2第3項第3号
　四十三　法第816条の10第3項第3号

　本条は，平成18年改正前商法施行規則7条を踏襲したものである。
　電磁的記録は，磁気ディスクその他これに準ずる方法により一定の情報を確実に記録しておくことができる物をもって調製するファイルに情報を記録したものであると定義されており（224条），磁気ディスクなどの記録媒体は，書面と同様に備置きの対象とすることができる。
　そこで，会社法は，書面をもって作成された場合に，閲覧の請求対象となるものについては，当該電磁的記録に記録された情報の内容を法務省令で定める方法により表示したものを会社の本店（定款，株主総会の議事録の写し，株式会社の計算書類およびその附属明細書・臨時計算書類・事業報告・それらに係る監査報告・会計監査報告の写しについては，さらに支店。創立総会・種類創立総会に関するものは会社の成立前には発起人が定めた場所，株主名簿，株券喪失登録簿および新株予約権原簿は株主名簿管理人があるときはその営業所，社債原簿は社債原簿管理人があるときはその営業所。以下，本条に対するコメントにおいて同じ）において閲覧することの請求を認めている。
　すなわち，①定款（1号，法31条2項3号），②電磁的方法により提供された，創立総会・種類創立総会における代理権を証明する書面に記載すべき事項が記録された電磁的記録（2号，法74条7項2号・86条），③電磁的方法により提供された，創立総会・種類創立総会における議決権行使書面に記載すべき事項が記録された電磁的記録（3号，法76条5項・86条），④創立総会・種類創立総会の議事録（4号，法81条3項2号・86条），⑤設立時株主または設立時種類株主の全員が創立総会または種類創立総会の目的である事項について書面または電磁的記録により同意の意思表示をした場合の電磁的記録（5号，法82条3項2号・86条），⑥株主名簿（6号，法125条2項2号），⑦全部取得条項付種類株式の取得対価等に関する書面（7号，法171条の2第2項3号），⑧全部取得条項付種類株式の取得に関する書面（8号，法173条の2第3項3号），⑨特別支配株主による株式等売渡請求に関する書面（9号，法179条の5第2項3号），⑩特別支配株主による売渡株式等の取得に関する書面（10号，法179条の10第3項3号），⑪株式の併合に関する事項に関する書面（事前備置。11号，法182条の2第2項3号），⑫株式の併合に関する書面（12号，法182条の6第3項3号），⑬株券

喪失登録簿（13号，法231条2項2号），⑭新株予約権原簿（14号，法252条2項2号），⑮電磁的方法により提供された，株主総会・種類株主総会における代理権を証明する書面に記載すべき事項が記録された電磁的記録（15号，法310条7項2号・325条），⑯電磁的方法により提供された，株主総会・種類株主総会における議決権行使書面に記載すべき事項が記録された電磁的記録（16号，法312条5項・325条），⑰株主総会・種類株主総会の議事録（17号，法318条4項2号・325条），⑱株主または種類株主の全員が株主総会または種類株主総会の目的である事項について書面または電磁的記録により同意の意思表示をした場合の電磁的記録（18号，法319条3項2号・325条），⑲取締役会の議事録（19号，法371条2項2号），⑳清算人会の議事録（19号，法490条5項・371条2項2号），㉑会計帳簿またはこれに関する書類（20号・22号・24号・27号，法374条2項2号・389条4項2号・396条2項2号・433条1項2号），㉒計算書類およびその附属明細書・臨時計算書類（21号・28号，法378条2項3号・442条3項3号），㉓会計参与報告（21号，法378条2項3号），㉔監査役会の議事録（23号，法394条2項2号・3項），㉕監査等委員会の議事録（25号，法399条の11第2項2号・3項），㉖指名委員会等の議事録（26号，法413条2項2号），㉗事業報告およびその附属明細書（28号，法442条3項3号），㉘計算書類およびその附属明細書に係る監査報告・会計監査報告（28号，法442条3項3号），㉙臨時計算書類に係る監査報告・会計監査報告（28号，法442条3項3号），㉚事業報告およびその附属明細書に係る監査報告（28号，法442条3項3号），㉛清算株式会社の貸借対照表および事務報告およびこれらの附属明細書ならびにこれらに係る監査報告（29号，法496条2項3号），㉜持分会社の計算書類（30号，法618条1項2号），㉝社債原簿（31号，法684条2項2号），㉞社債権者集会の議事録（32号，法731条3項2号），㉟社債権者集会の決議があったとみなされる場合の同意の意思表示の電磁的記録（33号，法735条の2第3項2号），㊱組織変更計画に関する書類（34号，法775条3項3号），㊲吸収合併契約・吸収分割契約・株式交換契約に関する書類（事前開示）（35号・37号，法782条3項3号・794条3項3号），㊳吸収分割・株式交換に関する書類（事後開示）（36号，法791条3項3号・4項），㊴吸収合併・吸収分割・株式交換に関する書類（事後開示）（38号，法801条4項3号・5項・6項），㊵新設合併契約・新設分割計画・株式移転計画に関する書類（事前開示）（39号，法803条3項3号），㊶新設分割・株式移転に関する書類（事後開示）（40号，法811条3項3号・4項），㊷新設合併・新設分割・株式移転に関する書類（事後開示）（41号，法815条4項3号・5項・6項），㊸株式交付計画に関す

る書類（事前開示）（42号，法816条の２第３項３号），および，㊹株式交付に関する書類（事後開示）（43号，法816条の10第３項３号）などが電磁的記録をもって作成された場合には，それらが書面で作成された場合にはその閲覧が認められる者は，その電磁的記録に記録された情報の内容を法務省令で定める方法により表示したものを会社の本店において閲覧することの請求が認められる。

　この委任をうけて，本条は，この法務省令で定める方法を，「電磁的記録に記録された事項を紙面又は映像面に表示する方法」と規定している。

　紙面に表示する方法としては紙に打ち出すこと（プリント・アウト）が，（出力装置の）映像面に表示する方法としてはパソコンのディスプレイに表示する方法などが，それぞれ，ある（江原＝太田・商事法務1628号33頁）。

(電磁的記録の備置きに関する特則)

第227条　次に掲げる規定に規定する法務省令で定めるものは，会社の使用に係る電子計算機を電気通信回線で接続した電子情報処理組織を使用する方法であって，当該電子計算機に備えられたファイルに記録された情報の内容を電気通信回線を通じて会社の支店において使用される電子計算機に備えられたファイルに当該情報を記録するものによる措置とする。
　一　法第31条第４項
　二　法第318条第３項（法第325条において準用する場合を含む。）
　三　法第442条第２項

　定款については，本店および支店にも備え置かなければならないとされているほか（法31条），株主総会または種類株主総会の議事録，株式会社の計算書類およびその附属明細書・臨時計算書類・事業報告・それらに係る監査報告・会計監査報告については，本店に備え置くのみならず，その写しを支店にも備え置かなければならないのが原則とされている。しかし，支店における「電磁的記録をもって作成されているときは，当該電磁的記録に記録された事項を法務省令で定める方法により表示したものの閲覧の請求」（法31条２項４号・４項）および「電磁的記録に記録された事項を電磁的方法であって」発起人（会社成立前の定款の場合）または株式会社「の定めたものにより提供することの請求又はその事項を記載した書面の交付の請求」（同条２項４号・４項）に応じることを可能とするための措置をとっている場合には，写しを支店に備え置くことを要しないものとされている。これは，電磁的記録の記憶媒体が備え置か

れているだけでは，株主等が，その内容を知ることができないため，そのような記憶媒体の備え置き自体を問題とするのは適当ではなく，電磁的記録に記録された情報の，株主等による閲覧等の請求に対応することができるような態勢が支店において整えられていれば十分だからである（郡谷・商事法務1662号71頁参照）。

　これをうけて，本条は，「請求に応じることを可能とするための措置」を具体的に定めるものである。すなわち，「請求に応じることを可能とするための措置」として「会社の使用に係る電子計算機を電気通信回線で接続した電子情報処理組織を使用する方法であって，当該電子計算機に備えられたファイルに記録された情報の内容を電気通信回線を通じて会社の支店において使用される電子計算機に備えられたファイルに当該情報を記録するものによる措置」が指定されている。これは，電磁的記録が記録されている記憶媒体は支店とは異なる場所に物理的には所在していても，支店において使用される電子計算機上に，当該電磁的記録に記録された情報をダウン・ロードできる状態にあることを要求するものである。

（検査役が提供する電磁的記録）

第228条 次に掲げる規定に規定する法務省令で定めるものは，商業登記規則（昭和39年法務省令第23号）第36条第1項に規定する電磁的記録媒体（電磁的記録に限る。）及び次に掲げる規定により電磁的記録の提供を受ける者が定める電磁的記録とする。
　一　法第33条第4項
　二　法第207条第4項
　三　法第284条第4項
　四　法第306条第5項（法第325条において準用する場合を含む。）
　五　法第358条第5項

　本条は，株式会社設立時の変態設立事項を調査する検査役，募集株式の発行等の際の現物出資を調査する検査役，新株予約権の行使の際の現物出資を調査する検査役，株主総会・種類株主総会の招集手続および決議方法を調査する検査役または株式会社の業務および財産の状況を調査する検査役（以下，本条に対するコメントにおいて「検査役」という）が，その調査結果等を裁判所に対して提供する場合に用いることができる電磁的記録を定めるものである。すなわ

ち，検査役は必要な調査を行い，当該調査の結果を記載し，または記録した書面または電磁的記録（法務省令で定めるものに限る）を裁判所に提供して報告しなければならないものとされているが，本条は，調査の結果を記録した電磁的記録を裁判所に提出して報告する場合に用いることができる「電磁的記録」を定めている。

　平成27年法務省令第61号による改正前には，本条は，「商業登記規則（昭和39年法務省令第23号）第36条第1項に規定する磁気ディスク（電磁的記録に限る。）」と規定していたが，平成27年法務省令第61号による商業登記規則36条1項の改正により，同項が商業登記規則「第33条の6第4項第1号に該当する構造の電磁的記録媒体でなければならない」と定めるに至ったため，本条も改正された。商業登記規則33条の6第4項および同36条1項の改正は，フロッピーディスク（FD）については，「主なメーカーにおいて既に生産が終了しており，また，現在は外部電磁的記録媒体として，日本工業規格X0610に適合する120ミリメートル光ディスク（以下「DVD」という。）や不揮発性半導体記憶装置（以下「USBメモリ」という。）も普及している。そこで，電子証明書発行請求時に使用することができる電磁的記録媒体について，FDを廃止し，DVD及びUSBメモリを追加する必要がある。」という理由に基づくものであった（「商業登記規則等の一部を改正する省令案」に関する意見募集（2015年11月6日），商業登記規則等の一部を改正する省令案の概要，第1改正の趣旨）。

　そして，商業登記規則「第33条の6第4項第1号に該当する構造の電磁的記録媒体」とは，日本産業規格X0606またはX0610に適合する120ミリメートル光ディスクをいう。

　120ミリメートル光ディスクとは，いわゆるCD-ROM，CD-R，CD-RWまたはDVDを意味するが，ISO9660を基に作成された日本産業規格X0606（情報交換用CD-ROMのボリューム構造およびファイル構造）またはDVD Specifications for Read-only Disk-Part 2：FILE SYSTEM SPECIFICATIONSを基に作成された日本産業規格X0610（DVD-再生専用ディスクのボリューム構造およびファイル構造）が定めるボリューム構造およびファイル構造によることが求められている。なお，トラックフォーマットは，ISO/IEC 10149:1995, Data interchange on read-only 120 mm optical data disks（CD-ROM）を基に作成された日本産業規格X6281またはISO/IEC 16448:2002, Information technology—120 mm DVD—Read-only diskを基に作成された日本産業規格X6241によることになると考えられる。

なお，229条とは異なり，裁判所は，商業登記規則36条1項に規定する電磁的記録媒体（電磁的記録に限る）であれば，裁判所が指定した電磁的記録でなくとも，受け取らなければならないものとされている。これは，商業登記規則36条1項に規定する電磁的記録媒体である限り，裁判所はこれに対応することができると考えられる一方，検査役の負担を過重なものにしないためであると推測される。逆に，裁判所が指定した電磁的記録であれば，商業登記規則36条1項に規定する電磁的記録媒体でなくとも，かまわないことになる。

（検査役による電磁的記録に記録された事項の提供）

第229条 次に掲げる規定（以下この条において「検査役提供規定」という。）に規定する法務省令で定める方法は，電磁的方法のうち，検査役提供規定により当該検査役提供規定の電磁的記録に記録された事項の提供を受ける者が定めるものとする。
　一　法第33条第6項
　二　法第207条第6項
　三　法第284条第6項
　四　法第306条第7項（法第325条において準用する場合を含む。）
　五　法第358条第7項

本条は，株式会社設立時の変態設立事項を調査する検査役，募集株式の発行等の際の現物出資を調査する検査役，新株予約権の行使の際の現物出資を調査する検査役，株主総会・種類株主総会の招集手続および決議方法を調査する検査役または株式会社の業務および財産の状況を調査する検査役（以下，本条に対するコメントにおいて「検査役」という）が，その調査結果を記録した電磁的記録であって裁判所に提供したものに記録された事項を，発起人，株式会社または検査役の選任の申立てをした株主に対して提供する「法務省令で定める方法」を定めるものである。すなわち，検査役は必要な調査を行い，当該調査の結果を記載し，または記録した書面または電磁的記録（法務省令で定めるものに限る）を裁判所に提供して報告しなければならないものとされているが，調査の結果を記録した電磁的記録を裁判所に提出して報告した場合に，その電磁的記録に記録された事項を，本条では，検査役は電磁的方法のうち，検査役提供規定により当該検査役提供規定の電磁的記録に記録された事項の提供を受ける者（発起人，株式会社または検査役の選任の申立てをした株主）が定めるもので

提供しなければならないとされている。これは，電磁的記録に記録された事項の提供を受ける者の便宜を図るためである。

　ここでいう「電磁的方法」とは，法2条34号および施規222条にいう「電磁的方法」であるから，①電子情報処理組織を使用する方法のうち，送信者の使用に係る電子計算機と受信者の使用に係る電子計算機とを接続する電気通信回線を通じて送信し，受信者の使用に係る電子計算機に備えられたファイルに記録する方法，②電子情報処理組織を使用する方法のうち，送信者の使用に係る電子計算機に備えられたファイルに記録された情報の内容を電気通信回線を通じて情報の提供を受ける者の閲覧に供し，当該情報の提供を受ける者の使用に係る電子計算機に備えられたファイルに当該情報を記録する方法，および，③磁気ディスクその他これに準ずる方法により一定の情報を確実に記録しておくことができる物をもって調製するファイルに情報を記録したものを交付する方法のうち，電磁的記録に記録された事項の提供を受ける者（発起人，株式会社または検査役の選任の申立てをした株主）が定めたものによって，検査役は提供しなければならない。ここで，③の方法を電磁的記録に記録された事項の提供を受ける者（発起人，株式会社または検査役の選任の申立てをした株主）が定めた場合に，どのような記録媒体を用いるべきかが問題となるが，検査役にとっての負担が過重になるのは適当ではないので，検査役が記録媒体を選択できると解すべきであろう（228条は，「電磁的記録の提供を受ける者が定める電磁的記録」（圏点―引用者）と定めているが，本条は「電磁的方法のうち，……当該検査役提供規定の電磁的記録に記録された事項の提供を受ける者が定めるもの」（圏点―引用者）と定めている）。

―**（会社法施行令に係る電磁的方法）**――――――――――――――――
　第230条　会社法施行令（平成17年政令第364号）第1条第1項又は第2条第1項の規定により示すべき電磁的方法の種類及び内容は，次に掲げるものとする。
　　一　次に掲げる方法のうち，送信者が使用するもの
　　　イ　電子情報処理組織を使用する方法のうち次に掲げるもの
　　　　(1)　送信者の使用に係る電子計算機と受信者の使用に係る電子計算機とを接続する電気通信回線を通じて送信し，受信者の使用に係る電子計算機に備えられたファイルに記録する方法
　　　　(2)　送信者の使用に係る電子計算機に備えられたファイルに記録された情報の内容を電気通信回線を通じて情報の提供を受ける者の閲覧に供

し，当該情報の提供を受ける者の使用に係る電子計算機に備えられたファイルに当該情報を記録する方法
ロ 磁気ディスクその他これに準ずる方法により一定の情報を確実に記録しておくことができる物をもって調製するファイルに情報を記録したものを交付する方法
二 ファイルへの記録の方式

　施行令1条1項は，①設立時募集株式の引受けの申込みに関する事項を記載した書面（法59条4項），②創立総会・種類創立総会における代理権を証明する書面（法74条3項・86条），③創立総会・種類創立総会における議決権行使書面（法76条1項・86条），④募集株式の引受けの申込みに関する事項を記載した書面（法203条3項），⑤募集新株予約権の引受けの申込みに関する事項を記載した書面（法242条3項），⑥株主総会・種類株主総会における代理権を証明する書面（法310条3項・325条），⑦株主総会・種類株主総会における議決権行使書面（法312条1項・325条），⑧債権者集会における代理権を証明する書面（日本にある外国会社の財産についての清算に準用）（法555条3項・822条3項），⑨債権者集会における議決権行使書面（日本にある外国会社の財産についての清算に準用）（法557条1項・822条3項），⑩募集社債の引受けの申込みに関する事項を記載した書面（法677条3項），⑪社債権者集会参考書類および議決権行使書面（法721条4項），⑫社債権者集会における代理権を証明する書面（法725条3項），⑬社債権者集会における議決権行使書面（法727条1項），⑭社債発行会社が社債の利息の支払等を怠ったときの社債権者集会の決議に基づく決議執行者による弁済の催告および期限の利益喪失予告の書面（法739条2項）および，⑮株式交付子会社の株式・新株予約権等の譲渡しの申込み（法774条の4第3項・774条の9）に記載すべき事項を電磁的方法により提供しようとする者は，法務省令で定めるところにより，あらかじめ，当該事項の提供の相手方に対し，その用いる電磁的方法の種類および内容を示し，書面または電磁的方法による承諾を得なければならないと，施行令2条1項は，(a)創立総会・種類創立総会の招集通知（法68条3項・86条），(b)株主総会・種類株主総会の招集通知（法299条3項・325条），(c)債権者集会の招集通知（日本にある外国会社の財産についての清算に準用）（法549条2項・4項・822条3項），および，(d)社債権者集会の招集通知（法720条2項）を電磁的方法により発しようとする者は，法務省令で定めるところにより，あらかじめ，当該通知の相手方に対し，その用いる電磁的方法

の種類および内容を示し，書面または電磁的方法による承諾を得なければならないと，それぞれ定めているが，これをうけて，本条は，書面に記載すべき事項の提供の相手方に対して示すべき電磁的方法の種類および内容を定めている。これは，平成18年改正前商法施行規則6条3項を踏襲するものである。

　すなわち，まず，電磁的方法の種類として，1号イ・ロおよび2号に規定する電磁的方法のうち送信者が使用するものを指定している。1号イ・ロおよび2号に規定する電磁的方法は，222条1項が定める電磁的方法と同じである。そして，平成18年改正前商法施行規則6条1項と異なり［→222条］，明示的に，②の方法が「電磁的方法」にあたるものと定めている。

　また，電磁的方法の内容として，ファイルへの記録の方式を指定している。ファイルへの記録の方式としては，たとえば，添付ファイルが用いられる場合には用いたソフトウェアの名称やそのソフトウェアのバージョンあるいはファイルの種類（pdfファイル，テキストファイルなど）などが，また，ウェブサイトにアクセスさせるときは，利用できるOSやブラウザの種類が，電磁的方法の内容には電子メール，インターネットによりアクセスできるウェブサイトなどへの情報の掲示など送信者が使用する電磁的方法の種類が，それぞれあたると考えられる（江原＝太田・商事法務1628号32頁）。

第2節　情報通信の技術の利用

―（定義）――――――――――――――――――――――――
第231条　この節において使用する用語は，民間事業者等が行う書面の保存等における情報通信の技術の利用に関する法律（平成16年法律第149号。以下この節において「電子文書法」という。）において使用する用語の例による。
――――――――――――――――――――――――――――

　本節は，「民間事業者等が行う書面の保存等における情報通信の技術の利用に関する法律」（以下，「電子文書法」という）の委任を受けて定められているものなので，電子文書法において使用する用語の例によるものとされている。電子文書法は，法令の規定により民間事業者等が行う書面の保存等に関し，電

情報処理組織を使用する方法その他の情報通信の技術を利用する方法（電磁的方法）により行うことができるようにするための共通する事項を定めるものである（電子文書法1条）。

電子文書法において，「民間事業者等」とは，法令の規定により書面または電磁的記録の保存等をしなければならないものとされている民間事業者その他の者（国の機関，地方公共団体およびその機関，情報通信技術を活用した行政の推進等に関する法律3条2号ニからチまでに掲げるもの（①独立行政法人，②地方独立行政法人，③法律により直接に設立された法人，特別の法律により特別の設立行為をもって設立された法人（独立行政法人を除く）または特別の法律により設立され，かつ，その設立に関し行政庁の認可を要する法人（地方独立行政法人を除く）のうち，政令（情報通信技術を活用した行政の推進等に関する法律施行令1条）で定めるもの，④行政庁が法律の規定に基づく試験，検査，検定，登録その他の行政上の事務について当該法律に基づきその全部または一部を行わせる者を指定した場合におけるその指定を受けた者，⑤①から④までの長（④については，当該者が法人である場合に限る）を除く）を（電子文書法2条1号）いうとされている。

「書面」とは，書面，書類，文書，謄本，抄本，正本，副本，複本その他文字，図形等人の知覚によって認識することができる情報が記載された紙その他の有体物をいい（同条3号），「電磁的記録」とは，電子的方式，磁気的方式その他人の知覚によっては認識することができない方式で作られる記録であって，電子計算機による情報処理の用に供されるものをいう（同条4号）。

「保存」とは，民間事業者等が書面または電磁的記録を保存し，保管し，管理し，備え，備え置き，備え付け，または常備すること（訴訟手続その他の裁判所における手続ならびに刑事事件および政令で定める犯罪事件に関する法令の規定に基づく手続（裁判手続等）において行うものを除く）を（同条5号），「作成」とは，民間事業者等が書面または電磁的記録を作成し，記載し，記録し，または調製すること（裁判手続等において行うものを除く）を（6号），「署名等」とは，署名，記名，自署，連署，押印その他氏名または名称を書面に記載することを（7号），「縦覧等」とは，民間事業者等が書面または電磁的記録に記録されている事項を縦覧もしくは閲覧に供し，または謄写をさせること（裁判手続等において行うものを除く）を（同条8号），「交付等」とは，民間事業者等が書面または電磁的記録に記録されている事項を交付し，もしくは提出し，または提供すること（裁判手続等において行うものおよび情報通信技術を活用した行政の推進等に関する法律3条8号に掲げる申請等として行うものを除く）を（電子文

書法2条9号），「保存等」とは，保存，作成，縦覧等または交付等を（同条10号），それぞれ，いうものとされている。

　なお，本節には，電子文書法4条（民間事業者等は，作成のうち当該作成に関する他の法令の規定により書面により行わなければならないとされているもの（当該作成に係る書面またはその原本，謄本，抄本もしくは写しが法令の規定により保存をしなければならないとされているものであって，主務省令で定めるものに限る）については，当該他の法令の規定にかかわらず，主務省令で定めるところにより，書面の作成に代えて当該書面に係る電磁的記録の作成を行うことができる）の委任に基づく規定は設けられていない。これは，株券，社債券，新株予約権証券など私法上の有価証券とされているものを除き，会社法の下においては，原則として書面で作成すべきものとされている，①定款（法26条2項），②創立総会・種類創立総会の議事録（16条2項・17条8号），③株主名簿（法125条2項2号参照），④株券喪失登録簿（法231条2項2号参照），⑤新株予約権原簿（法252条2項2号参照），⑥株主総会・種類株主総会の議事録（72条2項・95条9号），⑦取締役会の議事録（101条2項），⑧清算人会の議事録（143条2項），⑨会計帳簿（計規4条2項），⑩計算書類およびその附属明細書（法435条3項），⑪連結計算書類（法444条2項），⑫会計参与報告（法378条2項3号参照），⑬事業報告およびその附属明細書（法435条3項），⑭計算書類およびその附属明細書に係る監査報告・会計監査報告，⑮臨時計算書類に係る監査報告・会計監査報告，⑯事業報告およびその附属明細書に係る監査報告（法442条3項3号参照），⑰監査役会の議事録（109条2項），⑱監査等委員会の議事録（110条の3第2項），⑲指名委員会等の議事録（111条の4第2項），⑳清算株式会社の貸借対照表および事務報告およびこれらの附属明細書ならびにこれらに係る監査報告（法496条2項3号参照），㉑持分会社の会計帳簿（計規4条2項），㉒持分会社の計算書類（法617条3項），㉓社債原簿（法684条2項2号参照），㉔社債権者集会の議事録（177条2項）などについて，電磁的記録として作成することができる旨の規定が置かれているから，電子文書法4条を適用しなくとも，書面の作成に代わる電磁的記録の作成が可能だからである。

┌─（保存の指定）─────────────────────────────
│　第232条　電子文書法第3条第1項の主務省令で定める保存は，次に掲げる保存とする。
│　一　法第74条第6項（法第86条において準用する場合を含む。）の規定による

代理権を証明する書面の保存
二　法第75条第3項（法第86条において準用する場合を含む。）の規定による議決権行使書面（法第70条第1項に規定する議決権行使書面をいう。）の保存
三　法第81条第2項（法第86条において準用する場合を含む。）の規定による創立総会の議事録の保存
四　法第82条第2項（法第86条において準用する場合を含む。）の規定による法第82条第1項の書面の保存
五　法第173条の2第2項の規定による同条第1項の書面の保存
六　法第179条の10第2項の規定による同条第1項の書面の保存
七　法第182条の6第2項の規定による同条第1項の書面の保存
八　法第310条第6項（法第325条において準用する場合を含む。）の規定による代理権を証明する書面の保存
九　法第311条第3項（法第325条において準用する場合を含む。）の規定による議決権行使書面（法第301条第1項に規定する議決権行使書面をいう。）の保存
十　法第318条第2項（法第325条において準用する場合を含む。）の規定による株主総会の議事録の保存
十一　法第318条第3項（法第325条において準用する場合を含む。）の規定による株主総会の議事録の写しの保存
十二　法第319条第2項（法第325条において準用する場合を含む。）の規定による法第319条第1項の書面の保存
十三　法第371条第1項（法第490条第5項において準用する場合を含む。）の規定による議事録等の保存
十四　法第378条第1項第1号の規定による計算書類，その附属明細書又は会計参与報告の保存
十五　法第378条第1項第2号の規定による臨時計算書類及び会計参与報告の保存
十六　法第394条第1項の規定による監査役会の議事録の保存
十七　法第399条の11第1項の規定による監査等委員会の議事録の保存
十八　法第413条第1項の規定による指名委員会等の議事録の保存
十九　法第432条第2項の規定による会計帳簿及び資料の保存
二十　法第435条第4項の規定による計算書類及びその附属明細書の保存
二十一　法第442条第1項の規定による計算書類等の保存
二十二　法第442条第2項の規定による計算書類等の写しの保存
二十三　法第492条第4項の規定による財産目録等の保存

二十四　法第494条第３項の規定による貸借対照表及びその附属明細書の保存
二十五　法第496条第１項の規定による貸借対照表等の保存
二十六　法第508条第１項及び第３項の規定による帳簿資料の保存
二十七　法第615条第２項の規定による会計帳簿の保存
二十八　法第617条第４項の規定による計算書類の保存
二十九　法第672条第１項，第２項又は第４項の規定による帳簿資料の保存
三十　　法第731条第２項の規定による社債権者集会の議事録の保存
三十一　法第735条の２第２項の規定による同条第１項の書面の保存
三十二　法第791条第２項の規定による同条第１項の書面の保存
三十三　法第801条第３項の規定による同項各号に定める書面の保存
三十四　法第811条第２項の規定による同条第１項の書面の保存
三十五　法第815条第３項の規定による同項各号に定める書面の保存
三十六　法第816条の10第２項の規定による同条第１項の書面の保存

　本条は，電子文書法３条１項の委任をうけて，電磁的記録による保存が認められる書面の範囲を定めるものである。会社法には，書面をもって作成された書類を電磁的記録に置き換えて，保存または備え置くことができるか否かについての規定は置かれていないが，書面で作成されたもの（とりわけ，平成13年改正後商法の施行前に作成されたもの）を保存場所の省スペース化等を図るために，書面としてではなく電磁的記録として保存するというニーズがある（郡谷・商事法務1662号72頁参照）。そこで，本条では，会社法の規定に基づき作成された書面の保存・備置義務に係る規定のうち，電子文書法３条の適用対象となるものを定めている。
　すなわち，①創立総会・種類創立総会における代理権を証明する書面・議決権行使書面・議事録（１号・３号，法74条６項・81条２項・86条），②創立総会・創立種類総会の決議があったとみなされる場合の同意の意思表示書面（２号・４号，法75条３項・82条２項・１項・86条），③全部取得条項付種類株式の取得に関する書面（５号，法173条の２第１項・２項），④特別支配株主による売渡株式等の取得に関する書面（６号，法179条の10第１項・２項），⑤株式の併合に関する書面（７号，法182条の６第１項・２項），⑥株主総会・種類株主総会における代理権を証明する書面・議決権行使書面・議事録およびその写し（８号～11号，法310条６項・311条３項・318条２項・３項・325条），⑦株主総会・種類株主総会の決議があったとみなされる場合の同意の意思表示書面（12号，法319条１項・２項・325条），⑧取締役会・清算人会の議事録（13号，法371条１項・490条

5項），⑨計算書類，その附属明細書または会計参与報告（会計参与による保存・備置き）（14号，法378条1項1号），⑩臨時計算書類および会計参与報告（会計参与による保存・備置き）（15号，法378条1項2号），⑪監査役会の議事録（16号，法394条1項），⑫監査等委員会の議事録（17号，法399条の11第1項），⑬指名委員会等の議事録（18号，法413条1項），⑭会計帳簿（19号，法432条2項），⑮計算書類およびその附属明細書（20号，法435条4項），⑯計算書類等（21号，法442条1項）およびその写し（22号，法442条2項），⑰財産目録等（23号，法492条4項），⑱貸借対照表およびその附属明細書（24号，法494条3項），⑲貸借対照表等（25号，法496条1項），⑳帳簿資料（26号，法508条1項・3項），㉑会計帳簿（持分会社。27号，法615条2項），㉒計算書類（持分会社。28号，法617条4項），㉓帳簿資料（持分会社。29号，法672条1項・2項・4項），㉔社債権者集会の議事録（30号，法731条2項），㉕社債権者集会の決議があったとみなされる場合の同意の意思表示書面（31号，法735条の2第1項・2項），㉖吸収分割または株式交換に関する書面（32号，法791条1項・2項），㉗吸収合併等に関する書面（33号，法801条3項），㉘新設分割または株式移転に関する書面（34号，法811条1項・2項），㉙新設合併，新設分割または株式移転に関する書面（35号，法815条3項），および，㉚株式交付に関する書面（36号，法816条の10第1項・2項）の保存・備置きは，電子文書法3条の適用対象となるものとされている。

　他方，定款，株主名簿，株券喪失登録簿，新株予約権原簿および社債原簿の備置きは，本条各号に掲げられた書面の保存には含められていないが，これは，これらの書類は，「現時点における内容を記載し，その内容に変更があれば逐次アップデートする必要があるという性質のものであ」り，したがって，これらの書類の備置義務は，「その時点における内容を書面または電磁的記録」として備え置かなければならないという内容の義務であることから，「電子文書法を適用しなくても，定款等を書面による備置きから電磁的記録による備置きに変更することは可能である」という解釈に基づくものである（相澤ほか・商事法務1770号7頁）。

　また，全部取得条項付種類株式の取得対価等に関する書面（法171条の2第1項），特別支配株主による株式等売渡請求に関する書面（法179条の5第1項），株式の併合に関する事項に関する書面（事前備置。法182条の2第1項），組織変更計画に関する書面（法775条1項），吸収合併契約，吸収分割契約または株式交換契約に関する書面（法782条1項・794条1項），新設合併契約，新設分割計画または株式移転計画に関する書面（法803条1項），および，株式交付計画に

関する書面（法816条の2第1項）も，同様に，本条各号に掲げられた書面の保存には含められていない。これは，事前開示であるという性質上，アップデートが必要な場合があると考えられるため，電子文書法を適用しなくとも，書面による備置きから電磁的記録による備置きに変更することは可能であると考えたのであろう。

---(保存の方法)---
第233条　民間事業者等が電子文書法第3条第1項の規定に基づき，前条各号に掲げる保存に代えて当該保存すべき書面に係る電磁的記録の保存を行う場合には，当該書面に記載されている事項をスキャナ（これに準ずる画像読取装置を含む。）により読み取ってできた電磁的記録を民間事業者等の使用に係る電子計算機に備えられたファイル又は磁気ディスクその他これに準ずる方法により一定の事項を確実に記録しておくことができる物をもって調製するファイルにより保存する方法により行わなければならない。
2　民間事業者等が前項の規定による電磁的記録の保存を行う場合には，必要に応じ電磁的記録に記録された事項を出力することにより，直ちに明瞭かつ整然とした形式で，その使用に係る電子計算機その他の機器に表示することができるための措置及び書面を作成することができるための措置を講じなければならない。

　本条は，電子文書法3条1項の委任をうけて，電磁的記録による保存を認める場合の保存の方法を定めるものである。
　1項は，法務省の所管する法令の規定に基づく民間事業者等が行う書面の保存等における情報通信の技術の利用に関する規則（平成17年法務省令第44号）4条1項を，2項は同規則4条2項を，それぞれ，踏襲したものである。

1　保存の方法（1項）

　1項は，内閣官房IT担当室「民間事業者等が行う書面の保存等における情報通信の技術の利用に関する法律に基づく主務省令の定め方について――主務省令の作成要領――」（平成16年）が示していた「保存に係る規定案」の1項2号に倣ったものと推測される。
　スキャナには，フラットヘッドスキャナ，シートフィードスキャナ，ハンディスキャナなどがあり，スキャナに「準ずる画像読取装置」としては，プリン

タ装置と一体となった複合機（MFP：multi function printer）などがある。デジタルカメラも画像読取装置にあたると解する余地がある。

　なお，2項が「明瞭かつ整然とした形式で，その使用に係る電子計算機その他の機器に表示することができるための措置及び書面を作成することができるための措置を講じなければならない」と定めていることに照らして，明瞭かつ整然と表示するために十分な解像度等を有するものを読取りに用いるスキャナ等として選択しなければならない。

　「民間事業者等の使用に係る電子計算機に備えられたファイル又は磁気ディスク……をもって調製するファイルにより保存する方法により行わなければならない」とされているのは，電磁的記録の保存にあたっては，電子計算機および磁気ディスク等を用いることを要求する趣旨である。そして，「民間事業者等の使用に係る電子計算機に備えられたファイル」により保存する方法とは，電子計算機の半導体メモリ（RAM：random access memory）上あるいは内蔵ハードディスク上などのファイルに保存する方法を意味する。磁気ディスクにはフロッピー・ディスクなどが含まれるが，「その他これに準ずる方法により一定の事項を確実に記録しておくことができる物」には，磁気テープ，磁気ドラムのように磁気的方法により情報を記録するための媒体，USBメモリ，ICカードなどのような電子的方法により情報を記録するための媒体，CD-ROM，DVD-ROMなどのような光学的方式により情報を記録するための媒体が含まれる。

2　表示するための措置および書面を作成するための措置（2項）

　2項は，「直ちに明瞭かつ整然とした形式で」表示または書面を作成することができるための措置を講ずることを要求しているが，「直ちに」とは，電磁的記録の内容の表示について，表示の必要性に応じる形ですぐに表示できる状態でなければならないことを意味し，必要に応じてただちに出力するためには，表示のための表示装置やプリンタなどの出力装置が必要な際にはただちに利用可能であることが求められる。また，「明瞭かつ整然とした形式」とは，その表示および書面の作成について，人が知覚可能な方法で表示・印刷されることおよびその内容が確認可能な明瞭かつ整然とした形式であることを意味するから，いわゆる文字化けが発生していたり，表示された映像面が乱雑であってその表示内容の理解が困難である場合には，「明瞭かつ整然とした形式で」表示され，または書面が作成されたとは評価されない（文書の電磁的保存等に

関する検討委員会「文書の電子化の促進にむけて」（平成17年5月6日）参照）。

　本項は，①電子計算機の端末，ディスプレイおよびプリンタを備えること，②電磁的記録を表示するためのソフトウェアを電子計算機にインストールすること，③書面をスキャナにより読み取る際に，必要な内容が判読できるように読み取ること，の3つを要求していると指摘されている（前掲「民間事業者等が行う書面の保存等における情報通信の技術の利用に関する法律に基づく主務省令の定め方について——主務省令の作成要領——」）。すなわち，電磁的記録はそのままでは見読できる状態にないので，ディスプレイに表示し，また，プリンタによって印刷できるようにする必要があるが，そのような操作を行うためには電子計算機の端末を設置しておく必要がある。また，電磁的記録自体は人が直接知覚できないものであることから，必要に応じて，人が直接知覚できる形態に変換し，かつ，その内容を理解できるような措置をとることが求められるが，たとえば，pdfファイルの形で保存されている場合には，pdfファイルを読むためのソフトウェアが電子計算機にインストールされている必要がある（また，ハードウェアの更新が行われる場合には，更新前の電磁的記録を表示できるようなソフトウェアを備える必要がある）。さらに，書面をスキャナなどで読み取って，電磁的記録として保存する場合には，その書面上に記載されている情報を的確に読み取る必要があり，それを可能にする措置が求められる。

　なお，「直ちに明瞭かつ整然とした形式で」表示または書面を作成することができる限りにおいては，書面に記載されている事項をスキャナ（これに準ずる画像読取装置を含む）により読み取ってできた電磁的記録について，適切な圧縮方式（非可逆方式を含む）による圧縮を行うことができると考えられる（前掲「文書の電子化の促進にむけて」）。

（縦覧等の指定）

第234条　電子文書法第5条第1項の主務省令で定める縦覧等は，次に掲げる縦覧等とする。

一　法第31条第2項第1号の規定による定款の縦覧等
二　法第31条第3項の規定による定款の縦覧等
三　法第74条第7項第1号（法第86条において準用する場合を含む。）の規定による代理権を証する書面の縦覧等
四　法第75条第4項（法第86条において準用する場合を含む。）の規定による議決権行使書面（法第70条第1項に規定する議決権行使書面をいう。）の縦

覧等
五　法第81条第3項第1号（法第86条において準用する場合を含む。）の規定による創立総会の議事録の縦覧等
六　法第81条第4項（法第86条において準用する場合を含む。）の規定による創立総会の議事録の縦覧等
七　法第82条第3項第1号（法第86条において準用する場合を含む。）の規定による法第82条第2項の書面の縦覧等
八　法第82条第4項（法第86条において準用する場合を含む。）の規定による法第82条第2項の書面の縦覧等
九　法第125条第2項第1号の規定による株主名簿の縦覧等
十　法第125条第4項の規定による株主名簿の縦覧等
十一　法第171条の2第2項第1号の規定による同条第1項の書面の縦覧等
十二　法第173条の2第3項第1号の規定による同条第2項の書面の縦覧等
十三　法第179条の5第2項第1号の規定による同条第1項の書面の縦覧等
十四　法第179条の10第3項第1号の規定による同条第2項の書面の縦覧等
十五　法第182条の2第2項第1号の規定による同条第1項の書面の縦覧等
十六　法第182条の6第3項第1号の規定による同条第2項の書面の縦覧等
十七　法第231条第2項第1号の規定による株券喪失登録簿の縦覧等
十八　法第252条第2項第1号の規定による新株予約権原簿の縦覧等
十九　法第252条第4項の規定による新株予約権原簿の縦覧等
二十　法第310条第7項第1号（法第325条において準用する場合を含む。）の規定による代理権を証する書面の縦覧等
二十一　法第311条第4項（法第325条において準用する場合を含む。）の規定による議決権行使書面（法第301条第1項に規定する議決権行使書面をいう。）の縦覧等
二十二　法第318条第4項第1号（法第325条において準用する場合を含む。）の規定による株主総会の議事録又はその写しの縦覧等
二十三　法第318条第5項（法第325条において準用する場合を含む。）の規定による株主総会の議事録の縦覧等
二十四　法第319条第3項第1号（法第325条において準用する場合を含む。）の規定による法第319条第2項の書面の縦覧等
二十五　法第371条第2項第1号（法第490条第5項において準用する場合を含む。）の規定による議事録等の縦覧等
二十六　法第371条第4項（同条第5項（法第490条第5項において準用する場合を含む。）及び法第490条第5項において準用する場合を含む。）の規定による議事録等の縦覧等

二十七　法第374条第2項第1号の規定による会計帳簿又はこれに関する資料の縦覧等
二十八　法第378条第2項第1号の規定による計算書類及びその附属明細書，会計参与報告並びに臨時計算書類の縦覧等
二十九　法第389条第4項第1号の規定による会計帳簿又はこれに関する資料の縦覧等
三十　法第394条第2項第1号（同条第3項において準用する場合を含む。）の規定による監査役会の議事録の縦覧等
三十一　法第399条の11第2項第1号（同条第3項において準用する場合を含む。）の規定による監査等委員会の議事録の縦覧等
三十二　法第413条第2項第1号の規定による指名委員会等の議事録の縦覧等
三十三　法第413条第3項（同条第4項において準用する場合を含む。）の規定による指名委員会等の議事録の縦覧等
三十四　法第433条第1項第1号の規定による会計帳簿又はこれに関する資料の縦覧等
三十五　法第442条第3項第1号の規定による計算書類等又はその写しの縦覧等
三十六　法第442条第4項の規定による計算書類等又はその写しの縦覧等
三十七　法第496条第2項第1号の規定による貸借対照表等の縦覧等
三十八　法第496条第3項の規定による貸借対照表等の縦覧等
三十九　法第618条第1項第1号の規定による計算書類の縦覧等
四十　法第625条の規定による計算書類の縦覧等
四十一　法第684条第2項第1号の規定による社債原簿の縦覧等
四十二　法第684条第4項の規定による社債原簿の縦覧等
四十三　法第731条第3項第1号の規定による社債権者集会の議事録の縦覧等
四十四　法第735条の2第3項第1号の規定による同条第2項の書面の縦覧等
四十五　法第775条第3項第1号の規定による同条第1項の書面の縦覧等
四十六　法第782条第3項第1号の規定による同条第1項の書面の縦覧等
四十七　法第791条第3項第1号の規定による同条第2項の書面の縦覧等
四十八　法第794条第3項第1号の規定による同条第1項の書面の縦覧等
四十九　法第801条第4項第1号（同条第5項及び第6項において準用する場合を含む。）の規定による同条第3項第1号の書面（同条第5項において準用する場合にあっては同条第3項第2号の書面，同条第6項において準用する場合にあっては同条第3項第3号の書面）の縦覧等
五十　法第803条第3項第1号の規定による同条第1項の書面の縦覧等
五十一　法第811条第3項第1号（同条第4項において準用する場合を含む。）

の規定による同条第２項の書面の縦覧等
　五十二　法第815条第４項第１号（同条第５項及び同条第６項において準用する場合を含む。）の規定による同条第３項第１号の書面（同条第５項において準用する場合にあっては同条第３項第２号の書面，同条第６項において準用する場合にあっては同条第３項第３号の書面）の縦覧等
　五十三　法第816条の２第３項第１号の規定による同条第１項の書面の縦覧等
　五十四　法第816条の10第３項第１号の規定による同条第２項の書面の縦覧等

　本条は，電子文書法５条１項の委任をうけて，電磁的記録による縦覧等が認められる書面の範囲を定めるものである。会社法においては，書類が書面をもって作成された場合には，その閲覧または謄写は書面によるべきものとされているが，232条により電子文書法３条１項が適用される場合には，書面の縦覧等に代えて縦覧等をすべき書面に係る電磁的記録の縦覧等を認める必要があるので，本条は，書面で作成された書類についても，電子文書法５条１項の適用により，書面の縦覧等に代えて縦覧等をすべき書面に係る電磁的記録の縦覧等が認められる書類の縦覧等を定めている。書面で作成された書類がスキャナなどにより読み取ってできた電磁的記録として保存されている場合に，同項の適用がないと，電磁的記録として保存されたものを書面として出力して縦覧を行うという迂遠な手続が必要となり，保存の電子化を認めた意義が没却されるからである。

　すなわち，①定款（１号・２号，法31条２項１号・３項），②創立総会・種類創立総会における代理権を証明する書面・議決権行使書面・議事録（３号～６号，法74条７項１号・75条４項・81条３項１号・４項・86条），③創立総会・種類創立総会の決議があったとみなされる場合の同意の意思表示書面（７号・８号，法82条３項１号・４項・86条），④株主名簿（９号・10号，法125条２項１号・４項），⑤全部取得条項付種類株式の取得対価等に関する書面（11号，法171条の２第１項・２項１号），⑥全部取得条項付種類株式の取得に関する書面（12号，法173条の２第２項・３項１号），⑦特別支配株主による株式等売渡請求に関する書面（13号，法179条の５第１項・２項１号），⑧特別支配株主による売渡株式等の取得に関する書面（14号，法179条の10第２項・３項１号），⑨株式の併合に関する事項に関する書面（15号，法182条の２第１項・２項１号），⑩株式の併合に関する書面（16号，法182条の６第２項・３項１号），⑪株券喪失登録簿（17号，法231条２項１号），⑫新株予約権原簿（18号・19号，法252条２項１号・４

項),⑬株主総会・種類株主総会における代理権を証明する書面・議決権行使書面・議事録またはその写し(20号〜23号,法310条7項1号・311条4項・318条4項1号・5項・325条),⑭株主総会・種類株主総会の決議があったとみなされる場合の同意の意思表示書面(24号,法319条3項1号・2項・325条),⑮取締役会・清算人会の議事録(25号・26号,法371条2項1号・4項・5項・490条5項),⑯会計帳簿・資料(27号・29号・34号,法374条2項1号・389条4項1号・433条1項1号),⑰計算書類,その附属明細書または会計参与報告(会計参与の事務所における)(28号,法378条2項1号),⑱臨時計算書類および会計参与報告(会計参与による保存・備置き)(28号,法378条2項1号),⑲監査役会の議事録(30号,法394条2項1号・3項),⑳監査等委員会の議事録(31号,法399条の11第2項1号・3項),㉑指名委員会等の議事録(32号・33号,法413条2項1号・3項・4項),㉒計算書類等(35号・36号,法442条3項1号・4項)またはその写し(35号・36号,法442条3項1号・4項),㉓貸借対照表等(37号・38号,法496条2項1号・3項),㉔計算書類(持分会社。39号・40号,法618条1項1号・625条),㉕社債原簿(41号・42号,法684条2項1号・4項),㉖社債権者集会の議事録(43号,法731条3項1号),㉗社債権者集会の決議があったとみなされる場合の同意の意思表示書面(44号,法735条の2第2項・3項1号),㉘組織変更計画に関する書面(45号,法775条1項・3項1号),㉙吸収合併契約,吸収分割契約または株式交換契約に関する書面(46号,法782条1項・3項1号),㉚吸収分割または株式交換に関する書面(47号,法791条2項・3項1号),㉛吸収合併契約,吸収分割契約または株式交換契約に関する書面(48号,法794条1項・3項1号),㉜吸収合併,株式分割または株式交換に関する書面(49号,法801条3項〜6項),㉝新設合併契約,新設分割計画または株式移転計画に関する書面(50号,法803条1項・3項1号),㉞新設分割または株式移転に関する書面(51号,法811条2項・3項1号・4項),㉟新設合併,新設分割または株式移転に関する書面(52号,法815条3項・4項1号・5項・6項),㊱株式交付計画に関する書面(53号,法816条の2第1項・3項1号),および,㊲株式交付に関する書面(54号,法816条の10第2項・3項1号)の縦覧等には,電子文書法5条1項の適用があるものとされている。

第7編　雑　則

―（縦覧等の方法）――――――――――――――――――――――――
　第235条　民間事業者等が，電子文書法第5条第1項の規定に基づき，前条各号に掲げる縦覧等に代えて当該縦覧等をすべき書面に係る電磁的記録の縦覧等を行う場合は，民間事業者等の事務所に備え置く電子計算機の映像面に当該縦覧等に係る事項を表示する方法又は電磁的記録に記録されている当該事項を記載した書面を縦覧等に供する方法により行わなければならない。
―――――――――――――――――――――――――――――――

　本条は，電子文書法5条1項の委任をうけて，電磁的記録による縦覧等を認める場合の縦覧等の方法を定めるものである。法務省の所管する法令の規定に基づく民間事業者等が行う書面の保存等における情報通信の技術の利用に関する規則9条を踏襲したものである。
　「民間事業者等の事務所に備え置く電子計算機の映像面に当該縦覧等に係る事項を表示する方法」とは，たとえば，会社の事務所に置かれている縦覧等のための電子計算機端末の画面に縦覧等に供する事項を表示して行う方法であり，「電磁的記録に記録されている当該事項を記載した書面を縦覧等に供する方法」とは電磁的記録の内容を紙にプリント・アウトしたものを縦覧等に供する方法である。したがって，「民間事業者等の事務所に備え置く電子計算機」とは，現に民間事業者の事務所に存する電子計算機であって，電磁的記録の内容を確認するために適切な出力手段を用意し，必要に応じて電磁的記録の内容を映像面に表示し，または書面に出力できるものをいう（文書の電磁的保存等に関する検討委員会「文書の電子化の促進にむけて」（平成17年5月6日））。インターネットを利用する方法が認められていないのは，インターネットを利用できる環境にない者や自らは電子計算機端末やインターネットを利用する技能を有しない者が存在すること（デジタル・デバイド）に鑑みたものであると推測される。
　なお，「民間事業者等の事務所に備え置く電子計算機の映像面に当該縦覧等に係る事項を表示する方法」と「電磁的記録に記録されている当該事項を記載した書面を縦覧等に供する方法」とのいずれの方法を選択するかは，民間事業者等（会社）が決定できる。これは，民間事業者等（会社）にとって，負担の軽いと思われる方を選択する余地を認めるものである。

―（交付等の指定）――――――――――――――――――――――――
　第236条　電子文書法第6条第1項の主務省令で定める交付等は，次に掲げる交

付等とする。
一　法第31条第2項第2号の規定による定款の謄本又は抄本の交付等
二　法第31条第3項の規定による定款の謄本又は抄本の交付等
三　法第33条第6項の規定による同条第4項の書面の写しの交付等
四　法第171条の2第2項第2号の規定による同条第1項の書面の謄本又は抄本の交付等
五　法第173条の2第3項第2号の規定による同条第2項の書面の謄本又は抄本の交付等
六　法第179条の5第2項第2号の規定による同条第1項の書面の謄本又は抄本の交付等
七　法第179条の10第3項第2号の規定による同条第2項の書面の謄本又は抄本の交付等
八　法第182条の2第2項第2号の規定による同条第1項の書面の謄本又は抄本の交付等
九　法第182条の6第3項第2号の規定による同条第2項の書面の謄本又は抄本の交付等
十　法第207条第6項の規定による同条第4項の書面の写しの交付等
十一　法第306条第7項（法第325条において準用する場合を含む。）の規定による法第306条第5項の書面の写しの交付等
十二　法第358条第7項の規定による同条第5項の書面の写しの交付等
十三　法第378条第2項第2号の規定による同条第1項各号に掲げる書面の謄本又は抄本の交付等
十四　法第378条第3項の規定による同条第1項各号に掲げる書面の謄本又は抄本の交付等
十五　法第442条第3項第2号の規定による計算書類等の謄本又は抄本の交付等
十六　法第442条第4項の規定による計算書類等の謄本又は抄本の交付等
十七　法第496条第2項第2号の規定による貸借対照表等の謄本又は抄本の交付等
十八　法第496条第3項の規定による貸借対照表等の謄本又は抄本の交付等
十九　法第775条第3項第2号の規定による同条第1項の書面の謄本又は抄本の交付等
二十　法第782条第3項第2号の規定による同条第1項の書面の謄本又は抄本の交付等
二十一　法第791条第3項第2号の規定による同条第2項の書面の謄本又は抄本の交付等

二十二　法第794条第3項第2号の規定による同条第1項の書面の謄本又は抄本の交付等

　二十三　法第801条第4項第2号（同条第5項及び第6項において準用する場合を含む。）の規定による同条第3項第1号の書面（同条第5項において準用する場合にあっては，同条第3項第2号の書面，同条第6項において準用する場合にあっては同条第3項第3号の書面）の謄本又は抄本の交付等

　二十四　法第803条第3項第2号の規定による同条第1項の書面の謄本又は抄本の交付等

　二十五　法第811条第3項第2号（同条第4項において準用する場合を含む。）の規定による同条第2項の書面の謄本又は抄本の交付等

　二十六　法第815条第4項第2号（同条第5項及び第6項において準用する場合を含む。）の規定による同条第3項第1号の書面（同条第5項において準用する場合にあっては同条第3項第2号の書面，同条第6項において準用する場合にあっては同条第3項第3号の書面）の謄本又は抄本の交付等

　二十七　法第816条の2第3項第2号の規定による同条第1項の書面の謄本又は抄本の交付等

　二十八　法第816条の10第3項第2号の規定による同条第2項の書面の謄本又は抄本の交付等

　本条は，電子文書法6条1項の委任をうけて，電磁的記録による交付等が認められる書面の謄本または抄本の範囲を定めるものである。会社法には，書面の作成を前提として，その謄本または抄本あるいは写しの交付についての規定が設けられているが，書面をもって作成された書類について電磁的記録の交付等によって，謄本または抄本あるいは写しの交付義務を履行することはできない。ところが，232条により電子文書法3条1項が適用される場合には，電磁的記録をもって保存されるので，その場合には，当初から電磁的記録をもって作成した場合と同様，電磁的記録の交付等によって義務を履行することができるとする必要がある。そこで，本条は，相手方の承諾を得て，書面の謄本または抄本の交付等に代えて当該交付等をすべき書面に係る電磁的記録の交付等を行うことができる場合を定めている。

　すなわち，①定款（1号・2号，法31条2項2号・3項），②検査役の調査結果書面（設立。3号，法33条4項・6項），③全部取得条項付種類株式の取得対価等に関する書面（4号，法171条の2第1項・2項2号），④全部取得条項付種類株式の取得に関する書面（5号，法173条の2第2項・3項2号），⑤特別支配

株主による株式等売渡請求に関する書面（6号，法179条の5第1項・2項2号），⑥特別支配株主による売渡株式等の取得に関する書面（7号，法179条の10第2項・3項2号），⑦株式の併合に関する事項に関する書面（事前備置）（8号，法182条の2第1項・2項2号），⑧株式併合に関する書面（事後備置）（9号，法182条の6第2項・3項2号），⑨検査役の調査結果書面（募集株式の発行等。10号，法207条4項・6項），⑩株主総会・種類株主総会の検査役の検査結果書面（11号，法306条5項・7項・325条），⑪業務執行検査役の検査結果書面（12号，法358条5項・7項），⑫計算書類，その附属明細書または会計参与報告（会計参与による）（13号・14号，法378条1項・2項2号・3項），⑬臨時計算書類および会計参与報告（会計参与による）（14号，法378条3項・1項），⑭計算書類等（15号・16号，法442条3項2号・4項），⑮貸借対照表等（17号・18号，法496条2項2号・3項），⑯組織変更計画に関する書面（19号，法775条1項・3項2号），⑰吸収合併契約，吸収分割契約または株式交換契約に関する書面（20号，法782条1項・3項2号），⑱吸収分割または株式交換に関する書面（21号，法791条2項・3項2号），⑲吸収合併契約，吸収分割契約または株式交換契約に関する書面（22号，法794条1項・3項2号），⑳吸収合併，吸収分割または株式交換に関する書面（23号，法801条3項〜6項），㉑新設合併契約，新設分割計画または株式移転計画に関する書面（24号，法803条1項・3項2号），㉒新設分割または株式移転に関する書面（25号，法811条2項・3項2号・4項），㉓新設合併，新設分割または株式移転に関する書面（26号，法815条3項・4項2号・5項・6項），㉔株式交付計画に関する書面（27号，法816条の2第1項・3項2号），および，㉕株式交付に関する書面（28号，法816条の10第2項・3項2号）の写しの交付等，謄本または抄本の交付等には，電子文書法6条1項の適用があるものとされている。

　なお，単に，通知や申込み等の方法として，原則として，書面によることを要する旨が定められているにすぎず，一定の書面の作成を前提として，その謄本，抄本または写しの交付義務が課されているわけではない場合（たとえば，設立時募集株式の引受けの申込みをする者が発起人に交付すべき書面（法59条4項），募集株式の引受けの申込みをする者が株式会社に交付すべき書面（法203条3項），募集新株予約権の引受けの申込みをする者が株式会社に交付すべき書面（法242条3項），募集社債の引受けの申込みをする者が株式会社に交付すべき書面（法677条3項）など）には，会社法の規定自体が，電磁的方法によることを認めているので，電子文書法6条1項の対象とならず，本条では，そのような場合を

含めていない（相澤ほか・商事法務1770号8頁）。

また，書面の謄本・抄本あるいは写しの交付が要求されているわけではない場合については，電子文書法6条1項の適用範囲外であり，本条では，そのような場合を含めていない（相澤ほか・商事法務1770号8頁）。たとえば，計算書類等・連結計算書類の株主に対する提供についての規定（法437条・444条6項）は，書面を提供しなければならないという趣旨の規定ではない（計規133条・134条参照）。

そして，謄写等を認めることは電子文書法にいう「交付等」にあたらない。すなわち，そもそも，書面の謄写を認めることが求められている場合には，書面による交付等が要求されておらず，電子文書法6条1項の対象外である。

（交付等の方法）

第237条　民間事業者等が，電子文書法第6条第1項の規定に基づき，前条各号に掲げる交付等に代えて当該交付等をすべき書面に係る電磁的記録の交付等を行う場合は，次に掲げる方法により行わなければならない。
一　電子情報処理組織を使用する方法のうちイ又はロに掲げるもの
　イ　民間事業者等の使用に係る電子計算機と交付等の相手方の使用に係る電子計算機とを接続する電気通信回線を通じて送信し，受信者の使用に係る電子計算機に備えられたファイルに記録する方法
　ロ　民間事業者等の使用に係る電子計算機に備えられたファイルに記録された当該交付等に係る事項を電気通信回線を通じて交付等の相手方の閲覧に供し，当該相手方の使用に係る電子計算機に備えられたファイルに当該事項を記録する方法（電子文書法第6条第1項に規定する方法による交付等を受ける旨の承諾又は受けない旨の申出をする場合にあっては，民間事業者等の使用に係る電子計算機に備えられたファイルにその旨を記録する方法）
二　磁気ディスクその他これに準ずる方法により一定の事項を確実に記録しておくことができる物をもって調製するファイルに当該交付等に係る事項を記録したものを交付する方法
2　前項に掲げる方法は，交付等の相手方がファイルへの記録を出力することによる書面を作成することができるものでなければならない。

本条は，電子文書法6条1項の委任をうけて，書面の謄本または抄本の交付等に代えて電磁的記録による交付等が認められる場合の交付等の方法を定める

ものである。法務省の所管する法令の規定に基づく民間事業者等が行う書面の保存等における情報通信の技術の利用に関する規則11条に倣ったものである。

そして，本条は，「電子文書法第6条第1項に規定する方法による交付等を受ける旨の承諾又は受けない旨の申出をする場合」を除き，222条が定める電磁的方法のいずれかによって，民間事業者等は，電子文書法6条1項の規定に基づき，交付等に代えて当該交付等をすべき書面に係る電磁的記録の交付等を行うことができるものとしている。

すなわち，1項は，見読の確実性・容易性や後日の紛争を避けるための証拠の確保の便宜などを考慮して，①電子情報処理組織を使用する方法のうち，送信者の使用に係る電子計算機と受信者の使用に係る電子計算機とを接続する電気通信回線を通じて送信し，受信者の使用に係る電子計算機に備えられたファイルに記録する方法，②電子情報処理組織を使用する方法のうち，送信者の使用に係る電子計算機に備えられたファイルに記録された情報の内容を電気通信回線を通じて情報の提供を受ける者の閲覧に供し，当該情報の提供を受ける者の使用に係る電子計算機に備えられたファイルに当該情報を記録する方法，および，③磁気ディスクその他これに準ずる方法により一定の事項を確実に記録しておくことができる物をもって調製するファイルに情報を記録したものを交付する方法を「電磁的方法」として認めつつ，受信者がファイルへの記録を出力することによる書面を作成することができるものでなければならないとしている（2項）。

①の例としては，インターネット等を通じて電子メールを送信する方法が，②の例としては，ウェブサイトに情報を掲示し，これを見読あるいはダウンロードできるようにする方法があり，③の例としては，当該情報を記録したフロッピー・ディスク，USBメモリ，CD-ROMやDVDなどの記録媒体を交付する方法がある（割賦販売法施行規則10条1項2号，旅行業法施行規則37条の5第1項2号などはCD-ROMも例示している）。他方，ファクシミリは電子計算機ではないので，ファクシミリを用いた送信方法は本条にいう電磁的方法にはあたらない。

2項が受信者がファイルへの記録を出力することによる書面を作成することができるものでなければならないとしているのは，見読の確実性・容易性の確保や証拠確保の便宜のためである。

なお，「電子文書法第6条第1項に規定する方法による交付等を受ける旨の承諾又は受けない旨の申出をする場合」については，民間事業者等の使用に係

る電子計算機に備えられたファイルにその旨を記録する方法によらなければならないとされているのは，電子文書法6条1項は，書面の交付に代えてこれらの交付の方法による場合には，交付を受ける相手方の承諾を得なければならないものとしているので，その承諾を得る方法として，民間事業者等は自らのウェブサイトにおいて，交付等を受ける旨の承諾または受けない旨の申出をしなければならないものとするものである（横澤ほか・市民と法34号6頁）。

---(交付等の承諾)---
第238条 民間事業者等が行う書面の保存等における情報通信の技術の利用に関する法律施行令（平成17年政令第8号）第2条第1項の規定により示すべき方法の種類及び内容は，次に掲げる事項とする。
一　前条第1項に規定する方法のうち民間事業者等が使用するもの
二　ファイルへの記録の方式

電子文書法6条1項により，書面の謄本または抄本の電磁的記録による交付等が認められる場合には，相手方の承諾を得て，電磁的記録による交付をすることができるが，民間事業者等が行う書面の保存等における情報通信の技術の利用に関する法律施行令2条1項は，民間事業者等は，電子文書法6条1項の規定により同項に規定する事項の交付等を行おうとするときは，主務省令で定めるところにより，あらかじめ，当該交付等の相手方に対し，その用いる電磁的方法の種類および内容を示し，書面または電磁的方法による承諾を得なければならないと定めている。これは，交付等の相手方が電子計算機およびその端末を保有しない，あるいはインターネットに接続する環境にないなどの状況にある場合や電磁的記録媒体に記録されている電磁的記録を知覚できる状況にするための機器を有しない場合などには，法的にみて，交付等の行為が適正に履行されたとは評価できないため，相手方の事前の同意を前提とすることが適切だからである。

この委任をうけて，本条は，相手方の承諾を得る際に相手方に示すべき「その用いる電磁的方法の種類及び内容」を定めている。

本条は，230条とパラレルな規定振りとなっている。すなわち，まず，電磁的方法の種類として，237条1項の規定する方法（電磁的方法）のうち民間事業者等（送信者）が使用するものを指定している。

また，電磁的方法の内容としてファイルへの記録の方式を指定している。フ

ァイルへの記録の方式としては，たとえば，添付ファイルが用いられる場合には用いたソフトウェアの名称やそのソフトウェアのバージョンあるいはファイルの種類（pdfファイル，テキストファイルなど）などが，また，ウェブサイトにアクセスさせるときは，利用できるOSやブラウザの種類が，電磁的方法の内容には電子メール，インターネットによりアクセスできるウェブサイトなどへの情報の掲示など民間事業者等（送信者）が使用する電磁的方法の種類が，それぞれあたると考えられる。

電子公告規則
（平成18年法務省令第14号）
（最終改正：令和2年法務省令第57号）

> **（目的）**
> **第1条** この省令は，電子公告調査（会社法（平成17年法律第86号。以下「法」という。）第942条第1項に規定する電子公告調査をいう。以下同じ。）に関し，法の規定（電子公告関係規定（法第943条第1号に規定する電子公告関係規定をいう。以下同じ。）において準用する場合を含む。）による委任に基づく事項その他の事項について，必要な事項を定めることを目的とする。

平成16年商法改正（平成16年法律第87号）により，電子公告制度が導入され，これに対応して，平成17年1月13日に，電子公告に関する規則（平成17年法務省令第3号）が公布された。その後，会社法（平成17年法律第86号）の成立をうけて，平成17年11月29日に電子公告に関する法務省令案を含む9本の会社法関連法務省令案がパブリック・コメントに付され，会社法および会社法施行令（平成17年政令第364号）の規定に基づき，平成18年2月7日に電子公告規則（平成18年法務省令第14号）などが公布され，電子公告に関する規則は廃止された（公規附則2項）。電子公告規則は平成19年法務省令第38号，平成21年法務省令第1号および第5号，平成23年法務省令第39号，平成27年法務省令第6号および第61号，令和元年法務省令第14号および第49号によって，直近では，令和2年法務省令第57号により改正された。

平成16年商法改正前における，株式会社の公告方法は，官報または時事に関する事項を掲載する日刊新聞紙に掲げてするものに限定されていたが（平成16年改正前商法166条5項），このような紙媒体による公告は見逃しやすく，また，公告を閲覧するためには当該公告媒体を購読するか，そのような公告媒体が閲覧に供されている図書館等に出向く必要があった。しかも，株式会社にとって，公告掲載費用が相当額に上ることもあった。そして，わが国においてもインターネットの普及率が高まってきていることから，定款の定めに基づき，電子公告［→2条1㉞］を会社が選択することが認められた。ここで，定款の定めに基づくものとされているのは，株主や債権者の中にはインターネットに接続したコンピュータを有しない者が依然として存在するほか，電子公告調査機関に対して支払う手数料も無視できないことから，電子公告を強制することは適当ではないと考えられたためである（始関・商事法務1719号122～123頁）。

本規則は，電子公告調査に関して必要な事項を定めることを目的とするものであるが，電子公告調査とは，法941条の規定による調査をいい（法942条1

項),会社法その他の法律の規定に基づく公告(決算公告を除く)につき,公告期間中,当該公告の内容である情報が不特定多数の者が提供を受けることができる状態に置かれているかどうかについて,法務省令で定めるところにより,法務大臣の登録を受けた者(調査機関)により行われる調査をいう(法941条)。

なお,会社法施行規則から独立した省令として,本規則が設けられたのは,本「規則におかれるべき規定は,会社法のみならず会社法の電子公告関係規定を準用する他の法律の規定による委任をも受けて定められるものであり,他の省令委任事項に係る規定とは,その性格を異にする」ことによると説明されている(相澤=郡谷・商事法務1759号5頁注2)。

(定義)
第2条 この省令において,次の各号に掲げる用語の意義は,それぞれ当該各号に定めるところによる。
 一 電子公告 法第2条第34号(電子公告関係規定を定める法律において引用する場合を含む。以下同じ。)に規定する電子公告をいう。
 二 公告期間 法第940条第3項(電子公告関係規定において準用する場合を含む。以下この条において同じ。)に規定する公告期間をいう。
 三 公告の中断 法第940条第3項に規定する公告の中断をいう。
 四 追加公告 法第940条第3項第3号の規定による公告をいう。
 五 電磁的記録 法第26条第2項に規定する電磁的記録をいう。
 六 電子計算機 法第944条第1項第1号に規定する電子計算機をいう。
 七 プログラム 法第944条第1項第1号に規定するプログラムをいう。
 八 サーバ 公衆の用に供する電気通信回線に接続することにより,その記録媒体のうち自動公衆送信の用に供する部分に記録され,又は当該装置に入力される情報を自動公衆送信する機能を有する装置をいう。
 九 プロバイダ インターネットへの接続を可能とする電気通信役務(電気通信事業法(昭和59年法律第86号)第2条第3号に規定する電気通信役務をいう。)を提供する同条第5号に規定する電気通信事業者をいう。
 十 公告サーバ 公告を電子公告により行うために使用するサーバをいう。
 十一 公告アドレス 公告サーバのうち電子公告による公告を行うための用に供する部分をインターネットにおいて識別するための文字,記号その他の符号又はこれらの結合であって,公告すべき内容である情報の提供を受ける者がその使用に係る電子計算機(入出力装置を含む。以下同じ。)に入力することのみによって当該情報の内容を閲覧し,当該電子計算機に備えられたファイルに公告情報を記録することができるものをいう。

十二　公告ページ　電子計算機に公告アドレスを入力することによって当該電子計算機の映像面に表示される内容をいう。
　十三　登記アドレス　法又はその他の法律に基づき行う電子公告に関して登記された事項（法第911条第3項第28号イに掲げる事項その他これに相当するものに限る。）をいう。
　十四　調査機関　法第941条（電子公告関係規定において準用する場合を含む。以下同じ。）に規定する調査機関をいう。
　十五　調査委託者　法第946条第3項（電子公告関係規定において準用する場合を含む。以下同じ。）に規定する調査委託者をいう。
　十六　調査結果通知　法第946条第4項（電子公告関係規定において準用する場合を含む。）の規定による電子公告調査の結果の通知をいう。
　十七　業務規程　法第949条第1項に規定する業務規程をいう。
　十八　公告情報　次条第1項第3号ハに掲げる情報であって，調査委託者が調査機関に対して同条第2項の規定により示したものをいう。
　十九　追加公告情報　追加公告において公告し，又は公告しようとする内容である情報であって，調査委託者が調査機関の業務規程に定めるところにより当該調査機関に対して示したものをいう。
　二十　情報入手作業　公告サーバから情報を受信するための作業をいう。
　二十一　受信情報　情報入手作業により公告サーバから受信した情報をいう。
　二十二　公告情報内容　公告情報を調査機関の電子計算機の映像面に表示したものを閲読することにより認識することのできる内容をいう。
　二十三　追加公告情報内容　追加公告情報を調査機関の電子計算機の映像面に表示したものを閲読することにより認識することのできる内容をいう。
　二十四　受信情報内容　受信情報を調査機関の電子計算機の映像面に表示したものを閲読することにより認識することのできる内容をいう。
　二十五　識別符号　不正アクセス行為の禁止等に関する法律（平成11年法律第128号）第2条第2項に規定する識別符号をいう。
　二十六　財務諸表等　法第951条第1項に規定する財務諸表等をいう。
　二十七　調査記録簿等　法第955条第1項（電子公告関係規定において準用する場合を含む。）に規定する調査記録簿等をいう。

　本条は，電子公告規則で用いられている用語を定義するものである。
① 電子公告　公告方法のうち，電磁的方法（電子情報処理組織を使用する方法その他の情報通信の技術を利用する方法であって法務省令で定めるものをいう）により不特定多数の者が公告すべき内容である情報の提供を受けることがで

きる状態に置く措置であって法務省令で定めるものをとる方法をいう（法2条34号）。施規223条では，電子情報処理組織を使用する方法のうち送信者の使用に係る電子計算機に備えられたファイルに記録された情報の内容を電気通信回線を通じて情報の提供を受ける者の閲覧に供し，当該情報の提供を受ける者の使用に係る電子計算機に備えられたファイルに当該情報を記録する方法であって，インターネットに接続された自動公衆送信装置を使用する方法が定められている。

　本号かっこ書にいう「電子公告関係規定」には，農業協同組合法97条の4第5項，金融商品取引法50条の2第10項および66条の40第6項，公認会計士法34条の20第6項および34条の23第4項，消費生活協同組合法26条6項，水産業協同組合法126条の4第5項，中小企業等協同組合法33条7項（輸出水産業の振興に関する法律20条ならびに中小企業団体の組織に関する法律5条の23第3項および47条2項において準用する場合を含む），弁護士法30条の28第6項（同法43条3項（ならびに外国弁護士による法律事務の取扱い等に関する法律67条2項，80条1項および82条3項（令和2年法律第33号による改正後。未施行））において準用する場合を含む），船主相互保険組合法55条3項，司法書士法45条の2第6項，土地家屋調査士法40条の2第6項，商品先物取引法11条9項，行政書士法13条の20の2第6項，投資信託及び投資法人に関する法律25条2項（同法59条において準用する場合を含む）および186条の2第4項，税理士法48条の19の2第6項（同法49条の12第3項において準用する場合を含む），信用金庫法87条の4第4項，輸出入取引法15条6項（同法19条の6において準用する場合を含む），中小漁業融資保証法55条5項，労働金庫法91条の4第4項，技術研究組合法16条8項，農業信用保証保険法48条の3第5項（同法48条の9第7項において準用する場合を含む），社会保険労務士法25条の23の2第6項，森林組合法8条の2第5項，銀行法49条の2第2項，保険業法67条の2および217条3項，資産の流動化に関する法律194条4項，弁理士法53条の2第6項，農林中央金庫法96条の2第4項，信託業法57条6項，一般社団法人及び一般財団法人に関する法律333条，資金決済に関する法律20条4項，61条7項および63条の20第7項ならびに労働協同組合法29条6項（同法111条2項において準用する場合を含む（令和2年法律第78号による改正後。未施行））が含まれる（法943条1項）。

② 　公告期間　法940条3項（電子公告関係規定において準用する場合を含む）に規定する公告期間をいう。会社は，同条1項1号から4号までの公告の区分

に応じ，各号に定める日までの間，継続して電子公告による公告をしなければならない。具体的には，以下のとおりとなる。
(a) 会社法の規定により特定の日の一定の期間前に公告しなければならない場合における当該公告については，当該特定の日まで（法940条1項1号）
　(i) 基準日等の公告：その基準日の2週間前までに公告（法124条3項）
　(ii) 株主との合意による自己株式の取得に関する事項の公告（通知をしない場合（公開会社）。法158条2項）
　(iii) 取得条項付株式の取得日の公告（株主または登録株式質権者に対する通知をしない場合）：効力発生日の2週間前までに公告（法168条2項・3項）
　(iv) 全部取得条項付種類株式の全部取得の公告（通知をしない場合）：取得日の20日前までに公告（法172条3項・2項）
　(v) 特別支配株主による新株予約権売渡請求を承認した場合の公告（通知をしない場合）：取得日の20日前までに公告（法179条の4第2項・1項）
　(vi) 株式併合に関する事項の公告（株主または登録株式質権者に対する通知をしない場合）：効力発生日の2週間前までに公告（法181条）
　(vii) 公開会社において取締役会決議によって決定した募集株式の発行等に関する事項または新株予約権（新株予約権付社債を含む）の発行に関する事項の公告（株主に対する通知をしない場合）：払込期日（払込期間の初日）の2週間前までに公告（法201条3項・4項・240条2項・3項）
　(viii) 公開会社において支配株主の異動を伴う募集株式の割当てに関する事項の公告（通知をしない場合）：払込期日（または払込期間の末日）の2週間前までに公告（法206条の2第2項・1項）
　(ix) 公開会社において支配株主の異動を生じさせる可能性のある募集新株予約権の割当てに関する事項の公告（通知をしない場合）：割当日の2週間前までに公告（法244条の2第3項・1項）
　(x) 株式の全部について株券を発行していない場合に株券を発行する旨の定款の定めを廃止する定款の変更（株主または登録株式質権者に対する通知をしない場合）：定款変更の効力が生ずる日の2週間前までに公告（法218条1項）
　(xi) 取得条項付新株予約権の取得日の公告（新株予約権者または登録新株予約権質権者に対する通知をしない場合）の公告：効力発生日の2週間前までに公告（法273条2項・3項）
　(xii) 全部の株式を譲渡制限株式とする定款変更，ある種類の株式を譲渡制

限株式または全部取得条項付種類株式とする定款変更またはある種類株主に損害を及ぼすおそれのある一定の行為（法116条1項の行為）をする旨の公告（株主に対する通知をしない場合）：効力発生日の20日前までに公告（法116条3項・4項）

(xiii) 一定の定款変更を行う旨の公告（新株予約権者に対する通知をしない場合）：定款変更日の20日前までに公告（法118条3項・4項）

(xiv) 事業の譲渡等を行う旨の公告（株主に対する通知をしない場合（公開会社））：効力発生日の20日前までに公告（法469条4項1号・3項）

(xv) 組織変更・吸収合併・吸収分割・株式交換・株式交付をする旨等の公告（株主，新株予約権者，登録株式質権者または登録新株予約権質権者に対する通知をしない場合）：効力発生日の20日前までに公告（法776条2項・3項・777条3項・4項・783条5項・6項・785条3項・4項・787条3項・4項・797条3項・4項・816条の6第3項・4項）

(xvi) 会社が発行する全部の株式を譲渡制限株式とする定款の定めを設ける定款の変更，全部の株式，全部取得条項付種類株式の取得，取得条項付株式の取得，株式等売渡請求の承認，組織変更，合併（合併によりその会社が消滅する場合に限る），株式交換，株式移転の際の株券発行会社における株券提出催告公告：効力発生日の1カ月前までに公告（法219条1項）

(xvii) 取得条項付新株予約権の取得，組織変更，合併（合併によりその会社が消滅する場合に限る），吸収分割，新設分割，株式交換または株式移転の際の新株予約権証券提出催告公告：効力発生日の1カ月前までに公告（法293条1項）

(b) 貸借対照表（大会社の場合は，さらに損益計算書）の公告については，法440条1項の定時株主総会の終結の日後5年を経過する日まで（法940条1項2号）

貸借対照表（大会社の場合は，さらに損益計算書）の電磁的方法による公開の場合（法440条3項）の公開期間と平仄を合わせたものである。

(c) 公告の定める期間内に異議を述べることができる旨の公告については，当該期間を経過する日まで（法940条1項3号）

(i) 所在不明株主の株式売却についての異議催告公告：3カ月を下らない異議申述期間（法198条1項）

(ii) 役員の責任の一部免除の取締役会決議がなされた場合における株主に対する異議催告公告：1カ月を下らない異議申述期間（法426条3項）

(iii)　組織変更・合併・会社分割・株式交換・株式移転・株式交付・資本金額の減少・準備金額の減少の際の債権者保護手続としての債権者に対する異議催告公告：１カ月を下らない異議申述期間（法779条２項・789条２項・799条２項・810条２項・816条の８第２項・449条２項）

(d)　(a)から(c)以外の公告については当該公告の開始後１カ月を経過する日まで（法940条１項４号）

　これは，異議申述公告における異議申述期間が１カ月以上でなければならないとされていること［→(c)］に鑑みたものである（始関・商事法務1719号126頁）。

　(i)　取得条項付株式のうち取得する株式の決定（株主または登録株式質権者に対する通知をしない場合）の公告：決定をしたときは直ちに公告（法169条３項・４項）

　(ii)　取得条項付株式の取得事由の発生の公告（株主または登録株式質権者に対する通知をしない場合）：取得事由の発生後遅滞なく公告（法170条３項・４項）

　(iii)　単元株式数の減少または単元株式数の定めを廃止する定款変更をした旨の公告（株主に対する通知をしない場合）：効力を生じた日以後遅滞なく公告（法195条２項・３項）

　(iv)　取得条項付新株予約権のうち取得する新株予約権の決定（新株予約権者または登録新株予約権質権者に対する通知をしない場合）の公告：決定をしたときは直ちに公告（法274条３項・４項）

　(v)　取得条項付新株予約権の取得事由の発生の公告（株主または登録株式質権者に対する通知をしない場合）：取得事由の発生後遅滞なく公告（法275条４項・５項）

　(vi)　新設合併・新設分割・株式移転をする旨等の公告（株主または新株予約権者に対する通知をしない場合）：決議の日等から２週間以内に公告（法806条３項・４項・808条３項・４項）

　(vii)　会社または株式交換等完全親会社が責任追及等の訴えを提起した旨あるいは訴訟告知を受けた旨の公告／最終完全親会社等が特定責任に係る責任追及等の訴えを提起した旨あるいは訴訟告知を受けた旨の公告（通知をしない場合（公開会社））：遅滞なく公告（法849条４項・10項）

③　公告の中断　不特定多数の者が提供を受けることができる状態に置かれた情報がその状態に置かれないこととなったこと，またはその情報がその状態

に置かれた後改変されたことをいう（法940条3項）。

④　追加公告　会社が公告の中断が生じたことを知った後，その公告に付加して，公告の中断が生じた旨，公告の中断が生じた時間および公告の中断の内容を公告することをいう（法940条3項3号）。「公告の中断が生じた時間」とは，不特定多数の者が情報の提供を受けることができる状態になかった時間帯または改変された情報が不特定多数の者が提供を受けることができる状態に置かれていた時間帯をいい，中断の内容とは，不特定多数の者が情報の提供を受けることができる状態になかったこと，あるいは，情報が改変されていたことなどをいう。

したがって，たとえば，「令和3年11月1日午前5時16分から同日午前11時21分まで，サーバのメンテナンスのため，公告の中断が生じました」というような内容を付加して公告する。

⑤　電磁的記録　電子的方式，磁気的方式その他人の知覚によっては認識することができない方式で作られる記録であって，電子計算機による情報処理の用に供されるものとして法務省令で定めるものをいう（法26条2項）。施規224条では，磁気ディスクその他これに準ずる方法により一定の情報を確実に記録しておくことができる物をもって調製するファイルに情報を記録したものが定められている。これは，会社関係書類が比較的長期間保存されるものであること（法81条2項・86条・318条2項・325条・371条1項・394条1項・399条の11第1項・413条1項・432条2項・435条4項・442条1項・2項・490条5項・508条1項・3項・615条2項・617条4項・672条1項・2項・4項・731条2項など参照）などに鑑みて，ある程度の期間，保存が可能な確実な記録媒体を用いることを要求するものである。

磁気ディスクにはフロッピー・ディスクなどが含まれるが，「その他これに準ずる方法により一定の情報を確実に記録しておくことができる物」には，磁気テープ，磁気ドラムのように磁気的方法により情報を記録するための媒体，ICカードやUSBメモリなどのような電子的方法により情報を記録するための媒体，CD-ROM，DVD-ROMなどのような光学的方式により情報を記録するための媒体が含まれる。そのような記録媒体を用いて調製するファイルに情報を記録したものが，本号にいう電磁的記録にあたる（江原＝太田・商事法務1627号8頁）。

⑥　電子計算機　電子公告調査に必要な電子計算機（入出力装置を含む）をいう（法944条1項1号）。

⑦　プログラム　電子公告調査に必要なプログラム（電子計算機に対する指令であって，一の結果を得ることができるように組み合わされたもの）をいう（法944条1項1号）。

⑧　サーバ　公衆の用に供する電気通信回線に接続することにより，その記録媒体のうち自動公衆送信の用に供する部分に記録され，または当該装置に入力される情報を自動公衆送信する機能を有する装置をいう。サーバは，コンピュータ・ネットワークにおいて，サービスと呼ばれる特定の機能を提供するコンピュータ・システムの総称であるが，本号では，World Wide Webのサービスを提供するためのサーバ・コンピュータ（いわゆるウェブサーバ）を意味している。著作権法では，「公衆送信」とは，「公衆によって直接受信されることを目的として無線通信又は有線電気通信の送信……を行うこと」であり（著作権法2条1項7号の2），「自動公衆送信」とは「公衆送信」のうち公衆からの求めに応じ自動的に行うものである（同項9号の4）と定義されている。

⑨　プロバイダ　インターネットへの接続を可能とする電気通信役務（電気通信設備を用いて他人の通信を媒介し，その他電気通信設備を他人の通信の用に供すること。電気通信事業法2条3号）を提供する電気通信事業者（電気通信事業を営むことについて，同法9条の登録を受けた者および同法16条1項の規定による届出をした者。同法2条5号）をいう。

⑩　公告サーバ　公告を電子公告［→①］により行うために使用するサーバ［→⑧］をいう。公告サーバは，電子公告を行う会社等の所有に属するものである必要はない（始関・商事法務1719号124頁・129頁注4）。

⑪　公告アドレス　公告サーバ（10号）のうち電子公告［→①］による公告を行うための用に供する部分をインターネットにおいて識別するための文字，記号その他の符号またはこれらの結合であって，公告すべき内容である情報の提供を受ける者がその使用に係る電子計算機（入出力装置を含む）に入力することのみによって当該情報の内容を閲覧し，当該電子計算機に備えられたファイルに公告情報を記録することができるものをいう。公告アドレスとは，実際に電子公告が掲載されているページ，すなわち，公告ページ［→⑫］のURLをいい，登記アドレス［→⑬］と一致することも一致しないこともある。

⑫　公告ページ　電子計算機（入出力装置を含む）に公告アドレス［→⑪］を入力することによって当該電子計算機の映像面に表示される内容をいう。だれ

でも，無料で，かつ，事前に登録したパスワード等を入力することなく，電子計算機に公告アドレスを入力することによって，公告ページ（電子公告の内容）が当該電子計算機の映像面に表示されなければならない（始関・商事法務1719号124頁参照）。そうでなければ，不特定多数の者は公告すべき内容である情報の提供を受けることができる状態（法2条34号）にあるとはいえないからである［→5条5］。

⑬ 登記アドレス　会社法またはその他の法律に基づき行う電子公告に関して登記された事項（法911条3項28号イに掲げる事項その他これに相当するものに限る）をいう。

　電子公告により公告すべき内容である情報について不特定多数の者がその提供を受けるために必要な事項であって法務省令で定めるもの（法911条3項28号イ）その他これに相当するものであって，会社法その他の法律に基づき会社等が行う電子公告に関して登記された事項をいう。具体的には，電子公告をするために使用する自動公衆送信装置のうち当該行為をするための用に供する部分をインターネットにおいて識別するための文字，記号その他の符号またはこれらの結合であって，情報の提供を受ける者がその使用に係る電子計算機に入力することによって当該情報の内容を閲覧し，当該電子計算機に備えられたファイルに当該情報を記録することができるもの（施規220条1項2号参照）として登記された事項，すなわち，電子公告を行うウェブサイトのアドレスとして登記されたURLをいう。登記アドレスは，原則として，公告が掲載されるページ（公告ページ［→⑫］）のURLのはずであるが，会社等が複数の公告を同時に行う場合には，それぞれの公告を異なるページに掲載する必要があるにもかかわらず，登記することができるURLは決算公告用のものを除くと1つに限られるという問題がある。そこで，個々の公告が掲載されるページではなく，目次のページあるいはその会社等のホームページのトップページであっても，個々の公告が掲載されるページ（公告ページ）へのリンクが張られており，公告ページへのアクセスが可能となるようにされていれば，そのURLを登記アドレスとすることができると解される（始関・商事法務1719号123頁）。電子公告調査の方法を定める5条1項4号は，登記アドレスと公告アドレスが異なることを前提とし，かつ，登記アドレスを電子計算機に入力することによって当該電子計算機の映像面に表示される指示に従った操作を行うことによって，公告ページが映像面に表示されれば十分であることを前提としている。

⑭　調査機関　法941条（電子公告関係規定において準用する場合を含む）に規定する調査機関をいう。

　会社法または他の法律の規定による公告（貸借対照表（大会社の場合は，貸借対照表および損益計算書）の公告（法440条1項）を除く）を電子公告によりしようとする会社は，公告期間中，その公告の内容である情報が不特定多数の者が提供を受けることができる状態に置かれているかどうかについて，法務省令で定めるところ（3条）により，法務大臣の登録を受けた者に対し，調査を行うことを求めなければならない（法941条）。そして，調査機関とは，公告期間中，電子公告の内容である情報が不特定多数の者が提供を受けることができる状態に置かれているかどうかを調査する「法務大臣の登録を受けた者」をいう。

　令和3年6月1日段階では，電子公告調査株式会社，日本電算企画株式会社，グローリー株式会社，日本公告調査株式会社および株式会社ファイブドライブの5つが調査機関として登録されている。

⑮　調査委託者　調査機関［→⑭］に対して電子公告調査［→1条］を行うことを求めた者（法946条3項）をいう。

⑯　調査結果通知　法946条4項（電子公告関係規定において準用する場合を含む）の規定に従って，調査機関［→⑭］が，法務省令で定めるところ（7条）により，調査委託者に対してする，当該電子公告調査の結果の通知をいう（法946条4項参照）。

⑰　業務規程　調査機関［→⑭］が定めた電子公告調査の業務に関する規程であって，電子公告調査の実施方法，電子公告調査に関する料金その他の法務省令で定める事項（10条）を定めるものをいう（法949条）。

⑱　公告情報　法941条（電子公告関係規定において準用する場合を含む）の規定により電子公告調査を求めようとする者（調査申請者）が電子公告により公告しようとする内容である情報（3条1項3号ハ）であって，調査委託者［→⑮］が調査機関［→⑭］に対して調査機関が業務規程［→⑰］で定める電磁的方法により（3条2項）示したものをいう。ここでいう電磁的方法は，電子情報処理組織を使用する方法その他の情報通信の技術を利用する方法であって法務省令で定めるもの（法2条34号）であり，これをうけて，施規222条1項は，(a)電子情報処理組織を使用する方法のうち，送信者の使用に係る電子計算機と受信者の使用に係る電子計算機とを接続する電気通信回線を通じて送信し，受信者の使用に係る電子計算機に備えられたファイルに記録する

方法または送信者の使用に係る電子計算機に備えられたファイルに記録された情報の内容を電気通信回線を通じて情報の提供を受ける者の閲覧に供し，当該情報の提供を受ける者の使用に係る電子計算機に備えられたファイルに当該情報を記録する方法，および(b)磁気ディスクその他これに準ずる方法により一定の情報を確実に記録しておくことができる物をもって調製するファイルに情報を記録したものを交付する方法を定めている。

⑲　追加公告情報　追加公告［→④］において公告し，または公告しようとする内容である情報であって，調査委託者［→⑮］が調査機関［→⑭］の業務規程［→⑰］に定めるところにより当該調査機関に対して示したものをいう。

⑳　情報入手作業　公告サーバ［→⑩］から情報を受信するための作業をいう。

㉑　受信情報　情報入手作業［→⑳］により公告サーバ［→⑩］から受信した情報をいう。

㉒　公告情報内容　公告情報［→⑱］を調査機関［→⑭］の電子計算機（入出力装置を含む）の映像面に表示したものを閲読することにより認識することのできる内容をいう。これは，公告情報は電磁的データであり，人が直接知覚できないため，電子計算機の自動プログラムによる判定によれば受信情報が公告情報と相違する旨の結果であった場合または電子計算機の自動プログラムによる判定をすることができなかった場合に，調査機関の職員が行うことができるのは人が直接知覚できる受信情報内容［→㉔］と公告情報内容とが同一であるかどうかの判定（5条1項2号）だからである。

㉓　追加公告情報内容　追加公告情報［→⑲］を調査機関［→⑭］の電子計算機（入出力装置を含む）の映像面に表示したものを閲読することにより認識することのできる内容をいう。これは，追加公告情報は電磁的データであり，人が直接知覚できないため，電子計算機の自動プログラムによる判定によれば受信情報が公告情報および追加公告情報と相違する旨の結果であった場合または電子計算機の自動プログラムによる判定をすることができなかった場合に，調査機関の職員が行うことができるのは人が直接知覚できる受信情報内容［→㉔］と公告情報内容［→㉒］および追加公告情報内容［→㉓］とが同一であるかどうかの判定（5条1項2号）だからである。

㉔　受信情報内容　受信情報［→㉑］を調査機関［→⑭］の電子計算機（入出力装置を含む）の映像面に表示したものを閲読することにより認識することのできる内容をいう。これは，受信情報は電磁的データであり，人が直接知覚できないため，電子計算機の自動プログラムによる判定によれば受信情報

が公告情報（および追加公告情報［→⑲］）と相違する旨の結果であった場合または電子計算機の自動プログラムによる判定をすることができなかった場合に，調査機関の職員が行うことができるのは人が直接知覚できる受信情報内容と公告情報内容［→㉒］（および追加公告情報内容［→㉓］）とが同一であるかどうかの判定（5条1項2号）だからである。

㉕　識別符号　不正アクセス行為の禁止等に関する法律（平成11年法律第128号）2条2項に規定する識別符号をいう。すなわち，電気通信回線に接続している電子計算機を電気通信回線を通じて利用することについてその利用に係るアクセス管理者の許諾を得た者（利用権者）およびそのアクセス管理者（以下，「利用権者等」という）に，当該アクセス管理者においてその利用権者等を他の利用権者等と区別して識別することができるように付される符号であって，(a)そのアクセス管理者によってその内容をみだりに第三者に知らせてはならないものとされている符号，(b)その利用権者等の身体の全部もしくは一部の影像または音声を用いてそのアクセス管理者が定める方法により作成される符号，または，(c)その利用権者等の署名を用いてそのアクセス管理者が定める方法により作成される符号のいずれかに該当するもの，または(a)(b)もしくは(c)とその他の符号を組み合わせたものをいう。たとえば，IDと組み合わされたパスワードや指紋，虹彩，音声，署名等を符号化したものなどがこれにあたる。

㉖　財務諸表等　調査機関が，毎事業年度経過後3カ月以内に作成し，5年間事業所に備え置くべき，各事業年度の財産目録，貸借対照表および損益計算書または収支計算書ならびに事業報告書（これらの作成に代えて電磁的記録の作成がされている場合における当該電磁的記録を含む）をいう（法951条1項）。

㉗　調査記録簿等　調査機関が備えるべき調査記録またはこれに準ずるものとして法務省令（13条1項）で定めるもの（法955条1項）をいう。

―(電子公告調査を求める方法)―

第3条　法第941条の規定により電子公告調査を求めようとする者（以下この条において「調査申請者」という。）は，調査機関に対し，当該調査機関が業務規程で定めるところにより，第6条第2項の規定により当該調査機関が法務大臣への報告をしなければならない日の2営業日前までに，次に掲げる事項を示して，電子公告調査を求めなければならない。

一　当該調査申請者の氏名又は商号若しくは名称，住所又は本店若しくは主

たる事務所の所在場所及び代表者の氏名（当該代表者が法人である場合にあっては，当該法人の名称及びその職務を行うべき者の氏名）
　二　当該調査申請者に係る登記アドレス。ただし，法第440条第1項の規定による公告のためのものを除く。
　三　当該電子公告調査の求めに係る電子公告についての事項であって，次に掲げるもの
　　イ　公告アドレス
　　ロ　公告期間
　　ハ　公告しようとする内容である情報
　　ニ　公告すべき内容を規定した法令の条項
2　前項第3号ハに掲げる情報は，調査機関が業務規程で定める電磁的方法（法第2条第34号に規定する電磁的方法をいう。）により示さなければならない。

　会社法または他の法律の規定による公告（決算公告を除く）を電子公告によりしようとする会社は，公告期間中，当該公告の内容である情報が不特定多数の者が提供を受けることができる状態に置かれているかどうかについて，法務省令で定めるところにより，法務大臣の登録を受けた者（調査機関）に対し，調査を行うことを求めなければならない（法941条）。そこで，本条は，調査申請者が調査機関に対し，調査を行うことを求める方法を定めるものである。

1　電子公告調査を求める期限（1項柱書）

　法務省が提供する電子公告リンク集に電子公告についての情報を掲載して公告開始時から利害関係人が利用できるようにするために［→6条2］，6条2項では，公告期間の始期の2日（行政機関の休日の日数は算入しない）前までに，調査機関は一定の事項を法務大臣へ報告をしなければならないものとされているが，本項柱書では，調査機関が法務大臣への報告をしなければならない日の2営業日前までに，調査申請者は，調査機関に対して電子公告調査を求めなければならないものとされている。これは，報告のために要する期間や週末・祝日等を考慮して定められたものである（始関・商事法務1719号125頁）。

　もっとも，この期限は，この期限経過後になされた電子公告調査の求めに，調査機関は応じなくてよいという意味を有する（法946条にいう，電子公告調査を行わなくてもよい「正当な理由」がある）ものであって，調査機関が任意に，この期限経過後になされた電子公告調査の求めに応じて，電子公告調査を行うことを妨げるものではないが，調査機関は6条2項による法務大臣への報告義

務を負っていることに留意しなければならない（始関・商事法務1719号125頁）。

なお、「電子公告調査を求めようとする者」（圏点―引用者）とされているのは、電子公告調査を求める主体が会社または法人に限られない（法943条1号にいう「電子公告関係規定」参照）からである（また、本項1号は、「当該調査申請者の氏名……、住所……」と定めて、自然人が調査申請者である場合があることを前提としている）。

2 電子公告調査を求めるにあたって調査申請者が調査機関に対して示すべき事項（1項）

これらの事項は、調査機関が電子公告調査を行うために必要な情報であり、かつ、調査申請者の氏名または商号もしくは名称、住所または本店もしくは主たる事務所の所在場所および代表者の氏名ならびに当該電子公告調査の求めに係る電子公告に係る公告アドレス、公告期間および公告すべき内容を規定した法令の条項の情報は、調査機関が法務大臣に報告しなければならないとされている事項（6条1項）である。

第1に、調査申請者の氏名または商号もしくは名称、住所または本店もしくは主たる事務所の所在場所（1号）を示すべきものとされているのは、調査申請者を特定するためである。また、代表者の氏名（当該代表者が法人である場合には、当該法人の名称およびその職務を行うべき者の氏名。1号）を示すべきものとされているのは、調査結果通知のあて先を調査機関に知らせるためであると推測される。なお、「当該代表者が法人である場合にあっては、当該法人の名称及びその職務を行うべき者の氏名」とされているのは、たとえば、当該調査申請者が持分会社である場合には持分会社を代表する社員が法人であることがありえ、その場合には社員の職務を行うべき者が選任されているからである（法598条1項・599条）。

第2に、調査申請者に係る登記アドレス（貸借対照表（大会社の場合は、貸借対照表および損益計算書）の公告（法440条1項）のためのものを除く）を示すべきものとされているのは、公告アドレスと登記アドレスとが異なる場合には、調査機関は電子公告調査に際して、公告ページが、登記アドレスを電子計算機に入力することにより当該電子計算機の映像面に表示される指示（料金の徴収または識別符号の入力に係る指示を除く）に従った操作を行うことによって当該映像面に表示されるかどうかを、公告期間中任意の時期に、同一の公告アドレスについて1回以上調査した上、その調査の結果および日時を電磁的記録として

記録しなければならないとされているから（5条1項4号），調査機関としては調査申請者に係る登記アドレスを知る必要があるからである。すなわち，登記アドレスを入力して映像面に表示されたページから公告ページへ，誰でも，無償で，事前に登録したパスワード等を入力することなしにたどり着いて，公告ページを閲覧できるかどうかも，電子公告調査における主要な調査事項の1つだからである。

　第3に，当該電子公告調査の求めに係る電子公告に係る①公告アドレス，②公告期間，③公告しようとする内容である情報，および，④公告すべき内容を規定した法令の条項を示すべきものとされているのは，調査機関による電子公告調査の作業の中心は，①公告アドレスを入力することによって公告サーバから情報を②公告期間にわたって入手できるかを確かめること（5条1項1号イ参照），および，①公告アドレスを入力することによって公告サーバから受信した情報と③公告しようとする内容である情報とを比較して，その同一性を確かめること（5条1項1号ロ参照）にある以上，①公告アドレス，②公告期間および③公告しようとする内容である情報は，調査機関の電子公告調査に不可欠な情報だからである。

　他方，調査機関が法務大臣に報告すべき事項に含まれていることが，調査申請者が調査機関に対して④公告すべき内容を規定した法令の条項を示すべきものとされている主たる理由であると推測される。

3　公告しようとする内容である情報の電磁的方法による提示（2項）

　これは，電子公告調査においては，原則として，電子計算機に自動的に行わせる作業が中心的な位置を占めているからである。すなわち，5条1項1号によれば，調査機関は，電子公告調査の求めに係る電子公告による公告の公告期間中，6時間に1回以上の頻度で，情報入手作業をし，公告サーバから情報を受信することができた場合には，受信情報と公告情報（本条1項3号ハに掲げる情報であって，調査委託者が調査機関に対して本項の規定により示したもの。2条18号）とを比較して，両者が同一であるかどうかを判定した上，その判定の結果および日時を電磁的記録として記録することを電子計算機に自動的に行わせなければならないものとされているが，電子計算機に自動的に，受信情報と公告情報とを比較して，両者が同一であるかどうかを判定させるためには公告情報を調査機関が業務規程で定める電磁的方法により示させる必要があるからである。

他方,「公告しようとする内容である情報」以外の情報は,当該調査機関の業務規程に定めるところに従って,調査機関に示さなければならない(1項柱書)。これは,「各調査機関が,その事務処理上の便宜と,顧客である電子公告をしようとする法人の便宜の双方を勘案した創意工夫をこらすことができるようにするためである」と説明されている(始関・商事法務1719号129頁注6)。もっとも,調査機関は,その業務規程の定めにより,電子公告調査の求めを受ける方法を限定することができ,「公告しようとする内容である情報」以外の情報も,電磁的方法によって示すことを求めることができる。そして,調査機関の法務大臣への報告は電子情報処理組織を使用して行わなければならないものとされているので(6条2項),実務上の便宜から,調査機関としては,1項各号に掲げられたすべての情報を電磁的方法によって示すことを調査申請者に対して求めることがありえよう。

(登録手続)

第4条 法第941条の規定による登録を受けようとする者は,別紙様式第1号による申請書を法務大臣に提出しなければならない。

2 前項の申請書には,次に掲げる書面を添付しなければならない。
  一 登記事項証明書又はこれに準ずるもの
  二 登録を受けようとする者が法第943条各号のいずれにも該当しないことを説明する書面
  三 電子計算機及びプログラムが次条に定める方法により電子公告調査を行う機能を有することを説明する書面
  四 登録を受けようとする者が電子公告調査の業務を適正に行うために必要な情報セキュリティ対策を講じていることを説明する書面
  五 電子計算機及びプログラムがその電子公告調査を行う期間を通じて当該電子計算機に入力された情報及び指令並びにインターネットを利用して提供を受けた情報を保存する機能を有していることを説明する書面
  六 登録を受けようとする者が電子公告調査の業務を適正に行うために必要な人的構成を有していることを説明する書面
  七 法第944条第1項第2号の実施方法に係る次に掲げる事項を記載した書面
    イ 電子公告調査の業務の手順に関する事項
    ロ 電子公告調査の業務に従事する者の責任及び権限並びに指揮命令系統に関する事項
    ハ 電子公告調査の業務に従事する者に対する教育及び訓練に関する事項
    ニ 電子公告調査の業務の監査に関する事項

> ホ　その他電子公告調査の業務の実施方法に関し必要な事項
> 3　法第942条第2項の手数料は，第1項の申請書に手数料の額に相当する額の収入印紙を貼って納めなければならない。
> 4　前3項の規定は，法第945条第1項の登録の更新について準用する。

　本条は，調査機関の登録および登録の更新の手続を定めるものである。調査機関の法務大臣の登録は，電子公告調査を行おうとする者の申請により行うものとされている（法942条1項）。

1　登録または登録の更新の申請書の記載事項（1項）

　登録または登録の更新の申請書は，別紙様式第1号によるものとされている。

　登録を受けようとする者が法人である場合には，当該法人の商号または名称，本店または主たる事務所の所在場所および登録を受けようとする者が個人である場合には，その者の氏名および住所を記載すべきこととされているのは，調査機関としての登録を受けようとする者を特定するためである。登録を受けようとする者が法人である場合には，代表者の役職および氏名を記載すべきこととされているのは，登録するか登録を拒絶するかの通知の相手方を明確にするためであると推測される。なお，当該代表者が法人である場合には，当該法人の名称およびその職務を行うべき者の氏名を記載する。これは，たとえば，当該調査申請者が持分会社である場合には持分会社を代表する社員が法人であることがありえ，その場合には社員の職務を行うべき者が選任されているからである（法598条1項・599条）。

　また，電子公告調査を行う事業所（主たる事業所）の所在地，主たる事業所以外に電子公告調査の業務に係る事業所を有するときは，その事業所の所在地，これらの事業所の所在地以外の場所に電子公告調査に必要な電子計算機を設置する施設があるときは，その施設の所在地を記載すべきこととされているのは，登録にあたって，登録を受けようとする者が電子公告調査を行うとする事務所に臨場して，登録基準がすべて満たされているかどうかを調査することが予定されているし（始関・商事法務1720号45頁。また，法務省民事局商事課「電子公告調査機関の登録又はその更新の審査に関するガイドライン」（平成23年1月）も参照），法務大臣が立入調査権（法958条）を適切に行使するためには，調査

別紙様式第1号

登録（登録の更新）申請書

年　月　日

法務大臣　殿

　　　　　　　　申請者の住所，本店又は主たる事務所
　　　　　　　　申請者の氏名，商号又は名称
　　　　　　　　（申請者が法人であるときは，代表者の役職及び氏名）

　会社法第941条の登録（会社法第945条第1項の登録の更新）を受けたいので下記のとおり申請します。

記

1　電子公告調査を行う事業所の所在地（主たる事業所）

2　上記1の事業所以外に電子公告調査の業務に係る事業所を有するときは，当該事業所の所在地

3　上記1及び2の事業所の所在地以外の場所に電子公告調査に必要な電子計算機を設置する施設があるときは，当該施設の所在地

4　添付書類

（備考）
　1　用紙の大きさは，日本産業規格A4とすること。
　2　事業所等の所在地については，地番まで記載すること。
　3　不要の文字は，消除すること。
　4　登録免許税及び手数料の額に相当する収入印紙をこの申請書に消印せずに貼付すること。

機関の事業所の所在地を把握しておく必要があるからである。なお，調査機関は，電子公告調査を行う事業所の所在地を変更しようとするときは，変更しようとする日の2週間前までに法務大臣に届け出なければならないものとされており（法948条），法務大臣は，その届出があった場合には，その旨を官報に公示しなければならないものとされている（法959条3号）。

以上に加えて，利害関係人および一般公衆が調査機関について知るべき最小限の事項として，調査機関として登録を受けた者の氏名または名称および住所ならびに法人についてはその代表者の氏名，登録を受けた者が電子公告調査を行う事業所の所在地は調査機関登録簿の記載・記録事項とされている以上（法944条2項），登録申請書に記載させる必要があるということもできる。

2　登録申請書の添付書類（2項）

登録申請書には，①登記事項証明書またはこれに準ずるもの，②登録を受けようとする者が欠格事由（法943条各号）のいずれにも該当しないことを説明する書面，③電子計算機およびプログラムが5条に定める方法により電子公告調査を行う機能を有することを説明する書面，④登録を受けようとする者が電子公告調査の業務を適正に行うために必要な情報セキュリティ対策を講じていることを説明する書面，⑤電子計算機およびプログラムがその電子公告調査を行う期間を通じて当該電子計算機に入力された情報および指令ならびにインターネットを利用して提供を受けた情報を保存する機能を有していることを説明する書面，⑥登録を受けようとする者が電子公告調査の業務を適正に行うために必要な人的構成を有していることを説明する書面，および，⑦法944条1項2号の実施方法に係る，(a)電子公告調査の業務の手順に関する事項，(b)電子公告調査の業務に従事する者の責任および権限ならびに指揮命令系統に関する事項，(c)電子公告調査の業務に従事する者に対する教育および訓練に関する事項，(d)電子公告調査の業務の監査に関する事項，(e)その他電子公告調査の業務の実施方法に関し必要な事項を記載した書面を添付しなければならないとされているが，①は申請者を特定するためである。したがって，登記事項証明書に準ずるものとは，申請者を特定するに足りる公的な証明書類を意味する。

②から⑦は，登録をするか否かの判断に必要な情報を法務大臣に与えるためである。

そして，法務省民事局商事課「電子公告調査機関の登録又はその更新の審査に関するガイドライン」は，それぞれの書面について，以下のような例を示し

ている。

　③電子計算機およびプログラムが5条に定める方法により電子公告調査を行う機能を有することを説明する書面としては，システム仕様書，システム機能一覧表，システム運用マニュアル，バックアップ運用マニュアル，バックアップ対象データ一覧表，ネットワーク構成図，ハードウェア構成図，基本ソフトウェアに関する文書，異なる3つのプロバイダとの契約書を挙げている。

　④登録を受けようとする者が電子公告調査の業務を適正に行うために必要な情報セキュリティ対策を講じていることを説明する書面としては，情報セキュリティ基本方針，情報セキュリティ管理方針，情報セキュリティ業務手順書，情報セキュリティに関する業務の職務定義書（要員ごとの職位，職務，権限が記載され，指揮命令系統がわかるもの），情報セキュリティ教育計画および教育結果，電子公告調査の業務に係る「運営場所・設備」に関する一覧表（法務省民事局商事課が別表1として様式を定めている（http://www.moj.go.jp/content/000071325.xls）），入退室（館）管理ルール，電子公告調査サーバ類が設置されている運営場所・設備に関する資料（データセンターの概要がわかるもの），電子公告調査システムの監視を行う運営場所・設備に関する資料，電子公告調査システムの端末機器が設置されている運営場所・設備に関する資料，情報資産一覧表，情報資産の分類方針，ネットワーク利用規程および電子メール利用規程を挙げている。

　⑤電子計算機およびプログラムがその電子公告調査を行う期間を通じて当該電子計算機に入力された情報および指令ならびにインターネットを利用して提供を受けた情報を保存する機能を有していることを説明する書面として，システム仕様書，システム機能一覧表，システム構成図，ネットワーク構成図，ハードウェア構成図，基本ソフトウェアに関する文書，バックアップ運用マニュアルおよびバックアップ対象データ一覧表を挙げている。

　⑥登録を受けようとする者が電子公告調査の業務を適正に行うために必要な人的構成を有していることを説明する書面として，会社概要，会社組織図（電子公告調査の業務を行う部署のわかるもの），体制表（職位・役割，責任・権限，担当業務が記載されたもの），業務規程，業務運用マニュアル，システム運用マニュアル，情報セキュリティ基本方針および情報セキュリティ管理方針を挙げている。

　⑦法944条1項2号の実施方法に係る，(a)電子公告調査の業務の手順に関する事項，(b)電子公告調査の業務に従事する者の責任および権限ならびに指揮命

令系統に関する事項，(c)電子公告調査の業務に従事する者に対する教育および訓練に関する事項，(d)電子公告調査の業務の監査に関する事項，(e)その他電子公告調査の業務の実施方法に関し必要な事項を記載した書面としては，業務規程，業務運用マニュアル，システム運用マニュアル，「電子公告調査業務のフロー」(法務省民事局商事課が別表2として様式を定めている (http://www.moj.go.jp/content/ 000083127.xls))，電子公告調査の業務手順書(フローチャート図等)，体制表(職位・役割，責任・権限，担当業務が記載されたもの)，電子公告の業務に係る業務要員への教育計画書・教育結果，電子公告の業務の監査計画・監査結果，外部委託契約書，機密保持契約書，トラブル対応マニュアルおよび障害対応マニュアルを挙げている。

3 手数料の納付 (3項)

登録を受けようとする者は，実費を勘案して政令で定める額の手数料を納付しなければならず(法942条2項)，登録の更新を受けようとする者も，実費を勘案して政令で定める額の手数料を納付しなければならない(法945条2項・942条2項)。登録手数料および登録の更新手数料はいずれも420,600円(施行令3条)である。手数料相当額の収入印紙を申請書に貼付して手数料を納付するものとされている。

なお，登録免許税(9万円)の納付が登録の際には必要であるが(登録免許税法別表第一62号)，登録の更新の際には不要である。

4 登録の更新への準用 (4項)

調査機関の登録は，3年を下らない政令で定める期間(施行令4条では，登録の有効期間は3年と定められている)ごとにその更新を受けなければ，その期間の経過によって，その効力を失うものとされている(法945条1項)。これは，調査機関の調査の公正性などを担保するためには，定期的に登録基準への適合性等を確認する必要があり，会社法以外の法令に基づき，調査あるいは認定業務を行う登録機関(たとえば，有害液体物質事前処理確認機関(海洋汚染等及び海上災害の防止に関する法律9条の8)，住宅性能評価機関(住宅の品質確保の促進等に関する法律11条)，端末機器の技術基準適合認定事業者(電気通信事業法88条)など)についても登録の更新が定められていることに倣ったものである。なお，他の法律では，「5年以上10年以内において政令で定める期間」ごととされていることが多いにもかかわらず，調査機関については，「3年を下らな

い政令で定める期間」と定められているのは，調査機関の業態が安定するまでは，比較的短期間での更新をさせることが妥当であると考えられたためであると説明されている（始関・商事法務1720号46頁）。

──(電子公告調査を行う方法)──────────────────────
　第5条　法第946条第2項（電子公告関係規定において準用する場合を含む。）に規定する法務省令で定める方法は，次に掲げる方法とする。
　一　次に掲げる作業を電子計算機に自動的に行わせること。
　　イ　電子公告調査の求めに係る電子公告による公告の公告期間中，6時間に1回以上の頻度で，次項に定めるところにより情報入手作業をした上，次に掲げる作業を行うこと。
　　　(1)　公告サーバから情報を受信することができた場合には，その日時，受信情報及び情報入手作業の際に電子計算機に入力した公告アドレスを電磁的記録として記録すること。
　　　(2)　公告サーバから情報を受信することができなかった場合には，その旨，その日時及び情報入手作業の際に電子計算機に入力した公告アドレスを電磁的記録として記録すること。
　　ロ　イ(1)に規定する場合には，受信情報と公告情報とを比較して，両者が同一であるかどうかを判定した上，その判定の結果及び日時を電磁的記録として記録すること。
　二　前号ロの規定による判定の結果が，受信情報が公告情報と相違する旨の結果であった場合又は当該判定をすることができなかった場合には，調査機関の職員が，受信情報内容と公告情報内容とが同一であるかどうかを判定した上，その判定の結果及び日時を電磁的記録として記録すること。
　三　第1号イ(2)に規定する場合又は電子計算機が次項に定めるところによる情報入手作業を自動的に行うことができなかった場合には，調査機関の職員が，電子計算機を手動により操作して，同号イ及び前号に掲げる作業を行うこと。
　四　登記アドレスと公告アドレスとが異なる場合には，公告ページが，登記アドレスを電子計算機に入力することにより当該電子計算機の映像面に表示される指示（料金の徴収又は識別符号の入力に係る指示を除く。）に従った操作を行うことによって当該映像面に表示されるかどうかを，公告期間中任意の時期に，同一の公告アドレスについて1回以上調査した上，その調査の結果及び日時を電磁的記録として記録すること。
　五　第2号若しくは第3号に掲げる作業を行った場合又は前号に規定する作業を調査機関の職員が電子計算機を手動により操作して行った場合には，当

該作業を行った調査機関の職員の氏名を電磁的記録として記録すること。
2　情報入手作業は，電子計算機に第3条第1項第3号イの規定により調査委託者から示された公告アドレスを入力することにより，3回（1回又は2回で情報を受信することができた場合にあっては，その回数）にわたってプロバイダ（2回以上にわたる場合にあっては，それぞれ異なるプロバイダ）を経由して公告サーバに対し情報を送信するように求めることによって行わなければならない。この場合において，調査委託者から，調査機関が業務規程で定めるところにより，当該公告アドレスを変更する旨の通知がされ，かつ，当該変更後の公告アドレスが示されたときは，その時（当該調査委託者が，当該変更の予定日時をも示したときは，当該予定日時）以後の電子公告調査については，当該変更後の公告アドレスを電子計算機に入力しなければならない。
3　電子公告調査の求めに係る電子公告による公告の公告期間中，公告の中断が生じた場合であって，調査委託者が調査機関に対し，当該調査機関が業務規程で定めるところにより，追加公告において公告し，又は公告しようとする内容である情報を示したときは，その時（当該調査委託者が，追加公告の開始の予定日時をも示したときは，当該予定日時）以後の電子公告調査に関する第1項第1号ロ及び第2号の規定の適用については，同項第1号ロ及び第2号中「公告情報と」とあるのは「公告情報及び追加公告情報と」と，同号中「公告情報内容」とあるのは「公告情報内容及び追加公告情報内容」とする。
4　調査機関は，電子計算機の故障その他の事由により，第1項（第4号を除く。）に掲げる作業のいずれかをすることができなかった場合には，その旨及びその日時を電磁的記録として記録（当該記録をすることができないときは，書面に記載）しなければならない。

　本条は，調査機関が電子公告調査を行う方法を定めるものである。調査機関は，公正に，かつ，法務省令で定める方法により電子公告調査を行わなければならない（法946条2項）とされていることをうけて定められたものである。

1　情報入手作業（2項・1項1号柱書・イ）

　まず，情報入手作業は，公告アドレス（2条11号）を電子計算機に入力することによって，プロバイダ（同条9号）を経由して，公告サーバ（同条10号）に情報の送信を求めることによって行われるが，あるプロバイダを経由して公告サーバに対し情報を送信するように求めたにもかかわらず情報を受信できなかったときは，別のプロバイダを経由して公告サーバに対し情報を送信するように求めなければならないとされている。そして，当該別のプロバイダを経由

第5条（電子公告調査を行う方法）　1277

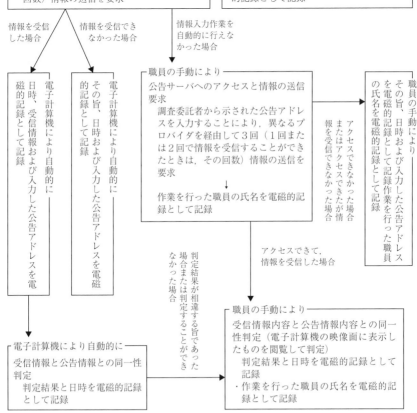

＊電子公告の中断があった場合に追加公告が行われ，追加公告の内容である情報が調査委託者から調査機関に示されたときは，同一判定にあたって追加公告情報または追加公告情報内容を含めて行う

して公告サーバに対し情報を送信するように求めたにもかかわらず情報を受信できなかったときは、さらに、第1回および第2回に経由したプロバイダとは異なるプロバイダを経由して公告サーバに対し情報を送信するように求めなければならないものとされている。これは、公告サーバまたはその周辺機器がダウンした場合や公告サーバ等のメンテナンスによる停止のように、公告サーバが情報の送信要求を受けることができず、または、情報の送信を行えない状態にあることを公告の中断というが、プロバイダのサーバおよび周辺機器の異常、通信回線の異常あるいは輻輳が生じている場合などにも調査機関が公告サーバから情報を受信することができないからである。すなわち、公告サーバから情報を受信することができないことが、公告の中断によるものであることの蓋然性を高めるため（始関・商事法務1720号47頁）、1回の情報入手作業につき、電子計算機が自動的に、最大で3回、いずれも異なるプロバイダを経由して、公告サーバに対して情報の送信を求めなければならないものとされており、電子計算機が自動的に公告サーバから情報を受信できなかった場合には、さらに、調査機関の職員が、最大で3回、いずれも異なるプロバイダを経由して、公告サーバに対して情報の送信を求めなければならないものとされている（1項3号）。

また、公告サーバから情報を受信するための作業（情報入手作業。2条20号）は6時間に1回以上の頻度で行わなければならないものとされている。たしかに、電子公告調査の精度を高めるという観点からは、情報入手作業は、できるかぎり、頻繁に行うことが望ましいと考えられるし、ある回の調査の際に、公告サーバのダウンなどにより公告サーバから情報を受信できなかった場合に、その前後の時間帯において公告の中断が生じていた可能性があるという調査結果がもたらされるから、情報入手作業を行う間隔を大きくとると、公告の中断が生じた可能性のある時間（7条1項4号）が長くなり、その時間の合計が公告期間の10分の1（法940条3項2号）を超えやすくなるという問題があるから、情報入手作業の頻度を高めることは電子公告を実施する会社等にとっても有利である。しかし、情報入手作業の頻度の要求水準を高くすると、今度は、調査機関が、公告が集中する時期に備えて電子公告調査のために大規模な設備を備えなければならないことになり（調査機関は、電子公告調査の求めがあった場合には、その求めに応じて調査を実施しなければならないものとされている。法946条1項)、その結果、調査料金の高騰を招くという問題が予想される。そこで、公告に要する経費負担の軽減を図るため調査機関の経費が過大になること

なく，電子公告調査の精度を一定水準以上に保つという観点から，6時間に1回以上という頻度が定められている（始関・商事法務1720号50頁注4）。

ここでいう1回とは，最大で3回，いずれも異なるプロバイダを経由して，公告サーバに対して情報の送信を求めることをいうが，「6時間に1回以上の頻度で」情報入手作業をしたというためには，前回の情報入手作業において情報を受信したときはその受信日時から，情報を受信できなかったときは3回目の情報送信要求にもかかわらず情報を受信できなかった日時から，それぞれ，6時間以内に，電子計算機が自動的に，最大で3回，いずれも異なるプロバイダを経由して，電子計算機が自動的に公告サーバから情報を受信できなかった場合には，さらに，調査機関の職員が，最大で3回，いずれも異なるプロバイダを経由して，公告サーバに対して情報の送信を求めなければならない。したがって，最大6回［→4］，送信要求をしなければならない可能性を踏まえて，情報入手作業の時間間隔を設定しなければならないのではないかと思われる。

さらに，情報入手作業は，原則として，電子計算機に自動的に行わせるべきものとされている。これは，情報入手作業は6時間に1回以上の頻度で行わなければならないものとされており，しかも，調査機関は，電子公告調査の求めがあった場合には，その求めに応じて調査を実施しなければならないものとされているため（法946条1項），公告が集中する時期には，調査機関は，1日に多数回，多くの公告ページにアクセスして情報入手作業をしなければならないため，人手によって行うことは非現実的でありうるので，電子計算機に自動的に行わせるべきこととされている（始関・商事法務1720号50頁注3）。

電子計算機による自動的な情報入手作業により，①公告サーバから情報を受信することができた場合には，その日時，受信情報および情報入手作業の際に電子計算機に入力した公告アドレスを，②公告サーバから情報を受信することができなかった場合には，その旨，その日時および情報入手作業の際に電子計算機に入力した公告アドレスを，それぞれ，電磁的記録として記録しなければならない。調査結果通知に記載すべき事項の1つであること（7条1項3号イ柱書），および，調査結果通知に記載すべき事項の1つである公告の中断の合計時間について推計される最長の時間の推計根拠となりうることが，このような記録が要求されている理由の1つである。

2 受信情報と公告情報との同一性の判定（1項1号ロ）

電子計算機により自動的に，公告サーバから情報を受信することができた場

合には，その受信情報と公告情報（2条18号）とを，電子計算機により自動的に比較し，両者が同一であるかどうかを判定し，その判定の結果および日時を電磁的記録として記録しなければならないものとされている。これも，情報入手作業と同様，このような比較・判定作業を人手によって行うことが非現実的でありうることによる。そして，公告情報は電磁的方法により調査機関に示されるから（3条2項），調査機関は公告情報と受信情報とを電子データとして比較することになる。調査結果通知に記載すべき事項の1つであること（7条1項3号イ・ロ），および，調査結果通知に記載すべき事項の1つである公告の中断の合計時間について推計される最長の時間の推計根拠となりうることが，このような記録が要求されている理由の1つである。

なお，受信情報には，公告情報に対応する情報のほか，書式情報など電子計算機の映像面に表示されない情報や映像面に表示されていても公告の内容には無関係な情報が含まれているのが通常であるが，受信情報のうち公告情報に対応する情報と公告情報とが同一であれば，「両者が同一である」と判定すべきことになる。

3 電子計算機により受信情報と公告情報とが同一であるという判定がなされなかった場合（1項2号・5号）

電子計算機による自動的な判定結果が，受信情報が公告情報と相違する旨の結果であった場合または当該判定をすることができなかった場合には，調査機関の職員が，電子計算機の映像面に表示し，受信情報と公告情報とを比較し，受信情報内容と公告情報内容とが同一であるかどうかを判定した上，その判定の結果および日時を電磁的記録として記録しなければならないものとされている。これは，公告内容の改ざん等がなされているか否かを的確に判定するためであり（始関・商事法務1720号47頁），調査結果通知に記載すべき事項の1つであること（7条1項3号イ・ロ），および，調査結果通知に記載すべき事項の1つである公告の中断の合計時間について推計される最長の時間の推計根拠となりうることが，このような記録が要求されている理由の1つである。なお，当該作業を行った調査機関の職員の氏名を電磁的記録として記録しなければならない（1項5号）。

4 情報入手作業を自動的に行うことができなかった場合の措置（1項3号・5号）

電子計算機が自動的に公告サーバから情報を受信することができなかった場合または電子計算機または周辺機器の故障や情報入手作業プログラムの瑕疵などにより，情報入手作業を自動的に行うことができなかったときは，調査機関の職員が，電子計算機を手動により操作して，電子公告調査の求めに係る電子公告による公告の公告期間中，6時間に1回以上の頻度で，情報入手作業を行い（したがって，6時間に1回という場合の「1回」は，電子計算機によって自動的に，最大3回，調査機関の職員が手動により，最大3回，公告サーバに対して送信要求することを意味すると解するのが自然である），①公告サーバから情報を受信することができた場合には，その日時，受信情報および情報入手作業の際に電子計算機に入力した公告アドレスを，②公告サーバから情報を受信することができなかった場合には，その旨，その日時および情報入手作業の際に電子計算機に入力した公告アドレスを，それぞれ，電磁的記録として記録しなければならない。そして，調査機関の職員は，受信情報内容と公告情報内容とが同一であるかどうかを判定した上，その判定の結果および日時を電磁的記録として記録しなければならない。調査結果通知に記載すべき事項の1つであること（7条1項3号イ・ロ），および，調査結果通知に記載すべき事項の1つである公告の中断の合計時間について推計される最長の時間の推計根拠となりうることが，このような記録が要求されている理由の1つである。

なお，当該作業を行った調査機関の職員の氏名を電磁的記録として記録しなければならない（1項5号）。

5 登記アドレスと公告アドレスが異なる場合（1項4号・5号）

登記アドレス（2条13号）と公告アドレス（同条11号）とが異なる場合には，登記アドレスを電子計算機に入力し，当該電子計算機の映像面に表示される指示に従い操作を行うことによって，公告ページが映像面に表示される必要がある。そこで，本号は，登記アドレスと公告アドレスとが異なる場合には，公告ページが，登記アドレスを電子計算機に入力することにより当該電子計算機の映像面に表示される指示（料金の徴収または識別符号の入力に係る指示を除く）に従った操作を行うことによって当該映像面に表示されるかどうかを，公告期間中任意の時期に，同一の公告アドレスについて1回以上調査した上，その調査の結果および日時を電磁的記録として記録することを調査機関に求めている。調査結果通知に記載すべき事項の1つであることが（7条1項3号ハ），記録が要求されている理由の1つである。

「公告期間中任意の時期に……1回以上」とされているのは，公告期間中のどの時点でこの調査が行われるかを調査委託者が知らなければ，公告期間の途中に登記アドレスを入力して映像面に表示されるページから公告ページに至るリンクを消滅させたり，公告ページに対するアクセスを有料にしたり，パスワードの入力を要求するということを調査委託者が行うことは考えにくいからである（始関・商事法務1720号48頁）。

なお，このように，この作業の頻度は，公告の掲載の有無に関する調査に比べてはるかに少ないため（始関・商事法務1720号48頁），この作業は調査機関の職員が電子計算機を手動により操作して行うことができるものとされており，その場合には，当該作業を行った調査機関の職員の氏名を電磁的記録として記録しなければならない（1項5号）。

「料金の徴収又は識別符号の入力に係る指示を除く」と定めており，だれでも，無料で，かつ，事前に登録したパスワード等を入力することなく，登記アドレスを電子計算機に入力することによって当該電子計算機の映像面に表示される指示に従った操作を行うことによって，公告ページ（電子公告の内容）が当該電子計算機の映像面に表示されなければならないことを前提としている。そうでなければ，不特定多数の者が公告すべき内容である情報の提供を受けることができる状態（法2条34号）にあるとはいえないからである。

6　公告の中断による追加公告と電子公告調査（3項）

公告期間中に，公告の中断が生じた場合には，電子公告を行っている会社等は，速やかに，当初の公告に付加する形で公告の中断が生じた旨，公告の中断が生じた時間および公告の中断の内容の公告（追加公告）を行わなければならない（法940条3項3号）。この場合には，調査委託者は，調査機関に対して，当該調査機関が業務規程で定めるところにより，追加公告において公告し，または公告しようとする内容である情報を示し，当該調査機関は，その情報が示された時（当該調査委託者が，追加公告の開始の予定日時をも示したときは，当該予定日時）以後の電子公告調査においては，受信情報を公告情報および追加公告情報と比較して，両者の同一性を判定し，調査機関の職員が手動で同一性の判定を行う場合には，公告情報内容および追加公告情報内容と受信情報内容とを比較して，同一性を判定しなければならない。

これは，追加公告情報が電磁的方法により不特定多数の者が公告すべき内容である情報の提供を受けることができる状態に置かれていることをも，電子公

告調査の対象としなければ，法940条3項が適用されるべきことを証明することが困難になり，ひいては当該電子公告の有効性の立証が困難になりうるからである。

なお，「当該調査委託者が，追加公告の開始の予定日時をも示したときは，当該予定日時」とされているのは，定期的なメンテナンスなどにより，公告サーバを停止するときなど，あらかじめ，公告の中断の始期・終期および原因がわかっている場合には，追加公告予定日時を示すことができるからである。

7　調査機関が作業をできなかった場合（4項）

　調査機関が電子公告調査に用いている電子計算機およびその周辺機器の故障などにより，当該電子計算機に自動的に情報入手作業を行わせ，①公告サーバから情報を受信することができたにもかかわらず，その日時，受信情報および情報入手作業の際に電子計算機に入力した公告アドレスを電磁的記録として記録することができなかった場合，②公告サーバから情報を受信することができなかったにもかかわらず，その旨，その日時および情報入手作業の際に電子計算機に入力した公告アドレスを，電磁的記録として記録することができなかった場合，③公告サーバから情報を受信することができたにもかかわらず，受信情報と公告情報とを比較して，両者が同一であるかどうかを判定し，その判定の結果および日時を電磁的記録として記録することができなかった場合，④同一性の判定の結果が，受信情報が公告情報と相違する旨の結果であった場合または当該判定をすることができなかった場合であって，調査機関の職員が，受信情報内容と公告情報内容とが同一であるかどうかを判定し，その判定の結果および日時を電磁的記録として記録することができなかった場合，または，⑤公告サーバから情報を受信することができなかった場合または電子計算機が情報入手作業を自動的に行うことができなかった場合であるにもかかわらず，調査機関の職員が，電子計算機を手動により操作して，情報入手作業等を行うことができなかった場合には，調査機関は，その旨およびその日時を電磁的記録として記録（当該記録をすることができないときは書面に記載）しなければならないものとされている。これは，調査機関がなすべき作業をできなかった場合には，その事実を文書化しておくことが，後日の紛争等に備えるために重要だからであろう。また，調査結果通知に記載すべき事項の1つとなりうることが（7条1項5号），記録が要求されている理由の1つである

―(法務大臣への報告事項及び報告方法)―
第6条　法第946条第3項の法務省令で定める事項は，第3条第1項第1号並びに第3号イ，ロ及びニに掲げる事項（同項第1号に掲げる事項については，代表者の氏名（当該代表者が法人である場合にあっては，当該法人の名称及びその職務を行うべき者の氏名）を除く。）とする。
2　調査機関は，前項に規定する事項を，電子公告調査の求めに係る電子公告による公告の公告期間の始期の2日（行政機関の休日に関する法律（昭和63年法律第91号）第1条第1項各号に掲げる日の日数は，算入しない。）前までに，情報通信技術を活用した行政の推進等に関する法律（平成14年法律第151号。以下「情報通信技術活用法」という。）第6条第1項に規定する電子情報処理組織を使用して法務大臣に報告しなければならない。
3　調査機関は，電子公告調査の求めに係る電子公告による公告の公告期間中に，調査委託者から，当該調査機関が業務規程で定めるところにより，第1項に規定する事項のいずれかを変更する旨の通知があった場合には，法務大臣に対し，速やかに，当該通知に係る変更の時期及び内容を情報通信技術活用法第6条第1項に規定する電子情報処理組織を使用して報告しなければならない。
4　法務省の所管する法令の規定に基づく情報通信技術を活用した行政の推進等に関する規則（平成15年法務省令第11号）第4条第2項及び第3項の規定は，前2項の規定により報告をする調査機関について準用する。

　本条は，調査機関が法務大臣に報告しなければならない事項を定めるものである。調査機関は，電子公告調査を行う場合には，法務省令で定めるところにより，電子公告調査を行うことを求めた者（調査委託者）の商号その他の法務省令で定める事項を法務大臣に報告しなければならない（法946条3項）とされていることをうけて定められたものである。
　このような報告が求められているのは，行政サービスの一環として，法務省がそのウェブサイト内に電子公告リンク集のページ（法務省電子公告システム（http://e-koukoku.moj.go.jp/））を設けて，電子公告を行っている会社その他の法人を一覧し，かつ，公告が実際に掲載されているページに直接アクセスできるようにするためには，法務省電子公告システムに登載される情報が法務省に提供されなければならないからである（法制審議会「電子公告制度の導入に関する要綱」（平成15年9月10日）第1・7(5)）。このような行政サービスが提供されているのは，公告は会社法その他の法律により必要とされる場合にのみなされ

第6条（法務大臣への報告事項及び報告方法）　1285

るため，登記アドレスから公告ページにアクセスしても，決算公告以外の公告がなされていないことのほうが多いと予想されること，登記アドレスが当該会社等のウェブサイトのトップページである場合には，公告が掲載されているページを探す手間がかかること，電子公告を公告方法とするすべての会社のウェブサイトに頻繁にアクセスして，公告が掲載されているかどうかを確認するのは利害関係人にとって煩瑣であることなどを踏まえたものである（始関・商事法務1719号128頁）。

　電子公告をする会社等に対し，調査機関と法務大臣に対して二重に情報を提供することを義務づけるのではなく，調査申請者が調査機関に示した情報を法務大臣に報告すべきものとしているのは，電子公告をする会社の負担を軽減するためである（始関・商事法務1720号49頁）。

1　法務大臣に報告すべき事項（1項）

　①調査申請者の氏名または商号もしくは名称，住所または本店もしくは主たる事務所の所在場所，②調査申請者が電子公告調査を求める際に調査機関に示した公告アドレス，③公告期間，および，④公告すべき内容を規定した法令の条項が，報告すべき事項とされている。①は電子公告を行っている会社等を特定するための情報であり，②は法務省電子公告システムにとって不可欠な情報である。また，利害関係人が，公告が掲載されている期間を知ることができるようにするために③の情報が要求され，④の情報は，当該公告が何についてのものであるかを閲覧者が知ることができるようにするためである。

2　法務大臣に報告すべき期限と報告の方法（2項）

　この報告は，情報通信技術を活用した行政の推進等に関する法律（平成14年法律第151号。以下，「情報通信技術活用法」という）6条1項に規定する電子情報処理組織を使用して，しなければならないものとされている。これは，電子公告リンク集への情報の掲載の正確性と迅速性を確保するためには，手作業で入力するのではなく，担当者が調査機関から送信された情報をチェックした上で，その情報を容易に法務省電子公告システムに掲載することができるようにすることが必要だからである。このため，調査機関から報告される情報は，電子データの形をとっていることが前提とされる（始関・商事法務1720号49頁）。平成24年1月に法務省オンライン申請システムが廃止された後は，法務大臣への報告は，電子公告専用のメールアドレス（法務省民事局商事課のメールアドレ

ス)に電子メールで送信する方法により行われている。

　調査機関は、電子公告調査の求めに係る電子公告による公告の公告期間の始期の2日(行政機関の休日に関する法律1条1項各号に掲げる日の日数は、算入しない)前までに、法務大臣に報告しなければならないものとされているが、これは、調査機関から送信されてきた情報を、法務省において、法務省電子公告システムに公告開始日から確実に掲載するためには、丸1日の作業日を確保する必要があるという理由に基づく(始関・商事法務1720号49頁)。なお、日曜日および土曜日、国民の祝日に関する法律に規定する休日および12月29日から翌年の1月3日までの日が「行政機関の休日に関する法律1条1項各号に掲げる日」である。

3　追加公告と法務大臣への報告 (3項)

　調査機関は、電子公告調査の求めに係る電子公告による公告の公告期間中に、調査委託者から、当該調査機関が業務規程で定めるところにより、法務大臣への報告事項のいずれかを変更する旨の通知があった場合には、法務大臣に対し、速やかに、当該通知に係る変更の時期および内容を情報通信技術活用法6条1項に規定する電子情報処理組織を使用して報告しなければならないものとされている。これは、法務省電子公告システムにアクセスした者が電子公告による公告を閲覧することができない等の不利益を受けることを防止するためである(始関・商事法務1720号50頁)。

4　「法務省の所管する法令の規定に基づく情報通信技術を活用した行政の推進等に関する規則」の準用 (4項)

　法務省の所管する法令の規定に基づく情報通信技術を活用した行政の推進等に関する規則4条2項が準用される結果、調査機関は報告にあたって法務大臣の定めるところに従い、報告すべきこととされている事項に係る情報を、これについて電子署名を行い、送信しなければならない。同条3項が準用される結果、法務大臣の定めるところに従い、調査機関は、当該電子署名に係る電子証明書であって、①電子署名等に係る地方公共団体情報システム機構の認証業務に関する法律3条1項の規定に基づき作成されたもの、②商業登記法12条の2第1項および3項(これらの規定を他の法令の規定において準用する場合を含む)の規定に基づき作成されたもの、③法務大臣の使用に係る電子計算機から当該電子署名を行った者を確認できるものであって、①または②に準ずるものとし

て法務大臣の定めるもののいずれかに該当するものを送信しなければならないことになる。

（調査結果通知の方法等）

第7条 調査結果通知は，次に掲げる事項を記載した書面を交付し，又は当該事項を内容とする情報（以下「調査結果情報」という。）を電磁的方法により提供してしなければならない。ただし，調査委託者が，調査結果通知をこれらの方法のいずれかにより行うことを求めたときは，当該方法によって行わなければならない。

一　第3条第1項第1号，第2号並びに第3号イ，ロ及びニに掲げる事項（調査機関が業務規程で定めるところにより，これらの事項のいずれかを変更する旨の通知がされた場合にあっては，当該通知に係る変更後のもの及び変更の日時を含む。）

二　公告情報内容（第5条第3項に規定する場合にあっては，公告情報内容及び追加公告情報内容）

三　第5条の規定により記録し，又は記載した事項のうち，次に掲げるもの
　イ　受信情報を受信した日時，情報入手作業の際に電子計算機に入力した公告アドレス及び次に掲げる事項
　　⑴　第5条第1項第1号ロの規定による判定の結果が，受信情報と公告情報（同条第3項に規定する場合にあっては，公告情報及び追加公告情報）とが同一である旨の結果であった場合には，当該結果及び当該判定の日時
　　⑵　第5条第1項第1号ロの規定による判定の結果が⑴に規定する結果でなかった場合には，同項第2号の規定による判定の結果及びその日時
　ロ　第5条第1項第3号の規定により同項第1号イに規定する情報入手作業をしたにもかかわらず，公告サーバから情報を受信することができなかった場合には，その旨，その日時及び当該情報入手作業の際に電子計算機に入力した公告アドレス
　ハ　第5条第1項第4号及び第5号の規定により記録した事項

四　調査結果通知に，受信情報内容が公告情報内容（第5条第3項に規定する場合にあっては，公告情報内容及び追加公告情報内容）と相違する旨の記載若しくは記録又は前号ロの規定による記載若しくは記録をすべき場合には，これらの記載又は記録から推計されることになる公告の中断が生じた可能性のある時間の合計

五　第5条第1項第1号イに規定する頻度で同条第2項に定めるところによる情報入手作業をすることができなかった場合には，その旨，その時期及び

その理由
2 　前項に規定する電磁的方法は，次に掲げる方法とする。ただし，調査委託者がそのいずれかの方法により調査結果通知をすることを求めた場合には，当該方法とする。
　一　会社法施行規則（平成18年法務省令第12号）第222条第1項第1号イ又はロに規定する方法
　二　商業登記規則（昭和39年法務省令第23号）第33条の6第4項各号のいずれかに該当する構造の電磁的記録媒体をもって調製するファイルに情報を記録したものを交付する方法
3 　調査機関は，調査委託者から求められたときは，その求めに応じ，商業登記法（昭和38年法律第125号）第19条の2に規定する登記の申請書に添付すべき電磁的記録にその内容を記録することができる調査結果情報又は商業登記規則第102条第2項及び第5項第2号の規定により送信することができる調査結果情報を提供しなければならない。

　本条は，調査機関が調査委託者に対して，調査結果通知をする方法および内容などを定めるものである。法946条4項により，調査機関は調査委託者に対して調査結果の通知をなすべきこととされているのは，調査委託者である会社等が，組織再編行為による変更または設立の登記，株式の併合あるいは取得条項付株式・全部取得条項付種類株式・取得条項付新株予約権の取得と引換えにする株式・新株予約権の交付などの変更の登記など［→3］の申請にあたっては「公告を……したこと……を証する書面」が添付書類として要求されているところ，調査結果通知書または調査結果の電磁的記録を「公告を……したこと……を証する書面」として利用することができるようにするとともに（「電子公告制度の導入のための商法等の一部を改正するための法律の施行に伴う商業・法人登記事務の取扱いについて（通達）」（平成17年1月26日法務省民商第192号）第二6参照），「公告を……したこと……を証する書面」が登記申請の添付書類として要求されていない公告事項についても，調査結果通知書または調査結果の電磁的記録は，電子公告による公告を適法に行ったことを証明する資料となるからである。すなわち，調査結果通知に公告サーバから情報を受信することができなかった旨の記載等も受信情報内容が公告情報内容とが相違する旨の記載等もされていなかった場合，または受信情報内容と公告情報内容とが相違する旨の記載等または公告サーバから情報を受信することができなかった旨の記載等から推計される公告が中断した可能性のある時間の合計が公告期間の10分の

1以内である場合には，電子公告が適法に行われたことが事実上推定される（もっとも，登記実務上は，調査機関が推計した公告の中断時間の合計が公告期間の10分の1を超える場合であっても，電子公告を行った会社から，現実に公告が中断した時間が公告期間の10分の1に満たないことを証する資料（公告サーバが現実にダウンしていた時間を示す記録等）の提出があったときは，他に却下事由がない限り，登記を受理して差し支えないとされている。「電子公告制度の導入のための商法等の一部を改正するための法律の施行に伴う商業・法人登記事務の取扱いについて（通達）」第二6）。

そこで，本条は，登記申請の添付書類の1つとしての「公告を……したこと……を証する書面」または電子公告による公告を適法に行ったことを証明する資料としての適格性を有するように調査結果通知の内容を定め，また，調査委託者の便宜をも考慮に入れた調査結果通知の方法を定めている。

1 調査結果通知をする方法（1項柱書・2項）

調査結果通知は書面を交付し，または当該事項を内容とする情報を電磁的方法により提供して，しなければならない。そして，電磁的方法は，施規222条1項1号イまたはロに規定する方法または商業登記規則33条の6第4項各号に規定する構造の電磁的記録媒体をもって調製するファイルに情報を記録したものを交付する方法のいずれかでなければならないものとされている。

ここで，施規222条1項1号イまたはロに規定する方法とは，電子情報処理組織を使用する方法のうち，送信者の使用に係る電子計算機と受信者の使用に係る電子計算機とを接続する電気通信回線を通じて送信し，受信者の使用に係る電子計算機に備えられたファイルに記録する方法（典型的には，電子メールで送付する方法），または送信者の使用に係る電子計算機に備えられたファイルに記録された情報の内容を電気通信回線を通じて情報の提供を受ける者の閲覧に供し，当該情報の提供を受ける者の使用に係る電子計算機に備えられたファイルに当該情報を記録する方法（典型的には，ウェブサイトに掲載する方法）をいう。商業登記規則33条の6第4項各号のいずれかに該当する構造の電磁的記録媒体とは，①日本産業規格X0606またはX0610に適合する120ミリメートル光ディスクと②法務大臣の指定する構造の不揮発性半導体記憶装置とをいう。

①は，日本産業規格X6241またはX6281に適合する直径120ミリメートルの光ディスクの再生装置で再生することが可能な光ディスクであり，そのボリュームおよびファイル構成が日本産業規格X0606（CD-ROM，CD-R，CD-RW）

またはX0610（DVD）によるものである。②の不揮発性半導体記憶装置（いわゆるUSBメモリ）はその構造が，ユーエスビーインプリメンターズフォーラムが定めたUSB1.0, USB1.1, USB2.0またはUSB3.0に適合し，かつ，Standard A端子を備えたものによるものでなければならない。ボリュームおよびファイル構成は，File Allocation Table 16, File Allocation Table 32, NT File SystemまたはExtended File Allocation Tableによらなければならない（電子証明書の方式等に関する件の一部を改正する件（令和元年法務省告示第186号）による改正後商業登記規則第33条の6第5項等に基づき法務大臣が指定する電子証明書の方式等（平成26年12月12日 法務省告示第543号）第1, 1（2））。

　平成27年法務省令第61号による改正前には，本条2項2号は，商業登記規則33条の6第4項「各号のいずれかに該当する構造の磁気ディスク」と規定していたが，平成27年法務省令第61号による商業登記規則33条の6第4項の改正により，同項が「各号のいずれかに該当する構造の電磁的記録媒体（電磁的記録に係る記録媒体をいう。以下同じ。）」と定めるに至ったため，本条2項2号も改正された。この改正は，フロッピーディスク（FD）については，「主なメーカーにおいて既に生産が終了しており，また，現在は外部電磁的記録媒体として，日本工業規格X0610に適合する120ミリメートル光ディスク（以下「DVD」という。）や不揮発性半導体記憶装置（以下「USBメモリ」という。）も普及している。そこで，電子証明書発行請求時に使用することができる電磁的記録媒体について，FDを廃止し，DVD及びUSBメモリを追加する必要がある。」という理由に基づくものであった（「商業登記規則等の一部を改正する省令案」に関する意見募集（2015年11月6日），商業登記規則等の一部を改正する省令案の概要，第1改正の趣旨）。このように調査結果通知の方法が制限されているのは，電子公告が適法に行われたか否かについての客観的な証拠を残すという電子公告調査の目的を達するためである（始関・商事法務1721号67頁）。

　もっとも，調査委託者の利便を図るという観点から，調査委託者が，調査結果通知をこれらの方法のいずれかにより行うことを求めたときは，当該方法によって行わなければならないとされ（1項ただし書・2項），また，調査委託者から求められたときは，その求めに応じ，オンライン登記申請の添付資料として利用できる電子データの形で調査結果情報を提供しなければならない（3項）ものとされている。

2 調査結果通知の内容とすべき事項（1項各号）

(1) 3条1項1号・2号・3号イ・ロ・ニに掲げる事項（調査機関が業務規程で定めるところにより，これらの事項のいずれかを変更する旨の通知がされた場合にあっては，当該通知に係る変更後のものおよび変更の日時を含む）（1号）

調査申請者の氏名または商号もしくは名称，住所または本店もしくは主たる事務所の所在場所および代表者の氏名（その代表者が法人である場合には，当該法人の名称およびその職務を行うべき者の氏名），調査申請者に係る登記アドレス（貸借対照表等の電子公告（法440条1項）のためのものを除く。これは，貸借対照表等の電子公告は電子公告調査の対象となっていないからである），公告アドレス，公告期間および公告すべき内容を規定した法令の条項を調査結果通知の内容としなければならない。なお，調査機関が業務規程で定めるところにより，これらの事項のいずれかを変更する旨の通知がされた場合には，当該通知に係る変更後のものおよび変更の日時をも含むものとされている。

調査申請者の氏名または商号もしくは名称，住所または本店もしくは主たる事務所の所在場所および代表者の氏名（その代表者が法人である場合には，当該法人の名称およびその職務を行うべき者の氏名），公告期間および公告すべき内容を規定した法令の条項を調査結果通知の内容としなければならないのは，電子公告調査は会社法をはじめとする法令の要求に基づき行われる電子公告についての調査であるから，誰が，いつ，どのような法令の条項の要求を満たすために行った電子公告についての電子公告調査の調査結果通知であるかを特定する必要があるためである。とりわけ，登記との関係で要求される「公告を……したこと……を証する書面」または電磁的記録として調査結果報告を用いるためには，これらの事項が調査結果通知の内容とされる必要がある。

また，登記アドレスおよび公告アドレスを内容としなければならないとされているのは，電子公告調査においては，公告アドレスを入力することによって，公告サーバから情報を受信できるかどうか，その受信情報・受信情報内容と公告情報（および追加公告情報）・公告情報内容（および追加公告情報内容）とが同一であるか，および，登記アドレスと公告アドレスとが異なる場合には，公告ページが，登記アドレスを電子計算機に入力することにより当該電子計算機の映像面に表示される指示（料金の徴収または識別符号の入力に係る指示を除く）に従った操作を行うことによって当該映像面に表示されるかどうかを，確かめる以上，どのアドレスを調査機関が入力したかは重要な情報だからである。

ここで,「公告しようとする内容である情報」(3条1項3号ハ),すなわち,公告情報が調査結果通知に含めるべき事項とされていないのは,公告情報は電磁的データであり,人が直接知覚することができないものである一方で,2号により公告情報内容が調査結果通知に含められることになっているためである。

(2) 公告情報内容(5条3項に規定する場合には,公告情報内容および追加公告情報内容)(2号)

これは,調査機関は,電子公告調査において,公告情報(電子公告調査の求めに係る電子公告による公告の公告期間中,公告の中断が生じた場合であって,調査委託者が調査機関に対し,当該調査機関が業務規程で定めるところにより,追加公告において公告し,または公告しようとする内容である情報を示したときは,公告情報および追加公告情報)と受信情報との同一性,あるいは,公告情報内容(電子公告調査の求めに係る電子公告による公告の公告期間中,公告の中断が生じた場合であって,調査委託者が調査機関に対し,当該調査機関が業務規程で定めるところにより,追加公告において公告し,または公告しようとする内容である情報を示したときは,公告情報内容および追加公告情報内容)と受信情報内容との同一性を判定するものとされており(5条1項1号ロ・2号),受信情報または受信情報内容と照合した情報がどのようなものであったのかを明らかにして,電子公告すべき事項が公告されていたことについて電子公告調査が行われたことを示す必要があるからである。また,登記との関係で要求される「公告を……したこと……を証する書面」または電磁的記録として調査結果報告を用いるためには,この事項が調査結果通知の内容とされる必要がある。

公告情報内容とは,公告情報(法941条の規定により電子公告調査を求めようとする者(調査申請者)が電子公告により公告しようとする内容である情報(3条1項3号ハ)であって,調査委託者が調査機関に対して調査機関が業務規程で定める電磁的方法により(3条2項)示したものをいう。2条18号)を調査機関の電子計算機の映像面に表示したものを閲読することにより認識することのできる内容(2条22号)をいい,追加公告情報内容とは追加公告情報(追加公告において公告し,または公告しようとする内容である情報であって,調査委託者が調査機関の業務規程に定めるところにより当該調査機関に対して示したもの。2条19号)を調査機関の電子計算機の映像面に表示したものを閲読することにより認識することのできる内容をいう(2条23号)〔→2条⑱⑲㉒㉓〕。

第7条（調査結果通知の方法等） 1293

(3) 5条の規定により記録し，または記載した事項のうち，一定のもの（3号）

電子公告調査は，(a)公告期間にわたって，6時間に1回以上の頻度で，公告サーバから情報の送信を受けることができるか，(b)送信を受けた情報の内容が公告情報（追加公告がなされ，その旨の通知があった場合には，公告情報および追加公告情報）の内容と同一であるかの調査，および，(c)登記アドレスと公告アドレスとが異なる場合には，公告ページが，登記アドレスを電子計算機に入力することによりその電子計算機の映像面に表示される指示（料金の徴収または識別符号の入力に係る指示を除く）に従った操作を行うことによってその映像面に表示されるか否かの調査とからなる。

そこで，まず，電子計算機による自動的な情報入手作業により，情報を受信することができた場合には，その日時および情報入手作業の際に電子計算機に入力した公告アドレスを（本号イ柱書），情報入手作業をしたにもかかわらず，公告サーバから情報を受信することができなかった場合には，その旨，その日時および当該情報入手作業の際に電子計算機に入力した公告アドレスを（本号イロ），それぞれ，調査結果通知には含めなければならないものとされている。これは，特定の公告アドレスから受信情報を受信できたか否か，すなわち，公告サーバから情報の送信を受けることができたか否か，についての調査結果を示すものである（(a)の調査）。

また，電子計算機による自動的な情報入手作業により，公告サーバから情報を受信することができた場合に，電子計算機による自動的な受信情報と公告情報との比較・判定の結果が，受信情報と公告情報（電子公告調査の求めに係る電子公告による公告の公告期間中，公告の中断が生じた場合であって，調査委託者が調査機関に対し，当該調査機関が業務規程で定めるところにより，追加公告において公告し，または公告しようとする内容である情報を示したときは，公告情報および追加公告情報。以下同じ）とが同一である旨の結果であった場合には，その結果およびその判定の日時を（本号イ(1)），受信情報と公告情報とが同一である旨の結果でなかった場合（相違する旨の結果であった場合と判定できなかった場合とを含む）には，受信情報内容と公告情報内容とが同一であるかどうかについての，調査機関の職員による判定の結果およびその日時を（本号イ(2)），それぞれ，調査結果通知の内容としなければならないものとされている。これは，(b)送信を受けた情報の内容が公告情報（追加公告がなされ，その旨の通知があった場合には，公告情報および追加公告情報）の内容と同一であるかの調査結果である。

さらに，登記アドレスと公告アドレスとが異なる場合には，公告ページが，登記アドレスを電子計算機に入力することにより当該電子計算機の映像面に表示される指示（料金の徴収または識別符号の入力に係る指示を除く）に従った操作を行うことによって当該映像面に表示されるかどうかについての調査の結果および日時を調査結果通知の内容としなければならない（(c)の調査結果）が，これは，公示されている登記アドレスから，電子公告を見ようとする者が公告情報内容にアクセスできなければ，不特定多数の者が公告すべき内容である情報の提供を受けることができる状態とは評価できないからである。

　以上に加えて，電子計算機による自動判定の結果が，受信情報が公告情報と相違する旨の結果であった場合または当該判定をすることができなかった場合に，(i)調査機関の職員が，受信情報内容と公告情報内容とが同一であるかどうかを判定して，要求されている記録をしたとき，(ii)電子計算機による自動的な情報入手作業によっては公告サーバから情報を受信することができなかった場合または電子計算機が情報入手作業を自動的に行うことができなかった場合に，調査機関の職員が，電子計算機を手動により操作して，情報入手作業を行い，かつ，受信情報内容と公告情報内容とが同一であるかどうかを判定して，要求されている記録をしたとき，または(iii)登記アドレスと公告アドレスとが異なる場合に，公告ページが，登記アドレスを電子計算機に入力することにより当該電子計算機の映像面に表示される指示（料金の徴収または識別符号の入力に係る指示を除く）に従った操作を行うことによって当該映像面に表示されるかどうかについての調査を調査機関の職員が電子計算機を手動により操作して行い，要求されている記録をしたときには，その作業を行った調査機関の職員の氏名を調査結果通知の内容としなければならないものとされている。これは，誰が作業について責任を負っていたのかを明らかにし，責任をもって作業を行うインセンティブあるいは作業する職員を適切に監督するインセンティブを与えようとするものであると推測される。

(4)　調査結果通知に，受信情報内容が公告情報内容（5条3項に規定する場合には，公告情報内容および追加公告情報内容）と相違する旨の記載もしくは記録または3号ロの規定による記載もしくは記録をすべき場合には，これらの記載または記録から推計されることになる公告の中断が生じた可能性のある時間の合計（4号）

　調査結果通知に，受信情報内容が公告情報内容（電子公告調査の求めに係る電

子公告による公告の公告期間中，公告の中断が生じた場合であって，調査委託者が調査機関に対し，当該調査機関が業務規程で定めるところにより，追加公告において公告し，または公告しようとする内容である情報を示したときは，公告情報内容および追加公告情報内容）と相違した場合，または，情報入手作業をしたにもかかわらず，公告サーバから情報を受信することができなかった場合には，公告の中断が生じた可能性があるので，公告の中断の合計時間として推計される最長の時間を記載しなければならないものとされている。その時間が公告期間の10分の1以内であって，かつ，追加公告を速やかに行っていることが調査結果通知から明らかであって，公告の中断に正当な理由があれば，電子公告は有効に行われたものとして取り扱われる（「電子公告制度の導入のための商法等の一部を改正するための法律の施行に伴う商業・法人登記事務の取扱いについて（通達）」第二6参照）。

　公告サーバから情報を受信できなかった回あるいは受信情報・受信情報内容と公告情報・公告情報内容とが相違する旨の判定がなされた回があった場合に，「これらの記載又は記録から推計されることになる公告の中断が生じた可能性のある時間」とは，その回の調査の前の受信情報・受信情報内容と公告情報・公告情報内容とが同一である旨の判定がなされた回の調査の日時（公告サーバからの情報受信の日時）と，その後の回の受信情報・受信情報内容と公告情報・公告情報内容とが同一である旨の判定がなされた回の調査の日時（公告サーバからの情報受信の日時）との間の時間を意味する。

　なお，「調査結果通知に，受信情報内容が公告情報内容……と相違する旨の記載若しくは記録又は前号ロの規定による記載若しくは記録をすべき場合には」とされているので，すべての回の調査において，公告サーバから情報を受信することができ，かつ，受信情報・受信情報内容と公告情報・公告情報内容とが同一である旨の判定がなされた場合には，本号の記載をする必要はない。

　登記アドレスと公告アドレスとが異なる場合に，公告ページが，登記アドレスを電子計算機に入力することにより当該電子計算機の映像面に表示される指示（料金の徴収または識別符号の入力に係る指示を除く）に従った操作を行うことによって当該映像面に表示されなかったときであっても，本号の記載をする必要はないが，そのような場合には，事実上，公告期間にわたって，公告の中断があったという推定が働くと考えるべきなのであろう。

(5) 電子公告調査の求めに係る電子公告による公告の公告期間中，6時間に1

回以上の頻度で情報入手作業をすることができなかった場合には，その旨，その時期およびその理由（5号）

このような記載が要求されているのは，第1に，情報入手作業の頻度が少ない時期において，公告サーバから情報を受信できなかったときあるいは受信情報・受信情報内容と公告情報・公告情報内容とが相違する旨の判定がなされたときには，公告の中断が生じた可能性のある時間が長くなってしまう一方で，受信情報・受信情報内容と公告情報・公告情報内容とが同一である旨の判定がなされたときであっても，次に受信情報・受信情報内容と公告情報・公告情報内容とが同一である旨の判定がなされた時までの間が長時間にわたると，その間，公告の中断がなかったと推定することの合理性が失われる可能性があるからであると考えられる。したがって，電子公告調査の求めに係る電子公告による公告の公告期間中，6時間に1回以上の頻度で情報入手作業をすることができなかった場合に，その旨およびその時期を記載させることによって，公告の中断が生じていないかどうか，あるいは公告の中断時間の合計が公告期間の10分の1を超えているかどうかを判断するための材料を登記官に提供させるという点で意義を有する。第2に，調査委託者にとって，公告の中断が生じた可能性のある時間が長くなると不利益が生ずるため，6時間に1回以上の頻度で情報入手作業をすることができなかった時期について，公告サーバのログ等によって公告の中断がなかったことを立証するための用意を調査委託者がする機会を与える必要があり，その観点からは，6時間に1回以上の頻度で情報入手作業をすることができなかった旨およびその時期を記載させることには意味がありうる。また，6時間に1回以上の頻度で情報入手作業をすることができなかった理由を記載させることによって，その理由が不可抗力によるものかどうかが明らかになるため，調査機関に6時間に1回以上の頻度で情報入手作業をすることができるような態勢を整えるインセンティブが与えられるとともに，調査委託者が調査機関に対して損害賠償請求をすべきかどうかの手がかりが与えられることになろう。

3　商業登記との関連で必要とされる調査結果情報の提供（3項）

①取得条項付株式・取得条項付新株予約権・全部取得条項付種類株式の取得と引換えにする株式または新株予約権の交付，株式の併合，譲渡による株式の取得について会社の承認を要する旨の定款の定めの設定，株券を発行する旨の定款の定めの廃止（当該株式の全部について株券を発行していない場合および新株

第7条（調査結果通知の方法等）　1297

電子公告調査結果通知書

令和3年×月×日

株式会社○○
　代表取締役　○○　○○殿

東京都文京区大塚○丁目○番○号
　　　○○○株式会社
　　　　代表取締役　○○　○○

　電子公告規則（平成18年法務省令第14号）第7条に基づき，電子公告調査結果を通知します。

1．調査内容

法人の商号又は名称	株式会社○○
本店又は主たる事務所の所在地	東京都渋谷区○○
代表者の氏名	代表取締役　○○　○○
公告名称	新設分割に伴う債権者異議申述の公告
公告すべき内容を規定した法令の条項	会社法第810条第3項
公告情報内容	別紙1に記載のとおり
公告期間	令和3年×月×日　00時00分から 令和3年△月△日　24時00分まで　31日間
登記アドレス	http://www.×××.co.jp/ir
公告アドレス	http://www.×××.co.jp/ir/bunkatsukoukoku.pdf

1298　電子公告規則

２．調査結果
　（1）掲載時間

公告掲載全日数	31 日間
公告の中断が生じた可能性のある最大推定時間	4 時間 00 分 01 秒
公告の中断が生じた可能性のある最大推定時間の率	0.54%

　（2）適格性

確認事項	調査結果	調査年月日及び時刻
登記アドレスから公告アドレスまでのリンクが繋がっていること	有効	令和3年×月×日×時××分
無償かつパスワードが不要であること	有効	令和3年×月×日×時××分

　（3）調査結果記録

調査対象	1．「調査内容」中の「公告アドレス」
調査結果詳細	別紙「調査結果詳細」に記載のとおり

（別紙）調査結果報告

番号	情報	開始日時	試行回数	受信日時	判定日時	判定結果	判定者	中断推定時間
0	0	2021/0x/xx 0:00:00						
1	0	2021/0x/xx 0:10:05	1回	2021/0x/xx 0:10:06	2021/0x/xx 0:10:06	match	システム	
2	0	2021/0x/xx 1:10:06	1回	2021/0x/xx 1:10:06	2021/0x/xx 1:10:07	match	システム	
3	0	2021/0x/xx 2:10:06	1回	2021/0x/xx 2:10:07	2021/0x/xx 2:10:07	match	システム	
〜	〜	〜	〜	〜	〜	〜	〜	〜
19	0	2021/0x/xx 18:10:07	1回	2021/0x/xx 18:10:07	2021/0x/xx 18:10:07	match	システム	
20	0	2021/0x/xx 19:10:06	3回, 手動3回		2021/0x/xx 19:18:10	download eror	○○○○	1:59:59
21	0	2021/0x/xx 20:10:06	1回	2021/0x/xx 20:10:06	2021/0x/xx 20:10:06	match	システム	
〜	〜	〜	〜	〜	〜	〜	〜	〜
63	0	2021/0x/xx 14:10:04	1回	2021/0x/xx 14:10:04	2021/0x/xx 14:10:04	match	システム	
64	0	2021/0x/xx 15:10:06	1回	2021/0x/xx 15:10:06	2021/0x/xx 15:20:15	unmatch	△△△△	2:00:02
65	0	2021/0x/xx 16:10:06	1回	2021/0x/xx 16:10:06	2021/0x/xx 16:10:06	match	システム	

予約権証券を発行していない場合を除く）による変更の登記（商業登記法59条1項2号・2項2号・60条・61条・62条・63条・67条・68条），②資本金額の減少，組織変更，吸収合併，吸収分割，株式交換・株式交付による変更の登記（同法70条・120条・77条3号・4号・107条1項6号・114条・123条・80条3号・8号〜10号・108条1項3号・115条1項・124条・85条3号・8号・9号・109条1項3号・4号・116条1項・125条・89条3号・7号〜9号・126条1項3号・90条の2），③新設合併，新設分割，株式移転による設立の登記（同法81条8号〜10号・108条2項3号・115条1項・124条・86条8号・9号・109条2項3号・116条1項・125条・90条7号〜9号），および④外国会社の日本における代表者全員退任登記（同法130条2項）については，登記申請の添付書類として「公告を……したこと……を証する書面」が求められており，この場合には，電子公告をしても，調査機関の調査結果報告が添付されない限り，登記の申請は受理されない。もっとも，商業登記法19条の2は，登記の申請書に添付すべき書面につきその作成に代えて電磁的記録の作成がされているときは，当該電磁的記録に記録された情報の内容を記録した電磁的記録（法務省令で定めるもの（商業登記規則36条）に限る）を当該申請書に添付しなければならないと定めている。

また，情報通信技術活用法に規定する電子情報処理組織を使用して申請をすることができ，その場合について，商業登記規則102条2項は「申請人等は，法令の規定により登記の申請書に添付すべき書面（法第19条の2に規定する電磁的記録を含む。）があるときは，法務大臣の定めるところに従い，当該書面に代わるべき情報にその作成者（認証を要するものについては，作成者及び認証者……）」が，同条1項に規定する措置（電磁的記録に記録することができる情報に，産業標準化法に基づく日本産業規格X5731—8の附属書Dに適合する方法（RSA公開鍵暗号方式によるデジタル署名）であって同附属書に定めるnの長さの値が2048ビットであるものを講ずる措置。商業登記規則33条の4に規定する措置）を「講じたもの（以下「添付書面情報」という。）を送信しなければならない。ただし，添付書面情報の送信に代えて，登記所に当該書面を提出し，又は送付することを妨げない」と定め，同条5項は「申請人等が添付書面情報を送信するときは，……当該情報の作成者が第1項に規定する措置を講じたものであることを確認するために必要な事項を証する情報であつて」，4項各号に掲げる電子証明書（商業登記規則33条の8第2項（他の省令において準用する場合を含む）に規定する電子証明書（商業登記に基づく電子認証制度。http://www.moj.go.jp/ONLINE/CERTIFICATION/），電子署名等に係る地方公共団体情報システム機構の

認証業務に関する法律3条1項の規定により作成された電子証明書（住民基本台帳に基礎を置く電子証明書。公的個人認証サービス。http://www.jpki.go.jp/），電子署名及び認証業務に関する法律8条に規定する認定認証事業者が作成した電子証明書その他の電子証明書であって，氏名，住所，出生の年月日その他の事項によりその措置を講じた者を確認することができるものとして法務大臣の定めるもの，または，その措置を講じた者を確認することができる電子証明書であって，これらに準ずるものとして法務大臣の定めるもの）または「指定公証人の行う電磁的記録に関する事務に関する省令第3条第1項に規定する指定公証人電子証明書」を，併せて送信しなければならないものと定めている（2号。電子署名に使用可能な電子証明書の詳細については，たとえば，「商業・法人登記のオンライン申請について」（http://www.moj.go.jp/MINJI/minji60.html）参照）。

そこで，本項は，調査機関は，調査委託者から求められたときは，その求めに応じ，商業登記法19条の2に規定する登記の申請書に添付すべき電磁的記録にその内容を記録することができる調査結果情報，または商業登記規則102条2項および5項2号の規定により送信することができる調査結果情報を提供しなければならないものとしている。

（電子公告調査を行うことができない場合）

第8条 法第947条（電子公告関係規定において準用する場合を含む。以下この条において同じ。）の法務省令で定める場合は，次に掲げる場合とする。

一 法第947条各号に掲げる者又はその理事等（理事，取締役，執行役，業務を執行する社員，監事若しくは監査役又はこれらに準ずる者をいう。以下この条において同じ。）が，公告を電子公告により行う者から，自己の使用するサーバを公告サーバとすることの委託を受けたとき。

二 公告を電子公告により行う者が当該公告につき第三者に対してその者の使用するサーバを公告サーバとすることを委託した場合において，法第947条各号に掲げる者又はその理事等が当該委託契約の締結の代理又は媒介をしたとき。

三 法第947条各号に掲げる者又はその理事等が，公告サーバの賃貸人であるとき（第1号に規定する場合を除く。）。

四 法第947条各号に掲げる者又はその理事等が，公告を電子公告により行う者の委託を受けて公告情報を作成したとき。

第8条（電子公告調査を行うことができない場合）　1301

　調査機関は，当該調査機関，当該調査機関が株式会社である場合における親株式会社（当該調査機関を子会社とする株式会社），理事等または職員（過去2年間にそのいずれかであった者を含む）が当該調査機関の理事等に占める割合が2分の1を超える法人，および理事等または職員（過去2年間にそのいずれかであった者を含む）のうちに当該調査機関（法人であるものを除く）または当該調査機関の代表権を有する理事等が含まれている法人の電子公告による公告またはその者もしくはその理事等が電子公告による公告に関与した場合として法務省令で定める場合における当該公告については，電子公告調査を行うことができない（法947条）。これをうけて，本条は，法947条各号に掲げる「者若しくはその理事等が電子公告による公告に関与した場合として法務省令で定める場合」を定めるものである。

　このように，調査機関の欠格事由が定められているのは，調査機関には，中立的な第三者としての立場からの公正な電子公告調査が求められ，また，調査機関が，中立的な第三者としての立場から公正に電子公告調査を行っているという外観を確保する必要があるためである。したがって，調査機関と調査委託者等との関係からみて，中立性・第三者性あるいは公正性が類型的に損なわれる可能性がある場合には，その調査機関は電子公告調査をすることができないものとされている。

　①当該調査機関もしくはそれを支配する地位にある法人（法947条各号に掲げる者）またはその理事等（理事，取締役，執行役，業務を執行する社員，監事若しくは監査役またはこれらに準ずる者）が，公告を電子公告により行う者から，自己の使用するサーバを公告サーバとすることの委託を受けたとき（1号），②公告を電子公告により行う者が当該公告につき第三者に対してその者の使用するサーバを公告サーバとすることを委託した場合において，当該調査機関もしくはそれを支配する地位にある法人またはその理事等が当該委託契約の締結の代理または媒介をしたとき（2号），または，③当該調査機関もしくはそれを支配する地位にある法人またはその理事等が，公告サーバの賃貸人であるとき（①を除く。3号）において，公告サーバの不良や故障によって公告の中断時間が公告期間の10分の1を超えた場合には電子公告をやり直さなければならないという事態が生ずると，いずれの場合にも，当該調査機関もしくはそれを支配する地位にある法人またはその理事等が，公告を電子公告により行う者から責任を追及されるおそれがあるため，中立な第三者の立場から公正に電子公告調査を行えない可能性があるからである（始関・商事法務1721号69頁）。

また，当該調査機関もしくはそれを支配する地位にある法人またはその理事等が，公告を電子公告により行う者の委託を受けて公告情報を作成したとき（4号）には，その作成した公告情報が会社法などの法令に適合していないために，電子公告をやり直さなければならないという事態が生ずると，当該調査機関もしくはそれを支配する地位にある法人またはその理事等が，公告を電子公告により行う者から責任を追及されるおそれがあるため，中立な第三者の立場から公正に電子公告調査を行うことを期待することができないからである（始関・商事法務1721号69頁）。

（事業所の変更の届出）
第9条 調査機関は，法第948条の規定による届出をしようとするときは，別紙様式第2号による届出書を法務大臣に提出しなければならない。

本条は，法948条が「調査機関は，電子公告調査を行う事業所の所在地を変更しようとするときは，変更しようとする日の2週間前までに，法務大臣に届け出なければならない」と定めていることをうけて，届出の様式を定めるものである。法務大臣が立入調査権（法958条）を適切に行使するためには，調査機関の事業所の所在地を把握しておく必要があるし，電子公告調査を行う事業所の所在地は調査機関登録簿の記載事項の1つ（法944条2項3号）とされ，利害関係人および一般大衆が調査機関について知ることができるべき最小限度の情報の1つである以上，事業所の所在地の変更を法務大臣にあらかじめ届出をさせる必要があるからである。

（業務規程）
第10条 調査機関は，法第949条第1項の規定による届出をしようとするときは，別紙様式第3号による届出書を法務大臣に提出しなければならない。
2　法第949条第2項の法務省令で定める事項は，次に掲げるものとする。
　一　電子公告調査の求めの受付の時間及び休日に関する事項
　二　電子公告調査を求める方法に関する事項
　三　電子公告調査の業務に係る事業所（当該事業所の所在地以外の場所に電子計算機を設置する施設があるときは，当該施設を含む。）に関する事項
　四　電子公告調査の料金に関する事項

別紙様式第2号

　　　　　　　　　　事業所の所在地の変更届出書

　　　　　　　　　　　　　　　　　　　　　　　　年　　月　　日
法務大臣　殿
　　　　　　　　　　住所，本店又は主たる事務所
　　　　　　　　　　氏名，商号又は名称
　　　　　　　　　　（法人であるときは，代表者の役職及び氏名）

　電子公告調査を行う事業所の所在地を変更するので，会社法第948条の規定により，下記のとおり届け出ます。

　　　　　　　　　　　　　　記

1　変更予定年月日

2　電子公告調査を行う事業所の所在地

変更前	
変更後	

（注）地番まで記載すること。

3　変更の理由

（備考）
　1　用紙の大きさは，日本産業規格Ａ4とすること。
　2　不要の文字は，消除すること。

五　法第951条第２項（電子公告関係規定において準用する場合を含む。）及び第955条第２項（電子公告関係規定において準用する場合を含む。）に規定する費用に関する事項
六　電子公告調査の業務に係る情報セキュリティ対策に関する事項
七　電子公告調査の実施方法に係る次に掲げる事項
　イ　電子公告調査の業務の手順に関する事項
　ロ　電子公告調査の業務に従事する者の責任及び権限並びに指揮命令系統に関する事項
　ハ　電子公告調査の業務に従事する者に対する教育及び訓練に関する事項
　ニ　電子公告調査の業務の監査に関する事項
　ホ　その他電子公告調査の業務の実施方法に関し必要な事項
八　調査結果通知に関する事項
九　調査記録簿等の管理及び保存に関する事項
十　次に掲げる記録の作成及び保存に関する事項
　イ　第４条第２項第４号に掲げる書面の変更記録
　ロ　電子計算機が設置された区域への立入りに関する記録（映像によるものを除く。）
　ハ　電子計算機の操作に関する許諾及び当該許諾に係る識別符号に関する記録
　ニ　電子計算機の動作に関する記録
　ホ　電子計算機及びプログラムについて，不正アクセス行為（不正アクセス行為の禁止等に関する法律第３条に規定する不正アクセス行為をいう。）を受けたときにおける当該不正アクセス行為に係る記録
　ヘ　電子計算機その他の設備の維持管理に関する記録
　ト　電子公告調査の業務に従事する者に対する教育及び訓練の実施結果に関する記録
　チ　電子公告調査の業務に係る事故に関する記録
　リ　電子公告調査の業務の監査の実施結果に関する記録
　ヌ　イからリまでに掲げる記録の管理に関する記録
十一　その他電子公告調査の業務の実施に関し必要な事項
3　前項第10号に規定する事項は，同号イ，ハ及びホからヌまでに掲げる記録にあってはその作成の日から３年間，同号ロ及びニに掲げる記録にあってはその作成の日から１年間保存する旨を含むものでなければならない。

調査機関は，電子公告調査の業務に関する規程（業務規程）を定め，電子公告調査の業務の開始前に，法務大臣に届け出なければならず，この業務規程を変更しようとするときも，法務大臣に届け出なければならないが，業務規程には，電子公告調査の実施方法，電子公告調査に関する料金その他の法務省令で定める事項を定めておかなければならない（法949条）。これは，法務大臣が，適合命令（法952条）や改善命令（法953条）をはじめとする調査機関に対する監督権限を適切に行使するためには，調査機関がどのような規程に基づいて，電子公告調査に関する業務を行っているのかを把握する必要があるからである（始関・商事法務1721号69頁）。本条は，これをうけて，調査機関が業務規程に定めなければならない「法務省令で定める事項」を定めるものである。

1　電子公告調査の求めの受付の時間および休日に関する事項（2項1号）

　たとえば，「電子公告調査の求めの受付けの時間は，午前9時から午後5時までとする。休日は，日曜日，土曜日，国民の祝日に関する法律（昭和23年法律第178号）に規定する休日，12月29日から翌年の1月3日までの日とする。」というように定めることになろう。

2　電子公告調査を求める方法に関する事項（2項2号）

　たとえば，「電子公告調査を求めようとする会社・法人（以下，「調査委託者」という。）は，利用者登録申込みをした上で，公告期間開始日の5営業日前（インターネットを経由して提出する場合には4営業日前の午前9時）までに，弊社ウェブサイト上に掲載する所定の「電子公告調査申込書」に必要事項を記載または記録し，必要な添付書面（またはその内容である電磁的記録）とともに，郵送により，またはインターネットを経由して，弊社に提出しなければならない。調査委託者は，調査の申込みとともに，公告情報を，電磁的記録として，弊社に提出しなければならない。」というように定めることになろう。

3　電子公告調査の業務を行う事業所に関する事項（2項3号）

　たとえば，「電子公告調査の業務を行う事業所は，○○○（事業所の住所）とする。」というように定めることになろう。

　なお，「電子公告調査機関の登録及び登録の更新に係る基準」（法務省民商第63号）は，(a)法941条および規則3条の規定による調査申請者からの求めを受ける事業所または事務所その他の施設の所在場所，(b)法946条3項および規則

別紙様式第3号

業務規定（変更）届出書

年　　月　　日

法務大臣　殿

　　　　　　　住所，本店又は主たる事務所
　　　　　　　氏名，商号又は名称
　　　　　　　（法人であるときは，代表者の役職及び氏名）

　電子公告調査の業務に関する規定を定めた（変更する）ので，会社法第949条第1項の規定により，下記のとおり届け出ます。

記

1　作成（変更予定）年月日

2　変更しようとする箇所及び理由（変更の場合のみ）

3　添付書類
　　業務規程　1通

（備考）
　1　用紙の大きさは，日本産業規格Ａ4とすること。
　2　不要の文字は，消除すること。

6条の規定による法務大臣に対する報告を行う事業所または事務所その他の施設の所在場所，(c)規則5条の規定による電子公告調査の業務を行う事業所または事務所その他の施設の所在場所，(d)規則7条の規定による調査結果通知を作成し，当該調査結果通知を行う事業所または事務所その他の施設の所在場所，(e)電子公告調査システムの監視を行う事業所または事務所その他の施設の所在場所，(f)電子公告調査の業務に係る代理店や業務提携先がある場合には，当該施設の所在場所（外部委託先を含む）を明確に定めることを求めている（第4・1(1)）。

4　電子公告調査の料金に関する事項（2項4号）

　たとえば，「1件当たり，公告期間が3カ月未満の場合は○○万円（消費税込），公告期間が3カ月以上の場合は○○万円（消費税込）とする。」というように定めることが考えられる。

5　調査機関の財務諸表等の謄本・抄本の交付の請求，財務諸表等が電磁的記録をもって作成されている場合の当該電磁的記録に記録された事項を電磁的方法により提供することの請求または当該事項を記載した書面の交付の請求，調査記録簿等が書面をもって作成されている場合の調査記録簿等の写しの請求，または，調査記録簿等が電磁的記録をもって作成されている場合の当該電磁的記録に記録された事項を電磁的方法により提供することの請求または当該事項を記載した書面の交付の請求に係る費用に関する事項（2項5号）

　たとえば，以下のような定めをすることが考えられる。

(a)　会社法第951条第2項に規定する請求に関する費用は次のとおりとする。
　書面による交付請求
　A4判1枚につき，○○○円（消費税込）
(b)　会社法第955条第2項に規定する請求に関する費用は次のとおりとする。
　書面による交付請求および磁気ディスクによる交付請求，いずれも，電子公告調査1件につき，○○○円（消費税込）
　なお，郵送に要する実費を別途必要とする。

6　電子公告調査の業務に係る情報セキュリティ対策に関する事項（2項6号）

「電子公告調査機関の登録及び登録の更新に係る基準」（法務省民商第63号）は，調査機関として法務大臣の登録を受けようとする者は，情報セキュリティマネジメントシステムを構築し，原則としてISO27000等の第三者認証を取得し，会社法および電子公告規則の規定に基づき適正な電子公告調査の業務を行うための組織体制を有していることを要求するとともに（第1），(a)電子公告調査の業務を適正に行うために必要となる情報セキュリティ対策を講ずるために必要な要員を有していること，(b)(a)の要員の職務および権限ならびに指揮命令系統を明確に定めていること，(c)最高情報セキュリティ責任者（調査機関における情報セキュリティ対策を統括し，情報セキュリティ対策に係る最終的な責任者）を置いていること（最高情報セキュリティ責任者は，調査機関の職員でなければならず，また，原則として，電子公告調査の業務と情報システムに関する業務には直接関与しないものとしていること），(d)情報セキュリティ責任者（主として業務要員に対する教育，訓練，助言および指示を行う者）を置いていること（情報セキュリティ責任者は，調査機関の職員でなければならず，また，原則として，電子公告調査の業務と情報システムに関する業務には直接関与しないものとしていること），および，(e)情報資産（調査機関にとって価値のある顧客情報，財務経営情報，調査結果情報その他の情報のうち情報システム内部または外部記録媒体に記録された情報（当該情報が書面に記載されているもの）および調査機関が保有する情報システム）の保全のため，同一要員に業務機能または権限が集中しないよう，権限と役割の分散を図り，相互牽制の機能を有する体制を確保していることを求めている（第2・2）。

また，(i)電子公告調査の業務に必要な情報セキュリティ管理方針を定め，当該方針を書面または記録（電子公告制度および電子公告調査業務の概要，情報セキュリティ管理の方針および実施手順，情報セキュリティ管理体制ならびに情報セキュリティ管理業務の内容を含む）として作成し，3項に定める期間保存するものとしていること，(ii)業務要員が情報セキュリティ管理方針およびその実施手順を理解することができるよう，業務要員に対し，情報セキュリティ管理方針およびその実施手順に関する教育および訓練を行うとともに，当該教育または訓練を行った場合には，その記録を作成し，3項に定める期間保存するものとしていること，(iii)業務要員が情報セキュリティ管理方針およびその実施手順を遵守するため，職務規程その他の規程において，情報セキュリティ管理方針およびその実施手順に関する遵守事項を定め，かつ，情報セキュリティ管理方針お

よびその実施手順に違反した場合における罰則規定を設けていること，(iv)電子公告調査システムの変更や新たな情報セキュリティに係る脅威等に伴い，情報セキュリティ管理方針およびその実施手順について，定期的な評価および見直しを行うとともに，その結果に基づき適切な改善対策を講ずるものとしていることも求めている（第5）。

7　電子公告調査の実施方法に係る事項（2項7号）

電子公告調査の業務の手順に関する事項，電子公告調査の業務に従事する者の責任および権限ならびに指揮命令系統に関する事項，電子公告調査の業務に従事する者に対する教育および訓練に関する事項，電子公告調査の業務の監査に関する事項その他電子公告調査の業務の実施方法に関し必要な事項が挙げられている。

なお，「電子公告調査機関の登録及び登録の更新に係る基準」（法務省民商第63号）は，(a)電子公告調査の業務の具体的内容および手順を明確に定め，当該手順を書面または記録として作成し，3項に定める期間保存するものとしていること，(b)正常時だけでなく，公告情報の情報入手作業ができない場合や情報入手作業により取得した情報と調査委託者から示された公告情報とが異なる場合などの異常時を想定した手順についても，明確に定めていること，(c)電子公告調査の業務を行う上での留意事項が明確にされているとともに，業務要員に対する教育計画を定め，当該計画を書面または記録として作成し，3項に定める期間保存するものとしているとともに，当該教育計画に基づき，業務要員に対して適切な教育を行うとともに，(d)当該教育を実施した場合には，その結果の記録を作成し，3項に定める期間保存するものとしていること，ならびに，(e)電子公告調査の業務について定期的な内部監査を実施し，当該監査の結果の記録を作成し，3項に定める期間保存するとともに，監査結果に基づき改善の必要があると認められるときは，適切な対策を講ずるものとしていることを求めている（第4・1）。

8　調査結果通知に関する事項（2項8号）

たとえば，「弊社は，電子公告調査の期間が終了した場合は，すみやかに調査申込会社等に対し，電子公告規則第7条第1項の規定による書面による電子公告調査結果通知書2通を交付する。電子公告規則第7条第2項各号に定める方法による電子公告調査結果通知は，調査申込会社等が希望した場合にのみ交

付する。この場合，電子公告規則第7条第3項の規定に従った弊社代表者の電子署名を付与した電磁的記録を交付する。」というように定めることになろう。

9　調査記録簿等の管理および保存に関する事項（2項9号）

13条4項をふまえて，たとえば，「会社法第955条第1項に規定する帳簿（調査記録簿等）は，電磁的記録によって調製し，その入力，閲覧，印刷には，パスワードの入力が必要となる設定を行う。また，調査記録簿等の電磁的記録は，各公告期間満了後10年間保存する。」というように定めることになろう。

10　一定の記録の作成および保存に関する事項（2項10号・3項）

(a)電子公告調査の業務を適正に行うために必要な情報セキュリティ対策を講じていることを説明する書面の変更記録，(b)電子計算機が設置された区域への立入りに関する記録（映像によるものを除く），(c)電子計算機の操作に関する許諾および当該許諾に係る識別符号に関する記録，(d)電子計算機の動作に関する記録，(e)電子計算機およびプログラムについて，不正アクセス行為（不正アクセス行為の禁止等に関する法律3条に規定する不正アクセス行為）を受けたときにおける当該不正アクセス行為に係る記録，(f)電子計算機その他の設備の維持管理に関する記録，(g)電子公告調査の業務に従事する者に対する教育および訓練の実施結果に関する記録，(h)電子公告調査の業務に係る事故に関する記録，(i)電子公告調査の業務の監査の実施結果に関する記録ならびに(j)(a)から(i)までに掲げる記録の管理に関する記録の作成および保存に関する事項について業務規程に定めることが求められている。そして，業務規程の当該規定には，(a)，(c)および(e)から(j)の記録についてはその作成の日から3年間，(b)および(d)の記録についてはその作成の日から1年間，それぞれ保存する旨を含めなければならないとされている（3項）。

11　その他電子公告調査の業務の実施に関し必要な事項（2項11号）

たとえば，調査機関から調査委託者への通知の方法（「弊社は，電子公告調査サービスのための弊社ウェブサイトへの掲示その他弊社が適当と判断する方法・範囲で，利用者が電子公告調査サービスを利用するうえで必要な事項を通知するものとする。通知は，弊社が当該通知の内容を電子公告調査サービスのための弊社ホームページに掲示した時点から効力を有するものとする。また，通知を郵送により実施した場合には，当該通知が利用者に到達した時点から効力を有するものとする。

ただし，弊社の責によらない事由により当該通知が利用者に到達しなかった場合には，当該通知を弊社が発信した時点から効力を有するものとみなす」というような定め），調査委託者から調査機関への通知の方法，電子公告調査契約の成立に関する事項（「弊社は，利用者からの新規調査申込みに対し，その内容を審査し，調査可能であると判断した場合，「電子公告申込審査結果通知書」の発行を通知する電子メールの送信または「電子公告申込審査結果通知書」の発送のときをもって利用契約の成立とする」というような定め），電子公告調査の中断と廃止，機密保持についてのポリシーのほか，電子公告調査の対象となる公告ページの構成，ファイルの種類，ファイルの数およびファイルのサイズなど定めることも考えられる。

電子公告調査の中断と廃止については，以下のような事項が考えられよう。

(a) 弊社は，次の各号のいずれかに該当する場合には，利用者への事前の連絡又は承諾を要することなく，電子公告調査を中断することができるものとする。
(1) 電子公告調査用設備等の故障等により保守を行う場合
(2) 運用上又は技術上の理由でやむを得ない場合
(3) その他天災地変等不可抗力により電子公告調査を行うことができない場合
(b) 弊社は，次の各号のいずれかに該当する場合，電子公告調査業務の全部又は一部を廃止するものとし，廃止日をもって利用契約の全部又は一部を解約することができるものとする。
(1) 廃止日の30日前までに利用者に通知した場合
(2) 天災地変等不可抗力により電子公告調査を行うことができない場合

―(電子公告調査の業務の休廃止の届出)――
第11条 調査機関は，法第950条の規定による届出をしようとするときは，別紙様式第4号による届出書を法務大臣に提出しなければならない。
2 調査機関が電子公告調査の業務の全部を廃止しようとする場合には，他の調査機関への調査記録簿等の引継ぎをしたことを証する書面を前項の届出書に添付しなければならない。

調査機関は、電子公告調査の業務の全部または一部を休止し、または廃止しようとするときは、法務省令で定めるところにより、あらかじめ、その旨を法務大臣に届け出なければならない（法950条）。本条は、これをうけて、調査機関が、電子公告調査の業務の全部または一部を休止し、または廃止しようとするときの届出について定めるものである。これは、法務大臣は、調査機関の登録をしたときは、その旨を官報に公告するものとされており（法959条1号）、電子公告を行おうとする会社等としては、登録を受けている調査機関のうち、どの調査機関が現に調査機関として活動しているのかを知る必要があるからである。そこで、法務大臣は、事業所の所在地の変更、調査機関の業務の休止・廃止に関して官報で公告をするものとされているが（同条3号）、この公告は、業務の休廃止の届出があった旨の公告なので、調査機関から業務の休廃止の届出を受けなければ、公告しようがないからである（始関・商事法務1721号70頁参照）。また、法務大臣が、調査機関に対する監督権限を適切に行使するという観点からも（法952条～954条・958条）、法務大臣としては調査機関の業務の休廃止を事前に把握しておく必要があるからである。

1 届出書の提出（1項）

電子公告調査の業務の全部または一部の休止または廃止の届出は、①休止し、または廃止しようとする電子公告調査の業務の範囲、②休止し、または廃止しようとする年月日および休止しようとする場合にあっては、その期間、および、③休止または廃止の理由を記載した届出書を法務大臣に提出することによりしなければならないものとされている。①および②は、電子公告をしようとする会社等が当該調査機関に電子公告調査を依頼できるかどうかを判断する上でも必要な情報であるが、③は、主として、法務大臣の監督権限の行使との関連で意義を有するものと推測される。

2 帳簿等の引継ぎを証する書面の添付（2項）

調査機関が電子公告調査の業務の全部を廃止しようとする場合には、他の調査機関への調査記録簿等の引継ぎをしたことを証する書面を届出書に添付しなければならないとされているのは、調査機関が引継ぎをしないで業務を廃止することを防止するためである（始関・商事法務1721号70頁）。すなわち、調査機関は調査記録またはこれに準ずるものとして法務省令で定めるもの（調査記録簿等［→13条］）を備え、電子公告調査に関し法務省令で定めるものを記載・記

第11条(電子公告調査の業務の休廃止の届出) 1313

別紙様式第4号

業務の廃止(休止)届出書

年　月　日

法務大臣　殿

　　　　　　　　　住所,本店又は主たる事務所
　　　　　　　　　氏名,商号又は名称
　　　　　　　　　(法人であるときは,代表者の役職及び氏名)

　電子公告調査の業務を廃止(休止)するので,会社法第950条の規定により,下記のとおり届け出ます。

記

1　廃止(休止)しようとする業務の範囲

2　廃止(休止)しようとする年月日(及び休止しようとする場合にあっては,その期間)

3　廃止(休止)の理由

4　添付書類
　他の調査機関への調査記録簿等の引継ぎをしたことを証する書面(業務の全部の廃止の場合に限る。)

(備考)
　1　用紙の大きさは,日本産業規格A4とすること。
　2　不要の文字は,消除すること。

録し、かつ、当該調査記録簿を保存しなければならないとされ（法955条1項）、しかも、調査機関は、電子公告業務の全部の廃止をしようとするとき、または登録を取り消されたときは、その保存している調査記録簿等を他の調査機関に引き継がなければならないものとされ（法956条1項）、引継ぎを受けた調査機関は、その調査記録簿等を保存しなければならないものとされているが（同条2項）、このような引継義務の履行を担保するために本項が定められている。

(財務諸表等の開示の方法)

第12条 法第951条第2項第3号（電子公告関係規定において準用する場合を含む。）の法務省令で定める方法は、同号の電磁的記録に記録された事項を紙面又は映像面に表示する方法とする。

　調査機関が調査の途中で倒産等により電子公告調査を行うことができなくなるような事態が生ずると、電子公告調査を委託した会社等にとっての不利益は大きいし、また、調査機関が何らかの過誤を犯した場合に調査委託者としては損害賠償を調査機関に求めることになると考えられるから、電子公告をしようとする会社にとって、調査機関の財務内容は重要な情報の1つでありうる。

　そこで、調査委託者その他の利害関係人は、調査機関に対し、その業務時間内は、いつでも、財務諸表等が書面をもって作成されているときは、その書面の閲覧または謄写の請求およびその書面の謄本または抄本の交付の請求、財務諸表等が電磁的記録をもって作成されているときは、その電磁的記録に記録された事項を法務省令で定める方法により表示したものの閲覧または謄写の請求およびその電磁的記録に記録された事項を電磁的方法であって調査機関の定めたものにより提供することの請求または当該事項を記載した書面の交付の請求をすることができるものとされている（法951条2項）。これをうけて、本条は、「電磁的記録に記録された事項を法務省令で定める方法により表示したものの閲覧又は謄写の請求」（同項3号）に関して、その電磁的記録に記録された事項を紙面または映像面に表示する方法を「法務省令で定める方法」として定めている。

(調査記録簿等の記載等)

第13条 法第955条第1項の調査記録に準ずるものとして法務省令で定めるもの

は，磁気ディスク（これに準ずる方法により一定の事項を確実に記録することができる物を含む。）とする。
  2　法第955条第1項の電子公告調査に関し法務省令で定めるものは，次に掲げるものとする。
　　一　第3条第1項各号に掲げる事項（調査機関が業務規程で定めるところにより，これらの事項のいずれかを変更する旨の通知がされた場合にあっては，当該通知に係る変更後のもの及び変更の日時を含む。）
　　二　電子公告調査を求められた年月日
　　三　電子公告調査の業務を行った事業所の所在地
　　四　電子公告調査を行った職員の氏名（第5条第1項第5号に規定するものを除く。）
　　五　第5条第1項各号の規定により電磁的記録として記録した事項
　　六　第5条第4項の規定により電磁的記録として記録（当該記録をすることができなかった場合にあっては，書面に記載）した事項
  3　調査記録簿等への前項に掲げる事項の記載又は記録は，電子公告調査の求めごとにしなければならない。
  4　調査機関は，第2項に掲げる事項を記載し，又は記録した調査記録簿等を，電子公告調査の求めに係る電子公告による公告の公告期間の満了後10年間保存しなければならない。法第956条第1項の規定により調査記録簿等の引継ぎを受けた調査機関についても，同様とする。

　電子公告調査制度は，電子公告による公告が適法に行われたか否かについての客観的な証拠を残すことにあり，法務大臣が調査機関に対する監督権限を適切に行使するためには，調査機関がどのように電子公告調査を行ったのかについての情報を必要とするため，調査機関は，法務省令で定めるところにより，調査記録またはこれに準ずるものとして法務省令で定めるものを備え，電子公告調査に関し法務省令で定めるものを記載し，または記録し，かつ，当該調査記録簿等を保存しなければならず（法955条1項），当該調査記録簿等は利害関係人に対して開示されるべきものとされている（同条2項）。本条は，法955条1項をうけて，調査記録簿の作成・記録・記載および保存について定めるものである。

1　調査記録簿等（1項）

　法955条1項にいう「調査記録」が何を意味するのかは，直接的には，文言

上明らかにされていないが(「調査記録簿」とすべきだったのではないかと思われる。始関・商事法務1721号74頁(注10)では,「帳簿自体も磁気ディスク等を用いて作成することが可能であるが,帳簿は,本来的には,一定の事項を整序して記帳していくものであるところ,公告サーバからの受信情報の原データなどは帳簿に記帳するという概念に当てはまりにくいと考えられた」と指摘されているところ,単なる「調査記録」であれば,公告サーバからの受信情報の原データなどが含まれてもまったく不自然ではなく,そうであれば「調査記録……に準ずるものとして法務省令で定めるもの」という概念は不要であると思われる),調査記録または「これに準ずるものとして法務省令で定めるもの」を調査記録簿等と呼んでいることから推測すると,「調査記録」は帳簿を意味すると考えられる。平成17年改正前商法471条が「帳簿……」と定めていたところ,会社法において,この点について実質的な変更を加えたという立案担当者の説明もないようであるし,法制審議会会社法(現代化関係)部会においても,変更を加えるべきであるという議論はなかったので,このように解することが穏当であろう。本項は,磁気ディスク(これに準ずる方法により一定の事項を確実に記録することができる物を含む)を調査記録簿に「準ずるものとして法務省令で定めるもの」としている。

　これは,調査機関には,電子公告調査にあたって,電子計算機を用いて調査をし,原則として,その調査結果を電磁的記録として記録することが求められており(5条),公告サーバからの受信情報を含め,そのような電磁的記録を,電磁的記録の形で保存し,かつ,開示の対象とすることを認めることが適当だからである。

　ここで,磁気ディスク(これに準ずる方法により一定の事項を確実に記録することができる物を含む)とされているのは,施規224条と整合を図ったものと考えられる。そして,磁気ディスクにはフロッピー・ディスクなどが含まれるが,「これに準ずる方法により一定の情報を確実に記録しておくことができる物」には,磁気テープ,磁気ドラムのように磁気的方法により情報を記録するための媒体,ICカードやUSBメモリなどのような電子的方法により情報を記録するための媒体,CD-ROM,DVD-ROMなどのような光学的方式により情報を記録するための媒体が含まれる。

2　調査記録簿等への記載・記録（2項・3項）

　調査記録簿等には,①調査申請者の氏名または商号もしくは名称,住所または本店もしくは主たる事務所の所在場所および代表者の氏名(当該代表者が法

第13条（調査記録簿等の記載等）　1317

人である場合にあっては，当該法人の名称およびその職務を行うべき者の氏名），調査申請者に係る登記アドレス（貸借対照表等の公告のためのものを除く），および，電子公告調査の求めに係る電子公告に係る公告アドレス・公告期間・公告しようとする内容である情報・公告すべき内容を規定した法令の条項（調査機関が業務規程で定めるところにより，これらの事項のいずれかを変更する旨の通知がされた場合には，当該通知に係る変更後のものおよび変更の日時を含む），②電子公告調査を求められた年月日，③電子公告調査の業務を行った事業所の所在地，④電子公告調査を行った職員の氏名（5条1項5号に規定するものを除く），⑤(a)情報入手作業の結果，公告サーバから情報を受信することができた場合には，その日時，受信情報および情報入手作業の際に電子計算機に入力した公告アドレスとして電磁的記録として記録したもの，および，受信情報と公告情報とを比較して，両者が同一であるかどうかを判定した結果および日時として電磁的記録として記録したもの，または，調査機関の職員が，受信情報内容と公告情報内容とが同一であるかどうかを判定した上，その判定の結果および日時として電磁的記録として記録したもの，(b)公告サーバから情報を受信することができなかった場合には，その旨，その日時および情報入手作業の際に電子計算機に入力した公告アドレスとして電磁的記録として記録したもの，公告サーバから情報を受信することができなかった場合または電子計算機が登記アドレスからたどることによる情報入手作業を自動的に行うことができなかった場合には，調査機関の職員が手動で情報入手作業を行い，(a)または(b)の場合に電磁的記録として記録されるものを電磁的記録として記録したもの，登記アドレスと公告アドレスとが異なる場合に，公告ページが，登記アドレスを電子計算機に入力することにより当該電子計算機の映像面に表示される指示（料金の徴収または識別符号の入力に係る指示を除く）に従った操作を行うことによって当該映像面に表示されるかどうかを，公告期間中任意の時期に，同一の公告アドレスについて1回以上調査した結果および日時として電磁的記録として記録したもの，ならびに，5条1項2号もしくは3号に掲げる作業を行った場合または同項4号に規定する作業を調査機関の職員が電子計算機を手動により操作して行った場合における当該作業を行った調査機関の職員の氏名として電磁的記録として記録したもの，⑥電子計算機の故障その他の事由により，情報入手作業または受信情報・受信情報内容と公告情報・公告情報内容との同一性の判定をすることができなかった場合には，その旨およびその日時として電磁的記録として記録（電磁的記録として記録をすることができなかった場合には，書面に記

載）したものを，それぞれ記載・記録しなければならないものとされている。

　①および②を記載・記録すべきこととされているのは，どの電子公告についての電子公告調査に関する記録であるかを明らかにするためである。③および④の記載・記録が要求されているのは，その電子公告調査について責任を有する事業所および職員を明らかにすることができれば，立入検査（法958条）を実効的に行う手がかりとなる可能性があるからであろう。⑤は電子公告調査の結果であるから，当然に調査記録簿等に記載・記録されるべきであるし，⑥も電子公告調査を行うことができなかったという意味においては，電子公告調査の結果にほかならないので，記載・記録をする必要がある。

　なお，調査記録簿等への2項に掲げる事項の記載・記録は，電子公告調査の求めごとにしなければならないとされているのは，調査委託者その他の利害関係人の開示請求（法955条2項）に適切かつ速やかに応ずることができるようにするためであると説明されている（始関・商事法務1721号74頁注11）。

3　調査記録簿の保存期間（4項）

　調査記録簿等の保存期間が電子公告調査の求めに係る電子公告による公告の公告期間の満了後10年とされているのは，電子公告調査に関する情報を利害関係人が紛争の解決等に利用することができるようにするという観点から，一般の債権の消滅時効期間である10年に合わせたと説明されている（始関・商事法務1721号71頁）。なお，会社法においては，会計帳簿の保存期間は会計帳簿の閉鎖の時から10年（法432条2項），計算書類およびその附属明細書の保存期間は計算書類の作成の時から10年間（法435条4項），清算株式会社・清算持分会社の帳簿資料の保存期間は清算結了の登記の時から10年間（法508条1項・3項・672条1項・2項・4項）とされており，また，各種議事録等の本店備置期間は10年とされており（法81条2項・82条2項・86条・318条2項・319条2項・325条・371条1項・394条1項・399条の11第1項・413条1項・490条5項・731条2項），これらとも平仄がとられているということができる。

（立入検査の証明書）

第14条　法第958条第2項の証明書は，別紙様式第5号によるものとする。

　法務大臣は，会社法の施行に必要な限度において，その職員に，調査機関の

事務所もしくは事業所に立ち入り，業務の状況もしくは帳簿，書類その他の物件を検査させることができるが（法958条1項），この場合には，職員は，その身分を示す証明書を携帯し，関係人にこれを提示しなければならない（同条2項）とされている。そこで，立入検査に際して職員が携帯すべき証明書の様式を定めるのが本条である。

本条の規定は，平成21年法務省令第1号による改正によって設けられたものであるが，総務省行政評価局「検査・調査等業務従事者の身分確認に関する調査結果報告書」（平成18年4月）における指摘（本人確認事項（氏名，顔写真および生年月日）のうち，氏名とともに従事者本人かどうかの同一性を確認する上で重要な要素である顔写真および生年月日を表記することとしていない身分証を有する府省においては，立入検査の実施方法，実施頻度等の実態を踏まえ，身分証に顔写真および生年月日を表記することとする見直しを行うか，または，身分証に併せて顔写真および生年月日付きの職員証を携行し，必要に応じて提示することを訓令で義務付けるかのいずれかの措置を講ずること／調査権限事項（名称，所属部局または職名および根拠法令）および適正管理事項（管理番号，発行日および有効期限）のうち，所属部局または職名，根拠法令，管理番号および発行日を表記すること と

別紙様式第5号

表　面

写真	第　　号 立　入　検　査　証 職　名 氏　名 生年月日　　　年　月　日生 発行日　　　　年　月　日 有効期限　　　年　月　日まで

　上記の者は，会社法第958条第1項の規定に基づく検査に従事する法務省の職員であることを証明する。

　　　　　　　　　　　　　　　　法務大臣　　㊞

（備考）
　用紙の大きさは，日本産業規格A7とする。

1320　電子公告規則

裏　　　面

会社法（平成17年法律第86号）抜粋
　（報告及び検査）
第958条　法務大臣は，この法律の施行に必要な限度において，調査機関に対し，その業務若しくは経理の状況に関し報告をさせ，又はその職員に，調査機関の事務所若しくは事業所に立ち入り，業務の状況若しくは帳簿，書類その他の物件を検査させることができる。
２　前項の規定により職員が立入検査をする場合には，その身分を示す証明書を携帯し，関係人にこれを提示しなければならない。
３　第１項の規定による立入検査の権限は，犯罪捜査のために認められたものと解釈してはならない。
　（虚偽届出等の罪）
第974条　次のいずれかに該当する者は，30万円以下の罰金に処する。
　　一・二　（略）
　　三　第958条第１項の規定による報告をせず，若しくは虚偽の報告をし，又は同項の規定による検査を拒み，妨げ，若しくは忌避した者
　（両罰規程）
第975条　法人の代表者又は法人若しくは人の代理人，使用人その他の従業者が，その法人又は人の業務に関し，前２条の違反行為をしたときは，行為者を罰するほか，その法人に対しても，各本条の罰金刑を科する。

電子公告規則（平成18年法務省令第14号）抜粋
　（立入検査の証明書）
第14条　法第958条第２項の証明書は，別紙様式第５号によるものとする。

していない身分証を有する府省においては，たとえば立入権限を規定する法令が多数で身分証にそのすべてを記載することが実行上不可能な場合など，特段の理由がある場合を除き，これらを表記することとすること）などを背景とした改正であると推測される。別紙様式第５号によれば，「立入検査証」という名称の身分証とし，顔写真，生年月日，有効期限，権限事項，根拠法令などが明示される。

事項索引

アルファベット

EDINET……………………274, 508, 950, 967, 980, 1014, 1097, 1146, 1183

あ行

委任状勧誘………………………………352
ウェブ開示によるみなし提供………501, 769, 774
親会社…………………………15, 43, 644, 656
親会社株式………………………………152
親会社等………………………………15, 50
──との取引…………644, 742, 750, 754
オンライン会議………109, 381, 561, 592, 608, 757, 760, 813, 878

か行

会計参与報告……………………………567
会社等………………………………………31
過年度事項の修正………………………662
株式交付……………………………………18
株式交付子会社…………………………53
株式の相互保有………………………100, 365
株式の併合……………234, 240, 461, 499
株式引受権…………………………………37
株主総会参考書類……………………353, 386
株主提案…………………………………494
株主の権利の行使に関する財産上の利益の供与……………………………137
簡易株式交付………………………183, 1172
簡易組織再編行為………182, 1078, 1085

監査等委員……………………………420, 439
──の議事録……………………………598
監査等委員会……………………………396
完全親会社……………………………1204
関連会社……………………………………39
関連当事者との取引……………………644
議決権行使
　書面による──……67, 103, 340, 352, 371, 861, 873, 918, 932
　電磁的方法による──……67, 93, 103, 340, 372, 864, 874, 919, 921, 932
議決権行使書面……93, 342, 356, 869, 927
議決権の不統一行使……………………348
議事録
　株主総会の──………………………380
　監査等委員会の──…………………598
　監査役会の──………………………591
　債権者集会の──……………………875
　指名委員会等の──…………………606
　社債権者集会の──…………………933
　清算人会の──………………………812
　創立総会の──………………………108
　取締役会の──………………………560
業績連動報酬等……………………538, 681
共通支配下関係……976, 996, 1009, 1010, 1048, 1068, 1111, 1121, 1132
共通支配下の取引……………………1083
業務執行者…………………………………33
金銭分配請求権…………………………844
決算報告…………………………………848
現物出資…………………57, 278, 281, 283, 326, 327, 330, 332
現物による払込み………………………891

公開会社……………………………………649
合同募集……………………………………891
後発事象……………750, 990, 1000, 1023, 1052,
　　　　　　　　1062, 1071, 1115, 1126, 1135
子会社…………………………………14, 42, 656
　——の株式等の譲渡………………492, 777
子会社等………………………………………14, 49
個別注記表…………………………………644

さ行

債権者集会…………………………………860
　——の議事録………………………………875
債権者集会参考書類…………………860, 865
財産引受………………………………………57
財産目録………………………………818, 881, 882
事後開示………………222, 233, 241, 1039, 1043,
　　　　　　　　1099, 1102, 1151, 1154, 1157, 1158
事後設立……………………………………781
市場価格…………57, 203, 206, 208, 251, 254,
　　　　　　　275, 293, 294, 325, 844, 979, 1013
事前開示………217, 229, 236, 340, 461〜463,
　　　　　　　466, 470, 473, 480, 483, 490,
　　　　　　　961, 974, 994, 1008, 1047, 1057,
　　　　　　　1067, 1109, 1118, 1120, 1131, 1161
四半期報告書……………………260, 274, 300
事務報告……………………………………827
社外監査役……………………………………17
社外取締役………16, 272, 273, 416, 646, 648
社外役員………………………33, 407, 447, 712
社債管理契約………………………………892
社債管理者………………………892, 896, 903, 911
社債管理補助者……………………………893, 894
社債権者集会………………………………917
　——の議事録………………………………933
社債権者集会参考書類……………………923

社債原簿管理人……………………………896
出資の履行の仮装……………60, 118, 285, 334
取得条項付株式……………………………293, 294
取得条項付新株予約権……………………194, 293
取得請求権付株式……………………180, 184,
　　　　　　　　　　　　　　　206, 207, 209
　——の取得………………………………191
種類株主総会………………………………119, 504
種類創立総会………………………………113
譲渡制限株式……………………165, 179, 180,
　　　　　　　　　　　　　185, 191, 265, 306
剰余金の配当……………………737, 939, 942,
　　　　　　　　　　　　　997, 1059, 1122
所在不明株主の株式………………………253, 256
書面による議決権行使………67, 103, 340,
　　　　　　　352, 371, 861, 873, 918, 932
新株予約権…………………………………622, 707
信託社債……………………………38, 546, 895, 904
ストック・オプション……………………707, 722
清算株式会社……………780, 784, 790, 798, 968,
　　　　　　　989, 990, 1002, 1023, 1033, 1038,
　　　　　　　1052, 1062, 1097, 1114, 1116, 1147
責任限定契約………………76, 79, 82, 84, 396,
　　　　　　　　422, 432, 615, 668, 725, 733
責任免除……………………………………456
説明義務……………………………………104, 373
設立費用………………………………………55
全部取得条項付種類株式………………191, 293,
　　　　　　　　　　　　　　　294, 460
　——の取得……………212, 222, 460, 499,
　　　　　　　　939, 942, 997, 1059, 1122
創立総会参考書類……………………………73

た行

貸借対照表……………………………822, 825, 886

事項索引　1323

な行

内部統制システム等…………526, 547, 600, 613, 635, 747, 754, 798, 810

は行

買収防衛策……………………639, 749, 754
パーチェス法………………………1082, 1083
発行登録書…………………260, 274, 300
発行登録追補書類…………260, 274, 300
払込み等の仮装………………………117, 334
半期報告書…………………261, 274, 300
反対株主の株式買取請求…………195, 855
非監査サービス……………………………735
非金銭報酬等………………………539, 682
分割払込み…………………………………890
補欠の会社役員……………………………517
補償契約……………24, 76, 79, 82, 84, 397, 423, 432, 564, 669, 726, 734

ま行

名義書換……………………………………142
目論見書…………………268, 309, 898
持分プーリング法…………………1083, 1084

や行

役員等賠償責任保険契約……76, 79, 82, 84, 397, 424, 433, 627, 695
有価証券届出書……………259, 274, 300
有価証券報告書………260, 274, 300, 949, 967, 979, 982, 1013, 1016, 1019, 1037, 1096, 1146, 1182

退職慰労金………445, 446, 448, 449, 451, 454〜456, 620, 625, 678
代理人の資格………………………………348
単元未満株式………………181, 191, 243, 857
──の買取請求……………………………251
担保付社債…………………………………904
追記事項……………………………………750
テレビ会議………………109, 381, 561, 592, 608, 757, 760, 813, 878
電子公告……………………18, 1209, 1255
電子公告調査……………………………1253
電子署名…………………………………1219
電子提供措置………………40, 267, 350, 363, 505, 506, 510
電子提供措置事項記載書面……………350
電磁的記録…………380, 560, 591, 607, 812, 875, 1217, 1224
電磁的方法…………………19, 98, 356, 871, 930, 1198, 1214, 1216, 1228
──による議決権行使………67, 93, 103, 340, 372, 864, 874, 919, 921, 932
電話会議…………………110, 381, 561, 592, 608, 757, 760, 813, 878
特定関係事業者……………………38, 413
特定監査役…………………………763, 842
特定完全子会社……………………………642
特定完全子法人……………………………785
特定清算人…………………………………842
特定責任………………………………………30
特定責任追及の訴え………………643, 1206
特定取締役…………………………………763
特定目的会社…………………………………51
特別支配会社………………………………785
特別支配株主完全子法人…………………223
特別目的会社…………………………………51
特例有限会社………968, 1037, 1097, 1146

ら行

リスク管理体制……………………………548
臨時計算書類…………987, 1000, 1021, 1050,
　　　　　　　1061, 1070, 1113, 1124, 1134
臨時報告書……………………261, 274, 300
累積投票……………………………114, 520
連結計算書類………………………………661
連結配当規制適用会社………39, 163, 1080,
　　　　　　　　　　　1081, 1084, 1171

判例索引

東京控判昭和 14・1・31 法律新聞 4443 号 10 頁··821, 885
最判昭和 39・12・11 民集 18 巻 10 号 2143 頁···446, 455
最判昭和 44・3・28 民集 23 巻 3 号 645 頁··563, 815
最判昭和 44・10・28 判時 577 号 92 頁···446, 455
最判昭和 48・11・26 判時 722 号 94 頁···446, 455
東京地判昭和 60・9・24 判時 1187 号 126 頁···107, 376, 377
東京高判昭和 61・2・19 判時 1207 号 120 頁···107, 376
最判昭和 61・9・25 金法 1140 号 23 頁···107, 376
大阪地判平成元・4・5 資料版商事法務 61 号 15 頁······································105, 374, 378
大阪高判平成 2・3・30 判時 1360 号 152 頁··378
東京地判平成 2・4・20 判時 1350 号 138 頁···563, 609, 814
福岡地判平成 3・5・14 判時 1392 号 126 頁··377
最判平成 4・9・10 資料版商事法務 102 号 143 頁··563, 609, 814
最判平成 5・9・9 民集 47 巻 7 号 4814 頁··192
最判平成 5・12・16 民集 47 巻 10 号 5423 頁·······················222, 233, 241, 1040, 1041, 1043,
　　　　　　　　　　　　　　　　　　　　　　　　　1044, 1100, 1104, 1149, 1152, 1155, 1185
東京高判平成 8・2・8 資料版商事法務 151 号 143 頁···································563, 609, 814
広島高松江支判平成 8・9・27 資料版商事法務 155 号 48 頁···377
大阪地判平成 12・9・20 判時 1721 号 3 頁···548
東京地判平成 16・5・15 資料版商事法務 243 号 111 頁···378
東京地判平成 16・7・28 判タ 1228 号 269 頁··1202
名古屋地判平成 16・10・29 判時 1881 号 122 頁················991, 1003, 1025, 1054, 1065,
　　　　　　　　　　　　　　　　　　　　　　　　　　　　1073, 1117, 1128, 1137, 1167
東京地決平成 21・9・25 公刊物未登載（平成 21 年㋳第 20069 号）······························557
大阪高判平成 30・2・1 公刊物未登載（平成 29 年（行コ）第 185 号）·······················247
最判令和 2・7・2 民集 74 巻 4 号 1030 頁··663
東京地判令和 3・1・13 金判 1614 号 36 頁···240

弥永真生（やなが　まさお）

〈略歴〉
明治大学政治経済学部，東京大学法学部卒業。
東京大学法学部助手，筑波大学社会科学系講師，助教授，ビジネス科学研究科教授を経て明治大学会計専門職研究科教授。

〈主な著書〉
企業会計法と時価主義（日本評論社，1996）
デリバティブと企業会計法（中央経済社，1998）
会計監査人の責任の限定（有斐閣，2000）
監査人の外観的独立性（商事法務，2002）
「資本」の会計（中央経済社，2003）
会計基準と法（中央経済社，2013）
会計監査人論（同文舘出版，2015）
コンメンタール会社計算規則・商法施行規則［第3版］（商事法務，2017）
リーガルマインド商法総則・商行為法［第3版］（有斐閣，2019）
リーガルマインド会社法［第15版］（有斐閣，2021）

コンメンタール　会社法施行規則・電子公告規則［第3版］

2007年3月25日　初　版第1刷発行
2015年12月10日　第2版第1刷発行
2021年7月27日　第3版第1刷発行

著　者　弥　永　真　生

発行者　石　川　雅　規

発行所　㈱商事法務
〒103-0025　東京都中央区日本橋茅場町 3-9-10
TEL 03-5614-5643・FAX 03-3664-8844〔営業〕
TEL 03-5614-5649〔編集〕
https://www.shojihomu.co.jp/

落丁・乱丁本はお取り替えいたします。　印刷/広研印刷㈱
©2021 Masao Yanaga　Printed in Japan
Shojihomu Co., Ltd.
ISBN978-4-7857-2878-6
＊定価はカバーに表示してあります。

JCOPY ＜出版者著作権管理機構　委託出版物＞
本書の無断複製は著作権法上での例外を除き禁じられています。複製される場合は，そのつど事前に，出版者著作権管理機構（電話 03-5244-5088，FAX 03-5244-5089、e-mail: info@jcopy.or.jp）の許諾を得てください。